中國國家圖書館編

國家圖書館藏敦煌遺書

第三十三冊　北敦〇二三二一號——北敦〇二四〇〇號

北京圖書館出版社

圖書在版編目(CIP)數據

國家圖書館藏敦煌遺書·第三十三册/中國國家圖書館編;任繼愈主編.—北京:北京圖書館出版社,2006.6

ISBN 7-5013-2975-3

Ⅰ.國… Ⅱ.①中…②任… Ⅲ.敦煌學—文獻 Ⅳ.K870.6

中國版本圖書館 CIP 數據核字(2006)第 027550 號

ISBN 7-5013-2975-3

9 787501 329755 >

書　　名　國家圖書館藏敦煌遺書·第三十三册
著　　者　中國國家圖書館編　任繼愈主編
責任編輯　徐　蜀　孫　彦
封面設計　李　璀

出　　版　北京圖書館出版社　(100034　北京西城區文津街 7 號)
發　　行　010-66139745　66151313　66175620　66126153
　　　　　66174391(傳真)　66126156(門市部)
E-mail　cbs@nlc.gov.cn(投稿)　btsfxb@nlc.gov.cn(郵購)
Website　www.nlcpress.com
經　　銷　新華書店
印　　刷　北京文津閣印務有限責任公司

開　　本　八開
印　　張　57
版　　次　2006 年 8 月第 1 版第 1 次印刷
印　　數　1-250 册(套)

書　　號　ISBN 7-5013-2975-3/K·1258
定　　價　990.00 圓

編輯委員會

主　　編　任繼愈
常務副主編　方廣錩
副 主 編　李際寧　張志清
編委（按姓氏筆畫排列）　王克芬　王姿怡　吴玉梅　胡新英　陳　穎　黄　霞（常務）　劉玉芬

出版委員會

主　任　詹福瑞
副主任　陳　力
委　員（按姓氏筆畫排列）　李　健　姜　紅　郭又陵　徐　蜀　孫　彦

攝製人員（按姓氏筆畫排列）

于向洋　王富生　王遂新　谷韶軍　張　軍　張紅兵　張　陽　曹　宏　郭春紅　楊　勇　嚴　平

目録

……解脫戒名說……
……處處解脫……
……念念離塵染名爲木叉 四名毗尼 亦是梵語 唐言除 若行釋 昔諍論故名爲……
泊故名爲滅 又釋滅若因故云毗尼 此毗尼藏 世尊在世親自宣 臨涅槃時以此律
藏付囑優波離 離滅度付摩訶迦葉 葉涅槃時付囑阿難 難滅度付
商那和修 和修涅槃時付囑優波毱多 毱多已上五大師 佛法皆同一味 後毱多
有五弟子各執生異見 遂分爲五 一名薩婆多 即十誦律主是也
二名曇无德 即四分律主是 三弥沙塞 即五分律主是也 四名婆
麁富那 即僧祇律主是也 五名迦葉 推亦名迦葉毗律 本未來漢地
今此四分律主 即曇无德部 是此是梵語 唐言法正部也 得戒有十種
一自然得戒 唯佛 二自誓得戒 謂大迦葉 三見諦得 謂五俱倫等五比丘
四善來得戒 謂耶舍等 五三語得戒 謂佛在世未制戒前 但受三歸 即得
具足 六問答得戒 謂須陁耶沙弥年始七歲 佛問其義 一一具答 稱可
聖心 便發具足 七八敬得戒 謂大愛道從阿難聞八法 已歡喜頂受
便發具足 八敬者 百罵舉擯 懺請安自 八遣使得戒 謂半迦尸尼
其難緣 差使乞戒 即得具足 九羯磨得戒 謂十僧作法 十邊方五人
授具戒 已前九種屬佛在世 羯磨一法 教通凡聖 被及僧尼 該羅現未
須知作法 問羯磨受戒具足 幾緣得名如法 答依僧祇律具六因緣
一年滿廿 二衣鉢具 二身无遮難 三結界成就 四界內盡集 五羯磨成就
六僧滿足 備此六緣 得名如法 闕一不成 問界有幾種 答一者作法界
二者自然界 作法有三 一者攝僧界 二攝衣界 三攝食界 僧界有三種
一者大界 二者界場 三者小界 今就大界之內又有三種 謂人法二同界 法食
二同界 法同食別界 若就自然界中者 則分四別 一者謂聚落界 二者蘭若界
三者道行界 四者水界 問羯磨有幾種 答有一百卅四種 單白羯磨有
卅九 白二羯磨有五十七 白四羯磨卅八 此三羯磨攝一切羯磨皆盡
明五篇法 一波羅夷篇 蓋是西音 此云无餘 若犯此戒 永棄衆外 故曰无餘 不得与僧同行布薩羯磨 棄在衆外 故云无餘
……

一者大界 二者界場 三者小界今就大界之內又有三種 謂人法二同界 法食

二同界 法同食別界若就自然界中者則有四別 一者謂聚落界 二者蘭若界

三者道行界 四者水界 問羯磨有幾種 荅有一百卅四種 單白羯磨有

卅九 白二羯磨有五十七 白四羯磨卅八 此三羯磨攝一切羯磨皆盡

明五篇法 一波羅夷篇 夷是西音此云无餘若犯此戒永弃衆外故曰无餘不得与 僧同行布薩羯磨并在衆外故云无餘

二僧伽婆尸沙篇 此云僧殘若犯此戒行則毀缺不應而在 羯磨衆中之救行猶其殘故名僧殘 三名波逸提篇

此方云墮若犯此戒 墮落地 獄燒煮覆障故云墮也 四名波羅提提舍尼 此方云向彼悔若犯此戒事合可 對手懺悔故云向彼悔

五名式叉迦羅尼篇 此方云應當學威儀練行 慇習方成故云應當學 此明七聚法 一波羅夷聚

二僧伽婆尸沙聚 三偷蘭遮聚 此是梵語唐言麁惡亦云遮障偷蘭言障若 此犯罪大遮障聖道故云遮障然偷蘭有

四 一五逆偷蘭應滅擯不可除 二初篇下重偷蘭應八僧中悔 三初篇下輕偷蘭 應四僧中懺 四獨頭偷蘭遮及餘篇下偷蘭應三僧中悔

四波逸提聚 五波羅提提舍尼聚 六突吉羅聚 此有二 一身惡作 二口惡說

突吉羅者義翻云惡作突者名吉羅名作作惡上故名突吉羅亦云踐跌身作名惡 口作名說故云惡作惡說突吉羅此二聚罪若故犯者應對手懺悔誤犯應責心懺

問婬戒具幾緣成犯 荅具四緣 一前境是女人 二興染心 三起方便

四身境合便犯 問盜戒具幾緣成犯 荅具六緣成犯 一有主物 二有

主想 三有盜心 四重物 五興方便 六離本處便犯 問殺戒具幾緣

荅具五緣 一是人 二人想 三興殺心 四起方便 五斷命根

問大妄語戒具幾緣 荅具八緣成犯 一前境是人 二人想 三事虛

四知是虛事 五有誑他心 六自言已得 七言詞了了 八前人知解

問僧有幾緣 荅四種 一者四人僧 除授戒自恣出罪餘 一切羯磨應作 二者五人僧

除中國授戒出 罪餘法得作 三者十人僧 除出罪 餘法作 四者廿人僧 一切羯磨得作 況復更多 問菩薩戒中殺

先婬後何故聲聞戒中婬先殺後 荅菩薩為大慈為本是以殺

戒為初 聲聞以梵行為根是以婬戒為首 受衣法 若不持三衣

聚落者得無量罪世世裸形無有衣服若不串鉤紐入俗人家家家

得罪若食飲時咽咽得罪 問云何名為三衣六物 一安多會 有四種 一阿[illegible]

先媱後何故聲聞戒中媱先煞後　荅菩薩爲大慈爲本是以煞
戒爲初聲聞以梵行爲據是以欲戒爲首　受衣法　若不持三衣
聚落者得無量罪世世裸形無有衣服若不串鉤紐入俗人家家家
得罪若食飲時咽咽得罪問云何名爲三衣六物　一安多會 有四種一割截
二褶葉三縵葉四𦂳作一長一短 割截衣持餘三要此次持　二名鬱多羅僧 有二種一割截二縵葉二長一短即是七條衣受割截衣持若餘衣准此
三名僧伽梨 此衣有十八種割截縵葉各九品若受上衣廿五條四長一短割截衣持若是縵葉條數准上縵葉衣持若中品三長一短若是下品二長一短
受衣文　大德一心念我比丘某甲此鬱多羅僧七條衣受兩長一
短割截衣持 三說若是餘衣及縵葉褶葉等臨事准改受文同上　捨衣文　大德一心念我
比丘某甲此僧伽梨是我三衣數先受持今捨 一說下二衣及尼五衣等酒捨亦尓
授藥法　藥有四種　一時藥 蒲闍尼食有五種謂飯麨乾飯魚肉佉闍尼食梵音唐言授藥枝葉花果細末食
淨食有五種一火淨二刀淨三瘡淨四鳥啄淨五不中種淨此中火淨及刀淨除得并
子食餘三去子食是時藥謂從旦至中前食若欲授先者食知體後知授餘藥准此
二非時藥 謂八種漿棗乗蕤蕉蒲桃蜜娑石留甞羅果等汁作漿若有病緣
聽淸水漉淨加以授法得飲無病不得飲
三七日藥 佛言蘇油生蘇蜜石蜜有病因緣應加授法聽七日服授法者大德一心念
我比丘某甲今爲熱風冷病因緣此七日藥爲欲宿服故今於大德邊授 三說
餘七日藥若有病因緣須服者 四盡形藥 佛言一切鹹若辛不堪爲食者及至灰大小便等若有病緣聽盡形服亦須受授加其法得服
臨事量此准改授久同上
安居法 從始及終惣有四法 謂人有五 五衆是 法有四 心念 妄成 及界 時有三 前安居 中安居 處有二 作法界 自然界 對手安
居法　大德一心念我比丘某甲依某聚落某伽藍隨事稱之前三月夏安居房舍破
脩治故 三說 彼言汝莫放逸 荅言授持 問比丘義云何　荅有八種一名字比丘
二相似比丘三自稱比丘四善來比丘五著割截衣比丘六破結使比丘
七善來比丘八白四羯磨如法成就得處所比丘　四衣法　一糞掃衣
二常乞食　三樹下坐　四食腐爛藥　糞掃衣十種　一牛嚼衣　二鼠嚙衣
三火燒衣　四水衣　五産婦衣　六神廟衣若鳥銜風吹雜處　七死人衣　八塚

二拒伽比丘 三自稱比丘 四乞求比丘 五著割截衣比丘 六破結使比丘
七善來比丘 八白四羯磨如法成就得處所比丘 四依法 一糞掃衣
二常乞食 三樹下坐 四食腐爛藥 糞掃衣十種 一牛嚼衣 二鼠齧衣
三火燒衣 四水衣 五王衣 六神廟衣若鳥銜風吹雜處 七蒲衣 八塚
間衣 九產衣 十往還衣 僧物隨事立名凡有六種 一者十方僧物
如僧家重物及供衆僧受用食敢等物體通十方上至羅漢下至沙
彌盡皆有分无有和合不得賣買貸借与人互换已受用 二者常住僧物
謂衆僧厨庫寺舍園田僕使畜等體通十方不可分用言常住者
常住此處不可移動四方僧來用從物爲名故稱常住住
三者十方現前 如亡僧五衆衣物未羯磨前屬十方現 四者現現前 謂亡僧五衆
前僧若盜此物從十方僧結罪 物作羯磨了
及有施大衆物法事聲斷差人守護
衆僧未分故云現現前僧物 五招提僧物 謂擅越施田園与現前僧僧造私房
房邊更施田園与僧房与四方僧供給須由此房能招引四方僧來无安置處俗人見已就此
招提僧物或先造方僧迴已房及田園四方僧亦云招提僧物 六者僧
鎰物 謂僧園中有花或貴花或已花作鎰
出賣得物故名僧鎰物 有四種妄語 一波羅夷妄語
二僧殘妄語 三波逸提妄語 四阿毗波羅妄語 口有四威儀語
一者常作法語 二常作正直實語 三常作和合語 四常作柔軟悦意語
慳有五種 一慳財 二慳法 三慳家 四慳處 五慳讚 明四分義四者
數也分者段也世尊在世四度昇座說此律終故名四分又云梵夾
四夾故名四分 此四分律通其六釋今且明一解四分即律之
四分六釋之中是帶數釋也 今依律本從初至僧
戒末名爲初分至尼戒終名第二分從安居揵度至房舍已前名爲
第三分從房舍揵度至律末名爲第四分
持戒得十種利 一攝取於僧 二令僧歡喜 三令僧安樂 四未信者令信 五已信者令增
長 六難調者令調 七慚愧者安樂 八斷現在有漏 九斷未來有漏 十令
正法得久住 十二頭陀 頭者抖擻陀名知足 抖擻煩惱離於住著故頭陀
四常乞食 五一餘食 六一坐食 七不作餘食法 八樹下坐 九塚間坐
十露地坐 十一隨處坐 十二常坐不臥 此十二者持衣有三 食法有四 處所有五
行人於此衣食處所心无染著積習進
道更不 檀越施物凡有八種 一施比丘僧物 僧屬比丘現前人分 二施比丘
思消

正法淨久住 十二頭陀 頭者少欲陀名知足斗藪 傾墻離於僮着故頭陀 一糞掃衣 二持三衣 三持隨衣

四常乞食 五一餚食 六一坐食 七不作餘食法 八樹下坐 九塚間坐

十露地坐 十一隨處坐 十二常坐不臥 此十二者持衣有三 食法有四 處所有五 行人於此衣食處所心无染著積纍進

道更不思酒 檀越施物凡有八種 一施比丘僧物 唯屬比丘現前人分 二施比丘

尼物 唯屬現前尼眾人分 三施二部僧物莫問人數多少分物作二分一分僧取

一分付尼眾各於當部自數人分之 四施四方僧德施物來者皆得

應作羯磨分之不得与尼同作羯磨 若施招提僧不須作法 五界內僧得

施物唯屬住處僧入界皆得但取施主為定 六施同羯磨僧得施物唯一

處同作法者分之 七施稱名字僧得施若言施禪師法師律師呪頭師

老病僧等不問親疎八眾中一僧得施物從上座行之隨取者与 隨壇

越所有捨施依此八法分之若无定分上座應問於何等施若不依此八法

則不得施僧之福若不依此八法而受則輕損信施違犯處深應善互

德分之好惡相參令不見者擲等餘人不得亂語利養難消貧富不在此莫

生嫌恨蓋人至行也出家之人不得迴施入己若欲迴者其罪甚重應如法施

如法受如法求如法与 如清 如法住 問律以何為宗以何為體 答以戒為

宗 諸說不同依東塔疏 以戒為宗 律以何為體者 答令是語業為體任

意取捨十一處中以法為體依經部以不相應為體依有部以色為體俱是

法處攝 問律儀有幾種 答有四種 一靜慮律儀是色界尸羅

二無漏律儀為無漏身中所起尸羅 三斷律儀為斷煩惱名斷律儀 四別斷

解脫律儀為欲界尸羅為別防非名別解脫律儀 客舊相逢 昔大師在

日親為教主客苾蒭至自唱善來又復西方寺眾多為制法凡見新來無

論客舊及弟子門人舊人即須迎前唱莎揭哆譯曰善來客乃尋聲即云

窣莎揭哆譯曰極善來如不說者一違寺制二准律有犯無問大小悉皆如

此即為收取瓶鉢挂在壁牙隨處安坐令其憩息卻向屏處尊乃房

前卑則敬上而執膝其踹後及遍身尊乃撫下而頻按其背不至齊足

窣莎揭哆譯曰極善來如不說者一違寺制二准律有犯無問大小悉皆如
此即為杖取瓶鉢挂在壁牙隨處安坐令其憩息即向屏處尊乃房
前卑則敬上而勲揃其蹤後及遍身尊乃撫下而頻按其背不至脅足齊
年之類事無間然既解疲勞方澡手濯足次就尊所申其礼敬但為一礼
跪而按足尊乃展其右手撫彼肩背若別非經久手撫不為師乃問其安
不弟子隨事見答然後退在一邊恭敬而坐實無立法然西方軌則多坐
小枯須皆露足來夏既無斯事執足之禮不行經說人而來至佛所頂礼
雙足退坐一面即其儀矣然後釋其時准茶給湯飲蘇蜜沙糖飲噉隨意
或餘八漿並須羅濾澄清方飲如蕅濁渾此定不開杏湯之流體是稠濁准
依道理全非飲限律云凡漿淨濾色如黃荻此謂西國師弟門徒客舊相
遇逢迎之礼豈有冒寒創至觸熱新來或遍體汗流或手足皆凍放衣
僕急事和南情狀忩忙深乖軌式師乃立之閑問餘事誠哉太急將為從隆
言和南者梵云畔睇或云畔憚南譯為敬礼但為採語不真喚和南矣不能
移舊且道和南取其音聽之畔睇又道行衆集礼拜非儀合掌低頭口云
畔睇故經云或復但合掌乃至小低頭即是致敬也南人不審依希合度向
使改不審為畔睇斯乃全同律教矣

雙足退坐一面即其儀矣然後釋其時準茶飴湯飲蘊蜜沙糖飲噉隨意

或餘八漿並須羅濾澄清方飲如無濁滓此它不開杏湯之流體是稠濁准

依道理全非飲限律云凡漿淨濾色如黃荻此謂西國師弟門徒客舊相

遇逢迎之礼豈有冒寒觸至觸熱新來或遍體汗流或手足皆凍放弃衣

樸急事和南情狀忩忙深乖軌式師乃立之閑問餘事誠哉太急將為繁隆

言和南者梵云畔睇或云畔憚南譯為敬礼但為採語不真喚和南矣不能

移舊且道和南的取正音應云畔睇又道行衆集礼拜非儀合掌低頭口云

畔睇故經云或復但合掌乃至小低頭即是致敬也南人不審依希合度向

俠改不審為畔睇斯乃全同律教矣

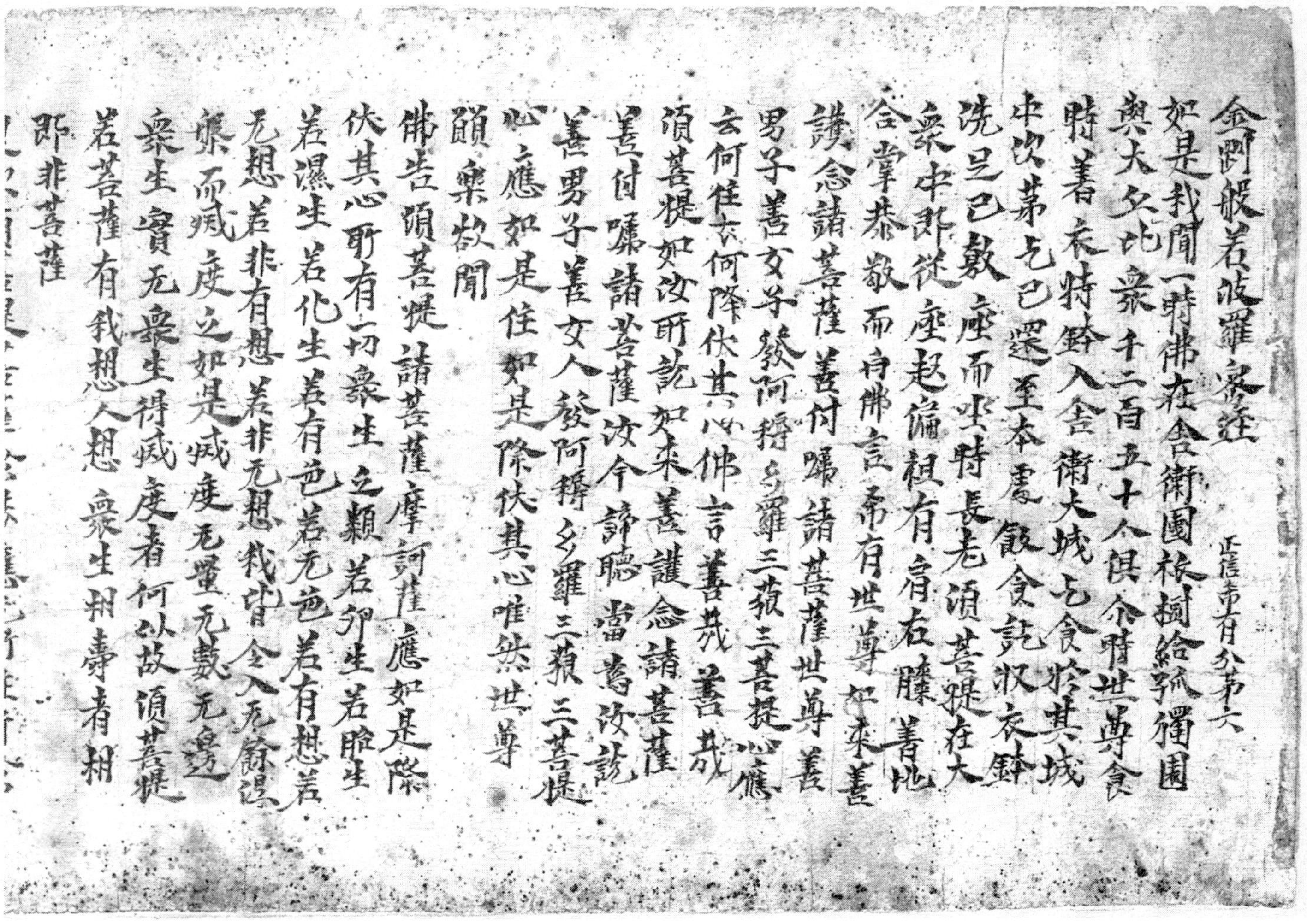

金剛般若波羅蜜經
正信希有分第六
如是我聞一時佛在舍衛國祇樹給孤獨園
與大比丘衆千二百五十人俱尒時世尊食
時著衣持鉢入舍衛大城乞食於其城
中次第乞已還至本處飯食訖收衣鉢
洗足已敷座而坐時長老須菩提在大
衆中即從座起偏袒右肩右膝著地
合掌恭敬而白佛言希有世尊如來善
護念諸菩薩善付囑諸菩薩世尊善
男子善女人發阿耨多羅三藐三菩提心應
云何住云何降伏其心佛言善哉善哉
須菩提如汝所說如來善護念諸菩薩
善付囑諸菩薩汝今諦聽當為汝說
善男子善女人發阿耨多羅三藐三菩提
心應如是住如是降伏其心唯然世尊
願樂欲聞
佛告須菩提諸菩薩摩訶薩應如是降
伏其心所有一切衆生之類若卵生若胎生
若濕生若化生若有色若无色若有想若
无想若非有想若非无想我皆令入无餘涅
槃而滅度之如是滅度无量无數无邊
衆生實无衆生得滅度者何以故須菩提
若菩薩有我想人想衆生相壽者相
即非菩薩

BD02312 號　金剛般若波羅蜜經　（15–1）

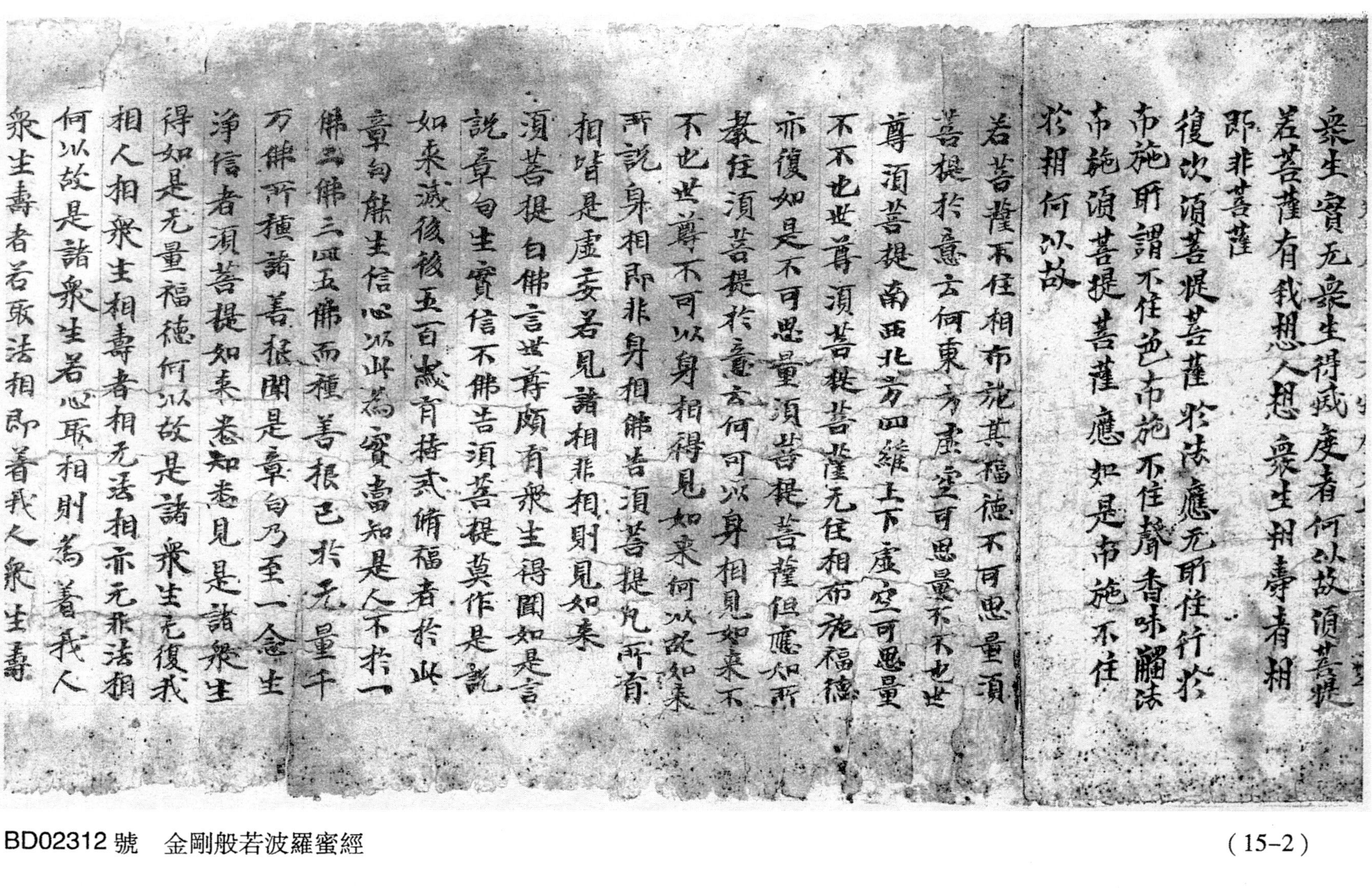

衆生實无衆生得滅度者何以故須菩提
若菩薩有我想人想衆生相壽者相
即非菩薩
復次須菩提菩薩於法應无所住行於
布施所謂不住色布施不住聲香味觸法
布施須菩提菩薩應如是布施不住
於相何以故
若菩薩不住相布施其福德不可思量須
菩提於意云何東方虛空可思量不不也世
尊須菩提南西北方四維上下虛空可思量
不不也世尊須菩提菩薩无住相布施福德
亦復如是不可思量須菩提菩薩但應如所
教住須菩提於意云何可以身相見如來不
不也世尊不可以身相得見如來何以故如來
所說身相即非身相佛告須菩提凡所有
相皆是虛妄若見諸相非相則見如來
須菩提白佛言世尊頗有衆生得聞如是言
說章句生實信不佛告須菩提莫作是說
如來滅後後五百歲有持戒脩福者於此
章句能生信心以此為實當知是人不於一
佛二佛三四五佛而種善根已於无量千
万佛所種諸善根聞是章句乃至一念生
淨信者須菩提如來悉知悉見是諸衆生
得如是无量福德何以故是諸衆生无復我
相人相衆生相壽者相无法相亦无非法相
何以故是諸衆生若心取相則為著我人
衆生壽者若取法相即著我人衆生壽

BD02312 號　金剛般若波羅蜜經　（15–2）

得如是无量福德何以故是諸衆生无復我
相人相衆生相壽者相无法相亦无非法相
何以故是諸衆生若心取相則為著我人
衆生壽者若取法相即著我人衆生壽
者何以故若取非法相即著我人衆生壽
者是故不應取法不應取非法以是義故
如來常說汝等比丘知我說法如筏喻者
法尚應捨何況非法
須菩提於意云何如來得阿耨多羅三藐
三菩提耶如來有所說法耶須菩提言如
我解佛所說義无有定法名阿耨多羅三
藐三菩提亦无有定法如來可說何以故如
來所說法皆不可取不可說非法非非法所
以者何一切賢聖皆以无為法而有差別
須菩提於意云何若人滿三千大千世界
七寶以用布施是人所得福德寧為多不
須菩提言甚多世尊何以故是福德即非
福德性是故如來說福德多若復有人於
此經中受持乃至四句偈等為他人說其福
勝彼何以故須菩提一切諸佛及諸佛阿耨
多羅三藐三菩提法皆從此經出須菩提
所謂佛法者即非佛法
須菩提於意云何須陀洹能作是念我
得須陀洹果不須菩提言不也世尊何以
故須陀洹名為入流而无所入不入色聲
香味觸法是名須陀洹須菩提於意云
何斯陀含能作是念我得斯陀含果不

BD02312 號　金剛般若波羅蜜經　（15–3）

得須陀洹果不須菩提言不也世尊何以
故須陀洹名為入流而无所入不入色聲
香味觸法是名須陀洹須菩提於意云
何斯陀含能作是念我得斯陀含果不
須菩提言不也世尊何以故斯陀含名
一往來而實无往來是名斯陀含須菩
提於意云何阿那含能作是念我得阿
那含果不須菩提言不也世尊何以故阿
那含名為不來而實无來是故名阿那
含須菩提於意云何阿羅漢能作是念
我得阿羅漢道不須菩提言不也世尊
何以故實无有法名阿羅漢世尊若阿
羅漢作是念我得阿羅漢道即為著我
人衆生壽者世尊佛說我得无諍三昧
人中最為第一是第一離欲阿羅漢我不
作是念我是離欲阿羅漢世尊我若作
是念我得阿羅漢道世尊則不說須菩
提是樂阿蘭那行者以須菩提實无
所行而名須菩提是樂阿蘭那行
佛告須菩提於意云何如來昔在然燈佛
所於法有所得不世尊如來在然燈佛所
於法實无所得須菩提於意云何菩薩莊
嚴佛土不不也世尊何以故莊嚴佛土者則非
莊嚴是名莊嚴是故須菩提諸菩薩摩訶
薩應如是生清淨心不應住色生心不應
住聲香味觸法生心應无所住而生其心
須菩提譬如有人身如須弥山王於意云

BD02312 號　金剛般若波羅蜜經　（15–4）

莊嚴是名莊嚴是故須菩提諸菩薩摩訶
薩應如是生清淨心不應住色生心不應
住聲香味觸法生心應无所住而生其心
須菩提譬如有人身如須弥山王於意云
何是身為大不須菩提言甚大世尊何
以故佛說非身是名大身
須菩提如恒河中所有沙數如是沙等恒
河於意云何是諸恒河沙寧為多不須菩
提言甚多世尊但諸恒河尚多无數何況
其沙須菩提我今實言告汝若有善男子
善女人以七寶滿尒所恒河沙數三千大千
世界以用布施得福多不須菩提言甚多
世尊佛告須菩提若善男子善女人於此
經中乃至受持四句偈等為他人說而此
福德勝前福德復次須菩提隨說是經乃
至四句偈等當知此處一切世間天人阿脩
羅皆應供養如佛塔廟何況有人盡能受
持讀誦須菩提當知是人成就最上第一希
有之法若是經典所在之處則為有佛若
尊重弟子
尒時須菩提白佛言世尊當何名此經
我等云何奉持佛告須菩提是經名為
金剛般若波羅蜜以是名字汝當奉持
所以者何須菩提佛說般若波羅蜜則非
般若波羅蜜須菩提於意云何如來有
所說法不須菩提白佛言世尊如來无所
說須菩提於意云何三千大千世界所有微

BD02312號　金剛般若波羅蜜經　（15–5）

般若波羅蜜須菩提於意云何如來有
所說法不須菩提白佛言世尊如來无所
說須菩提於意云何三千大千世界所有微
塵是為多不須菩提言甚多世尊須菩提諸
微塵如來說非微塵是名微塵如來說世
界非世界是名世界須菩提於意云何可
以三十二相得見如來不何以故如來說三十
二相即是非相是名三十二相須菩提若
有善男子善女人以恒河沙等身命布
施若復有人於此經中乃至受持四句偈
等為他人說其福甚多
尒時須菩提聞說是經深解義趣涕淚
悲泣而白佛言希有世尊佛說如是甚深
經典我從昔來所得慧眼未曾得聞如是
之經世尊若復有人得聞是經信心清淨
則生實相當知是人成就第一希有功德世
尊是實相者則是非相是故如來說名實
相世尊我今得聞如是經典信解受持不足
為難若當來世後五百歲其有衆生得
聞是經信解受持是人則為第一希有
何以故此人无我相人相衆生相壽者相所
以者何我相即是非相人相衆生相壽者
相所以者何我相即是非相人相衆生相壽
者相即是非相何以故離一切諸相則名諸佛
佛告須菩提如是如是若復有人得聞是
經不驚不怖不畏當知是人甚為希有何

BD02312號　金剛般若波羅蜜經　（15–6）

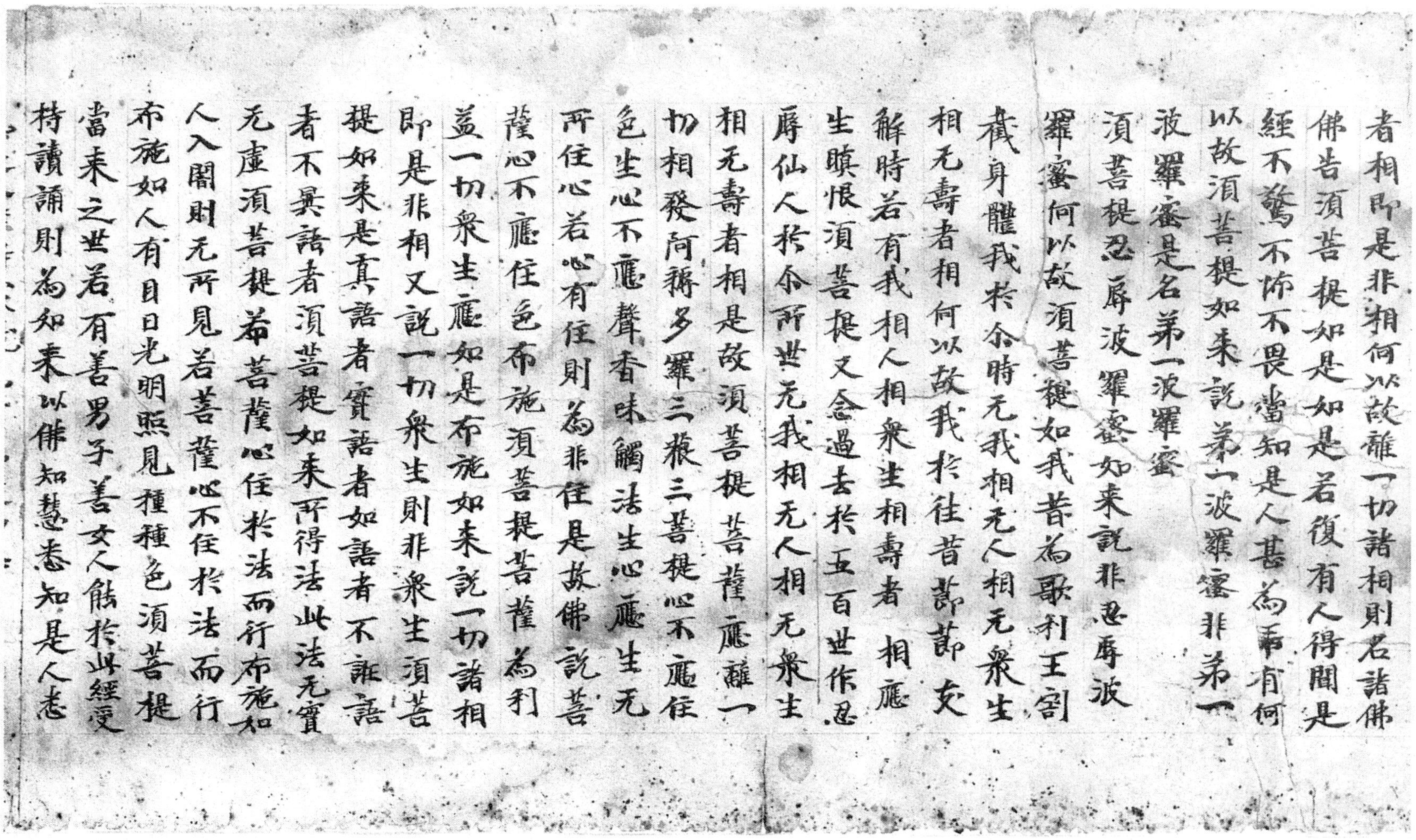
者相即是非相何以故離一切諸相則名諸佛
佛告須菩提如是如是若復有人得聞是
經不驚不怖不畏當知是人甚為希有何
以故須菩提如來說第一波羅蜜非第一
波羅蜜是名第一波羅蜜
須菩提忍辱波羅蜜如來說非忍辱波
羅蜜何以故須菩提如我昔為歌利王割
截身體我於尒時无我相无人相无衆生
相无壽者相何以故我於往昔節節支
解時若有我相人相衆生相壽者相應
生瞋恨須菩提又念過去於五百世作忍
辱仙人於尒所世无我相无人相无衆生
相无壽者相是故須菩提菩薩應離一
切相發阿耨多羅三藐三菩提心不應住
色生心不應聲香味觸法生心應生无
所住心若心有住則為非住是故佛說菩
薩心不應住色布施須菩提菩薩為利
益一切衆生應如是布施如來說一切諸相
即是非相又說一切衆生則非衆生須菩
提如來是真語者實語者如語者不誑語
者不異語者須菩提如來所得法此法无實
无虛須菩提若菩薩心住於法而行布施如
人入闇則无所見若菩薩心不住於法而行
布施如人有目日光明照見種種色須菩提
當來之世若有善男子善女人能於此經受
持讀誦則為如來以佛知慧悉知是人悉

BD02312 號　金剛般若波羅蜜經　（15–7）

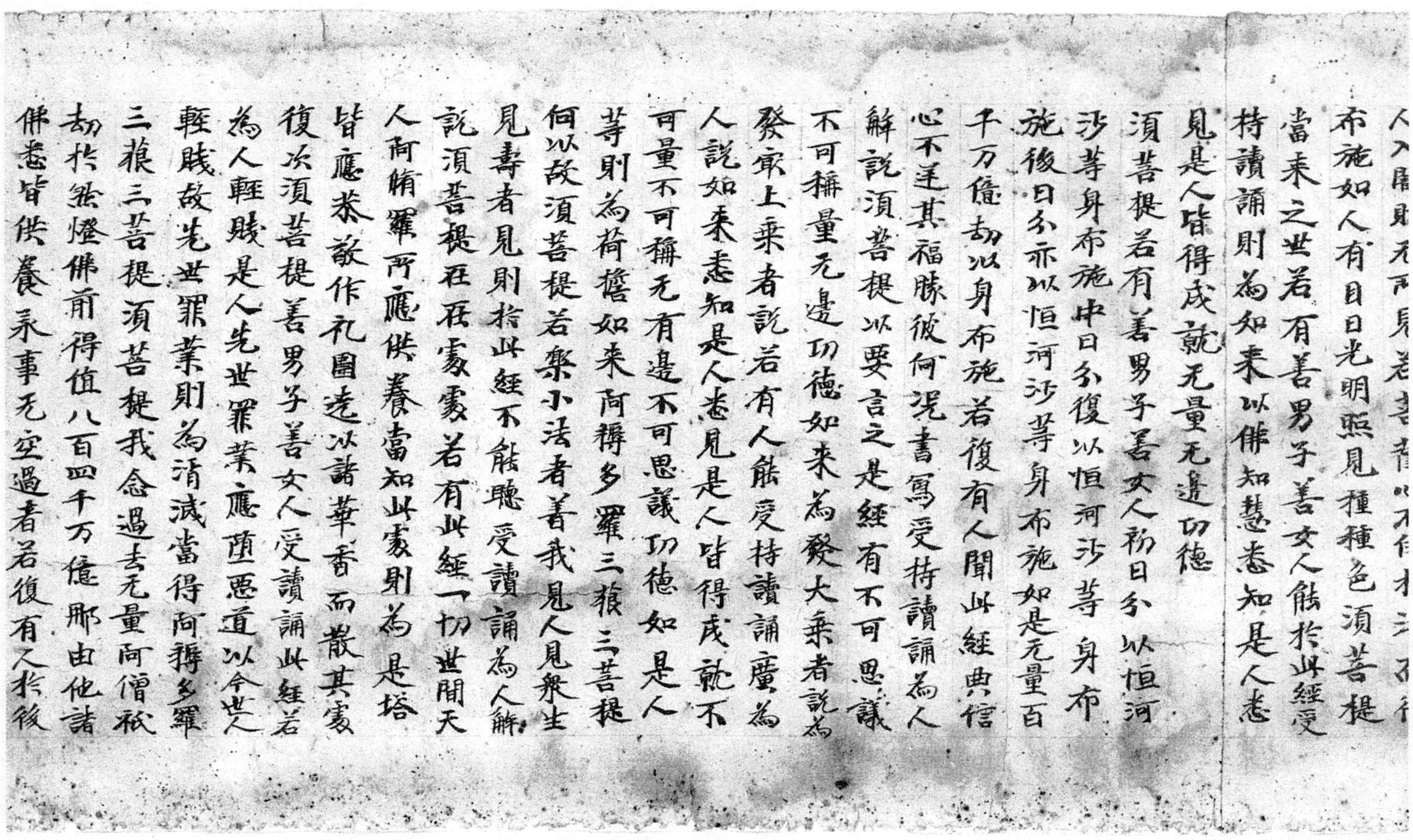
人入闇則无所見若菩薩心不住於法而行
布施如人有目日光明照見種種色須菩提
當來之世若有善男子善女人能於此經受
持讀誦則為如來以佛知慧悉知是人悉
見是人皆得成就无量无邊功德
須菩提若有善男子善女人初日分以恒河
沙等身布施中日分復以恒河沙等身布
施後日分亦以恒河沙等身布施如是无量百
千万億劫以身布施若復有人聞此經典信
心不逆其福勝彼何況書寫受持讀誦為人
解說須菩提以要言之是經有不可思議
不可稱量无邊功德如來為發大乘者說為
發最上乘者說若有人能受持讀誦廣為
人說如來悉知是人悉見是人皆得成就不
可量不可稱无有邊不可思議功德如是人
等則為荷擔如來阿耨多羅三藐三菩提
何以故須菩提若樂小法者著我見人見衆生
見壽者見則於此經不能聽受讀誦為人解
說須菩提在在處處若有此經一切世間天
人阿脩羅所應供養當知此處則為是塔
皆應恭敬作禮圍遶以諸華香而散其處
復次須菩提善男子善女人受持讀誦此經若
為人輕賤是人先世罪業應墮惡道以今世人
輕賤故先世罪業則為消滅當得阿耨多羅
三藐三菩提須菩提我念過去无量阿僧祇
劫於然燈佛前得值八百四千万億那由他諸
佛悉皆供養承事无空過者若復有人於後

BD02312 號　金剛般若波羅蜜經　（15–8）

三藐三菩提須菩提我念過去无量阿僧祇
劫於然燈佛前得值八百四千万億那由他諸
佛悉皆供養承事无空過者若復有人於後
末世能受持讀誦此經所得功德於我所供
養諸佛功德百分不及一千万億分乃至筭
數譬喻所不能及須菩提若善男子善女
人於後末世有受持讀誦此經所得功德我
若具說者或有人聞心則狂亂狐疑不信須
菩提當知是經義不可思議果報亦不可思議
尒時須菩提白佛言世尊善男子善女人發
阿耨多羅三藐三菩提心云何應住云何降
伏其心佛告須菩提善男子善女人發阿耨
多羅三藐三菩提者當生如是心我應滅度
一切衆生滅度一切衆生已而无有一切衆生
實滅度者何以故若菩薩有我相人相衆
生相壽者相則非菩薩所以者何須菩提實
无有法發阿耨多羅三藐三菩提者須菩
提於意云何如來於然燈佛所有法得阿耨
多羅三藐三菩提不不也世尊如我解佛所
說義佛於然燈佛所无有法得阿耨多羅
三藐三菩提佛言如是如是須菩提實无
有法如來得阿耨多羅三藐三菩提
須菩提若有法如來得阿耨多羅三藐三菩
提者然燈佛則不與我受記汝於來世當得
作佛号釋迦牟尼以實无有法得阿耨多
羅三藐三菩提是故然燈佛與我受記作

BD02312號　金剛般若波羅蜜經　（15–9）

提者然燈佛則不與我受記汝於來世當得
作佛号釋迦牟尼以實无有法得阿耨多
羅三藐三菩提是故然燈佛與我受記作
是言汝於來世當得作佛号釋迦牟尼何
以故如來者即諸法如義若有人言如來得
阿耨多羅三藐三菩提須菩提實无有法佛
得阿耨多羅三藐三菩提須菩提如來所得
阿耨多羅三藐三菩提於是中无實无虛是
故如來說一切法皆是佛法須菩提所言一切
法者即非一切法是故名一切法須菩提譬如
人身長大須菩提言世尊如來說人身長大
則為非大身是名大身須菩提菩薩亦如是
若作是言我當滅度无量衆生則不名菩薩
何以故須菩提實无有法名為菩薩是故佛說
一切法无我无人无衆生无壽者須菩提若
菩薩作是言我當莊嚴佛土是不名菩薩
何以故如來說莊嚴佛土者即非莊嚴是名
莊嚴須菩提若菩薩通達无我法者如來
說名真是菩薩
須菩提於意云何如來有肉眼不如是世尊
如來有肉眼須菩提於意云何如來有天
眼不如是世尊如來有天眼須菩提於意云
何如來有慧眼不如是世尊如來有慧眼須菩
提於意云何如來有法眼不如是世尊如來
有法眼須菩提於意云何如來有佛眼不如
是世尊如來有佛眼須菩提於意云何恒河

BD02312號　金剛般若波羅蜜經　（15–10）

何如來有慧眼不如是世尊如來有慧眼須菩
提於意云何如來有法眼不如是世尊如來
有法眼須菩提於意云何如來有佛眼不如
是世尊如來有佛眼須菩提於意云何恒河
中所有沙佛說是沙不如是世尊如來說是
沙須菩提於意云何如一恒河中所有沙有
如是等恒河是諸恒河所有沙數佛世界如
是寧為多不甚多世尊佛告須菩提尒所
國土中所有衆生若干種心如來悉知何以故
如來說諸心皆為非心是名為心所以者何
須菩提過去心不可得現在心不可得未來
心不可得須菩提於意云何若有人滿三千
大千世界七寶以用布施是人以是因緣得
福多不如是世尊此人以是因緣得福甚多
須菩提若福德有實如來不說得福德多
多以福德无故如來說得福德多
須菩提於意云何佛可以具足色身見
不不也世尊如來不應以具足色身見何以
故如來說具足色身即非具足色身是名
具足色身
須菩提於意云何如來可以具足諸相見不
不也世尊如來不應以具足諸相見何以故如
來說諸相具足即非具足是名諸相具足須
菩提汝勿謂如來作是念我當有所說法
莫作是念何以故若人言如來有所說法即
為謗佛不能解我所說故須菩提說法者无
法可說是名說法須菩提白佛言世尊佛得阿

BD02312號　金剛般若波羅蜜經　（15–11）

莫作是念何以故若人言如來有所說法即
為謗佛不能解我所說故須菩提說法者无
法可說是名說法須菩提白佛言世尊佛得阿
耨多羅三藐三菩提為无所得耶如是如是
須菩提我於阿耨多羅三藐三菩提乃至无
有少法可得是名阿耨多羅三藐三菩提復
次須菩提是法平等无有高下是名阿耨多
羅三藐三菩提以无我无人无衆生无壽者
脩一切善法則得阿耨多羅三藐三菩提須
菩提所言善法者如來說非善法是名善
法須菩提若三千大千世界中所有諸須弥山
王如是等七寶聚有人持用布施若人以此
般若波羅蜜經乃至四句偈等受持讀誦
為他人說於前福德百分不及一百千万億分
乃至筭數譬喻所不能及
須菩提於意云何汝等勿謂如來作是念我
當度衆生須菩提莫作是念何以故實无
有衆生如來度者若有衆生如來度者如
來則有我人衆生壽者須菩提如來說有我
者則非有我而凡夫之人以為有我須菩提凡
夫者如來說則非凡夫須菩提於意云何可以
三十二相觀如來不須菩提言如是如是以三
十二相觀如來佛言須菩提若以三十二相
觀如來者轉輪聖王則是如來須菩提白
佛言世尊如我解佛所說義不應以三十二
相觀如來尒時世尊而說偈言

BD02312號　金剛般若波羅蜜經　（15–12）

十二相觀如來佛言須菩提若以三十二相
觀如來者轉輪聖王則是如來須菩提白
佛言世尊如我解佛所說義不應以三十二
相觀如來尒時世尊而說偈言
若以色見我　以音聲求我　是人行邪道　不能見如來
須菩提汝若作是念如來不以具足相故得阿
耨多羅三藐三菩提須菩提莫作是念如來
不以具足相故得阿耨多羅三藐三菩提須
菩提汝若作是念發阿耨多羅三藐三菩提
者說諸法斷滅相莫作是念何以故發阿耨
多羅三藐三菩提者於法不說斷滅相須菩
提若菩薩以滿恒河沙等世界七寶布施若
復有人知一切法无我得成於忍此菩薩勝
前菩薩所得功德須菩提以諸菩薩不受福
德故須菩提白佛言世尊云何菩薩不受福
德須菩提菩薩所作福德不應貪著是故說
不受福德須菩提若有人言如來若來若去
若坐若卧是人不解我所說義何以故如來
者无所從來亦无所去故名如來
須菩提若善男子善女人以三千大千世界
碎為微塵於意云何是微塵衆寧為多不甚
多世尊何以故若是微塵衆實有者佛則不
說是微塵衆所以者何佛說微塵衆則非微
塵衆是名微塵衆世尊如來說三千大千
世界則非世界是名世界何以故若世界實
有者則是一合相如來說一合相則非一合

BD02312 號　金剛般若波羅蜜經　（15–13）

說是微塵衆所以者何佛說微塵衆則非微
塵衆是名微塵衆世尊如來說三千大千
世界則非世界是名世界何以故若世界實
有者則是一合相如來說一合相則非一合
相是名一合相須菩提一合相者則是不可
說但凡夫之人貪著其事須菩提若人言
佛說我見人見衆生見壽者見須菩提於
意云何是人解我所說義不世尊是人不解
如來所說義何以故世尊說我見人見衆生
見壽者見是名我見人見衆生壽者見須
菩提發阿耨多羅三藐三菩提心者於一
切法應如是知如是見如是信解不生法
相須菩提所言法相者如來說即非法
相是名法相須菩提若有人以滿无量阿
僧祇世界七寶持用布施若有善男子
善女人發菩薩心者持於此經乃至四
句偈等受持讀誦為人演說其福勝彼
云何為人演說不取於相如如不動何以故
一切有為法　如夢幻泡影　如露亦如電　應作如是觀
佛說是經已長老須菩提及諸比丘比
丘尼優婆塞優婆夷一切世間天人阿
脩羅聞佛所說皆大歡喜信受奉行

金剛般若波羅蜜經

BD02312 號　金剛般若波羅蜜經　（15–14）

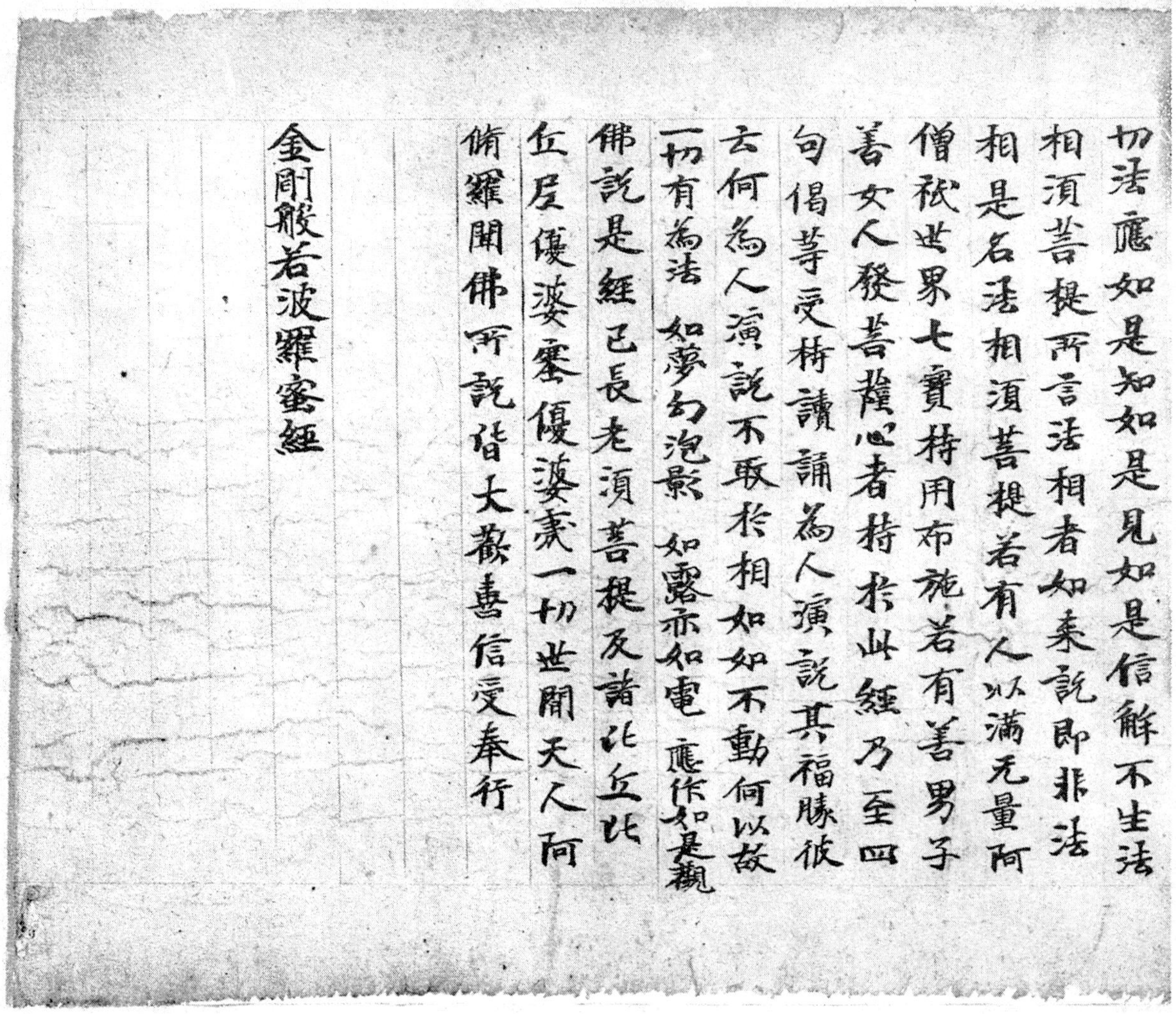
切法應如是知如是見如是信解不生法
相須菩提所言法相者如來說即非法
相是名法相須菩提若有人以滿无量阿
僧祇世界七寶持用布施若有善男子
善女人發菩薩心者持於此經乃至四
句偈等受持讀誦為人演說其福勝彼
云何為人演說不取於相如如不動何以故
一切有為法　如夢幻泡影　如露亦如電　應作如是觀
佛說是經已長老須菩提及諸比丘比
丘尼優婆塞優婆夷一切世間天人阿
脩羅聞佛所說皆大歡喜信受奉行
金剛般若波羅蜜經

BD02312 號　金剛般若波羅蜜經　（15–15）

BD02312 號背　齋文（擬）　（3–1）

BD02312 號背　齋文（擬）　　（3–2）

BD02312 號背　齋文（擬）　　（3–3）

故一切智智清淨何以故若四神足清淨若耳
鼻舌身意處清淨若一切智智清淨無二
無二分無別無斷故善現四神足清淨故色
處清淨色處清淨故一切智智清淨何以故
若四神足清淨若色處清淨若一切智智清
淨無二無二分無別無斷故四神足清淨故
聲香味觸法處清淨聲香味觸法處清淨故
一切智智清淨何以故若四神足清淨若聲
香味觸法處清淨若一切智智清淨無二無
二分無別無斷故善現四神足清淨故眼界
清淨眼界清淨故一切智智清淨何以故若
四神足清淨若眼界清淨若一切智智清淨
無二無二分無別無斷故四神足清淨故色
界眼識界及眼觸眼觸為緣所生諸受清淨
色界乃至眼觸為緣所生諸受清淨故一切
智智清淨何以故若四神足清淨若色界乃
至眼觸為緣所生諸受清淨若一切智智清
淨無二無二分無別無斷故善現四神足清
淨故耳界清淨耳界清淨故一切智智清淨

BD02313 號　大般若波羅蜜多經卷二二九　（3–1）

智智清淨何以故若四神足清淨若色界乃
至眼觸為緣所生諸受清淨若一切智智清
淨無二無二分無別無斷故善現四神足清
淨故耳界清淨耳界清淨故一切智智清淨
何以故若四神足清淨若耳界清淨若一切
智智清淨無二無二分無別無斷故四神足
清淨故聲界耳識界及耳觸耳觸為緣所生
諸受清淨聲界乃至耳觸為緣所生諸受清
淨故一切智智清淨何以故若四神足清淨
若聲界乃至耳觸為緣所生諸受清淨若一
切智智清淨無二無二分無別無斷故善現
四神足清淨故鼻界清淨鼻界清淨故一切
智智清淨何以故若四神足清淨若鼻界清
淨若一切智智清淨無二無二分無別無斷
故四神足清淨故香界鼻識界及鼻觸鼻觸
為緣所生諸受清淨香界乃至鼻觸為緣所
生諸受清淨故一切智智清淨何以故若四
神足清淨若香界乃至鼻觸為緣所生諸受
清淨若一切智智清淨無二無二分無別無
斷故善現四神足清淨故舌界清淨舌界清
淨故一切智智清淨何以故若四神足清淨
若舌界清淨若一切智智清淨無二無二分
無別無斷故四神足清淨故味界舌識界及
舌觸舌觸為緣所生諸受清淨味界乃至舌
觸為緣所生諸受清淨故一切智智清淨何
以故若四神足清淨若味界乃至舌觸為緣

BD02313 號　大般若波羅蜜多經卷二二九　（3–2）

清淨若一切智智清淨無二無二分無別無
斷故善現四神足清淨故舌界清淨舌界清
淨故一切智智清淨何以故若四神足清淨
若舌界清淨若一切智智清淨無二無二分
無別無斷故四神足清淨故味界舌識界及
舌觸舌觸為緣所生諸受清淨味界乃至舌
觸為緣所生諸受清淨故一切智智清淨何
以故若四神足清淨若味界乃至舌觸為緣
所生諸受清淨若一切智智清淨無二無二
分無別無斷故善現四神足清淨故身界清
淨身界清淨故一切智智清淨何以故若四
神足清淨若身界清淨若一切智智清淨無
二無二分無別無斷故四神足清淨故觸界
身識界及身觸身觸為緣所生諸受清淨觸
界乃至身觸為緣所生諸受清淨故一切智
智清淨何以故若四神足清淨若觸界乃至
身觸為緣所生諸受清淨若一切智智清淨
無二無二分無別無斷故善現四神足清淨
故意界清淨意界清淨故一切智智清淨何
以故若四神足清淨若意界清淨若一切智
智清淨無二無二分無別無斷故四神足清
淨故法界意識界及意觸意觸為緣所生諸
受清淨法界乃至意觸為緣所生諸受清淨

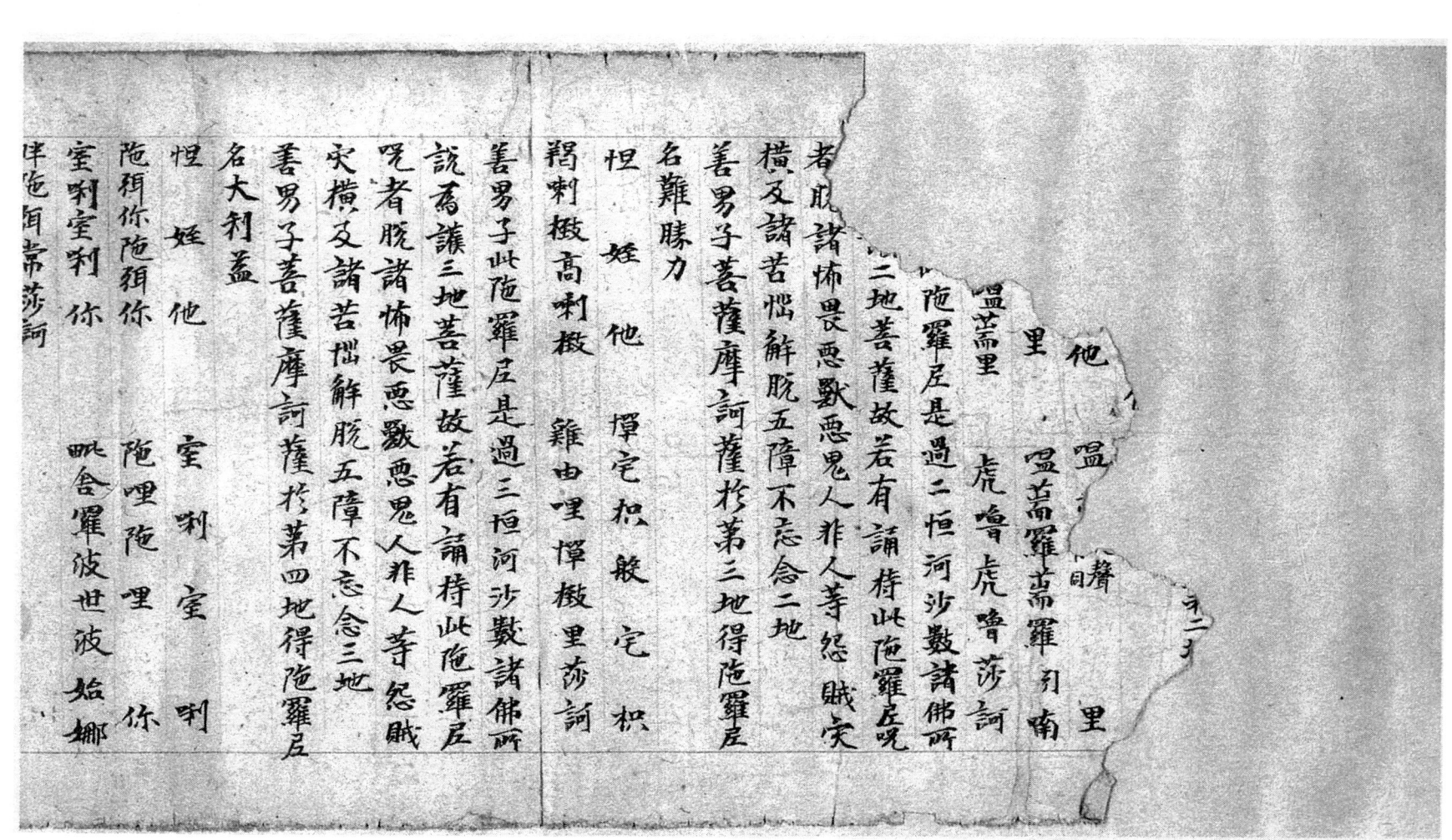

BD02313號　大般若波羅蜜多經卷二二九　（3–3）

他　嗢　瞽　里
里　嗢蒚羅蒚羅引喃
嗢蒚里　虎嚕虎嚕莎訶
陀羅尼是過二恒河沙數諸佛所
二地菩薩故若有誦持此陀羅尼呪
者脫諸怖畏惡獸惡鬼人非人等怨賊災
横及諸苦惱解脫五障不忘念二地
善男子菩薩摩訶薩於第三地得陀羅尼
名難勝力
怛　姪　他　　憚宅枳　般　宅　枳
羯喇擻高喇擻　雞由哩　憚擻里莎訶
善男子此陀羅尼是過三恒河沙數諸佛所
說為護三地菩薩故若有誦持此陀羅尼
呪者脫諸怖畏惡獸惡鬼人非人等怨賊
災横及諸苦惱解脫五障不忘念三地
善男子菩薩摩訶薩於第四地得陀羅尼
名大利益
怛　姪　他　　室　唎　室　唎
陁彌你陁彌你　陁哩陁　哩　你
室唎室唎　你　　毗舍羅波世波　始娜
畔陁彌常莎訶

BD02314號　金光明最勝王經卷四　（8–1）

名大利益
怛 姪 他 室 唎 室 唎
陁弭你陁弭你 陁 哩 陁 哩 你
室唎室唎 你 毗舍羅波世波 始娜
畔陁弭常莎訶
善男子此陁羅尼是過四恒河沙數諸佛
所說爲四地菩薩故若有誦持此陁羅尼
呪者脫諸怖畏惡獸惡鬼人非人等怨賊
灾橫及諸苦惱解脫五障不忘念四地
善男子菩薩摩訶薩於第五地得陁羅尼
名種種功德莊嚴
怛 姪 他 訶 哩 訶 哩 你
遮 哩 遮 哩 你 羯 唎 摩 引 你
僧 羯 唎 摩 你 三婆山你 瞻 跋 你
悉耽婆你謨漢你 碎 闍 步 陼 莎 訶
善男子此陁羅尼是過五恒沙沙數諸佛所
說爲護五地菩薩摩訶薩故若有誦持此
陁羅尼呪者脫諸怖畏惡獸惡鬼人非人等
怨賊灾橫及諸苦惱解脫五障不忘念五
地善男子菩薩摩訶薩於第六地得陁羅
尼名圓滿智
怛 姪 他 毗 徒 哩 毗 徒 哩
摩哩你迦里迦里 毗 度 漢 底
嚕 嚕 嚕 主 嚕 主 嚕
杜嚕婆杜嚕婆 捨 捨 設 者 婆 哩 灑
莎入悉底薩婆薩埵喃 悉 甸 覩 湯
曼怛囉鉢陁你莎訶

嚕 嚕 主 嚕
杜嚕婆杜嚕婆 捨 捨 設 者 婆 哩 灑
莎入悉底薩婆薩埵喃 悉 甸 覩 湯
曼怛囉鉢陁你莎訶
善男子此陁羅尼是過六恒河沙數諸佛所
說爲護六地菩薩摩訶薩故若有誦持此
陁羅尼呪者脫諸怖畏惡獸惡鬼人非人等
[illegible]解脫五障不忘念六地
[illegible]薩於第七地得陁羅尼
名法勝行
怛 姪 他 句 訶 上 句 訶 引 嚕
句訶句訶句訶嚕 鞞 陸 枳 鞞 陸 枳
阿蜜栗多唬漢你 勃 里 山 你
鞞嚕勑枳婆嚕栰底 鞞 提 四 枳
頻陁鞞 哩 你 阿 蜜 哩 底 枳
薄虎 主 愈 薄虎主愈莎訶
善男子此陁羅尼是過七恒河沙數諸佛
所說爲護七地菩薩故若有誦持此陁羅
尼呪者脫諸怖畏惡獸惡鬼人非人等怨賊
灾橫及諸苦惱解脫五障不忘念七地
善男子菩薩摩訶薩於第八地得陁羅
尼名无盡藏
怛 姪 他 室 唎 室 唎 室 唎 你
蜜 底 蜜 底 羯哩羯哩醯嚕醯嚕
主 嚕 主 嚕 畔 陁 弭 莎 訶
善男子此陁羅尼是過八恒河沙數諸佛所
說爲護八地菩薩故若有誦持此陁羅尼呪
者脫諸怖畏惡獸惡鬼人非人等怨賊灾

窒底窒底[...]
主嚕主嚕 畔陁須 莎訶
善男子此陁羅尼是過八恒河沙數諸佛所
說為護八地菩薩故若有誦持此陁羅尼呪
者脫諸怖畏惡獸惡鬼人非人等怨賊灾
横及諸苦惱解脫五障不忘念八地
善男子菩薩摩訶薩於第九地得陁羅
尼名无量門
怛姪他 訶哩 旃荼哩 枳
俱藍婆剰體 天里反 都剌 死
㧊吒㧊吒死室唎室唎 迦室哩迦必室唎
莎 蘇活反 悉底 薩婆薩埵喃莎訶
善男子此陁羅尼是過九恒河沙數諸佛
所說為護九地菩薩故若有誦持此陁羅
尼呪者脫諸怖畏惡獸惡鬼人非人等怨賊
灾横及諸苦惱解脫五障不忘念九地
善男子菩薩摩訶薩於第十地得陁羅尼
[...]破金剛山
[...]他 悉提 去 蘇悉提 去
[...]祈你[...]你 毗木底 菴末麗
毗末麗涅末麗 忙 掲 麗
呬蘭若掲鞞 曷喇怛娜掲鞞
三曼多跋姪麗 薩婆頞他娑憚你
摩捺斯莫訶摩捺斯 頞 步 底
頞室步底 阿喇誓 毗 喇 誓
頞主底菴室栗底 阿喇誓 毗 喇 誓
跋藍謎 跋囉鉗 大含 麼莎 入 麗
[...]剌你[...]剌那[...]

BD02314 號　金光明最勝王經卷四　（8–4）

頞室步底 阿喇誓 毗喇誓
頞主底菴室栗底 阿喇誓 毗 喇 誓
跋藍謎 跋囉鉗 大含 麼莎 入 麗
補喇你晡喇娜 曼奴喇剃 莎訶
[...]頂吉祥句是過十恒
[...]護十地菩薩故若
有誦持此陁羅[...]脫諸怖畏惡獸惡
鬼人非人等怨賊灾横一切毒害皆悉除
滅解脫五障不忘念十地
尒時師子相无礙光燄菩薩聞佛說此不
可思議陁羅尼已即從座起偏袒右肩
右膝著地合掌恭敬頂礼佛足以頌讚佛
敬礼无譬喻 甚深无相法 衆生失正知 唯佛能濟度
如来明慧眼 不見一法相 復以正法眼 普照不思議
不生於一法 亦不滅一法 由斯平等見 得至无上處
不壞於生死 亦不住涅槃 不著於二邊 是故證圓寂
於淨不淨品 世尊知一味 由不分別故 獲得最清淨
[...]尊无邊身 不說於一字 令諸弟子衆 法雨皆充滿
佛觀衆生相 一切種皆无 然於苦惱者 當興於救護
苦樂常无常 有我无我等 不一亦不異 不生亦不滅
如是衆多義 隨說有差別 譬如空谷響 唯佛能了知
法界无分別 是故无異乘 為度衆生故 分別說有三
尒時大自在梵天王亦從座起偏袒右肩右
膝著地合掌恭敬頂礼佛足而白佛言世尊
此金光明最勝王經希有難量初中後善文義
究竟皆能成就一切佛法若受持者是人
則為報諸佛恩佛言善男子如是如是如汝

BD02314 號　金光明最勝王經卷四　（8–5）

勝善地合掌恭敬頂礼佛足而白佛言世尊
此金光明最勝王經希有難量初中後善文義
究竟皆能成就一切佛法若受持者是人
則為報諸佛恩佛言善男子如是如是如汝
所說善男子若得聽聞是經典者皆不退於
阿耨多羅三藐三菩提何以故善男子是能
成熟不退地菩薩殊勝善根是第一法印是
衆經王故應聽聞受持讀誦何以故善男子
若一切衆生未種善根未成熟善根未親近諸
佛者不能聽聞是微妙法若善男子善女人
能聽受者一切罪障皆悉除滅得最清淨
常得見佛不離諸佛及善知識勝行之人
恒聞妙法住不退地獲得如是勝陁羅尼門
所謂无盡无減海印出妙功德陁羅尼无盡
无減通達衆生意行言語陁羅尼无盡无
減日圓无垢相光陁羅尼无盡无減滿月
相光陁羅尼无盡无減能伏諸惑演功德
流陁羅尼无盡无減破金剛山陁羅尼无盡
无減說不可說義因緣藏陁羅尼无盡无減
通達實語法則音聲陁羅尼无盡无減
虛空无垢心行印陁羅尼无盡无減无邊
佛身皆能顯現陁羅尼无盡无減
善男子如是等無盡无減諸陁羅尼門得成
就故是菩薩摩訶薩能於十方一切佛土
化作佛身演說无上種種正法於法真如不
動不住不來不去善能成就一切衆生善根
亦不見一切衆生可成熟者雖說種種諸法

BD02314 號　金光明最勝王經卷四　（8–6）

就故是菩薩摩訶薩能於十方一切佛土
化作佛身演說无上種種正法於法真如不
動不住不來不去善能成就一切衆生善根
亦不見一切衆生可成熟者雖說種種諸法
於言詞中不動不住不去不來能於生滅
證无生滅以何因緣說諸行法无有去來由
一切法體无異故說是法時三万億菩薩摩
訶薩得无生法忍无量諸菩薩不退菩提心
无量无邊苾芻苾芻尼得法眼淨无量衆
生發菩提心尒時世尊而說頌曰
勝法能逆生死流　甚深微妙難得見
有情盲冥貪欲覆　猶不見故受諸苦
尒時大衆俱從座起頂礼佛足而白佛言
世尊若所在處講宣讀誦此金光明最勝
王經我等大衆皆悉往彼為作聽衆是說
法師令得利益安樂无障身意泰然我等
皆當盡心供養亦令聽衆安隱快樂所住
國土无諸怨賊恐怖厄難飢饉之苦人民
熾盛此說法處道場之地一切諸天人非人
等一切衆生不應履踐及以汙穢何以故
說法之處即是制底當以香花繒綵幡
蓋而為供養我等常為守護令離衰損
佛告大衆善男子汝等應當精勤修
習此妙經典是則正法久住於世
金光明最勝王經卷第四

BD02314 號　金光明最勝王經卷四　（8–7）

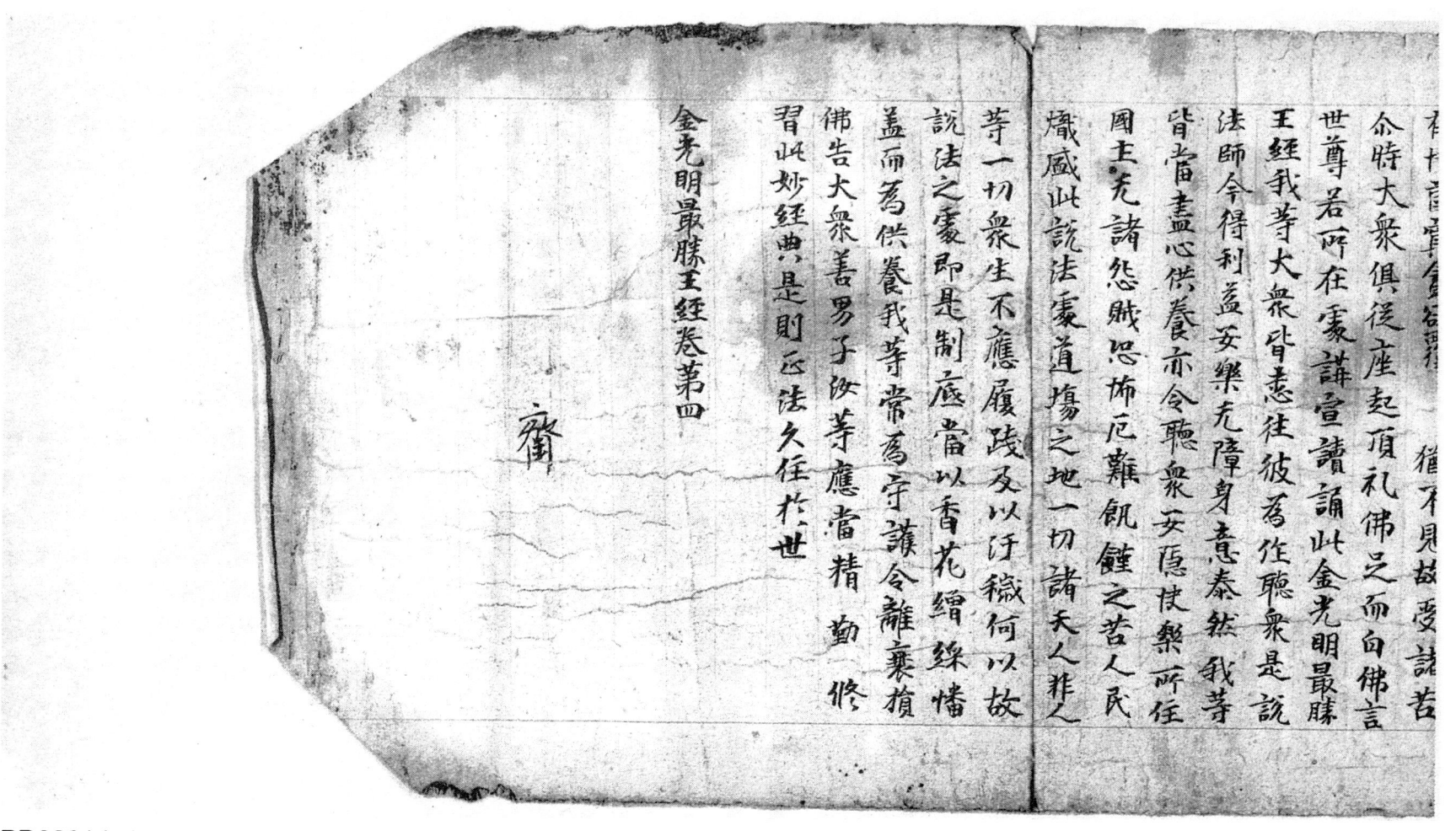

有情[illegible]猶不見故受諸苦
尒時大衆俱從座起頂礼佛足而白佛言
世尊若所在處講宣讀誦此金光明最勝
王經我等大衆皆悉往彼為作聽衆是說
法師令得利益安樂无障身意泰然我等
皆當盡心供養亦令聽衆安隱快樂所住
國土无諸怨賊恐怖厄難飢饉之苦人民
熾盛此說法處道場之地一切諸天人非人
等一切衆生不應履踐及以汙穢何以故
說法之處即是制底當以香花繒綵幡
蓋而為供養我等常為守護令離衰損
佛告大衆善男子汝等應當精勤修
習此妙經典是則正法久住於世
金光明最勝王經卷第四

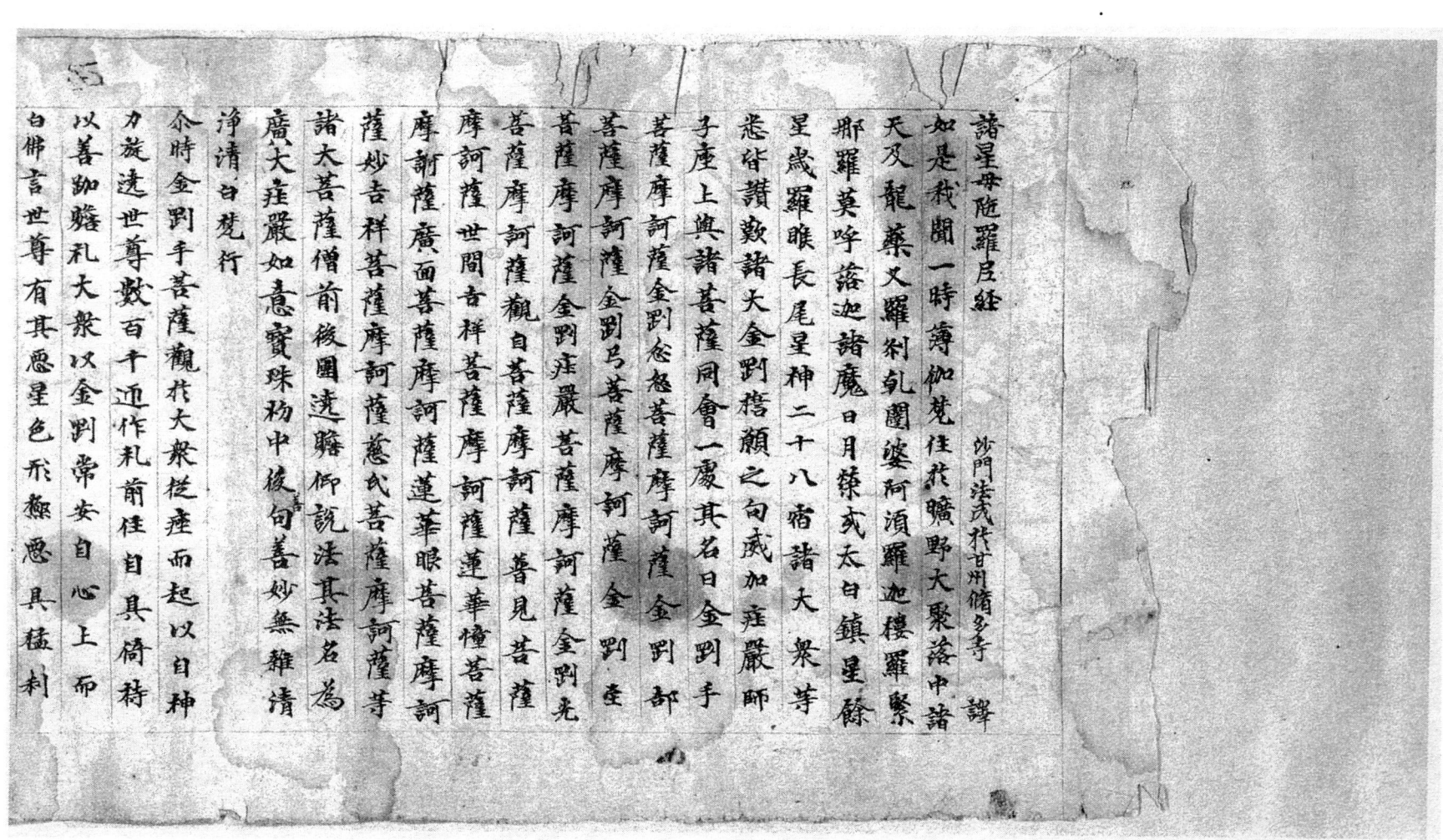

齋

BD02314 號　金光明最勝王經卷四

(8–8)

諸星母陀羅尼經
沙門法成於甘州脩多寺譯
如是我聞一時薄伽梵住於曠野大聚落中諸
天及龍藥叉羅剎乹闥婆阿須羅迦樓羅緊
那羅莫呼落迦諸魔日月熒惑太白鎮星餘
星歲羅睺長尾星神二十八宿諸大衆等
悉皆讚歎諸大金剛稽顙之句威加莊嚴師
子座上與諸菩薩同會一處其名曰金剛手
菩薩摩訶薩金剛忿怒菩薩摩訶薩金剛部
菩薩摩訶薩金剛弓菩薩摩訶薩金剛臺
菩薩摩訶薩金剛莊嚴菩薩摩訶薩金剛光
菩薩摩訶薩觀自菩薩摩訶薩普見菩薩
摩訶薩世間吉祥菩薩摩訶薩蓮華幢菩薩
摩訶薩廣面菩薩摩訶薩蓮華眼菩薩摩訶
薩妙吉祥菩薩摩訶薩慈氏菩薩摩訶薩等
諸大菩薩僧前後圍遶瞻仰說法其法名為
廣大莊嚴如意寶珠劫中後善句善妙無雜清
淨清白梵行
尒時金剛手菩薩觀於大衆從座而起以自神
力旋遶世尊數百千迊作礼前住自具倚待
以善跏趺礼大衆以金剛常安自心上而
白佛言世尊有其惡星色形極惡具植刹

BD02315 號　諸星母陀羅尼經

(5–1)

淨清白梵行
尒時金剛手菩薩觀於大衆從座而起以自神
力旋遶世尊數百千迊作礼前住自具倚持
以善勸請礼大衆以金剛常安自心上而
白佛言世尊有其惡星色形極惡具猛利
心色形忿怒惱亂有情棄其精氣或棄財物
或棄於命長壽有情令作短壽如是惱亂一切
有情為是等故唯願世尊開顯法門守護一
切有情之類世尊告曰善哉善哉汝興大悲
為利一切諸有情故問於如來其深密義汝
念諦聽善思念之我當說其惡星瞋怒破
懷之法及說供養行施念誦秘密之義
若行供養當供養　若作其惡當行惡
如是諸星形色等　云何而令生歡喜
諸天及與諸非天　緊那羅等及諸龍
諸藥叉等并羅刹　人及迦多冨多那
猛利威德諸大神　瞋怒云何而殄滅
秘密言辞供養法　今當次第而宣說
尒時釋迦如來從息心上而施慈心遊戲光
明入於諸星頂髻之中尋時日月一切星神
從座而起以諸天供即以供養釋迦如來膝
輪著地合掌作礼而白佛言世尊如來應供
正真等覺利益我等唯願世尊宣說法門
令於我等而聚集已守衛防護說法之師
令得吉慶遠離刀杖消滅毒藥及作結界
尒時釋迦如來即便為說供養星法及以密
言陀羅尼曰
唵謨呼羅迦耶莎訶　唵尸儻奢蔽莎訶唵落落
當伽俱麼囉也莎訶　唵報須也報須也莎訶唵報
伽阿悉波須也　莎訶　唵阿須囉薩多麼也莎訶
唵吒里悉棗嗽羅耶也莎訶　唵阿密多畢哩耶莎訶

BD02315 號　諸星母陀羅尼經　（5–2）

言陀羅尼曰
唵謨呼羅迦耶莎訶　唵尸儻奢蔽莎訶唵落落
當伽俱麼囉也莎訶　唵報須也報須也莎訶唵報
伽阿悉波須也　莎訶　唵阿須囉薩多麼也莎訶
唵吒里悉棗嗽羅耶也莎訶　唵阿密多畢哩耶莎訶
唵稽底羯多蔽　莎訶
金剛手此則是彼九星秘密心呪讀便成辦
當作十二指一色香壇中安供養或凡或銅
金銀等器奉獻供養一一供養當誦一百八
遍金剛手然後誦此諸星母陀羅尼秘密言
辞滿足七遍一切諸星而作守護所有貧窮
悉得解脫命將次盡而得長壽金剛手若苾
芻苾芻尼烏波索迦烏波斯迦及餘有情之
類若歷耳根而不中夭金剛手諸星壇中設
供養已每日而讀誦者彼說法師一切諸星
如彼所願悉令滿足與彼同類負責諸事
皆得消滅
尒時釋迦如來即便為說諸星母陀羅尼
即說呪曰
南謨佛陀耶　南謨婆務囉馱囉耶　南麼鉢麼
達囉耶　南麼薩婆迦囉訶　南麼薩婆阿奢
婆羅甫迦喃　南謨諾奢多囉喃　南謨璠爹奢
囉尸喃　怛也沒底沒底　撒窒囉撒窒囉　鉢
明鉢明　婆囉婆囉　鉢婆囉鉢婆囉　三婆囉
三婆囉　基多耶基多耶　麼囉麼囉　麼訖陀
麼訖陀　伽須耶　薩婆碧達　俱嚕俱嚕
晉耶晉耶　乞舍波耶乞舍波耶　扇眡呈伍
須麼耶須麼𢦏　咄嚕多你　達奢耶　稿
麼喃　落伽落帝　落叉耶落叉耶　麼耶婆
婆哩波藍　婆囉波薩都王悉綦　薩婆

BD02315 號　諸星母陀羅尼經　（5–3）

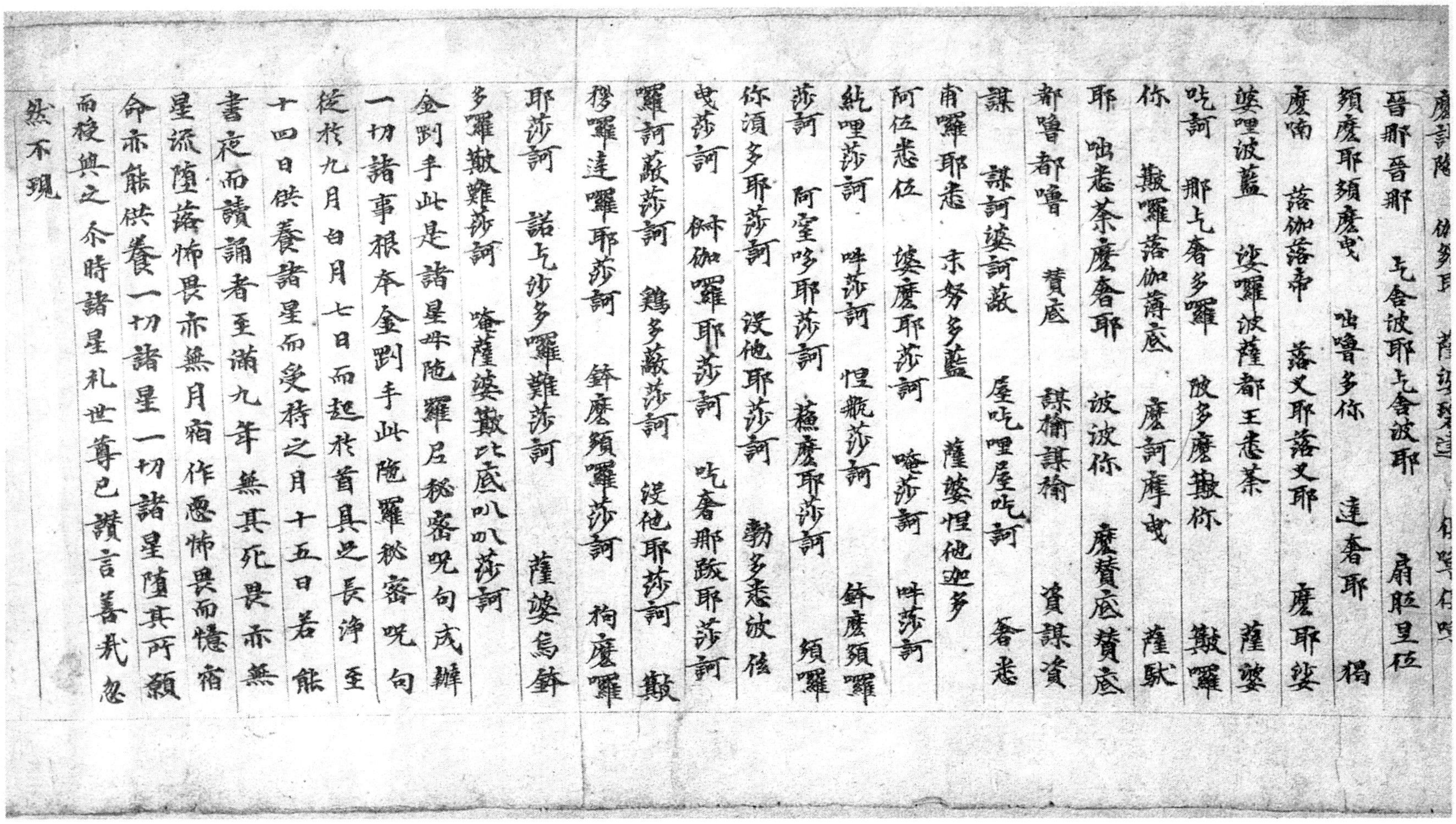
麼訶陁
晉那晉那　乞舍波耶乞舍波耶　扇胝呈伍
頞麼耶頞麼曳　咄嚕多你　達奢耶　羯
麼喃　落伽落帝　落叉耶落叉耶　麼耶娑
娑哩波藍　娑囉波薩都王悉荼　薩婆
吒訶　那乞奢多囉　陂多麼擻你　擻囉
你　擻囉落伽薾底　麼訶摩曳　薩馱
耶　咄悉荼麼奢耶　波波你　麼賛底賛底
都嚕都嚕　賛底　謀揄謀揄　資謀資
謀　謀訶婆訶蔽　屋吒哩屋吒訶　奢悉
甫囉耶悉　末努多藍　薩婆怛他迦多
阿伍悉伍　婆麼耶莎訶　唵莎訶　吽莎訶
紇哩莎訶　吽莎訶　怛瓶莎訶　鉢麼頞囉
莎訶　阿室哆耶莎訶　蘓麼耶莎訶　頞囉
你須多耶莎訶　沒他耶莎訶　勃多悉波伍
曳莎訶　鉢伽囉耶莎訶　吃奢那跋耶莎訶
囉訶蔽莎訶　鷄多蔽莎訶　沒他耶莎訶　擻
㩳囉達囉耶莎訶　鉢麼頞囉莎訶　枸麼囉
耶莎訶　諸乞沙多囉難莎訶　薩婆烏鉢
多囉擻難莎訶　唵薩婆擻比底叭叭莎訶
金剛手此是諸星母陁羅尼秘密呪句戍辯
一切諸事根本金剛手此陁羅秘密呪句
從於九月白月七日而起於首具足長淨至
十四日供養諸星而受持之月十五日若能
晝夜而讀誦者至滿九年無其死畏亦無
星流墮落怖畏亦無月宿作惡怖畏而憶宿
命亦能供養一切諸星一切諸星隨其所願
而授與之尒時諸星礼世尊已讚言善哉忽
然不現

BD02315號　諸星母陀羅尼經　（5–4）

多囉擻難莎訶　唵薩婆擻比底叭叭莎訶
金剛手此是諸星母陁羅尼秘密呪句戍辯
一切諸事根本金剛手此陁羅秘密呪句
從於九月白月七日而起於首具足長淨至
十四日供養諸星而受持之月十五日若能
晝夜而讀誦者至滿九年無其死畏亦無
星流墮落怖畏亦無月宿作惡怖畏而憶宿
命亦能供養一切諸星一切諸星隨其所願
而授與之尒時諸星礼世尊已讚言善哉忽
然不現
諸星母陁羅尼經一卷　㩳[姉末反]　紇[胡薯反]　哆[得者反]　羯[許葛反]
壬戌年四月十六日於甘州脩多寺翻譯此經
王顒

BD02315號　諸星母陀羅尼經　（5–5）

是佛法但非通宗大乘之行故云魔也　四諦四
第二依人四入解也一者善友別息現二者善知外性三者離生住滅見四
者得自覺醒諸善樂此四者即理真諦故言帝明也答上云何諸
諸佛心喜說真帝就中有三段從初至應有醒帝略舟帝之
實言二從善男子若復有人至是名道帝廣舟四帝差別已相
三從若有人言三寶无常訖名明情有迷悟耶有得失及領解義
誠言世醒者不名世醒帝者不以世事為帝令以世法世理為帝
世法者法界中遍法也是以諸佛菩薩但有世用无世事也如何
得尔正由理融无外實用相資无世事也是以不當生等為醒世
帝也若復有人不知如來乃至非法身者不知真跡方滅也不知如
來德道乃至多是世憁者不達用而相无明不善之別因心現也若
有能知已下從種性已上識知也戒聞二字音隱通有者達方便懷
二種真詮起先際也即生天者初地也後證知者仏果也即是息現我於
注者實闡是義得解脫方知者始悟先後不二也此四行次第配四帝
義顯之明也我於本際已下可知帝中不淨物等者但是生滅皆是有
為名曰不淨此是外性也法性者是內性不達外性為非故不得生天及正解
脫天者彰跡淨解脫者是无鄣得行也若有深智不壞正法者達內外
不二而法之有下明識不識二人可知也前相似滅帝者習空法雖緣帝起
猶跡是不故名為空是名不善者雖是无漏非跡須也是名猶空者有名
无實也猶善滅道一切外道者雖生滅見也一切外道亦猶空法者即指向方
便无漏跡不即真名外道也若有說言有如來藏乃至際或得入者此明詩
皆有也若從此心一念因緣於諸法中得自在者方法斷道是真道也若有

修躰是不收名為空是名不善者雖是无漏非躰頓也是名修空者有名无實也修善滅達一切外道者雖生滅見也一切外道不修空法者即指向方便无漏躰不取真名外道也若有說言有如來藏乃至除或得入者此明對治修也若發此心一念因緣於諸法中得自在者方法斷道是真道也若有修習蜜藏已下遂明修之得失可解不釋道品中分三寶者為明真性三歸顯於自及也正解脫者躰絶百非妙用自在即醒悟善樂有衆生衆生顛倒心已下明不會者若能發心已下畫之復如是如是自覺經文分念者捎道先際自覺為因也於无量世自在隨意者是醒悟善樂也我於法者昔事釋未會之時也若修是法常者是我弟子者見常弟子也　四到品

前之二依憶行已竟後之二依次弟須斗並弟三依具出分義謂那含菩薩従階无相修雙道具足顯方便果行成就第四依者具十六分義謂羅漢菩薩従階无學无相修果離行淳熟大寂滅遠離竟性淨果修是以常之与樂義興方便事先獲故能第三依我之与淨顯之理用窮對在終以對於後故結屬第四依也名互隱顯經雖成二擧果而統无不攝是以合說故曰四到品此是到行非是到患欲顯二依功高行遠故說遠用以顯其德故致上問正善具成就演說四顛倒說中有二段前廣行四到義到後迦葉領解竟十六分義具顯分明闡道之要如能躰之者何或而不達何滯而不消故云我今始得見正自此已前卷名聊見人也從此迦葉并衆生起到所以前明苦中生樂相後明樂生苦相前苦生樂想中先明樂生苦相後明苦生樂想何故尒也欲明二心相因倚數尋理思惟籌度後決斷經文隨來義在於此後明樂生苦想中先明樂生苦後之并苦生樂即有二句初句不說如來常後句不說為樂雖有二句并成苦生樂也以於樂中生苦故言結樂中生苦到也是名初到第二无常常常无常中文隱次釋无常者名不修空者此以真實躰常為空是具常也不修空者不修常行此是无常衆生佐似也今據理法明故云壽命斷從此釋无常常想若有說言不修空者得長壽者此是封性真實不可修習故知緣常起修後与常會所以長壽封情如是今據理法論正是到也若就道教此是到也初到訖分非二并苦樂第二訖衆生躰生以明常无常我无我說法而并淨不

BD02316號　涅槃經疏（擬）　（11–2）

脩空者此以真實將常為空是具常也不脩空者不脩常行此是无常衆
生作仏也今據理注明故云壽命斷從此釋无常〻想若有竟說空不脩空
者得長壽者此是封性真實不可脩習故知緣常起脩後為常會
所以長壽封情如是今據理注論正是封也若就通教此是封也初封就
如來上來者皆樂第二剋就衆生辨性以明常无常我无我就法而弁淨不
淨據色相而弁

如來性品

上明慈非離法斯乃行之方便如不即真非常非善為得佐菩提之業
然真者者何所謂如來性故上問云何作善業大征今當說今答此義
故曰如來性品就中有四段義從初至仏法如是不可思議明一切衆生悉
有常性品二從善男子方等終者至八十種好不可思議明真性是衆
之善原万德之本折善衆德非此不蒙故得与衆生作真歸依之義三
從尒時仏讚迦葉已下至成就經中皆悉說已明上緣起德集等於脩
成故次弁真脩雖諸識論妄想分別過也四從善男子我与无我之說此
顯明性雖真實以對治因緣因果義興彰无为緣集成就之義就初明有
性有五喻一貧女寶藏喻明衆生有彰不知如來或壹故見非是无也
從初至金剛藏者即仏性具文是也第二嬰嬨喻者明若實有性如來
明見何不先說令知不說故知无也故引此喻答但衆生對塵累未得熟
為非是无也從譬如女人生育一子說如來祕藏不得不有真文是也第
三喻者迦葉十二句問性若有而是常何故云道不同生滅之實明知无也
故生此喻正以有性故遠恒得生背之遠則面之易順此二力士依性為本
故知不无也從迦葉菩薩說如是无量不可思議文是也雪山喻如來
者如真是有得證者雖无得證故言有匠信故引此喻過去仏已證現在
今證輪王即仏也如能脩習未來亦證故知有也從譬雪山下說以是因緣
无有然者文是也第五伏藏喻來者上力士喻云有為皆依真
性若尒緣集義同何得一邊一存此證難信也此喻即答緣集
雖同真偽則異偽同石沙可遣之義性同金剛不可壞也妄情之起想之
則有息之則无何得債性息古也從若无然者說此啟文是也貧
[illegible]

性若尒緣集義同何得一違一存此證難信也此喻爲答緣集
雖同真偽則異爲同石沙可遣之義性同金剛不可壞也妄情之起想之
則有息之則无何得債性息古也從善无黠者託此敵文是也貧
女寶藏喻中家人大小者衆生解基不等也汝明切歸於已也能
示我子者解心對教也我之欲見者脩行既立解以顯現也前者
示對先際也後普示對後際自餘相顯不能釋也此女云貧者貽
連有信未有方便行資也下嬰姟喻得解在已不失不云貧也
嬰姟喻先就化宜名義同處作一釋女人生子者如法華中我
在十六騐胄尒爲安號也嬰姟得病者捨父逃逝五十餘年也是女
愁惱者樹王起悲三七日思惟也未覓良醫者尋念過去仏方
便而行道也良醫既至者作是思惟時十方仏皆現在也合三種
藥者汝今所得道乏應說三乘也自下一准此義女人生子者
緣真不二解成也嬰姟得病始脩行未立也女愁惱者猒心生起
基發也未覓良醫者有動揭法之力也醫至合藥者起處授
法也而云八種乳者此常中脩无常三行也不脩无常之无常也此
習種人觀判不同昔也固告女人者乏義而發教也且莫与与乳者
始解力劣恐成我到並作无我等觀也須消乃与者待无我觀
熟方作我等觀也此是甚教相對語也而以苦味塗乳者信教
作无我觀也語兒言我乳毒塗不可輒者滌自體解爲未及
也兒渴欲得乳者復有樂常之心也聞乳毒氣捨去者方便未
成歸本脩也洗乳与兒者无我行熟樂常心發也先聞毒不來
者前行始壞未勤利脩也爲治脈藥以毒塗者稱作无我觀故
息隱真真也汝藥消我已洗者无我鉄熟常想顯也兒衝飲者
還脩常等三行也如來之尒竟入涅槃合上醫師无我教也爲除
諸忌見者脩斷行也示現出遷世間法者脩離行也復示計我虛
妄非真者滅行脩爲无我法清淨身者此是无我相應也下復
引女人塗乳者奉喻來成向四行爲通結也如來之尒者結女人教
[illegible]

BD02316號　涅槃經疏（擬）　（11–4）

還佛常等三行也如來亦尔貪入涅槃合上隨師无我教也為除
諸忘見者脩斷行也示現出過世閒法者脩離行也後示計我德
妄非真者滅行脩為无我法清淨身者此是无我相應也下後
引女人除乳者舉喻來成向四行即通結也如來亦尔者結女人教
子不得專乳也如彼女人洗已我今亦尔者結女人呼子飲乳也
十二句問起力士喻說中有四段從初即令良醫欲自療治明失
珠因緣第二從時有明醫下說生奇特想明珠在不忘也第三
從善男子一切衆生亦復如是釋失珠所以第四從善男子如來
如是說此喻釋上珠在此所以就第二珠在不已中有三子句從初
時有明醫下說持非乱化對四住煩惱以明珠在第二從是時
良醫尉喻力士下說欺誑於我對无明惑以明珠在以蘭裏之言
故知也第三時醫執鏡下說生奇特想就軆鄣以明現在也就
第三釋失珠所以中還有三句初一切衆生亦復如是由四住惑鄣
不知親近故失也第二衆生亦尔由无明惑以不知親近故失珠也善
知識者真實行法也初段第四段文略可知譬王家者脩行衆生
為王五陰為家寶惠為力士中道為珠義分為二与餘力士
者无明也捔力者對治未淺也依力士頭頂者對治道受也珠
沒膚者為惑覆也其處有瘡者道猶在也即令醫療治者集
教相發也即知是創因珠入體者因性故方便集也即尋住者
明有不无也良醫即問即珠何所在者教對集也力士驚荅乃无
去者脩无我也憂滯失者既證已知不真也持非乱化者未能相
應謂同生滅也是良醫至珠陷入體故不自知脩相力考為惑
覆也今在皮裏影現外者體雖未現真相外現也力士不信者
雖二周也并猶未見也若在皮裏者若在初鄣中也為何不出者
性是清淨何故与識同宅也若衣蘭裏不可見者无明猶在不
應有珠也如言有者何可信也故言欺誑於我時醫執鏡令顯
現者循鄣相顯徹真相明了故云顯現未是體證故但言奇
特相關令之耳前明顯也譬如雪山有一味藥至其滋性直明衆生

……
應有珠也如言有者何可信也故言欲歎於我時腎靴鏡令顯
現者猶鄣相翳徽真相明了故云顯現未是騂鑑故但言哥
特相闕令之耳前明顯也譬如雪山有一味藥至其巡性宜明家生
五陰有此真性在深叢下人无有見此一句明有或者不見有人聞
香至當有是藥此一句明无或者見從過去輪王下訖加功苦至
而不能得明過去世中雖脩有會不會者從凡有膛王下訖不
能得見明今現在有得不得者因令喻即顯此義也是其便一味者
譬如仏性令上有一味藥以煩惱故下略令首隨令上王既沒已諸
味不同也仏性雄猛已下訖此喻令上是藥真味亭留在山猶如
滿月也五陰為山也真常仏性離衆相為一味藥在深叢下者
為或隱也有人聞香者明見之也即知其地者有藥者以隱驗前
知有為中定有真性也過去輪王者是香人也在在處處造木筒
者起方便非一也是藥熟時從地出集筩者功至行滿理顯在已
騂同相稱也王既沒已者因滿封證也其後是藥諸味不同有
教道猶存但習者非一隨降不等也是藥亭山如滿月者雖從緣
殊異真性不動也自下文顯可知伏藏喻迦葉白仏若无然者
惠之業者此第五喻何意作許問凡得罪之來要由損生遠理
論其我者是主是理既不可俎悪業安在為顯性雖巨但備
是邊性得罪此明相邊脩也是以云衆生仏性住五陰中壞五陰
名為煞生也此文顯也令云住者云何住不同五分耶論住也正以
真性理雖无在不在故經云无有一法出於法性然此性法非當
非現就衆生而論得言三世雖非世也若知衆生不異此性決
定有之即是歸越別情有之相根即可寄言譬如有人善
知藏者真脩行人也取利解者興方便无漏道也掘地直下
者道種方便也顯十地理實般石沙礫直過无難者无七識
緣猶難堅可壞也金剛匡徹者第八真識不可損也自下可
知第二段真性三歸依中復有三段從初至如我所說偈真性

知微者真脩行人也求利解者興方便无漏道也揔地直下
者道種方便也顯十地理實賤石沙礫直過无難者无七識
緣智雖堅可壞也金剛巨徹者第八真識不可壞也自下可
知第二段真性三歸依中復有三段從初至如我所說偈其性
義如是明三歸體性七二從迦葉復說偈言已下盡偈明性
集成緣起作歸依之三從尔時仏告迦葉已下明依有差別勸
擇物業真也就真歸體中有二從初長行略樹其旨明法界
真趣无二而有遠頓之別故迷之者尊緣成愚達者遠頓斯
融是以經云衆生以菩提為煩惱諸仏以煩惱為菩提此之謂
也二說偈廣弁真相就中有十一偈前七偈半正弁體相下三
偈半明一體有三歸之義第二段明作歸依義中有十八偈半初
十偈迦葉騰已疑而請次四偈半如來正答下有四偈迦葉
領解讚嘆也方便等經猶如甘露亦如毒藥者法界中而染法有
淨法菩提涅槃是淨法生死苦集是染法今云淨者是淨法
非淨相染者是染法非染相凡夫剋取不稱其旨遠頓斯毒
諸仏菩薩體融无寻遠頓皆資名曰甘露服甘露傷命者
雖依頓法取彼淨相而循為體復是寻取是傷命或復甘露
長存者體稱頓法无增感也或服毒生者遠法名為毒非是事
也稱遠法匹用无遠故得生也服毒亂者不稱遠法遠相輪增
名死向來直舉法界法也无寻稱甘露者上并染淨二法今云
淨不二稱理之解也所謂大乘典者无鄣寻行者也如是大乘三名
雜毒藥者以染淨為體也甘露毒義不異前釋此據後際明性
如穢提湖等乃至不消為毒此揔舉因果之性并消不消也方便
三如是一偈明照連習種人不識也聲聞緣覺一偈明性種人也如是
勤進者一偈明道種中性也人中頂王者世間中取勝也衆生知
仏性一偈并初地已上性也此衆生即迦葉也如是三歸性是我性
者三周雖別即體一也故云即是我之性也此一句偈正顯如來性也若能
帝觀際我性有仏性者知實性緣起成種子義也入蜜藏者得入

勤進者一偈明直種中性也人中頂王者世間中最勝也衆生知
仏性一偈弁初地已上性也此衆生即迦葉也如是三歸性是我性
者三用雖別卽體一也故云卽是我之性也此一句偈正顯如來性也若能
帝觀際我性有仏性者知實性緣起成種子義也入蜜藏者得入
如來行也秘蜜者明在染不染處淨非淨而能爲緣淨之用名隱義蓋發
云秘蜜也知我及我所者識體用兩穴也是人已出世者理顯成用出於
重玄也我今都不知已下第二明作歸依義不知三寶者有爲无
爲緣集義同若真不應有緣集之義如此真爲何可識也云何歸趣
无畏者三歸是自體因云何趣因而趣果也不知三寶處云何滿无我
善業也此无我是我之无我也自在不自在者正出法體々々爲自在用
顯從緣爲不自在也僧義可知未來若不成者此自體因果非可滿
成何所歸也故言云何歸三寶我今无緣知者不違自體因果非三歸
也當行次第依者從先際因滿後際仏果也云何未懷任而作生子想
者云何不滿而得果也果爲子因爲母也又方而子勉此言是也若父
在胎中爲有子者十地胎成可有果子也子若在胎中生不久者地
行既滿後際必然是名爲子義言因道滿果必然也衆生業亦然
者衆生以集用爲義起作義成故知云亦然假名憂婆塞不知真
實義者未達自體滿也迦葉汝當知已下答汝於諸菩薩者汝迦
葉也菩薩者地前也第七仏者釋迦果也同一名者先後際不二也歸
依於仏真實憂婆塞者識自體真竟也不依天神者方便果受
於福資義同天神今爲明自體因自體果故云不依也如下文仏
性之性不生涅槃而體是果其義一也下法僧二寶取自性真
執爲法不取循相捨前證後爲法也取體循爲僧不取方便外因
也故云不求外道下領解四偈可知尒時耐仏告迦葉汝今不應如
諸聲聞凡夫之人已下第三段勸捨爲業真中有三段從初則應
別有三歸依明略樹以勸二從善男子菩薩應作如是思惟已下
至猛利波封應如劉力刀廣釋以勸三從迦葉白仏説此段明迦
[illegible]及集[illegible]時汝[illegible]聞已大人列三寶者滿明道中

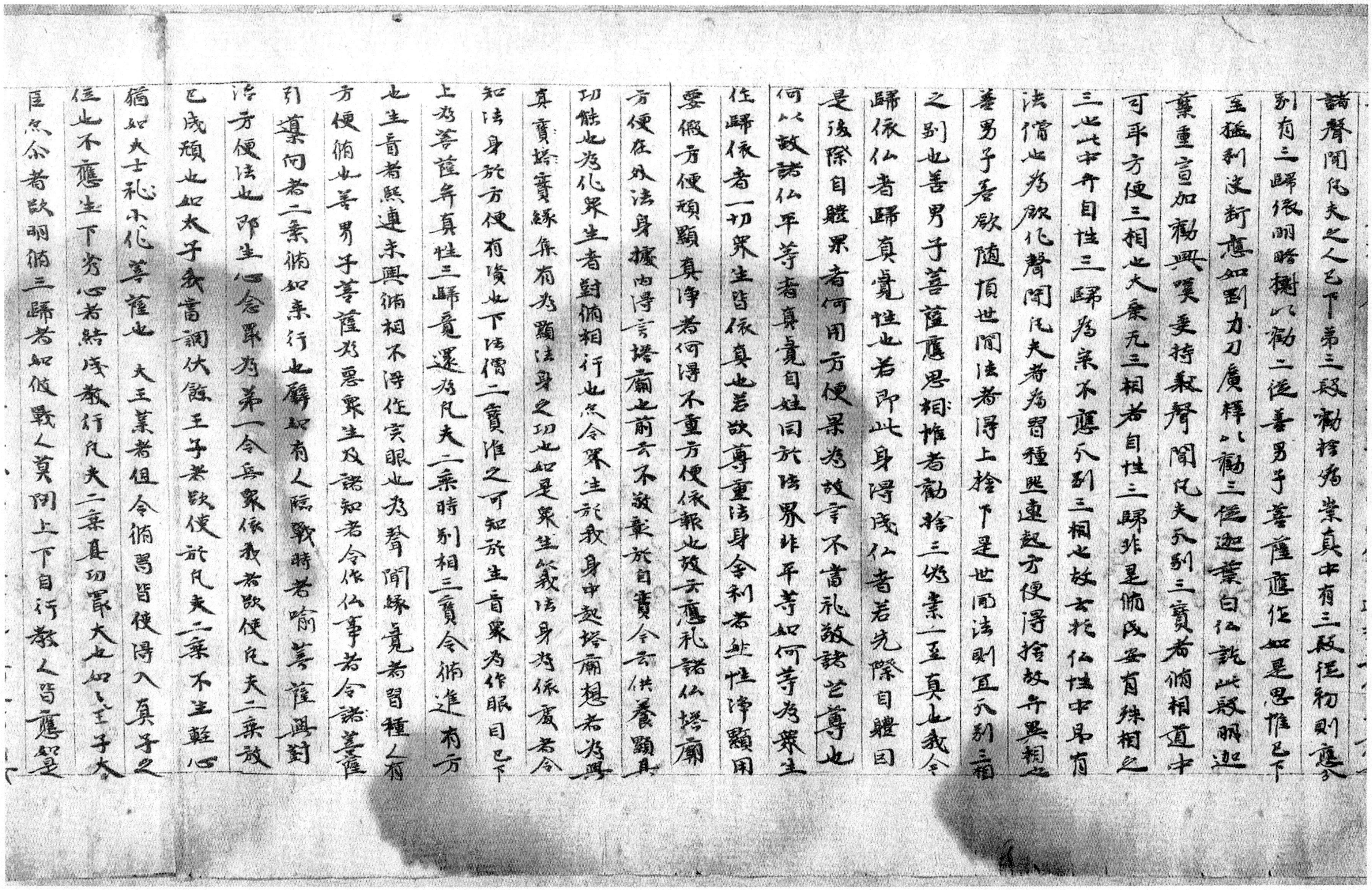

BD02316 號　涅槃經疏（擬）　　（11–9）

猶如大士祀小化菩薩也　大王業者但令循罵皆使得入真子之
位也不應生下劣心者結成教行凡夫二乘具功實大也如〻王子大
臣亦尒者欲明循三歸者如彼戰人莫問上下自行教人皆應智是
不能煩文繁云亦尒善男子菩薩亦復如是今喻也云何三事与我
一體者就相以弁三也三事即涅槃者體攝以論一也如來名无上下已
下弁三夏劣也如攝撥者雖三相之異具非別也故於大乘亦應如
翦刀者結三事即涅槃雖用相多能具體无二真性顯用義彰於
也也迦葉菩薩已下可解下云仏性如是不思儀者明體非分別
也卅二相八十種好不思儀者明相而非相離分別也尒時仏讚迦葉
菩薩已下正明中道初雖五分即論以明中道第二雖三種惡猾
以明中道何者是五分初者有无第二者一異第三者俱不俱此三藏
論一處說下即明中道非斷非常也第四非有非无論復一處說
竟即結中道非有非无也第五常无常論竟即結中道真
性是也具文是何從義我住者不離於蘊計无也義無我者无
所刹蘊計有也義言諸法皆无我即斷見者計異也義言
我住即是常見者計一也義言一切行无常即斷見者計俱也
諸行常者計不俱也若言苦者即是斷見已下特明中道先住三論
有過之義初勾言苦斷樂常者出其所計之法第二句循一切法常墮
斷者計五陰常滅我五故云斷循一切法斷墮常見者計異我有陰〻滅
我存故曰常見此一對彰循亦有失下步展翻況諸資也以是義故已下即計
中道下文自顯循餘法苦者始方便苦用亦无苦相也皆並不苦者相同有漏也
循餘法樂者自體真循也體並相恆滑稱善也循餘无我是煩惱分者是
樂法界行也循餘法常者是淨法界行也故云秘密藏涅槃也循餘无常法者
真不守性名无常行也即是財物者義用有資也循餘法常者守自性行
也謂仏法僧及正解脫自體无彰彰也皆云餘者證教相醒並之為餘上下相
望亦得名餘當知如是說遠離二邊為說真法結中道也凡夫過人見非无
徹於彼有之上藏不定住非有非无而取此是第四記論若言有者不應滌者
明如非有也若言无者即是妄語者明如非无也若言有者不應嘿然

BD02316號　涅槃經疏（擬）　（11–10）

望亦得名餘當知如是說遠離二邊為說真法結中道也凡夫過人見非无
徹於彼有之上彧不定作非有非无亦取此是第四配論若言有者不應漆者
明知非有也若言无者即是妄語者明知非无也若言有者不應嘿然
者既有何應置答故知非有也亦不應戲論諍訟者若无諍、
諠諍語故知非无前一對就解明非有非无後一對就相弁
非有非无皆不稱實也但寺了知諸法真性此一句明中道
也凡夫之人戲論諍訟已不至離有去來常住无變是第五
耶論文顯不靜若言无明因緣已下明不違因緣之解无二
之義是初惡知十惡已下明不違業相不二是第二惡智若
言應循一切法皆已下明不違循相不二是第三惡智循、
不違解二不違相之不違用何得非惡此中耶正更无別文
耶二為耶正二為正也耶一為耶正一為正凡夫謂二者存得捨循
明也智達不二者解實性是一也但知不違自實故名惡此
是降真之見故自知諸仏菩薩解解窮宗其性不二
是不緣之知也善男子我与无我已下是大段第四明无九
為緣集義就中有二從初至亦復如是无有二相正明真
循因緣集義二從迦葉白世尊說此段正明真循因果差別之相我无我相
性无二者我據其解名之為性无我據用名之為相即解弁用何得有
二也如我先於摩訶般若經中說者指大品中弁燈炷對治真循
為燈此品大意說我為性偈中淺云循无我理須會通故云无二相也
下引乳酪正順有循緣集義也始從乳至醍醐借喻亦因果也自下
如來親自斷簡真循義也為從乳生者為自類因生也為從自生者為
從自種因生也為從他生者為從相違因生也皆言為者欲明各无自相互
相假成因緣義也乃至醍醐上品是者皆籍此三因相資相顯也五味相
望有自類義據相也有相違義據位也有自種義據牛味也若從他生
即是他作非乳生者結第三句他還生他相違因義不成也若非乳
生乳无所為者結初句自類因不成也若自生者結第二句自種因

頂皐常見真禮香　次請十方爲和尚　手頂不然一衆生
次請十方諸佛　次請諸菩薩等　然受三歸依了
次問五能　一者善男子善女人等汝從今日乃至菩
提能捨一切諸惡不能　二者能親近善知識不能　三者能堅
持禁戒乃至命終不犯戒不能　四者能讀誦大乘之經令悟
甚深真理不能　五者令見苦惱衆生能捨救護不能
次各稱已名懺悔懺悔　過去未來及現在　身口意業十惡罪
一切除滅永不去　我今至心盡懺悔　次中既喻　猶如
明珠　迴向讚歎
夫欲歸依三寶以信為基發生定惠功德以戒為根本如人
无足不能遠涉如折翼鳥寸步不前若求无上菩提人天妙
果必假捨其煩雜投慕善緣離火宅因求甚深理世有多
衆不遇仏教或有盲聾視聽不聞或有音啞不辭傳說
或有𤸪躄進止不能或異方住居如同野獸難值難逢
現招苦報今者清信男清信女故聞世有六事甚為
難得一者人身難得二者中國難生三者縱得人身六
根難具四者仏世難值五者正法難聞六者信心難發
法花經云諸仏出興世懸遠值遇難正使出於世說是法
亦難无量无數劫大乘亦復難能投善知識此人亦是
難此六難之法今已得之大須自慶賀三寶良由宿種

BD02317號　禮懺文（擬）　（6-1）

根難具四者仏世難值五者正法難聞六者信心難發
法花經云諸仏出興世懸遠值遇難正使出於世說是法
亦難无量无數劫大乘亦復難能投善知識此人亦是
難此六難之法今已得之大須自慶賀三寶良由宿種
善根弘建福因招茲勝報更能離其煩惱捨家緣
不戀世情將心一境只是過去生中善業熟故今得受
報若說身心法門先憑四大四大者何地大水大火大風大
是名四大地大者身之骨肉水大者身之濕潤火大者身之
溫煖風大者出入之息又處說六大更加空大識大空者
虛通為性識大者了別為心若有四大合有五蘊五陰名
目如何色受相行識是其五蘊共成此身形骨為色領納
為受取假名相造作名行了別為識又說色如水聚沫
受如水上泡相如磧揚炎行如芭蕉堅識如僞幻惠師
蘊者何語蘊蓋積聚以成衆生三稟之中既有四大五
蘊合說六根者眼根耳根鼻根舌根身根意根是
名六根六根如何作用若有六根發生六識六識者
何眼識耳識鼻識舌識身識意識有此六識緣染
六塵者色亂為眼聲遍為耳分別為鼻知味為舌覺
觸為身攀緣為意何以為塵六根所緣令生染著
坐行心智六識隨塵障无塵累行者觀空得无骨解
不起分別達无相之理得名大乘又說九識從眼至意
為六第七阿陁那識第八阿賴耶識第九阿摩羅識是
為九識　阿陁那識者是其梵語唐言是我見之識
凡夫我見依此識起鄣无我智令不得生聖人修滅定
心者乃能除此惑也除有我之惑得无我之智阿賴耶識

BD02317號　禮懺文（擬）　（6-2）

為六弟七阿陁鄔識弟八阿賴耶識弟九阿摩羅識是
為九識　阿陁那識者是其梵語唐言是我見之識
凡夫我見依此識起鄣无我智令不得生聖人修戒定
心者乃能除此或也除有我之或得无我之智阿賴耶識
者是梵語此義言之其能有二持有色諸根令其
不懷二持染淨種子永使不亡阿摩羅識者是梵義此
義翻之名白淨之識又名佛性亦名曰法身體俻衆德
本來清淨在聖躰而不增處凡身而不減但有隱顯
之殊而無高下之別煩惱覆之則隱智慧了之則見非
生因之所生從了因而得了十二入者眼入耳入鼻入舌入
身入意入色入聲入香入味入觸入法入眼等六根為內六
入色等六塵為外六入內外二六為十二入何以謂之入根塵
相對通生識道受入愛增故言為入也故譯三藏言入
此義似屬若眼入色則得色入眼雜容後譯三藏言
處處者生識之義言八十界者六根六塵六識三六十八
何以謂之界界以性別為義也上來所說二種三寘之義
是大乘入理之門既稱大乘便須修證若說修證先
遶三慧三慧者一聞慧二思慧三修慧聞其教法將心思構
既有分別然須證修若說論證修便有分位分位者何
一者資粮位二者加行位三者通達位四者修習位五
者究竟位五位之中初四是因後一是果資粮位中有
三十心謂十住十行十迴向加位有四煖頂忍世弟一通達位
有二一真見道二相見道四修習位中有十極喜地等
十地是也　究竟位者辯如果中始從資粮終盡法雲
經三大劫其初資粮加行二位是初大劫從通達位至十

BD02317號　禮懺文（擬）　（6–3）

三十心謂十住十行十迴向加位有四煖頂忍世弟一通達位
有二一真見道二相見道四修習位中有十極喜地等
十地是也　究竟位者辯如果中始從資粮終盡法雲
經三大劫其初資粮加行二位是初大劫從通達位至十
地終是弟二劫從八地盡弟十地是弟三劫時畢三祇行
備四位方證究竟菩提果矣但今賢者優婆嬢頂頭
赴御屈身礼拜求覓大乘如石研水終無趣入大須
克責身心汗勞忍苦不慈諸非專注一境方能見理
既捨家緣來至道場離生死苦先須歸依三寶
隨師口念歸依佛兩足尊歸依法離欲尊歸依僧
衆中尊三說　歸依三寶已了方示五戒一不殺生二不偷盜
三不邪婬四不妄語五不飲酒是為五戒　說此五戒便
有十戒前五准之六不故說出家在家菩薩罪過七
不為貪利自讚毀他八不慳九不嗔十不故謗三寶亦
是十善十善有其五種一者人天十善二者聲聞十善
三者緣覺十善四者菩薩十善五者佛十善五衆之別
言多義廣略而不述此不具也五戒八戒已了說三聚淨
戒一切惡無不斷是攝律儀戒一切善无不修是攝善
法戒一切衆生无不度是攝衆生戒此三聚戒是菩薩正
道　持五戒完具得生人中持八戒十善不闕得生天
中持六波羅蜜十波羅蜜得生仏果菩提六波羅
蜜者布施持戒忍辱精進禪定智慧波羅蜜者
梵義唐言到彼岸亦是智惠或說六度能達彼岸
故稱為度　十波羅蜜者前六後更加方便波羅蜜願
波羅蜜力波羅蜜智波羅蜜通前為十方便者迴

BD02317號　禮懺文（擬）　（6–4）

梵義唐言到彼岸亦是智恵或說六度能達彼岸
故稱為度　十波羅蜜者前六後更加方便波羅蜜願
波羅蜜力波羅蜜智波羅蜜通前為十方便者迴
善施物為他求果故名方便願者要其起行名之為
願力者伏或斷障名之為力智者能知六度法門名之
為智　脩行々中有其二種一者發心二者發願初發心者
欲求大果必要先發菩提之心由發此心欣求彼果由能
脩行斷諸惑障證大涅槃心若不發便無欣趣欣
趣既无誰有脩行何能斷障々不能斷争得菩
提二發願々我先世及以今身所種善根施而一切
衆菩迴向无上菩提令我此願念々增長生々不忘為
陁羅尼之所守護發願已終各記六念　第一念佛々
是衆生无上慈父第二念法々是衆生煩惱良藥
第三念僧々是衆生三乘福田第四念戒々是衆生
防非止惡第五念捨々是衆生除慳離著第六念
天々是衆生清淨果報此天非三界之天第一義淨故
名為天
弟子某甲等合道場人唯願善男善女歸依三寶受戒
懺悔所脩功德迴施一切衆生未離苦者願皆離苦未得
樂者願皆得樂未發心者願早發心未斷惡者願早斷
惡未脩善者早遇善緣未解脫者願皆解脫未成佛
者願成菩提　又願弟子現身之中無之痛苦煩惱惡
業念々消除智恵善芽運々增長行住坐臥身心安樂
惣願一切衆生捨此身已願生兜率天宫早登弥勒初會

惡未脩善者早遇善緣未解脫者願皆解脫未成佛
者願成菩提　又願弟子現身之中無之痛苦煩惱惡
業念々消除智恵善芽運々增長行住坐臥身心安樂
惣願一切衆生捨此身已願生兜率天宫早登弥勒初會
聞法悟道速證菩提遊歷十方供養諸佛恒聞正法所
生功德生々世々長承善緣願共一切衆生早登正覺
又願弟子々々永離不具足身　永離不男之身　永離邊
地之身　永離下賤之身　永離地獄之身　永離餓鬼
之身　永離畜生之身恒常信樂仏法投暮慈門出
家行道以一切衆生願作道首聽我法者得大智恵
知我心者早成菩提空有等法設有盡期惣願等心
一時成仏　　敬礼常住三寶

…法處…
…是聲…觸法處舍利
緣故我作是說色處入不二无妄法數
味觸法處入不二无妄法數舍利子眼界不
異无生滅无生滅不異眼界眼界即是无生
滅无生滅即是眼界色界眼識界及眼觸眼
觸爲緣所生識受不異无生滅无生滅不異
色界乃至眼觸爲緣所生諸受色界乃至眼
觸爲緣所生諸受即是无生滅无生滅即是
色界乃至眼觸爲緣所生諸受舍利子由此
緣故我作是說眼界入不二无妄法數色界
乃至眼觸爲緣所生諸受入不二无妄法數舍
利子耳界不異无生滅无生滅不異耳界耳
界即是无生滅无生滅即是耳界聲界耳識
界及耳觸耳觸爲緣所生諸受不異无生滅
无生滅不異聲界乃至耳觸爲緣所生諸受
聲界乃至耳觸爲緣所生諸受即是无生滅
无生滅即是聲界乃至耳觸爲緣所生諸受
舍利子由此緣故我作是說耳界入不二无
妄法數聲界乃至耳觸爲緣所生諸受入
不二无妄法數舍利子鼻界不異无生滅无

BD02318號　大般若波羅蜜多經卷七四　（21–1）

无生滅即是聲界乃至耳觸爲緣所生諸受
舍利子由此緣故我作是說耳界入不二无
妄法數聲界乃至耳觸爲緣所生諸受入
不二无妄法數舍利子鼻界不異无生滅无
生滅不異鼻界鼻界即是无生滅无生滅即
是鼻界香界鼻識界及鼻觸鼻觸爲緣所生
諸受不異无生滅无生滅不異香界乃至鼻
觸爲緣所生諸受香界乃至鼻觸爲緣所生
諸受即是无生滅无生滅即是香界乃至鼻
觸爲緣所生諸受舍利子由此緣故我作是
說鼻界入不二无妄法數香界乃至鼻觸爲
緣所生諸受入不二无妄法數舍利子舌界
不異无生滅无生滅不異舌界舌界即是无
生滅无生滅即是舌界味界舌識界及舌觸
舌觸爲緣所生諸受不異无生滅无生滅不
異味界乃至舌觸爲緣所生諸受味界乃至
舌觸爲緣所生諸受即是无生滅无生滅即
是味界乃至舌觸爲緣所生諸受舍利子由
此緣故我作是說舌界入不二无妄法數味
界乃至舌觸爲緣所生諸受入不二无妄法
數舍利子身界不異无生滅无生滅不異身
界身界即是无生滅无生滅即是身界觸界
身識界及身觸身觸爲緣所生諸受不異无
生滅无生滅不異觸界乃至身觸爲緣所生
諸受觸界乃至身觸爲緣所生諸受即是无

BD02318號　大般若波羅蜜多經卷七四　（21–2）

身識界及身觸身觸爲緣所生諸受不異无生滅无生滅不異觸界乃至身觸爲緣所生諸受觸界乃至身觸爲緣所生諸受即是无生滅无生滅即是觸界乃至身觸爲緣所生諸受舍利子由此緣故我作是説身界入不二无妄法數觸界乃至身觸爲緣所生諸受入不二无妄法數舍利子意界不異无生滅无生滅不異意界意界即是无生滅无生滅即是意界法界意識界及意觸意觸爲緣所生諸受不異无生滅无生滅不異法界乃至意觸爲緣所生諸受法界乃至意觸爲緣所生諸受即是无生滅无生滅即是法界乃至意觸爲緣所生諸受舍利子由此緣故我作是説意界入不二无妄法數法界乃至意觸爲緣所生諸受入不二无妄法數舍利子地界不異无生滅无生滅不異地界地界即是无生滅无生滅即是地界水火風空識界不異无生滅无生滅不異水火風空識界水火風空識界即是无生滅无生滅即是水火風空識界舍利子由此緣故我作是説地界入不二无妄法數水火風空識界入不二无妄法數舍利子苦聖諦不異无生滅无生滅不異苦聖諦苦聖諦即是无生滅无生滅即是苦聖諦集滅道聖諦不異无生滅无生滅不異集滅道聖諦集滅道聖諦即是无生滅无生滅即是集滅道聖諦舍利子由此緣故我

BD02318號　大般若波羅蜜多經卷七四　（21-3）

苦聖諦集滅道聖諦不異无生滅无生滅不異集滅道聖諦集滅道聖諦即是无生滅无生滅即是集滅道聖諦舍利子由此緣故我作是説苦聖諦入不二无妄法數集滅道聖諦入不二无妄法數舍利子无明不異无生滅无生滅不異无明无明即是无生滅无生滅即是无明行識名色六處觸受愛取有生老死愁歎苦憂惱不異无生滅无生滅不異行乃至老死愁歎苦憂惱行乃至老死愁歎苦憂惱即是无生滅无生滅即是行乃至老死愁歎苦憂惱舍利子由此緣故我作是説无明入不二无妄法數行乃至老死愁歎苦憂惱入不二无妄法數舍利子内空不異无生滅无生滅不異内空内空即是无生滅无生滅即是内空外空内外空空空大空勝義空有爲空无爲空畢竟空无際空散空无變異空本性空自相空共相空一切法空不可得空无性空自性空无性自性空不異无生滅无生滅不異外空乃至无性自性空外空乃至无性自性空即是无生滅无生滅即是外空乃至无性自性空舍利子由此緣故我作是説内空入不二无妄法數外空乃至无性自性空入不二无妄法數

舍利子布施波羅蜜多不異无生滅无生滅不異布施波羅蜜多布施波羅蜜多即是无生滅无生滅即是布施波羅蜜多淨戒安忍

BD02318號　大般若波羅蜜多經卷七四　（21-4）

舍利子布施波羅蜜多不異无生滅无生滅
不異布施波羅蜜多布施波羅蜜多即是无
生滅无生滅即是布施波羅蜜多淨戒安忍
精進靜慮般若波羅蜜多不異无生滅无生
滅不異淨戒安忍精進靜慮般若波羅蜜多
淨戒安忍精進靜慮般若波羅蜜多即是无
生滅无生滅即是淨戒安忍精進靜慮般若
波羅蜜多舍利子由此緣故我作是說布施波
羅蜜多入不二无妄法數淨戒安忍精進靜
慮般若波羅蜜多入不二无妄法數舍利子
四靜慮不異无生滅无生滅不異四靜慮四
靜慮即是无生滅无生滅即是四靜慮四无
量四无色定不異无生滅无生滅不異四无
量四无色定四无量四无色定即是无生滅
无生滅即是四无量四无色定舍利子由此
緣故我作是說四靜慮入不二无妄法數四
无量四无色定入不二无妄法數舍利子八
解脫不異无生滅无生滅不異八解脫八解
脫即是无生滅无生滅即是八解脫八勝處
九次第定十遍處不異无生滅无生滅不異
八勝處九次第定十遍處八勝處九次第定
十遍處即是无生滅无生滅即是八勝處九
次第定十遍處舍利子由此緣故我作是說
八解脫入不二无生法數八勝處九次第定
十遍處入不二无妄法數舍利子四念住不
異无生滅无生滅不異四念住四念住即是
无生滅无生滅即是四念住四正斷四神足五

BD02318號　大般若波羅蜜多經卷七四　（21–5）

八解脫入不二无生法數八勝處九次第定
十遍處入不二无妄法數舍利子四念住不
異无生滅无生滅不異四念住四念住即是
无生滅无生滅即是四念住四正斷四神足五
根五力七等覺支八聖道支不異无生滅无
生滅不異四正斷乃至八聖道支四正斷乃
至八聖道支即是无生滅无生滅即是四正
斷乃至八聖道支舍利子由此緣故我作
是說四念住入不二无妄法數四正斷乃至
八聖道支入不二无妄法數舍利子空解脫
門不異无生滅无生滅不異空解脫門空解
脫門即是无生滅无生滅即是空解脫門无
相无願解脫門不異无生滅无生滅不異无
相无願解脫門无相无願解脫門即是无生
滅无生滅即是无相无願解脫門舍利子由此
緣故我作是說空解脫門入不二无妄法數
无相无願解脫門入不二无妄法數舍利子
五眼不異无生滅无生滅不異五眼五眼即
是无生滅无生滅即是五眼六神通不異无
生滅无生滅不異六神通六神通即是无生
滅无生滅即是六神通舍利子由此緣故我
作是說五眼入不二无妄法數六神通入不
二无妄法數舍利子佛十力不異无生滅无
生滅不異佛十力佛十力即是无生滅无生
滅即是佛十力四无所畏四无礙解大慈大
悲大喜大捨十八佛不共法不異无生滅无
生滅不異四无所畏乃至十八佛不共法四

BD02318號　大般若波羅蜜多經卷七四　（21–6）

生滅不異佛十力佛十力即是无生滅无生
滅即是佛十力四无所畏四无礙解大慈大
悲大喜大捨十八佛不共法不異无生滅无
生滅不異四无所畏乃至十八佛不共法四
无所畏乃至十八佛不共法即是无生滅
无生滅即是四无所畏乃至十八佛不共法
舍利子由此緣故我作是說佛十力入不二
无妄法數四无所畏乃至十八佛不共法入
不二无妄法數舍利子真如不異无生滅无
生滅不異真如真如即是无生滅无生滅即
是真如法界法性平等性離生性法定法住
實際虛空界不思議界不異无生滅无生滅
不異法界乃至不思議界法界乃至不思議
界即是无生滅无生滅即是法界乃至不思
議界舍利子由此緣故我作是說真如入不
二无妄法數法界乃至不思議界入不二无
妄法數舍利子无上正等菩提不異无生滅
无生滅不異无上正等菩提无上正等菩提
即是无生滅无生滅即是无上正等菩提一
切智道相智一切相智不異无生滅无生滅
不異一切智道相智一切相智一切道道相
智一切相智即是无生滅无生滅即是一切
智道相智一切相智舍利子由此緣故我作
是說无上正等菩提入不二无妄法數一切
智道相智一切相智入不二无妄法數舍利
子无忘失法不異无生滅无生滅不異无忘
失法无忘失法即是无生滅无生滅即是无

BD02318號　大般若波羅蜜多經卷七四　（21–7）

智道相智一切相智入不二无妄法數舍利
子无忘失法不異无生滅无生滅不異无忘
失法无忘失法即是无生滅无生滅即是无
忘失法恒住捨性不異无生滅无生滅不異
恒住捨性恒住捨性即是无生滅无生滅即
是恒住捨性舍利子由此緣故我作是說无
忘失法入不二无妄法數恒住捨性入不二
无妄法數舍利子一切陁羅尼門不異无生
滅无生滅不異一切陁羅尼門一切陁羅尼
門即是无生滅无生滅即是一切陁羅尼門
一切三摩地門不異无生滅无生滅不異一
切三摩地門一切三摩地門即是无生滅无
生滅即是一切三摩地門舍利子由此緣故
我作是說一切陁羅尼門入不二无妄法數
一切三摩地門入不二无妄法數
初分无生品第廿
尒時具壽善現白佛言世尊諸菩薩摩訶薩
脩行般若波羅蜜多觀諸法時見我无生畢
竟淨故見有情命者生者養者士夫補特伽
羅意生儒童作者受者知者見者无生畢竟
淨故世尊諸菩薩摩訶薩脩行般若波羅蜜
多觀諸法時見色无生畢竟淨故見受想行
識无生畢竟淨故世尊諸菩薩摩訶薩脩行
般若波羅蜜多觀諸法時見眼處无生畢竟
淨故見耳鼻舌身意處无生畢竟淨故世尊
諸菩薩摩訶薩脩行般若波羅蜜多觀諸法

BD02318號　大般若波羅蜜多經卷七四　（21–8）

諸无生畢竟淨故世尊諸菩薩摩訶薩脩行
般若波羅蜜多觀諸法時見眼處无生畢竟
淨故見耳鼻舌身意處无生畢竟淨故世尊
諸菩薩摩訶薩脩行般若波羅蜜多觀諸法
時見色處无生畢竟淨故見聲香味觸法處
无生畢竟淨故世尊諸菩薩摩訶薩脩行般
若波羅蜜多觀諸法時見眼界无生畢竟淨
故見色界眼識界及眼觸眼觸為緣所生諸
受无生畢竟淨故世尊諸菩薩摩訶薩脩行
般若波羅蜜多觀諸法時見耳界无生畢竟
淨故見聲界耳識界及耳觸耳觸為緣所生
諸受无生畢竟淨故世尊諸菩薩摩訶薩脩
行般若波羅蜜多觀諸法時見鼻界无生畢
竟淨故見香界鼻識界及鼻觸鼻觸為緣所
生諸受无生畢竟淨故世尊諸菩薩摩訶薩
脩行般若波羅蜜多觀諸法時見舌界无生
畢竟淨故見味界舌識界及舌觸舌觸為緣
所生諸受无生畢竟淨故世尊諸菩薩摩訶
薩脩行般若波羅蜜多觀諸法時見身界无
生畢竟淨故見觸界身識界及身觸身觸為
緣所生諸受无生畢竟淨故世尊諸菩薩摩
訶薩脩行般若波羅蜜多觀諸法時見意界
无生畢竟淨故見法界意識界及意觸意觸
為緣所生諸受无生畢竟淨故世尊諸菩薩
摩訶薩脩行般若波羅蜜多觀諸法時見地
界无生畢竟淨故見水火風空識界无生畢
竟淨故世尊諸菩薩摩訶薩行般若波羅蜜

為緣所生諸受无生畢竟淨故世尊諸菩薩
摩訶薩脩行般若波羅蜜多觀諸法時見地
界无生畢竟淨故見水火風空識界无生畢
竟淨故世尊諸菩薩摩訶薩行般若波羅蜜
多觀諸法時見苦聖諦无生畢竟淨故見集
滅道聖諦无生畢竟淨故世尊諸菩薩摩訶
薩脩行般若波羅蜜多觀諸法時見无明无
生畢竟淨故見行識名色六處觸受愛取有
生老死愁歎苦憂惱无生畢竟淨故世尊諸
菩薩摩訶薩脩行般若波羅蜜多觀諸法時
見內空无生畢竟淨故見外空內外空空空
大空勝義空有為空无為空畢竟空无際
空散空无變異空本性空自相空共相空一
切法空不可得空无性空自性空无性自性
空无生畢竟淨故
世尊諸菩薩摩訶薩脩行般若波羅蜜多觀
諸法時見布施波羅蜜多无生畢竟淨故見
淨戒安忍精進靜慮般若波羅蜜多无生畢
竟淨故世尊諸菩薩摩訶薩脩行般若波羅
蜜多觀諸法時見四靜慮无生畢竟淨故見
四无量四无色定无生畢竟淨故世尊諸菩薩
摩訶薩脩行般若波羅蜜多觀諸法時見八
解脫无生畢竟淨故見八勝處九次第定十
遍處无生畢竟淨故世尊諸菩薩摩訶薩脩
行般若波羅蜜多觀諸法時見四念住无生
畢竟淨故見四正斷四神足五根五力七等
覺支八聖道支无生畢竟淨故世尊諸菩

遍處无生畢竟淨故世尊諸菩薩摩訶薩脩
行般若波羅蜜多觀諸法時見四念住无生
畢竟淨故見四正斷四神足五根五力七等
覺支八聖道支无生畢竟淨故世尊諸菩
薩摩訶薩脩行般若波羅蜜多觀諸法時見
空解脫門无生畢竟淨故見无相无願解脫門
无生畢竟淨故世尊諸菩薩摩訶薩脩行般
若波羅蜜多觀諸法時見五眼无生畢竟淨
故見六神通无生畢竟淨故世尊諸菩薩摩
訶薩脩行般若波羅蜜多觀諸法時見佛十
力无生畢竟淨故見四无所畏四无礙解大慈
大悲大喜大捨十八佛不共法无生畢竟
淨故世尊諸菩薩摩訶薩脩行般若波羅蜜
多觀諸法時見一切智无生畢竟淨故見道
相智一切相智无生畢竟淨故世尊諸菩薩
摩訶薩脩行般若波羅蜜多觀諸法時見无
忘失法无生畢竟淨故見恒住捨性无生畢
竟淨故世尊諸菩薩摩訶薩脩行般若波羅
蜜多觀諸法時見一切陁羅尼門无生畢竟
淨故見一切三摩地門无生畢竟淨故世尊
諸菩薩摩訶薩脩行般若波羅蜜多觀諸法
時見異生无生畢竟淨故見異生法无生畢
竟淨故世尊諸菩薩摩訶薩脩行般若波羅
蜜多觀諸法時見預流无生畢竟淨故見預
流法无生畢竟淨故世尊諸菩薩摩訶薩脩
行般若波羅蜜多觀諸法時見一來无生畢
竟淨故見一來法无生畢竟淨故世尊諸菩

蜜多觀諸法時見預流无生畢竟淨故見預
流法无生畢竟淨故世尊諸菩薩摩訶薩脩
行般若波羅蜜多觀諸法時見一來无生畢
竟淨故見一來法无生畢竟淨故世尊諸菩
薩摩訶薩脩行般若波羅蜜多觀諸法時見
不還无生畢竟淨故見不還法无生畢竟淨
故世尊諸菩薩摩訶薩脩行般若波羅蜜多
觀諸法時見阿羅漢无生畢竟淨故見阿羅
漢法无生畢竟淨故世尊諸菩薩摩訶薩脩
行般若波羅蜜多觀諸法時見獨覺无生畢
竟淨故見獨覺法无生畢竟淨故世尊諸菩
薩摩訶薩脩行般若波羅蜜多觀諸法時見
菩薩无生畢竟淨故見菩薩法无生畢竟淨
故世尊諸菩薩摩訶薩脩行般若波羅蜜多
觀諸法時見如來无生畢竟淨故見如來法
无生畢竟淨故
時舍利子謂善現言如我解仁者所說義我
有情等无生色受等无生乃至如來如來法
无生若如是者六趣受生應无差別不應預
流得預流果一來得一來果不還得不還果
阿羅漢得阿羅漢果不應獨覺得獨覺菩提
不應菩薩摩訶薩得一切相智亦不應得五
種菩提復次善現若一切法定无生者何緣
預流為預流果脩斷三結道何緣一來為一
來果脩薄貪瞋癡道何緣不還為不還果脩
斷五順下分結道何緣阿羅漢為阿羅漢果
脩斷五順上分結道何緣獨覺為獨覺菩提

預流爲預流果脩斷三結道何緣一来爲一
来果脩薄貪瞋癡道何緣不還爲不還果脩
斷五順下分結道何緣阿羅漢爲阿羅漢果
脩斷五順上分結道何緣獨覺爲獨覺菩提
脩悟緣起道何緣菩薩摩訶薩爲度无量諸
有情故脩多百千難行苦行備受无邊種種
劇苦何緣如来證得无上正等菩提何緣諸
佛爲有情故轉妙法輪
尒時具壽善現荅舍利子言非我於无生法
中見有六趣受生差別非我於无生法中見
有能入諦現觀者非我於无生法中見有預
流得預流果一来得一来果不還得不還果
阿羅漢得阿羅漢果非我於无生法中見有
獨覺得獨覺菩提非我於无生法中見有菩
薩摩訶薩得一切相智及五種菩提復次舍
利子非我於无生法中見有預流爲預流果
脩斷三結道非我於无生法中見有一来爲
一来果脩薄貪瞋癡道非我於无生法中見
有不還爲不還果脩斷五順下分結道非我
於无生法中見有阿羅漢爲阿羅漢果脩斷
五順上分結道非我於无生法中見有獨覺
爲獨覺菩提脩悟緣起道非我於无生法中
見有菩薩摩訶薩爲度无量諸有情故脩多
百千難行苦行備受无邊種種劇苦而諸菩
薩摩訶薩亦復不起難行苦行想所以者何
非住難行苦行想能爲无量无數无邊有情
作饒益事舍利子然諸菩薩摩訶薩以无所

百千難行苦行備受无邊種種劇苦而諸菩
薩摩訶薩亦復不起難行苦行想所以者何
非住難行苦行想能爲无量无數无邊有情
作饒益事舍利子然諸菩薩摩訶薩以无所
得而爲方便於一切有情起大悲心住如父
母想如兄弟想如妻子想如己身想如是乃
能爲无量无數无邊有情作大饒益舍利子
諸菩薩摩訶薩應作是心如我自性於一切
法以一切種一切處一切時求不可得内外
諸法亦復如是都无所有皆不可得何以故
諸菩薩摩訶薩若住此想脩難行苦行便能
饒益无量无數无邊有情是故菩薩摩訶薩
於一切法應无執受舍利子非我於无生法
中見有諸佛證得无上正等菩提轉妙法輪
度无量衆
時舍利子問善現言仁今爲欲以生法證生
法爲欲以无生法證无生法邪善現荅言我
實不欲以生法證生法亦實不欲以无生法
證无生法舍利子言若尒仁今爲欲以生法
證无生法爲欲以无生法證生法邪善現荅
言我亦不欲以生法證无生法亦復不欲以无
生法證生法舍利子言若如是者豈全无得
无現觀邪善現荅言雖有得有現觀而不以
此二法證舍利子但隨世間言說施設有得
有現觀非勝義中有得有現觀但隨世間
言說施設有預流有預流果有一来有一来
[illegible]

此二法證舍利子但隨世間言說施設有得
有現觀非勝義中有得有現觀但隨世間
言說施設有預流有預流果有一來有一來
果有不還有不還果有阿羅漢有阿羅漢果
有獨覺有獨覺菩提有菩薩摩訶薩有无上
正等覺非勝義中有預流乃至无上正等覺
舍利子言若隨世間言說施設有得有現觀
等非勝義者六趣差別亦隨世間言說施設
故有非勝義邪善現荅言如是如是誠如所
說何以故舍利子於勝義中无業无異熟无
生无滅无染无淨故
時舍利子問善現言仁今為欲令受生法生
為欲令已生法生邪善現荅言我不欲令不
生法生亦不欲令已生法生舍利子言何等
是不生法仁者不欲令彼法生善現荅言舍
利子色是不生法我不欲令生何以故以自
性空故受想行識是不生法我不欲令生何
以故以自性空故舍利子眼處是不生法我
不欲令生何以故以自性空故耳鼻舌身意
處是不生法我不欲令生何以故以自性空
故舍利子色處是不生法我不欲令生何以
故以自性空故聲香味觸法處是不生法我
不欲令生何以故以自性空故舍利子眼界是
不生法我不欲令生何以故以自性空故色
界眼識界乃眼觸眼觸為緣所生諸受是不
生法我不欲令生何以故以自性空故舍利

BD02318 號　大般若波羅蜜多經卷七四　（21–15）

不欲令生何以故以自性空故舍利子眼界是
不生法我不欲令生何以故以自性空故色
界眼識界乃眼觸眼觸為緣所生諸受是不
生法我不欲令生何以故以自性空故舍利
子耳界是不生法我不欲令生何以故以自
性空故聲界耳識界及耳觸耳觸為緣所
生諸受是不生法我不欲令生何以故以自
性空故舍利子鼻界是不生法我不欲令生
何以故以自性空故香界鼻識界及鼻觸鼻
觸為緣所生諸受是不生法我不欲令生何以
故以自性空故舍利子舌界是不生法我不
欲令生何以故以自性空故味界舌識界及
舌觸舌觸為緣所生諸受是不生法我不欲
令生何以故以自性空故舍利子身界是不生
法我不欲令生何以故以自性空故觸界身
識界及身觸身觸為緣所生諸受是不生法
我不欲令生何以故以自性空故舍利子意
界是不生法我不欲令生何以故以自性空
故法界意識界及意觸意觸為緣所生諸
受是不生法我不欲令生何以故以自性空
故舍利子地界是不生法我不欲令生何以
故以自性空故水火風空識界是不生法我
不欲令生何以故以自性空故舍利子苦聖
諦是不生法我不欲令生何以故以自性空
故集滅道聖諦是不生法我不欲令生何以
故以自性空故舍利子无明是不生法我不
欲令生何以故以自性空故行識名色六處

BD02318 號　大般若波羅蜜多經卷七四　（21–16）

故以自性空故水火風空識界是不生法我
不欲令生何以故以自性空故舍利子苦聖
諦是不生法我不欲令生何以故以自性空
故集滅道聖諦是不生法我不欲令生何以
故以自性空故舍利子无明是不生法我不
欲令生何以故以自性空故行識名色六處
觸受愛取有生老死愁歎苦憂惱是不生法
我不欲令生何以故以自性空故舍利子內
空是不生法我不欲令生何以故以自性空
故外空內外空空空大空勝義空有為空无
為空畢竟空无際空散空无變異空本性空
自相空共相空一切法空不可得空无性空
自性空无性自性空是不生法我不欲令生
何以故以自性空故舍利子布施波羅蜜多
是不生法我不欲令生何以故以自性空故
淨戒安忍精進靜慮般若波羅蜜多是不生
法我不欲令生何以故以自性空故舍利子
四靜慮是不生法我不欲令生何以故以自
性空故四无量四无色定是不生法我不欲
令生何以故以自性空故舍利子八解脫是
不生法我不欲令生何以故以自性空故八
勝處九次第定十遍處是不生法我不欲令
生何以故以自性空故舍利子四念住是不
生法我不欲令生何以故以自性空故四正
斷四神足五根五力七等覺支八聖道支是
不生法我不欲令生何以故以自性空故舍
利子空解脫門是不生法我不欲令生何以

BD02318號　大般若波羅蜜多經卷七四　（21–17）

斷四神足五根五力七等覺支八聖道支是
不生法我不欲令生何以故以自性空故舍
利子空解脫門是不生法我不欲令生何以
故以自性空故无相无願解脫門是不生法
我不欲令生何以故以自性空故舍利子五
眼是不生法我不欲令生何以故以自性空
故六神通是不生法我不欲令生何以故以
自性空故舍利子佛十力是不生法我不欲
令生何以故以自性空故四无所畏四无礙
解大慈大悲大喜大捨十八佛不共法是不
生法我不欲令生何以故以自性空故舍利
子一切智是不生法我不欲令生何以故以
自性空故道相智一切相智是不生法我不
欲令生何以故以自性空故舍利子无忘失
法是不生法我不欲令生何以故以自性空
故恒住捨性是不生法我不欲令生何以故
以自性空故舍利子一切陁羅尼門是不生
法我不欲令生何以故以自性空故一切三
摩地門是不生法我不欲令生何以故以自
性空故舍利子異生是不生法我不欲令生
何以故以自性空故異生法是不生法我不
欲令生何以故以自性空故舍利子預流是
不生法我不欲令生何以故以自性空故預
流法是不生法我不欲令生何以故以自性
空故舍利子一来是不生法我不欲令生何
以故以自性空故一来法是不生法我不欲

BD02318號　大般若波羅蜜多經卷七四　（21–18）

欲令生何以故以自性空故舍利子預流是
不生法我不欲令生何以故以自性空故預
流法是不生法我不欲令生何以故以自性
空故舍利子一来是不生法我不欲令生何
以故以自性空故一来法是不生法我不欲
令生何以故以自性空故舍利子不還是不
生法我不欲令生何以故以自性空故不還
法是不生法我不欲令生何以故以自性空
故舍利子阿羅漢是不生法我不欲令生何
以故以自性空故阿羅漢法是不生法我不
欲令生何以故以自性空故舍利子獨覺是
不生法我不欲令生何以故以自性空故獨
覺法是不生法我不欲令生何以故以自性
空故舍利子菩薩是不生法我不欲令生何
以故以自性空故菩薩法是不生法我不欲
令生何以故以自性空故舍利子如来是不
生法我不欲令生何以故以自性空故如来
法是不生法我不欲令生何以故以自性空
故

舍利子言何等是已生法仁者不欲令彼
法生善現答言色是已生法我不欲令生何
以故以自性空故受想行識是已生法我不欲
令生何以故以自性空故舍利子眼處是已
生法我不欲令生何以故以自性空故耳鼻
舌身意處是已生法我不欲令生何以故以
自性空故舍利子色處是已生法我不欲令
生何以故以自性空故聲香味觸法處是已

BD02318 號　大般若波羅蜜多經卷七四　（21–19）

生法我不欲令生何以故以自性空故耳鼻
舌身意處是已生法我不欲令生何以故以
自性空故舍利子色處是已生法我不欲令
生何以故以自性空故聲香味觸法處是已
生法我不欲令生何以故以自性空故舍利
子眼界是已生法我不欲令生何以故以自
性空故色界眼識界及眼觸眼觸為緣所生
諸受是已生法我不欲令生何以故以自性空
受是已生法我不欲令生何以故以自性空
故舍利子耳界是已生法我不欲令生何以
故以自性空故聲界耳識界及耳觸耳觸為
緣所生諸受是已生法我不欲令生何以故
以自性空故舍利子鼻界是已生法我不欲
令生何以故以自性空故香界鼻識界及鼻
觸鼻觸為緣所生諸受是已生法我不欲令
生何以故以自性空故舍利子舌界是已生
法我不欲令生何以故以自性空故味界舌
識界及舌觸舌觸為緣所生諸受是已生法
我不欲令生何以故以自性空故舍利子身
界是已生法我不欲令生何以故以自性空
故觸界身識界及身觸身觸為緣所生諸受
是已生法我不欲令生何以故以自性空故
舍利子意界是已生法我不欲令生何以故
以自性空故法界意識界及意觸意觸為緣
所生諸受是已生法我不欲令生何以故以
自性空故舍利子地界是已生法我不欲令
生何以故以自性空故水火風空識界是已

BD02318 號　大般若波羅蜜多經卷七四　（21–20）

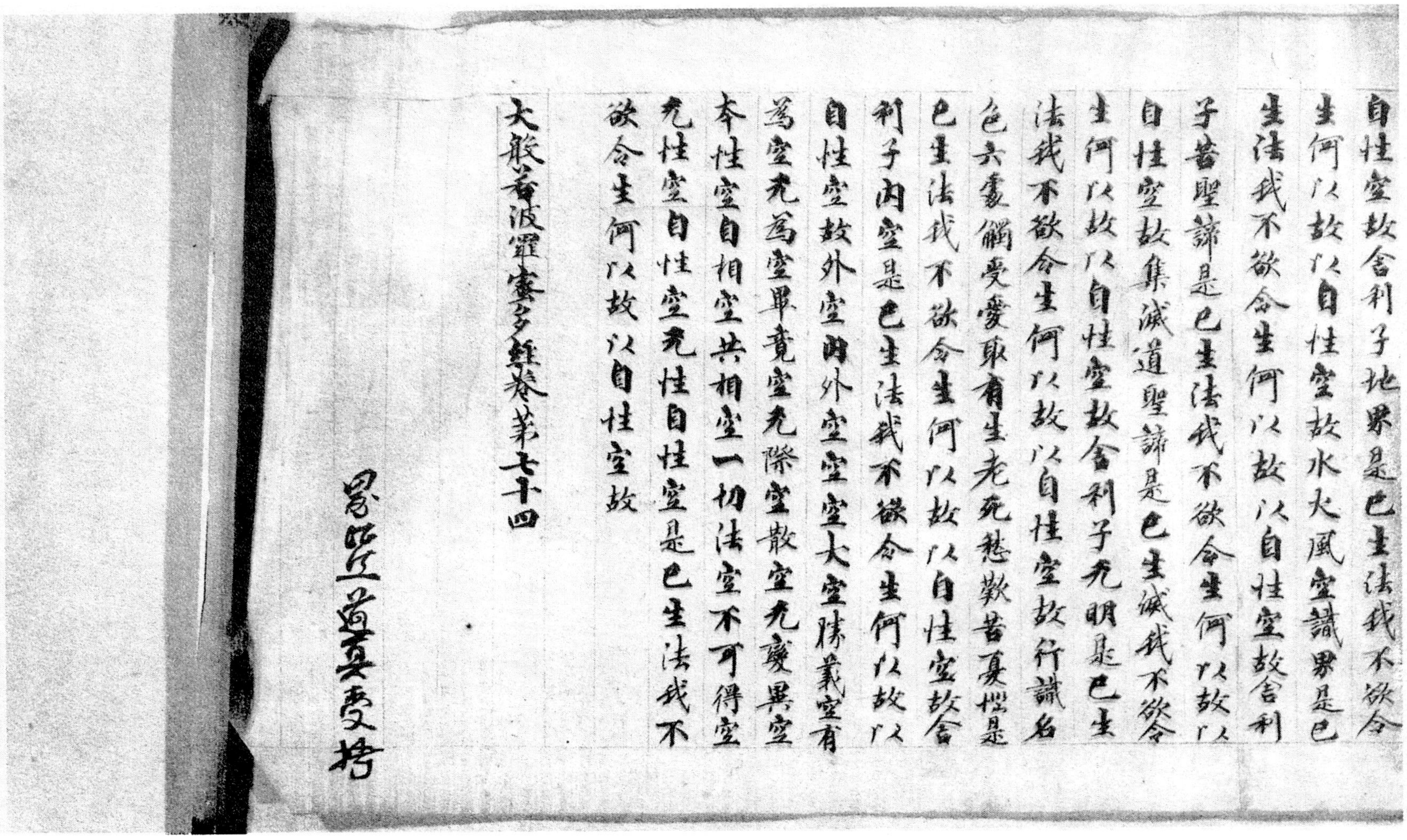
自性空故舍利子地界是色生法我不欲令
生何以故以自性空故水火風空識界是色
生法我不欲令生何以故以自性空故舍利
子苦聖諦是色生法我不欲令生何以故以
自性空故集滅道聖諦是色生滅我不欲令
生何以故以自性空故舍利子无明是色生
法我不欲令生何以故以自性空故行識名
色六處觸受愛取有生老死愁歎苦憂惱是
色生法我不欲令生何以故以自性空故舍
利子內空是色生法我不欲令生何以故以
自性空故外空內外空空空大空勝義空有
為空无為空畢竟空无際空散空无變異空
本性空自相空共相空一切法空不可得空
无性空自性空无性自性空是色生法我不
欲令生何以故以自性空故
大般若波羅蜜多經卷第七十四
界比丘道真受持

BD02318 號　大般若波羅蜜多經卷七四　　(21–21)

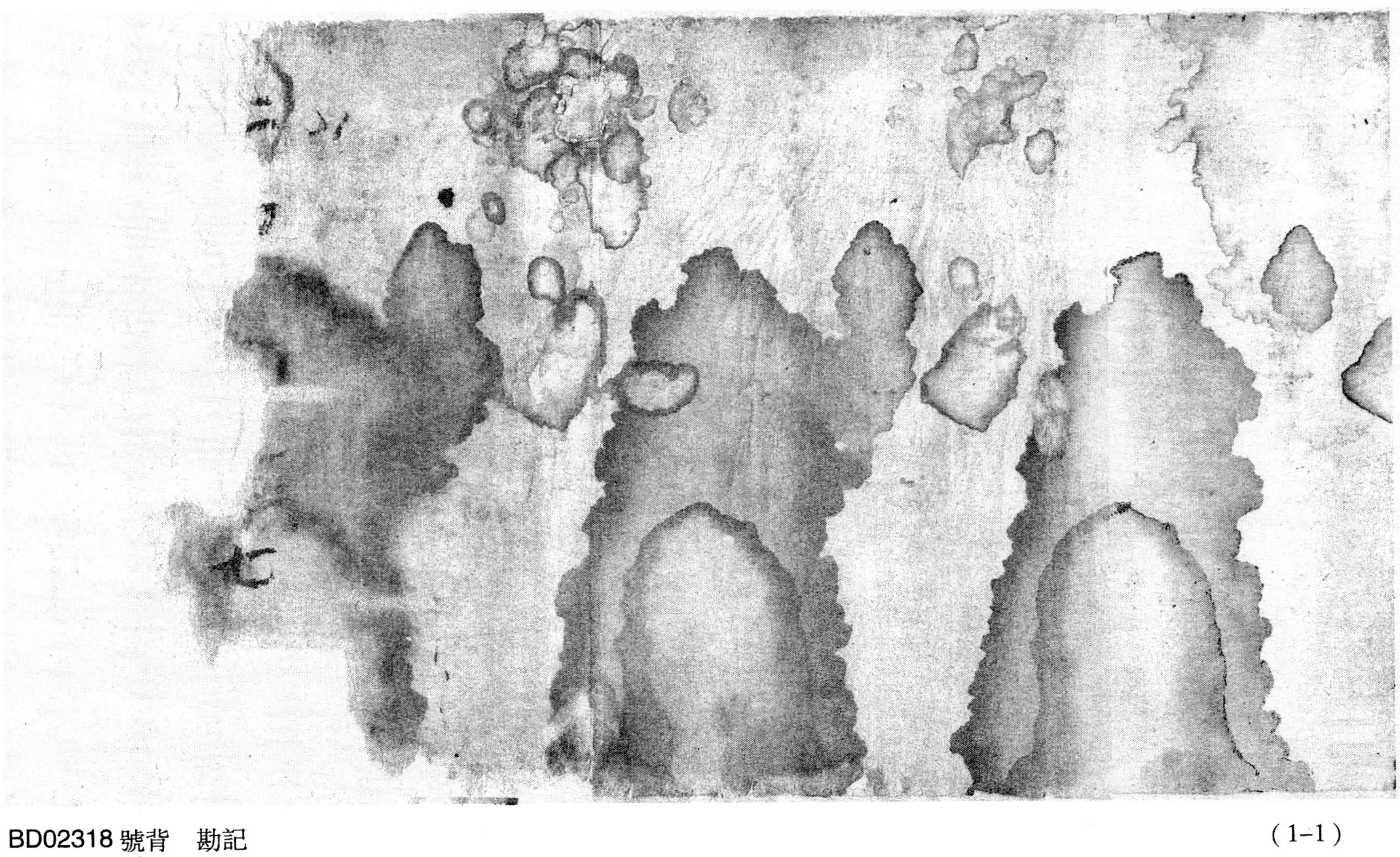
七

BD02318 號背　勘記　　(1–1)

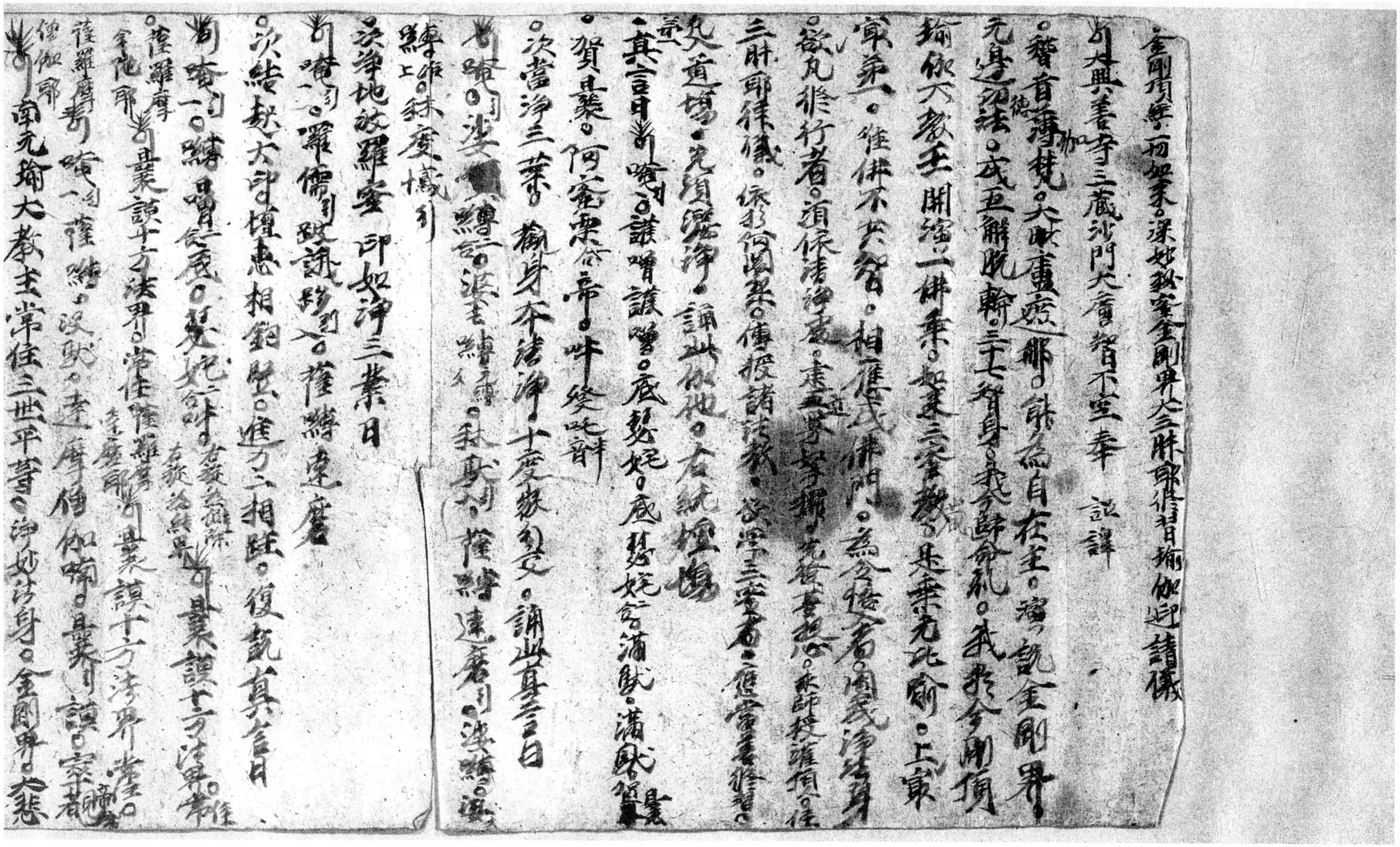

BD02319號 1　金剛頂經一切如來深妙秘密金剛界大三昧耶修習瑜迦迎請儀　（12–1）

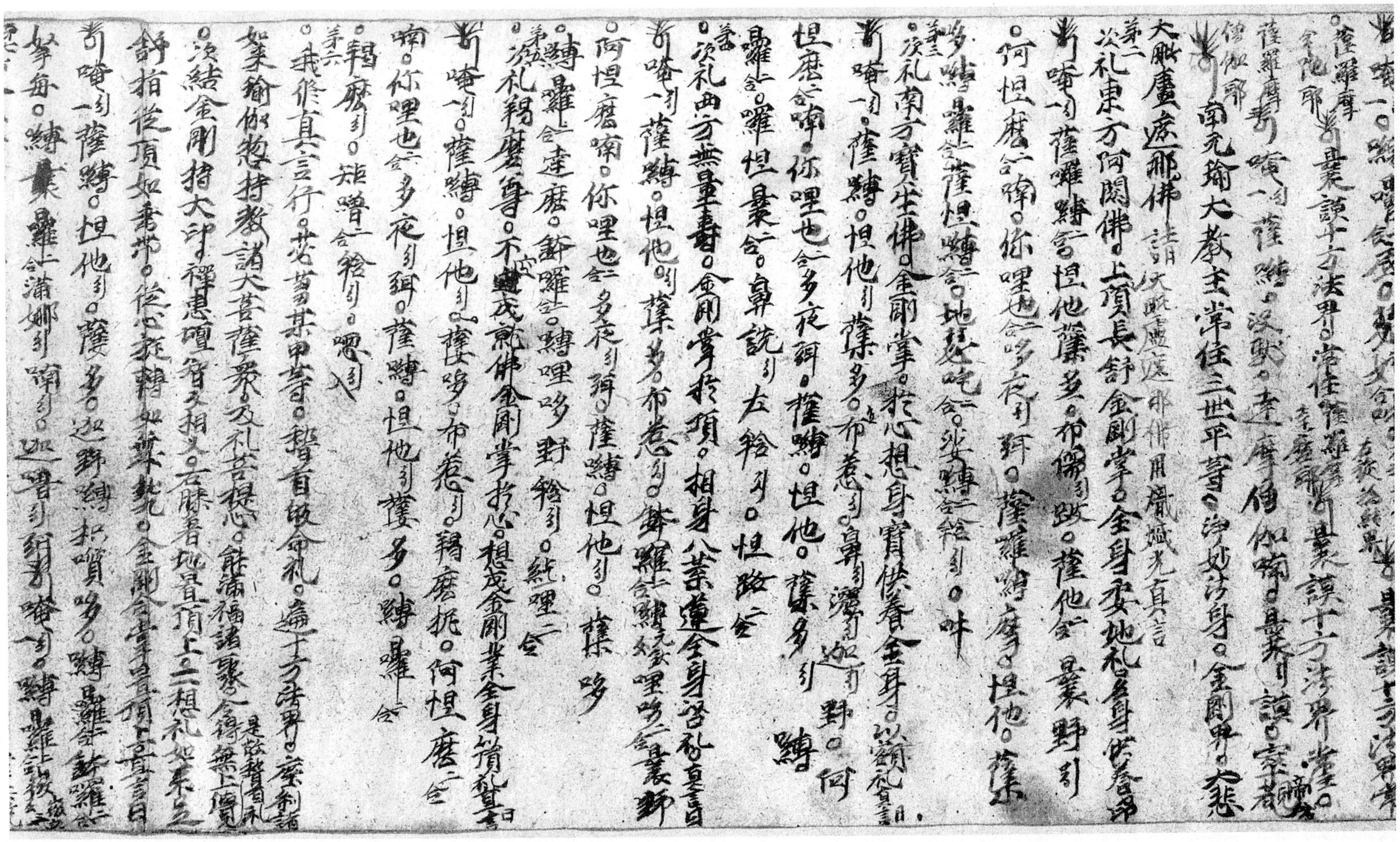

BD02319 號 1　金剛頂經一切如來深妙秘密金剛界大三昧耶修習瑜迦迎請儀　（12–2）

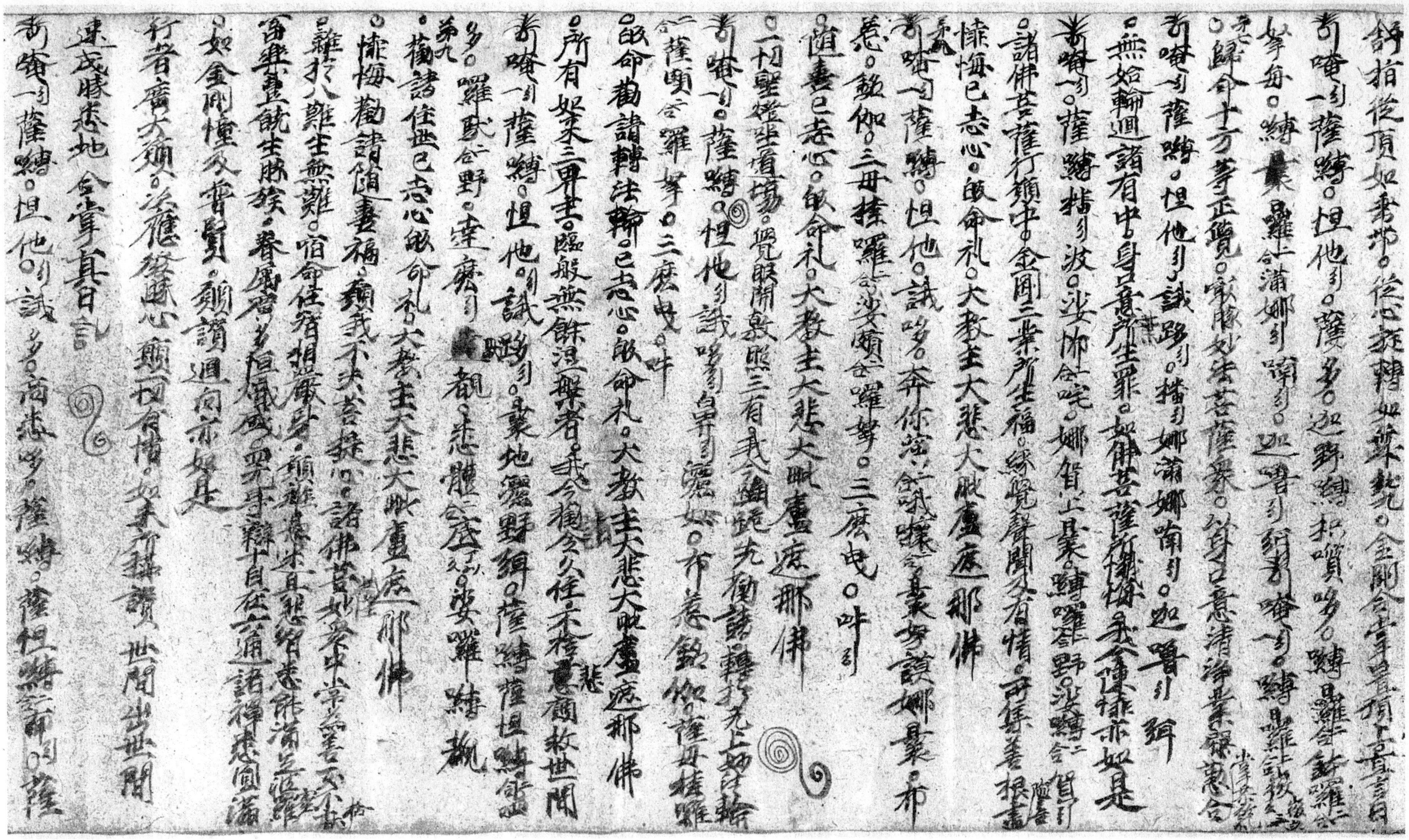

BD02319號 1　金剛頂經一切如來深妙秘密金剛界大三昧耶修習瑜迦迎請儀　（12–3）

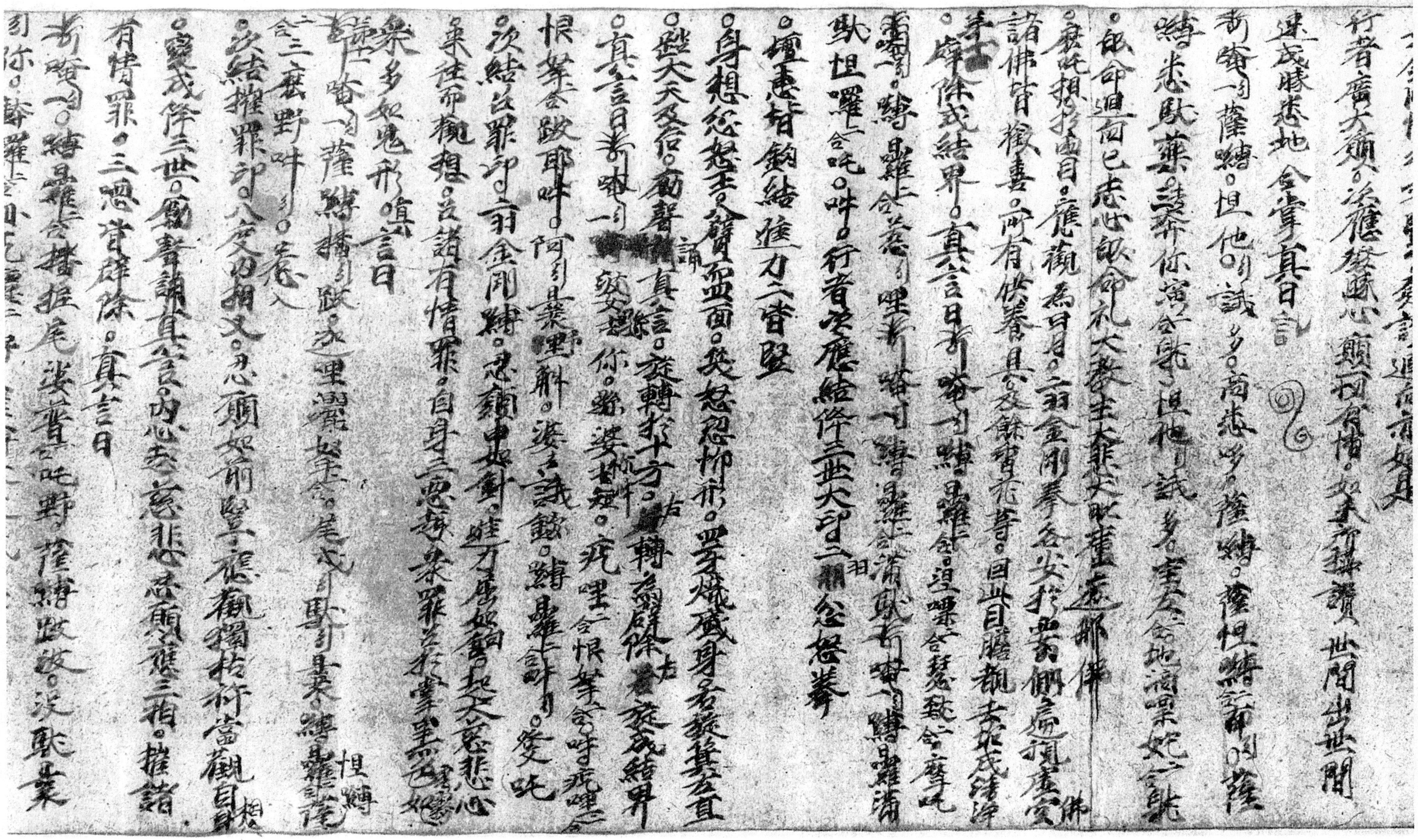

BD02319號1　金剛頂經一切如來深妙秘密金剛界大三昧耶修習瑜迦迎請儀　（12–4）

○復次降三世○密誓誦真言○内心起慈悲○愍彌護三有○攝諸
有情罪○三惡皆除除○真言曰
唵引一○嚩日羅二合播捉尾娑普二合吒野○薩嚩跛波○没馱曩
引你○鉢羅二合母乞叉二合野○薩嚩跛跛誐底毘藥二合薩嚩薩
怛嚩二合薩嚩○怛他引蘖多○嚩日羅二合三去麼野吽引怛羅二合吒
○次應淨業障○令識決定業○二羽金剛掌○進力屈入掌○禪智並押二度
○結此業障除○真言曰
唵引一○嚩日羅二合羯麼引尾戍引馱野○薩嚩嚩囉拏引○你毋
馱引○薩底曳二合曩引三去麼耶吽○惹
○上想寶樓閣○則結金剛輪○由此印威力○則成諸輪壇○二羽金剛拳
○進力壇惠鉤○於此應觀想○輪壇如集處○即於寶閣中
而觀寫聖衆○真言曰 唵一○嚩日羅二合斫訖羅二合吽引
○次應誦召請○不改前印相○想白諸世尊○降赴攞擁○啟請曰
唵引一○野吠娜二合只哆尾○納娜○娑○斫訖囉二合悉地鴨銘
多去陛○嚩日羅二合羯○嚩囉上合寧娑剎○作觀眦娜二合切身○多眦娜
切身 婆寧觀二合娑娜日莫莫入 至 [redacted]
○次結開門契○相開大門○二羽金剛拳○檀惠應相鉤○進力豎側合
○每門誦真言○應時開門○從東而右旋○每方面向門○差方所誤
○即應觀想中○運心如來等○真言曰
唵引一○嚩日羅二合娜嚩二合嚕引○温娜伽二合吒野○三去麼野鉢羅二合吠舍引
野吽引
○次結啟白印○啟白諸世尊○二羽金剛縛○忍願應堅合○進力屈如鉤
○中後而不著○召輪而啟請○三唱此伽他
唵引一○阿鑁嚩○觀薩吠步嚩引囉娑嚩羅引鉢羅二合娑爾路
世冲逝○蕭麼句羅引麼引路娑嚩引乞又二合怛訖哩二合多難上多娑
嚩○娑嚩二合婆去○嚩○娑嚩二合婆去七引○難上多娑嚩娑嚩二

唵引阿嚕引觀蓮大𡁠嚩日囉引娑嚩羅引鉢囉拏娑訶路
毋沙迦。囊麼引囉麼引娑嚩引娑嚩引怛訖哩多難多婆
嚩日。娑嚩二合娑上。嚩。娑嚩二合諦毛引。難上多婆嚩日嚩二合
婆嚩引
𤙖。嚩日囉上合娑嚩摩引左引念𤙖十六字次第念
次觀佛海會。諸佛眾雲集。空聲作彈指。指聲遍法界。真言曰
次結四明契。即如降三世。鉤索進度招。索進力如鏁。鏁開腕相鉤
鈴合腕以振。誦本真言。真言曰
唵引嚩日囉二合矩捨弱引𤙖。唵引嚩日囉二合播捨吽
第十三 [illegible]
次結金剛縛。二羽金剛縛。還忍禪智堅。三昧耶得成。
唵一引。嚩日囉二合。塞普吒。鑁。唵引嚩日囉二合吠捨惡入
次結金剛拍。平掌而三拍。由此印威力。縛解解者縛。便成金剛堅固身
聖眾皆歡喜。獲得金剛身。如金剛堅揚
真言曰 唵引嚩日囉二合。覩使也二合斛入
第十四 次入平等智。捧閼伽香水。浴諸聖身。當得灌頂地。真言曰
唵引嚩日囉 [illegible]
我今灌沐諸如來。淨智功德莊嚴聚。五濁眾生令離苦
當證如來淨法身。戒定惠解知見香。遍十方剎常氛馥。願此
香雲亦如是。無量無邊作佛事。普願眾生苦輪息
惣令除熱得清涼。皆發無上菩提心。同出愛河登彼岸
唵引曩莫三滿多。沒馱喃引。唵引。誐誐曩 真言曰
曩。三去麼三上麼。娑嚩二合賀
次結振鈴印。右杵左振鈴。心入聲解脫。觀照般若理
第十五 右手把杵擲三遍。右轉一匝。把杵左膝邊
右手把鈴。湯上下三度。後四度令聲ろ
唵引嚩日囉二合。健吒。唵引嚩日囉二合健吒二合觀使也二合斛入
拍此之振鈴傳法語。十方普聞。聞此鈴聲照十方無量無邊聖眾咸來集
次念本尊。各隨部主。結本尊印。右羽金剛拳。以威力之
第十七 唵引嚩日囉二合。馱引觀鈸上。次念五供養真言

BD02319號1 金剛頂經一切如來深妙秘密金剛界大三昧耶修習瑜迦迎請儀 （12–6）

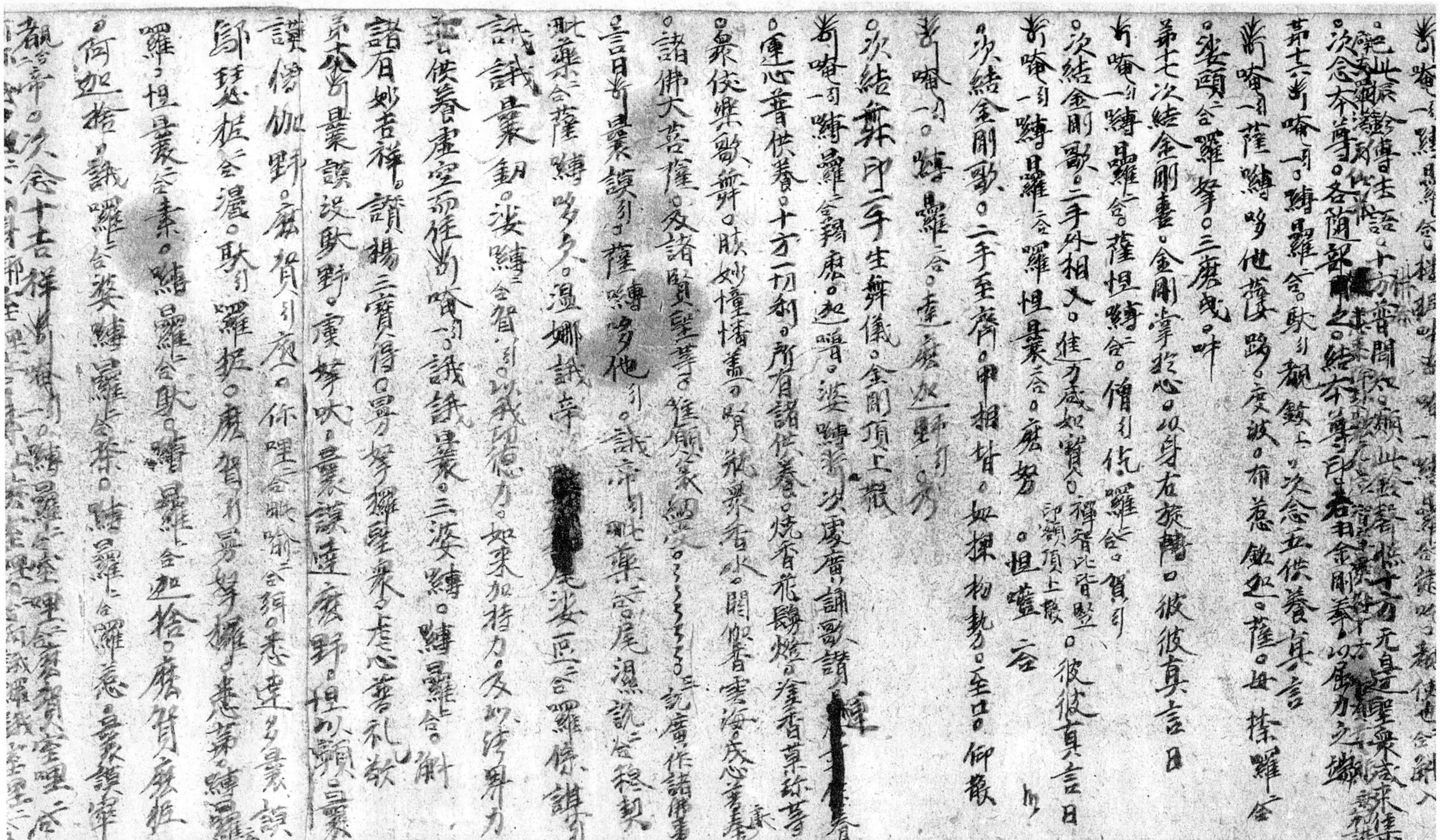
吽唵一引…[illegible]
◦次念本尊◦各隨部[redacted]之◦結本尊印◦各甘金剛拳以勝力之儀
第十六吽唵一引嚩日羅二合馱引覩鍐上◦次念五供養真言
吽唵一引薩嚩哆他蘖哆路◦度跛◦布惹銘伽◦薩◦母捺羅二合
◦娑頗二合羅拏◦三摩曳◦吽
第十七次結金剛畫◦金剛掌於心◦以身右旋轉◦彼彼真言曰
吽唵一引嚩日羅二合薩怛嚩二合◦僧引佉羅上二合◦賀引
◦次結金剛歌◦二手外相叉◦進力處如寶◦禪智比豎◦印額頂上散◦彼彼真言曰
吽唵一引嚩日羅二合羅怛曩二合◦摩努◦怛𠷑二合
◦次結金剛歌◦二手至齊◦申相背◦如擲物勢◦至口◦仰散
吽唵一引◦嚩日羅二合達摩迦野引多
◦次結舞印◦二手生舞儀◦金剛頂上散
吽唵一引嚩日羅二合羯磨◦迦嚕◦婆嚩吽◦次虔誠誦歌讚[redacted]
◦運心普供養◦十方一切剎◦所有諸供養◦燒香花鬘燈◦塗香菓諸等
最勝伎樂歌舞◦眩妙幢幡蓋◦賢聖衆香水◦閼伽香雲海◦及心等奉獻
◦諸佛大菩薩◦及諸賢聖等◦往願哀納受◦記廣作諸佛事
言曰吽曩謨引薩嚩沒馱引◦誐帝引毗藥二合尾濕訖二合稱契
毗藥二合薩嚩吽多夊◦溫娜誐帝[redacted]尾娑叵二合羅係謨引
誐誐曩劍◦娑嚩二合賀◦以我功德力◦如來加持力◦及以法界力
普供養虛空而住吽唵引誐誐曩◦三婆嚩◦嚩日羅二合斛
諸有妙者禪讚揚三寶◦得無量衆多左心菩禮敬
[illegible]
讚僧伽野◦麼賀引底◦[illegible]
[illegible]

BD02319號1　金剛頂經一切如來深妙秘密金剛界大三昧耶修習瑜迦迎請儀　（12–7）

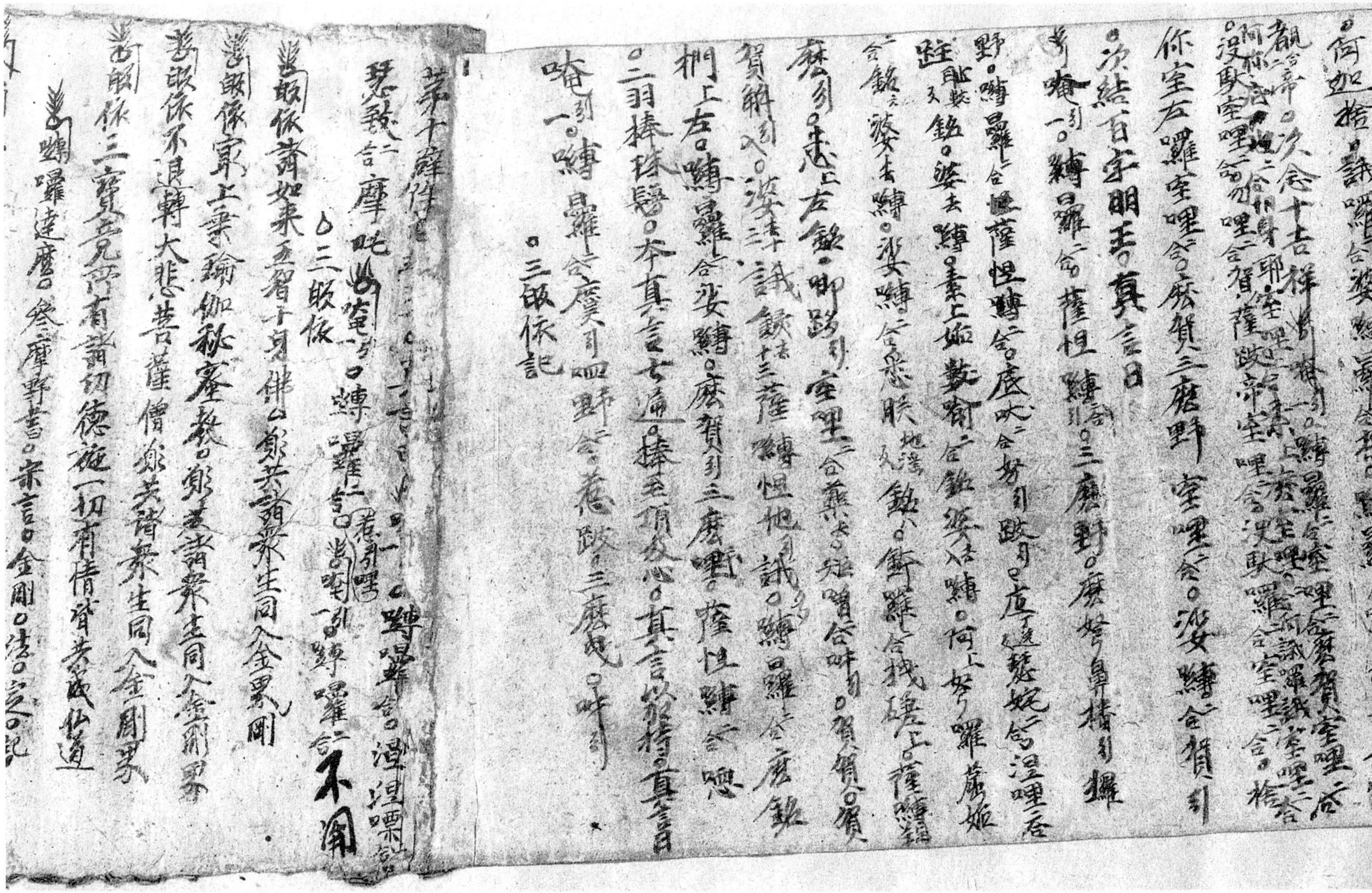

BD02319號 1　金剛頂經一切如來深妙秘密金剛界大三昧耶修習瑜伽迎請儀　（12–8）

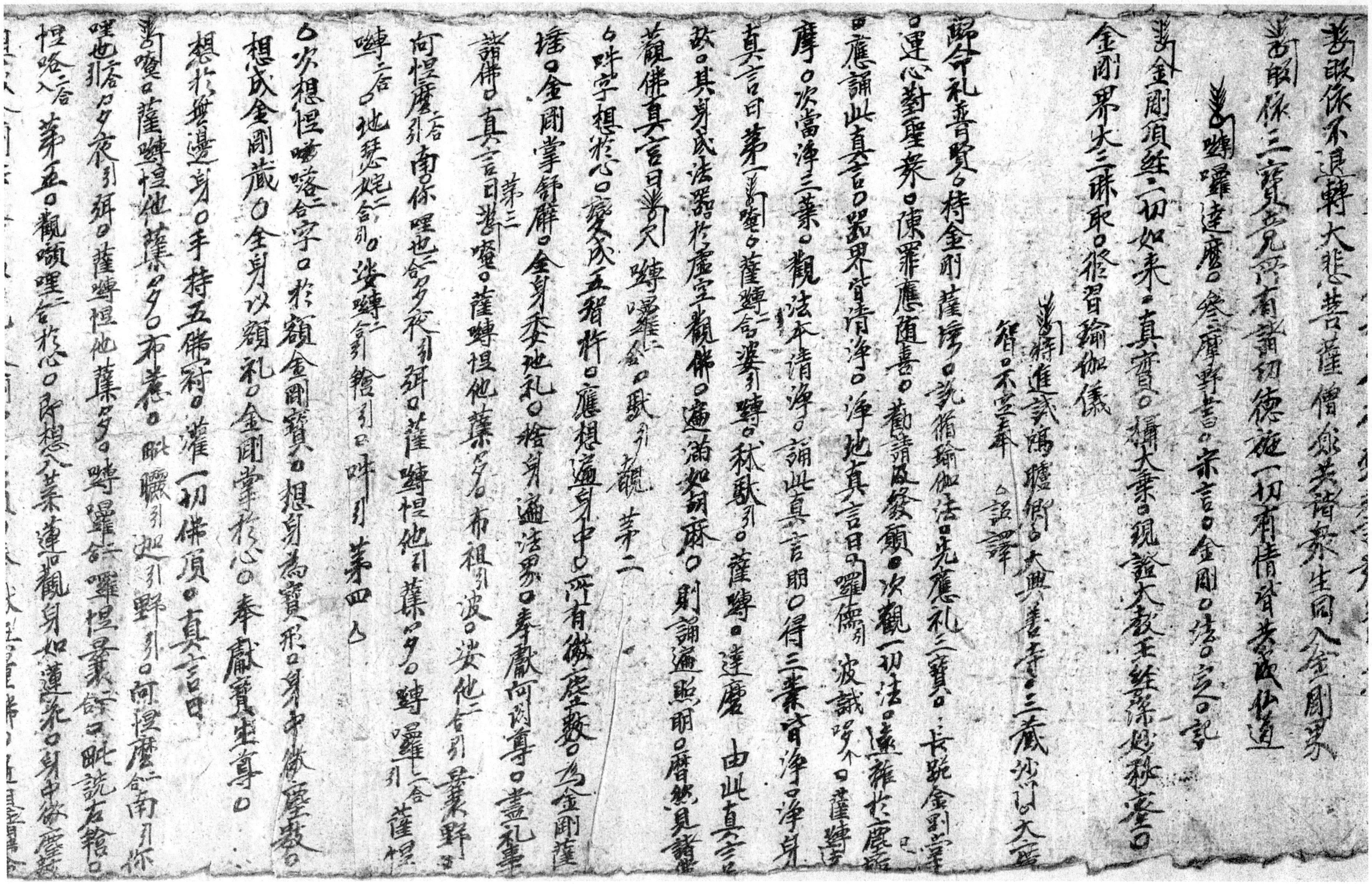

BD02319 號 1　金剛頂經一切如來深妙秘密金剛界大三昧耶修習瑜迦迎請儀　（12–9）

BD02319 號 2　金剛頂經一切如來真實攝大乘現證大教王經深妙秘密金剛界大三昧耶修習瑜伽儀（金剛頂蓮華部心念誦儀軌）

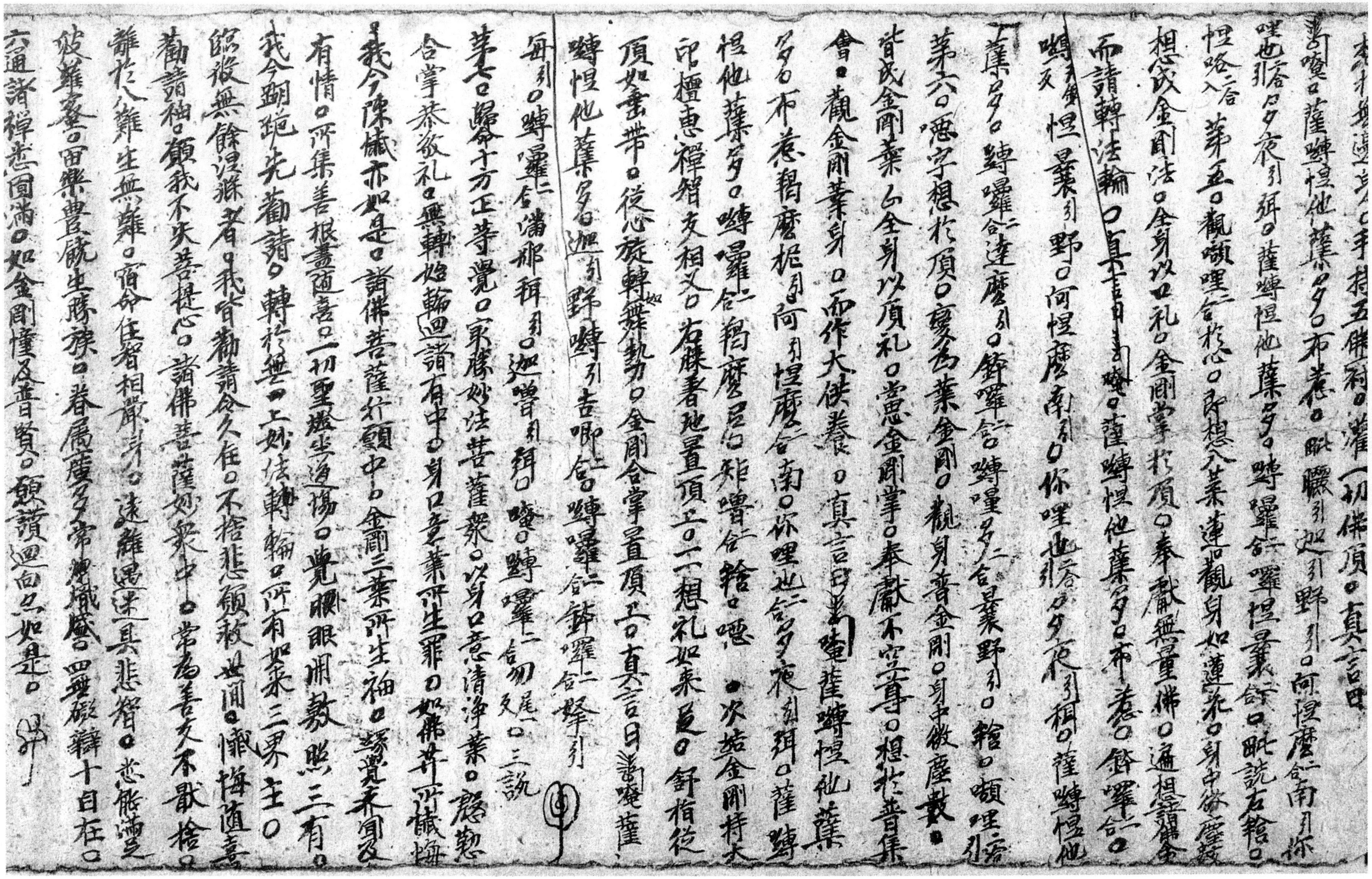

BD02319號2　金剛頂經一切如來真實攝大乘現證大教王經深妙秘密金剛界大三昧耶修習瑜伽儀（金剛頂蓮華部心念誦儀軌）　　（12–10）

勸請福○資我不染著心○諸佛菩薩妙衆中○常為善友不厭捨○
離於八難生無難○宿命住智相嚴身○遠離愚迷具悲智○悉能滿足
波羅蜜○富樂豐饒生勝族○眷屬廣多常熾盛○四無礙辯十自在○
六通諸禪悉圓滿○如金剛幢及普賢○願讚迴向亦如是○
行者廣大願○次應發勝心○願一切有情○如來所稱讚○世間出世間○
速成殊勝地○合掌真言曰 唵 薩嚩怛他蘗多商悉吨引入○薩嚩
薩怛嚩二合南引○薩嚩悉馱藥○三奔儞演二合鋺引○怛他蘗多
失者二合○地底瑟姹二合折諫反二合引○號引○摩吒於兩目○應觀為日月○二手
金剛拳○各安於胸側○遍視空中佛○諸佛皆歡喜○所有香華
及餘供養具○因此目瞻覩○去垢成清淨○辟除成結界○ 真言曰
唵○嚩日囉二合○涅哩二合瑟致二合○摩吒○ 袖智二羽合○十度初分交○名為
金剛掌○一切印之首 真言 第八 真言曰
唵○嚩日囉二合刀諫反○惹里○即彼金剛掌○十度結為拳○名為金剛縛○能解
結使縛 真言曰 唵○嚩日囉二合滿馱 ○即以金剛拳○能淨第八識
○亦除雜染種○ ○ 怛囉二合吒○二字
想安於兩乳○二羽金剛縛○掣開如戶樞○真言曰 唵○嚩日囉二合
滿馱○怛囉二合吒半音 即以禪剛縛○禪智屈入掌○檀惠戒方間 ○
想召無漏智○入於藏識中 ○真言曰 唵○嚩日囉二合吠舍惡
○即以前印相○進力柱禪智○以觸於心門○無漏智堅固○ 真言曰
唵○嚩日囉二合母瑟致二合鍐 ○二羽金剛縛○忍願豎如針
纔誦真言已○自身如普賢○坐於月輪上○身前觀普賢○
真言曰 唵○三昧耶○娑怛鍐三合 ○行者次應結○大誓真
實契○二羽金剛縛○檀惠禪智豎○忍願交入掌○栢面合相合
○以二羽刺心○名為大悲箭○以射獄離心○ 極喜三昧耶
發覺本誓願○真言曰 唵○三昧耶○斛引 素囉多薩怛鍐
行者次應結○除三世大印○二羽金剛拳○檀惠相鉤結○

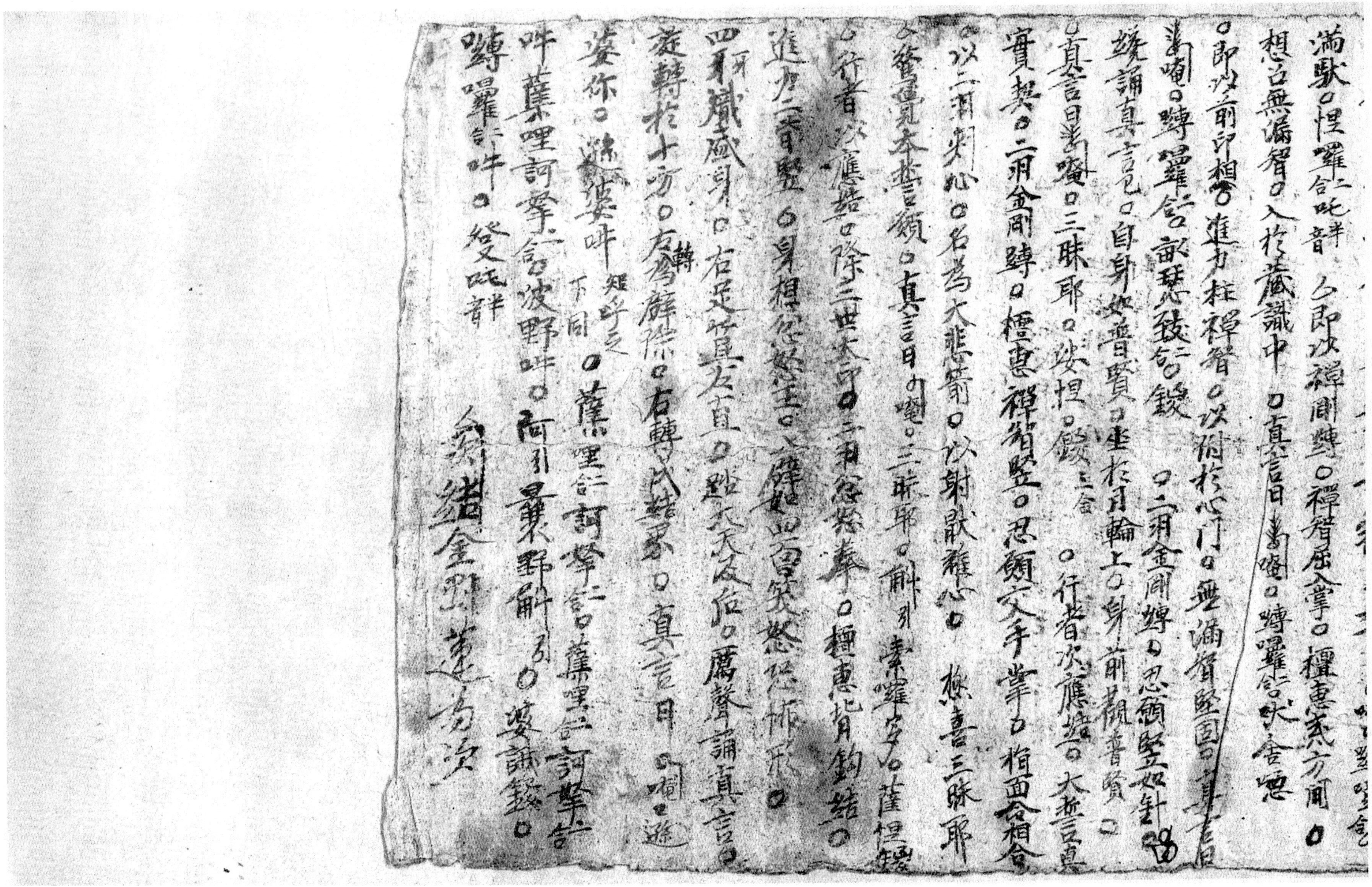

BD02319 號 2　金剛頂經一切如來真實攝大乘現證大教王經深妙秘密金剛界大三昧耶修習瑜伽儀（金剛頂蓮華部心念誦儀軌）　（12–12）

界王如来應正遍知然彼如来憐愍我故說
此心呪我時於彼佛世尊所受持不忘以是
力故從尒時已来常為無量無邊百千摩醯
首羅諸大天衆淨居天王并諸天子無量無邊
說法教化令向阿耨多羅三藐三菩提世尊
我於彼佛所得是呪已即得不忘智勝莊嚴
一万三昧世尊隨有此心呪處當知彼處有
大天衆所謂自在天大自在天大梵天梵天
等一万二千守攝防護世尊隨其所在有是
呪處應如塔想世尊隨何方面有是心呪應
當鑒知彼諸生輩已曾供養百千万億那由
他諸佛種諸善根世尊若復有生聞此不空
心呪者當知彼生若於往昔於他生所行諸
穢惡造諸非法毀謗諸師毀謗正法未来世
必墮阿鼻地獄一諸切佛菩薩聲聞辟支佛
等皆悉捨離彼生於後生悔恨心不復造惡
彼生若能一日一夜斷食誦此心呪彼生重
罪現世輕受或一日閒得寒熱病或復二日
或復三日或復四日或復七日得寒熱病或
復眼痛或得耳痛或脣齒疼痛或舌腭疼痛
或復心痛或復腸痛或膝痛或脇痛腰脊助
痛或遍支節疼痛或得痔病或大小便利不

或復三日或復四日或復七日得寒熱病或
復眼痛或得耳痛或脣齒疼痛或舌腭疼痛
或復心痛或復膓痛或脇痛或腸痛腰脊肋
痛或患支節疼痛或得痔病或大小便利不
通或下痢或患手足或頭痛或患瘡癬或患
白癩大癩甘瘡皰瘡及華瘡惡毒瘡遍食瘡
或得羊癲諸鬼病等或值呪詛野道種種言
說或為他作而返著之或為已作而更著之
或被枷禁繫在牢獄或被他打或被他殺或
他期尅罵詈毀辱或被誹謗世尊我今略說
或值身口意業遍切或夜得惡夢以現受殃
彼等惡業悉得除滅况復清淨諸衆生輩岳
信岳行不滅罪者無有是處世尊若有四輩
丞民等設以諂曲心聞此呪者或復讀誦或
復受持或晝夜常誦或為他解說已教令聽
聞乃至在畜生前說此呪心令彼耳聞復能
說是金剛句等自心念言金剛句者何等是
也所謂一切不捨是也一切不分別是也一
切無為是也一切不遅至是也一切不作是
也一切不染是也一切平等心是也一切無
無是也一切不棄捨是也一切不離五陰是
也如是方便當須念佛彼等諸至十方諸佛
數滿一千在於現前彼等諸佛當教是塹懺
悔除罪世尊我今略說若復有至以竹帛書
是心呪受持礼拜有如是等無量無邊功德
之聚世尊我略說聞此呪者不應起諍世尊
若有至共他鬪諍聞此呪者或為驚怖大家
或懷他意或因圖或鬪比丘言世尊彼等者

性陁羅世尊我今略說若復有𤯔以竹帛書
是心呪受持礼拜有如是等無量無邊功德
之衆世尊我略說聞此呪者不應起諍世尊
若有𤯔共他鬪諍聞此呪者或為驚怖大家
或護他意或因調戲聞此呪者世尊彼等諸
𤯔應當思惟今我耳根聞此呪者以觀世音菩
薩威神力故非我自力世尊譬如有𤯔或取
栴檀香或取龍腦香或取麝香等種種諸香
誹謗毀辱罵詈言說誹謗毀辱罵詈訖已還
以是香塗其身體燃彼栴檀乃至麝香不作是
念彼𤯔誹謗我罵詈我毀辱我豈有是心我
與彼香不與彼耶無有是處世尊但彼自有
香性不捨本性如是如是世尊若有𤯔於我
此心呪或復毀辱或復道說誹謗乃至如上
所說以諂曲之心恭敬尊重世尊彼諂曲衆
生於未來世於諸善根能為佛因生生處處
不離或定及勝智慧成就福聚之香於未來
世能持或香世尊若善男子善女𤯔或比丘
比丘尼優婆塞優婆夷或餘𤯔輩為此心呪
故於匝八日十四五日空腹一日一夜莫食
身持禁戒心行精進一日七遍夜復七遍誦
此心呪已莫念餘事莫共他語世尊彼𤯔現
世得廿種功德何等為廿種功德一者一切
病痛不惱其身雖有病痛以福業力故速得
除差二者其身微妙柔濡光澤多𤯔愛敬三
者諸根調伏四者大得財寶所求隨稱不被
他劫奪五者火不能燒六者水不能漂七者
王亦不能奪凡所造業常得吉利八者惡雹

除羌二者其身復妙柔濡光澤多𤯔愛敬三
者諸根調伏四者大得財寶所求隨稱不被
他刼奪五者火不能燒六者水不能漂七者
王亦不能奪凡所造業常得吉利八者惡雹
不傷惡龍捶毒九者不被災旱不畏惡風疾
雨十者若𤯔被虫食於禾稼當取其沙灰水
等任意呪之七遍八方結界上下諸方普遍
結之一切驚怖一切虫毒即得除滅十一者
一切惡鬼吸𤯔精氣或於夢中為𤯔夫婦欲
相厭魅亦不能害十二者於一切衆生所常
得安樂心恒敬重無時暫捨十三者若有諸
怨生於惡意欲來鬪對亦自消滅十四者但
有惡𤯔欲相害者不能為害即自去離十五
者一切呪詛以切蠱道速即自攝不能加害
十六者若處於衆中最強十七者諸有煩惱
不能纏繞十八者當在陣敵鋒刃相害一心
誦呪一切刀杖箭矢即不著身十九者一

呪一切刀杖禁擯遮

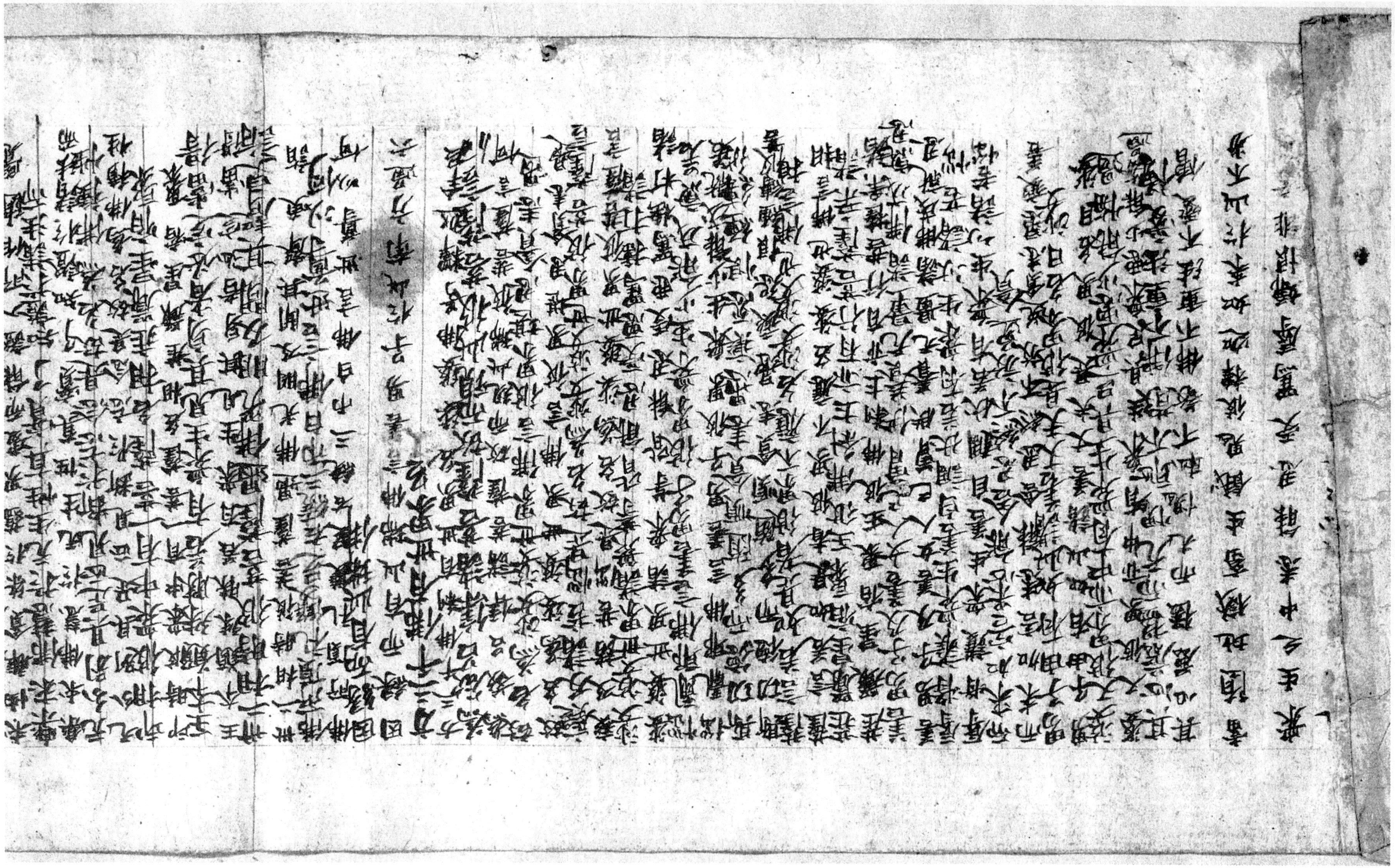

BD02319號背 2　大寶積經（兌廢稿）卷五八　（12–5）

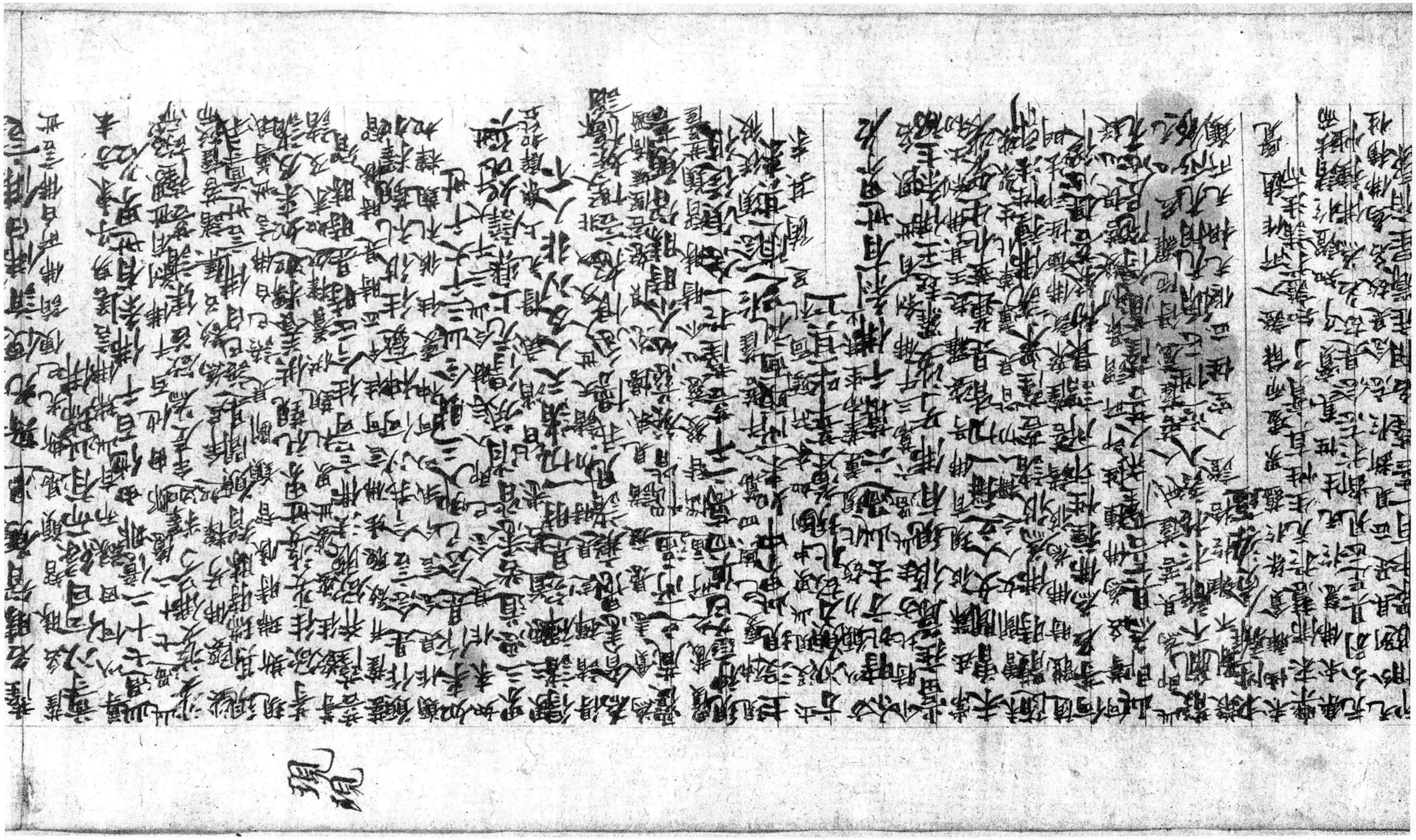

BD02319號背 2　大寶積經（兌廢稿）卷五八　　（12–6）

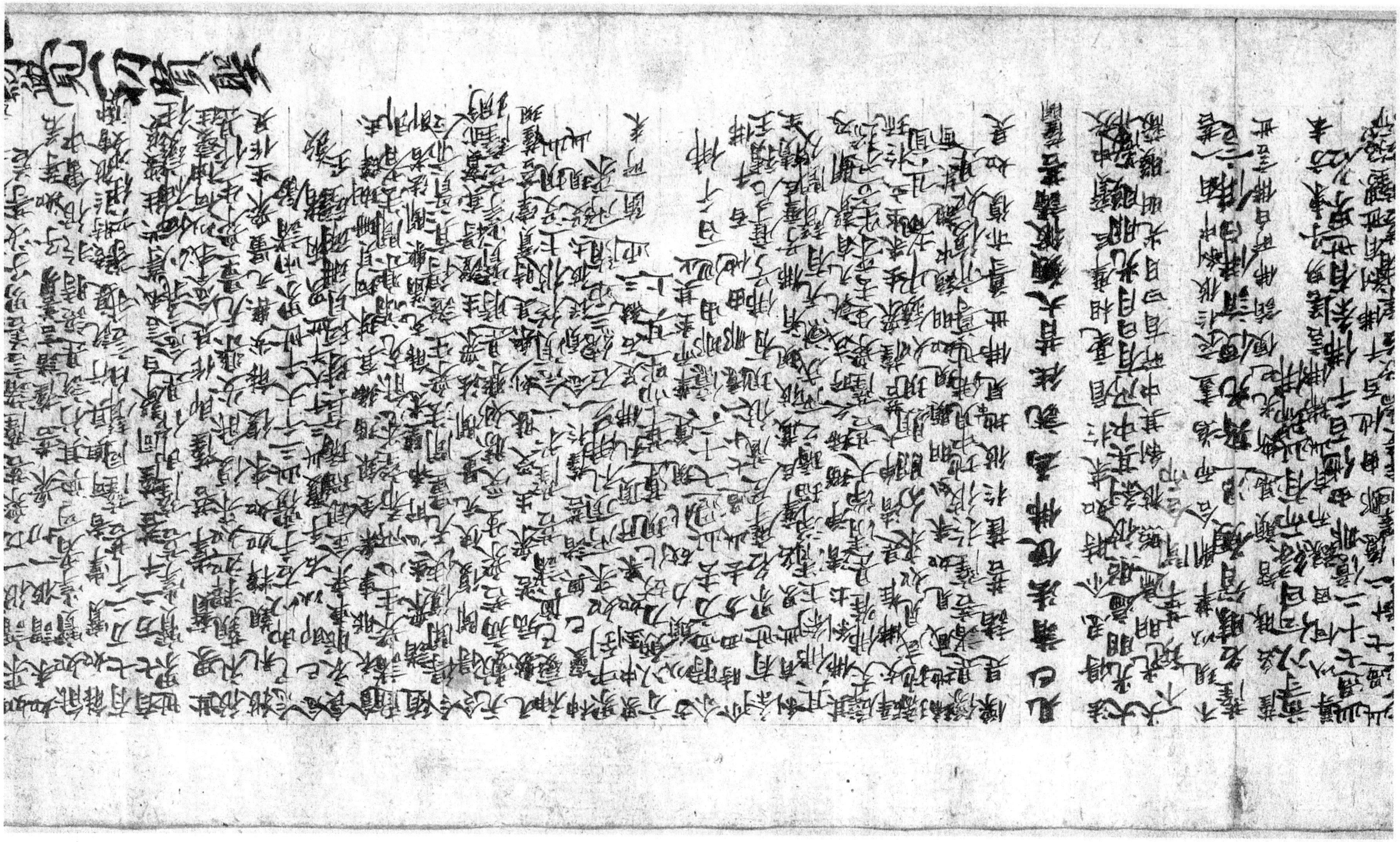

BD02319號背2　大寶積經（兌廢稿）卷五八　　（12-7）

BD02319 號背 2　大寶積經（兌廢稿）卷五八　　（12–8）

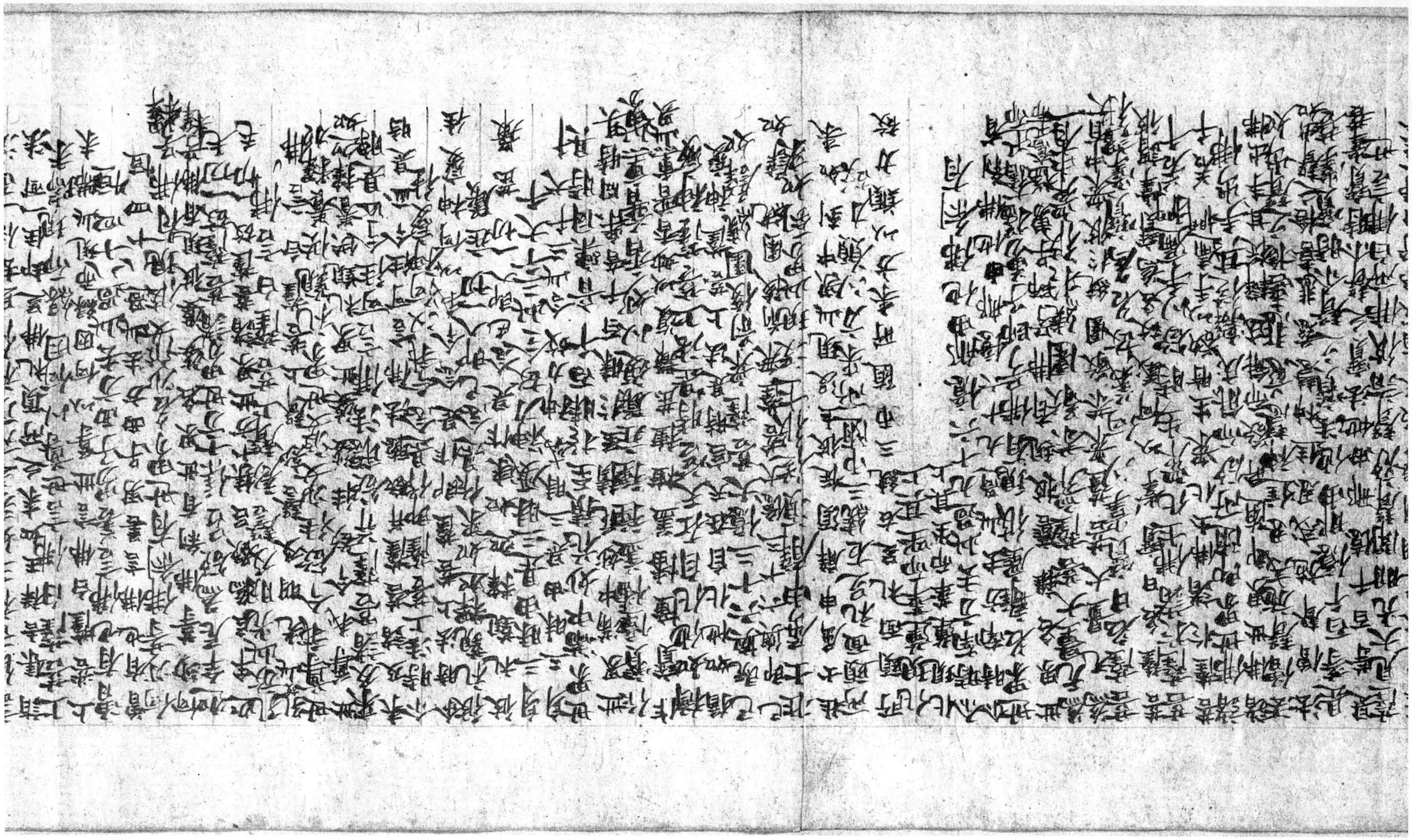

BD02319號背 2　大寶積經（兑廢稿）卷五八　（12–9）

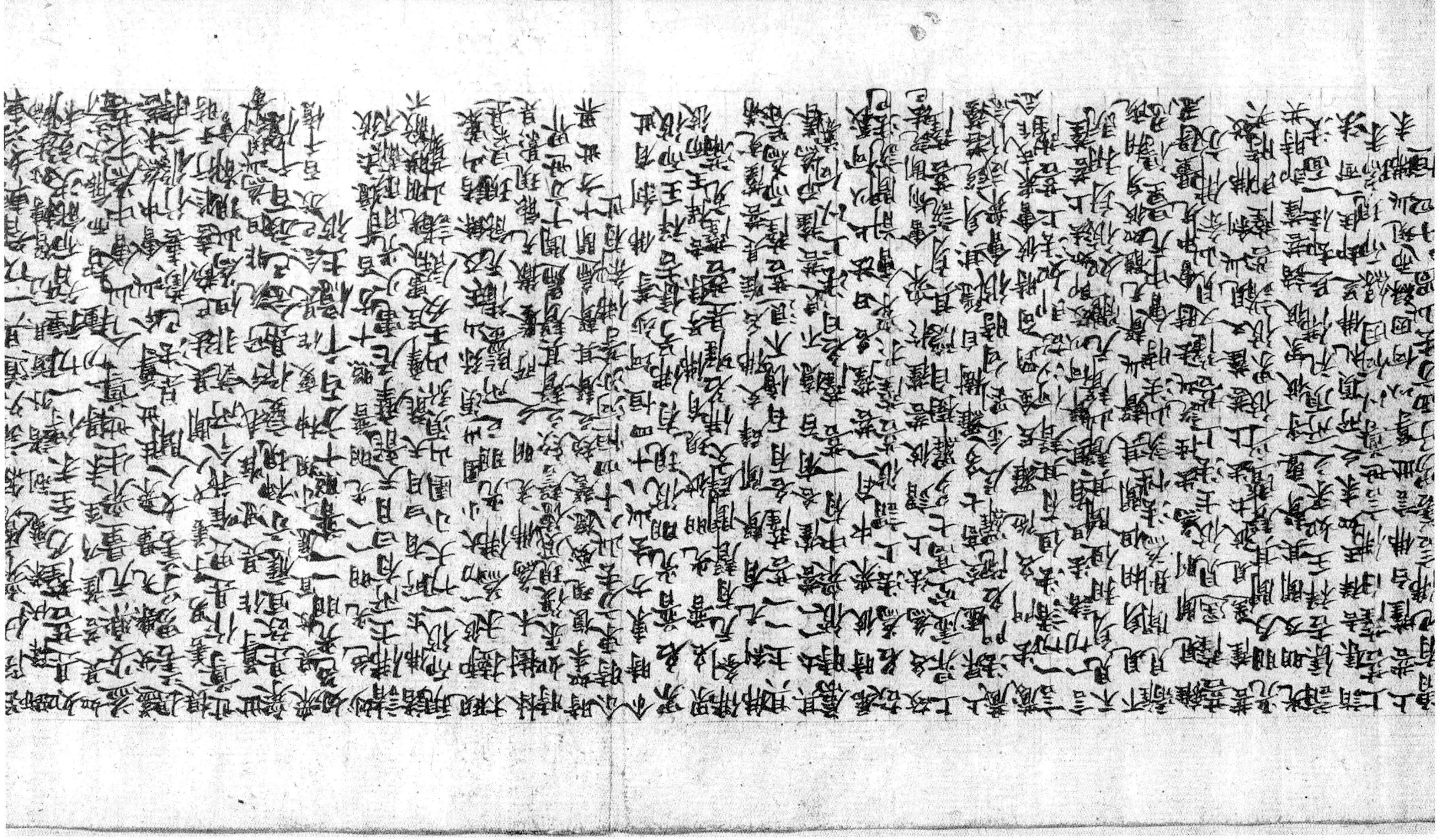

BD02319號背 2　大寶積經（兌廢稿）卷五八　　（12–10）

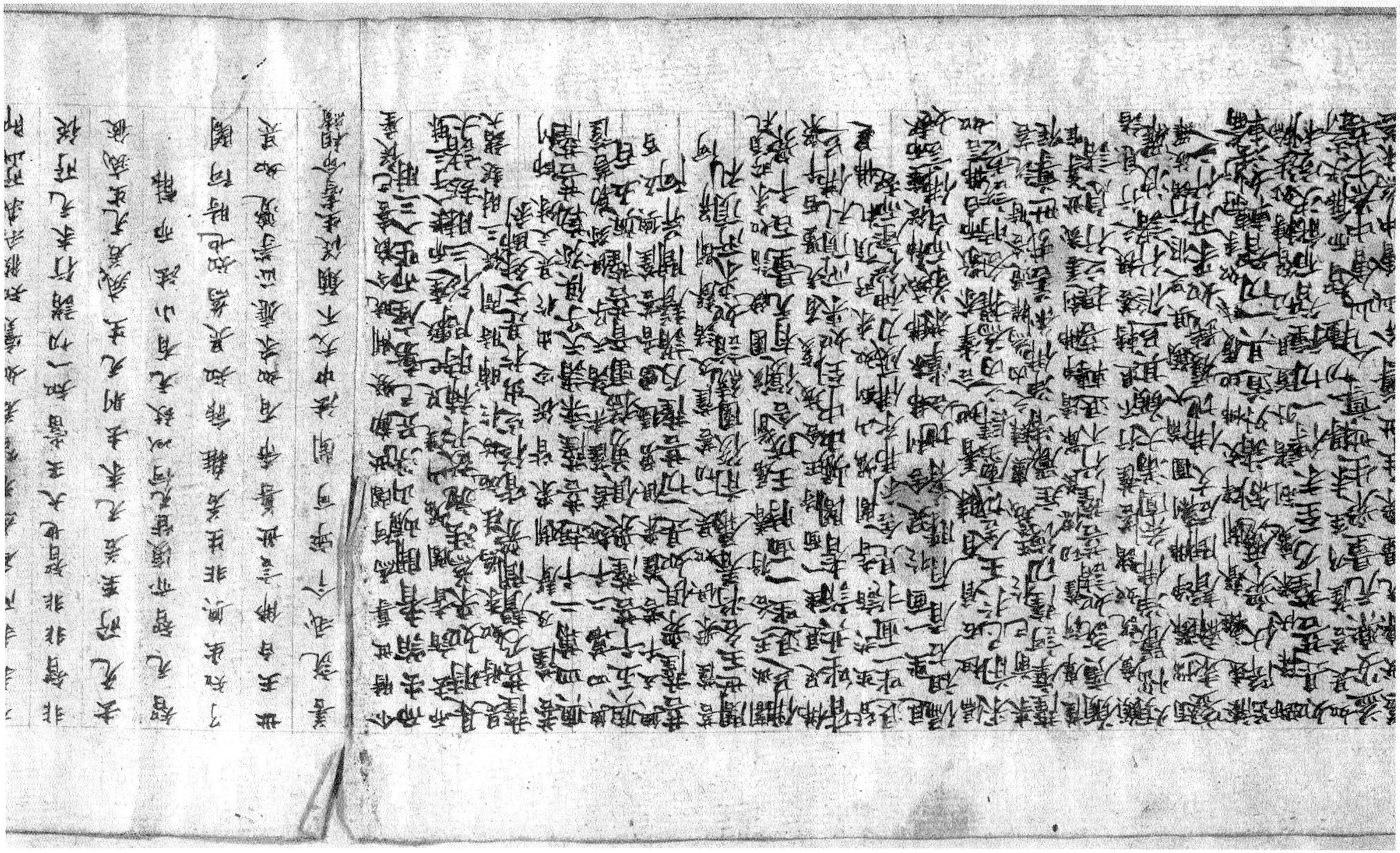

BD02319號背 2　大寶積經（兌廢稿）卷五八　（12–11）

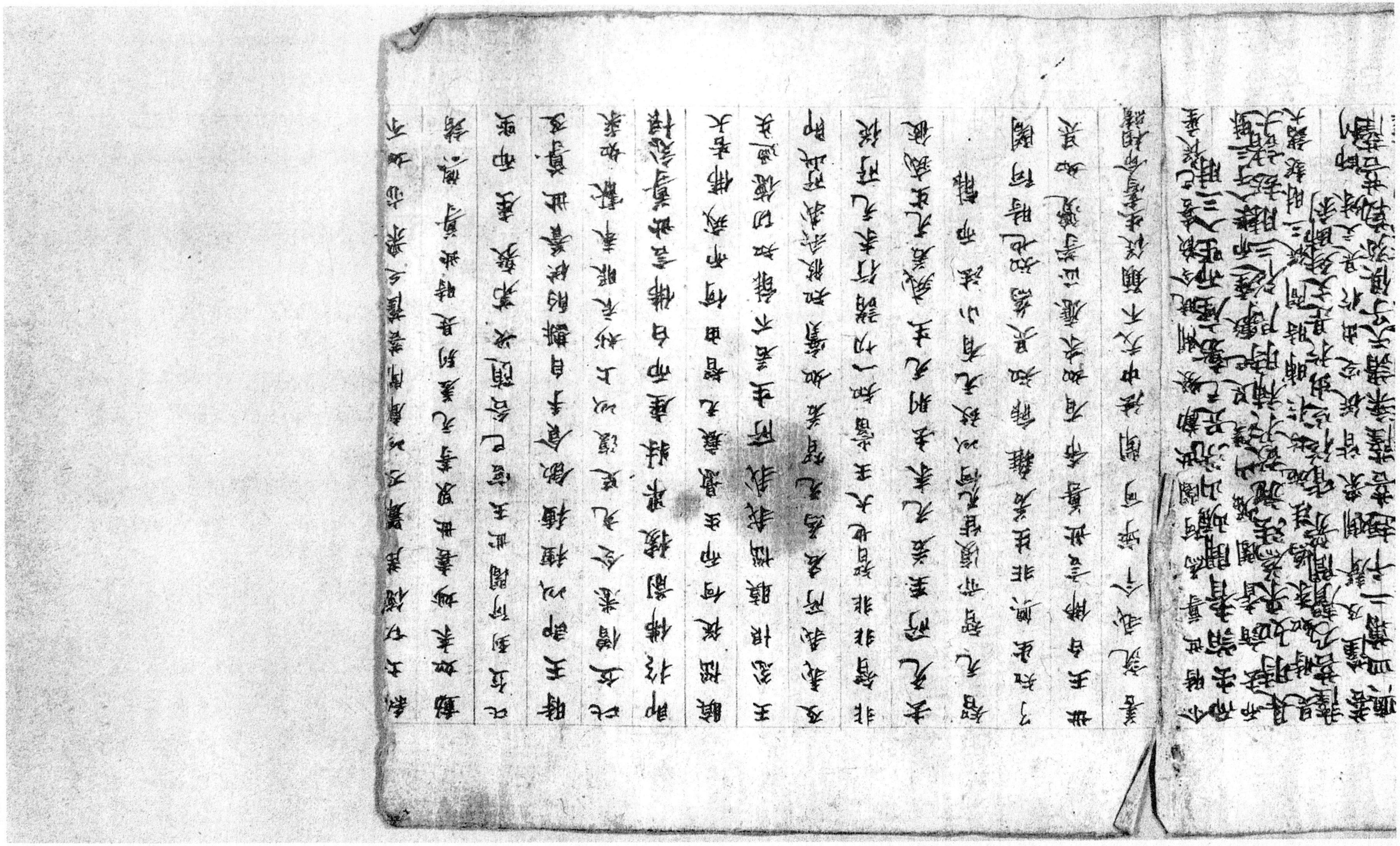

BD02319 號背 2　大寶積經（兌廢稿）卷五八　（12–12）

淨故身界清淨身界清淨故一切智智清淨
何以故若五力清淨若身界清淨若一切智
智清淨无二无二分无別无斷故五力清淨
故觸界身識界及身觸身觸為緣所生諸受
清淨觸界乃至身觸為緣所生諸受清淨故
一切智智清淨何以故若五力清淨若觸界
乃至身觸為緣所生諸受清淨若一切智智
清淨无二无二分无別无斷故善現五力清
淨故意界清淨意界清淨故一切智智清淨
何以故若五力清淨若意界清淨若一切智
智清淨无二无二分无別无斷故五力清淨
故法界意識界及意觸意觸為緣所生諸受
清淨法界乃至意觸為緣所生諸受清淨故
一切智智清淨何以故若五力清淨若法界
乃至意觸為緣所生諸受清淨若一切智智
清淨无二无二分无別无斷故善現五力清
淨故地界清淨地界清淨故一切智智清淨
何以故若五力清淨若地界清淨若一切智
智清淨无二无二分无別无斷故五力清淨
故水火風空識界清淨水火風空識界清淨
故一切智智清淨何以故若五力清淨若水
火風空識界清淨若一切智智清淨无二无
二分无別无斷故善現五力清淨故无明清

BD02320號　大般若波羅蜜多經卷二三〇　（3-1）

智清淨无二无二分无別无斷故五力清淨
故水火風空識界清淨水火風空識界清淨
故一切智智清淨何以故若五力清淨若水
火風空識界清淨若一切智智清淨无二无
二分无別无斷故善現五力清淨故无明清
淨无明清淨故一切智智清淨何以故若五
力清淨若无明清淨若一切智智清淨无二
无二分无別无斷故五力清淨故行識名色
六處觸受愛取有生老死愁歎苦憂惱清淨
行乃至老死愁歎苦憂惱清淨故一切智智
清淨何以故若五力清淨若行乃至老死愁
歎苦憂惱清淨若一切智智清淨无二无二
分无別无斷故
善現五力清淨故布施波羅蜜多清淨布施
波羅蜜多清淨故一切智智清淨何以故若
五力清淨若布施波羅蜜多清淨若一切智
智清淨无二无二分无別无斷故五力清淨
故淨戒安忍精進靜慮般若波羅蜜多清淨
淨戒乃至般若波羅蜜多清淨故一切智智
清淨何以故若五力清淨若淨戒乃至般若
波羅蜜多清淨若一切智智清淨无二无二
分无別无斷故善現五力清淨故內空清淨
內空清淨故一切智智清淨何以故若五力
清淨若內空清淨若一切智智清淨无二无
二分无別无斷故五力清淨故外空內外空
空空大空勝義空有為空无為空畢竟空无
際空散空无變異空本性空自相空共相空

BD02320號　大般若波羅蜜多經卷二三〇　（3-2）

淨戒乃至般若波羅蜜多清淨故一切智智
清淨何以故若五力清淨若淨戒乃至般若
波羅蜜多清淨若一切智智清淨无二无二
分无別无斷故善現五力清淨故內空清淨
內空清淨故一切智智清淨何以故若五力
清淨若內空清淨若一切智智清淨无二无
二分无別无斷故五力清淨故外空內外空
空空大空勝義空有為空无為空畢竟空无
際空散空无變異空本性空自相空共相空
一切法空不可得空无性空自性空无性自
性空清淨外空乃至无性自性空清淨故一
切智智清淨何以故若五力清淨若外空乃
至无性自性空清淨若一切智智清淨无二
无二分无別无斷故善現五力清淨故真如
清淨真如清淨故一切智智清淨何以故若
五力清淨若真如清淨若一切智智清淨无
二无二分无別无斷故五力清淨故法界法
性不虛妄性不變異性平等性離生性法定
法住實際虛空界不思議界清淨法界乃至
不思議界清淨故一切智智清淨何以故若

BD02320號　大般若波羅蜜多經卷二三〇　（3–3）

二百卌

BD02320號背　勘記　（1–1）

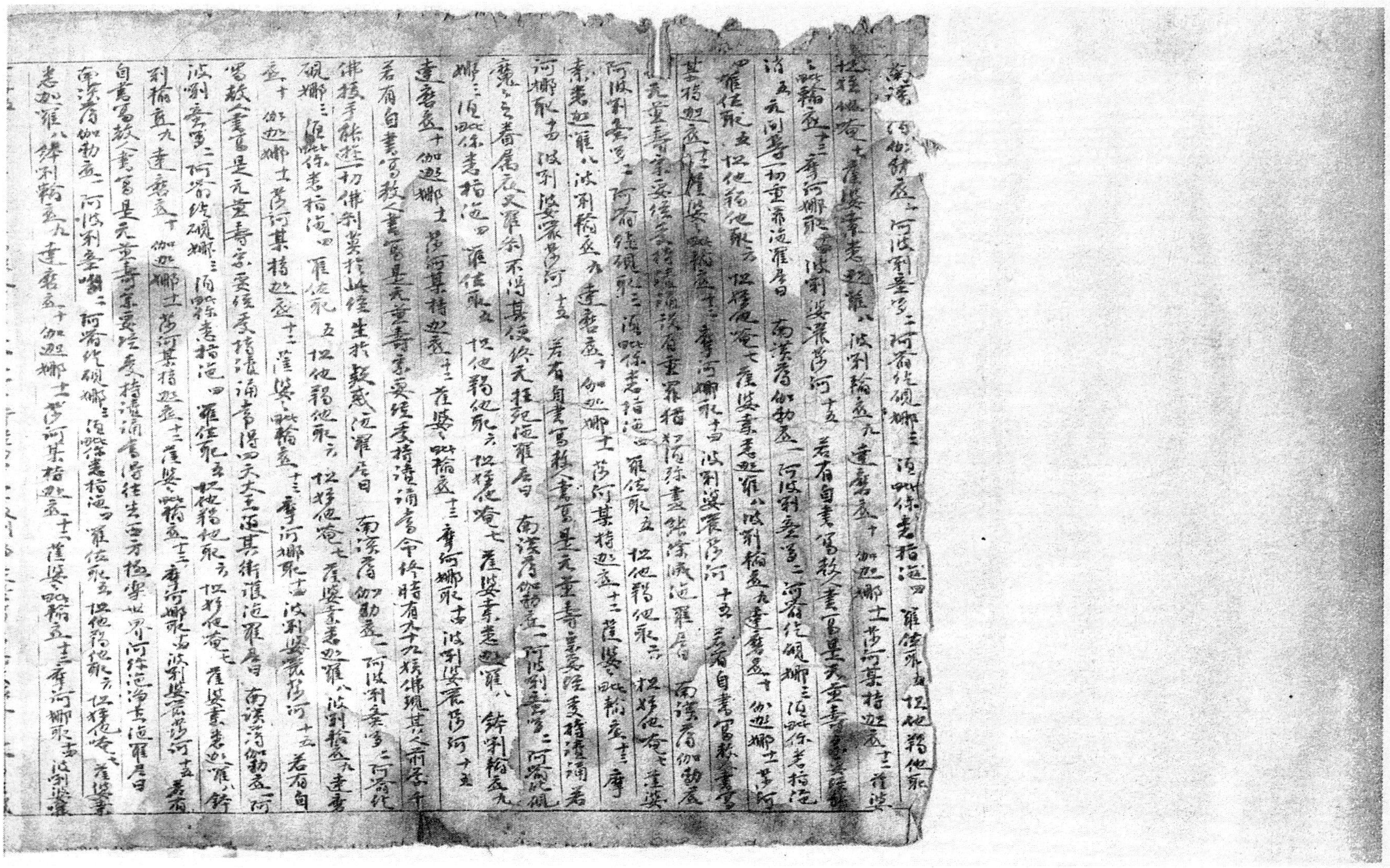

BD02321 號　無量壽宗要經　（3–1）

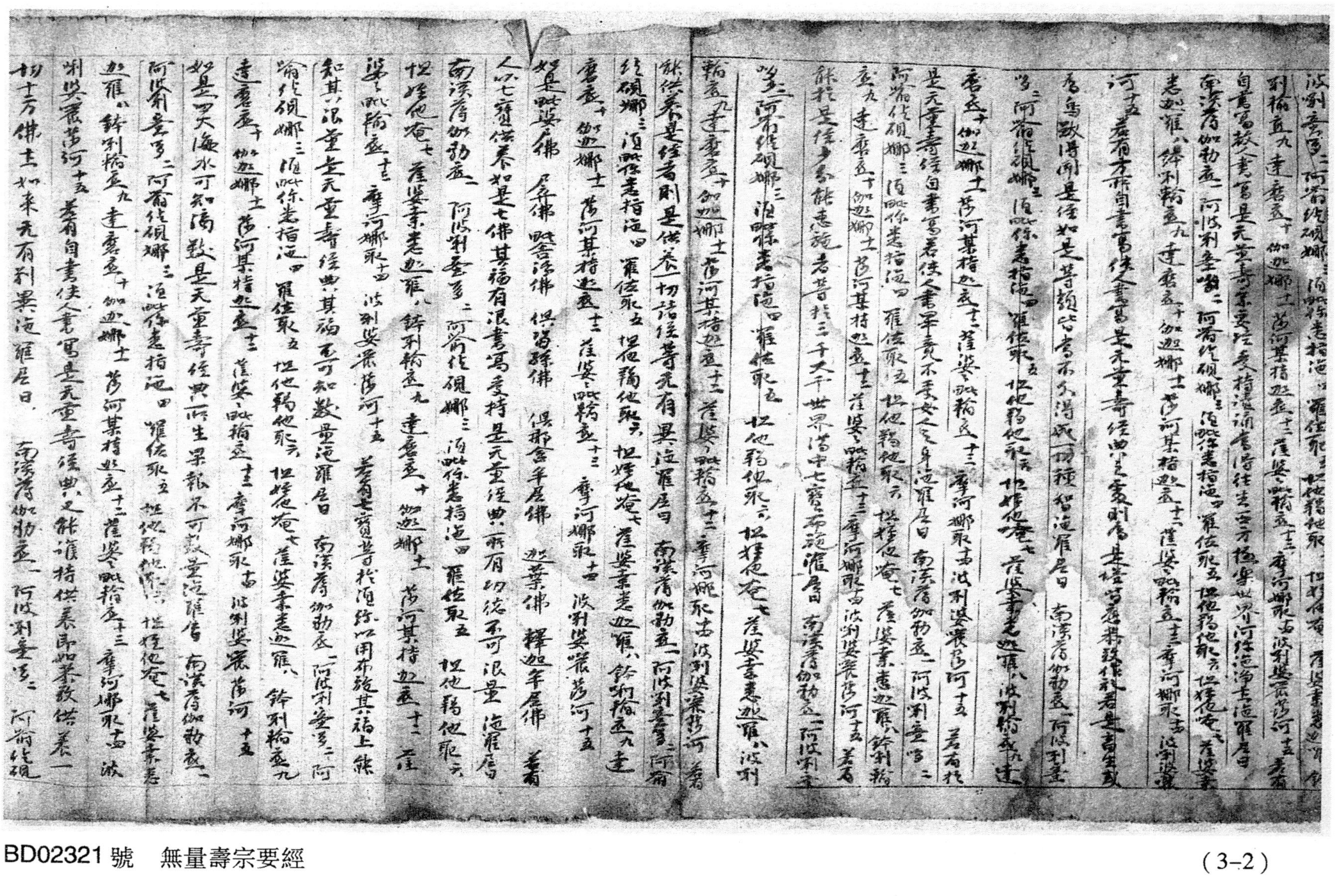

BD02321 號　無量壽宗要經　（3–2）

怛姪他唵七 薩婆桑塞迦羅八 鉢唎輸底九 達磨底十 伽迦娜十一 莎河其特迦底十二 薩
婆婆毗輸底十三 摩訶娜耶十四 波唎婆縛莎河十五 若有七寶善於須彌山用布施其福上能
知其限量無量壽經典其福不可知數量陀羅尼曰 南謨薄伽勃底一 阿波唎蜜多二 阿
喻紇硯娜三 須毗你失指陀四 羅佐耶五 怛他羯他耶六 怛姪他唵七 薩婆桑塞迦羅八 鉢唎輸底九
達磨底十 伽迦娜十一 莎河其特迦底十二 薩婆婆毗輸底十三 摩訶娜耶十四 波唎婆縛莎河十五
如是四大海水可知滴數是無量壽經典所生果報不可數量陀羅尼曰 南謨薄伽勃底一
阿波唎蜜多二 阿喻紇硯娜三 須毗你失指陀四 羅佐耶五 怛他羯他耶六 怛姪他唵七 薩婆桑塞
迦羅八 鉢唎輸底九 達磨底十 伽迦娜十一 莎河其特迦底十二 薩婆婆毗輸底十三 摩訶娜耶十四 波
唎婆縛莎河十五 若有自書使人書寫是無量壽經典之能讚持供養即如恭敬供養一
切十方佛土如來無有異陀羅尼曰 南謨薄伽勃底一 阿波唎蜜多二 阿喻紇硯
娜三 須毗你失指陀四 羅佐耶五 怛他羯他耶六 怛姪他唵七 薩婆桑塞迦羅八 鉢唎輸底九
達磨底十 伽迦娜十一 莎河其特迦底十二 薩婆婆毗輸底十三 摩訶娜耶十四 波唎婆縛莎河十五
布施力能成正覺 悟布施力人師子 布施力能聲普聞 慈悲淨漸眾能入
持戒力能成正覺 悟持戒力人師子 持戒力能聲普聞 慈悲淨漸眾能入
忍辱力能成正覺 悟忍辱人力師子 忍辱力能聲普聞 慈悲淨漸眾能入
精進力能成正覺 悟精進力人師子 精進力能聲普聞 慈悲淨漸眾能入
禪定力能成正覺 悟禪定力人師子 禪定力能聲普聞 慈悲淨漸眾能入
智慧力能成正覺 悟智慧力人師子 智慧力能聲普聞 慈悲淨漸眾能入
今時如來說是經已一切世間天人阿修羅揵闥婆等聞
佛所說皆大歡喜信受奉行
佛說無量壽宗要經

BD02321 號　無量壽宗要經　（3–3）

好調牛良田
天雨言調牛者喻身口七良田平正喻於智
慧除去沙鹵惡草株杌喻諸煩惱世尊我今
身有調牛良田除去株杌唯希如來甘露法
雨貧四性者即我身是貧於無上法之財寶
唯願哀愍除斷我等貧窮困苦梵及無量苦
惱衆生我今所供雖復微少兾得充足如來
大衆我今無主無親無歸願垂矜愍如羅睺
羅尒時世尊一切種智無上調御告純陀曰
善哉善哉我今為汝除斷貧窮無上法雨
汝身田令生法牙汝今於我欲救壽命色力
安辯我當施汝常命色力安無㝵辯何以故
純陀施食有二果報無差何等為二一者受
已得阿耨多羅三藐三菩提二者受已入於
涅槃我今受汝最後供養令汝具足檀波羅
蜜尒時純陀即白佛言如佛所說二施果報
無差別者是義不然何以故先受施者煩惱
未盡未得成就一切種智亦未能令衆生具
足檀波羅蜜後受施者煩惱已盡已得成就
一切種智能令衆生普得具足檀波羅蜜先
受施者直是衆生後受施者是天中天先受

BD02322 號　大般涅槃經（北本）卷二　（25–1）

未益未得成就一切種智亦未能令衆生具
足檀波羅蜜後受施者煩惱已盡已得成就
一切種智能令衆生普得具足檀波羅蜜先
受施者直是衆生後得施者是天中天先受
施者是雜食身煩惱之身是後邊身是无常
身後受施者无煩惱身金剛之身法身常身
无邊之身云何而言二施果報等无差別先
受施者未能具足檀波羅蜜乃至般若波羅
蜜唯得宍眼未得佛眼乃至慧眼後更受施
者已得具足檀波羅蜜乃至般若波羅蜜具足
宍眼乃至慧眼云何而言二施果報等无差
別世尊先受施者受已食噉入腹消化得命
得色得力得安得无㝵辯後受施者不食不
消无五事果云何而言二施果報等无差別
佛言善男子如來已於无量无邊阿僧祇劫
无有食身煩惱之身无後邊身常身法身金
剛之身善男子未見佛性者名煩惱身雜食
之身是後邊身菩薩尒時受飲食已入金剛
三昧此食消已即見佛性得阿耨多羅三藐
三菩提是故我言二施果報等无差別菩薩
尒時破壞四魔今入涅槃亦破四魔是故我
言二施果報等无差別菩薩尒時雖不廣說
十二部經先以通達今入涅槃廣為衆生分
別演說是故我言二施果報等无差別善男
子如來之身已於无量阿僧祇劫不受飲食
為諸聲聞說言先受難陁難陁波羅二枚牛

十二部經先以通達今入涅槃廣為衆生分
別演說是故我言二施果報等无差別善男
子如來之身已於无量阿僧祇劫不受飲食
為諸聲聞說言先受難陁難陁波羅二枚牛
女所奉乳糜然後乃得阿耨多羅三藐三菩
提我實不食我今為此於會大衆是故受汝
冣後所奉實亦不食尒時大衆聞佛世尊普
為大會受於純陁冣後供養歡喜踊躍同聲
讚言善哉善哉希有純陁汝今立字名不虛
稱言純陁者名解妙義汝今建立如是大義
是故依實從義立名故名純陁汝今現世得
大名利德願滿足甚奇純陁在生人中復得
難得无上之利善哉純陁如優曇華世間希
有佛出於世亦復甚難值佛生信聞法復難
佛臨涅槃冣後供養能辦是事復難於是南
无純陁南无純陁汝今已具檀波羅蜜猶如
秋月十五日夜清淨圓滿无諸雲翳一切衆
生无不瞻仰汝亦如是而為我等之所瞻仰
佛已受汝冣供養令汝具足檀波羅蜜南
无純陁是故說汝如月盛滿一切衆生无不
瞻仰南无純陁雖受人身心如佛心汝今純
陁真是佛子如羅睺羅等无有異尒時大衆
即說偈言
汝雖生人道　已超第六天　我及一切衆　今故稽首請
人中冣勝尊　今當入涅槃　汝應愍我等　唯願速請佛
久住於世間　利益无量衆　演說智所讚　无上甘露法

即說偈言
汝雖生人道　已超第六天　我及一切衆　今故稽首請
人中象勝尊　今當入涅槃　汝應愍我等　唯願速請佛
久住於世間　利益无量衆　演說智所讚　无上甘露法
汝若不請佛　我命將不全　是故應見為　啟請調御師
爾時純陀歡喜踊躍譬如有人父母卒喪忽
然還活純陀歡喜亦復如是復起礼佛而說
偈言
快哉獲已利　善得於人身　蠲除貪恚等　永離三惡道
快哉獲已利　遇得金寶聚　值遇調御師　不懼墮畜生
佛如優曇華　值遇生信難　遇已種善根　永滅餓鬼苦
亦復能損減　阿脩羅種類　芥子投鋒鋒　佛出難於是
我已具足檀　度人天生死　佛不染世法　如蓮華處水
善斷有頂種　永度生死流　生世為人難　值佛世亦難
猶如大海中　盲龜遇浮孔　我今所奉食　願得无上報
一切煩惱結　摧破不堅牢　我今於此處　不求人天身
設使得之者　心亦不甘樂　如來受我供　歡喜无有量
猶如伊蘭華　出於栴檀香　我身如伊蘭　如來受我供
如出栴檀香　是故我歡喜　我今得現報　最勝上妙處
釋梵諸天等　悉來供養我　一切諸世間　悉生諸苦惱
以知佛世尊　欲入於涅槃　高聲唱是言　世間无調御
不應捨衆生　應視如一子　如來在僧中　演說无上法
如須彌寶山　安處於大海　佛智能善斷　我等无明闇
猶如虛空中　起雲得清涼　如來善能除　一切諸煩惱
猶如日出時　除雲光普照　是諸衆生等　涕泣面目腫
悉皆為生死　苦水之所漂　以是故世尊　應長衆生信

如須彌寶山　安處於大海　佛智能善斷　我等无明闇
猶如虛空中　起雲得清涼　如來善能除　一切諸煩惱
猶如日出時　除雲光普照　是諸衆生等　涕泣面目腫
悉皆為生死　苦水之所漂　以是故世尊　應長衆生信
為斷生死苦　久住於世間
佛告純陀如是如是如汝所說佛出世難如
優曇華值佛生信亦復甚難佛臨涅槃最
後施食能具足檀倍復甚難汝今純陀莫大
愁苦應生踊躍喜自慶幸得值最後供養如
來成就具足檀波羅蜜不應請佛久住於世汝
今當觀諸佛境界悉皆无常諸行性相亦復
如是即為純陀而說偈言
一切諸世間　生者皆歸死　壽命雖无量　要必當有盡
夫盛必有衰　合會有別離　壯年不久停　盛色病所侵
命為死所吞　无有法常者　諸王得自在　勢力无等雙
一切皆遷動　壽命亦如是　衆苦輪无際　流轉无休息
三界皆无常　諸有无有樂　有道本性相　一切皆空无
可壞法流轉　常有憂患等　恐怖諸過惡　老病死衰惱
是諸无有邊　易壞怨所侵　煩惱所纏裹　猶如蠶處繭
何有智慧者　而當樂是處　此身苦所集　一切皆不淨
扼縛癰瘡等　根本无義利　上至諸天身　皆亦復如是
諸欲皆无常　故我不貪著　離欲善思惟　而證於真實
究竟斷有者　今日當涅槃
我度於彼岸　已得過諸苦　是故於今者　純受上妙樂
以是因緣故　證无戲論邊　永斷諸纏縛　壽命不可盡
我今入涅槃　猶如大火滅　純陀汝不應　思量如來義

我度於彼岸　已得過諸苦　是故於今者　純受上妙樂
以是因緣故　證無戲論邊　永斷諸纏縛　壽命不可盡
我今入涅槃　猶如大火滅　純陀汝不應　思量如來義
當觀如來性　猶如須彌山　我今入涅槃　受於第一樂
諸佛法如是　不應復涕哭
尒時純陀白佛言世尊如是如是誠如聖教
我今所有智慧微淺猶如蚊虻何能思議如
來涅槃深奧之義世尊我今已與諸大龍象
菩薩摩訶薩斷諸結漏文殊師利法王子等
世尊譬如幼年初得出家雖未受具即墮僧
數我亦如是以佛菩薩神通力故得在如是
大菩薩數是故我今欲令如來久住於世不
入涅槃譬如飢人終無變吐願使世尊亦復
如是常住於世不入涅槃尒時文殊師利法
王子告純陀言純陀汝今不應發如是言欲
使如來常住於世不般涅槃如彼飢人無所變
吐汝今當觀諸行性相如是觀行具空三
昧欲求正法應如是學純陀問言文殊師利
夫如來者天上人中最尊最勝如是如來豈
是行耶若是行者為生滅法譬如水泡速起
速滅往來流轉猶如車輪一切諸行亦復如是
我聞諸天壽命極長云何世尊是天中天
壽命更促不滿百年如聚落主勢得自在以
自在力能制他人是人福盡其後貧賤人所
輕蔑為他策使所以者何失勢力故世尊亦
尒同於諸行同諸行者則不得稱為天中天何

自在力能制他人是人福盡其後貧賤人所
輕蔑為他策使所以者何失勢力故世尊亦
尒同於諸行同諸行者則不得稱為天中天何
以故諸行即是生死法故是故文殊如來正
覺不應同於諸行性相復次文殊為知而說
不知而說而言如來同於諸行設使如來同
諸行者則不得言於三界中為天中天自在
法王譬如人王有大力士其力當千更無有
能降伏之者故稱此人一人當千如是力士
王所愛念偏賜爵祿封賞自然所以得稱當
千人者是人未必力敵於千但以種種伎藝
所能勝千故稱當千如來亦復降伏煩惱
魔陰魔天魔死魔是故如來名三界尊如彼力
士一人當千以是因緣成就具足種種無量
真實功德故稱如來應正遍知文殊師利汝
今不應憶想分別以如來法同於諸行譬如
巨富長者生子相師占之有短壽相父母聞
已知其不任紹繼家嗣不復愛重視如草
夫短壽者不為沙門婆羅門等男女大小之
所敬念若使如來同諸行者亦復不如一切
世間人天眾生之所奉敬如來所說不變
不異真實之法亦無受者是故文殊不應說
言如來同於一切諸行復次文殊譬如貧女無
有居家救護之者加復病苦飢渴所逼遊行
乞丐止他客舍寄生一子是客舍主驅逐令
去其產未久攜抱是兒欲至他國其於中路

有居家牧護之者如復病苦飢渴所逼遊行
乞丐止他客舍寄生一子是客舍主驅逐令
去其産未久攜抱是兒欲至他國其於中路
遇惡風雨寒苦並至多為蚊虻蜂螫毒蟲之
所唼食逕由恒河抱兒而度其水漂疾而不
放捨於是母子遂共俱沒如是女人慈念功
德命終之後生於梵天文殊師利若有善男
子欲護正法勿說如來同於諸行不同諸行
唯當自責我今愚癡未有慧目如來正法
不可思議是故不應宣說如來定是有為定是
無為若正見者應說如來定是無為何以故
能為衆生生善法故生憐愍故如彼貧女在於
恒河為愛念子而捨身命善男子護法菩
薩亦應如是寧捨身命不說如來同於有為
當言如來同於無為以說如來同於無為故得
阿耨多羅三藐三菩提如彼女人得生梵天
何以故以護法故云何護法所謂說言如來同
於無為善男子如是之人雖不求解脫解脫
自至如彼貧女不求梵天梵天自至文殊
師利如人遠行中路疲極寄心他舍臥寐之
中其室忽然大火卒起即時驚寤尋自思惟
我於今者定死不疑具慚愧故以衣纏身即
便命終生忉利天從是已後滿八千反作大
梵王滿百千世生於人中為轉輪王是人不
復生三惡趣展轉常生安樂之處以是緣故
文殊師利

BD02322 號　大般涅槃經（北本）卷二　（25–8）

梵王滿百千世生於人中為轉輪王是人不
復生三惡趣展轉常生安樂之處以是緣故
文殊師利若善男子有慚愧者不應觀佛同
於諸行文殊師利外道耶見可說如來同於
有為持戒比丘不應如是於如來所生有為
想若言如來是有為者即是妄語當知是人
死入地獄如人自處於己舍宅文殊師利如
來真實是無為法不應復言是有為也汝從
今日於生死中應捨無智求於正智當知如
來即是無為若能如是觀如來者具足當得
三十二相速疾成就阿耨多羅三藐三菩提爾
時文殊師利法王子讚純陀言善哉善哉
善男子汝今已作長壽因緣能知如來是常
住法不變易法無為之法汝今如是善覆如
來有為之相如彼火人為慚愧故以衣覆身
以善心故生忉利天復為梵王轉輪聖王不
至惡趣常受安樂汝亦如是善覆如來有為
相故於未來世必定當得三十二相八十種好
十八不共法無量壽命不在生死常受安
樂不久得成應正遍知如來次後自當
廣說我之与汝俱亦當覆如來有為有為無
為且共置之汝可隨時速施飲食如是施者
諸施中最若比丘比丘尼優婆塞優婆夷遠
行疲極須之物應當清淨隨時給与如是
速施即是具足檀波羅蜜根本種子純陀
若有最後施者及僧若多若少若足不足宜速

BD02322 號　大般涅槃經（北本）卷二　（25–9）

行疲極須之物應當清淨隨時給与如是
速施即是具足檀波羅蜜根本種子純陀
若有最後施者及僧若多若少若是不足宜速
及時如来正尒當般涅槃純陀荅言文殊師
利汝今何故貪爲此食而言多少足与不足
令我時施文殊師利如来昔日苦行六年尚自
支持況於今日須臾間耶文殊師利汝今實
謂如来正覺受斯食耶然我定知如来身者
即是法身非爲食身尒時佛告文殊師利如
是如是如純陀言善哉善哉純陀汝已成就微
妙大智善入甚深大乘經典文殊師利語純陀
言汝謂如来是无爲者如来之身即是長壽
若作是知佛所悅可純陀荅言如来非獨悅
可於我亦復悅可一切眾生文殊師利言如
来於汝及以於我一切眾生悉皆悅可純陀
荅言汝不應言如来悅可夫悅可者則是倒
想若有倒想則是生死有生死者即有爲法
是故文殊勿謂如来是有爲耶若言如来是
有爲者我与仁者俱行顛倒文殊師利如来
无有愛念之想夫愛念者如彼母牛愛念其
子雖復飢渴行求水草若是不足忽然還歸諸
佛世尊无有是念等視一切如羅睺羅如是
念者即是諸佛智慧境界文殊師利譬如
國王調御駕駟欲令驢車而及之者无有是
處我与仁者亦復如是欲盡如来微密深奧
亦无是處文殊師利如金翅鳥王上昇虛空

國王調御駕駟欲令驢車而及之者无有是
處我与仁者亦復如是欲盡如来微密深奧
亦无是處文殊師利如金翅鳥王上昇虛空
无量由旬下觀大海悉見水性魚鼈黿鼉
龍之屬及見己影如於明鏡見諸色像凡夫少
智不能籌量如是所見我与仁者亦復如是
不能籌量如来智慧文殊師利語純陀言如
是如是如汝所說我於此事非爲不達直欲
試汝諸菩薩事
尒時世尊從其面門出種種光其光明曜照
文殊身文殊師利遇斯光已即知是事尋告
純陀如来今者現是瑞相不久必當於入涅
槃汝先所設最後供養宜時奉獻佛及大眾
純陀當知如来放是種種光明非无因緣純
陀聞已情塞嘿然佛告純陀汝所奉施佛及
大眾今正是時如来正尒當般涅槃第二第三
亦復如是尒時純陀聞佛語已舉聲啼哭
悲噎而言苦哉苦哉世間空虛復白大眾我
等今者一切當共五體投地同聲勸佛莫般
涅槃尒時世尊復告純陀莫大啼哭令心憒
亂當觀是身猶如芭蕉熱時之炎水沫幻化
乾闥婆城坏器電光亦如畫水臨死之囚熟
菓段肉如織經盡如碓上下當觀諸行猶雜
毒食有爲之法多諸過患於是純陀復白佛
言如来不欲久住於世我當云何而不涕哭

菓毀宍如鐵鋌盡如砕上下當觀諸行猶雜
毒食有為之法多諸過患猶是純陁復白佛
言如来不欲久住於世我當云何而不渧哭
苦哉苦哉世間空虛唯願世尊憐愍我等及
諸衆生久住於世勿般涅槃佛告純陁汝今
不應發如是言憐愍我故久住於世我已憐
愍汝及一切是故今欲入於涅槃何以故諸
佛法尒有為亦然是故諸佛而說偈言
有為之法　其性无常　生已不住　寂滅為樂
純陁汝今當觀一切行雜諸法无我无常不
住此身多有无量過患猶如水泡是故汝今
不應渧泣尒時純陁復白佛言如是如是誠
如来教雖知如来方便示現入於涅槃而我
不能不懷苦惱復自思惟復生慶悅佛讚純
陁善哉善哉能知如来示同衆生方便涅槃
純陁汝今當聽如娑羅娑鳥春陽之月皆共
集彼阿耨達池諸佛亦尒皆至是處純陁汝
今不應思惟諸佛長壽短壽一切諸法皆如
幻相如来在中以方便力无所染著何以故
諸佛法尒純陁我今受汝所獻供養為欲令
汝度於死生諸有流故若諸人天於此最後
供養我者悉皆當得不動果報常受安樂
何以故我是衆生良福田故汝若復為欲諸衆
生作福田者速辦所施不宜久停尒時純陁
為諸衆生得度脫故俛頭歔欷而白佛言善

BD02322號　大般涅槃經（北本）卷二　（25–12）

供養我者悉皆當得不動果報常受安樂
何以故我是衆生良福田故汝若復為欲諸衆
生作福田者速辦所施不宜久停尒時純陁
為諸衆生得度脫故俛頭歔欷而白佛言善
哉世尊我若堪任為福田時則能了知如来
涅槃及非涅槃我等今者及諸聲聞緣覺智
慧猶如蚊蟻實不能量如来涅槃及非涅槃
尒時純陁及其眷屬愁憂渧泣圍遶如来燒
香散華盡心敬奉尋与文殊從坐而去供辦
食具具去未久是時此地六種震動乃至梵
世亦復如是地動有二種有地動大地動
小動者名為地動大動者名大地動有小聲
者名曰地動有大聲者名大地動獨地動者
名曰地動山河樹木及大海水一切動者名
大地動一向動者名曰地動周迴旋轉名大
地動動名地動動時能令衆生心動名大地
動菩薩初從兜率天下閻浮提時名大地動
從初生出家成阿耨多羅三藐三菩提轉於
法輪及般涅槃名大地動今日如来將入涅槃
是故此地如是大動時諸天龍乾闥婆阿
脩羅迦樓羅緊那羅摩睺羅伽人及非人
聞是語已身毛皆豎同聲哀泣而說偈言
稽首禮調御　我等今勸請　遠離於人仙　故无有救護
若見佛涅槃　我等沒苦海　愁憂懷悲惱　猶如犢失母
貧窮无救護　猶如困病人　无醫隨自心　食所不應食
衆生煩惱病　常為諸見害　遠離法醫師　飲食毒藥

BD02322號　大般涅槃經（北本）卷二　（25–13）

若見佛涅槃　我等沒苦海　愁憂懷悲惱　猶如犢失母
貧窮无救護　猶如困病人　无醫隨自心　食所不應食
衆生煩惱病　常為諸見害　遠離法醫師　飲食毒藥
是故佛世尊　不應見捨離　如國无君主　人民皆飢餓
我等亦如是　失蔭及法味　今聞佛涅槃　我等心迷亂
如彼大地動　迷失於諸方　大仙入涅槃　佛日墜於地
法水悉枯涸　我等定當死　如來般涅槃　衆生極苦惱
譬如長者子　新喪於父母　如來入涅槃　如其不還者
我等及衆生　悉无有救護　如來入涅槃　乃至諸畜生
一切皆愁怖　苦惱燋其心　我等於今者　云何不愁惱
如來見放捨　猶如棄涕唾　譬如日初出　光明甚暉炎
既能還自照　亦滅一切闇　如來神通光　能除我苦惱
處在大衆中　譬如須弥山
世尊譬如國王生育諸子形狠端政心常愛
念先教伎藝悉令通利然後將付魁膾令煞
世尊我等今者為法王子蒙佛教悔已具正
見願莫放捨如其放捨則同王子唯願久住
不入涅槃世尊譬如有人善學諸論復於此
論而生怖畏如來亦尔通達諸法而於諸法復
生怖畏若使如來久住於世說甘露味充足
一切如是衆生則不復畏墮於地獄世尊
譬如有人初學作務為官所收閉之囹圄有
人問之汝受何事答曰我今受大愁苦如其
得脫則得安樂世尊亦尔為我等故脩諸苦
行我等今者猶未得免生死苦惱云何如來
得受安樂世尊譬如醫王善解方藥偏以秘

得脫則得安樂世尊亦尔為我等故脩諸苦
行我等今者猶未得免生死苦惱云何如來
得受安樂世尊譬如醫王善解方藥偏以秘
方教授其子不教其餘外受學者如來亦尔
獨以甚深秘密之藏偏教文殊遺棄我等不
見顧愍如來於法應无慳悋如彼醫王偏教
其子不教外來諸受學者彼醫所以不能普
教情存勝負故有秘惜如來之心終无勝負
何故如是不見教誨唯願久住莫般涅槃世
尊譬如老少病苦之人離於善道行於嶮路
嶮路多難多受苦惱更有異人見之憐愍即
便示以平坦好道世尊我亦如是所謂少者
喻未增長法身之人老者喻重煩惱病者喻
未脫生死嶮路者喻廿五有唯願如來示導
我等甘露正道久住於世勿入涅槃尔時世
尊告諸比丘汝等比丘莫如凡夫諸天人等
愁憂啼哭當懃精進繫心正念時諸人向
脩羅等聞佛所說正不啼哭猶如有人殯喪
子已止不啼哭尔時世尊為諸大衆說是
偈言
汝等當開意　不應大愁苦　諸佛法皆尔　是故當嘿然
樂不放逸行　守心正憶念　遠離諸非法　自意受歡樂
復次比丘若有疑惑今皆當問若空不空若
常无常若苦不苦若依非依若去不去若歸
非歸若恒非恒若斷若常若衆生非衆生若
有若无若實不實若真不真若滅不滅若密
不密若二不二如是等種種法中有所疑者

常无常若苦不苦若依非依若去不去若歸
非歸若恒非恒若斷若常若衆生非衆生若
有若无若實不實若真不真若滅不滅若密
不密若二不二如是等種種法中有所疑者
今應諮問我當隨順爲汝斷之々當爲汝先
說甘露然後乃當入於涅槃諸比丘佛出世
難人身難得值佛生信是事々難能忍難忍
是事々復難成就禁戒具足无缺得阿羅漢果
是事々難如求金沙優曇鉢華汝諸比丘離
於八難得人身難汝等遇我不應空過我於
往昔種種苦行今得如是无上方便爲汝等
故无量劫中捨身手足頭目髓腦是故汝等
不應放逸汝等比丘云何莊嚴正法寶城具
足種種功德珍寶戒定智慧爲墻塹埤堄汝
今遇是佛法寶城不應取此虛僞之物譬如
商主遇真寶城取諸瓦礫而便還家汝々如
是值遇寶城取虛僞物汝諸比丘勿以下心而
生知足汝等今者雖得出家於此大乘不生貪
慕汝諸比丘身雖得服袈裟染衣其心猶
未得染大乘清淨之法汝諸比丘雖行乞食
逕歷多處初未曾乞大乘法食汝諸比丘雖
除鬚髮未爲正法除諸結使汝諸比丘今當
真實教勅汝等我今現在大衆和合如來法
性真實不倒是故汝等應當精進攝心勇猛
摧諸結使十力慧日既滅没以汝等當爲无
明所覆汝諸比丘譬如大地諸山藥草爲衆
生用我法々尒出生妙善甘露法味而爲衆

BD02322號　大般涅槃經（北本）卷二　（25–16）

性真實不倒是故汝等應當精進攝心勇猛
摧諸結使十力慧日既滅没以汝等當爲无
明所覆汝諸比丘譬如大地諸山藥草爲衆
生用我法々尒出生妙善甘露法味而爲衆
生種種煩惱病之良藥我今當令一切衆生
及以我子四部之衆悉皆安住祕密藏中我
々復當安住是中入於涅槃何等名爲祕密
之藏猶如伊字三點若並則不成伊縱々不
成如摩醯首羅面上三目乃得成伊三點若
別々不得成我々如解脫之法々非涅槃如
來之身々非涅槃摩訶般若々非涅槃三
法若異々非涅槃我今安住如是三法爲衆
生故名入涅槃如世伊字尒時諸比丘聞佛
世尊定當涅槃皆悉憂愁身毛爲竪涕泣盈
目稽首佛足遶无量迊白佛言世尊快說无
常苦空无我世尊譬如一切衆生跡中象跡
爲上是无常想々復如是於諸想中最爲第
一若有精勤脩集之者能除一切欲界
欲愛色无色愛无明憍慢及无常想世尊如
來若離无常想者則不應入於般涅槃若不
離者云何說言脩无常想離三界愛无明憍
慢及无常想世尊譬如農夫秋月之時深耕
其地能除穢草是无常想々復如是能除一
切欲界欲愛色无色愛无明憍慢及无常想
世尊譬如耕田秋耕爲勝如諸跡中象跡爲
勝於諸想中无常爲勝世尊譬如帝王知命
將終恩赦天下獄囚繫閉悉令得脫然後捨
命如來今者々應如是度諸衆生一切无知

BD02322號　大般涅槃經（北本）卷二　（25–17）

世尊譬如秋田秋耕為勝如諸跡中象跡為
勝於諸想中无常為勝世尊譬如帝王知命
将終恩赦天下獄囚繫閉悉令得脫然後捨
命如来今者亦應如是度諸衆生一切无知
无明繫閉皆令解脫然後乃入於般涅槃我
等今者皆未得度云何如来便欲放捨入於
涅槃世尊譬如有人為鬼所持遇良呪師以
呪力故便除差如来亦尔為諸聲聞除无
明鬼令得安住摩訶般若解脫等法如世伊
字世尊譬如香象為人所縛雖有良師不能
禁制頓絶羈鏁自恣而去我未如是脫五十
七煩惱纏縛云何如来便欲放捨入於涅槃
世尊如人病瘧值遇良師所苦得除我亦如
是多諸患苦耶命熱病雖遇如来病未除愈
未得无上安隱常樂云何如来便欲放捨入
於涅槃世尊譬如醉人不自覺知不識親疏
母女姉妹迷荒婬亂言語放逸卧糞穢中時
有良師與藥令服已吐酒還自憶識心懷慚
愧深自剋責酒為不善諸惡根本若能除
斷則遠衆罪
世尊我亦如是往昔已来轉輪生死情色所
醉貪嗜五欲非母母想非姉姉想非女女想
於非衆生生衆生想是故輪轉受生死苦如彼
醉人卧糞穢中如来今當施我法藥令我
還吐煩惱惡酒而我未得醒悟之心云何如
来便欲放捨入於涅槃世尊譬如有人嘆巳

醉人卧糞穢中如来今當施我法藥令我
還吐煩惱惡酒而我未得醒悟之心云何如
来便欲放捨入於涅槃世尊譬如有人嘆巳
蕉樹以為堅實无有是處世尊衆生亦尔若
嘆我人衆生壽命養育知見作者受者是真
實者亦无是處我等如是脩无我想世尊譬
如榨滓无所復用是身亦尔无我无主世尊
如七葉華无有香氣是身亦尔无我无主我
等如是心常脩集无我之想如佛所說一切
諸法无我我所汝諸比丘應當脩集如是脩已
則除我慢離我慢已便入涅槃世尊譬如鳥
跡空中現者无有是處有能脩集无我想者
而有諸見亦无是處尔時世尊讚諸比丘善
哉善哉汝等善能脩无我想時諸比丘即白
佛言世尊我等不但脩无我想亦更脩集其
餘諸想所謂苦想空无常想世尊譬如人醉
其心眩亂見諸山河石壁草木宮殿屋舍日
月星辰皆悉迴轉世尊若有不脩苦无常想
无我等想如是之人不名為聖多諸放逸流轉
生死世尊以是因緣我等善脩如是諸想
尔時佛告諸比丘言諦聽諦聽汝向所引醉
人喻者但知文字未達其義何等為義如彼
醉人見上日月實非迴轉生迴轉想衆生亦
尔為諸煩惱无明所覆生顚倒心我計无我
常計无常淨計不淨樂計為苦以為煩惱之
所覆故雖生此想不達其義如彼醉人於非轉

醉人見上日月實非迴轉生迴轉想衆生亦
尒為諸煩惱无明所覆生顛倒心我計无我
常計无常淨計不淨樂計為苦以為煩惱之
所覆故雖生此想不達其義如彼醉人於非轉
處而生轉想我者即是佛義常者是法身
義樂者是涅槃義淨者是法義汝等比丘云
何而言有我想者憍慢貢高流轉生死汝等
若言我亦脩集无常苦无我等想是三種脩
无有實義我今當說勝三脩法苦者計樂樂
者計苦是顛倒无常計常常計无常是顛
倒法无我計我我計无我是顛倒法不淨計淨
淨計不淨是顛倒法有如是等四顛倒法是
人不知正脩諸法汝諸比丘於苦法中生於
樂想於无常中生於常想於无我中生於我
想於不淨中生於淨想世間亦有常樂我
淨出世亦有常樂我淨世間法者有字无義
出世間者有字有義何以故世間之法有四
顛倒故不知義所以者何有想倒心倒見倒
以三倒故世間之人樂見中苦常見无常
我見无我淨見不淨是名顛倒以顛倒故世
間知字而不知義何等為義无我者名為生
死我者名為如来无常者聲聞緣覺常者如
来法身苦者一切外道樂者即是涅槃不淨
者即有為法淨者諸佛菩薩所有正法是名
不顛倒以不倒故知字知義若欲遠離四顛

者即有為法淨者諸佛菩薩所有正法是名
不顛倒以不倒故知字知義若欲遠離四顛
倒者應知如是常樂我淨時諸比丘白佛言
世尊如佛所說離四倒者則得了知常樂我
淨如来今者永无四倒則已了知常樂我淨
若已了知常樂我淨何故不住一劫半劫教
導我等令離四倒而見放捨欲入涅槃如来
若見顧念教勑我當至心頂受脩集如来若入
於涅槃者我等云何与是毒身同共止住脩於梵
行我等亦當隨佛世尊入於涅槃尒時佛告諸
比丘言汝等不應作如是語我今所有无上
正法悉以付囑摩訶迦葉是迦葉者當為汝等
作大依止猶如如来為諸衆生作依止處摩訶
迦葉亦復如是當為汝等作依止處譬如大王
多所統領若遊巡時悉以國事付囑大臣如
来亦尒所有正法亦以付囑摩訶迦葉汝等
當知先所脩集无常苦想非是真實譬如春
時有諸人等在大池浴乘船遊戲失流璃寶
沒深水中是時諸人悉共入水求覓是寶競
捉瓦石草木沙礫各各自謂得流離珠歡喜
持出乃知非真是時寶珠猶在水中以珠力
故水皆澄清於是大衆乃見寶珠故在水下
猶如仰觀虛空月形是時衆中有一智人以
方便力安徐入水即便得珠汝等比丘不應
如是脩集无常苦无我想不淨想等以為實

方便力安徐入水即便得珠汝等比丘不應
如是脩集无常苦死我想不淨想等以為實
義如彼諸人各以凡石草木沙礫而為寶珠
汝等應當善學方便在在處處常脩我想常
樂淨想復應當知先所脩集四法想貌悉是
顛倒欲得真實脩諸想者如彼智人巧出寶
珠所謂我想常樂淨想爾時諸比丘白佛言
世尊如佛先說諸法无我汝當脩學脩學是
已則離我想離我想者則離憍慢離憍慢者得入
涅槃是義云何佛告諸比丘善哉善哉汝今
善能諮問是義為自斷疑譬如國王闇鈍
少智有一醫師性復頑嚚而王不別厚賜奉
祿療治眾病純以乳藥亦復不知病起根原
雖知乳藥復不善解或有風病冷病熱病一
切諸病悉教服乳是王不別是醫知乳好醜
善惡復有明醫曉八種術善療眾病知諸方
藥從遠方來是時舊醫不知諮受反生貢高
輕慢之心彼時明醫即便依附請以為師諮
受醫方祕奧之法語舊醫言我今請仁以為
師範唯願為我宣暢解說舊醫答言卿今若
能為我給使卌八年然後乃當教汝醫法彼
明能醫即受我教我當如是我當如是隨我
所能當給走使是時舊醫即將客醫共入見
王是時客醫即為王說種種醫方及餘伎藝
大王當知應善分別此法如是可以治國此
法如是可以療病爾時國王聞是語已方知

BD02322號　大般涅槃經（北本）卷二　（25-22）

王是時客醫即為王說種種醫方及餘伎藝
大王當知應善分別此法如是可以治國此
法如是可以療病爾時國王聞是語已方知
舊醫癡騃无智即便驅逐令出國界然後倍
復恭敬客醫
是時客醫作是念言欲教王者今正是時即
語王言大王於我實愛念者當求一願王即
答言從此右臂及餘身分隨意所求一切相
与彼客醫言王雖許我一切身分然我不敢
多有所求今所求者願王宣令一切國內從
今已往不得復服舊醫乳藥所以者何是藥
毒害多傷損故若故服者當斬其首斷乳藥
已終更无有橫死之人常處安樂故求是願
時王答言汝之所求蓋不足言尋為宣令一
切國內有病之人皆悉不聽以乳為藥若為
藥者當斬其首爾時客醫以種種味和合眾
藥謂辛苦醎甜酢等味以療眾病无不得差
其後不久王復得病即命是醫我今病重困
苦欲死當云何治醫占王病應用乳藥尋白
王言如王所患應當服乳我於先時所斷乳
藥是大妄語今若服者最能除病王今患熱
正應服乳時王語醫汝今狂耶為熱病乎而
言服乳能除此病汝先言毒今云何服欲欺
我耶先醫所讚汝言是毒令我驅遣今復言

BD02322號　大般涅槃經（北本）卷二　（25-23）

我耶先醫所讚汝言是毒令我驅遣令復言
好軍能除病如汝所言我本舊醫定為勝汝
是時客醫復語王言王今不應作如是語如
虫食木有成字者此虫不知是字非字智者
見之終不唱言是虫解字亦不驚怪大王當
知舊醫亦尒不別諸病悉与乳藥如彼虫道
偶成於字是先舊醫不解乳藥好醜善惡時
王問言云何不解客醫答王是乳藥者亦是
毒害亦是甘露云何是毒復名甘露若是牸
牛不食酒糟滑草麦麨其犢調善放牧之處
不在高原亦不下濕飲以清流不令馳走不
与特牛同共一群飲餧調適行住得所如是
乳者能除諸病是則名為甘露妙藥除是乳
已其餘一切皆名毒害尒時大王聞是語已
讚言大醫善哉善哉我從今日始知乳藥善
惡好醜即便服之病得除愈尋時宣令一切
國內從今已往當服乳藥國人聞之皆生瞋
恨咸相謂言大王今者為鬼所持為狂顛耶
而誑我等復令服乳一切人民皆懷瞋恨悉
集王所王言汝等不應於我而生瞋恨而此
乳藥服与不服悉是醫教非是我咎尒時大
王及諸人民踊躍歡喜倍共恭敬供養是醫
一切病者皆服乳藥病悉除愈汝等比丘當知
如来應正遍知明行足善逝世間解无上士

BD02322號　大般涅槃經（北本）卷二　（25–24）

一切病者皆服乳藥病悉除愈汝等比丘當知
如来應正遍知明行足善逝世間解无上士
調御丈夫天人師佛世尊亦復如是為大
醫王出現於世降伏一切外道邪醫諸王衆中
唱如是言我為醫王欲伏外道故唱是言无
我无人衆生壽命養育知見作者受者比丘
當知是諸外道所言我者如虫食木偶成字
耳是故如来於佛法中唱言无我為調衆生
故為知時故如是无我有因緣故亦說有我
如彼良醫善知於乳是藥非藥非如凡夫
所計吾我凡夫愚人所計我者或言大如拇
指或如芥子或如微塵如来說我悉不如是〻
故說言諸法无我實非无我何者是我若法
是實是真是常是主是依性不變易是名
為我如彼大醫善解乳藥如来亦尒為衆
生故說諸法中真實有我汝等四衆應當
如是脩集是法

大般涅槃經卷第二

BD02322號　大般涅槃經（北本）卷二　（25–25）

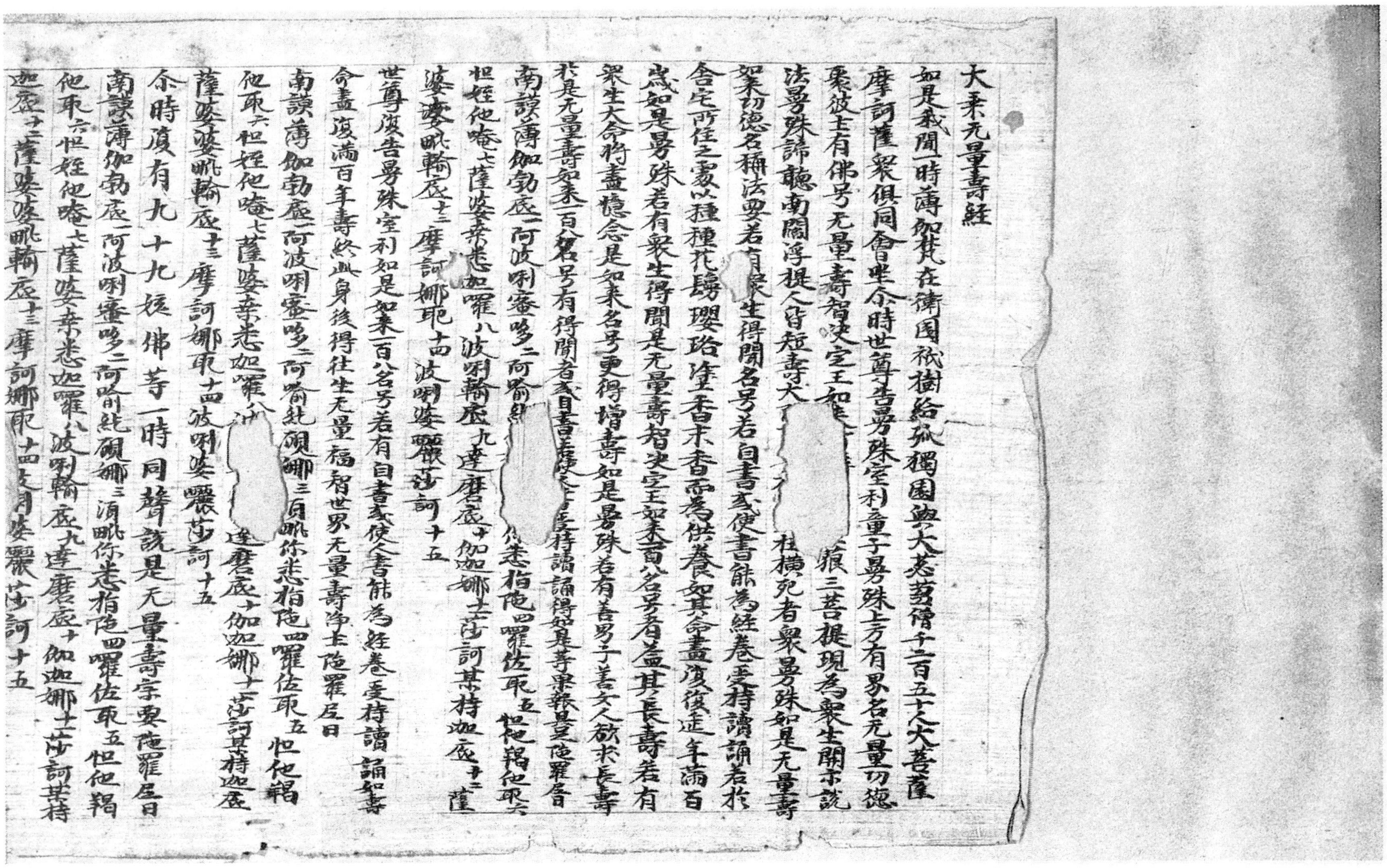
大乘无量壽經
如是我聞一時薄伽梵在舍衛國祇樹給孤獨園與大苾芻僧千二百五十人大菩薩
摩訶薩衆俱同會坐尒時世尊告曼殊室利童子曼殊室利上方有世界名无量功德
聚彼土有佛号无量壽智決定王如……菩提現為衆生開示說
法曼殊師聽南閻浮提人皆短壽大……枉横死者衆曼殊室利是无量壽
如來功德名稱法要若有衆生得聞名号若自書或使人書能為經卷受持讀誦若於
舍宅所住之處以種種花鬘瓔珞塗香末香而為供養命終之後復延年滿百
歲如是曼殊若有衆生得聞是无量壽智決定王如來一百八名号者益其長壽若有
衆生大命將盡憶念是如來名号更得增壽如是曼殊若有善男子善女人欲求長壽
者是无量壽如來一百八名号有得聞者或自書……持讀誦得如是等果報无量陀羅尼曰
南謨薄伽勃底一阿波唎蜜多二阿喻……悉指陀四囉佐耶五怛他羯他耶六
怛姪他唵七薩婆桑悉迦囉八波唎輸底九達磨底十伽伽娜十一莎訶其持迦底十二薩
婆娑毗輸底十三摩訶娜耶十四波唎婆囉莎訶十五
世尊復告曼殊室利是如來一百八名号若有自書或使人書能為經卷受持讀誦如壽
命盡復滿百年壽終此身後得往生无量福智世界无量壽淨土陀羅尼曰
南謨薄伽勃底一阿波唎蜜多二阿喻紇硯娜三須毗你悉指陀四囉佐耶五怛他羯
他耶六怛姪他唵七薩婆桑悉迦囉八波……達磨底十伽伽娜十一莎訶其持迦底
薩婆娑毗輸底十三摩訶娜耶十四波唎婆囉莎訶十五
尒時復有九十九姟佛等一時同聲說是无量壽宗要陀羅尼曰
南謨薄伽勃底一阿波唎蜜多二阿喻紇硯娜三須毗你悉指陀四囉佐耶五怛他羯
他耶六怛姪他唵七薩婆桑悉迦囉八波唎輸底九達磨底十伽伽娜十一莎訶其持
迦底十二薩婆娑毗輸底十三摩訶娜耶十四波唎婆囉莎訶十五

BD02323號　無量壽宗要經　（6–1）

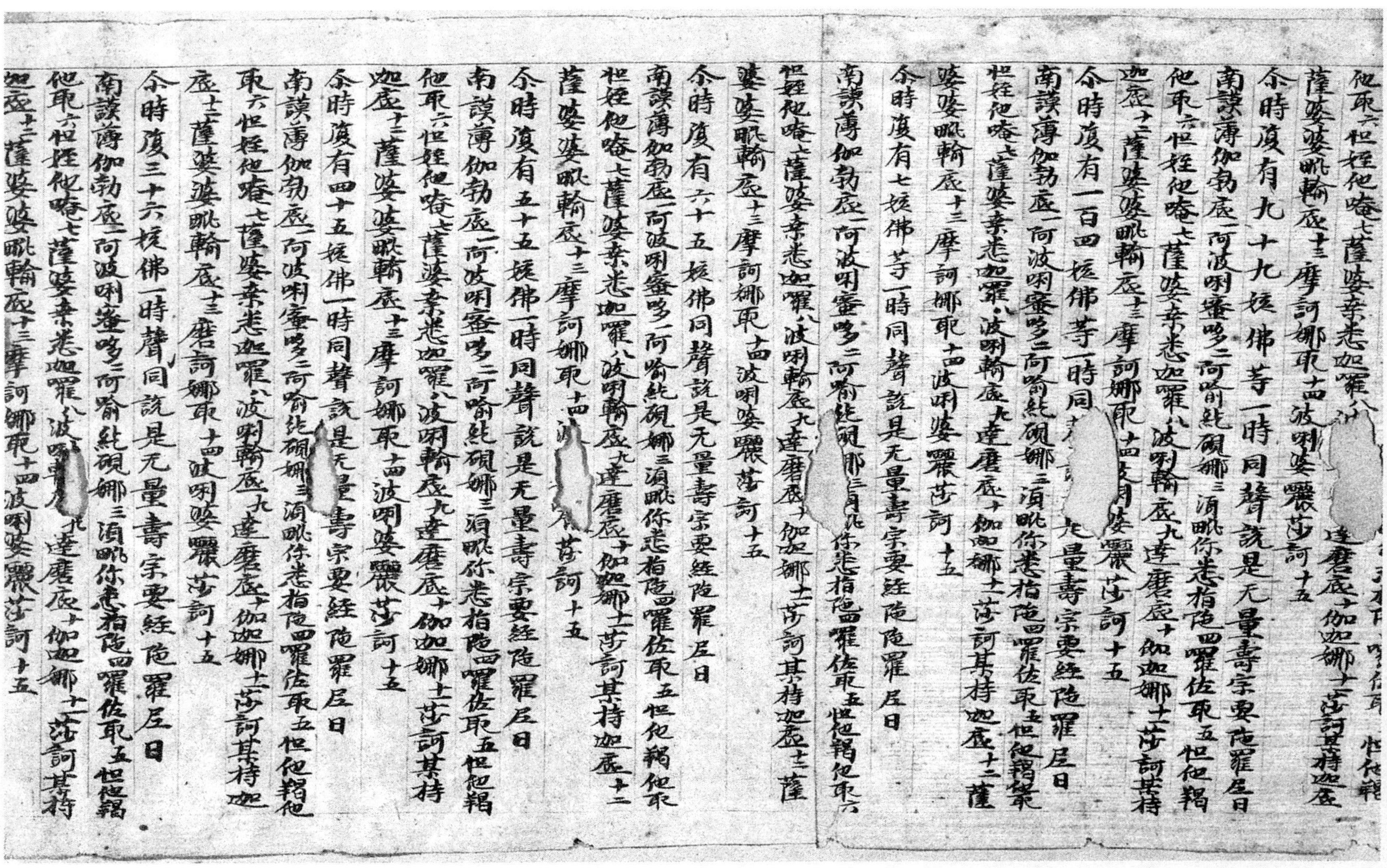
他耶六怛姪他唵七薩婆桑悉迦囉八……達磨底十伽伽娜十一莎訶其持迦底
薩婆娑毗輸底十三摩訶娜耶十四波唎婆囉莎訶十五
尒時復有九十九姟佛等一時同聲說是无量壽宗要陀羅尼曰
南謨薄伽勃底一阿波唎蜜多二阿喻紇硯娜三須毗你悉指陀四囉佐耶五怛他羯
他耶六怛姪他唵七薩婆桑悉迦囉八波唎輸底九達磨底十伽伽娜十一莎訶其持
迦底十二薩婆娑毗輸底十三摩訶娜耶十四波唎婆囉莎訶十五
尒時復有一百四姟佛等一時同……是无量壽宗要經陀羅尼曰
南謨薄伽勃底一阿波唎蜜多二阿喻紇硯娜三須毗你悉指陀四囉佐耶五怛他羯他耶六
怛姪他唵七薩婆桑悉迦囉八波唎輸底九達磨底十伽伽娜十一莎訶其持迦底十二薩
婆娑毗輸底十三摩訶娜耶十四波唎婆囉莎訶十五
尒時復有七姟佛等一時同聲說是无量壽宗要經陀羅尼曰
南謨薄伽勃底一阿波唎蜜多二阿喻紇硯娜三……你悉指陀四囉佐耶五怛他羯他耶六
怛姪他唵七薩婆桑悉迦囉八波唎輸底九達磨底十伽伽娜十一莎訶其持迦底十二薩
婆娑毗輸底十三摩訶娜耶十四波唎婆囉莎訶十五
尒時復有六十五姟佛同聲說是无量壽宗要經陀羅尼曰
南謨薄伽勃底一阿波唎蜜多二阿喻紇硯娜三須毗你悉指陀四囉佐耶五怛他羯他耶
六怛姪他唵七薩婆桑悉迦囉八波唎輸底九達磨底十伽伽娜十一莎訶其持迦底十二
薩婆娑毗輸底十三摩訶娜耶十四……莎訶十五
尒時復有五十五姟佛一時同聲說是无量壽宗要經陀羅尼曰
南謨薄伽勃底一阿波唎蜜多二阿喻紇硯娜三須毗你悉指陀四囉佐耶五怛他羯
他耶六怛姪他唵七薩婆桑悉迦囉八波唎輸底九達磨底十伽伽娜十一莎訶其持
迦底十二薩婆娑毗輸底十三摩訶娜耶十四波唎婆囉莎訶十五
尒時復有四十五姟佛一時同聲說是无量壽宗要經陀羅尼曰
南謨薄伽勃底一阿波唎蜜多二阿喻紇硯娜三須毗你悉指陀四囉佐耶五怛他羯他
耶六怛姪他唵七薩婆桑悉迦囉八波唎輸底九達磨底十伽伽娜十一莎訶其持迦
底十二薩婆娑毗輸底十三摩訶娜耶十四波唎婆囉莎訶十五
尒時復三十六姟佛一時聲同說是无量壽宗要經陀羅尼曰
南謨薄伽勃底一阿波唎蜜多二阿喻紇硯娜三須毗你悉指陀四囉佐耶五怛他羯
他耶六怛姪他唵七薩婆桑悉迦囉八波唎輸底九達磨底十伽伽娜十一莎訶其持
迦底十二薩婆娑毗輸底十三摩訶娜耶十四波唎婆囉莎訶十五

BD02323號　無量壽宗要經　（6–2）

尒時復三十六姟佛一時聲同說是无量壽宗要經陁羅尼曰
南謨薄伽勃底一阿波唎蜜哆二阿喻紇硯娜三須毗你悉指陁四囉佐耶五怛他羯
他耶六怛姪他唵七薩婆桑悉迦囉八波唎輸底九達磨底十伽伽娜十一莎訶某持
迦底十二薩婆婆毗輸底十三摩訶娜耶十四波唎婆囉莎訶十五
尒時復有二十五姟佛一時同聲說是无量壽宗要經陁羅尼曰
南謨薄伽勃底一阿波唎蜜哆二阿喻紇硯娜三須毗你悉指陁四囉佐耶五怛他
羯他耶六怛姪他唵七薩婆桑悉迦囉八波唎輸底九達磨底十伽伽娜十一莎訶某
持迦底十二薩婆婆毗輸底十三摩訶娜耶十四波唎婆囉莎訶十五
尒時復有恒河沙姟佛一時同聲說是无量壽宗要經陁羅尼曰
南謨薄伽勃底一阿波唎蜜哆二阿喻紇硯娜三須毗你悉指陁四囉佐耶五怛他羯他耶六
怛姪他唵七薩婆桑悉迦囉八波唎輸底九達磨底十伽伽娜十一莎訶某持迦底十二
薩婆婆毗輸底十三摩訶娜耶十四波唎婆囉莎訶十五
善男子若有自書寫教人書寫是无量壽宗要經如其命盡復得長壽而滿年陁羅尼曰
南謨薄伽勃底一阿波唎蜜哆二阿喻紇硯娜三須毗你悉指陁四囉佐耶五怛他羯他
耶六怛姪他唵七薩婆桑悉迦囉八波唎輸底九達磨底十伽伽娜十一莎訶某持迦底
薩婆婆毗輸底十三摩訶娜耶十四波唎婆囉莎訶十五
若有自書寫教人書寫是无量壽宗要經讀誦受持畢竟不墮地
獄在在所生得宿命智陁羅尼曰
南謨薄伽勃底一阿波唎蜜哆二阿喻紇硯娜三須毗你悉指陁四囉佐耶五怛他羯他
耶六怛姪他唵七薩婆桑悉迦囉八波唎輸底九達磨底十伽伽娜十一莎訶某持迦
底十二薩婆婆毗輸底十三摩訶娜耶十四波唎婆囉莎訶十五
若有自書寫教人書寫是无量壽宗要經受持讀誦如同書寫八万四千一切經典陁羅尼曰
南謨薄伽勃底一阿波唎蜜哆二阿喻紇硯娜三須毗你悉指陁四囉佐耶五怛他羯他耶六
怛姪他唵七薩婆桑悉迦囉八波唎輸底九達磨底十伽伽娜十一莎訶某持迦底十二
薩婆婆毗輸底十三摩訶娜耶十四波唎婆囉莎訶十五
若有自書寫教人書寫是无量壽宗要經受持讀誦即是書寫八万四千部建立塔廟陁羅尼曰
南謨薄伽勃底一阿波唎蜜哆二阿喻紇硯娜三須毗你悉指陁四囉佐耶五怛他羯他
耶六怛姪他唵七薩婆桑悉迦囉八波唎輸底九達磨底十伽伽娜十一莎訶某持迦
底十二薩婆婆毗輸底十三摩訶娜耶十四波唎婆囉莎訶十五

BD02323 號　無量壽宗要經　（6–3）

若有自書寫教人書寫是无量壽宗要經受持讀誦即是書寫八万四千部建立塔廟陁羅尼曰
南謨薄伽勃底一阿波唎蜜哆二阿喻紇硯娜三須毗你悉指陁四囉佐耶五怛他羯他
耶六怛姪他唵七薩婆桑悉迦囉八波唎輸底九達磨底十伽伽娜十一莎訶某持迦
底十二薩婆婆毗輸底十三摩訶娜耶十四波唎婆囉莎訶十五
若有自書寫教人寫書是无量壽宗要經能消五无間等一切重罪陁羅尼曰
南謨薄伽勃底一阿波唎蜜哆二阿喻紇硯娜三須毗你悉指陁四囉佐耶五怛他羯
他耶六怛姪他唵七薩婆桑悉迦囉八波唎輸底九達磨底十伽伽娜十一莎訶某持
迦底十二薩婆婆毗輸底十三摩訶娜耶十四波唎婆囉莎訶十五
若有自書寫教人書寫是无量壽宗要經受持讀誦設有重罪猶如須弥盡能除滅陁羅尼曰
南謨薄伽勃底一阿波唎蜜哆二阿喻紇硯娜三須毗你悉指陁四囉佐耶五怛他羯他耶六
怛姪他唵七薩婆桑悉迦囉八波唎輸底九達磨底十伽伽娜十一莎訶某持迦底十二薩婆
婆毗輸底十三摩訶娜耶十四波唎婆囉莎訶十五
若有自書寫教人書寫是无量壽宗要經受持讀誦若魔魔
之眷屬夜叉羅刹不得其便終无枉死陁羅尼曰
南謨薄伽勃底一阿波唎蜜哆二阿喻紇硯娜三須毗你悉指陁四囉佐耶五怛他
羯他耶六怛姪他唵七薩婆桑悉迦囉八波唎輸底九達磨底十伽伽娜十一莎訶某
持迦底十二薩婆婆毗輸底十三摩訶娜耶十四波唎婆囉莎訶十五
若有自書寫教人書寫是无量壽宗要經受持讀誦當命終時有九十九姟
佛現其人前千佛授手能遊一切佛刹莫於此經生於疑惑陁羅尼曰
南謨薄伽勃底一阿波唎蜜哆二阿喻紇硯娜三須毗你悉指陁四囉佐耶五怛他羯
他耶六怛姪他唵七薩婆桑悉迦囉八波唎輸底九達磨底十伽伽娜十一莎訶某持迦
底十二薩婆婆毗輸底十三摩訶娜耶十四波唎婆囉莎訶十五
若有自書寫教人書寫是无量壽宗要經受持讀誦常得四天大王隨其衛護陁羅尼曰
南謨薄伽勃底一阿波唎蜜哆二阿喻紇硯娜三須毗你悉指陁四囉佐耶五怛他羯他耶六
怛姪他唵七薩婆桑悉迦囉八波唎輸底九達磨底十伽伽娜十一莎訶某持迦底十二
薩婆婆毗輸底十三摩訶娜耶十四波唎婆囉莎訶十五　若有自書寫教人書寫是无
量壽宗要經受持讀誦當得往生西方極樂世界阿弥陁淨土陁羅尼曰
南謨薄伽勃底一阿波唎蜜哆二阿喻紇硯娜三須毗你悉指陁四囉佐耶五怛他羯他耶六
怛姪他唵七薩婆桑悉迦囉八波唎輸底九達磨底十伽伽娜十一莎訶某持迦底十二薩婆
婆毗輸底十三摩訶娜耶十四波唎婆囉莎訶十五　若有方所自書寫使人書寫是无量壽

BD02323 號　無量壽宗要經　（6–4）

南謨薄伽勃底一阿波唎蜜哆二阿喻紇硯娜三須毗你悲指陁四囉佐耶五怛他羯他耶六
怛姪他唵七薩婆桒悉迦囉八波唎輸底九達磨底十伽迦娜十一莎訶其持迦底十二薩婆
婆毗輸底十三摩訶娜耶十四波唎婆羅莎訶十五　若有方所自書寫使人書寫是无量壽
經典之處則為是塔皆應恭敬作礼若是畜生禽為鳥獸得聞是經如是等類皆當不久得成一切種
智陁羅尼日　南謨薄伽勃底一阿波唎蜜哆二阿喻紇硯娜三須毗你悲指陁四囉佐耶五
怛他羯他耶六怛姪他唵七薩婆桒悉迦囉八波唎輸底九達磨底十伽迦娜十一莎訶其持
迦底十二薩婆婆毗輸底十三摩訶娜耶十四波唎婆羅莎訶十五
若有於是无量壽經自書寫使人書寫畢竟不受女人之身陁羅尼日
南謨薄伽勃底一阿波唎蜜哆二阿喻紇硯娜三須毗你悲指陁四囉佐耶五怛他羯他耶六怛
姪他唵七薩婆桒悉迦囉八波唎輸底九達磨底十伽迦娜十一莎訶其持迦底十二薩婆婆毗
輸底十三摩訶娜耶十四波唎婆羅莎訶十五　若有於能是經少分能惠施者等於三千大千
世界滿中七寶布施陁羅尼日　南謨薄伽勃底一阿波唎蜜哆二阿喻紇硯娜三須毗你
悲指陁四囉佐耶五怛他羯他耶六怛姪他唵七薩婆桒悉迦囉八波唎輸底九達磨底十
伽迦娜十一莎訶其持迦底十二薩婆婆毗輸底十三摩訶娜耶十四波唎婆羅莎訶十五
若有能供養是經者則是供養一切諸經等无有異陁羅尼日
南謨薄伽勃底一阿波唎蜜哆二阿喻紇硯娜三須毗你悲指陁四囉佐耶五怛他羯他耶六
怛姪他唵七薩婆桒悉迦囉八波唎輸底九達磨底十伽迦娜十一莎訶其持迦底十二
薩婆婆毗輸底十三摩訶娜耶十四波唎婆羅莎訶十五
如是毗婆尸佛　尸弃佛　毗舍浮佛　俱留孫佛　俱那含牟尼佛　迦葉佛　釋迦牟尼佛
若有以七寶供養如是七佛其福有限書寫受持是无量壽經典所有功德不可數量陁羅尼日
南謨薄伽勃底一阿波唎蜜哆二阿喻紇硯娜三須毗你悲指陁四囉佐耶五怛他羯他耶六
怛姪他唵七薩婆桒悉迦囉八波唎輸底九達磨底十伽迦娜十一莎訶其持迦底十二薩
婆婆毗輸底十三摩訶娜耶十四波唎婆羅莎訶十五
若有七寶等於須弥山用布施其福上能知其限量是无量壽經典其福不可知數陁羅尼日
南謨薄伽勃底一阿波唎蜜哆二阿喻紇硯娜三須毗你悲指陁四囉佐耶五怛他羯
他耶六怛姪他唵七薩婆桒悉迦囉八波唎輸底九達磨底十伽迦娜十一莎訶其持迦底十二
薩婆婆毗輸底十三摩訶娜耶十四波唎婆羅莎訶十五
如是四大海水可知滴數是无量壽典所生果報不可數量陁羅尼日
南謨薄伽勃底一阿波唎蜜哆二阿喻紇硯娜三須毗你悲指陁四囉佐耶五怛他羯他耶
六怛姪他唵七薩婆桒悉迦囉八波唎輸底九達磨底十伽迦娜十一莎訶其持迦底十二

他耶六怛姪他唵七薩婆桒悉迦囉八波唎輸底九達磨底十伽迦娜十一莎訶其持迦底十二
薩婆婆毗輸底十三摩訶娜耶十四波唎婆羅莎訶十五
如是四大海水可知滴數是无量壽典所生果報不可數量陁羅尼日
南謨薄伽勃底一阿波唎蜜哆二阿喻紇硯娜三須毗你悲指陁四囉佐耶五怛他羯他耶
六怛姪他唵七薩婆桒悉迦囉八波唎輸底九達磨底十伽迦娜十一莎訶其持迦底十二
薩婆婆毗輸底十三摩訶娜耶十四波唎婆羅莎訶十五
若有自書寫使人書寫是无量壽經典又能讀持供養即如恭敬供
養一切十方佛土如来无有別異陁羅尼日
南謨薄伽勃底一阿波唎蜜哆二阿喻紇硯娜三須毗你悲指陁四囉佐耶五怛他羯他耶六
怛姪他唵七薩婆桒悉迦囉八波唎輸底九達磨底十伽迦娜十一莎訶其持迦底十二
薩婆婆毗輸底十三摩訶娜耶十四波唎婆羅莎訶十五
布施力能成正覺　悟布施力人師子　布施力能聲普聞　慈悲階漸最能入
持戒力能成正覺　悟持戒力人師子　持戒力能聲普聞　慈悲階漸最能入
忍辱力能成正覺　悟忍辱力人師子　忍辱力能聲普聞　慈悲階漸最能入
精進力能成正覺　悟精進力人師子　精進力能聲普聞　慈悲階漸最能入
禪定力能成正覺　悟禪定力人師子　禪定力能聲普聞　慈悲階漸最能入
智慧力能成正覺　悟智慧力人師子　智慧力能聲普聞　慈悲階漸最能入
尒時如来說是經已一切世間天人阿脩羅揵闥婆等聞佛所說
皆大歡喜信受奉行

佛說无量壽宗要經

田廣談

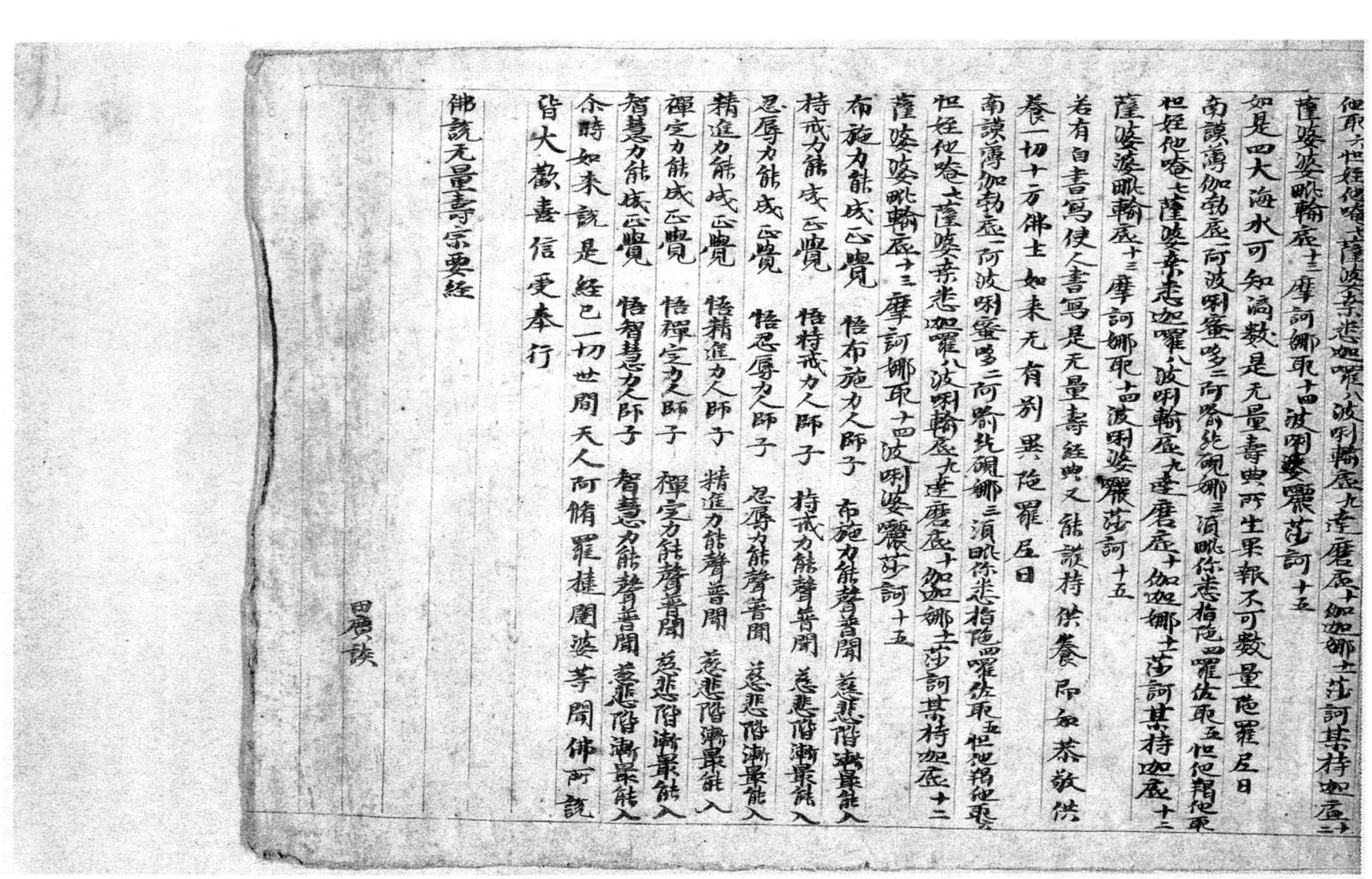

BD02323 號背　寺院題名　　(1-1)

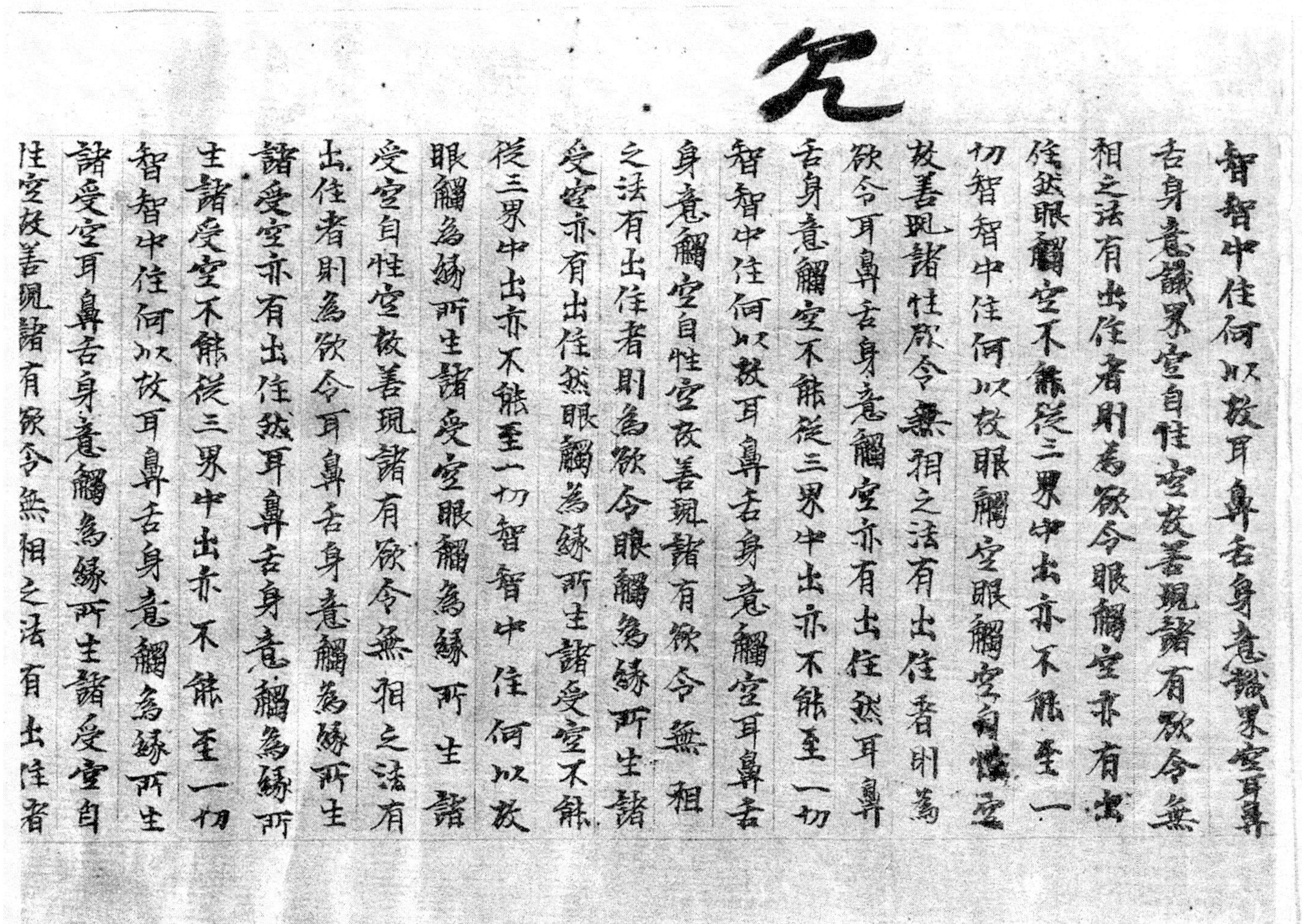

兌

智智中住何以故耳鼻舌身意識界空耳鼻
舌身意識界空自性空故善現諸有欲令無
相之法有出住者則為欲令眼觸空亦有出
住然眼觸空不能從三界中出亦不能至一
切智智中住何以故眼觸空眼觸空自性空
故善現諸性欲令無相之法有出住者則為
欲令耳鼻舌身意觸空亦有出住然耳鼻
舌身意觸空不能從三界中出亦不能至一切
智智中住何以故耳鼻舌身意觸空耳鼻舌
身意觸空自性空故善現諸有欲令無相
之法有出住者則為欲令眼觸為緣所生諸
受空亦有出住然眼觸為緣所生諸受空不能
從三界中出亦不能至一切智智中住何以故
眼觸為緣所生諸受空眼觸為緣所生諸
受空自性空故善現諸有欲令無相之法有
出住者則為欲令耳鼻舌身意觸為緣所生
諸受空亦有出住然耳鼻舌身意觸為緣所
生諸受空不能從三界中出亦不能至一切
智智中住何以故耳鼻舌身意觸為緣所生
諸受空耳鼻舌身意觸為緣所生諸受空自
性空故善現諸有欲令無相之法有出住者

BD02324 號　大般若波羅蜜多經(兌廢稿)卷四一六　　(2-1)

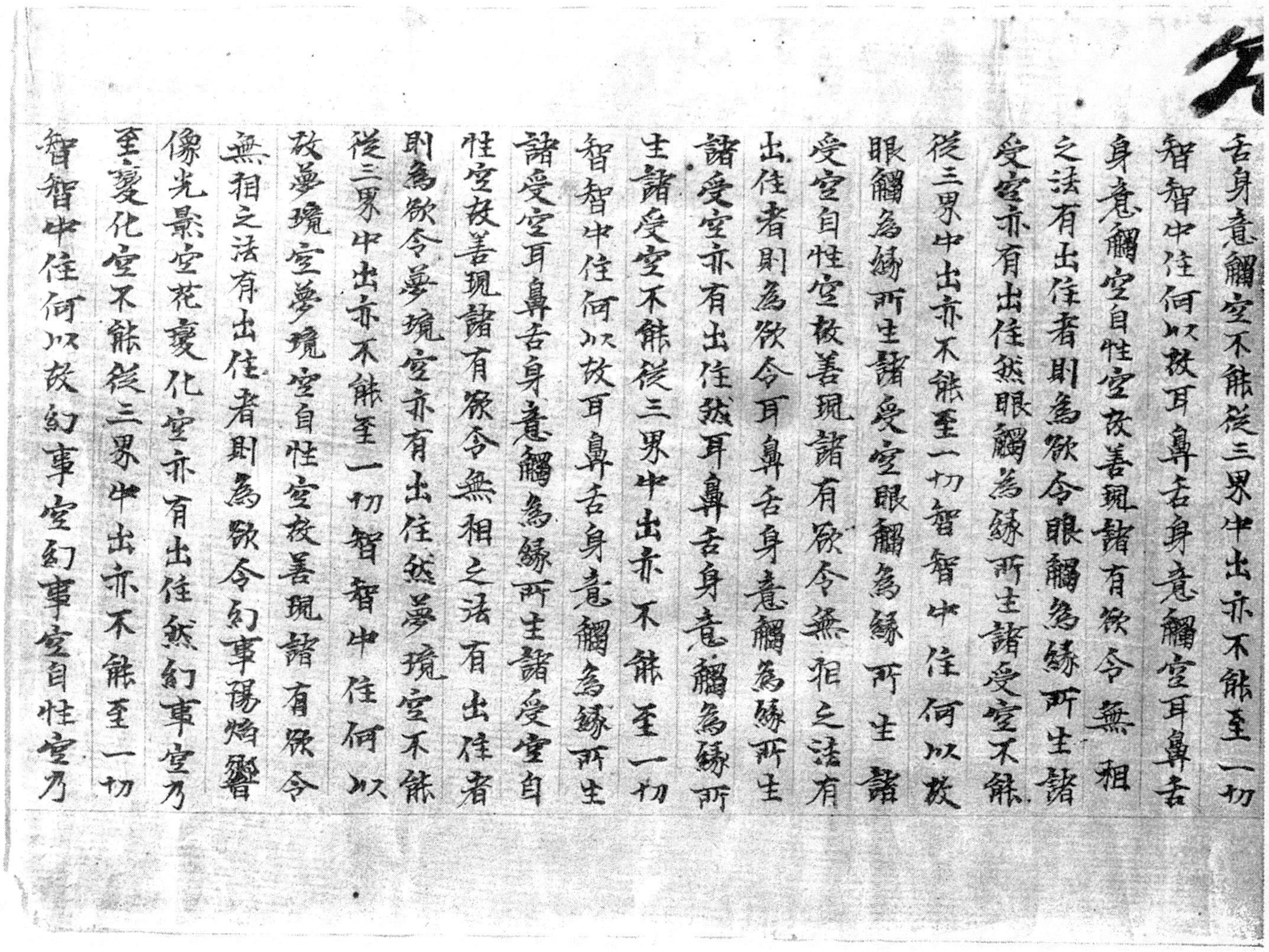

舌身意觸空不能從三界中出亦不能至一切
智智中住何以故耳鼻舌身意觸空耳鼻舌
身意觸空自性空故善現諸有欲令無相
之法有出住者則為欲令眼觸為緣所生諸
受空亦有出住然眼觸為緣所生諸受空不能
從三界中出亦不能至一切智智中住何以故
眼觸為緣所生諸受空眼觸為緣所生
受空自性空故善現諸有欲令無相之法有
出住者則為欲令耳鼻舌身意觸為緣所生
諸受空亦有出住然耳鼻舌身意觸為緣所
生諸受空不能從三界中出亦不能至一切
智智中住何以故耳鼻舌身意觸為緣所生
諸受空耳鼻舌身意觸為緣所生諸受空自
性空故善現諸有欲令無相之法有出住者
則為欲令夢境空亦有出住然夢境空不能
從三界中出亦不能至一切智智中住何以
故夢境空夢境空自性空故善現諸有欲令
無相之法有出住者則為欲令幻事陽焰響
像光影空花變化空亦有出住然幻事空乃
至變化空不能從三界中出亦不能至一切
智智中住何以故幻事空幻事空自性空乃

BD02324 號　大般若波羅蜜多經（兌廢稿）卷四一六　　（2–2）

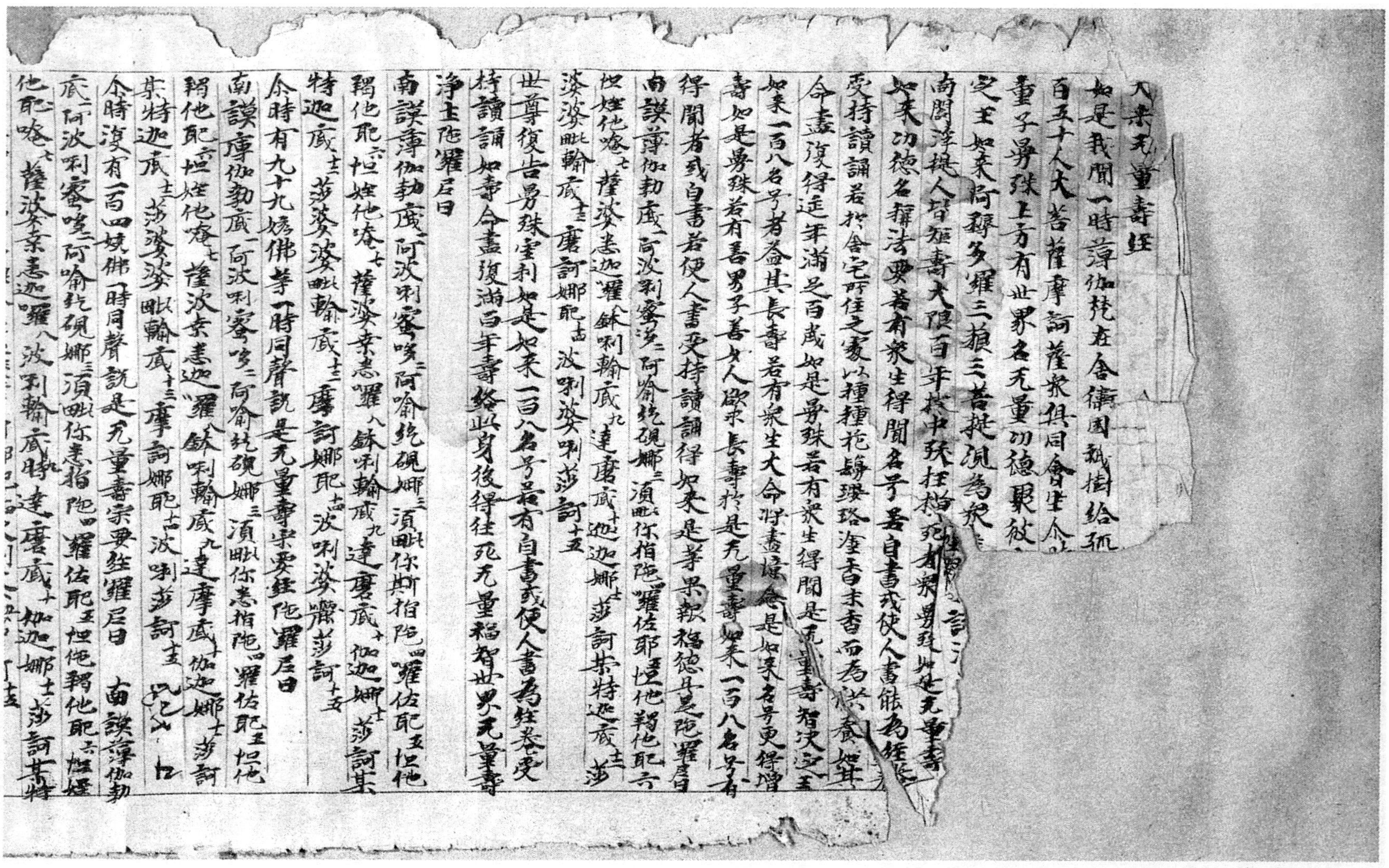

大乘无量壽經
如是我聞一時薄伽梵在舍衛國祇樹給孤
百五十人大菩薩摩訶薩衆俱同會坐
童子曼殊上方有世界名无量功德聚欲
足王如來阿耨多羅三藐三菩提現為衆[illegible]言
南閻浮提人皆短壽大限百年於中夭枉橫死者衆曼殊此无量壽
如來功德名稱法要若有衆生得聞名号若自書或使人書能為經卷
受持讀誦若於舍宅所住之處以種種花鬘瓔珞塗香末香而為供養其
命盡復得延年滿足百歲如是曼殊若有衆生得聞是无量壽智決定王
如來一百八名号者益其長壽若有衆生大命將盡憶念是如來名号更得增
壽如是曼殊若有善男子善女人欲求長壽於是无量壽如來一百八名号有
得聞者或自書若使人書受持讀誦得如來是等果報福德具足陀羅尼曰
南謨薄伽勃底一阿波唎蜜多二阿喻紇硯娜三須毗你指陀四羅佐耶五怛他揭他耶六
怛姪他唵七薩婆桑悉迦羅八鉢唎輸底九達磨底十伽迦娜十一莎訶十二特迦底十三莎
婆娑毗輸底十三摩訶娜耶十四波唎婆唎莎訶十五
世尊復告曼殊室利如是如來一百八名号若有自書或使人書為經卷受
持讀誦如壽命盡復滿百年壽終此身後得往生无量福智世界无量壽
淨土陀羅尼曰
南謨薄伽勃底一阿波唎蜜多二阿喻紇硯娜三須毗你斯指陀四羅佐耶五怛他
揭他耶六怛姪他唵七薩婆桑悉羅八鉢唎輸底九達磨底十伽迦娜十一莎訶十二
特迦底十二莎婆娑毗輸底十三摩訶娜耶十四波唎婆唎莎訶十五
尒時有九十九姟佛等一時同聲說是无量壽宗要經陀羅尼曰
南謨薄伽勃底一阿波唎蜜多二阿喻紇硯娜三須毗你志指陀四羅佐耶五怛他
揭他耶六怛姪他唵七薩婆桑悉迦羅八鉢唎輸底九達磨底十伽迦娜十一莎訶
十二特迦底十二莎婆娑毗輸底十三摩訶娜耶十四波唎婆唎莎訶十五
尒時復有一百四姟佛一時同聲說是无量壽宗要經陀羅尼曰　南謨薄伽勃
底一阿波唎蜜多二阿喻紇硯娜三須毗你志指陀四羅佐耶五怛他揭他耶六怛姪
他耶唵七薩婆桑悉迦羅八波唎輸底九達磨底十伽迦娜十一莎訶十二特

BD02325 號　無量壽宗要經　　（5–1）

尒時有九十九姟佛等一時同聲說是无量壽宗要經陀羅尼曰
南謨薄伽勃底一阿波唎蜜多二阿喻紇硯娜三須毗你悉指陀四羅佐耶五怛他
羯他耶六怛姪他唵七薩波桑悉迦羅八鉢唎輸底九達摩底十伽迦娜十一莎訶
某特迦底十二莎婆婆毗輸底十三摩訶娜耶十四波唎婆嚟莎訶十五
尒時復有一百四姟佛一時同聲說是无量壽宗要經陀羅尼曰 南謨薄伽勃
底一阿波唎蜜多二阿喻紇硯娜三須毗你悉指陀四羅佐耶五怛他羯他耶六怛姪
他耶唵七薩波桑悉迦羅八波唎輸底九達摩底十伽迦娜十一莎訶某特
迦底十二薩婆婆毗輸底十三摩訶娜耶十四波唎婆嚟莎訶十五
尒時復有十姟佛一時同聲說是无量壽宗要經陀羅尼曰 南謨薄伽
薄底一阿波唎蜜多二阿喻紇硯娜三須毗你悉指陀四羅佐耶五怛他羯他耶六怛姪
他唵七薩婆桑悉迦羅八波唎輸底九達摩底十伽迦娜十一莎訶某特迦底
十二薩婆婆毗輸底十三摩訶娜耶十四波唎婆嚟莎訶十五 尒時復有六
十五姟佛一時同聲說是无量壽宗要經陀羅尼曰 南謨薄伽勃底
阿波唎蜜多二阿喻紇硯娜三須毗你悉指陀佐耶五怛他羯他耶六怛姪他唵七
薩婆桑悉迦羅八波唎輸底九達摩底十伽迦娜十一莎訶某特迦底十二莎婆
婆毗輸底十三摩訶娜耶十四波唎婆嚟莎訶十五 尒時復有五十五姟佛
一時同聲說是无量壽宗要經陀羅尼曰 南謨薄伽勃底一阿波唎蜜
多二阿喻紇硯娜三須毗你悉指陀四羅佐耶五怛他羯他耶六怛姪他唵七薩婆桑
悉迦羅八波唎輸底九達摩底十伽迦娜十一莎訶某特迦底十二薩婆婆毗輸
底十三摩訶娜耶十四波唎婆嚟莎訶十五 尒時復有四十五姟佛
一時同聲說是无量壽宗要經陀羅尼曰 南謨薄伽勃底一阿波唎
蜜多二阿喻紇硯娜三須毗你悉指陀四羅佐耶五怛他羯他耶六怛姪他唵七薩婆
桑悉迦羅八波唎輸底九達摩底十伽迦娜十一莎訶某特伽底十二薩婆婆毗輸
底十三摩訶娜耶十四波唎婆嚟莎訶十五 尒時復有三十六姟佛一時同聲說是无
量壽宗要經陀羅尼曰 南謨薄伽勃底一阿波唎蜜多二阿喻紇硯娜三須毗
你悉指陀四羅佐耶五怛他羯他耶六怛姪他唵七薩婆桑悉迦羅八波唎輸底九
達摩底十伽迦娜十一莎訶某特迦底十二薩婆婆毗輸底十三摩訶娜耶十四波唎婆
嚟莎訶十五 尒時復有二十五姟佛時同聲說是无量壽宗要經陀羅
尼曰 南謨薄伽勃底一阿波唎蜜多二阿喻紇硯娜三須毗你悉指陀四羅佐耶
怛他羯他耶六怛姪他唵七薩婆桑悉迦羅八波唎輸底九達摩底十伽迦娜十一莎
訶某特迦底十二薩婆婆毗輸底十三摩訶娜耶十四波唎婆嚟莎訶十五
尒時復有恒河沙姟佛一時同聲說是无量壽宗要經陀羅尼曰
南謨薄伽勃底一阿波唎蜜多二阿喻紇硯娜三須毗你悉指陀四羅佐耶五怛他羯他耶
六怛姪他唵七薩婆桑悉迦羅八達摩底十伽迦娜十一莎訶某特迦底十二薩婆婆毗

怛他羯他耶六怛姪他唵七薩婆婆桑悉迦羅八波唎輸底九達摩底十伽迦娜十一莎
訶某特迦底十二薩婆婆毗輸底十三摩訶娜耶十四波唎婆嚟莎訶十五
尒時復有恒河沙姟佛一時同聲說是无量壽宗要經陀羅尼曰
南謨薄伽勃底一阿波唎蜜多二阿喻紇硯娜三須毗你悉指陀四羅佐耶五怛他羯他耶
怛姪他唵七薩婆桑悉迦羅八達摩底十伽迦娜十一莎訶某特迦底十二薩婆婆毗
輸底十三摩訶娜耶十四波唎婆嚟莎訶十五 善男子若有自書寫是无量
壽宗要經如其命盡復得長壽而滿百年陀羅尼曰 南謨薄伽勃底一阿波
唎蜜多二阿喻紇硯娜三須毗你悉指陀四羅佐耶五怛他羯他耶六怛姪他唵七薩婆
桑悉迦羅八波唎輸底九達摩底十伽迦娜十一莎訶某特迦底十二薩婆婆毗輸底十三
摩訶娜耶十四波唎婆嚟莎訶十五 若有書教人書寫是无量壽宗要經
讀誦受持畢竟不墮地獄在在生得宿命智陀羅尼曰 南謨薄伽勃底一
阿波唎蜜多二阿喻紇硯娜三須毗你悉指陀四羅佐耶五怛他羯他耶六怛姪他唵七
薩婆桑悉迦羅八波唎輸底九達摩底十伽迦娜十一莎訶某特迦底十二薩婆婆
毗輸底十三摩訶娜耶十四波唎東婆嚟莎訶十五
若有自書教人書寫是无量壽宗要經受持讀誦如同書寫八万四千
一切經典陀羅尼曰 南謨薄伽勃底一阿波唎蜜多二阿喻紇硯娜三須毗
你悉指陀四羅佐耶五怛他羯他耶六怛姪他唵七薩婆桑悉迦羅八波唎輸
底九達摩底十莎訶某特迦底十二薩婆婆毗輸底十三摩訶娜耶十四波唎
婆嚟莎訶十五 若有自書寫是无量壽宗要經能消五无間等一切重
罪陀羅尼曰 南謨薄伽勃底一阿波唎蜜多二阿喻紇硯娜三須毗你悉
指陀四羅佐耶五怛他羯他耶六怛姪他唵七薩婆桑悉迦羅八波唎輸底九達
摩底十伽迦娜十一莎訶某特迦底十二薩婆婆毗輸底十三摩訶娜耶十四波唎婆嚟
莎訶十五 若有自書寫教人書寫是无量壽宗要經受持讀
誦設有重罪猶如須弥盡能除滅陀羅尼曰 南謨薄伽勃底一阿
波唎蜜多二阿喻紇硯娜三須毗你悉指陀四羅佐耶五怛他羯他耶六怛姪
他唵七薩婆桑悉迦羅八波唎輸底九達摩底十伽迦娜十一莎訶某
特迦底十二薩婆婆毗輸底十三摩訶娜耶十四波唎婆嚟莎訶十五
若有自書教人書寫是无量壽宗要經受持讀誦當命終時有九十
九姟佛現其人前家手佛教手能遊一切佛剎莫於此經生於疑惑陀羅尼
南謨薄伽勃底一阿波唎蜜多二阿喻紇硯娜三須毗你悉指陀四羅佐耶五怛
他羯他耶六怛姪他唵七薩婆桑悉迦羅八波唎輸底九達摩底十伽迦娜十一莎
訶某特迦底十二薩婆婆毗輸底十三摩訶娜耶十四波唎婆嚟莎訶十五
若有自書教人書寫是无量壽宗要經受持讀誦當得往生西方極

九姟佛現其人前豕手佛救手能遊一切佛刹莫於此經生於疑惑陀羅尼
南謨薄伽勃底一阿波唎蜜多二阿喻紇硯娜三須毗你悉指陀四囉佐耶五怛
他羯他耶六怛姪他唵七薩婆桑悉迦囉八波唎輸底九達摩底十伽迦娜十一莎
訶其特迦底十二薩婆婆毗輸底十三摩訶娜耶十四波唎婆囉莎訶十五
若有自書教人書寫是无量壽宗要經受持讀誦當得往生西方極
樂世界阿彌陀淨土陀羅尼曰　南謨薄伽勃底一阿波唎蜜多二阿喻紇
硯娜三須毗你悉陀四囉佐耶五怛他羯他耶六怛姪他唵七薩婆桑悉迦囉八
波唎輸底九達摩底十伽迦娜十一莎訶其特迦底十二薩婆婆毗輸底十三
摩訶娜耶十四波唎婆囉莎訶十五　若有方所自書寫是无量壽經
典之處則為是塔皆應恭敬作禮若是畜生或為鳥獸得聞是經
如是等類皆當不久得成一切種智陀羅尼曰　南謨薄伽勃底一阿
波唎蜜多二阿喻紇硯娜三須毗你悉指陀四囉佐耶五怛他羯他耶六怛姪他唵七
薩婆桑悉迦囉八波唎輸底九達摩底十伽迦娜十一莎訶其特迦底十二薩
婆婆毗輸底十三摩訶娜耶十四波唎婆囉莎訶十五　若有於是无量
壽經自書寫若使人書畢竟不受女人之身陀羅尼曰　南謨薄
伽勃底一阿波唎蜜多二阿喻紇硯娜三須毗你悉指陀四囉佐耶五怛他
他羯耶六怛姪他唵七薩婆桑悉迦囉八波唎輸底九達摩底十伽迦娜十一
莎訶其特迦底十二薩婆婆毗輸底十三摩訶娜耶十四波唎婆囉莎
訶十五　若有能供養是經者則是供養一切諸經等无有異陀羅
尼曰　南謨薄伽勃底一阿波唎蜜多二阿喻紇硯娜三須毗你悉指陀四
囉佐耶五怛他羯他耶六怛姪他唵七薩婆桑悉迦囉八波唎輸底九達摩
底十伽迦娜十一莎訶其特迦底十二薩婆婆毗輸底十三摩訶娜耶十四波
唎婆囉莎訶十五　如是毗婆尸佛尸棄佛毗舍浮佛俱留孫佛
俱那含牟尼佛迦葉佛釋迦牟尼佛　若有人以七寶供養如是七
佛其福有限書寫受持是无量壽經典所有功德不可限量陀羅
尼曰　南謨薄伽勃底一阿波唎蜜多二阿喻紇硯娜三須毗你悉指
陀四囉佐耶五怛他羯他耶六怛姪他唵七薩婆桑悉迦囉八波唎輸底九達摩
底十伽迦娜十一莎訶其特底十二薩婆婆毗輸底十三摩訶娜耶十四波唎婆
囉莎訶十五　若有七寶等於須彌以用布施其福上能知其限量
壽經典其福不可知數陀羅尼曰　南謨薄伽勃底一阿波唎蜜多二
阿喻紇硯娜三須毗你悉指陀五怛他羯他耶六怛姪他唵七薩婆桑悉迦囉八波
唎輸底九達摩底十伽迦娜十一莎訶其特迦底十二薩婆婆毗輸底十三摩訶
娜耶十四波唎婆囉莎訶十五　如是四大海水可知滴數是无量
……不可數量陀羅尼曰　南謨薄伽勃底一阿波唎蜜

BD02325 號　無量壽宗要經　（5–4）

底十伽迦娜十一莎訶其特底十二薩婆婆毗輸底十三摩訶娜耶十四波唎婆
囉莎訶十五　若有七寶等於須彌以用布施其福上能知其限量
壽經典其福不可知數陀羅尼曰　南謨薄伽勃底一阿波唎蜜多二
阿喻紇硯娜三須毗你悉指陀五怛他羯他耶六怛姪他唵七薩婆桑悉迦囉八波
唎輸底九達摩底十伽迦娜十一莎訶其特迦底十二薩婆婆毗輸底十三摩訶
娜耶十四波唎婆囉莎訶十五　如是四大海水可知滴數是无量
壽經典所生果報不可數量陀羅尼曰　南謨薄伽勃底一阿波唎蜜
多二阿喻紇硯娜三須毗你悉指陀四囉佐耶五怛他羯他耶六怛姪他唵七薩婆
桑悉迦囉八波唎輸底九達摩底十伽迦娜十一莎訶其特迦底十二薩婆婆毗輸底十三摩
訶娜底十四波唎婆囉莎訶十五　若有自書使人書寫是无量壽
經典文能讚持供養即如是恭敬一切十方佛土如來无有別異陀羅尼
曰　南謨薄伽勃底一阿波唎蜜多二阿喻紇硯娜三須毗你悉指
陀四囉佐耶五怛他羯他耶六怛姪他唵七薩婆桑悉迦囉八波唎輸底九達摩底十伽迦
娜十一莎訶其特迦底十二薩婆婆毗輸底十三摩訶娜耶十四波唎婆囉莎
訶十五
布施力能成正覺　悟布施力人師子　布施力能聲普聞　慈悲階漸最能
持戒力能成正覺　悟持戒力人師子　持戒能力聲普聞　慈悲漸階最能入
忍辱力能成正覺　悟忍辱力人師子　忍辱力能聲普聞　慈悲階漸最能入
精進力能成正覺　悟精進力人師子　精進力能聲普聞　慈悲階漸最能入
禪定力能成正覺　悟禪定力人師子　禪定力能聲普聞　慈悲階漸最能入
智慧力能成正覺　悟智慧力人師子　智慧力能聲普聞　慈悲階漸最能入
爾時如來說是經已一切世間天人阿脩羅揵闥婆等聞佛所說皆大歡
喜信受奉行

BD02325 號　無量壽宗要經　（5–5）

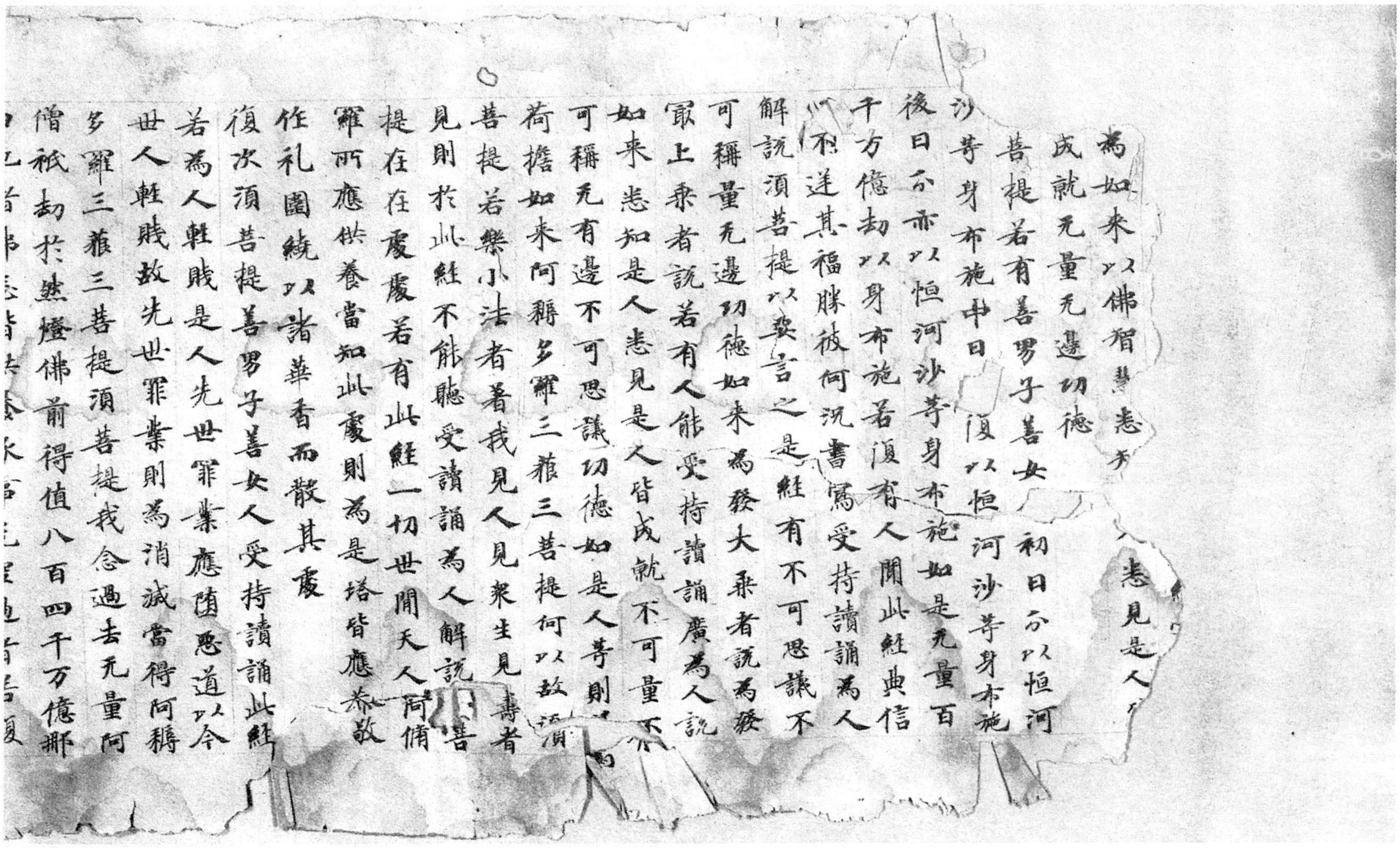
為如來以佛智慧悉知是人悉見是人
成就无量无邊功德
菩提若有善男子善女人初日分以恒河沙等身布施
沙等身布施中日分復以恒河沙等身布施
後日分亦以恒河沙等身布施如是无量百
千万億劫以身布施若復有人聞此經典信
心不逆其福勝彼何況書寫受持讀誦為人
解說須菩提以要言之是經有不可思議不
可稱量无邊功德如來為發大乘者說為發
最上乘者說若有人能受持讀誦廣為人說
如來悉知是人悉見是人皆成就不可量不
可稱无有邊不可思議功德如是人等則為
荷擔如來阿耨多羅三藐三菩提何以故須
菩提若樂小法者著我見人見衆生見壽者
見則於此經不能聽受讀誦為人解說須菩
提在在處處若有此經一切世間天人阿脩
羅所應供養當知此處則為是塔皆應恭敬
作礼圍繞以諸華香而散其處
復次須菩提善男子善女人受持讀誦此經
若為人輕賤是人先世罪業應墮惡道以今
世人輕賤故先世罪業則為消滅當得阿耨
多羅三藐三菩提須菩提我念過去无量阿
僧祇劫於然燈佛前得值八百四千万億那
[illegible]

BD02326 號　金剛般若波羅蜜經　（8–1）

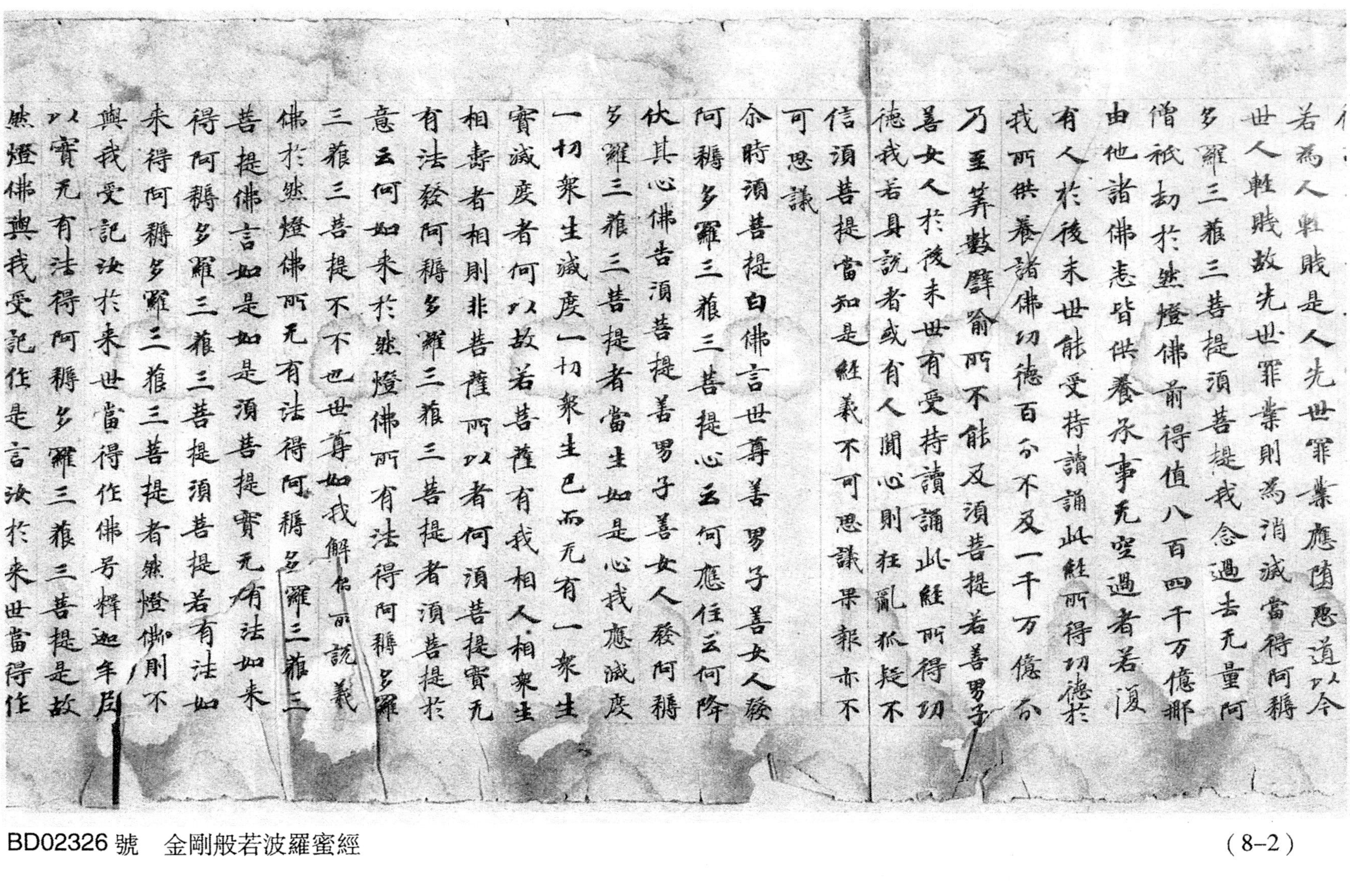
[illegible]
若為人輕賤是人先世罪業應墮惡道以今
世人輕賤故先世罪業則為消滅當得阿耨
多羅三藐三菩提須菩提我念過去无量阿
僧祇劫於然燈佛前得值八百四千万億那
由他諸佛悉皆供養承事无空過者若復
有人於後末世能受持讀誦此經所得功德於
我所供養諸佛功德百分不及一千万億分
乃至筭數譬喻所不能及須菩提若善男子
善女人於後末世有受持讀誦此經所得功
德我若具說者或有人聞心則狂亂狐疑不
信須菩提當知是經義不可思議果報亦不
可思議
尒時須菩提白佛言世尊善男子善女人發
阿耨多羅三藐三菩提心云何應住云何降
伏其心佛告須菩提善男子善女人發阿耨
多羅三藐三菩提者當生如是心我應滅度
一切衆生滅度一切衆生已而无有一衆生
實滅度者何以故若菩薩有我相人相衆生
相壽者相則非菩薩所以者何須菩提實无
有法發阿耨多羅三藐三菩提者須菩提於
意云何如來於然燈佛所有法得阿耨多羅
三藐三菩提不不也世尊如我解佛所說義
佛於然燈佛所无有法得阿耨多羅三藐三
菩提佛言如是如是須菩提實无有法如來
得阿耨多羅三藐三菩提須菩提若有法如
來得阿耨多羅三藐三菩提者然燈佛則不
與我受記汝於來世當得作佛号釋迦牟尼
以實无有法得阿耨多羅三藐三菩提是故
然燈佛與我受記作是言汝於來世當得作

BD02326 號　金剛般若波羅蜜經　（8–2）

来得阿耨多羅三藐三菩提者然燈佛則不
與我受記汝於来世當得作佛号釋迦牟尼
以實无有法得阿耨多羅三藐三菩提是故
然燈佛與我受記作是言汝於来世當得作
佛号釋迦牟尼何以故如来者即諸法如義
若有人言如来得阿耨多羅三藐三菩提須
菩提實无有法佛得阿耨多羅三藐三菩提
須菩提如来所得阿耨多羅三藐三菩提於
是中无實无虚是故如来說一切法皆是佛
法須菩提所言一切法者即非一切法是故
名一切法須菩提譬如人身長大須菩提言
世尊如来說人身長大則為非大身是名大
身須菩提菩薩亦如是若作是言我當滅度
无量衆生則不名菩薩何以故須菩提實无
有法名為菩薩是故佛說一切法无我无人
无衆生无壽者須菩提若菩薩作是言我當
莊嚴佛土是不名菩薩何以故如来說莊嚴
佛土者即非莊嚴是名莊嚴須菩提若菩薩
通達无我法者如来說名真是菩薩
須菩提於意云何如来有肉眼不如是世
尊如来有肉眼須菩提於意云何如来有天
眼不如是世尊如来有天眼須菩提於意云何
如来有慧眼不如是世尊如来有慧眼須菩
提於意云何如来有法眼不如是世尊如来
有法眼須菩提於意云何如来有佛眼不如
是世尊如来有佛眼須菩提於意云何恒河
中所有沙佛說是沙不如是世尊如来說是
沙須菩提於意云何如一恒河中所有沙有

BD02326號　金剛般若波羅蜜經　（8–3）

有法眼須菩提於意云何如来有佛眼不如
是世尊如来有佛眼須菩提於意云何恒河
中所有沙佛說是沙不如是世尊如来說是
沙須菩提於意云何如一恒河中所有沙有
如是等恒河是諸恒河所有沙數佛世界如
是寧為多不甚多世尊佛告須菩提尒所國
土中所有衆生若干種心如来悉知何以故
如来說諸心皆為非心是名為心所以者何
須菩提過去心不可得現在心不可得未来
心不可得須菩提於意云何若有人滿三千
大千世界七寶以用布施是人以是因緣得
福多不如是世尊此人以是因緣得福甚多
須菩提若福德有實如来不說得福德多以
福德无故如来說得福德多
須菩提於意云何佛可以具足色身見不不
也世尊如来不應以具足色身見何以故如
来說具足色身即非具足色身是名具足色
身須菩提於意云何如来可以具足諸相見
不不也世尊如来不應以具足諸相見何以
故如来說諸相具足即非具足是名諸相具
足須菩提汝勿謂如来作是念我當有所說
法莫作是念何以故若人言如来有所說法
即為謗佛不能解我所說故須菩提說法者
无法可說是名說法須菩提白佛言世尊如是
如是須菩提我於阿耨多羅三藐三菩提乃
至无有少法可得是名阿耨多羅三藐三菩
提復次須菩提是法平等无有高下是名阿
耨多羅三藐三菩提以无我无人无衆生无
壽者脩一切善法則得阿耨多羅三藐三菩

BD02326號　金剛般若波羅蜜經　（8–4）

提復次須菩提是法平等无有高下是名阿
耨多羅三藐三菩提以无我无人无衆生无
壽者脩一切善法則得阿耨多羅三藐三菩
提須菩提所言善法者如來說非善法是名
善法須菩提若三千大千世界中所有諸須
弥山王如是等七寶聚有人持用布施若人
以此般若波羅蜜乃至四句偈等受持為
他人說於前福德百分不及一百千万億分
乃至筭數譬喻所不能及
須菩提於意云何汝等勿謂如來作是念我
當度衆生須菩提莫作是念何以故實无有
衆生如來度者若有衆生如來度者如來則
有我人衆生壽者須菩提如來說有我者則
非有我而凡夫之人以為有我須菩提凡夫
者如來說則非凡夫須菩提於意云何可以
卅二相觀如來不須菩提言如是如是以卅二
相觀如來佛言須菩提若以卅二相觀如來
者轉輪聖王則是如來須菩提白佛言世
尊如我解佛所說義不應以卅二相觀如來
尒時世尊而說偈言
若以色見我　以音聲求我　是人行邪道　不能見如來
須菩提汝若作是念如來不以具足相故得
阿耨多羅三藐三菩提須菩提莫作是念如
來不以具足相故得阿耨多羅三藐三菩提
須菩提汝若作是念發阿耨多羅三藐三菩
提者說諸法斷滅相莫作是念何以故發阿
耨多羅三藐三菩提者於法不說斷滅相須
菩提若菩薩以滿恒河沙等世界七寶布施

BD02326號　金剛般若波羅蜜經　（8–5）

提者說諸法斷滅相莫作是念何以故發阿
耨多羅三藐三菩提者於法不說斷滅相須
菩提若菩薩以滿恒河沙等世界七寶布施
若復有人知一切法无我得成於忍此菩薩
勝前菩薩所得功德須菩提以諸菩薩不受
福德故須菩提白佛言世尊云何菩薩不受
福德須菩提菩薩所作福德不應貪著是故
說不受福德須菩提若有人言如來若来
若去若坐若卧是人不解我所說義何以故如
來者无所從來亦无所去故名如來
須菩提若善男子善女人以三千大千世界
碎為微塵於意云何是微塵衆寧為多不甚
多世尊何以故若是微塵衆實有者佛則不
說是微塵衆所以者何佛說微塵衆則非微
塵衆是名微塵衆世尊如來所說三千大千
世界則非世界是名世界何以故若世界實
有者則是一合相如來說一合相則非一合相
是名一合相須菩提一合相者則是不可說
但凡夫之人貪著其事須菩提若人言佛
說我見人見衆生見壽者見須菩提於意
云何是人解我所說義不世尊是人不解如
來所說義何以故世尊說我見人見衆生見
壽者見即非我見人見衆生見壽者見是
名我見人見衆生見壽者見須菩提發阿耨
多羅三藐三菩提心者於一切法應如是知
如是見如是信解不生法相須菩提所言法相
者如來說即非法相是名法相須菩提若有人
以滿无量阿僧祇世界七寶持用布施若有
善男子善女人發菩薩心者持於此經乃至

BD02326號　金剛般若波羅蜜經　（8–6）

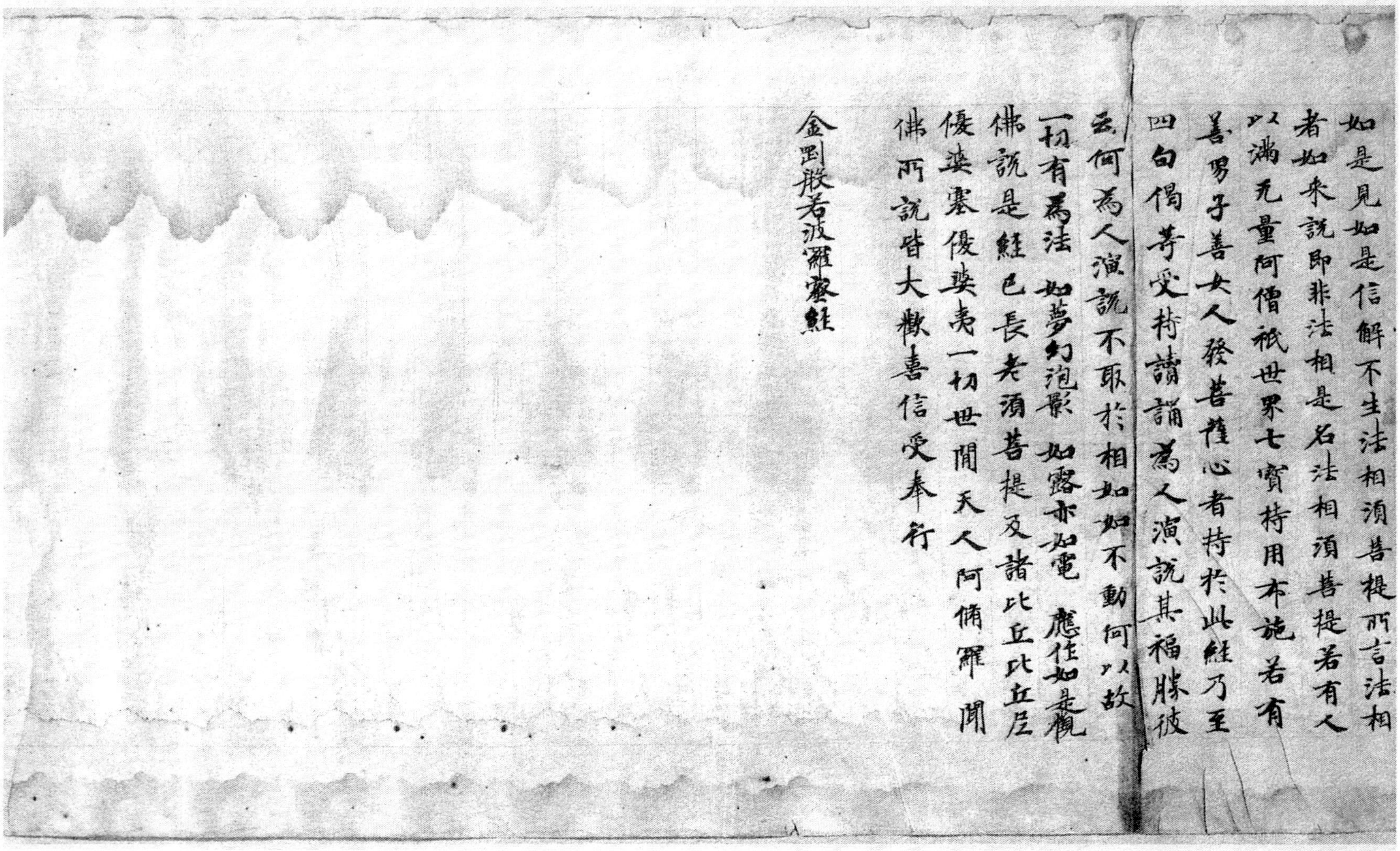

如是見如是信解不生法相須菩提所言法相
者如來說即非法相是名法相須菩提若有人
以滿无量阿僧祇世界七寶持用布施若有
善男子善女人發菩薩心者持於此經乃至
四句偈等受持讀誦為人演說其福勝彼
云何為人演說不取於相如如不動何以故
一切有為法 如夢幻泡影 如露亦如電 應作如是觀
佛說是經已長老須菩提及諸比丘比丘尼
優婆塞優婆夷一切世間天人阿脩羅聞
佛所說皆大歡喜信受奉行

金剛般若波羅蜜經

BD02326號　金剛般若波羅蜜經　（8–7）

金剛般若波羅蜜經

BD02326號　金剛般若波羅蜜經　（8–8）

深般若波羅蜜多至心聽聞受持讀誦精勤
脩學如理思惟亦能為他無倒宣說復以種
種上妙花鬘乃至燈明供養恭敬尊重讚歎
憍尸迦我以無障清淨佛眼遍觀十方無邊
世界雖有無量無數有情發菩提心能善
行而由遠離甚深般若波羅蜜多方便善
若一若二若三有情得住菩薩不退轉地多
分退墮聲聞獨覺下意下行下劣地中何以
故憍尸迦諸佛無上正等菩提功德無邊甚
難可證惡慧懈怠下劣精進下劣勝解下劣
有情不能證得是故憍尸迦若善男子善女
人等發菩提心脩菩薩行欲住菩薩不退轉
地疾證無上正等菩提無留難者應於般若
波羅蜜多數數聽聞受持讀誦精勤脩學
如理思惟好請問師樂為他說復應書寫衆
寶莊嚴供養恭敬尊重讚歎何以故憍尸迦是
善男子善女人等應作是念如來昔住菩薩
地時常勤脩學如是般若波羅蜜多甚深義
趣證得無上正等菩提我等亦應精勤脩學
如是般若波羅蜜多是我大師我隨彼學所
願當滿憍尸迦諸菩薩摩訶薩若佛住世若
涅槃後常應依止甚深般若波羅蜜多精勤

BD02327號　大般若波羅蜜多經卷五四〇　（3-1）

如理思惟好請問師樂為他說復應書寫衆
寶莊嚴供養恭敬尊重讚歎何以故憍尸迦是
善男子善女人等應作是念如來昔住菩薩
地時常勤脩學如是般若波羅蜜多甚深義
趣證得無上正等菩提我等亦應精勤脩學
如是般若波羅蜜多是我大師我隨彼學所
願當滿憍尸迦諸菩薩摩訶薩若佛住世若
涅槃後常應依止甚深般若波羅蜜多精勤
脩學
時天帝釋復白佛言若善男子善女人等於
深般若波羅蜜多至心聽聞受持讀誦精勤
脩學如理思惟廣為有情宣說流布或有書
寫衆寶嚴飾復持種種上妙花鬘乃至燈明
供養恭敬尊重讚歎是善男子善女人等由
此因緣得幾所福尔時佛告天帝釋言是善
男子善女人等所獲福聚無量無邊不可思
議不可稱計笇數譬喻所不能及復次憍尸
迦若善男子善女人等於諸如來般涅槃後
為供養佛設利羅故以妙七寶起窣堵波種
種珍奇間雜嚴飾復持種種天妙花鬘乃至
燈明盡其形壽供養恭敬尊重讚歎於意云
何是善男子善女人等由此因緣獲福多不
天帝釋言甚多世尊甚多善逝佛告憍尸迦
有善男子善女人等於此般若波羅蜜多甚
深義趣以清淨心恭敬信解為求無上正等
菩提至心聽聞受持讀誦精勤脩學如理思

BD02327號　大般若波羅蜜多經卷五四〇　（3-2）

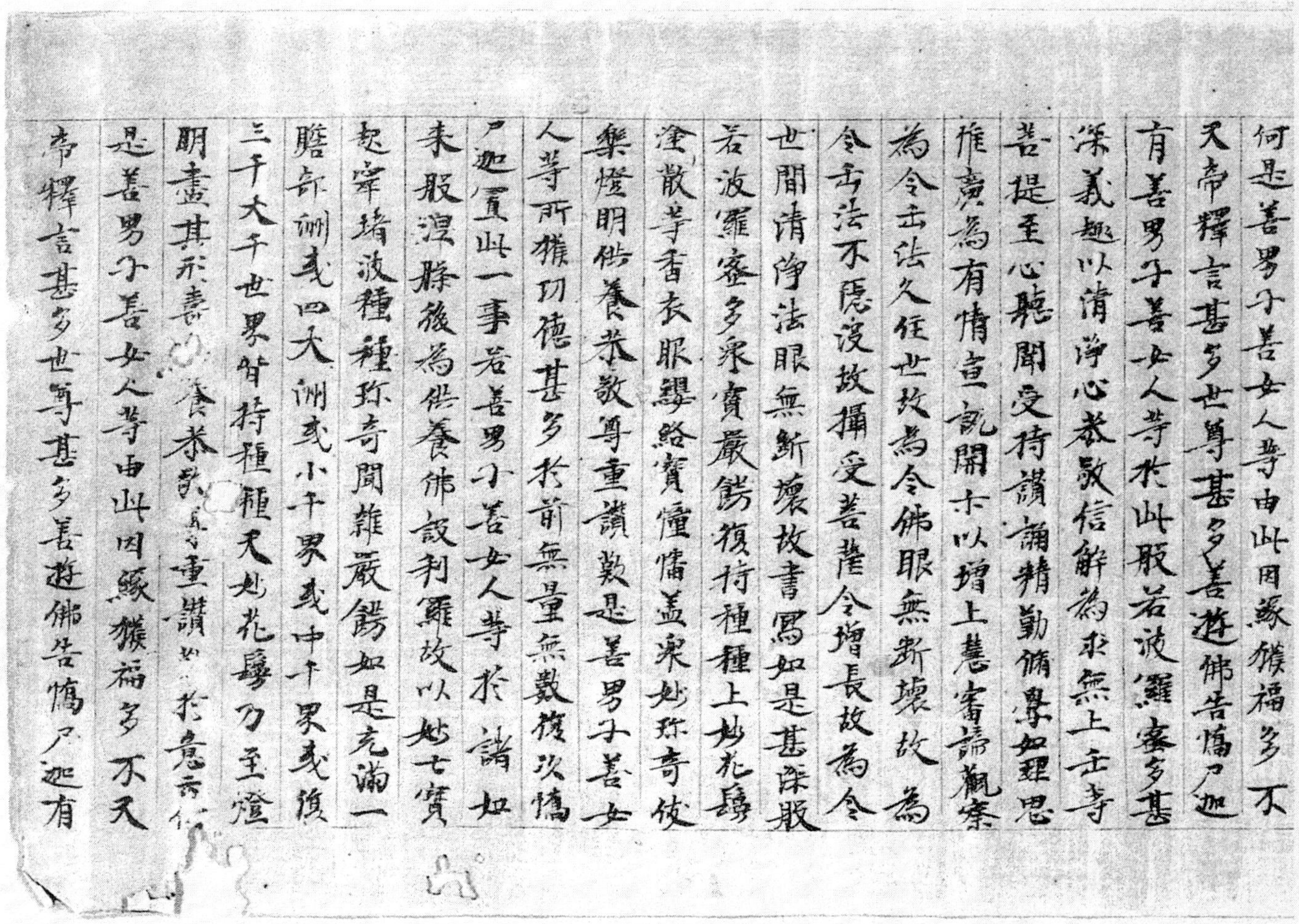

何是善男子善女人等由此因緣獲福多不
天帝釋言甚多世尊甚多善逝佛告憍尸迦
有善男子善女人等於此般若波羅蜜多甚
深義趣以清淨心恭敬信解為求無上正等
菩提至心聽聞受持讀誦精勤修學如理思
惟廣為有情宣說開示以增上慧審諦觀察
為令正法久住世故為令佛眼無斷壞故為
令正法不隱沒故攝受菩薩令增長故為令
世間清淨法眼無斷壞故書寫如是甚深般
若波羅蜜多衆寶嚴飾複持種種上妙花鬘
塗散等香衣服瓔珞寶幢幡蓋衆妙珎奇伎
樂燈明供養恭敬尊重讚歎是善男子善女
人等所獲功德甚多於前無量無數復次憍
尸迦置此一事若善男子善女人等於諸如
來般涅槃後為供養佛設利羅故以妙七寶
起窣堵波種種珎奇間雜嚴飾如是充滿一
贍部洲或四大洲或小千界或中千界或復
三千大千世界皆持種種天妙花鬘乃至燈
明盡其形壽供養恭敬尊重讚歎於意云何
是善男子善女人等由此因緣獲福多不天
帝釋言甚多世尊甚多善逝佛告憍尸迦有

BD02327 號　大般若波羅蜜多經卷五四〇　　（3–3）

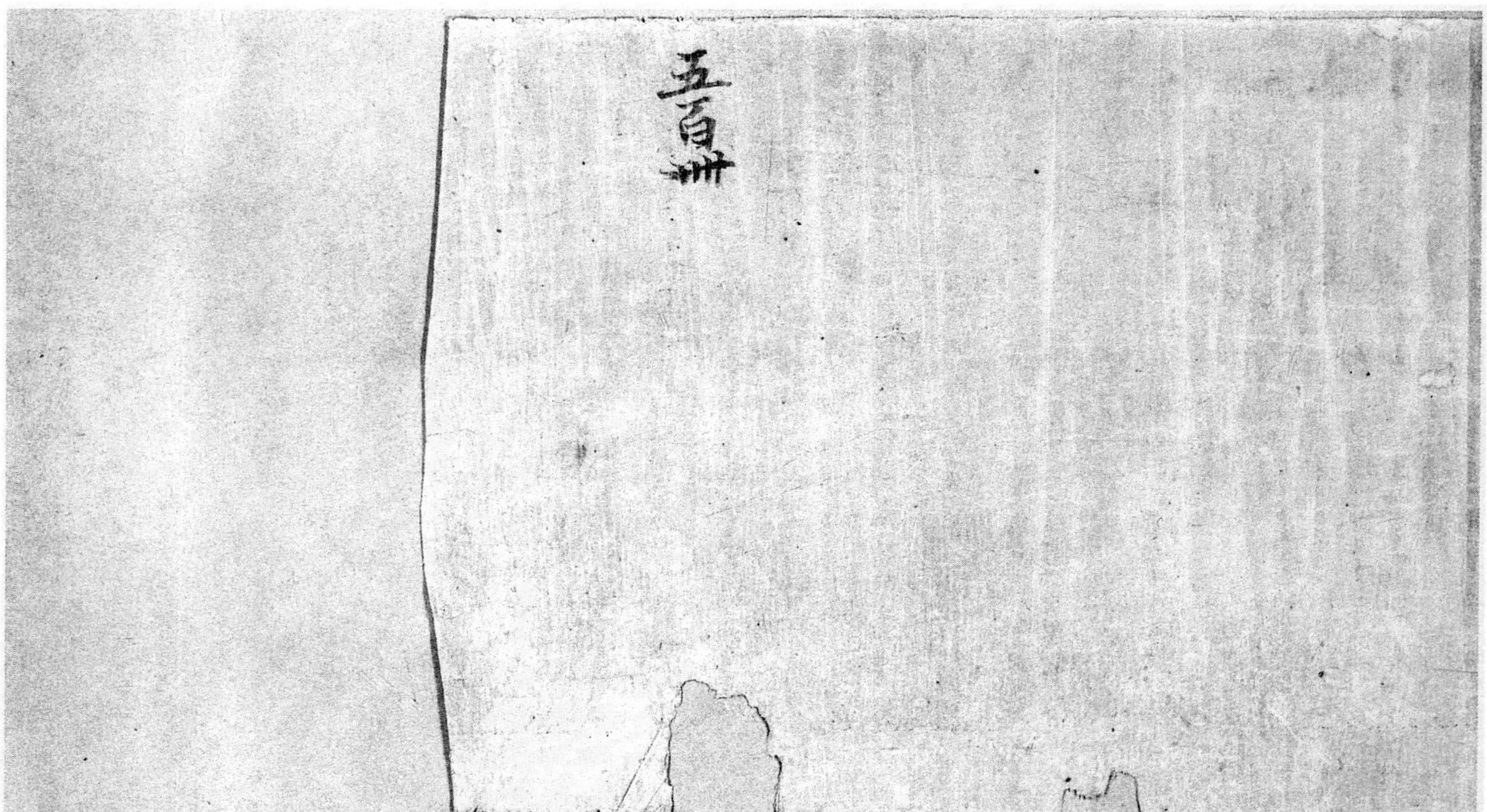

五百卌

BD02327 號背　勘記　　（1–1）

與眼對爲不對眼若與眼對暗在眼前云何
成內若成內者居暗室中無日月燈此室
暗中皆汝焦府若不對者云何成見若離
外見內對所成合眼見暗名爲身中開眼見
明何不見面若不見面內對不成見面若成此
了知心及與眼根乃在虛空何成在內若在
虛空自非汝體即應如來今見汝面亦是汝
身汝眼已知身合非覺必汝執言身眼兩覺
應有二知即汝一身應成兩佛是故應知汝言
見暗名見內者無有是處
阿難言我常聞佛開示四衆由心生故種種
法生由法生故種種心生我今思惟即思惟
體實我心性隨所合處心則隨有亦非內外中
間三處　佛告阿難汝今說言由法生故種
種心生隨所合處心隨有者是心無體則無
所合若無有體而能合者則十九界因七塵
合是義不然若有體者如汝以手自挃其體
汝所知心爲復內出爲從外入若復內出還見
身中若從外來先合見面
阿難言見是其眼心知非眼爲見非義佛言若
眼能見汝在室中門能見不則諸已死尚有眼

BD02328號　大佛頂如來密因修證了義諸菩薩萬行首楞嚴經卷一　（6–1）

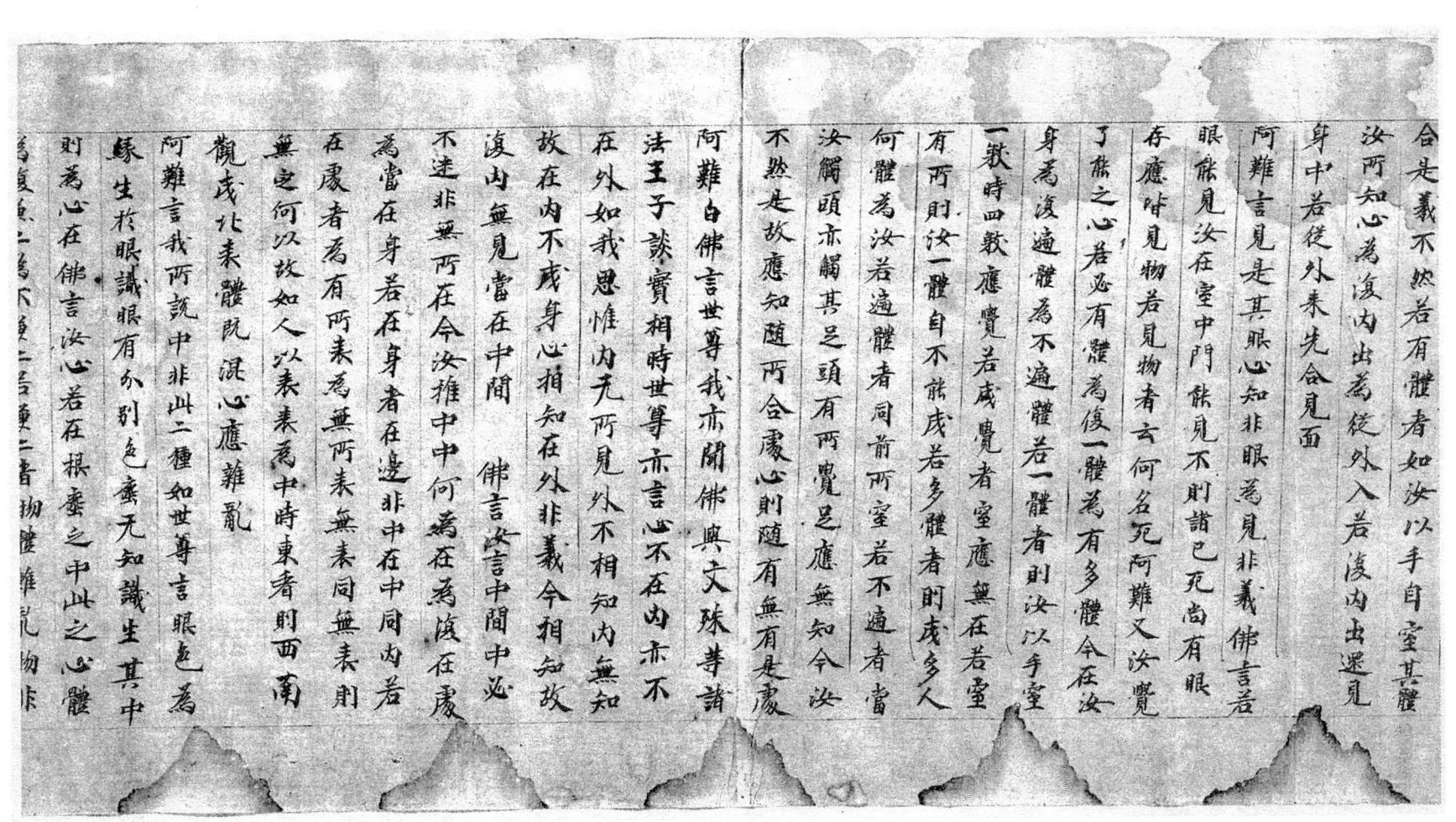

合是義不然若有體者如汝以手自挃其體
汝所知心爲復內出爲從外入若復內出還見
身中若從外來先合見面
阿難言見是其眼心知非眼爲見非義佛言若
眼能見汝在室中門能見不則諸已死尚有眼
存應皆見物若見物者云何名死阿難又汝覺
了能知之心若必有體爲復一體爲有多體今在汝
身爲復遍體爲不遍體若一體者則汝以手挃
一支時四支應覺若咸覺者挃應無在若挃
有所則汝一體自不能成若多體者則成多人
何體爲汝若遍體者同前所挃若不遍者當
汝觸頭亦觸其足頭有所覺足應無知今汝
不然是故應知隨所合處心則隨有無有是處
阿難白佛言世尊我亦聞佛與文殊等諸
法王子談實相時世尊亦言心不在內亦不
在外如我思惟內无所見外不相知內無知
故在內不成身心相知在外非義今相知故
復內無見當在中間　佛言汝言中間中必
不迷非無所在今汝推中中何爲在爲復在處
爲當在身若在身者在邊非中在中同內若
在處者爲有所表爲無所表無表同無表則
無定何以故如人以表表爲中時東看則西南
觀成北表體既混心應雜亂
阿難言我所說中非此二種如世尊言眼色爲
緣生於眼識眼有分別色塵无知識生其中
則爲心在佛言汝心若在根塵之中此之心體
爲復兼二爲不兼二若兼二者物體雜亂物非

BD02328號　大佛頂如來密因修證了義諸菩薩萬行首楞嚴經卷一　（6–2）

觀成北来體所須心應雜亂
阿難言我所說中非此二種如世尊言眼色為
緣生於眼識眼有分別色塵无知識生其中
則為心在佛言汝心若在根塵之中此之心體
為復兼二為不兼二若兼二者物體雜亂物非
體知成敵兩立云何為中兼二不成非知不知即无
體性中何為相是故應知當在中間无有是
處　阿難白佛言世尊我昔見佛與大目連
須菩提富樓那舍利弗四大弟子共轉法輪
常言覺知分別心性既不在內亦不在外不在
中間俱無所在一切無著名之為心則我无著
名為心不　佛告阿難汝言覺知分別心性
俱無在者世間虛空水陸飛行諸所物象名
為一切汝不著者為在為無无則同於龜毛兔角
云何不著有不著者不可名無無相則無非
無則相相有則在云何無著是故應知一切無
著名覺知心無有是處
尒時阿難在大衆中即從座起偏袒右肩右
膝著地合掌恭敬而白佛言我是如来㝡
小之弟蒙佛慈愛雖今出家猶恃憍憐所
以多聞未得无漏不能折伏娑毗羅呪為
彼所轉溺於婬舍當由不知真際所指唯
願世尊大慈哀愍開示我等奢摩他路令
諸闡提墮彌戾車作是語已五體投地及
諸大衆傾渴翹佇欽聞示誨
尒時世尊從其面門放種種光其光晃耀

BD02328 號　大佛頂如來密因修證了義諸菩薩萬行首楞嚴經卷一　（6–3）

願世尊大慈哀愍開示我等奢摩他路令
諸闡提墮彌戾車作是語已五體投地及
諸大衆傾渴翹佇欽聞示誨
尒時世尊從其面門放種種光其光晃耀
如百千日普佛世界六種震動如是十方微
塵國土一時開現佛之威神令諸世界合成
一界其世界中所有一切諸大菩薩皆住本
國合掌承聽
佛告阿難一切衆生從无始來種種顛倒業
種自然如惡叉聚諸修行人不能得成无上
菩提乃至別成聲聞緣覺及成外道諸天
魔王及魔眷屬皆由不知二種根本錯亂修
習猶如煑沙欲成嘉饌縱經塵劫終不能
得云何二種阿難一者無始生死根本則汝今
者與諸衆生用攀緣心為自性者二者无
始菩提涅槃元清淨體則汝今者識精元
明能生諸緣所遺失者由諸衆生遺此本明
雖終日行而不自覺枉入諸趣
阿難汝今欲知奢摩他路願出生死今復問
汝即時如來舉金色臂屈五輪指語阿難
言汝今見不阿難言見佛言汝何所見阿難
言我見如來舉臂屈指為光明拳曜我心目
佛言汝將誰見阿難言我與大衆同將眼見
佛告阿難汝今答我如來屈指為光明拳
曜汝心目汝目可見以何為心當我拳曜
阿難言如來現今徵心所在而我以心推

BD02328 號　大佛頂如來密因修證了義諸菩薩萬行首楞嚴經卷一　（6–4）

佛告阿難汝今荅我如來屈指爲光明拳
耀汝心目汝目可見以何爲心當我拳耀
阿難言如來現今徵心所在而我以心推
窮尋逐即能推者我將爲心
佛咄阿難此非汝心阿難矍然避座合掌
起立白佛此非我心當名何等佛告阿難
此是前塵虚妄相想惑汝真性由汝無始
至于今生認賊爲子失汝元常故受輪轉
阿難白佛言世尊我佛寵弟心愛佛故
令我出家我心何獨供養如來乃至遍歷
恒沙國土承事諸佛及善知識發大勇猛
行諸一切難行法事皆用此心縱令謗法永
退善根亦因此心若此發明不是心者我乃
无心同諸土木離此覺知更無所有云何如
來說此非心我實驚怖兼此大衆無不疑
惑唯垂大悲開示未悟
尒時世尊開示阿難及諸大衆欲令心入無
生法忍於師子座摩阿難頂而告之言如
來常說諸法所生唯心所現一切因果世界
微塵因心成體阿難若諸世界一切所有其
中乃至草葉縷結詰其根元咸有體性縱
令虚空亦有名皃何况清淨妙淨明心性
一切心而自无體若汝執悋分別覺觀所了
知性必爲心者此心即應離諸一切色香味
觸諸塵事業別有全性如汝今者承聽我
法此則因聲而有分別縱滅一切見聞覺知内
守幽閑猶爲法塵分別影事

BD02328號　大佛頂如來密因修證了義諸菩薩萬行首楞嚴經卷一　（6–5）

行諸一切難行法事皆用此心縱令謗法永
退善根亦因此心若此發明不是心者我乃
无心同諸土木離此覺知更無所有云何如
來說此非心我實驚怖兼此大衆無不疑
惑唯垂大悲開示未悟
尒時世尊開示阿難及諸大衆欲令心入無
生法忍於師子座摩阿難頂而告之言如
來常說諸法所生唯心所現一切因果世界
微塵因心成體阿難若諸世界一切所有其
中乃至草葉縷結詰其根元咸有體性縱
令虚空亦有名皃何况清淨妙淨明心性
一切心而自无體若汝執悋分別覺觀所了
知性必爲心者此心即應離諸一切色香味
觸諸塵事業別有全性如汝今者承聽我
法此則因聲而有分別縱滅一切見聞覺知内
守幽閑猶爲法塵分別影事我非勑汝執
爲非心但汝於心微細揣摩若離前塵有
分別性即真汝心若分別性離塵无體斯
則前塵分別影事塵非常住若變滅時
此心則同龜毛兎角則汝法身同於斷滅

BD02328號　大佛頂如來密因修證了義諸菩薩萬行首楞嚴經卷一　（6–6）

妙法蓮華經觀世音菩薩普門品第廿五
尒時无盡意菩薩即從座起偏袒右肩合掌
向佛而作是言世尊觀世音菩薩以何因緣名
觀世音佛告无盡意菩薩善男子若有无量
百千万億衆生受諸苦惱聞是觀世音菩薩
一心稱名觀世音菩薩即時觀其音聲皆得解脫
若有持是觀世音菩薩名者設入大火火不
能燒由是菩薩威神力故若為大水所漂稱
其名号即得淺處若有百千万億衆生為求
金銀瑠璃車𤦲馬瑙珊瑚虎珀珎珠等寶入
於大海假使黑風吹其船舫飄墮羅剎鬼國
其中若有乃至一人稱觀世音菩薩名者是
諸人等皆得解脫羅剎之難以是因緣名觀
世音
若復有人臨當被害稱觀世音菩薩名者彼
所執刀杖尋段段壞而得解脫若三千大千
國土滿中夜叉羅剎欲來惱人聞其稱觀世
音菩薩名者是諸惡鬼尚不能以惡眼視之
況復加害
設復有人若有罪若无罪杻械枷鎖檢繫其

BD02329號　妙法蓮華經卷七　（17–1）

所執刀杖尋段段壞而得解脫若三千大千
國土滿中夜叉羅剎欲來惱人聞其稱觀世
音菩薩名者是諸惡鬼尚不能以惡眼視之
況復加害
設復有人若有罪若无罪杻械枷鎖檢繫其
身稱觀世音菩薩名者皆悉斷壞即得解脫
若三千大千國土滿中怨賊有一商主將諸
商人賷持重寶經過險路其中一人作是唱言
諸善男子勿得恐怖汝等應當一心稱觀世
音菩薩名号是菩薩能以无畏施於衆生
汝等若稱名者於此怨賊當得解脫衆商人
聞俱發聲言南无觀世音菩薩稱其名故即
得解脫无盡意觀世音菩薩摩訶薩威神之
力巍巍如是
若有衆生多於婬欲常念恭敬觀世音菩薩
便得離欲若多瞋恚常念恭敬觀世音菩薩
便得離瞋若多愚癡常念恭敬觀世音菩薩
便得離癡无盡意觀世音菩薩有如是等大
威神力多所饒益是故衆生常應心念
若有女人設欲求男礼拜供養觀世音菩薩
便生福德智慧之男設欲求女便生端政有
相之女宿殖德本衆人愛敬无盡意觀世音
菩薩有如是力若有衆生恭敬礼拜觀世音
菩薩福不唐捐是故衆生皆應受持觀世
音菩薩名号无盡意若有人受持六十二億
恒河沙菩薩名字復盡形供養飲食衣服臥具
醫藥於汝意云何是善男子善女人功德多不
无盡意言甚多世尊佛言若復有人受持觀世
音菩薩名号乃至一時礼拜供養是二人福
正等无異於百千万億劫不可窮盡无盡意

BD02329號　妙法蓮華經卷七　（17–2）

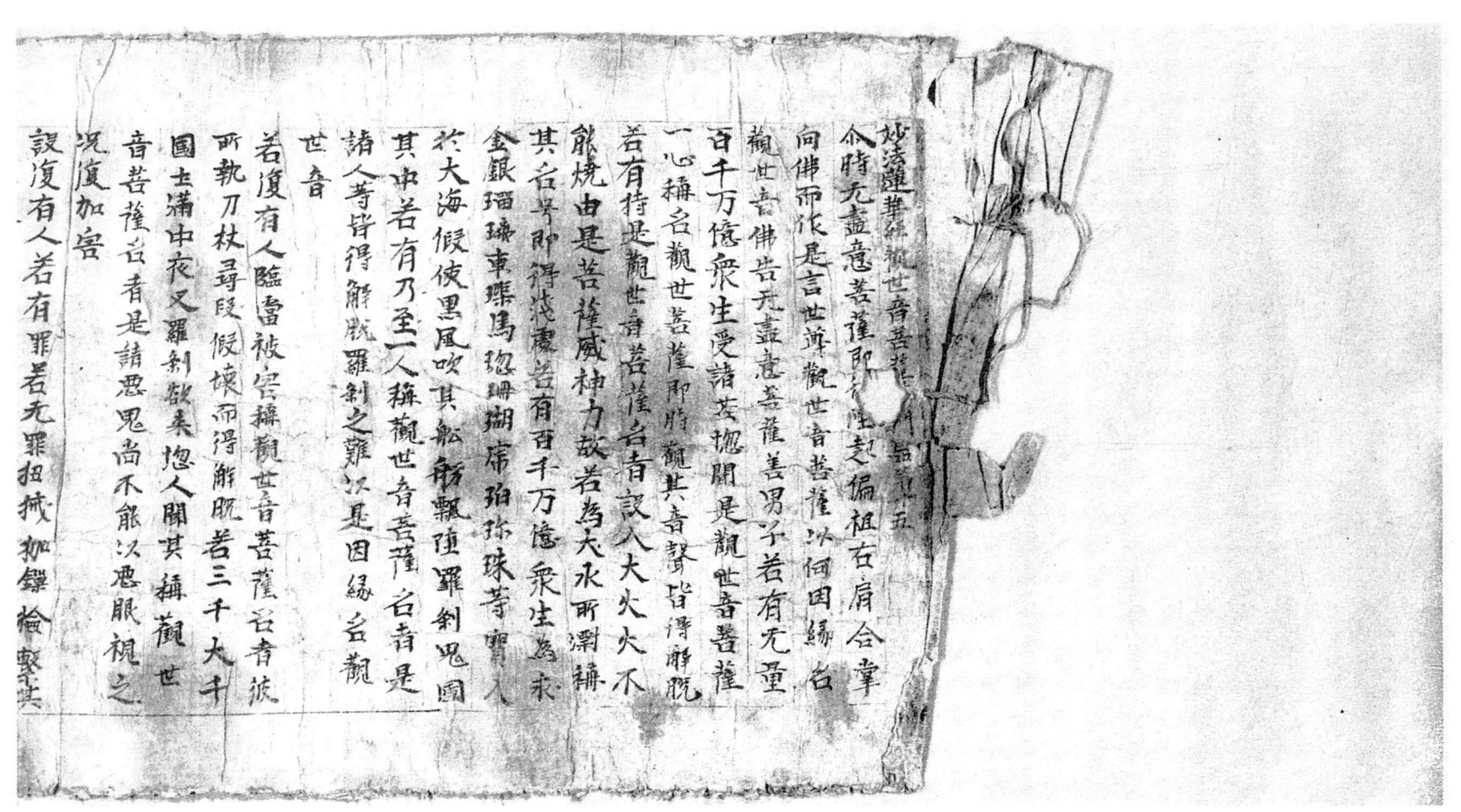

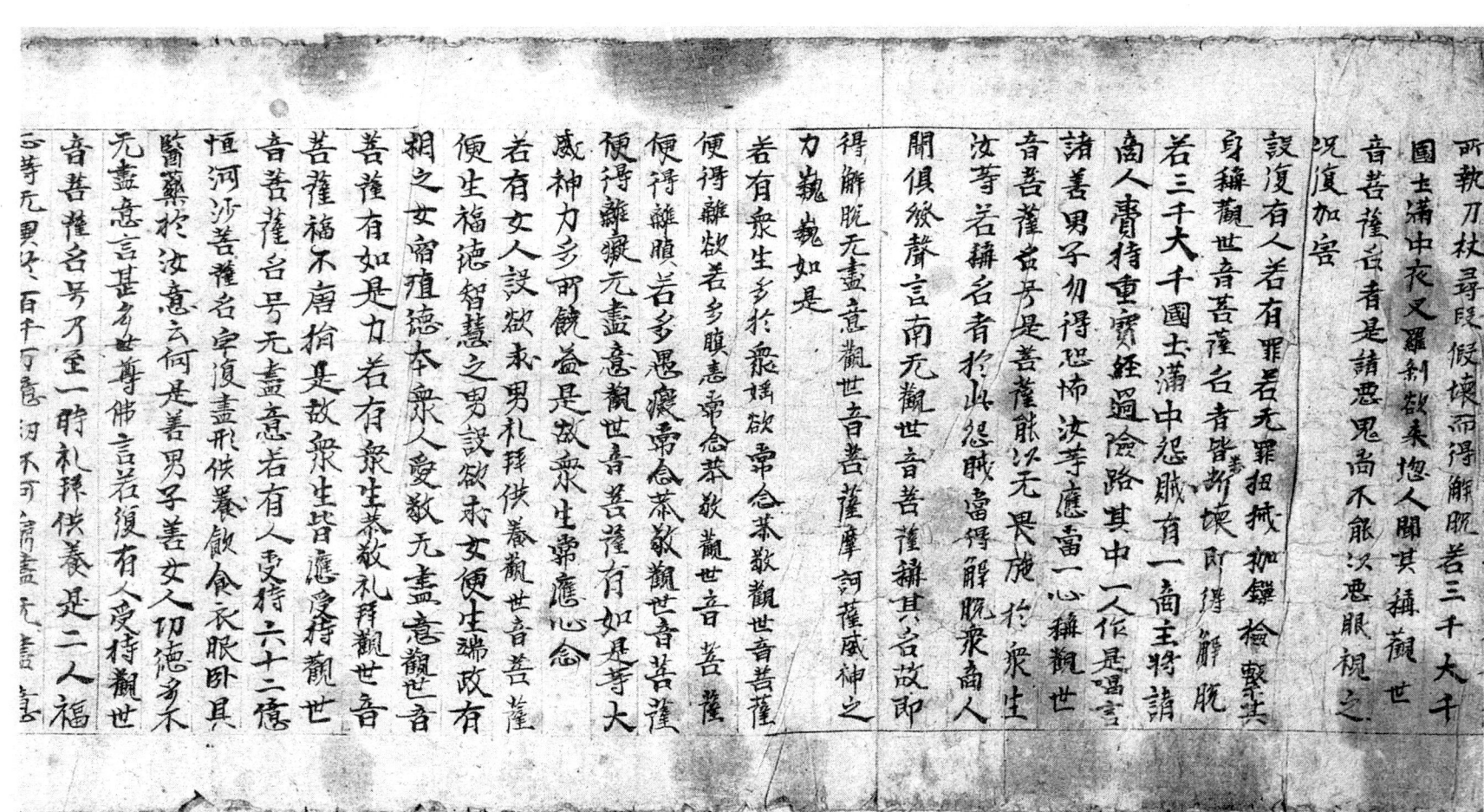

…河沙菩薩名字復盡形供養飲食衣服卧具
醫藥於汝意云何是善男子善女人功德多不
无盡意言甚多世尊佛言若復有人受持觀世
音菩薩名号乃至一時礼拜供養是二人福
正等无異於百千万億劫不可窮盡无盡意
受持觀世音菩薩名号得如是无量无邊福
德之利
无盡意菩薩白佛言世尊觀世音菩薩云
何遊此娑婆世界云何而為衆生說法方便之
力其事云何佛告无盡意菩薩善男子若有國
土衆生應以佛身得度者觀世音菩薩即現
佛身而為說法應以辟支佛身得度者即現
辟支佛身而為說法應以聲聞身得度者即
現聲聞身而為說法應以梵王身得度者即
現梵王身而為說法應以帝釋身得度者即
現帝釋身而為說法應以自在天身得度者
即現自在天身而為說法應以大自在天身
得度者即現大自在天身而為說法應以天
大將軍身得度者即現天大將軍身而為法
說應以毗沙門身得度者即現毗沙門身而
為說法應以小王身得度者即現小王身而
為說法應以長者身得度者即現長者身
而為說法應以居士身得度者即現居士身而
為說法應以宰官身得度者即現宰官身而
為說法應以婆羅門身得度者即現婆羅門
身而為說法應以比丘比丘尼優婆塞優婆
夷身得度者即現比丘比丘尼優婆塞優婆
夷身而為說法應以長者居士宰官婆羅門
婦女身得度者即現婦女身而為說法應以
童男童女身得度者即現童男童女身而為說

夷身而為說法應以長者居士宰官婆羅門
婦女身得度者即現婦女身而為說法應以
童男童女身得度者即現童男童女身而為說
法應以天龍夜叉乾闥婆阿脩羅迦樓羅緊
那羅摩睺羅伽人非人等身得度者即皆現
之而為說法應以執金剛神得度者即現執
金剛神而為說法无盡意是觀世音菩薩成
就如是功德以種種形遊諸國土度脫衆生是
故汝等應當一心供養觀世音菩薩是觀世
音菩薩摩訶薩於怖畏急難之中能施无
畏是故此娑婆世界皆号之為施无畏者无
盡意菩薩白佛言世尊我今當供養觀世
音菩薩即解頸衆寶珠瓔珞價直百千兩金
而以與之作是言仁者受此法施珎寶瓔珞
時觀世音菩薩不肯受之无盡意復白觀世
音菩薩言仁者愍我等故受此瓔珞
尒時佛告觀世音菩薩當愍此无盡意菩薩及
諸四衆天龍夜叉乾闥婆阿脩羅迦樓羅緊那
羅摩睺羅伽人非人等故受是瓔珞即時觀世
音菩薩愍諸四衆及於天龍夜叉人非人等受
其瓔珞分作二分一分奉釋迦牟尼佛一分奉
多寶佛塔无盡意觀世音菩薩有如是自在
神力遊於娑婆世界尒時无盡意菩薩以偈
問曰
世尊妙相具　我今重問彼　佛子何因緣　名為觀世音
具足妙相尊　偈荅无盡意　汝聽觀音行　善應諸方所
弘誓深如海　歷劫不思議　侍多千億佛　發大清淨願
我為汝略說　聞名及見身　心念不空過　能滅諸有苦
假使興害意　推落大火坑　念彼觀音力　火坑變成池
或漂流巨海　龍魚諸鬼難　念彼觀音力　波浪不能沒

弘誓深如海　歷劫不思議　侍多千億佛　發大清淨願
我為汝略說　聞名及見身　心念不空過　能滅諸有苦
假使興害意　推落大火坑　念彼觀音力　火坑變成池
或漂流巨海　龍魚諸鬼難　念彼觀音力　波浪不能沒
或在須彌峯　為人所推墮　念彼觀音力　如日虛空住
或被惡人逐　墮落金剛山　念彼觀音力　不能損一毛
或值怨賊繞　各執刀加害　念彼觀音力　咸即起慈心
或遭王難苦　臨刑欲壽終　念彼觀音力　刀尋段段壞
或囚禁枷鎖　手足被杻械　念彼觀音力　釋然得解脫
呪咀諸毒藥　所欲害身者　念彼觀音力　還著於本人
或遇惡羅剎　毒龍諸鬼等　念彼觀音力　時悉不敢害
若惡獸圍繞　利牙爪可怖　念彼觀音力　疾走无邊方
蚖蛇及蝮蠍　氣毒烟火然　念彼觀音力　尋聲自迴去
雲雷鼓掣電　降雹澍大雨　念彼觀音力　應時得消散
衆生被困厄　无量苦逼身　觀音妙智力　能救世間苦
具足神通力　廣脩智方便　十方諸國土　无剎不現身
種種諸惡趣　地獄鬼畜生　生老病死苦　以漸悉令滅
真觀清淨觀　廣大智慧觀　悲觀及慈觀　常願常瞻仰
无垢清淨光　慧日破諸闇　能伏災風火　普明照世間
悲體戒雷震　慈意妙大雲　澍甘露法雨　滅除煩惱炎
諍訟經官處　怖畏軍陣中　念彼觀音力　衆怨悉退散
妙音觀世音　梵音海潮音　勝彼世間音　是故須常念
念念勿生疑　觀世音淨聖　於苦惱死厄　能為作依怙
具一切功德　慈眼視衆生　福聚海无量　是故應頂礼
尒時持地菩薩即從座起前白佛言世尊若有
衆生聞是觀世音菩薩品自在之業普門示現神
通力者當知是人功德不少佛說是普門品時
衆中八万四千衆生皆發无等等阿耨多羅
三藐三菩提心

BD02329號　妙法蓮華經卷七　（17-5）

尒時持地菩薩即從座起前白佛言世尊若有
衆生聞是觀世音菩薩品自在之業普門示現神
通力者當知是人功德不少佛說是普門品時
衆中八万四千衆生皆發无等等阿耨多羅
三藐三菩提心
妙法蓮華經陁羅尼品第二十六
尒時藥王菩薩即從座起偏袒右肩合掌向
佛而白佛言世尊若善男子善女人有能受持法
華經者若讀誦通利若書寫經卷得幾所福
佛告藥王若有善男子善女人供養八百万
億那由他恒河沙等諸佛於汝意云何其所
得福寧為多不甚多世尊佛言若善男子善女
人能於是經乃至受持一四句偈讀誦解義如
說脩行功德甚多尒時藥王菩薩白佛言世
尊我今當與說法者陁羅尼呪以守護之即
說呪曰
安尒一　曼尒二　摩祢三　摩摩祢四　旨隸五　遮梨
第六　賒咩羊鳴音七　賒履冈雉反　多瑋八　輸千反　帝九
目帝十　目多履十一　娑履十二　阿瑋娑履十三　桑履十四
娑履十五　叉裔十六　阿叉裔十七　阿耆膩十八　羶帝十九
賒履廿　陁羅尼廿一　阿盧伽婆娑簸蔗毘叉膩廿二
祢毘剃廿三　阿便哆郁箴反　邏祢履剃廿四　阿亶哆婆
隸輸地廿五　漚究隸廿六　牟究隸廿七　阿羅隸廿八
波羅隸廿九　首迦差初几反卅　阿三磨三履卅一　佛馱毘吉利
袠帝卅二　達磨波利差猜離反帝卅三　僧伽涅瞿沙祢卅四
婆舍婆舍輸地卅五　曼哆邏卅六　曼哆邏叉夜多卅七
郵樓哆卅八　郵樓哆憍舍略卅九　惡叉邏卌　惡叉冶多冶
卌一　阿婆盧卌二　阿摩若荏遮反那多夜卌三
世尊是陁羅尼神呪六十恒河沙等諸佛所
說若有侵毀此法師者則為侵毀是諸佛已

BD02329號　妙法蓮華經卷七　（17-6）

郁樓哆卌八 郁樓哆憍舍略卌九 惡叉邏卌 惡叉冶多冶
卌一 阿婆盧卌二 阿摩若荏遮反 那多夜卌三
世尊是陀羅尼神呪六十恒河沙等諸佛所
說若有侵毀此法師者則為侵毀是諸佛已
時釋迦牟尼佛讚藥王菩薩言善哉善哉
藥王汝愍念擁護此法師故說是陀羅尼
於諸衆生多所饒益
尒時勇施菩薩白佛言世尊我亦為擁護
讀誦受持法華經者說陀羅尼若此法師
得是陀羅尼若夜叉若羅剎若富單那若
吉遮若鳩槃荼若餓鬼等伺求其短无能
得便即於佛前而說呪曰
痤藂垂反隸一 摩訶痤隸二 郁枳三 目枳四 阿隸五
阿羅婆第六 涅隸第七 涅隸多婆第八 伊緻猪履反
柅九 韋緻柅十 旨緻柅十一 涅隸墀柅十二 涅犁墀婆
底十三
世尊是陀羅尼神呪恒河沙等諸佛所說亦
皆隨喜若有侵毀此法師者則為侵毀是諸
佛已
尒時毗沙門天王護世者白佛言世尊我亦
為愍念衆生擁護此法故說是陀羅尼即
說呪曰
阿梨一 那梨二 㝹那梨三 阿那盧四 那履五 拘那
履六
世尊以是神呪擁護法師我亦自當擁護持是
經者令百由旬内護衰患
尒時持國天王在此會中與千万億那由他
乹闥婆衆恭敬圍遶前詣佛所合掌白佛
言世尊我亦以陀羅尼神呪擁護持法華經
者即說呪曰

世尊以是神呪擁護法師我亦自當擁護持是
經者令百由旬内護衰患
尒時持國天王在此會中與千万億那由他
乹闥婆衆恭敬圍遶前詣佛所合掌白佛
言世尊我亦以陀羅尼神呪擁護持法華經
者即說呪曰
阿伽祢一 伽祢二 瞿利三 乹陀利四 栴陀利五
摩蹬六 常求利七 浮樓莎柅八 頞底九
世尊是陀羅尼神呪卌二億諸佛所說 若有侵
毀此法師者則為侵毀是諸佛已
尒時有羅剎女等一名藍婆二名毗藍婆三
名曲齒四名華齒五名黑齒六名多髮七名
无猒足八名持瓔珞九名睪帝十名奪一
切衆生精氣是十羅剎女與鬼子母并其子
及眷屬俱詣佛所同聲白佛言世尊我等
亦欲擁護讀誦受持法華經者除其衰患若有
伺求法師短者令不得便即於佛前而說呪曰
伊提履一 伊提泯二 伊提履三 阿提履四 伊提履五
泥履六 泥履七 泥履八 泥履九 泥履十 樓醯十一
樓醯十二 樓醯十三 樓醯十四 多醯十五 多醯十六 多醯十七
兜醯十八 㝹醯十九
寧上我頭上 莫惱於法師 若夜叉 若羅剎 若餓
鬼 若富單那 若吉蔗 若毗陀羅 若犍馱 若烏摩
勒伽 若阿跋摩羅 若夜叉吉蔗 若人吉蔗 若
熱病 若一日 若二日 若三日 若四日 乃至七
日 若常熱病 若男形 若女形 若童男形 若
童女形 乃至夢中亦復莫惱 即於佛前而說
偈言
若不順我呪 惱亂說法者 頭破作七分 如阿梨樹枝
如殺父母罪 亦如押油殃 斗秤欺誑人 調達破僧罪

童女形乃至夢中亦復莫惱即於佛前而說
偈言
若不順我呪　惱乱說法者　頭破作七分　如阿梨樹枝
如殺父母罪　亦如押油殃　斗秤欺誑人　調達破僧罪
犯此法師者　當獲如是
諸羅剎女說此偈已白佛言世尊我等亦當身
自擁護受持讀誦脩行是經者令得安隱
離諸衰患消衆毒藥佛告諸羅剎女善哉善
汝等但能擁護受持法華名者福不可量何
況擁護具足受持供養經卷華香瓔珞末香塗
香燒香幡蓋伎樂燃種種燈蘇燈油燈諸
香油燈蘇摩那華油燈瞻蔔華油燈婆
婆師迦油燈優鉢羅華油燈如是等百千種供
養者皐諦汝等及眷屬應當擁護如是法
師說此陀羅尼品時六万八千人得无生法忍
妙法蓮華經妙莊嚴王本事品第二十七
尒時佛告諸大衆乃往古世過无量无邊不
可思議阿僧祇劫有佛名雲雷音宿王華智
多陀阿伽度阿羅訶三藐三佛陀國名光明
莊嚴劫名喜見彼佛法中有王名妙莊嚴其
王夫人名曰淨德有二子一名淨藏二名淨
眼是二子有大神力福德智慧久脩菩薩所
行之道所謂檀波羅蜜尸波羅蜜羼提波羅蜜
毗梨耶波羅蜜禪波羅蜜般若波羅蜜方
便波羅蜜慈悲喜捨乃至三十七助道法皆悉
明了通達又得菩薩淨　三昧日星宿三昧淨
光三昧淨色三昧淨照明三昧長莊嚴三昧
大威德藏三昧於此三昧亦　通達尒時彼
佛欲引導妙莊嚴王及愍念衆生故說是法
華經時淨藏淨眼二子到其母所合十指掌白
言願母往詣雲雷音宿王華智佛所我等亦

光三昧淨色三昧淨照明三昧長莊嚴三昧
大威德藏三昧於此三昧亦　通達尒時彼
佛欲引導妙莊嚴王及愍念衆生故說是法
華經時淨藏淨眼二子到其母所合十指掌白
言願母往詣雲雷音宿王華智佛所我等亦
當侍從親覲供養禮拜所以者何此佛於一
切天人衆中說法華經宜應聽受母告子言汝
父信受外道深著婆羅門法汝等應往白父
與共俱去淨藏淨眼合十指爪掌白母我等
是法王子而生此邪見家母告子言汝等當
憂念汝父為現神變若得見者心必清淨或
聽我等往至佛所於是二子念其父故踊在
虛空高七多羅樹現種種神變於虛空中行
住坐臥身上出水身下出火身下出水身上出
火或現大身滿虛空中而復現小小復現大
於空中滅忽然在地入地如水履水如地現如是
等種種神變令其父王心淨信解時父見子
神力如是心大歡喜得未曾有合掌向子言汝
等師為是誰誰之弟子二子白言大王彼雲雷
音宿王華智佛今在七寶菩提樹下法坐上坐
於一切世間天人衆中廣說法華經是我師我是
弟子父語子言我今亦欲見汝等師可共俱往
於是二子辭堪任發阿耨多羅三藐三菩提心
我等為父已作佛事願母見聽於彼佛所出
家脩道尒時二子欲重宣其意以偈白母
願母放我等　出家作沙門　諸佛甚難值　我等隨佛學
如優曇波羅　值佛復難是　脫諸難亦難　願聽我出家
母即告言聽汝出家所以者何佛難值故於是
二子白父母言善哉父母願時往詣雲雷音
宿王華智佛所親覲供養所以者何佛難得

…佛難值故於是
二子白父母言善哉父母願時往詣雲雷音
宿王華智佛所親覲供養所以者何佛難得
值如優曇鉢羅華又如一眼之龜值浮木孔
而我等宿福深厚生值佛法是故父母當
聽我等令得出家所以者何諸佛難值時亦
難遇彼時妙莊嚴王後宮八万四千人皆
堪任受持是法華經淨眼菩薩於法華三昧
久已通達淨藏菩薩已於无量百千万億劫
通達離諸惡趣三昧欲令一切眾生離諸惡
趣故其王夫人得諸佛集三昧能知諸佛祕密
之藏二子如是以方便力善化其父令心信
解好樂佛法於是妙莊嚴王與群臣眷屬
俱淨德夫人與後宮婇女眷屬俱其王二子
與四万二千人俱一時共詣佛所到已頭面
礼足遶佛三匝却住一面尒時彼佛為王說
法示教利喜王大歡悅尒時莊嚴王及其夫
人解頸珠珠瓔珞價直百千以散佛上於
虛空中化成四柱寶臺臺中有大寶床敷
百千万天衣其上有佛結跏趺坐放大光明
尒時妙莊嚴王作是念佛身希有端嚴殊特
成第一微妙之色時雲雷音宿王華智佛告
四眾言汝等見是妙莊嚴王於我前合掌立
不此王於我法中作比丘精懃脩習助佛道
法當作佛号娑羅樹王國名大光劫名大
高王其娑羅樹王佛有无量菩薩眾及无
量聲聞其國平正功德如是其王即時以國付
弟與夫人二子并諸眷屬於佛法中出家脩
道王出家已於八万四千歲常懃精進脩行妙
法華經過是已後得一切淨功德莊嚴三昧
即昇虛空高七多羅樹而白佛言世尊此二子

BD02329 號　妙法蓮華經卷七　（17–11）

道王出家已於八万四千歲常懃精進脩行妙
法華經過是已後得一切淨功德莊嚴三昧
即昇虛空高七多羅樹而白佛言世尊此二子
已作佛事以神通變化轉我邪心令得安住
於佛法中得見世尊此二子者是我善知識
為欲發起宿世善根饒益我故來生我家尒時
雲雷音宿王華智佛告妙莊嚴王言如是如
是如汝所言善男子善女人種善根故世世得
善知識其善知識能作佛事示教利喜令
入阿耨多羅三藐三菩提大王當知善知識
者是大因緣所謂化導令得見佛發阿耨多
羅三藐三菩提心大王汝見此二子不此二
子已曾供養六十五百千万億那由他恒河
沙諸佛親覲恭敬於諸佛所受持法華經愍念
邪見眾生令住正見妙莊嚴王即從虛空中
下而白佛言世尊如來甚希有以功德智慧
故頂上肉髻光明顯照其目長廣而紺青色
眉間毫相白如珂月齒白齊密常有光明
脣色赤好如頻婆菓尒時妙莊嚴王讚歎佛如
是等无量百千万億功德已於如來前一心
合掌復白佛言世尊未曾有也如來之法具
足成就不可思議微妙功德教戒所行安隱快
善我從今日不復自隨心行不生邪見憍慢
瞋恚諸惡之心說是語已礼佛而出佛告
大眾於意云何妙莊嚴王豈異人乎今華德
菩薩是其淨德夫人今佛前光照莊嚴相
菩薩是哀愍妙莊嚴王及諸眷屬故於彼中生
其二子者今藥王菩薩藥上菩薩是藥王藥
上菩薩成就如此諸大功德已於无量百千万

BD02329 號　妙法蓮華經卷七　（17–12）

菩薩是其淨德夫人今佛前光照莊嚴相
菩薩哀愍妙莊嚴王及諸眷屬故於彼中生
其二子者今藥王菩薩藥上菩薩是藥王藥
上菩薩成就如此諸大功德已於無量百千万
億諸佛所殖衆德本成就不可思議諸善功德若
有人識是二菩薩名字者一切世間諸天人民亦
應禮拜佛說是妙莊嚴王本事品時八万四千
人遠塵離垢於諸法中得法眼淨

妙法蓮華經普賢菩薩勸發品第二十八

尒時普賢菩薩以自在神通威德名聞與大
菩薩無量無邊不可稱數從東方來所經諸
國普皆震動雨寶蓮華作無量百千万億種
種伎樂又與無數諸天龍夜叉乾闥婆阿脩
羅迦樓羅緊那羅摩睺羅伽人非人等大衆
圍遶各現威德神通之力到娑婆世界耆闍
崛山中頭面禮釋迦牟尼佛右遶七匝白佛
言世尊我於寶威德上王佛國遥聞此娑婆
世界說法華經與無量無邊百千万億諸菩薩
衆共來聽受唯願世尊當爲說之若善男子善女
人於如來滅後云何能得是法華經佛告普
賢菩薩若善男子善女人成就四法於如來
滅後當得是法華經一者爲諸佛護念二者殖
諸德本三者入正定聚四者發救一切衆生之
心善男子善女人如是成就四法於如來滅後
必得是經尒時普賢菩薩白佛言世尊於
後五百歲濁惡世中其有受持是經典者我
當守護除其衰患令得安隱使無伺求得其
便者若魔若魔子若魔女若魔民若爲
魔所著若夜叉若羅剎若鳩槃茶若毗舍
闍若吉蔗若富單那

後五百歲濁惡世中其有受持是經典者我
當守護除其衰患令得安隱使無伺求得其
便者若魔若魔子若魔女若魔民若爲
魔所著若夜叉若羅剎若鳩槃茶若毗舍
闍若吉蔗若富單那若韋陁羅等諸惱人
者皆不得便是人若行若立讀誦此經我尒時
乘六牙白象王與大菩薩衆俱詣其所而自
現身供養守護安慰其心亦爲供養法華經
故是人若坐思惟此經尒時我復乘白象王現其
人前其人若於法華經有所忘失一句一偈我
當教之與共讀誦還令通利尒時受持讀誦
法華經者得見我身甚大歡喜轉復精進以
見我身故即得三昧及陁羅尼名爲旋陁
羅尼百千万億旋陁羅尼法音方便陁羅尼
得如是等陁羅尼世尊若後世後五百歲濁
惡世中比丘比丘尼優婆塞優婆夷求索
者受持者讀誦者書寫者欲脩習是法華
經於三七日中應一心精進滿三七日已我當
乘六牙白象與無量菩薩而自圍遶以一切
衆生所喜見身現其人前而爲說法示教
利喜亦復與其陁羅尼呪得是陁羅尼故無有
非人能破壞者亦不爲女人之所惑亂我身亦
自常護是人唯願世尊聽我說此陁羅尼
即於佛前而說呪曰
阿檀地途賣反一 檀陁婆地二 檀陁婆帝三 檀陁鳩舍
隷四 檀陁脩陁隷五 脩陁隷六 脩陁羅婆底七
佛䭾波羶禰八 薩婆陁羅尼阿婆多尼九 薩
婆婆沙阿婆多尼十 脩阿婆多尼十一 僧伽婆履叉尼
十二 僧伽涅伽陁尼十三 阿僧祇十四 僧伽波伽地十五
帝隷阿惰僧伽兜略盧遮反 婆羅帝十六 薩婆僧伽

隸四檀陀脩陀隸五脩陀隸六脩陀羅婆底七
佛馱波羶禰八薩婆陀羅尼阿婆多尼九薩
婆婆沙阿婆多尼十脩阿婆多尼十一僧伽婆履叉尼
十二僧伽涅伽陀尼十三阿僧祇十四僧伽波伽地十五
帝隸阿惰僧伽兜略盧遮反阿羅帝婆羅帝十六薩婆僧伽
三摩地伽蘭地十七薩婆達磨脩波利剎帝十八薩
婆薩埵樓馱憍舍略阿㝹伽地十九辛阿毗吉利地帝廿
世尊若有菩薩得聞是陀羅尼者當知普賢
神通之力若法華經行閻浮提有受持者應
作此念皆是普賢威神之力若有受持讀誦
正憶念解其義趣如說脩行當知是人行普
賢行於无量无邊諸佛所深種善根為諸
如來手摩其頭若但書寫是人命終當生
忉利天上是時八万四千天女作眾伎樂而來迎
之其人即著七寶冠於婇女中娛樂快樂何況
受持讀誦正憶念解其義趣如說脩行若有
人受持讀誦解其義趣是人命終為千佛授手
令不恐怖不墮惡趣即往兜率天上彌勒菩薩所
彌勒菩薩有卅二相大菩薩眾所共圍遶有
百千万億天女眷屬而於中生有如是等功
德利益是故智者應當一心自書若使人書受
持讀誦正憶念如說脩行世尊今以神通力
守護是經於如來滅後閻浮提內廣令流布
使不斷絕尒時釋迦牟尼佛讚言善哉善哉普
賢汝能護助是經令多所眾生安樂利益汝
已成就不可思議功德深大慈悲從久遠來發阿
耨多羅三藐三菩提意而能作神通之願守護
是經我當以神通力守護能受持普賢菩薩名
者普賢若有受持讀誦正憶念脩習書寫是法
華經者當知是人則見釋迦牟尼佛如從佛口聞

BD02329號　妙法蓮華經卷七　（17-15）

已成就不可思議功德深大慈悲從久遠來發阿
耨多羅三藐三菩提意而能作神通之願守護
是經我當以神通力守護能受持普賢菩薩名
者普賢若有受持讀誦正憶念脩習書寫是法
華經者當知是人則見釋迦牟尼佛如從佛口聞
此經典當知是人供養釋迦牟尼佛當知是
人佛
其頭當知是人為釋迦牟尼佛衣之所覆如是
之人不復貪著世樂不好外道經書手筆亦
復不喜親近其人及諸惡者若屠兒若畜
豬羊雞狗若獵師若衒賣女色是人心意質
直正憶念有福德力是人不為三毒所惱亦復
不為嫉妬我慢邪慢增上慢所惱是人少欲知足
能脩普賢之行普賢若如來滅後後五百歲若
有人見受持讀誦法華經者應作是念此人
不久當詣道場破諸魔眾得阿耨多羅三
藐三菩提轉輪法擊法鼓吹法蠡雨法雨當坐
天人大眾中師子法座上普賢若於後世受持
讀誦是經典者是人不復貪著衣服臥具飲
食資生之物所願不虛亦於現世得其福報
若有人輕毀之言汝狂人耳空作是行終无
所獲如是罪報當世世无眼若有供養讚歎
之者當於今世得現果報若復見受持是經
者出其過惡若實若不實此人現世得白癩
病若有輕笑之者當世世牙齒疏缺醜脣平鼻
手腳繚戾眼目角睞身體臭穢惡瘡膿血
水腹短氣諸惡重病是故普賢若見受持是經
者當起遠迎當如敬佛說是普賢勸發品時
恒河沙等无量无邊菩薩得百千万億旋陀
羅尼三千大千世界微塵等諸菩薩具普賢

BD02329號　妙法蓮華經卷七　（17-16）

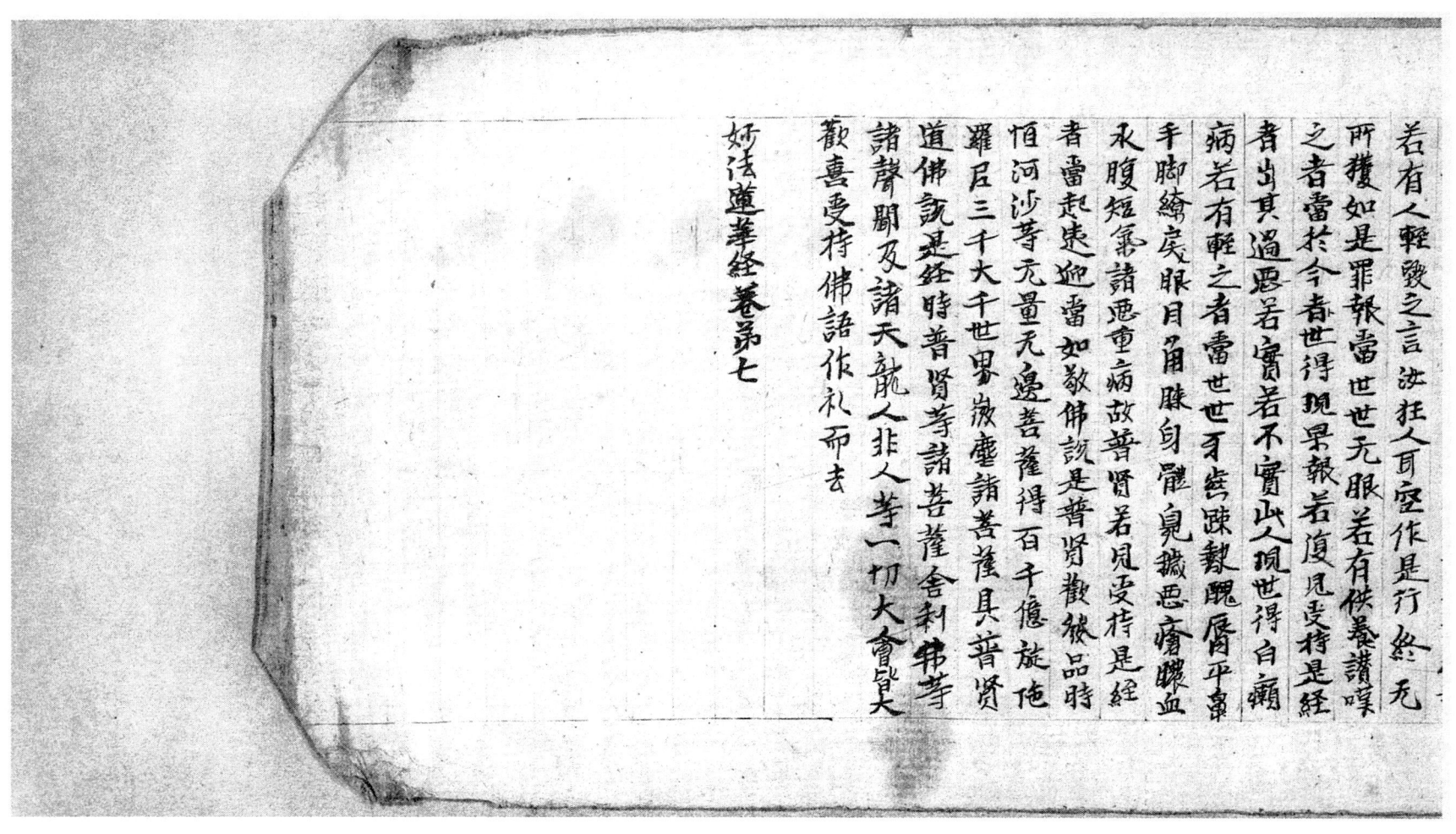

若有人輕毀之言汝狂人耳空作是行終无所獲如是罪報當世世无眼若有供養讚嘆之者當於今世得現果報若復見受持是經者出其過惡若實若不實此人現世得白癩病若有輕之者當世世牙齒疎缺醜脣平鼻手脚繚戾眼目角睞身體臭穢惡瘡膿血水腹短氣諸惡重病故普賢若見受持是經者當起遠迎當如敬佛說是普賢勸發品時恒河沙等无量无邊菩薩得百千億旋陀羅尼三千大千世界微塵等諸菩薩具普賢道佛說是經時普賢等諸菩薩舍利弗等諸聲聞及諸天龍人非人等一切大會皆大歡喜受持佛語作礼而去

妙法蓮華經卷第七

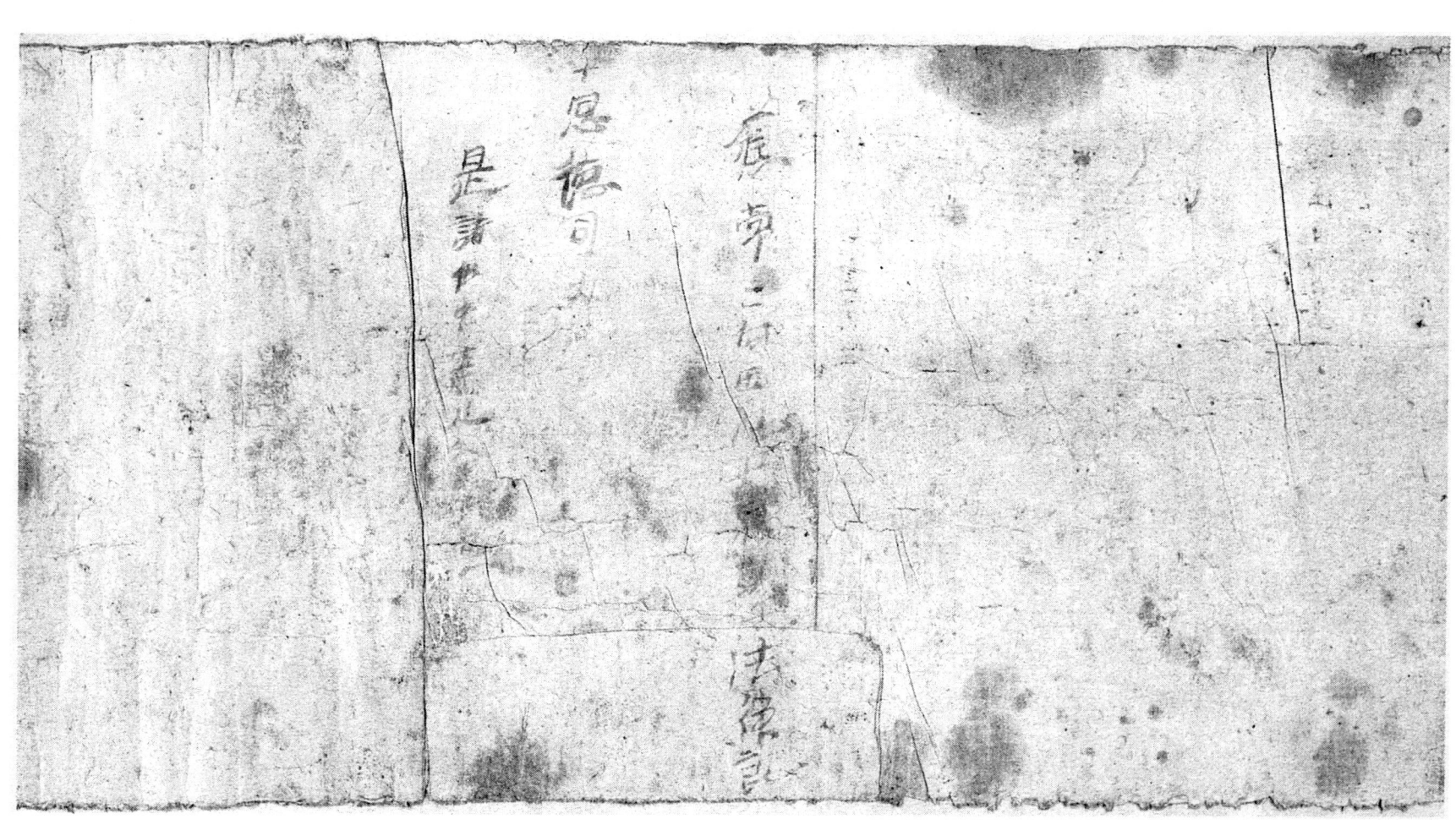

BD02329號　妙法蓮華經卷七　　（17–17）

[illegible]

恩德司[illegible]

是諸[illegible]

BD02329號背　雜寫　　（1–1）

不不也世尊如來不應以具足諸相見何以
故如來說諸相具足即非具足是名諸相具
足須菩提汝勿謂如來作是念我當有所說
法莫作是念何以故若人言如來有所說法
即爲謗佛不能解我所說故須菩提說法
者无法可說是名說法
須菩提白佛言世尊佛得阿耨多羅三藐三
菩提爲无所得耶如是如是須菩提我於阿
耨多羅三藐三菩提乃至无有少法可得是
名阿耨多羅三藐三菩提復次須菩提是法
平等无有高下是名阿耨多羅三藐三菩提
以无我无人无衆生无壽者脩一切善法則
得阿耨多羅三藐三菩提須菩提所言善法
者如來說非善法是名善法
須菩提若三千大千世界中所有諸須弥山
王如是等七寶聚有人持用布施若人以此
般若波羅蜜經乃至四句偈等受持讀誦爲
他人說於前福德百分不及一百千万億分乃
至筭數譬喩所不能及

BD02330號　金剛般若波羅蜜經　（4–1）

王如是等七寶聚有人持用布施若人以此
般若波羅蜜經乃至四句偈等受持讀誦爲
他人說於前福德百分不及一百千万億分乃
至筭數譬喩所不能及
須菩提於意云何汝等勿謂如來作是念我
當度衆生須菩提莫作是念何以故實无有
衆生如來度者若有衆生如來度者如來則
有我人衆生壽者須菩提如來說有我者則
非有我而凡夫之人以爲有我須菩提凡夫
者如來說則非凡夫
須菩提於意云何可以三十二相觀如來不
須菩提言如是如是以三十二相觀如來佛言須
菩提若以三十二相觀如來者轉輪聖王則是
如來須菩提白佛言世尊如我解佛所說義
不應以三十二相觀如來尒時世尊而說偈言
若以色見我以音聲求我是人行邪道不能見如來
須菩提汝若作是念如來不以具足相故得
阿耨多羅三藐三菩提須菩提莫作是念如
來不以具足相故得阿耨多羅三藐三菩提
須菩提汝若作是念發阿耨多羅三藐三
菩提者說諸法斷滅相作是念何以故發阿
耨多羅三藐三菩提者於法不說斷滅相須
菩提若菩薩以滿恒河沙等世界七寶布施若
復有人知一切法无我得成於忍此菩薩勝
前菩薩所得功德須菩提以諸菩薩不受福

BD02330號　金剛般若波羅蜜經　（4–2）

耨多羅三藐三菩提者於法不說斷滅相須
菩提若菩薩以滿恒河沙等世界七寶布施若
復有人知一切法无我得成於忍此菩薩勝
前菩薩所得功德須菩提以諸菩薩不受福
德故須菩提白佛言世尊云何菩薩不受福
德須菩提菩薩所作福德不應貪著是故
說不受福德
須菩提若有人言如來若來若去若坐若
卧是人不解我所說義何以故如來者无
所從來亦无所去故名如來
須菩提若善男子善女人以三千大千世界
碎爲微塵於意云何是微塵衆寧爲多不甚
多世尊何以故若是微塵衆實有者佛則不
說是微塵衆所以者何佛說微塵衆則非微
塵衆是名微塵衆世尊如來所說三千大千
世界則非世界是名世界何以故若世界實
有者則是一合相如來說一合相則非一合
相是名一合相須菩提一合相者則是不
可說但凡夫之人貪著其事須菩提若人言
佛說我見人見衆生見壽者見須菩提於
意云何是人解我所說義不世尊是人不解如
來所說義何以故世尊說我見人見衆生見壽
者見即非我見人見衆生見壽者見是名我
見人見衆生見壽者見須菩提發阿耨多羅
三藐三菩提心者於一切法應如是知如是

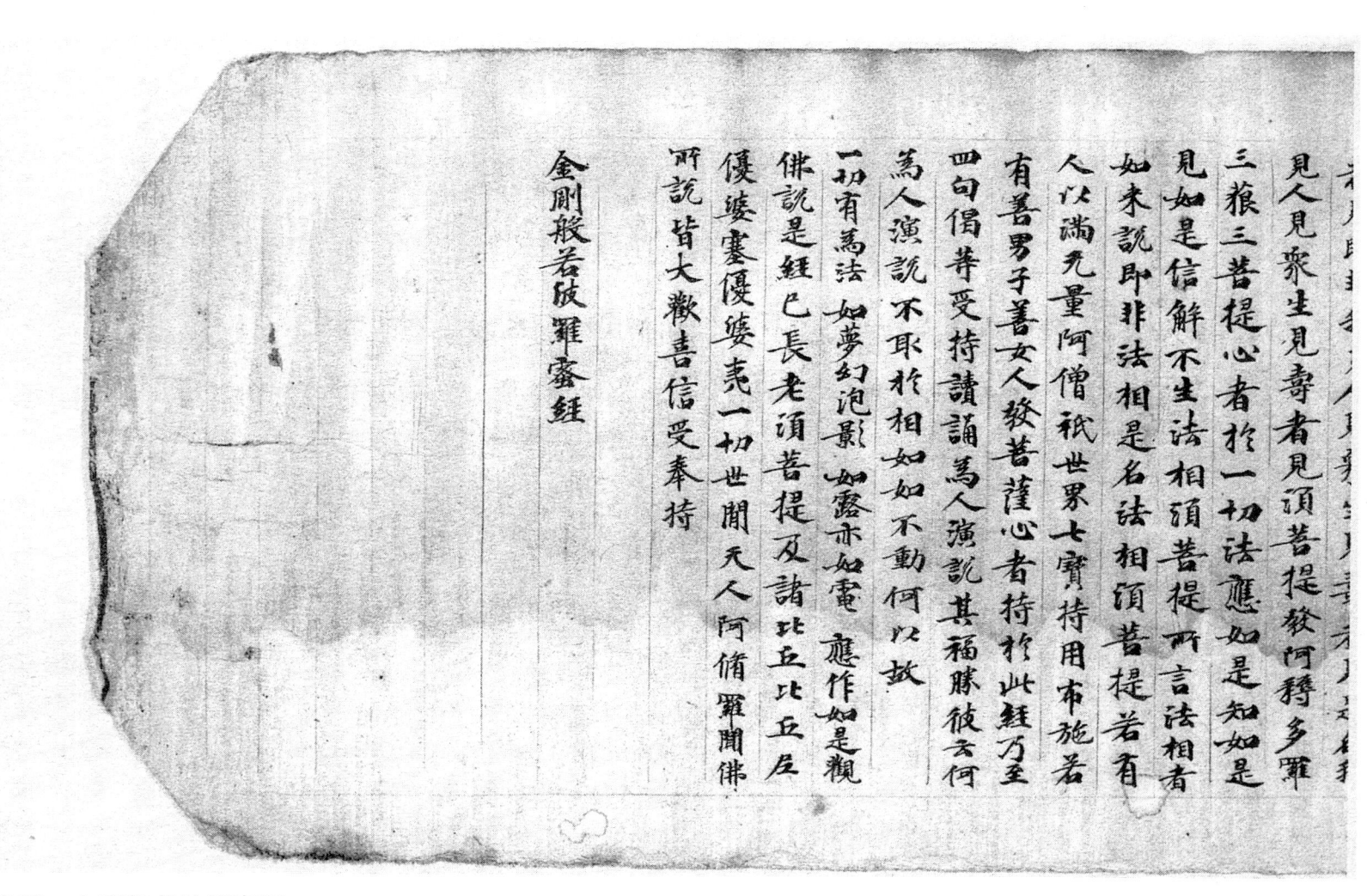

BD02330 號　金剛般若波羅蜜經　（4–3）

者見即非我見人見衆生見壽者見是名我
見人見衆生見壽者見須菩提發阿耨多羅
三藐三菩提心者於一切法應如是知如是
見如是信解不生法相須菩提所言法相者
如來說即非法相是名法相須菩提若有
人以滿无量阿僧祇世界七寶持用布施若
有善男子善女人發菩薩心者持於此經乃至
四句偈等受持讀誦爲人演說其福勝彼云何
爲人演說不取於相如如不動何以故
一切有爲法　如夢幻泡影　如露亦如電　應作如是觀
佛說是經已長老須菩提及諸比丘比丘尼
優婆塞優婆夷一切世間天人阿脩羅聞佛
所說皆大歡喜信受奉持

金剛般若波羅蜜經

BD02330 號　金剛般若波羅蜜經　（4–4）

淨四无所畏乃至十八佛不共法清淨故般
若波羅蜜多清淨善現佛十力无生无滅无
染无淨故清淨佛十力清淨故般若波羅蜜
多清淨四无所畏乃至十八佛不共法无生
无滅无染无淨故清淨四无所畏乃至十八
佛不共法清淨故般若波羅蜜多清淨
佛言善現无忘失法清淨故般若波羅蜜多
清淨恒住捨性清淨故般若波羅蜜多清淨
世尊云何无忘失法清淨故般若波羅蜜多
清淨恒住捨性清淨故般若波羅蜜多清淨
善現无忘失法无生无滅无染无淨故清淨
无忘失法清淨故般若波羅蜜多清淨恒住
捨性无生无滅无染无淨故清淨恒住捨性
清淨故般若波羅蜜多清淨
佛言善現一切智清淨故般若波羅蜜多清
淨道相智一切相智清淨故般若波羅蜜多
清淨世尊云何一切智清淨故般若波羅蜜
多清淨道相智一切相智清淨故般若波羅
蜜多清淨善現一切智无生无滅无染无淨故
清淨一切智清淨故般若波羅蜜多清淨
道相智一切相智无生无滅无染无淨故清

BD02331號　大般若波羅蜜多經卷二九三　（6–1）

清淨世尊云何一切智清淨故般若波羅蜜
多清淨道相智一切相智清淨故般若波羅
蜜多清淨善現一切智无生无滅无染无淨故
清淨一切智清淨故般若波羅蜜多清淨
道相智一切相智无生无滅无染无淨故清
淨道相智一切相智清淨故般若波羅蜜多
清淨
佛言善現一切陁羅尼門清淨故般若波羅
蜜多清淨一切三摩地門清淨故般若波羅
蜜多清淨世尊云何一切陁羅尼門清淨故
般若波羅蜜多清淨一切三摩地門清淨故
般若波羅蜜多清淨善現一切陁羅尼門无
生无滅无染無淨故清淨一切陁羅尼門清
淨故般若波羅蜜多清淨一切三摩地門无
生无滅無染无淨故清淨一切三摩地門清
淨故般若波羅蜜多清淨
佛言善現預流果清淨故般若波羅蜜多清
淨一來不還阿羅漢果清淨故般若波羅蜜
多清淨世尊云何預流果清淨故般若波羅
蜜多清淨一來不還阿羅漢果清淨故般若
波羅蜜多清淨善現預流果无生无滅无染
无淨故清淨預流果清淨故般若波羅蜜多
清淨一來不還阿羅漢果无生无滅无染无
淨故清淨一來不還阿羅漢果清淨故般若
波羅蜜多清淨
佛言善現獨覺菩提清淨故般若波羅蜜多
清淨世尊云何獨覺菩提清淨故般若波羅

BD02331號　大般若波羅蜜多經卷二九三　（6–2）

清淨一来不還阿羅漢果无生无滅无染无
淨故清淨一来不還阿羅漢果清淨故般若
波羅蜜多清淨
佛言善現獨覺菩提清淨故般若波羅蜜多
清淨世尊云何獨覺菩提清淨故般若波羅
蜜多清淨善現獨覺菩提无生无滅无染无
淨故清淨獨覺菩提清淨故般若波羅蜜多
清淨
佛言善現一切菩薩摩訶薩行清淨故般若
波羅蜜多清淨世尊云何一切菩薩摩訶薩
行清淨故般若波羅蜜多清淨善現一切菩
薩摩訶薩行无生无滅无染无淨故清淨一
切菩薩摩訶薩行清淨故般若波羅蜜多清
淨佛言善現諸佛无上正等菩提清淨故般
若波羅蜜多清淨世尊云何諸佛无上正等
菩提清淨故般若波羅蜜多清淨善現諸佛
无上正等菩提无生无滅无染无淨故清淨
諸佛无上正等菩提清淨故般若波羅蜜多
清淨
復次善現虛空清淨故般若波羅蜜多清淨
世尊云何虛空清淨故般若波羅蜜多清淨
善現虛空无生无滅无染无淨故清淨虛空
清淨故般若波羅蜜多清淨
復次善現色无染汙故般若波羅蜜多清淨
受想行識无染汙故般若波羅蜜多清淨世
尊云何色无染汙故般若波羅蜜多清淨受

BD02331 號　大般若波羅蜜多經卷二九三　（6–3）

清淨故般若波羅蜜多清淨
復次善現色无染汙故般若波羅蜜多清淨
受想行識无染汙故般若波羅蜜多清淨世
尊云何色无染汙故般若波羅蜜多清淨受
想行識无染汙故般若波羅蜜多清淨善現
色不可取故无染汙色無染汙故般若波羅
蜜多清淨受想行識不可取故无染汙受想
行識无染汙故般若波羅蜜多清淨佛言善
現眼處無染汙故般若波羅蜜多清淨耳鼻
舌身意處无染汙故般若波羅蜜多清淨世
尊云何眼處无染汙故般若波羅蜜多清淨
耳鼻舌身意處无染汙故般若波羅蜜多清
淨善現眼處不可取故无染汙眼處无染汙
故般若波羅蜜多清淨耳鼻舌身意處不可
取故无染汙耳鼻舌身意處无染汙故般若
波羅蜜多清淨佛言善現色處无染汙故般若
波羅蜜多清淨聲香味觸法處无染汙故般
若波羅蜜多清淨世尊云何色處无染汙故
般若波羅蜜多清淨聲香味觸法處无染汙
故般若波羅蜜多清淨善現色處不可取
故无染汙色處无染汙故般若波羅蜜多清
淨聲香味觸法處不可取故无染汙聲香味
觸法處无染汙故般若波羅蜜多清淨
佛言善現眼界无染汙故般若波羅蜜多清
淨色界眼識界及眼觸眼觸為緣所生諸受
无染汙故般若波羅蜜多清淨世尊云何眼

BD02331 號　大般若波羅蜜多經卷二九三　（6–4）

佛言善現眼界无染汙故般若波羅蜜多清淨色界眼識界及眼觸眼觸為緣所生諸受无染汙故般若波羅蜜多清淨世尊云何眼界无染汙故般若波羅蜜多清淨色界乃至眼觸為緣所生諸受无染汙故般若波羅蜜多清淨善現眼界不可取故无染汙眼界无染汙故般若波羅蜜多清淨色界乃至眼觸為緣所生諸受不可取故无染汙色界乃至眼觸為緣所生諸受无染汙故般若波羅蜜多清淨佛言善現耳界无染汙故般若波羅蜜多清淨聲界耳識界及耳觸耳觸為緣所生諸受无染汙故般若波羅蜜多清淨世尊云何耳界无染汙故般若波羅蜜多清淨聲界乃至耳觸為緣所生諸受无染汙故般若波羅蜜多清淨善現耳界不可取故无染汙耳界无染汙故般若波羅蜜多清淨聲界乃至耳觸為緣所生諸受不可取故无染汙聲界乃至耳觸為緣所生諸受无染汙故般若波羅蜜多清淨佛言善現鼻界无染汙故般若波羅蜜多清淨香界鼻識界及鼻觸鼻觸為緣所生諸受无染汙故般若波羅蜜多清淨世尊云何鼻界无染汙故般若波羅蜜多清淨香界乃至鼻觸為緣所无諸受无染汙故般若波羅蜜多清淨善現鼻界不可取故无染汙鼻界无染汙故般若波羅蜜多清淨香界乃至鼻觸為緣所生諸受不可取故无

BD02331 號　大般若波羅蜜多經卷二九三　（6–5）

多清淨佛言善現耳界无染汙故般若波羅蜜多清淨聲界耳識界及耳觸耳觸為緣所生諸受无染汙故般若波羅蜜多清淨世尊云何耳界无染汙故般若波羅蜜多清淨聲界乃至耳觸為緣所生諸受无染汙故般若波羅蜜多清淨善現耳界不可取故无染汙耳界无染汙故般若波羅蜜多清淨聲界乃至耳觸為緣所生諸受不可取故无染汙聲界乃至耳觸為緣所生諸受无染汙故般若波羅蜜多清淨佛言善現鼻界无染汙故般若波羅蜜多清淨香界鼻識界及鼻觸鼻觸為緣所生諸受无染汙故般若波羅蜜多清淨世尊云何鼻界无染汙故般若波羅蜜多清淨香界乃至鼻觸為緣所无諸受无染汙故般若波羅蜜多清淨善現鼻界不可取故无染汙鼻界无染汙故般若波羅蜜多清淨香界乃至鼻觸為緣所生諸受不可取故无染汙香界乃至鼻觸為緣所生諸受无染汙故般若波羅蜜多清淨佛言善現舌界无染汙故般若波羅蜜多清淨味界舌識界及舌

BD02331 號　大般若波羅蜜多經卷二九三　（6–6）

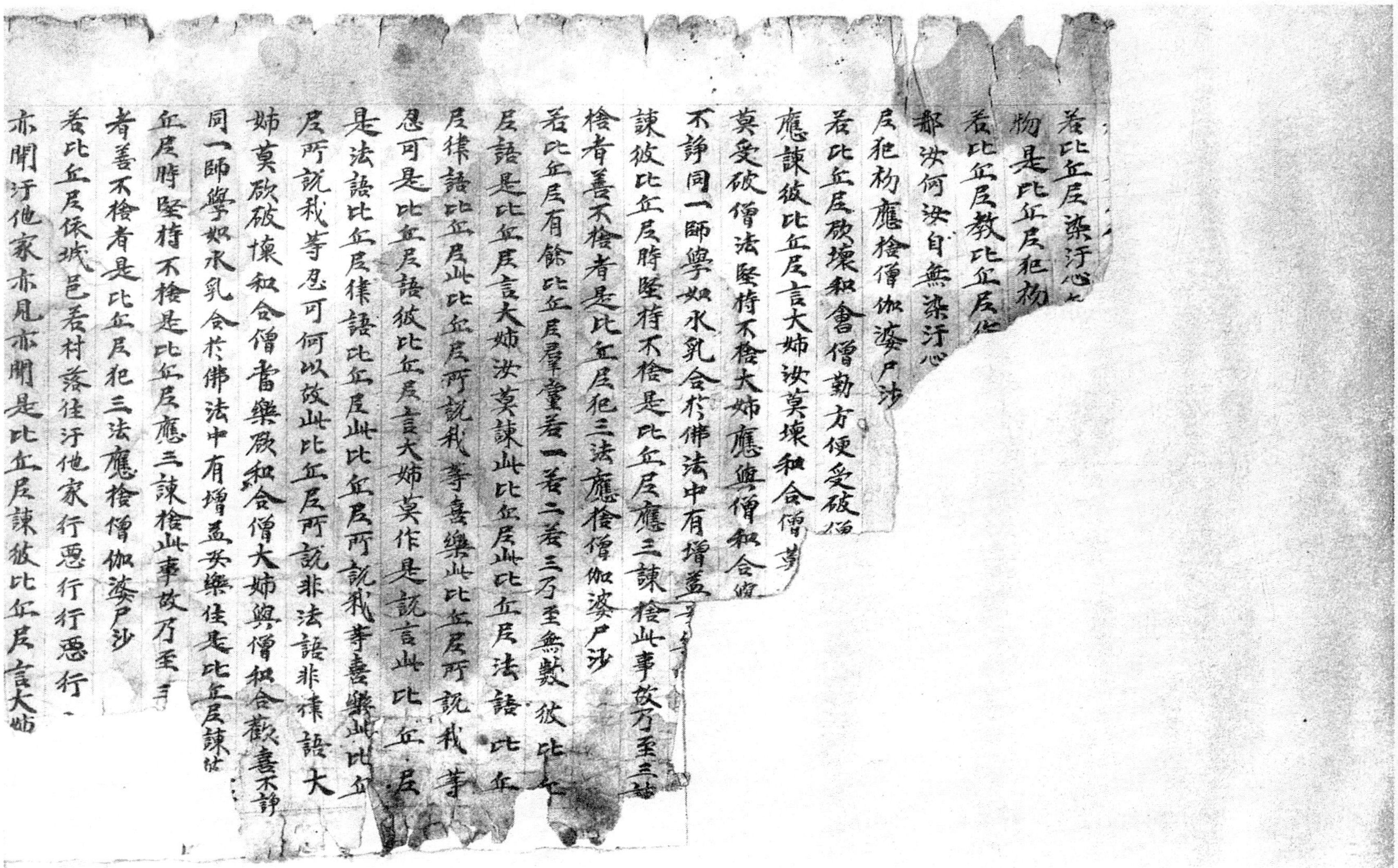

若比丘尼染汙心
物是比丘尼犯初
若比丘尼教比丘尼作
那汝何汝自無染汙心
尼犯初應捨僧伽婆尸沙
若比丘尼欲壞和合僧勤方便受破僧
應諫彼比丘尼言大姊汝莫壞和合僧莫
莫受破僧法堅持不捨大姊應與僧和合與僧
不諍同一師學如水乳合於佛法中有增益
諫彼比丘尼時堅持不捨是比丘尼應三諫捨此事故乃至三諫
捨者善不捨者是比丘尼犯三法應捨僧伽婆尸沙
若比丘尼有餘比丘尼群黨若一若二若三乃至無數彼比丘
尼語是比丘尼言大姊汝莫諫此比丘尼此比丘尼是法語比丘
尼律語比丘尼此比丘尼所說我等喜樂此比丘尼所說我等
忍可是比丘尼語彼比丘尼言大姊莫作是說言此比丘尼
是法語比丘尼律語比丘尼此比丘尼所說我等喜樂此比丘
尼所說我等忍可何以故此比丘尼所說非法語非律語大
姊莫欲破壞和合僧當樂欲和合僧大姊與僧和合歡喜不諍
同一師學如水乳合於佛法中有增益安樂住是比丘尼諫彼
比丘尼時堅持不捨是比丘尼應三諫捨此事故乃至三
者善不捨者是比丘尼犯三法應捨僧伽婆尸沙
若比丘尼依城邑若村落住汙他家行惡行行惡行
亦聞汙他家亦見亦聞是比丘尼諫彼比丘尼言大姊

BD02332號　四分比丘尼戒本　（23–1）

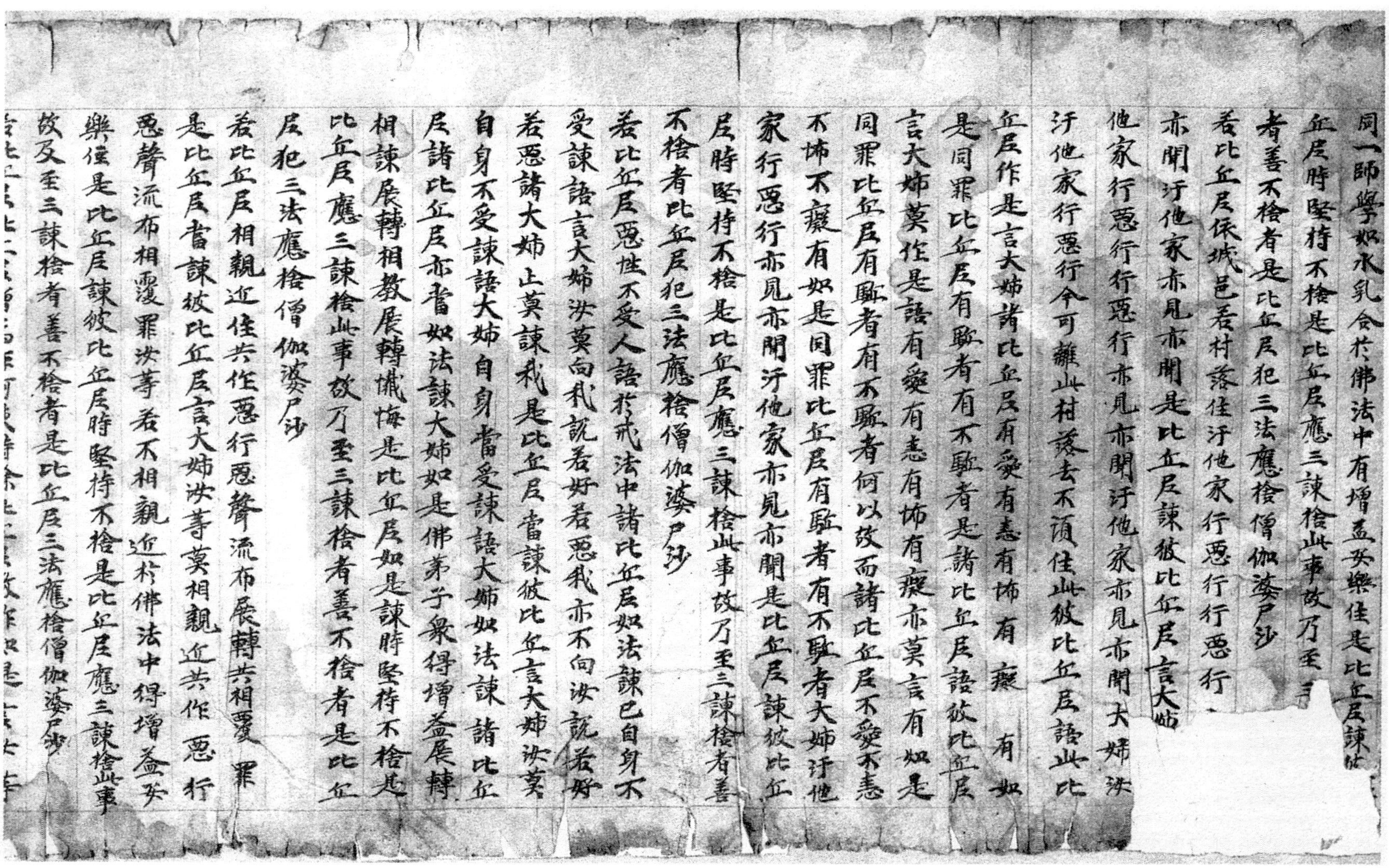

同一師學如水乳合於佛法中有增益安樂住是比丘尼諫彼
比丘尼時堅持不捨是比丘尼應三諫捨此事故乃至三
者善不捨者是比丘尼犯三法應捨僧伽婆尸沙
若比丘尼依城邑若村落住汙他家行惡行行惡行
亦聞汙他家亦見亦聞是比丘尼諫彼比丘尼言大姊
他家行惡行行惡行亦見亦聞汙他家亦見亦聞大姊汝
汙他家行惡行今可離此村落去不須住此彼比丘尼語此比
丘尼作是言大姊諸比丘尼有愛有恚有怖有癡有如
是同罪比丘尼有驅者有不驅者是諸比丘尼語彼比丘尼
言大姊莫作是語有愛有恚有怖有癡有如是
同罪比丘尼有驅者有不驅者何以故而諸比丘尼不愛不恚
不怖不癡有如是同罪比丘尼有驅者有不驅者大姊汙他
家行惡行亦見亦聞汙他家亦見亦聞是比丘尼諫彼比丘
尼時堅持不捨是比丘尼應三諫捨此事故乃至三諫捨者善
不捨者比丘尼犯三法應捨僧伽婆尸沙
若比丘尼惡性不受人語於戒法中諸比丘尼如法諫已自身不
受諫語言大姊汝莫向我說若好若惡我亦不向汝說若好
若惡諸大姊止莫諫我是比丘尼言大姊汝莫
自身不受諫語大姊自身當受諫語大姊如法諫諸比丘
尼諸比丘尼亦當如法諫大姊如是佛弟子眾得增益展轉
相諫展轉相教展轉懺悔是比丘尼如是諫時堅持不捨是
比丘尼應三諫捨此事故乃至三諫捨者善不捨者是比丘
尼犯三法應捨僧伽婆尸沙
若比丘尼相親近住共作惡行惡聲流布展轉共相覆罪
是比丘尼當諫彼比丘尼言大姊汝等莫相親近共作惡行
惡聲流布相覆罪汝等若不相親近於佛法中得增益安
樂住是比丘尼諫彼比丘尼時堅持不捨是比丘尼應三諫捨此事
故乃至三諫捨者善不捨者是比丘尼三法應捨僧伽婆尸沙
[illegible]

BD02332號　四分比丘尼戒本　（23–2）

惡聲流布相覆罪汝等若不相親近於佛法中得增益安
樂住是比丘尼諫彼比丘尼時堅持不捨是比丘尼應三諫捨此事
故乃至三諫捨者善不捨者是比丘尼三法應捨僧伽婆尸沙
若比丘尼比丘尼僧為作呵諫時餘比丘尼教作如是言汝等
莫別住當共住我亦見餘比丘尼不別住共作惡行惡聲流
布共相覆罪僧以恚故教汝等別住是比丘尼應諫彼比丘
尼言大姊汝莫教餘比丘尼言汝等莫別住我亦見餘比丘
尼共住共作惡行惡聲流布共相覆罪僧以恚故教汝等
別住今正有此二比丘尼共住共作惡行惡聲流布共相
覆罪更無有餘若此比丘尼別住於佛法中有增益安樂
住是比丘尼諫彼比丘尼時堅持不捨是比丘尼應三諫令捨
此事故乃至三諫捨者善不捨者是比丘尼犯三法應捨僧伽婆尸沙
若比丘尼趣以一小事瞋恚不喜便作是語我捨佛捨法捨僧
不獨有此沙門釋子亦更有餘沙門婆羅門脩梵行者我等
亦可於彼脩梵行是比丘尼當諫彼比丘尼言大姊汝莫
趣以一小事瞋恚不喜便作是語我捨佛捨法捨僧不獨
有此沙門釋子亦更有餘沙門婆羅門脩梵行者我等亦
可於彼脩梵行是比丘尼諫彼比丘尼時堅持不捨彼比
丘尼應三諫捨此事故乃至三諫捨者善不捨者是比丘
尼犯三法應捨僧伽婆尸沙
若比丘尼喜鬪諍不善憶持諍事後瞋恚作是語僧有愛
有恚有怖有癡是比丘尼應諫彼比丘尼言妹汝莫喜
鬪諍不善憶持諍事後瞋恚作是語僧有愛有恚有
怖有癡而僧不愛不恚不怖不癡汝自有愛有恚有怖
有癡是比丘尼諫彼比丘尼時堅持不捨彼比丘尼應三諫
捨此事故乃至三諫捨者善不捨者是比丘尼犯三法
應捨僧伽婆尸沙
諸大姊我已說十七僧伽婆尸沙法九初犯罪八乃至三諫

BD02332號　四分比丘尼戒本　（23–3）

有癡是比丘尼諫彼比丘尼時堅持不捨彼比丘尼應三諫
捨此事故乃至三諫捨者善不捨者是比丘尼犯三法
應捨僧伽婆尸沙
諸大姊我已說十七僧伽婆尸沙法九初犯罪八乃至三諫
若比丘尼犯一一罪應半月二部僧中行摩那埵已餘有
出罪應二部僧中各二十衆出是比丘尼罪若少一人不滿
四十衆是比丘尼罪不得除諸比丘尼亦可呵此是時今問
諸大姊是中清淨不 三說
諸大姊是中清淨默然故是事如是持
諸大姊是三十尼薩耆波逸提法半月半月說戒中來若比
丘尼衣已竟迦絺那衣已捨畜長衣經十日不淨施得持
若過者尼薩耆波逸提
若比丘尼衣已竟迦絺那衣已捨五衣中若離一一衣異處宿
經一夜除僧羯磨尼薩耆波逸提
若比丘尼衣已竟迦絺那衣已捨若得非時衣欲須便受
受已疾疾成衣若足者善若不足者得畜一月為滿足
故若過畜者尼薩耆波逸提
若比丘尼從非親里居士居士婦乞衣除餘時尼薩耆波
逸提是中時者若奪衣失衣燒衣漂衣是名時
若比丘尼奪衣失衣燒衣漂衣是非親里居士居士婦自
恣請多與衣是比丘尼當知足受衣若過者尼薩耆波逸提
若居士居士婦為比丘尼辦衣價具如衣價與某甲比丘尼是比
丘尼先不受自恣請到居士家作如是說善哉居士為我辦如
是如是衣價與我為好故若得衣者尼薩耆波逸提
若二居士居士婦與比丘尼辦衣價我曹辦如是衣價與某甲
比丘尼是比丘尼先不受自恣請到二居士家作如是言善
哉居士辦如是如是衣價與我共作一衣為好故若得衣者
尼薩耆波逸提

BD02332號　四分比丘尼戒本　（23–4）

我居士辦如是如是衣價與我共作一衣為好故若得衣者
尼薩波逸提
若比丘尼若王若大臣若婆羅門若居士居士婦遣使為比
丘尼送衣價持如是衣價與某甲比丘尼彼使至比丘尼所
語言阿姨為汝送衣價受取是比丘尼語彼使如是言我
不應受此衣價我若須衣合時清淨當受彼使語比丘尼言
阿姨有執事人不須衣比丘尼言有僧伽藍民若優婆塞
此是比丘尼執事人常為比丘尼執事彼使至執事人所與
衣價已還到比丘尼所如是言阿姨所示某甲執事人我已
與衣價大姊知時往彼當得衣比丘尼若須衣者當往執事
人所二反語言我須衣若二反三反為作憶念得衣者善若
不得衣四反五反六反在前默然住令彼憶念若四反五反六
反在前默然住得衣者善若不得衣過是求得衣者尼薩
耆波逸提若不得衣隨彼使所來處若自往若遣使往語
言汝先遣使持衣價與某甲比丘尼是比丘尼竟不得汝還
取莫使失此時
若比丘尼自取金銀若錢若教人取若口可受者尼薩耆波逸提
若比丘尼種種買賣寶物者尼薩耆波逸提
若比丘尼種種販賣者尼薩耆波逸提
若比丘尼鉢減五綴不漏更求新鉢為好故尼薩耆波逸提
是比丘尼當持此鉢於尼眾中捨從次第貿至下坐以下坐與
此比丘尼言妹持此鉢乃至破此是時
若比丘尼自求縷使非親里織師織作衣者尼薩耆波逸提
若比丘尼居士居士婦使織師為比丘尼織作衣彼比丘尼先不
受自恣請便往到彼所語織師言此衣為我織極好織令廣
長堅緻齊整好我當少多與汝價若比丘尼與價乃至一食
直得衣者尼薩耆波逸提
若比丘尼與比丘尼衣已後嗔恚若自奪若教人奪取還我

受自恣請便往到彼所語織師言此衣為我織極好織令廣
長堅緻齊整好我當少多與汝價若比丘尼與價乃至一食
直得衣者尼薩耆波逸提
若比丘尼與比丘尼衣已後嗔恚若自奪若教人奪取還我
衣來不與汝是比丘尼應還衣彼取衣者尼薩耆波逸提
若諸病比丘尼畜藥蘇油生蘇蜜石蜜得食殘宿乃至
七日得服若過七日服者尼薩耆波逸提
若比丘尼十日未滿夏三月若有急施衣比丘尼知是急施衣應
受受已乃至依時應畜若過畜者尼薩耆波逸提
若比丘尼知物向僧自求入已者尼薩耆波逸提
若比丘尼欲索是更索彼者尼薩耆波逸提
若比丘尼知檀越所為僧施異廻作餘用者尼薩耆波逸提
若比丘尼所為施物異自求為僧廻作餘用者尼薩耆波逸提
若比丘尼檀越所為施物異廻作餘用者尼薩耆波逸提
若比丘尼檀越所為施物異自求為僧廻作餘用者尼薩耆波逸提
若比丘畜長鉢尼薩耆波逸提
若比丘尼多畜好色器者尼薩耆波逸提
若比丘尼許比丘尼病衣後不與者尼薩耆波逸提
若比丘尼以非時衣受作時衣者尼薩耆波逸提
若比丘尼與比丘尼貿易衣後瞋恚還自奪取若使人奪
妹還我衣來我不與汝衣屬汝我衣還我者尼薩耆波
逸提
若比丘尼乞重衣齊價直四張疊過者尼薩耆波逸提
若比丘尼欲乞輕衣極至價直兩張半疊過者尼薩耆波逸提
諸大姊我已說三十尼薩耆波逸提法今問諸大姊是清淨不諸
大姊是中清淨默然故是事如是持
諸大姊是一百七十八波逸提法半月半月說戒經中來
若比丘尼故妄語者波逸提　若比丘尼毀呰語者波逸提

諸大姊是一百七十八波逸提法半月半月說戒經中來
若比丘尼故妄語者波逸提　若比丘尼毀呰語者波逸提
若比丘尼兩舌語者波逸提　若比丘尼與男子同室宿者波逸提
若比丘尼共未受戒女人同一室宿若過三宿波逸提
若比丘尼與未受大戒人共誦法者波逸提
若比丘尼知他有麤惡罪向未受大戒人說除僧羯磨波逸提
若比丘尼向未受大戒人說過人法言我見是我知是實
者波逸提
若比丘尼與男子說法過五六語除有知女人波逸提
若比丘尼自掘地若教人掘者波逸提
若比丘尼壞鬼神村者波逸提
若比丘尼妄作異語惱他者波逸提　若比丘尼嫌罵者波逸提
若比丘尼取僧繩床若木床若臥具坐蓐露地自敷若
教人敷捨去不自舉不教舉波逸提
若比丘尼於僧房中取僧臥具自敷若教人敷在中若坐若
臥從彼處捨去不自舉不教人舉波逸提
若比丘尼先住處後來於中間敷臥具止宿念言彼若
嫌迮者自當避我去作如是因緣非餘非威儀波逸提
若比丘尼瞋他比丘尼不喜眾僧房中若自牽出若教人牽出
者波逸提
若比丘尼在房重閣上脫脚繩床若木床若坐若臥者波逸提
若比丘尼知水有虫自用澆泥若澆草若教人澆者波逸提
若比丘尼作大房戶扉窗牖及餘莊飾具指授覆苫齊二三
節若過者波逸提
若施一食處無病比丘尼應一食若過受者波逸提
若比丘尼別眾食除餘時波逸提餘時者病時作衣時若施
衣時道行時船行時大會時沙門施食時此是時
若比丘尼至檀越家慇懃請與餅麨飯比丘尼欲須者二三缽

BD02332號　四分比丘尼戒本　（23–7）

若施一食處無病比丘尼應一食若過受者波逸提
若比丘尼別眾食除餘時波逸提餘時者病時作衣時若施
衣時道行時船行時大會時沙門施食時此是時
若比丘尼至檀越家慇懃請與餅麨飯比丘尼欲須者二三缽
應受持至寺內分與餘比丘尼食若比丘尼無病過三缽
受持至寺中不分與餘比丘尼食者波逸提
若比丘尼非時食者波逸提　若比丘尼殘宿食食者波逸提
若比丘尼不受食若藥著口中除水及楊枝波逸提
若比丘尼先受請已前食若後食行詣餘家不囑餘比丘尼除
餘時波逸提餘時者病時作衣時施衣時此是時
若比丘尼食家中有寶在屏處坐者波逸提
若比丘尼食家中有寶纏安坐者波逸提
若比丘尼獨與男子露地一處共坐者波逸提
若比丘尼語比丘尼如是語大姊共汝至聚落當與汝食彼比
丘尼竟不教與比丘尼食如是言大姊去我與汝一處共
坐共語不樂我獨坐獨語樂以是因緣非餘方便遣去者
波逸提
請比丘尼四月與藥無病比丘尼應受若過受除常請分
請盡形請者波逸提
若比丘尼往觀軍陣除時因緣波逸提
若比丘尼有因緣至軍中若二宿三宿過者波逸提
若比丘尼軍中若二宿三宿或時觀軍陣鬪戰若觀遊軍
鳥馬勢力者波逸提　若比丘尼飲酒者波逸提
若比丘尼水中戲者波逸提　若比丘尼以指相擊攊者波逸提
若比丘尼不受諫者波逸提　若比丘尼恐他比丘尼者波逸提
若比丘尼半月洗浴無病比丘尼應受若過受除餘時波逸提
餘時者熱時病時作時大風時雨時遠行來此是時
若比丘尼無病為炙故露地然火若教人除餘時波逸提

BD02332號　四分比丘尼戒本　（23–8）

餘時者熱時病時作時大風時雨時遠行來此是時
若比丘尼無病為炙故露地然火若教人除餘時波逸提
若比丘尼藏比丘尼若鉢若衣若坐具針筒自藏教人藏
下至戲笑者波逸提
若比丘尼淨施比丘比丘尼式叉摩那沙弥沙弥尼衣後不問
主取著者波逸提
若比丘尼得新衣當作三種染壞色青黑木蘭若比丘得新衣
不作三種染壞色青黑木蘭著新衣持者波逸提
若比丘尼故斷畜生命者波逸提　若比丘尼知水有虫飲者波逸提
若比丘尼故惱他比丘尼乃至少時不樂者波逸提
若比丘尼知比丘尼有麁罪覆藏者波逸提
若比丘尼知諍事如法懺悔已後更發舉者波逸提
若比丘尼知是賊伴共一道行乃至一聚落者波逸提
若比丘尼作如是語我知佛所說法行婬欲非是障道法彼比
丘尼諫此比丘尼言大姊莫作是語莫謗世尊謗世尊者
不善世尊不作是語世尊無數方便說婬欲是障道法
彼比丘尼諫此比丘尼時堅持不捨彼比丘尼乃至三諫時捨
者善不捨者波逸提
若比丘尼知如是語人未作法如是邪見不捨若畜同一
羯磨同一止宿者波逸提
若沙弥尼如是言我知佛所說行婬欲非障道法彼比丘尼諫此
沙弥尼言汝莫作是語莫誹謗世尊誹謗世尊者不善世尊不作
是語沙弥尼世尊無數方便說婬欲是障道法犯婬欲者是障道法
彼比丘尼諫此沙弥尼時堅持不捨彼比丘尼應乃至三呵諫捨此事
故乃至三諫時若捨者善不捨者彼比丘尼應語是沙弥尼言
汝自今已去非佛弟子不得隨餘比丘尼如諸沙弥尼得與比丘
尼二宿汝今無是事汝出去滅去不須此中住若比丘尼知如是
擯沙弥尼者若畜共同止宿波逸提

汝自今已去非佛弟子不得隨餘比丘尼如諸沙弥尼得與比丘
尼二宿汝今無是事汝出去滅去不須此中住若比丘尼知如是
擯沙弥尼者若畜共同止宿波逸提
若比丘尼如法諫時作如是語我今不學是戒乃至問有智慧持
律者當難問波逸提若為求解應難問
若比丘尼說戒時作如是語大姊用是雜碎戒為說是戒時令人
惱愧懷疑輕毀戒故波逸提
若比丘尼說戒時作如是語大姊我今始知是戒半月半月說戒
經中來餘比丘尼知是比丘尼若二若三說戒中坐何況多彼
比丘尼無知無解若犯罪應如法治更重增無知法大姊汝
無利不善得汝說戒時不用心念不一心兩耳聽法彼無知故波逸提
若比丘尼共同羯磨已後作如是說諸比丘尼隨親厚以
以眾僧物與者波逸提
若比丘尼僧斷事時不與欲而起去者波逸提
若比丘尼與欲竟後更呵者波逸提
若比丘尼比丘尼共鬪諍後聽語已欲向彼說者波逸提
若比丘尼瞋恚不喜打比丘尼者波逸提
若比丘尼瞋恚不喜以手搏比丘尼者波逸提
若比丘尼瞋恚以无根僧伽婆尸沙謗者波逸提
若比丘尼剎利水澆頭王王未出未藏寶若入過宮門閾者波逸提
若比丘尼寶及寶莊飾具自捉若教人捉除僧伽藍中及寄
宿處波逸提若僧伽藍中若寄宿處若寶若以寶莊飾
具自捉教人捉若識者當取如是因緣非餘
若比丘尼非時入聚落又不囑授比丘尼波逸提
若比丘尼作繩床若木床足應高如來八指除入陛孔上若
截竟過者波逸提
若比丘尼持兜羅綿貯作繩床木床若臥具坐褥波逸提
若比丘尼噉蒜者波逸提　若比丘尼剃三處毛者波逸提

截竟過者波逸提
若比丘尼持兜羅綿貯作繩床木床若臥具坐褥波逸提
若比丘尼噉蒜者波逸提　若比丘尼剃三處毛者波逸提
若比丘尼以水作淨應齊兩指各一節若過者波逸提
若比丘尼以胡膠作男根者波逸提　若比丘尼共相拍者波逸提
若比丘尼比丘無病食時供給水扇者波逸提
若比丘尼乞生穀者波逸提　若比丘尼在生草上大小便者波逸提
若比丘尼夜小便大便器中晝不看牆外棄者波逸提
若比丘尼往觀看伎樂者波逸提
若比丘尼入村內與男子在屏處共立語者波逸提
若比丘尼與男子共入屏處者波逸提
若比丘尼入村內巷陌中遣伴遠去在屏處與男子耳語者波逸提
若比丘尼入白衣家內坐不語主人捨去者波逸提
若比丘尼入白衣家內不語主人輒坐床者波逸提
若比丘尼入白衣家內不語主人輒自敷坐具宿者波逸提
若比丘尼與男子共入闇室中者波逸提
若比丘尼不審諦受語便向人說者波逸提
若比丘尼有小因緣事便呪咀墮三惡道不生佛法中若我有
如是事墮三惡道不生佛法中若汝有如是事亦墮三惡道
不生佛法中波逸提
若比丘尼共鬪諍不善憶持諍事搥胸啼哭者波逸提
若比丘尼無病二人共床臥者波逸提
若比丘尼共一褥同一被臥除餘時波逸提
若比丘尼知先住後至知後至先住為惱故在前誦經問義
教授者波逸提
若比丘尼同活比丘尼病不瞻視者波逸提
若比丘尼安居初聽餘比丘尼在房中安床後瞋恚駈出者波逸提
若比丘尼春夏冬一切時人間遊行除餘因緣者波逸提

教授者波逸提
若比丘尼同活比丘尼病不瞻視者波逸提
若比丘尼安居初聽餘比丘尼在房中安床後瞋恚駈出者波逸提
若比丘尼春夏冬一切時人間遊行除餘因緣者波逸提
若比丘尼夏安居訖不去者波逸提
若比丘尼邊界有疑恐怖處人間遊行者波逸提
若比丘尼界內有疑恐怖處人間遊行者波逸提
若比丘尼親近居士居士兒共住作不隨順行餘比丘尼諫此
比丘尼言妹汝莫親近居士居士兒共住作不隨順行大姊可
別住若別住於佛法中有增益安樂住彼比丘尼諫此比丘尼
時堅持不捨彼比丘尼應三諫捨此事故乃至三諫捨此事
善不捨者波逸提
若比丘尼往觀王宮文飾畫堂園林浴池者波逸提
若比丘尼露身形在河水泉水渠水池水中浴者波逸提
若比丘尼作浴衣應量作應量作者長佛六搩手廣二搩
手半若過者波逸提
若比丘尼縫僧伽梨過五日除求索僧伽梨出迦絺那衣六
難事起者波逸提
若比丘尼過五日不看僧伽梨波逸提　若比丘尼與眾僧衣作留
難者波逸提　若比丘尼輒著他衣者波逸提
若比丘尼持沙門衣施與外道白衣者波逸提
若比丘尼作如是意眾僧如法分衣遮令不分恐弟子不得者
波逸提　若比丘尼作如是意令眾僧不得出迦絺
那衣後當出欲令五事久得放捨者波逸提
若比丘尼作如是意遮比丘尼僧不出迦絺那衣欲令久
得五事施捨者波逸提
若比丘尼語言為我滅此諍事而不作方便令
滅者波逸提　若比丘尼自手持食與白衣及外道食者波逸提
若比丘尼為白衣作使者波逸提　若比丘尼……

若比丘尼作如是意遮比丘尼僧不出迦絺那衣欲令久
得五事施捨者波逸提
若比丘尼餘比丘尼語言為我滅此諍事而不作方便令
滅者波逸提　若比丘尼自手持食與白衣入外道食者波逸提
若比丘尼為白衣作使者波逸提　若比丘尼自手紡績者波逸提
若比丘尼入白衣舍內在小牀大牀上若坐若臥波逸提
若比丘尼至白衣舍語主人敷坐止宿明日不辭主人而去波逸提
若比丘尼誦習世俗呪術者波逸提
若比丘尼教人誦習呪術者波逸提
若比丘尼知女人姙娠度與受具足戒者波逸提
若比丘尼知婦女乳兒與受具足戒者波逸提
若比丘尼知年不滿二十與受具足戒者波逸提
若比丘尼年十八童女不與二歲學戒年滿二十便與受
具足戒者波逸提　若比丘尼年十八童女二歲學戒不
與六法滿二十便與受具足戒者波逸提
若比丘尼年十八童女與二歲學戒與六法滿二十眾僧不聽
便與受具足戒者波逸提
若比丘尼度曾嫁女年十歲與二歲學戒年滿十二聽與受
具足戒若減十二與受具足戒者波逸提
若比丘尼度他小年曾嫁婦女與二歲學戒年滿十二不白
眾僧便與受具足戒者波逸提
若比丘尼知如是人與受具足者波逸提
若比丘尼多度弟子不教二歲學戒不以二法攝取波逸提
若比丘尼不二歲隨和上尼者波逸提
若比丘尼僧不聽而授人具足戒者波逸提
若比丘尼年未滿十二歲授人具足戒者波逸提
若比丘尼年滿十二歲眾僧不聽便授人具足戒者波逸提
若比丘尼僧不聽受人具足戒便言眾僧有愛有恚有怖有
[illegible]

BD02332號　四分比丘尼戒本　（23-13）

若比丘尼年未滿十二歲授人具足戒者波逸提
若比丘尼僧不聽受人具足戒便言眾僧有愛有恚有怖有
癡欲聽者便聽不欲聽者便不聽波逸提
若比尼父母夫主不聽與受具足戒者波逸提
若比丘尼知女人與童男子相敬愛愁憂瞋恚女人度
令出家受具足戒者波逸提
若比丘尼語式叉摩那言汝妹捨是學是當與汝受具
足戒若不方便與受具足戒者波逸提
若比丘尼語式叉摩那言持衣來我當與汝受具足戒而
不方便與受具足戒波逸提
若比丘尼不滿一歲授人具足戒者波逸提
若比丘尼與人授具足戒已經宿方往比丘僧中與受具足
戒者波逸提　若比丘尼不病不往受教授者波逸提
若比丘尼半月應往比丘僧中求教授若不求者波逸提
若比丘尼僧夏安居竟應往大比丘僧中說三事自恣見
聞疑若不者波逸提
若比丘尼在無比丘處夏安居波逸提
若比丘尼知有比丘僧伽藍不白而入者波逸提
若比丘尼罵比丘者波逸提
若比丘尼喜鬪諍不善憶持諍事後瞋恚不喜罵比丘
尼眾者波逸提　若比丘尼身生癰及種種瘡不白眾
及餘人輙使男子破若裹者波逸提
若比丘尼先受請若足食已後食餅麨乾飯魚及肉者波
逸提　若比丘尼於食家生嫉妒心者波逸提
若比丘尼以香塗摩身者波逸提　若比丘尼以胡麻滓塗身
者波逸提　若比丘尼使比丘尼塗摩身者波逸提
若比丘尼使式叉摩那塗摩身者波逸提
若比丘尼使沙弥尼塗摩身者波逸提

BD02332號　四分比丘尼戒本　（23-14）

逸提　[illegible]

若比丘尼以香塗摩身者波逸提　若比丘尼以胡麻滓塗身
者波逸提　若比丘尼使比丘尼塗摩身者波逸提
若比丘尼使式叉摩那塗摩身者波逸提
若比丘尼使沙弥尼塗摩身者波逸提
若比丘尼使白衣婦女塗摩身者波逸提
若比丘尼著貯跨衣者波逸提
若比丘尼畜婦女莊嚴身具除時因緣波逸提
若比丘尼著革屣持蓋行除時因緣波逸提
若比丘尼無病乘乘行除時因緣波逸提
若比丘尼不著僧祇支入村者波逸提
若比丘尼向暮至白衣家先不被喚波逸提
若比丘尼向暮開僧伽藍門不囑授餘比丘尼而出者波逸提
若比丘尼日沒開僧伽藍門不囑授而出者波逸提
若比丘尼不前安居不後安居者波逸提
若比丘尼知女人常漏大小便涕唾常出者授具足戒者波逸提
若比丘尼知二形人與受具足戒波逸提
若比丘尼知二道合者與授具足波逸提
若比丘尼知有負債難者病難者與授具足戒波逸提
若比丘尼學世俗伎術以自活命波逸提
若比丘尼以世俗伎術教授白衣者波逸提
若比丘尼被擯不去者波逸提
若比丘尼欲問比丘義先不求而問者波逸提
若比丘尼知先住後至後至先住欲惱彼故在前經行若立
若坐若卧波逸提
若比丘尼在有比丘僧伽藍內起塔波逸提
若比丘尼見新受戒比丘應起迎送恭敬礼拜問訊請與
坐不者除時因緣波逸提　若比丘尼為好故搖身趨行波逸提
若比丘尼作婦女莊嚴香塗摩身波逸提

BD02332號　四分比丘尼戒本　（23–15）

若比丘尼見新受戒比丘應起迎送恭敬礼拜問訊請與
坐不者除時因緣波逸提　若比丘尼為好故搖身趨行波逸提
若比丘尼作婦女莊嚴香塗摩身波逸提
若比丘尼使外道女香塗摩身者波逸提
諸大姊我已說一百七十八波逸提法今問諸大姊是中清淨不三說
諸大姊是中清淨默然故是事如是持
諸大姊是八波羅提提舍尼法半月半月說戒經中来
若比丘尼无病乞蘇而食者犯應懺悔可呵法應向餘比丘
尼說言大姊我犯可呵法所不應為我今向大姊懺悔是
法名悔過法
若比丘尼无病乞油而食者犯應懺悔可呵法應向餘比丘
尼說言大姊我犯可呵法所不應為我今向大姊懺悔
是法名悔過法
若比丘尼无病乞蜜而食者犯應懺悔可呵法應向餘比
丘尼說言大姊我犯可呵法所不應為我今向大姊懺悔
是法名悔過法
若比丘尼无病乞黑石蜜而食者犯應懺悔可呵法應向
餘比丘尼說言大姊我犯可呵法所不應為我向大姊懺
悔是法名悔過法
若比丘尼无病乞乳而食者犯應懺悔可呵法應向餘比
丘尼說言大姊我犯可呵法所不應為我今向大姊懺
悔是名悔過法
若比丘尼无病乞酪而食者犯應懺悔可呵法應向餘
比丘尼說言大姊我犯可呵法所不應為我今向大姊懺
悔是名悔過法
若比丘尼无病乞魚而食者犯應懺悔可呵法應向餘比丘尼說言大姊我犯可呵法所不應我今向大姊懺悔是名悔過法
若比丘尼无病乞肉而食者犯應懺悔可呵法應向餘比
丘尼說言大姊我犯可呵法所不應為我今向大姊懺
悔是名悔過法
[illegible]

BD02332號　四分比丘尼戒本　（23–16）

若比丘尼无病乞肉而食者犯應懺悔可呵法應向餘比
丘尼説言大姊我犯可呵法所不應為我今向大姊懺
悔是名悔過法
諸大姊我已説八波羅提提舍尼法今問諸大姊是中清淨不三説
諸大姊是中清淨默然故是事如是持
諸大姊是衆學戒法半月半月説戒經中來
當齊整著涅槃僧應當學
當齊整著三衣應當學
不得反抄衣行入白衣舍應當學
不得反抄衣行入白衣舍坐應當學
不得衣纏頸入白衣舍應當學
不得衣纏頸入白衣舍坐應當學
不得覆頭入白衣舍應當學
不得覆頭入白衣舍坐應當學
不得跳行入白衣舍應當學
不得跳行入白衣舍坐應當學
不得白衣舍内蹲坐應當學
不得叉腰行入白衣舍應當學
不得叉腰行入白衣舍坐應當學
不得搖身行入白衣舍應當學
不得搖身行入白衣舍坐應當學
不得掉臂行入白衣舍應當學
不得掉臂行入白衣舍坐應當學
好覆身入白衣舍應當學
好覆身入白衣舍坐應當學
不左右顧視行入白衣舍應當學
不得左右顧視行入白衣舍坐應當學
靜默入白衣舍應當學
靜默入白衣舍坐應當學

BD02332 號　四分比丘尼戒本　（23–17）

不得左右顧視行入白衣舍坐應當學
靜默入白衣舍應當學
靜默入白衣舍坐應當學
不得戲笑行入白衣舍應當學
不得戲笑行入白衣舍坐應當學
用意受食應當學
平鉢受食應當學
平鉢受羹應當學
羹飯等食應當學
以次食應當學
不得挑鉢中而食應當學
若比丘尼不病不得自為己索羹飯應當學
不得以飯覆羹更望得應當學
不得視比坐鉢中應當學
當繫鉢想食應當學
不得大摶飯食應當學
不得大張口待飯食應當學
不得含飯語應當學
不得摶飯遥擲口中應當學
不得遺落飯食應當學
不得頰食食應當學
不得嚼飯作聲食應當學
不得大噏飯食應當學
不得舌舐食應當學
不得振手食應當學
不得手把散飯食應當學
不得污手捉食器應當學
不得洗鉢水棄白衣舍内應當學

BD02332 號　四分比丘尼戒本　（23–18）

不得汙手捉食器應當學
不得洗鉢水棄白衣舍內應當學
不得生草菜上大小便涕唾除病應當學
不得淨水中大小便涕唾除病應當學
不得立大小便除病應當學
不得与反抄衣不恭敬人說法除病應當學
不得為衣纏頸者說法除病應當學
不得為覆頭者說法除病應當學
不得為裹頭者說法除病應當學
不得為叉腰者說法除病應當學
不得為著革屣者說法除病應當學
不得為著木屐者說法除病應當學
不得為騎乘者說法除病應當學
不得在佛塔中止宿除為守護故應當學
不得藏財物置佛塔中除為堅牢應當學
不得著革屣入佛塔中應當學
不得手捉革屣入佛塔中應當學
不得著革屣繞佛塔行應當學
不得著富羅入佛塔中應當學
不得手捉富羅入佛塔中應當學
不得塔下坐食留草及食汙地應當學
不得擔死屍從塔下過應當學
不得塔下埋死屍應當學
不得在塔下燒死屍應當學
不得向塔燒死屍應當學
不得在佛塔四邊燒死屍使臭氣來入應當學
不得持死人衣及床從塔下過除浣染香薰應當學
不得佛塔下大小便應當學
不得向佛塔大小便應當學

BD02332號　四分比丘尼戒本　（23–19）

不得在佛塔四邊燒死屍使臭氣來入應當學
不得持死人衣及床從塔下過除浣染香薰應當學
不得佛塔下大小便應當學
不得向佛塔大小便應當學
不得繞佛塔四邊大小便使臭氣來入應當學
不得持佛像至大小便處應當學
不得在佛塔下嚼楊枝應當學
不得向佛塔嚼楊枝應當學
不得向佛塔四邊嚼楊枝應當學
不得在佛塔下涕唾應當學
不得向佛塔涕唾應當學
不得塔四邊涕唾應當學
不得向佛塔舒脚坐應當學
不得安佛塔下房已在上房住應當學
人坐已立不得為說法除病應當學
人臥已坐不得為說法除病應當學
人在坐已在非坐不得為說法除病應當學
人在高坐已在下坐不得為說法除病應當學
人在前行已在後行不得為說法除病應當學
人在高經行處已在下經行處不得為說法除病應當學
人在道已在非道不應為說法除病應當學
不得攜手在道行應當學
不得上樹過人頭除時因緣應當學
不得絡囊盛鉢貫杖頭著肩上而行應當學
人持杖不恭敬不應為說法除病應當學
人持劍不應為說法除病應當學
人持鉾不應為說法除病應當學
人持刀不應為說法除病應當學
人持蓋不應為說法除病應當學

BD02332號　四分比丘尼戒本　（23–20）

人持劍不應為說法除病應當學
人持鉾不應為說法除病應當學
人持刀不應為說法除病應當學
人持蓋不應為說法除病應當學
諸大姊我已說衆學戒法今問諸大姊是中清淨不 三說
諸大姊是中清淨默然故是事如是持
諸大姊是七滅諍法半月半月說戒經中來
若比丘尼有諍事起即應除滅
應與現前毗尼當與現前毗尼
應與憶念毗尼當與憶念毗尼
應與不癡毗尼當與不癡毗尼
應與自言治當與自言治
應與覓罪相當與覓罪相
應與多人語當與多人語
應與如草覆地當與如草覆地
諸大姊我已說七滅諍法今問諸大姊是中清淨不 三說
諸大姊是中清淨默然故是事如是持
諸大姊我已說戒經序已說八波羅夷法已說十七僧伽
婆尸沙法已說三十尼薩耆波逸提法已說一百七十八波
逸提法已說八波羅提提舍尼法已說衆學戒法已說
七滅諍法此是佛所說戒經半月半月說戒經中來
若更有餘佛法是中皆共和合應當學
忍辱第一道 佛說無為最 出家惱他人 不名為沙門
此是毗婆尸如來无所著等正覺說是戒經
譬如明眼人 能避險惡道 世有聰明人 能遠離諸惡
此是尸棄如來无所著等正覺說是戒經
不謗亦不嫉 當奉行於戒 飲食知止足 常樂在空閑
心定樂精進 是名諸佛教

BD02332號 四分比丘尼戒本 （23–21）

此是尸棄如來无所著等正覺說是戒經
不謗亦不嫉 當奉行於戒 飲食知止足 常樂在空閑
心定樂精進 是名諸佛教
此是毗葉羅如來无所著等正覺說是戒經
譬如蜂採花 不壞色與香 但取其味去 比丘入聚然
不違戾他事 不觀作不作 但自觀身行 若正若不正
此是拘留孫如來无所著等正覺說是戒經
心莫作放逸 聖法當勤學 如是无憂愁 心定入涅槃
此是拘那含牟尼如來无所著等正覺說是戒經
一切惡莫作 當奉行諸善 自淨其志意 是則諸佛教
此是迦葉如來无所著等正覺說是戒經
善護於口言 自淨其志意 身莫作諸惡 此三業道淨
能得如是行 是大仙人道
此是釋迦牟尼如來无所著等正覺於十二年中為无
事僧說是戒經從是已後廣分別說諸比丘尼自為樂
法樂沙門者有慚有愧樂學戒者當於中學
明人能護戒 能得三種樂 名譽及利養 死得生天上
當觀如是處 有智勤護戒 戒淨有智慧 便得第一道
如過去諸佛 及以未來者 現在諸世尊 能勝一切憂
皆共尊敬戒 此是諸佛法 若有自為身 欲求於佛道
當尊重正法 此是諸佛教 七佛為世尊 滅除諸結使
說是七戒經 諸縛得解脫 已入於涅槃 諸戲永滅盡
尊行大仙說 聖賢稱譽戒 弟子之所行 入寂滅涅槃
世尊涅槃時 興起於大悲 集諸比丘衆 與如是教誡
莫謂我涅槃 淨行者无護 我今說戒經 亦善說毗尼
我雖般涅槃 當視如世尊 此經久住世 佛法得熾盛
以是熾盛故 得入於涅槃 若不持此戒 如所應布薩
喻如日沒時 世界皆闇冥 當護持是戒 如犛牛愛尾
和合一處坐 如佛之所說 我已說戒經 衆僧布薩竟

BD02332號 四分比丘尼戒本 （23–22）

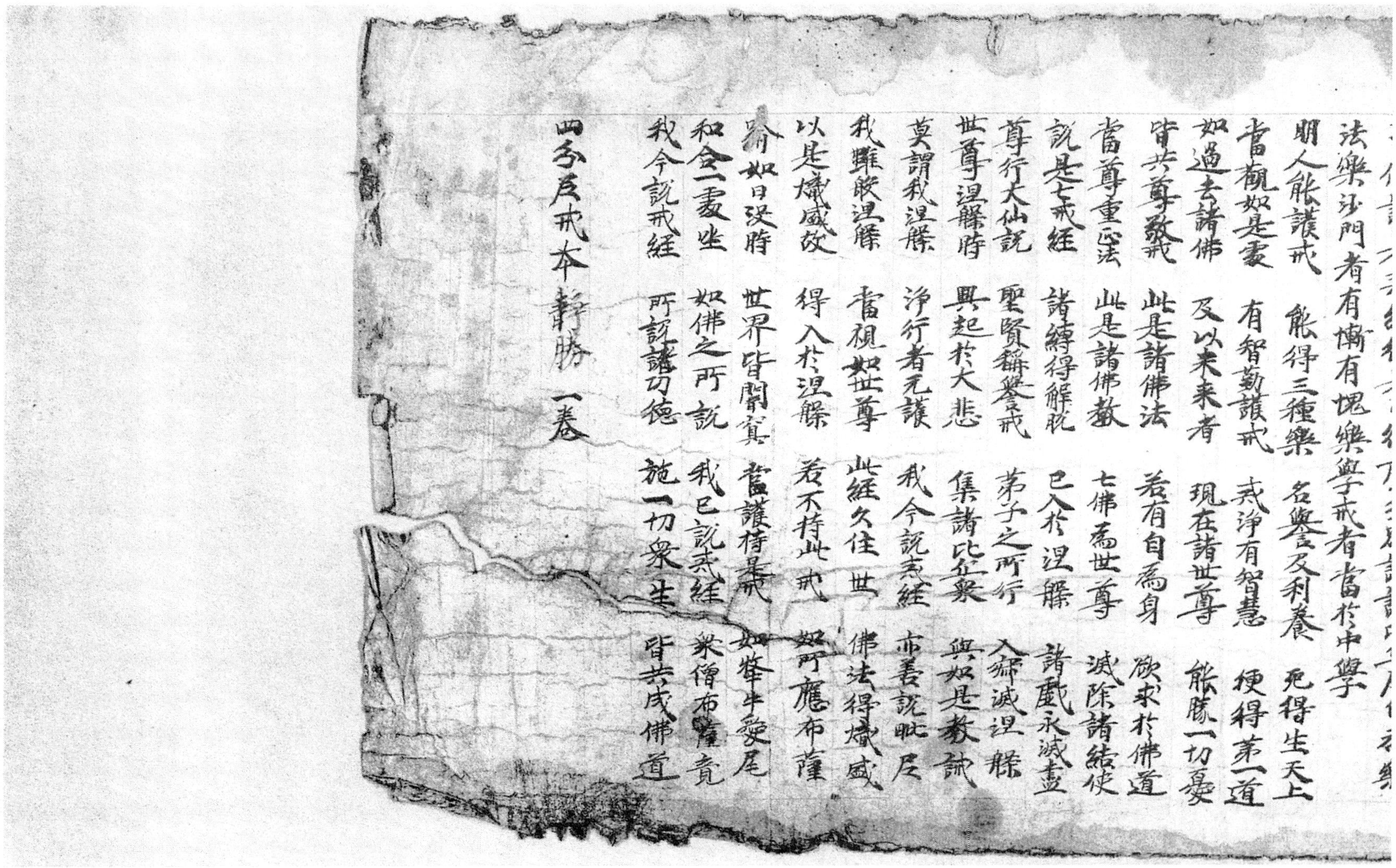

法樂沙門者有慚有愧樂學戒者當於中學
明人能護戒　能得三種樂　名譽及利養　死得生天上
當觀如是處　有智勤護戒　戒淨有智慧　便得第一道
如過去諸佛　及以未來者　現在諸世尊　能勝一切憂
皆共尊敬戒　此是諸佛法　若有自為身　欲求於佛道
當尊重正法　此是諸佛教　七佛為世尊　滅除諸結使
說是七戒經　諸縛得解脫　已入於涅槃　諸戲永滅盡
尊行大仙說　聖賢稱譽戒　弟子之所行　入寂滅涅槃
世尊涅槃時　興起於大悲　集諸比丘眾　與如是教誡
莫謂我涅槃　淨行者无護　我今說戒經　亦善說毗尼
我雖般涅槃　當視如世尊　此經久住世　佛法得熾盛
以是熾盛故　得入於涅槃　若不持此戒　如所應布薩
喻如日沒時　世界皆闇冥　當護持是戒　如犛牛愛尾
和合一處坐　如佛之所說　我已說戒經　眾僧布薩竟
我今說戒經　所說諸功德　施一切眾生　皆共成佛道
四分尼戒本　靜勝　一卷

BD02332 號　四分比丘尼戒本　（23–23）

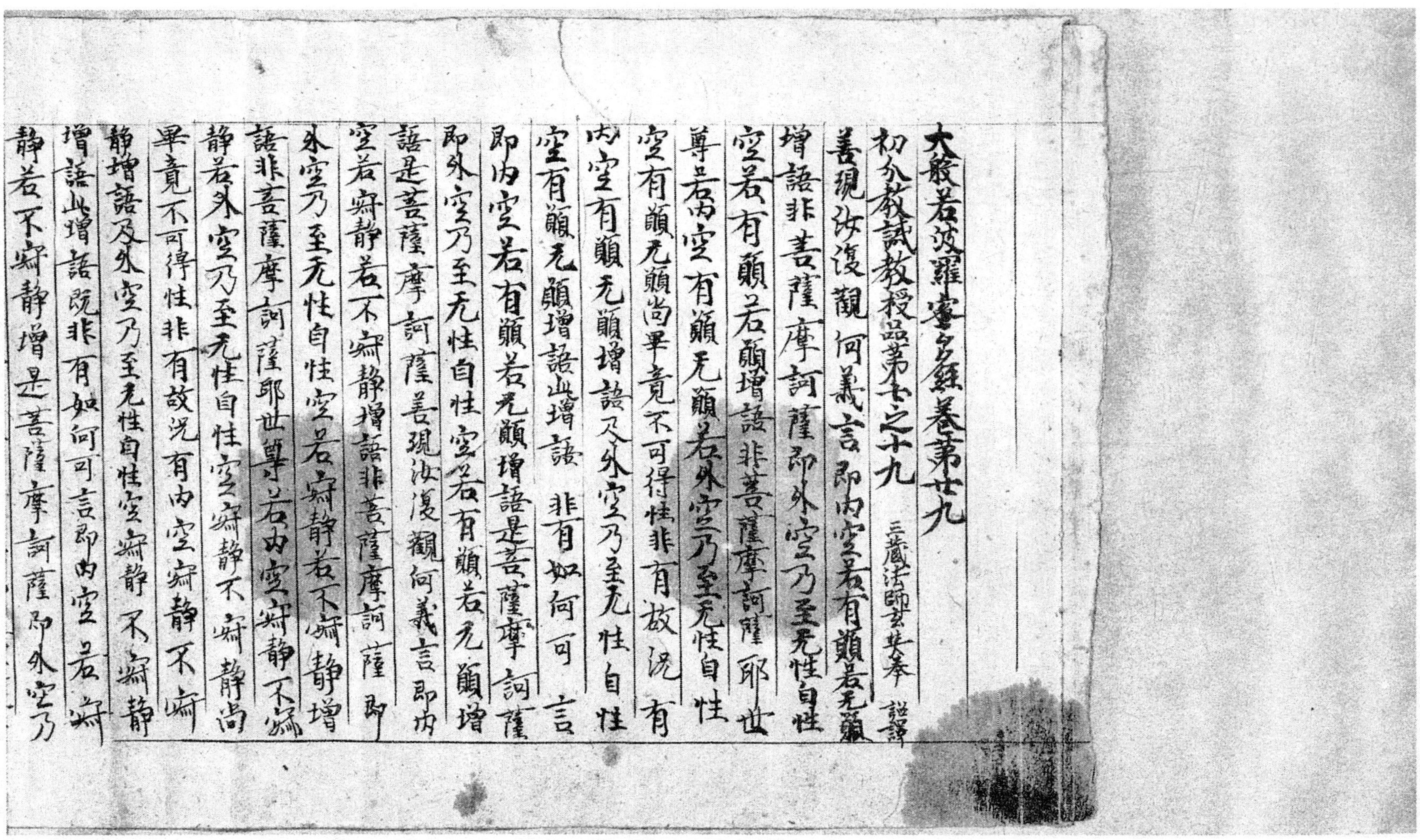

大般若波羅蜜多經卷第廿九
初分教誡教授品第七之十九　三藏法師玄奘奉　詔譯
善現汝復觀何義言即內空若有願若无願
增語非菩薩摩訶薩即外空乃至无性自性
空若有願若无願增語非菩薩摩訶薩耶世
尊若內空有願无願若外空乃至无性自性
空有願无願尚畢竟不可得性非有故況有
內空有願无願增語及外空乃至无性自性
空有願无願增語此增語非有如何可言
即內空若有願若无願增語是菩薩摩訶薩
即外空乃至无性自性空若有願若无願增
語是菩薩摩訶薩善現汝復觀何義言即內
空若寂靜若不寂靜增語非菩薩摩訶薩即
外空乃至无性自性空若寂靜若不寂靜增
語非菩薩摩訶薩耶世尊若內空寂靜不寂
靜若外空乃至无性自性空寂靜不寂靜尚
畢竟不可得性非有故況有內空寂靜不寂
靜增語及外空乃至无性自性空寂靜不寂靜
增語此增語既非有如何可言即內空若寂
靜若不寂靜增語是菩薩摩訶薩即外空乃

BD02333 號　大般若波羅蜜多經卷二九　（2–1）

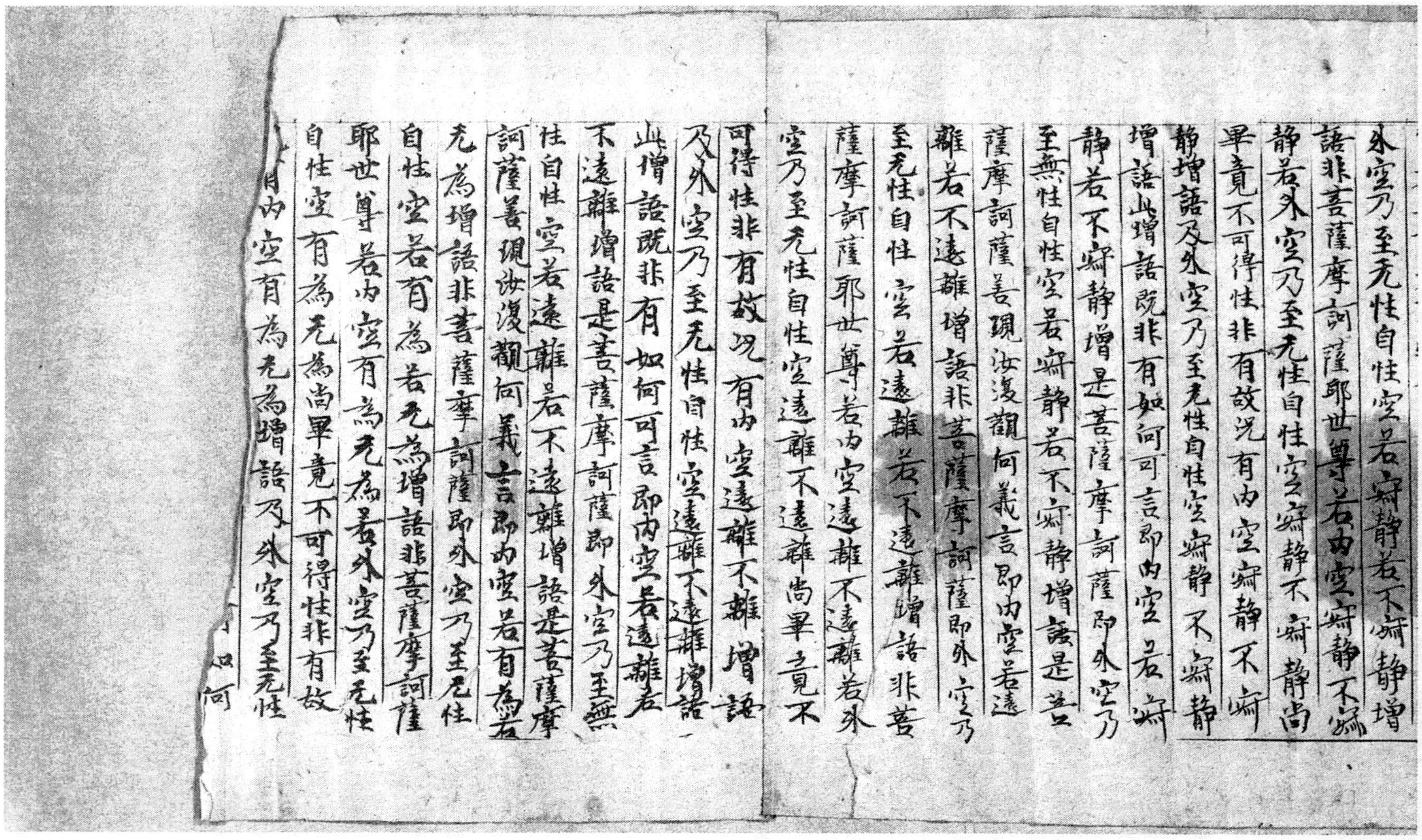
外空乃至无性自性空若寂靜若不寂靜增
語非菩薩摩訶薩耶世尊若内空寂靜不寂
靜若外空乃至无性自性空寂靜不寂靜尚
畢竟不可得性非有故況有内空寂靜不寂
靜增語及外空乃至无性自性空寂靜不寂靜
增語此增語既非有如何可言即内空若寂
靜若不寂靜增語是菩薩摩訶薩即外空乃
至無性自性空若寂靜若不寂靜增語是菩
薩摩訶薩善現汝復觀何義言即内空若遠
離若不遠離增語非菩薩摩訶薩即外空乃
至无性自性空若遠離若不遠離增語非菩
薩摩訶薩耶世尊若内空遠離不遠離若外
空乃至无性自性空遠離不遠離尚畢竟不
可得性非有故況有内空遠離不離增語
及外空乃至无性自性空遠離不遠離增語
此增語既非有如何可言即内空若遠離若
不遠離增語是菩薩摩訶薩即外空乃至無
性自性空若遠離若不遠離增語是菩薩摩
訶薩善現汝復觀何義言即内空若有為若
无為增語非菩薩摩訶薩即外空乃至无性
自性空若有為若无為增語非菩薩摩訶薩
耶世尊若内空有為无為若外空乃至无性
自性空有為无為尚畢竟不可得性非有故
有内空有為无為增語及外空乃至无性
如何

BD02333號　大般若波羅蜜多經卷二九　（2–2）

BD02333號背　勘記　（1–1）

[illegible]女臨[illegible]經信[illegible]
[illegible]讀三遍[illegible]等惡皆除滅慈悲喜捨
得佛法。復次无㝵菩薩若有善男子善
女人等興有為法先讀此經三遍築墻動
土安立冢宅南堂北堂東序西序廚舍客
屋門戶井竈碓磑庫藏六畜蘭圂日遊
月煞將軍太歲黃幡豹尾五土地神青龍
白虎朱雀玄武六甲禁諱十二諸神土府伏
龍一切鬼魅皆悉隱藏遠屏四方形消影
滅不敢為害甚大吉利獲福无量。善男子
興功之後堂舍永安屋宅牢固富貴吉昌
不求自得若遠行從軍仕官興生甚得宜
利門興人貴百子千孫父慈子孝男忠女
貞兄恭弟順夫妻和睦信義篤親所願
成就若有眾生忽被縣官拘繫盜賊牽
挽暫讀此經三遍即得解脫若有善男子
善女人受持讀誦為他書寫八陽經者設入
水火不被焚漂或在山澤一切虎狼屏跡不
敢摶噬善神衛護成无上道
若復有人多於妄語綺語兩舌惡口若能受
持讀誦此經永除四過得四无㝵辯而成佛
道復次善男子善女人等父母有罪臨終之

BD02334 號　天地八陽神咒經　　（3–1）

水火不被焚漂或在山澤一切虎狼屏跡不
敢摶噬善神衛護成无上道
若復有人多於妄語綺語兩舌惡口若能受
持讀誦此經永除四過得四无㝵辯而成佛
道復次善男子善女人等父母有罪臨終之
日應墮地獄受无量苦其子即為讀斯經典
七遍父母即離地獄而生天上見佛聞法悟
无生忍而證菩提
佛告无㝵菩薩毗婆尸佛時有優婆塞優婆
夷心不信邪敬崇佛法書寫此經受持讀誦
所有興作須作即作一无所問以正信故兼行
布施平等供養得无漏身成菩提道号曰普
光如來應正等覺劫名大滿國号无邊一切人
民皆行菩薩无上正法
復次善男子此八陽經行在閻浮提在在處
處有八陽菩薩諸梵天王一切明靈圍遶此
經香華供養如佛无異若善男子善女人等
為諸眾生講說此經深解實相得甚深理即
知身法心所以能知即知慧眼常見種種无盡
色色即是空空即是色受想行識亦空即是妙
色身如來耳常聞種種无盡聲聲即是空空
即是聲是音聲如來鼻常嗅種種无盡香
香即是空空即是香是香積如來舌常覺種
種无盡味味是空空即是味味是法喜如來
身常覺種種无盡觸觸即是空空即是觸

BD02334 號　天地八陽神咒經　　（3–2）

為諸衆生講說此經深解實相得甚深理即
知身法心所以能知即知慧眼常見種種无盡
色色即是空空即是色受想行識亦空即是妙
色身如来耳常聞種種无盡聲聲即是空空
即是聲是音聲如来鼻常嗅種種无盡香
香即是空空即是香是香積如来舌常覺種
種无盡味味是空空即是味味是法喜如来
身常覺種種无盡觸觸即是空空即是觸
是智明如来意常想分別種種无盡法法
即是空空即是法是法明如来善男子此六
根顯現人皆口說其善法法輪常轉得成聖道
若說邪語惡法常轉即墮惡趣善男子善惡
之理不得不信无㝵菩薩人之身心是佛法器
亦是十二部大經卷也无始已来轉轉不盡不
損豪毛如来藏經唯識心見性者之所能知
非諸聲聞凡夫所能知也
復次善男子讀誦此經為他講說深解真理
者即知身心是佛法器若醉迷不醒不了自心

BD02334號　天地八陽神咒經　（3–3）

一生補處菩薩同會處生或得大姓婆羅
門家生或得大刹利種家生或得豪貴最勝
家生天帝此人得如上貴處生者皆由聞此陁
羅尼故轉所生處皆得清淨天帝乃至得到
菩提道場最勝之處皆由讃美此陁羅尼
功德如是天帝此陁羅尼名爲吉祥能淨一切惡
道此佛頂尊勝陁羅尼猶如日藏摩尼之寶
淨无瑕穢淨等虛空光焰照徹无不周遍若
諸衆生持此陁羅尼亦復如是亦如閻浮
檀金明淨柔軟令人喜見不爲穢惡之所染
著天帝若有衆生持此陁羅尼亦復如是乘
斯善淨得生善道天帝此陁羅尼所在之處
若能書寫流通受持讀誦聽聞供養能如是
者一切惡道皆得清淨一切地獄苦惱皆消
滅
佛告天帝若人能書寫此陁羅尼安高幢上
或安高山或安樓上乃至安置窣堵波中天
帝若有苾芻苾芻尼優婆塞優婆夷族姓男
族姓女於幢等上或見或與相近其影映身或
風吹陁羅尼上幢等上塵落在身上天帝彼

BD02335號　佛頂尊勝陁羅尼經（佛陀波利本）　（4–1）

或安高山或安樓上乃至安置窣堵波中天
帝若有苾蒭苾蒭尼優婆塞優婆夷族姓男
族姓女於幢等上或見或與相近其影暎身或
風吹陁羅尼上幢等上塵落在身上天帝彼
諸衆生所有罪業應墮惡道地獄畜生閻羅
王界餓鬼阿脩羅身惡道之苦皆悉不受亦
亦不為罪垢之所染汙天帝此等衆生為一切諸
佛之所授記皆得不退轉於阿耨多羅三藐
三菩提
天帝何況更以多諸供具華鬘塗香末香幢
幡蓋等衣服瓔珞作諸莊嚴於四衢道造窣
堵波安置陁羅尼合掌恭敬旋繞行道歸依
礼拜天帝彼人能如是供養者名摩訶薩埵真
是佛子持法棟梁又是如來全身舍利窣堵波
塔
尒時閻摩羅法王於時夜分來詣佛所到已
以種種天衣妙華塗香莊嚴供養佛已繞佛
七帀頂礼佛足而作是言我聞如來演說讚
持大力陁羅尼者我常隨逐守護不令持者
墮於地獄以彼隨順如來言教而護念之
尒時護世四天大王繞佛三帀白佛言世尊唯
願如來為我廣說持陁羅尼法尒時佛告四
天王汝今諦聽我當為汝宣說受持此陁羅
尼方法亦為短命諸衆生說當先洗浴着新
淨衣白月圓滿十五日時持齋誦此陁羅尼
滿其千遍令短命衆生還得增壽永離病苦一

BD02335 號　佛頂尊勝陀羅尼經（佛陀波利本）　（4–2）

尼方法亦為短命諸衆生說當先洗浴着新
淨衣白月圓滿十五日時持齋誦此陁羅尼
滿其千遍令短命衆生還得增壽永離病苦一
切業障悉皆消滅一切地獄諸苦亦得解脫
諸飛鳥畜生含靈之類聞此陁羅尼一經於
耳盡此一身更不復受
佛言若遇大惡病聞陁羅尼即得永離一切諸
病亦得消滅應墮惡道亦得除斷即得往
生寂靜世界從此身已後更不受胞胎之身
所生之處蓮華化生一切生處憶持不忘常
識宿命
佛言若人先造一切極重罪業遂即命終乘
斯惡業應墮地獄或墮畜生閻羅王界或
墮餓鬼乃至墮大阿鼻地獄或生水中或生
禽獸異類之身取其亡者隨身分骨以土一把
誦此陁羅尼二十一遍散亡者骨上即得生天
佛言若人能日日誦此陁羅尼二十一遍應
消一切世間廣大供養捨身往生極樂世界
若常誦念得大涅槃復增壽命受勝快樂
捨此身已即得往生種種微妙諸佛剎土常
與諸佛俱會一處一切如來恒為演說微妙
之義一切世尊即與授記身光照曜一切佛
剎佛言若誦此陁羅尼法於其佛前先取
淨土作壇隨其大小方四角作以種種草華
散於壇上燒衆名香右膝着地胡跪心常念

BD02335 號　佛頂尊勝陀羅尼經（佛陀波利本）　（4–3）

剎佛言若誦此陀羅尼法於其佛前先取
淨土作壇隨其大小方四角作以種種草華
散於壇上燒衆名香右膝著地胡跪心常念
佛作慕陀羅尼印屈其頭指以大母指押合掌
當其心上誦此陀羅尼一百八遍訖於其壇中
如雲王雨華能遍供養八十八俱胝殑伽沙那
庾多百千諸佛彼佛世尊咸共讚言善哉
希有真是佛子即得無障礙智三昧得大
菩提心莊嚴三昧持此陀羅尼法應如是
佛言天帝我以此方便一切衆生應墮地獄
道令得解脫一切惡道亦得清淨復令持者
增益壽命天帝汝去將我陀羅尼授與善
住天子滿其七日汝與善住俱來見我
尒時天帝於世尊所受此陀羅尼法奉持還
於本天授與善住天子尒時善住天子受此
陀羅尼已滿六日六夜依法受持一切願滿
應受一切惡道等苦即得解脫住菩提道增
壽无量甚大歡喜高聲歎言希有如來希
有妙法希有明驗甚為難得令我解脫
尒時帝釋至第七日與善住天子將諸天
衆嚴持華鬘塗香末香寶幢幡蓋天衣瓔
珞微妙莊嚴往詣佛所設大供養以天衣及
諸瓔珞供養世尊遶百千匝於佛前立踊

BD02335號　佛頂尊勝陀羅尼經（佛陀波利本）　（4–4）

…以无上正法付囑諸王大臣宰相比丘比
丘尼優婆塞優婆夷是諸國　及四部衆應
當勸厲諸學人等令得增上戒定智慧若有
不學是三品法懈怠破戒毀正法者國王大
臣四部之衆應當苦治善男子是諸國王及
四部衆當有罪不不也世尊善男子是諸
王及四部衆尚无有罪何況如來善男子如
來善脩如是平等於諸衆生同一子想如
脩者是名菩薩脩平等心於諸衆生同一子
想善男子菩薩如是脩集此業便得長壽之
能善知宿世之事
迦葉菩薩復白佛言世尊如佛所說菩薩若
有脩平等心視諸衆生同於子想便得長壽
如來不應作如是言何以故如知法人能說
種種孝順之法還至家中以諸凡石打擲父
母而是父母是良福田多所利益難遭難遇
應好供養反生惱害是知法人言行相違如
來所言亦復如是菩薩脩習等心衆生同子
想者應得長壽善知宿命常住於世无有變
易今者世尊以何因緣壽命極短同人間耶
如來將无於諸衆生生怨憎想世尊昔日作
何惡業所害幾命得是短壽不滿百年佛告

BD02336號　大般涅槃經（南本）卷三　（14–1）

来所言之須如是菩薩脩習等心衆生同子
想者應得長壽善知宿命常住於世无有變
易今者世尊以何因緣壽命極短同人間耶
如来將无於諸衆生生怨憎想世尊昔日作
何惡業所害幾命得是短壽不滿百年佛告
迦葉善男子汝今何緣於如来前發是麁言
如来長壽於諸壽中最上最勝所得常法於
諸常中最為第一
迦葉菩薩復白佛言世尊云何如来得壽无
量佛告迦葉善男子如八大河一名恒河二
名閻摩羅三名薩羅四名阿夷羅跋提五名
摩訶六名辛頭七名博叉八名悉陁是八大
河及諸小河悉入大海迦葉如是一切人中
天上地及虚空壽命大河悉入如来壽命海
中是故如来壽命无量復次迦葉譬如阿耨
達池出四大河如来亦尒出一切命迦葉譬
如一切諸常法中虚空第一如来亦尒於諸
常中最為第一迦葉譬如諸藥醍醐第一如
来亦尒於衆生中壽命第一
迦葉菩薩復白佛言世尊如来壽命若如是
者應住一劫若減一劫常宣妙法如注大雨
迦葉汝今不應於如来所生滅盡想迦葉若
有比丘比丘尼優婆塞優婆夷乃至外道五
通神仙得自在者若住一劫若減一劫經行
空中坐卧自在左脅出火右脅出水身出烟
炎猶如火聚若欲住壽能得如意於壽命中
脩短自在如是五通尚得如是隨意神力豈
况如来於一切法得自在力而當不能住壽
半劫若一劫若百劫若百千劫若无量劫以

脩短自在如是五通尚得如是隨意神力豈
况如来於一切法得自在力而當不能住壽
半劫若一劫若百劫若百千劫若无量劫以
是義故當知如来是常住法不變易法如来
此身是變化身非雜食身為度衆生示同毒
樹是故現捨入於涅槃迦葉當知佛是常法
不變易法汝等於是第一義中應懃精進一
心脩集既脩集已廣為人說
尒時迦葉菩薩白佛言世尊出世之法與世
閒法有何差別如佛所言佛是常法不變易
法世閒之說梵天是常自在天常无有變易
我常性常微塵之常若言如来是常法者如
来何故不常現耶若不常現有何差別何以
故梵天乃至微塵世性之不現故佛告迦葉
譬如長者多有諸牛色雖種種同共一群付
放牧人令逐水草唯為醍醐不求乳酪彼牧
牛者構已自食長者命終所有諸牛悉為群
賊之所抄掠賊得牛已无有婦女即自構捋
得已而食尒時群賊各相謂言彼大長者畜
養此牛不期乳酪唯為醍醐我等今者當設
何方而得之耶夫醍醐者名為世閒第一上
味我等无器設使得乳无安置處復共相謂
唯有皮囊可以盛之雖有盛處不知鑽搖漿
猶難得况復生酥尒時諸賊以醍醐故加之
以水以水多故乳酪醍醐一切俱失凡夫之
人雖有善法皆是如来正法之餘何以故如
来世尊入涅槃後盜竊如来遺餘善法若戒
定慧如彼諸賊劫掠諸牛諸凡夫人雖復得
是戒定智慧无有方便不能解脫以是義故

尒雖有善法皆是如來正法之餘何以故如
來世尊入涅槃後盜竊如來遺餘善法若戒
定慧如彼諸賊刧掠諸牛諸凡夫人雖復得
是戒定智慧无有方便不能解說以是義故
不能獲得常戒常定常慧解脫如彼羣賊不
知方便已失提湖又如羣賊為提湖故加之
以水凡夫之尒為解脫故說我眾生壽命士
夫梵天自在天微塵世性戒定智慧及與解
脫非想非非想天即是涅槃實亦不得解脫
涅槃如彼羣賊不得提湖是諸凡夫有少梵
行供養父母以是因緣得生天上受少安樂
如彼羣賊加水之乳而是凡夫實不知因脩
少梵行供養父母得生天上又不能知戒定
智慧歸依三寶以不知故說常樂我淨雖復
說之而實不知是故如來出世之後乃為演
說常樂我淨如轉輪王出現於世福德力故
羣賊退散牛无損命時轉輪王即以諸牛付
一牧人多巧便者是人方便即得提湖以提
湖故一切眾生无有患苦法輪聖王出現世
時諸凡夫人不能演說戒定慧者即便棄捨
如賊退散尒時如來善說世法乃出世法為
眾生故令諸菩薩隨人演說菩薩摩訶薩既
得提湖復令无量无邊眾生皆得无上甘露
法味所謂如來常樂我淨以是義故善男子
如來是常不變易法非如世閒凡夫愚人謂
梵天等是常法也此常法稱要是如來非是
餘法迦葉應當如是知如來身迦葉諸善男
子善女人常當繫心脩此二字佛是常住迦

梵天等是常法也此常法稱要是如來非是
餘法迦葉應當如是知如來身迦葉諸善男
子善女人常當繫心脩此二字佛是常住迦
葉若有善男子善女人脩此二字當知是人
隨我所行至我至處善男子若有脩習如是
二字為滅相者當知如來則於其人為般涅
槃善男子涅槃義者即是諸佛之法性也
迦葉菩薩白佛言世尊佛法性者其義云何
世尊我今欲知法性之義唯願如來哀愍廣
說夫法性者即是捨身捨身者名无所有若
无所有身云何存身若存者云何而言身有
法性身有法性云何得存我今云何當知是
義佛告迦葉善男子汝今不應作如是說滅
是法性夫法性者无有滅也善男子譬如无
想天成就色陰而无色想不應問言是諸天
等云何而住歡娛受樂云何行想云何見聞
善男子如來境界非諸聲聞緣覺所知善男
子不應說言如來身者是滅法也善男子如
來滅法是佛境界非諸聲聞緣覺所及善男
子汝今不應思量如來何處住何處行何處
見何處樂善男子如是之義亦非汝等之所
知及諸佛法身種種方便不可思議
復次善男子應當脩集佛法及僧而作常想
是三法者无有異相无无常相无變異相若
於三法脩異相者當知是輩清淨三歸則无
依處所有禁戒皆不具足終不能證聲聞緣
覺菩提之果若能於是不可思議脩常想者
則有歸處善男子譬如因樹則有樹影如來
亦尒有常法故則有歸依非是无常若言如

覺菩提之果若能於是不可思議脩常想者
則有歸處善男子譬如因樹則有樹影如來
亦尒有常法故則有歸依非是无常若言如
來是无常者如來則非諸天世人所歸依處
迦葉菩薩白佛言世尊譬如闇中有樹无影
迦葉汝不應言有樹无影但非肉眼之所見
耳善男子如來亦尒其性常住是不變異无
智慧眼不能得見如彼闇中不見樹影凡夫
之人於佛滅後說言如來是无常法亦復如
是若言如來異法僧者則不能成三歸依處
如汝父母各各異故故使无常迦葉菩薩復
白佛言世尊我從今始當以佛法衆僧三事
常住啓悟父母乃至七世皆令奉持甚奇世
尊我今當學如來法僧不可思議既自學已
亦當爲人廣說是義若有諸人不能信受當
知是輩久脩无常如是等人我當爲之而作
霜雹尒時佛讚迦葉菩薩善哉善哉汝今善
能護持正法如是護法不欺於人以不欺人
善業緣故而得長壽善知宿命

大般涅槃經金剛身品第五

尒時世尊復告迦葉善男子如來身者是常
住身不可壞身金剛之身非雜食身即是法
身迦葉白佛言世尊如佛所說如是等身我
悉不見唯見无常破壞塵土雜食等身何以
故如來今當入涅槃故佛告迦葉汝今莫謂
如來之身不堅可壞如凡人身善男子汝今
當知如來之身无量億劫堅牢難壞非人天
身非恐怖身非雜食身如來之身非身是身
不生不滅不集不脩无量无邊无有足迹无

故如來今當入涅槃故佛告迦葉汝今莫謂
如來之身不堅可壞如凡人身善男子汝今
當知如來之身无量億劫堅牢難壞非人天
身非恐怖身非雜食身如來之身非身是身
不生不滅不集不脩无量无邊无有足迹无
知无形畢竟清淨无有動搖无受无行不住
不作无味无雜非是有爲非業非果非行非
滅非心非數不可思議常不可議无識離心
亦不離心其心平等无有亦有无有去來而
亦去來不破不壞不斷不絕不出不滅非主
亦主非有非无非覺非觀非字非不字非定
非不定不可見了了見无處亦處无宅亦宅
无闇无明无有寂靜而亦寂靜是无所有不
受不施清淨无垢无諍斷諍住无住處不取
不墮非法非非法非福田非非福田无盡不
盡離一切盡是空離空雖不常住非念念滅
无有垢濁无字離字非聲非說亦非脩集非
稱非量非一非異非像非相諸相莊嚴非勇
非畏无寂不寂无熱不熱不可覩見无有相
貌如來度脫一切衆生无度脫故能解衆生
无有解故覺了衆生无覺了故如實說法无
有二故不可量无等等平如虛空无有形貌
同无生性不斷不常常行一乘衆生見三不
退不轉斷一切結不戰不觸非性住性非合
非散非長非短非圓非方非陰入界亦陰入
界非增非損非勝非負如來之身成就如是
无量功德无有知者无不知者无有見者无
不見者非有爲非无爲非世非不世非作非
不作非依非不依非四大非不四大非因非

非般非長非短非面非方非陰入界之陰入
界非增非損非勝非負如來之身成就如是
无量功德无有知者无不知者无有見者无
不見者非有為非无為非世非不世非作非
不作非依非不依非四大非不四大非因非
不因非眾生非不眾生非沙門非婆羅門是
師子大師子非身非不身不可宣說除一法
相不可筭數般涅槃時不般涅槃如來法身
皆悉成就如是无量微妙功德迦葉唯有如
來乃知是相非諸聲聞緣覺所知迦葉如是
功德成如來身非是雜食所長養身迦葉如
來真身功德如是云何復得諸疾患苦危脆
不堅如坏器乎迦葉如來所以示病苦者為
欲調伏諸眾生故善男子汝今當知如來之
身即金剛身汝從今日常當專心思惟此義
莫念食身亦當為人說如來身即是法身
迦葉菩薩白佛言世尊如來成就如是功德
其身云何當有病苦无常破壞我從今日常
當思惟如來之身是常法身安樂之身亦當
為人如是廣說唯然世尊如來法身金剛不
壞而未能知所因云何佛告迦葉以能護持
正法因緣故得成就是金剛身迦葉我於往
昔護法因緣今得成就是金剛身常住不壞
善男子護持正法者不受五戒不脩威儀應
持刀劍弓箭鉾矟守護持戒清淨比丘迦葉
菩薩白佛言世尊若有比丘離於守護獨處
空閑塚間樹下當說是人為真比丘若有隨
逐守護者行當知是輩是禿居士佛告迦葉
莫作是語言禿居士若有比丘隨所至處供

空閑塚間樹下當說是人為真比丘若有隨
逐守護者行當知是輩是禿居士佛告迦葉
莫作是語言禿居士若有比丘隨所至處供
身取足讀誦經典思惟坐禪有來問法即為
宣說所謂布施持戒福德少欲知足雖能如
是種種說法然故不能作師子吼不為師子
之所圍遶不能降伏非法惡人如是比丘不
能自利及利眾生當知是輩懈怠嬾墮雖能
持戒守護淨行當知是人无所能為若有比
丘供身之具亦常豐足復能護持所受禁戒
能師子吼廣說妙法謂脩多羅祇夜受記伽
陁優陁那伊帝目多伽闍陁伽毗佛略阿浮
陁達磨以如是等九部經典為他廣說利益
安樂諸眾生故唱如是言涅槃經中制諸比
丘不應畜養奴婢牛羊非法之物若有比丘
畜如是等不淨之物應當治之如來先於異
部經中說有比丘畜如是等非法之物某甲
國王如法治之驅令還俗若有比丘能作如
是師子吼時有破戒者聞是語已咸共瞋恚
害是法師是說法者設復命終故名持戒自
利利他以是緣故我聽國主羣臣宰相諸優
[illegible]若有欲得護正法者當如是
學迦[illegible]護法者名禿居士非持
戒者得如[illegible]子過去久遠无量无邊
阿僧祇劫於此拘尸那城有佛出世号歡喜
增益如來應供正遍知明行足善逝世間解
无上士調御丈夫天人師佛世尊尒時世界
廣博嚴淨豐樂安隱人民熾盛无有飢渴如
安樂國諸菩薩等彼佛世尊住世无量化眾

廣博嚴淨豐樂安隱人民熾盛无有飢
安樂國諸菩薩等彼佛世尊住世无量化衆
生已然後乃於娑羅雙樹入般涅槃佛涅槃
後遺法住世无量億歲餘卌年佛法未滅尒
時有一持戒比丘名曰覺德多有徒衆眷屬
圍遶能師子吼頒宣廣說九部經典制諸比
丘不得畜養奴婢牛羊非法之物尒時多有
破戒比丘聞作是說皆生惡心執持刀杖逼
是法師是時國王名曰有德聞是事已為護
法故即便往至說法者所與是破戒諸惡比
丘極共戰鬪令說法者得免危害王時被瘡
舉身周遍尒時覺德尋讚王言善哉善哉王
今真是護正法者當來之世此身當為无量
法器王於是時得聞法已心大歡喜尋即命
終生阿閦佛國而為彼佛作第一弟子其王
將從人民眷屬有戰鬪者有隨喜者一切不
退菩提之心命終悉生阿閦佛國覺德比丘
却後壽終亦得往生阿閦佛國而為彼佛作
聲聞衆中第二弟子若有正法欲滅盡時應
當如是受持擁護迦葉尒時王者則我身是
說法比丘迦葉佛是迦葉護正法者得如是
等无量果報以是因緣我於今日得種種相
以自莊嚴成就法身不可壞身
迦葉菩薩復白佛言世尊如來常身猶如畫
石佛告迦葉善男子以是因緣故比丘比丘
尼優婆塞優婆夷應當懃加護持正法護法
果報廣大无量善男子是故護法優婆塞等
應執刀杖擁護如是持法比丘若有受持五

尼優婆塞優婆夷應當懃加護持正法護法
果報廣大无量善男子是故護法優婆塞等
應執刀杖擁護如是持法比丘若有受持五
戒具者不得名為大乘人也不受五戒為護
正法乃名大乘護正法者應當執持刀劍器
仗侍衛法師迦葉白佛言世尊若諸比丘與
如是等諸優婆塞持刀杖者共為伴侶為有
師耶為无師乎為是持戒為是破戒佛告迦
葉莫謂是等為破戒人善男子我涅槃後濁
惡之世國土荒亂互相抄掠人民飢餓尒時
多有為飢餓故發心出家如是之人名為禿人
是禿人輩見有持戒威儀具足清淨比丘護
持正法驅逐令出若殺若害迦葉菩薩復
白佛言世尊是持戒人護正法者云何當得
遊行村落城邑教化善男子是故我今聽持
戒人依諸白衣持刀杖者以為伴侶若諸國
王大臣長者優婆塞等為護法故雖持刀杖
我說是等名為持戒雖持刀杖不應斷命若
能如是即得名為第一持戒
迦葉夫護法者謂具正見能廣宣說大乘經
典終不捉持王者寶蓋油瓶穀米種種菓蓏
不為利養親近國王大臣長者於諸檀越心
无諂曲具足威儀摧伏破戒諸惡人等是名
持戒護法之師能為衆生真善知識其心弘
廣譬如大海迦葉若有比丘以利養故為他
說法是人所有徒衆眷屬亦效是師貪求利
養是人如是便自壞衆迦葉衆有三種一者
犯戒雜僧二者愚癡僧三者清淨僧破戒雜

說法是人所有徒衆眷屬亦復如是貪求利
養是人如是便自壞衆迦葉衆有三種一者
犯戒雜僧二者愚癡僧三者清淨僧破戒雜
僧則易可壞持戒淨僧利養因緣所不能壞
云何破戒雜僧若有比丘雖持禁戒為利養
故與破戒者坐起行來共相親附同其事業
是名破戒亦名雜僧云何愚癡僧若有比丘
在阿蘭若處諸根不利闇鈍矇瞽少欲乞食
於說戒日及自恣時教諸弟子清淨懺悔見
非弟子多犯禁戒不能教令清淨懺悔而便
與共說戒自恣是名愚癡僧云何名清淨僧
有比丘僧百千億魔所不能壞是菩薩衆本
性清淨能調如上二部之衆悉令安住清淨
衆中是名護法无上大師善持律者為欲調
伏利衆生故知諸戒相若輕若重非是律者
則不證知若是律者則便證知云何調衆生
故若諸菩薩為化衆生常入聚落不擇時節
或至寡婦及婬女舍與同住止經歷多年若
是聲聞所不應為是名調伏利益衆生云何
知重若見如來因事制戒汝從今日慎莫更
犯如四重禁出家之人所不應作而故作者
非是沙門非釋種子是名為重云何為輕若
犯輕事如是三諫若能捨者是名為輕非律
不證者若有讚說不清淨物應受用者不共
同心是律應證者善學戒律不近破戒見有
所行隨順戒律心生歡喜如是能知佛法所
作善能解說是名律師善解一字善持契經
亦復如是如是善男子佛法无量不可思議
如來亦尒不可思議迦葉菩薩白佛言世尊

同心是律應證者善學戒律不近破戒見有
所行隨順戒律心生歡喜如是能知佛法所
作善能解說是名律師善解一字善持契經
亦復如是如是善男子佛法无量不可思議
如來亦尒不可思議迦葉菩薩白佛言世尊
如是如是誠如聖言佛法无量不可思議如
來亦尒不可思議故知如來常住不壞无有
變異我今善學亦當為人廣說是義尒時佛
讚迦葉菩薩善哉善哉如來身者即是金剛
不可壞身菩薩應當如是善學正見正知若
能如是了了知見即是見佛金剛之身不可
壞身如於鏡中見諸色像

大般涅槃經名字功德品第六

尒時如來復告迦葉善男子汝今應當善持
是經文字章句所有功德若有善男子善女
人聞是經名生四趣者无有是處何以故如
是經典乃是无量无邊諸佛之所脩集所得
功德我今當說迦葉菩薩白佛言世尊當何
名此經菩薩摩訶薩云何奉持佛告迦葉是
經名為大般涅槃上語亦善中語亦善下語
亦善義味深邃其文亦善純備具足清淨梵
行金剛寶藏滿足无缺汝善諦聽我今當說
善男子所言大者名之為常如八大河悉歸
大海此經如是降伏一切諸結煩惱及諸魔
性然後要於大般涅槃放捨身命是故名曰
大般涅槃善男子又如醫師有一祕方悉攝
一切所有醫術善男子如來亦尒所說種種
妙法祕密深奧藏門悉皆入此大般涅槃是
故名為大般涅槃善男子譬如農夫春月下

妙法秘密深奧藏門悉皆入此大般涅槃是
故名爲大般涅槃善男子譬如農夫春月下
種常有悕望旣收菓實衆望都息善男子一
切衆生亦復如是脩學餘經常悕滋味若得
聞是大般涅槃悕望餘經所有滋味悉皆永
斷是大涅槃能令衆生度諸有流善男子如
諸迹中象迹爲㝡此經如是於諸三昧㝡爲
第一善男子譬如耕田秋耕爲勝此經如是
諸經中勝善男子如諸藥中醍醐第一善治
衆生熱惱亂心是大涅槃爲㝡第一善男子
譬如甜酥八味具足大般涅槃亦復如是八
味具足云何爲八一者常二者恒三者安四
者清涼五者不老六者不死七者无垢八者
快樂是爲八味具是八味是故名爲大般涅
槃若諸菩薩……是中復能處處示
現涅槃是……男子善
女人若欲……當作是
學如来……言
甚奇……不
可思……子是
經典……順知
是人

大般

BD02336 號　大般涅槃經（南本）卷三　（14–14）

行陁羅尼典
尒時雷音即從坐起合掌恭敬白花聚言善
哉衆法聚士持此大方等陁羅尼來詣我所
令我增壽法中生心譬如死者死已還生我
今亦復如是汝今即是法中雄猛是諸法母
令我堅固法心生身花聚言我非是諸法母
如是陁羅尼乃可爲母亦可爲父汝當受持
此陁羅尼尒時雷音白花聚言我向來時世
尊與无量大衆前後圍繞而爲說法尒時花
聚問雷音言其名云何答言名釋迦牟尼慈
悲普覆无量衆生如汝无異也大慈无量亦
喻於汝救攝一切地獄之厄與无量樂我等
二人可往至彼供養世尊當獲善利作是語
時虛空中有八十二億忉利諸天作天伎樂
燒香散花供養花聚尒時虛空衆中有一天
王名摩訶伽賴奢告諸天衆此二大士欲興
大法我等往彼可得正聞諸佛甘露尒時二
大士即從坐起整衣服已與諸魔衆及諸天
人涉路而去尒時諸天即從二人往詣祇洹
尒時世尊……

BD02337 號　大方等陀羅尼經卷一　（7–1）

大法我等往彼可得正聞諸佛甘露尒時二
大士即從坐起整衣服已與諸魔衆及諸天
人涉路而去尒時諸天即從二人往詣祇洹
尒時世尊遥聞天樂從禪定起告阿難言往
至外聽此爲何聲尒時阿難奉世尊教即往
外所見有二人與无量大衆前後圍繞猶如
金山來向祇洹尒時阿難還祇洹中長跪合
掌而白佛言外有二人身如金山微妙无比
喻如日光能照一切內外明徹尒時阿難語
言未竟花聚菩薩放大光明普照十方无量
世界靡不周遍覩斯光者无不解脫尒時華
聚嘿自思惟以何爲證作是念已尒時婆藪
從地獄出將九十二億諸罪人輩尋光來詣
娑婆世界十方世界各將九十二億諸罪人
輩亦復如是尋光來至娑婆世界尒時无量
无邊大衆前後圍繞到祇洹中見釋迦牟尼
佛及以見此二大賢士在佛左右尒時舍利
弗見如是大衆心少有疑五百大弟子及諸
大衆心各有疑尒時舍利弗知衆心疑自亦
未了即從坐起偏袒右肩右膝著地而白佛
言世尊如是大衆而從何方忽然到此祇洹
林中世尊如是菩薩昔所未見而今見之如
是天人昔所未見而今見之如是魔王昔所
未見而今見之如是罪人昔所未見而今見
之如是菩薩天人魔王地獄之人今從何方
忽然來到此閒尒時世尊嘿然不荅尒時文

BD02337號　大方等陀羅尼經卷一　（7–2）

是天人昔所未見而今見之如是魔王昔所
未見而今見之如是罪人昔所未見而今見
之如是菩薩天人魔王地獄之人今從何方
忽然來到此閒尒時世尊嘿然不荅尒時文
殊師利語舍利弗言善男子如是大衆我
今當說汝今諦聽是菩薩者名曰花聚了達
方便而從東方來詣佛所是諸天等即是此界
忉利諸天來至佛所是諸魔衆即是此界諸
魔衆也是諸方罪人第一首者名曰婆藪汝
今當知世尊未出世時此人造不善行入於
地獄經歷受苦汝不見也此花聚菩薩摩訶
薩放大慈悲光因此光明從阿鼻大地獄出
而來至此舍利弗言此婆藪仙人久聞佛說
作不善行入於地獄云何今說婆藪仙人出
於地獄得值如來至真等正覺及與他方諸
罪衆生來詣此閒況婆藪也佛說一人作不
善行衆多諸人出於地獄此事甚難是義
云何
文殊師利願以少說令我等衆離諸疑惑佛
告舍利弗善哉善哉能問是事諦聽諦聽當
爲汝說舍利弗言唯然世尊願樂欲聞佛告
舍利弗善男子莫作是說如是大衆皆有因
緣來詣我所略有三事第一衆者非思議菩
薩魔衆欲令我說大方等陀羅尼故欲令我
顯未曾有方便故故來蔽彼雷音比丘善根
因緣我今當說此事因緣汝等諦聽舍利弗
言唯然世尊願樂欲聞善男子若

BD02337號　大方等陀羅尼經卷一　（7–3）

薩魔衆欲令我說大方等陁羅尼故欲令我
顯未曾有方便故故来蔽彼雷音比丘善根
因縁我今當說此事因縁汝等諦聽舍利弗
言唯然世尊願樂欲聞善男子第二衆者花
聚菩薩及忉利天所以来詣我所欲顯此陁
羅尼威神德力故有欲相顯十方諸佛神通
力故以是因縁来詣我所善男子第三衆者
為欲破一切衆生定受果報故如是諸衆生
是因縁来詣我所善男子莫作是說婆藪仙
人是地獄人也何以故汝今諦聽而以當知善
男子婆者言天藪者言慧故言婆藪如是
天慧之人云何究竟受地獄苦終无是事復
次善男子婆者言廣藪者言通廣通一切法
者云何究竟入於地獄終无是事復次善男
子婆者言高藪者言妙於一切方便中此人
高妙高妙之人云何究竟受地獄苦終无是
事復次善男子婆者言離藪者言斷離斷一
切諸苦惱者云何受地獄苦終无是事復次
善男子婆者言善藪者言知如是善知一切
法者云何受地獄苦終无是事復次善男子
婆者言剛藪者言柔剛柔之人云何究竟受
地獄苦終无是事復次善男子婆者言慈藪
者言悲如是慈悲者云何究竟受地獄苦終
无是事復次善男子婆者言力藪者言善力
善人者云何究竟受地獄苦終无是事復次
善男子婆者言神藪者言通有神通者云何
究竟入於地獄經歷受苦終无是事復次善

BD02337 號　大方等陀羅尼經卷一　（7–4）

无是事復次善男子婆者言力藪者言善力
善人者云何究竟受地獄苦終无是事復次
善男子婆者言神藪者言通有神通者云何
究竟入於地獄經歷受苦終无是事復次善
男子婆者言相藪者言好有相好者云何究
竟入於地獄終无是事復次善男子婆者言
揔藪者言持揔持方便者云何入於地獄究
竟受苦舍利弗此事衆多吾今略說而有十
事婆藪因縁若以廣說二字名号此義衆多
窮劫不盡善男子莫作是說婆藪仙人而在
地獄受究竟苦善男子若作如是說者即為
謗此上陁羅尼及謗金剛色身又以謗彼實
王如来及以謗此花聚菩薩摩訶薩及以謗
此十方三世諸佛是人必入地獄而无疑也
何以故謗上陁羅尼故謗一切諸佛故必入
地獄无有疑也善男子莫作是說婆藪仙人
而在地獄尒時舍利弗白佛言世尊曾聞佛
說婆藪仙人入於地獄終无出期所以敢發
如斯問世尊婆藪仙人何時入於地獄願佛
解說善男子我昔在於兜率天上此婆藪仙
在閻浮提與六百廿萬估客為作商主將諸
人等入海採寶往到海所乗諸船舫漸漸深
入而取珎寶得諸寶已載諸船舫欲還本國
於其中路而值摩竭魚難水波之難大風之
難又值夜叉之難如是六百廿萬人即時許
摩醯首羅天人各一生尒時諸人便離四難

BD02337 號　大方等陀羅尼經卷一　（7–5）

人等入海採寶往到海中諸船舫湊湊湊
入而取珎寶得諸寶已載諸舩舫欲還本國
於其中路而值摩竭魚難水波之難大風之
難又值夜叉之難如是六百廿萬人即時許
摩醯首羅天人各一生尒時諸人便離四難
還到本國到本國已即各牽一羊欲往天寺
尒時婆藪黑作是言我今云何作衆商主教
諸商人作不善行我今當設方便濟是羊命
即時化作二人一人古出家沙門一人在家
婆羅門時婆羅門於諸衆中作是唱說天主
與六百廿萬人欲往天寺尒時沙門於其中
路逢見此婆羅門沙門言汝與是大衆欲往
何方在家人言我欲往天寺而求大利沙門
言吾觀汝等欲得大衰云何大利如是次第
諍訟不止尒時衆人問婆羅門言此是何人
形貌如是婆羅門言此名古時沙門諸人問
言沙門何言婆羅門言作如是說煞生祀天
而得大罪衆人語婆羅門言此癡沙門何用
是言速往天寺而得大利尒時婆羅門言我
等大師今在天寺无事不達可往請問尒時
諸人可爲善哉汝門與諸婆羅門及諸人等
前後圍繞到大仙所尒時沙門問大仙言煞
生祀天而得生天入地獄乎大仙荅言何癡
沙門煞生祀天而墮地獄沙門荅言不墮耶
婆藪言不也沙門言若不墮者汝當證知尒
時婆藪即時陷身入阿鼻地獄尒時諸人見
是事已嗚呼禍哉有如是事大仙聦智令已

BD02337號　大方等陀羅尼經卷一　（7–6）

言沙門何言婆羅門言作如是說煞生祀天
而得大罪衆人語婆羅門言此癡沙門何用
是言速往天寺而得大利尒時婆羅門言我
等大師今在天寺无事不達可往請問尒時
諸人可爲善哉汝門與諸婆羅門及諸人等
前後圍繞到大仙所尒時沙門問大仙言煞
生祀天而得生天入地獄乎大仙荅言何癡
沙門煞生祀天而墮地獄沙門荅言不墮耶
婆藪言不也沙門言若不墮者汝當證知尒
時婆藪即時陷身入阿鼻地獄尒時諸人見
是事已嗚呼禍哉有如是事大仙聦智令已
磨滅入於地獄況餘我等不入地獄尒時衆
人各放諸羊退走四方到諸山中推覓諸仙
既得仙已而受仙法廿一年各各失命生閻
浮提我於尒時從兜率天下生閻浮提白淨
王家尒時六百廿萬人生舍衛國得受人身
汝不知也我於昔時始到舍衛國所降伏六
百廿萬人令其出家發三菩提心豈異人乎
即往昔估客等是也善男子婆藪仙人今

BD02337號　大方等陀羅尼經卷一　（7–7）

大般若波羅蜜多經卷第二百廿六
初分難信解品第卅四之卅五　三藏法師玄奘奉　詔譯
善現四无色定清淨故布施波羅蜜多清淨
布施波羅蜜多清淨故一切智智清淨何以
故若四无色定清淨若布施波羅蜜多清淨
若一切智智清淨无二无二分无別无斷故
四无色定清淨故淨戒安忍精進靜慮般若
波羅蜜多清淨淨戒乃至般若波羅蜜多清
淨故一切智智清淨何以故若四无色定清
淨若淨戒乃至般若波羅蜜多清淨若一切智
智清淨无二无二分无別无斷故善現四无
色定清淨故內空清淨內空清淨故一切智
智清淨何以故若四无色定清淨若內空清
淨若一切智智清淨无二无二分无別无斷
故四无色定清淨故外空內外空空空大空
勝義空有為空无為空畢竟空无際空散
空无變異空本性空自相空共相空一切法空
不可得空无性空自性空无性自性空清淨
外空乃至无性自性空清淨故一切智智清
淨何以故若四无色定清淨若外空乃至无
性自性空清淨若一切智智清淨无二无二

BD02338號　大般若波羅蜜多經卷二二六　（3–1）

不可得空无性空自性空无性自性空清淨
外空乃至无性自性空清淨故一切智智清
淨何以故若四无色定清淨若外空乃至无
性自性空清淨若一切智智清淨无二无二
分无別无斷故善現四无色定清淨故真如
清淨真如清淨故一切智智清淨何以故若
四无色定清淨若真如清淨若一切智智清
淨无二无二分无別无斷故四无色定清淨
故法界法性不虛妄性不變異性平等性離
生性法定法住實際虛空界不思議界清淨
法界乃至不思議界清淨故一切智智清淨
何以故若四无色定清淨若法界乃至不思
議界清淨若一切智智清淨无二无二分无
別无斷故善現四无色定清淨故苦聖諦清
淨苦聖諦清淨故一切智智清淨何以故若
四无色定清淨若苦聖諦清淨若一切智智
清淨无二无二分无別无斷故四无色定清
淨故集滅道聖諦清淨集滅道聖諦清淨故
一切智智清淨何以故若四无色定清淨若
集滅道聖諦清淨若一切智智清淨无二无
二分无別无斷故善現四无色定清淨故四
靜慮清淨四靜慮清淨故一切智智清淨何
以故若四无色定清淨若四靜慮清淨若一
切智智清淨无二无二分无別无斷故四无
色定清淨故四无量清淨四无量清淨故一
切智智清淨何以故若四无色定清淨若四
无量清淨若一切智智清淨无二无二分无
別无斷故善現四无色定清淨故

BD02338號　大般若波羅蜜多經卷二二六　（3–2）

一切智智清淨何以故若四无色定清淨若
集滅道聖諦清淨若一切智智清淨无二无
二分无別无斷故善現四无色定清淨故四
靜慮清淨四靜慮清淨故一切智智清淨何
以故若四无色定清淨若四靜慮清淨若一
切智智清淨无二无二分无別无斷故四无
色定清淨故四无量清淨四无量清淨故一
切智智清淨何以故若四无色定清淨若四
无量清淨若一切智智清淨无二无二分无
別无斷故善現四无色定清淨故八解脫清
淨八解脫清淨故一切智智清淨何以故若
四无色定清淨若八解脫清淨若一切智　智
清淨无二无二分无別无斷故四无色　定清
淨故八勝處九次第定十遍處清淨八勝處
九次第定十遍處清淨故一切智智清淨何
以故若四无色定清淨若八勝處九次第定十
遍處清淨若一切智智清淨无二无二分无
別无斷故善現四无色定清淨故四念住
清淨四念住清淨故一切智智清淨何以故

BD02338號　大般若波羅蜜多經卷二二六　（3–3）

是靜慮是脩靜慮人羅蜜多復作是言汝善
男子應脩靜慮波羅蜜多不應觀色若我若
無我不應觀受想行識若我若無我何以故
色色自性空受想行識受想行識自性空是
色自性即非自性是受想行識自性亦非自
性若非自性即是靜慮波羅蜜多於此靜慮
波羅蜜多色不可得彼我無我亦不可得受
想行識皆不可得彼我無我亦不可得所以
者何此中尚無色等可得何況有彼我與無
我汝若能脩如是靜慮是脩靜慮波羅蜜多
復作是言汝善男子應脩靜慮波羅蜜多不
應觀色若淨若不淨不應觀受想行識若
淨若不淨何以故色色自性空受想行識受
想行識自性空是色自性即非自性是受想
行識自性亦非自性若非自性即是靜慮波
羅蜜多於此靜慮波羅蜜多色不可得彼淨
不淨亦不可得受想行識皆不可得彼淨不
淨亦不可得所以者何此中尚無色等可得
何況有彼淨與不淨汝若能脩如是靜慮是
脩靜慮波羅蜜多憍尸迦是善男子善女人
等作此等說是為宣說真正靜慮波羅蜜多

BD02339號　大般若波羅蜜多經卷一四九　（2–1）

想行識皆不可得彼我無我亦不可得所以
者何此中尚無色等可得何況有彼我與無
我汝若能脩如是靜慮是脩靜慮波羅蜜多
復作是言汝善男子應脩靜慮波羅蜜多不
應觀色若淨若不淨不應觀受想行識若
淨若不淨何以故色色自性空受想行識受
想行識自性空是色自性即非自性是受想
行識自性亦非自性若非自性即是靜慮波
羅蜜多於此靜慮波羅蜜多色不可得彼淨
不淨亦不可得受想行識皆不可得彼淨不
淨亦不可得所以者何此中尚無色等可得
何況有彼淨與不淨汝若能脩如是靜慮是
脩靜慮波羅蜜多憍尸迦是善男子善女人
等作此等說是為宣說真正靜慮波羅蜜多
復次憍尸迦若善男子善女人等為發無上
菩提心者宣說靜慮波羅蜜多作如是言汝
善男子應脩靜慮波羅蜜多不應觀眼處若
常若無常不應觀耳鼻舌身意處若常若無
常何以故眼處眼處自性空耳鼻舌身意處
耳鼻舌身意處自性空是眼處自性即非自
性是耳鼻舌身意處自性亦非自性若非自

BD02339號　大般若波羅蜜多經卷一四九　（2–2）

一百卌九

BD02339號背　勘記　（1–1）

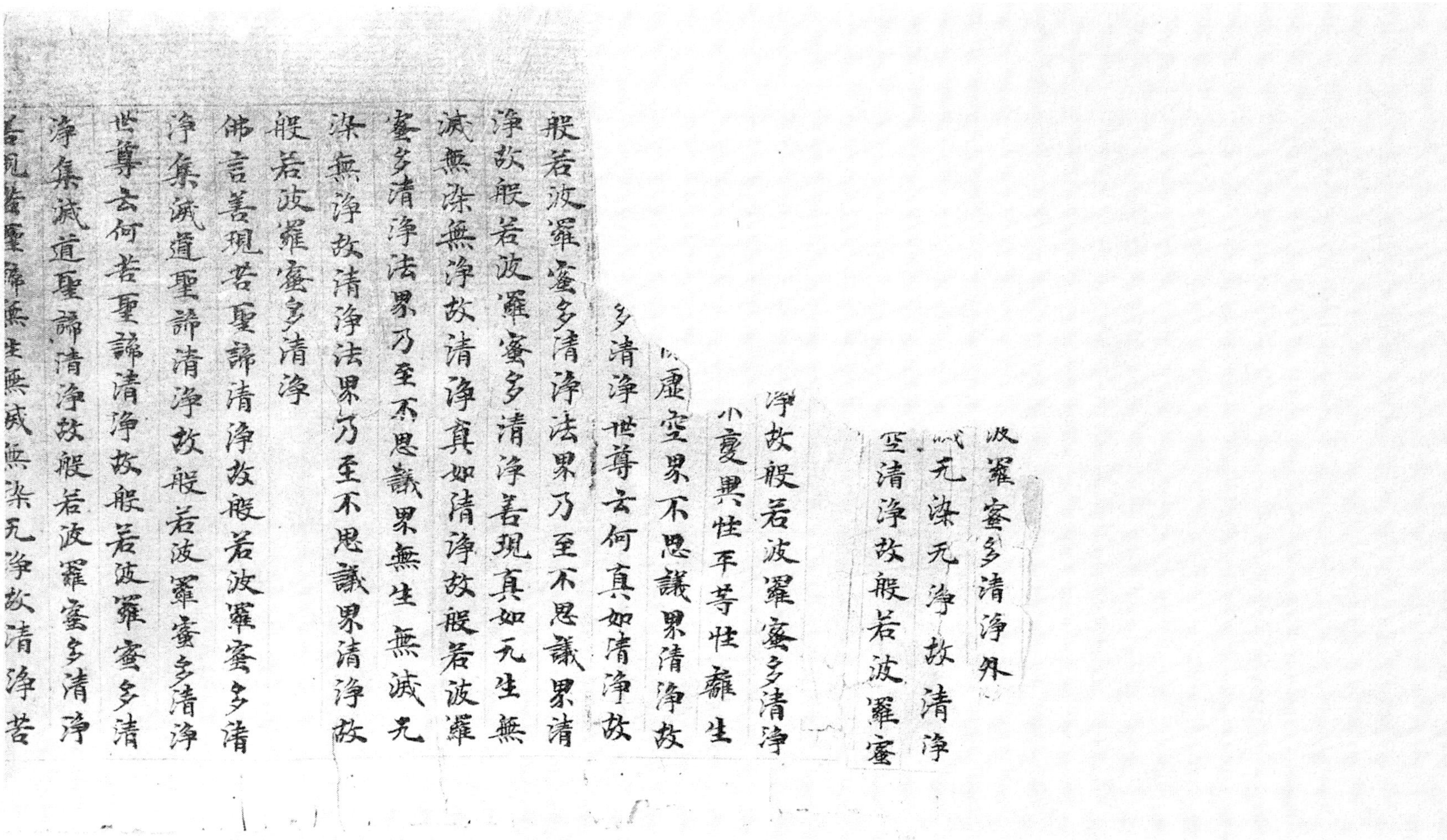

波羅蜜多清淨外
滅无染无淨故清淨
空清淨故般若波羅蜜
淨故般若波羅蜜多清淨
不變異性平等性離生
虛空界不思議界清淨故
多清淨世尊云何真如清淨故
般若波羅蜜多清淨法界乃至不思議界清
淨故般若波羅蜜多清淨善現真如无生無
滅無染無淨故清淨真如清淨故般若波羅
蜜多清淨法界乃至不思議界無生無滅无
染無淨故清淨法界乃至不思議界清淨故
般若波羅蜜多清淨
佛言善現苦聖諦清淨故般若波羅蜜多清
淨集滅道聖諦清淨故般若波羅蜜多清淨
世尊云何苦聖諦清淨故般若波羅蜜多清
淨集滅道聖諦清淨故般若波羅蜜多清淨
善現苦聖諦無生無滅無染无淨故清淨苦

BD02340 號　大般若波羅蜜多經卷二九三　（4–1）

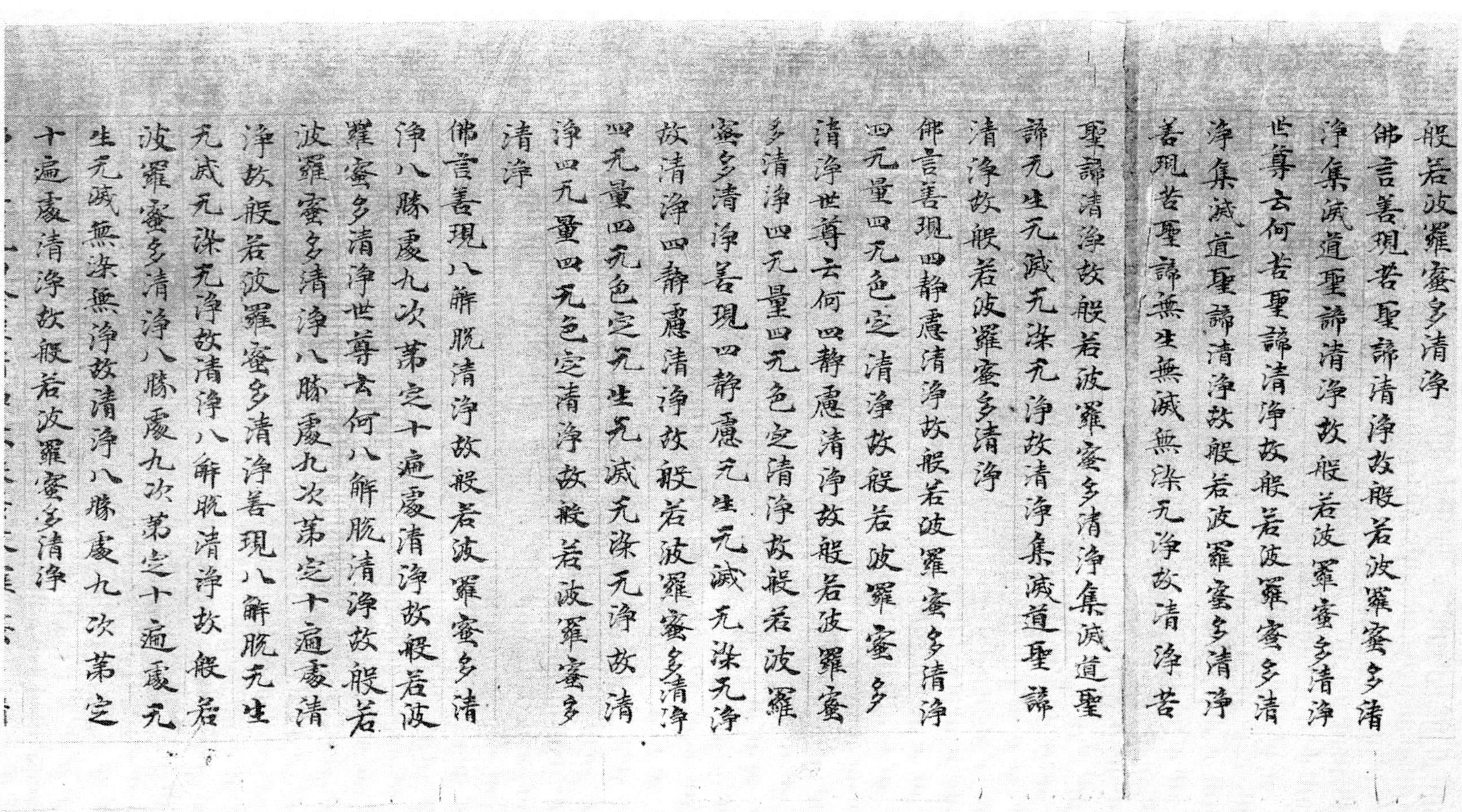

般若波羅蜜多清淨
佛言善現苦聖諦清淨故般若波羅蜜多清
淨集滅道聖諦清淨故般若波羅蜜多清淨
世尊云何苦聖諦清淨故般若波羅蜜多清
淨集滅道聖諦清淨故般若波羅蜜多清淨
善現苦聖諦無生無滅無染无淨故清淨苦
聖諦清淨故般若波羅蜜多清淨集滅道聖
諦无生无滅无染无淨故清淨集滅道聖諦
清淨故般若波羅蜜多清淨
佛言善現四靜慮清淨故般若波羅蜜多清淨
四无量四无色定清淨故般若波羅蜜多
清淨世尊云何四靜慮清淨故般若波羅蜜
多清淨四无量四无色定清淨故般若波羅
蜜多清淨善現四靜慮无生无滅无染无淨
故清淨四靜慮清淨故般若波羅蜜多清淨
四无量四无色定无生无滅无染无淨故清
淨四无量四无色定清淨故般若波羅蜜多
清淨
佛言善現八解脫清淨故般若波羅蜜多清
淨八勝處九次第定十遍處清淨故般若波
羅蜜多清淨世尊云何八解脫清淨故般若
波羅蜜多清淨八勝處九次第定十遍處清
淨故般若波羅蜜多清淨善現八解脫无生
无滅无染无淨故清淨八解脫清淨故般若
波羅蜜多清淨八勝處九次第定十遍處无
生无滅無染無淨故清淨八勝處九次第定
十遍處清淨故般若波羅蜜多清淨

BD02340 號　大般若波羅蜜多經卷二九三　（4–2）

淨故般若波羅蜜多清淨善現八解脫无生
无滅无染无淨故清淨八解脫清淨故般若
波羅蜜多清淨八勝處九次第定十遍處无
生无滅無染無淨故清淨八勝處九次第定
十遍處清淨故般若波羅蜜多清淨
佛言善現四念住清淨故般若波羅蜜多清
淨四正斷四神足五根五力七等覺支八聖
道支清淨故般若波羅蜜多清淨世尊云何
四念住清淨故般若波羅蜜多清淨四正斷
四神足五根五力七等覺支八聖道支清淨
故般若波羅蜜多清淨善現四念住無生无
滅无染无淨故清淨四念住清淨故般若波
羅蜜多清淨四正斷乃至八聖道支无生无
滅无染无淨故清淨四正斷乃至八聖道支
清淨故般若波羅蜜多清淨
佛言善現空解脫門清淨故般若波羅蜜多
清淨无相无願解脫門清淨故般若波羅蜜
多清淨世尊云何空解脫門清淨故般若波
羅蜜多清淨无相无願解脫門清淨故般若
波羅蜜多清淨善現空解脫門无生无滅无
染无淨故清淨空解脫門清淨故般若波羅
蜜多清淨无相无願解脫門无生无滅无染
无淨故清淨无相无願解脫門清淨故般若
波羅蜜多清淨
佛言善現菩薩十地清淨故般若波羅蜜多
清淨世尊云何菩薩十地清淨故般若波羅
蜜多清淨善現菩薩十地无生无滅无染无

BD02340號　大般若波羅蜜多經卷二九三　（4–3）

波羅蜜多清淨善現空解脫門无生无滅无
染无淨故清淨空解脫門清淨故般若波羅
蜜多清淨无相无願解脫門无生无滅无染
无淨故清淨无相无願解脫門清淨故般若
波羅蜜多清淨
佛言善現菩薩十地清淨故般若波羅蜜多
清淨世尊云何菩薩十地清淨故般若波羅
蜜多清淨善現菩薩十地无生无滅无染无
淨故清淨菩薩十地清淨故般若波羅蜜多
清淨
佛言善現五眼清淨故般若波羅蜜多清淨
六神通清淨故般若波羅蜜多清淨世尊云
何五眼清淨故般若波羅蜜多清淨六神通
清淨故般若波羅蜜多清淨善現五眼无生
无滅无染无淨故清淨五眼清淨故般若波
羅蜜多清淨六神通无生无滅無染无淨故
清淨六神通清淨故般若波羅蜜多清淨
佛言善現佛十力清淨故般若波羅蜜多清
淨四无所畏四无礙解大慈大悲大喜大捨
十八佛不共法清淨故般若波羅蜜多清淨
世尊云何佛十力清淨故般若波羅蜜多清

BD02340號　大般若波羅蜜多經卷二九三　（4–4）

靜慮是脩靜慮波羅蜜多復作是言汝善男
子應脩靜慮波羅蜜多不應觀身界若我若
無我不應觀觸界身識界及身觸身觸為緣
所生諸受若我若無我何以故身界身界自
性空觸界身識界及身觸身觸為緣所生諸
受觸界乃至身觸為緣所生諸受自性空是
身界自性即非自性是觸界乃至身觸為緣
所生諸受自性亦非自性若非自性即是靜
慮波羅蜜多於此靜慮波羅蜜多身界不可
得彼我無我亦不可得觸界乃至身觸為緣
所生諸受皆不可得彼我無我亦不可得所
以者何此中尚無身界等可得何況有彼我
與無我汝若能脩如是靜慮是脩靜慮波羅
蜜多復作是言汝善男子應脩靜慮波羅蜜
多不應觀身界若淨若不淨不應觀觸界身
識界及身觸身觸為緣所生諸受若淨若不
淨何以故身界身界自性空觸界身識界及
身觸身觸為緣所生諸受觸界乃至身觸為
緣所生諸受自性空是身界自性即非自性
是觸界乃至身觸為緣所生諸受自性亦非

BD02341號　大般若波羅蜜多經卷一五〇　（2–1）

得彼我無我亦不可得觸界乃至身觸為緣
所生諸受皆不可得彼我無我亦不可得所
以者何此中尚無身界等可得何況有彼我
與無我汝若能脩如是靜慮是脩靜慮波羅
蜜多復作是言汝善男子應脩靜慮波羅蜜
多不應觀身界若淨若不淨不應觀觸界身
識界及身觸身觸為緣所生諸受若淨若不
淨何以故身界身界自性空觸界身識界及
身觸身觸為緣所生諸受觸界乃至身觸為
緣所生諸受自性空是身界自性即非自性
是觸界乃至身觸為緣所生諸受自性亦非
自性若非自性即是靜慮波羅蜜多於此靜
慮波羅蜜多身界不可得彼淨不淨亦不可
得觸界乃至身觸為緣所生諸受皆不可得
彼淨不淨亦不可得所以者何此中尚無身
界等可得何況有彼淨與不淨汝若能脩如
是靜慮是脩靜慮波羅蜜多憍尸迦若善男
子善女人等作此等說是為宣說真正靜慮
波羅蜜多

BD02341號　大般若波羅蜜多經卷一五〇　（2–2）

一百五十

BD02341 號背　勘記　　（1–1）

是佛法根本流浪諸趣墮於惡道永沉苦海
不聞佛名字无㝵菩薩復白佛言世尊人之
在世生死爲重生不擇日時至即生死不擇日
時至即死何因殯葬即問良辰吉日然始殯葬
殯葬之後還有妨害貧窮者多滅門者不
少唯願世尊爲諸邪見无知衆生說其緣令
得正道除其顛倒
佛言善哉善哉善男子汝實甚能問於衆生
生死之事殯葬之法汝等諦聽當爲汝說智
慧之理大道之法夫天地廣太清日月廣長明時
年善美美實无有異善男子人王菩薩甚大
慈悲愍念衆生皆如赤子下爲人主作人父母順
於俗民教於俗法造作歷日頒下天下令知時
節爲有平滿成收開除之字執危破煞之文愚
人依字信用无不免於凶禍又使邪師厭鎮說
是道非溫邪神拜餓鬼却招殃自受苦如斯人
輩返天時逆地理背日月之光明常投闇室
違正道之廣路恒尋邪徑顛倒之甚也
復次善男子生時讀此經三遍兒則易生大吉利
聰明利智福德具足而无中夭死時讀經三遍
一无妨害得福无量善男子日日好日月月好月

BD02342 號　天地八陽神咒經　　（3–1）

輩及天時逆地理背日月之光明常投闇室
違正道之廣路恒尋邪侄顛倒之甚也
復次善男子生時讀此經三遍兒則易生大吉利
聰明利智福德具足而无中夭死時讀經三遍
一无妨害得福无量善男子日日好日月月好月
年年好年實无間隔但辦即須殯葬殯葬
之日讀此經七遍甚大吉利獲福无量門榮人
貴延年益壽命終之日並得成聖善男子殯葬
之地不問東西南北安隱之處人之愛樂鬼神愛
樂即讀此經三遍便以脩營安置墓田永无灾
鄣家富人興甚大吉利尒時世尊欲重宣此義而
說偈言
營生善善日　休殯好好時　生死讀誦經　甚得大利益
月月善明月　年年大好年　讀經即殯葬　榮華万代昌
尒時衆中七万七千人聞佛所說心開意解捨
邪歸正得佛法分永斷疑惑皆得阿耨多羅
三藐三菩提
无导菩薩復白佛言世尊一切凡夫皆以婚
媾爲親先問相宜復吉日然始成親已後富貴
偕老者少貧寒生離死別者多一種信邪如
何而有差別唯願世尊爲決衆疑
佛言善男子汝等諦聽當爲汝說天陰地陽
月陰日陽水陰火陽男陰女陽天地氣合一切
草木生焉日月交運四時八節明焉水火相承

BD02342號　天地八陽神咒經　（3–2）

媾爲親先問相宜復吉日然始成親已後富貴
偕老者少貧寒生離死別者多一種信邪如
何而有差別唯願世尊爲決衆疑
佛言善男子汝等諦聽當爲汝說天陰地陽
月陰日陽水陰火陽男陰女陽天地氣合一切
草木生焉日月交運四時八節明焉水火相承
一切万物熟焉男女允諧子孫興焉皆是天之
常道自然之理世諦之法善男子愚人无智信
其邪師卜問望吉而不脩善造種種惡業命
終之後得人身者如指甲上土墮於地獄作餓
鬼畜生者如大地土善男子復得人身正信脩
善者如指甲上土信邪造惡業者如大地土善
男子若結婚親莫問水火相尅胎胞相厭唯
看祿命即知福德多少以爲眷屬呼迎之日
讀此經三遍即以成礼此乃善善相因明明相
屬門高人貴子孫興盛聰明利智多才多藝
孝敬相承甚大吉利而无中夭福德具足皆成佛
道
時有八菩薩承佛威神得大揔持常處人間
和光同塵破邪立正度四生處八解其名曰
跋陁和菩薩漏盡和　羅隣那竭菩薩漏盡和
憍目兜菩薩漏盡和　須量弥深菩薩漏盡

BD02342號　天地八陽神咒經　（3–3）

大乘无量壽經
如是我聞一時薄伽梵在舍衛國祇樹給孤獨園與大苾蒭僧千二百五十人大菩薩摩訶
薩衆俱　尒時世尊告曼殊室利童子曼殊上方有世界名无量功德聚彼
有佛号无量智決定王如來阿耨多羅三藐三菩提現為衆生開示說法曼殊師
利南閻浮提人皆短壽大限百年於中枉横死者衆曼殊如是无量壽如來功
德名稱法要若有衆生得聞名号若自書或使人書能為經卷受持讀誦若於
宅舍所住之處以種種花鬘瓔珞塗香末香而為供養如其命盡復得延年滿足
百歲如是曼殊若有衆生得聞是无量壽智決定王如來一百八名号者益其長壽
若有衆生大命將盡憶念是如來名号更得增壽如是曼殊若有善男子善
女人欲求長命於是无量壽如來一百八名号有得聞者或自書若使人書受持讀
誦得如是等果報福德具足陁羅尼曰　南謨薄伽勃底一阿波唎蜜多二
阿喻紇硯娜三須毗你悉指陁四羅佐耶五怛他羯他耶六怛姪他唵七薩婆桑悉迦羅八波唎輸底九
達磨底十伽迦娜十一莎訶其持迦底十二薩婆婆毗輸底十三摩訶娜耶十四波唎婆囉莎訶十五
世尊復告曼殊室利如是如來一百八名号若有自書或使人書為經卷受持讀
誦如壽命盡復滿百年壽終此身後得往生无量福智世界无量壽淨土陁羅尼
曰　南謨薄伽勃底一阿波唎蜜多二阿喻紇硯娜三須毗你悉指陁四羅佐耶五怛他羯他耶六怛姪他唵七
薩婆桑悉迦羅八波唎輸底九達磨底十伽迦娜十一莎訶其持迦底十二薩婆婆毗輸底十三摩訶娜耶十四波唎婆囉莎訶十五
尒時有九十九姟佛等一時同聲說是无量壽宗要經陁羅尼曰
南謨薄伽勃底一阿波唎蜜多二阿喻紇硯娜三須毗你悉指陁四羅佐耶五怛他羯他耶六怛姪他唵七薩婆桑
悉迦羅八波唎輸底九達磨底十伽迦娜十一莎訶其持迦底十二薩婆婆毗輸底十三摩訶娜耶十四波唎婆囉莎訶十五
尒時復有一百四姟佛一時同聲說是无量壽宗要經陁羅尼曰
南謨薄伽勃底一阿波唎蜜多二阿喻紇硯娜三須毗你悉指陁四羅佐耶五怛他羯他耶六怛姪他唵七薩婆桑
悉迦羅八波唎輸底九達磨底十伽迦娜十一莎訶其持迦底十二薩婆婆毗輸底十三摩訶娜耶十四波唎婆囉莎訶十五
尒時復有七姟佛一時同聲說是无量壽宗要經陁羅尼曰
南謨薄伽勃底一阿波唎蜜多二阿喻紇硯娜三須毗你悉指陁四羅佐耶五怛他羯他耶六怛姪他唵七薩婆

BD02343號　無量壽宗要經　（5–1）

尒時復有一百四姟佛一時同聲說是无量壽宗要經陁羅尼曰
南謨薄伽勃底一阿波唎蜜多二阿喻紇硯娜三須毗你悉指陁四羅佐耶五怛他羯他耶六怛姪他唵七薩婆桑
悉迦羅八波唎輸底九達磨底十伽迦娜十一莎訶其持迦底十二薩婆婆毗輸底十三摩訶娜耶十四波唎婆囉莎訶十五
尒時復有七姟佛一時同聲說是无量壽宗要經陁羅尼曰
南謨薄伽勃底一阿波唎蜜多二阿喻紇硯娜三須毗你悉指陁四羅佐耶五怛他羯他耶六怛姪他唵七薩婆
桑悉迦羅八波唎輸底九達磨底十伽迦娜十一莎訶其持迦底十二薩婆婆毗輸底十三摩訶娜耶十四波唎婆囉莎訶十五
尒時復有六十五姟佛一時同聲說是无量壽宗要經陁羅尼曰
南謨薄伽勃底一阿波唎蜜多二阿喻紇硯娜三須毗你悉指陁四羅佐耶五怛他羯他耶六怛姪他唵七薩
婆桑悉迦羅八波唎輸底九達磨底十伽迦娜十一莎訶其持迦底十二薩婆婆毗輸底十三摩訶娜耶十四波唎婆囉莎訶十五
尒時復有五十五姟佛一時同聲說是无量壽宗要經陁羅尼曰
南謨薄伽勃底一阿波唎蜜多二阿喻紇硯娜三須毗你悉指陁四羅佐耶五怛他
羯他耶六怛姪他唵七薩婆桑悉迦羅八波唎輸底九達磨底十伽迦娜十一莎訶其持
迦底十二薩婆婆毗輸底十三摩訶娜耶十四波唎婆囉莎訶十五
尒時復有四十五姟佛一時同聲說是无量壽宗要經陁羅尼曰
南謨薄伽勃底一阿波唎蜜多二阿喻紇硯娜三須毗你悉指陁四羅佐耶五怛他羯他耶六怛姪
他唵七薩婆桑悉迦羅八波唎輸底九達磨底十伽迦娜十一莎訶其持迦底十二薩婆婆毗輸
底十三摩訶娜耶十四波唎婆囉莎訶十五
尒時復有三十六姟佛一時同聲說是无量壽宗要經陁羅尼曰
南謨薄伽勃底一阿波唎蜜多二阿喻紇硯娜三須毗你悉指陁四羅佐耶五怛他羯他耶六怛
姪他唵七薩婆桑悉迦羅八波唎輸底九達磨底十伽迦娜十一莎訶其持迦底十二薩婆婆毗輸
底十三摩訶娜耶十四波唎婆囉莎訶十五
尒時復有二十五姟佛一時同聲說是无量壽宗要經陁羅尼曰　南謨薄伽勃底一
阿波唎蜜多二阿喻紇硯娜三須毗你悉指陁四羅佐耶五怛他羯他耶六怛姪他唵七薩婆桑悉迦
羅八波唎輸底九達磨底十伽迦娜十一莎訶其持迦底十二薩婆婆毗輸底十三摩訶娜耶十四波唎
婆囉莎訶十五
尒時復有恒河沙姟佛一時同聲說是无量壽宗要經陁羅尼曰　南謨薄伽勃底一
阿波唎蜜多二阿喻紇硯娜三須毗你悉指陁四羅佐耶五怛他羯他耶六怛姪他唵七薩婆桑悉迦羅八
波唎輸底九達磨底十伽迦娜十一莎訶其持迦底十二薩婆婆毗輸底十三摩訶娜耶十四波唎婆囉莎訶十五
善男子若有自書寫教人書寫是无量壽宗要經如其命盡復得長壽而滿百年陁
羅尼曰　南謨薄伽勃底一阿波唎蜜多二阿喻紇硯娜三須毗你悉指陁四羅佐耶五怛他羯他
耶六怛姪他唵七薩婆桑悉迦羅八波唎輸底九達磨底十伽迦娜十一莎訶其持迦底十二薩婆婆毗輸底十三
摩訶娜耶十四波唎婆囉莎訶十五
若有自書寫教人書寫是无量壽宗要經讀誦受持畢竟不墮地獄在在

BD02343號　無量壽宗要經　（5–2）

羅尼曰　南謨薄伽勃底一阿波唎蜜多二阿喻紇硯娜三須毗你悉指陀四囉佐耶五怛他羯他
耶六怛姪他唵七薩婆桑悉迦囉八波唎輸底九達摩底十伽迦娜十一莎訶某持迦底十二薩婆婆毗輸底十三
摩訶娜耶十四波唎婆囇莎訶十五
若有自書寫教人書寫是无量壽宗要經讀誦受持畢竟不墮地獄在在
所生得宿命智陀羅尼曰　南謨薄伽勃底一阿波唎蜜多二阿喻紇硯娜三須
毗你悉指陀四囉佐耶五怛他羯他耶六怛姪他唵七薩婆桑悉迦囉八波唎輸底九達摩底十伽
迦娜十一莎訶某持迦底十二薩婆婆毗輸底十三摩訶娜耶十四波唎婆囇莎訶十五
若有自書教人書寫是无量壽宗要經受持讀誦如同書寫八万四千一切經典陀
羅尼曰　南謨薄伽勃底一阿波唎蜜多二阿喻紇硯娜三須毗你悉指陀四囉佐耶五
怛他羯他耶六怛姪他唵七薩婆桑悉迦囉八波唎輸底九達摩底十伽迦娜十一莎訶某持迦底十二
薩婆婆毗輸底十三摩訶娜耶十四波唎婆囇莎訶十五
若有自書寫教人書寫是无量壽宗要經即是書寫八万四千部建立塔廟陀羅
尼曰　南謨薄伽勃底一阿波唎蜜多二阿喻紇硯娜三須毗你悉指陀四囉佐耶五
怛他羯他耶六怛姪他唵七薩婆桑悉迦囉八波唎輸底九達摩底十伽迦娜十一莎訶某持迦底十二
薩婆婆毗輸底十三摩訶娜耶十四波唎婆囇莎訶十五
若有自書寫教人書寫是无量壽宗要經能消五无間等一切重罪陀羅尼曰
南謨薄伽勃底一阿波唎蜜多二阿喻紇硯娜三須毗你悉指陀四囉佐耶五怛他羯他耶六怛
姪他唵七薩婆桑悉迦囉八波唎輸底九達摩底十伽迦娜十一莎訶某持迦底十二薩婆婆毗輸底十三
摩訶娜耶十四波唎婆囇莎訶十五　若有自書寫教人書寫是无量壽宗
要經受持讀誦設有重罪猶如須弥盡能除滅陀羅尼曰　南謨薄伽勃底一阿波唎蜜
多二阿喻紇硯娜三須毗你悉指陀四囉佐耶五怛他羯他耶六怛姪他唵七薩婆桑悉迦囉八波唎輸底九達
磨底十伽迦娜十一莎訶某持迦底十二薩婆婆毗輸底十三摩訶娜耶十四波唎婆囇莎訶十五
若有自書寫教人書寫是无量壽宗要經受持讀誦若魔魔之眷屬夜叉羅剎
不得其便終无枉死陀羅尼曰　南謨薄伽勃底一阿波唎蜜多二阿喻紇硯娜三須
毗你悉指陀四囉佐耶五怛他羯他耶六怛姪他唵七薩婆桑悉迦囉八波唎輸底九達磨底十伽迦
娜十一莎訶某持迦底十二薩婆婆毗輸底十三摩訶娜耶十四波唎婆囇莎訶
若有自書寫教人書寫是无量壽宗要經受持讀誦當命終時有九十九姟佛現其
人前來手佛授手能遊一切佛剎莫於此經生於疑惑陀羅尼曰
南謨薄伽勃底一阿波唎蜜多二阿喻紇硯娜三須毗你悉指陀四囉佐耶五怛他羯他耶六怛姪他唵七薩婆桑悉
迦囉八波唎輸底九達磨底十伽迦娜十一莎訶某持迦底十二薩婆婆毗輸底十三摩訶娜耶十四波唎婆囇莎訶十五
若有自書寫教人書寫是无量壽宗要經受持讀誦常得四天大王隨
其衛護陀羅尼曰　南謨薄伽勃底一阿波唎蜜多二阿喻紇硯娜三須毗
你悉指陀四囉佐耶五怛他羯他耶六怛姪他唵七薩婆桑悉迦囉八波唎輸底九達磨底
娜十一莎訶某持迦底十二薩婆婆毗輸底十三摩訶娜耶十四波唎婆囇莎訶十五

你悉指陀四囉佐耶五怛他羯他耶六怛姪他唵七薩婆桑悉
迦囉八波唎輸底九達磨底十伽迦娜十一莎訶某持迦底十二薩婆婆毗輸底十三摩訶娜耶十四波唎婆囇莎訶十五
若有自書寫教人書寫是无量壽宗要經受持讀誦常得四天大王隨
其衛護陀羅尼曰　南謨薄伽勃底一阿波唎蜜多二阿喻紇硯娜三須毗
你悉指陀四囉佐耶五怛他羯他耶六怛姪他唵七薩婆桑悉迦囉八波唎輸底九達磨底十
伽迦娜十一莎訶某持迦底十二薩婆婆毗輸底十三摩訶娜耶十四波唎婆囇莎訶十五
若有自書教人書寫是无量壽宗要經受持讀誦當得往生西方極樂
世界阿弥陀淨土陀羅尼曰　南謨薄伽勃底一阿波唎蜜多二阿喻紇硯
娜三須毗你悉指陀四囉佐耶五怛他羯他耶六怛姪他唵七薩婆桑悉迦囉八波唎輸底九
達磨底十伽迦娜十一莎訶某持迦底十二薩婆婆毗輸底十三摩訶娜耶十四波唎婆囇莎訶十五
若有方所自書寫使人書寫是无量壽經典之處則為是塔皆應恭敬作礼若
是畜生或為鳥獸得聞是經如是等類皆當不久得成一切種智陀羅尼曰
南謨薄伽勃底一阿波唎蜜多二阿喻紇硯娜三須毗你悉指陀四囉佐耶五怛他羯他耶六怛
姪他唵七薩婆桑悉迦囉八波唎輸底九達磨底十伽迦娜十一莎訶某持迦底十二薩婆婆
毗輸底十三摩訶娜耶十四波唎婆囇莎訶十五　若有於是无量壽經典
書寫若使人書寫畢竟不受女人之身陀羅尼曰　南謨薄伽勃底一阿波唎
蜜多二阿喻紇硯娜三須毗你悉指陀四囉佐耶五怛他羯他耶六怛姪他唵七薩婆桑悉迦
囉八波唎輸底九達磨底十伽迦娜十一莎訶某持迦底十二薩婆婆毗輸底十三摩訶娜耶十四波
唎婆囇莎訶十五　若有能於是經少分能惠施者等於三千大千世界
滿中七寶布施陀羅尼曰　南謨薄伽勃底一阿波唎蜜多二阿喻紇硯娜
須毗你悉指陀四囉佐耶五怛他羯他耶六怛姪他唵七薩婆桑悉迦囉八波唎輸底九達磨底十
伽迦娜十一莎訶某持迦底十二薩婆婆毗輸底十三摩訶娜耶十四波唎婆囇莎訶十五
若有能供養是經者則是供養一切諸經等无有異陀羅尼曰
南謨薄伽勃底一阿波唎蜜多二阿喻紇硯娜三須毗你悉指陀四囉佐耶五怛他羯他耶六怛姪他唵
薩婆桑悉迦囉八波唎輸底九達磨底十伽迦娜十一莎訶某持迦底十二薩婆婆毗輸底十三摩訶娜耶十四波唎婆囇莎訶
如是毗婆尸佛　尸弃毗舍浮佛　俱留孫佛　俱那含牟尼佛　迦葉佛　釋迦牟尼佛
若有人以七寶供養如是七佛其福有限書寫受持是无量壽經典所有功
德不可限量陀羅尼曰　南謨薄伽勃底一阿波唎蜜多二阿喻紇硯娜三須毗
你悉指陀四囉佐耶五怛他羯他耶六怛姪他唵七薩婆桑悉迦囉八波唎輸底九達磨底
伽迦娜十一莎訶某持迦底十二薩婆婆毗輸底十三摩訶娜耶十四波唎婆囇莎訶十五
若有七寶等於須弥以用布施其福尚能知其限量是无量壽經典其福不
可知數陀羅尼曰　南謨薄伽勃底一阿波唎蜜多二阿喻紇硯娜三須毗你悉指
陀四囉佐耶五怛他羯他耶六怛姪他唵七薩婆桑悉迦囉八波唎輸底九達磨底十伽迦
娜十一莎訶某持迦底十二薩婆婆毗輸底十三摩訶娜耶十四波唎婆囇莎訶十五

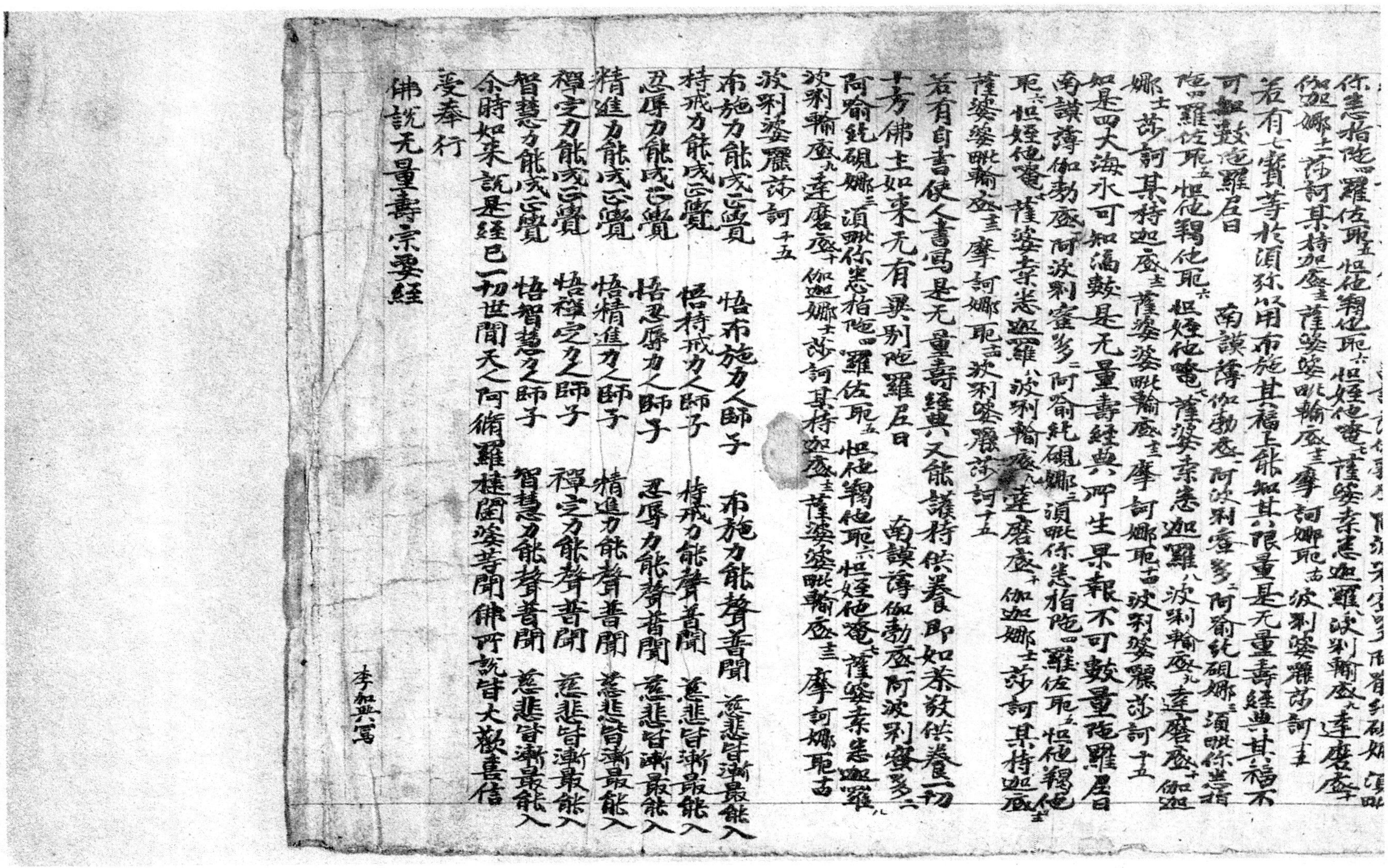
你悉指陀四羅佐耶五怛他羯他耶六怛姪他唵七薩婆桑悉迦羅八波唎輸㡳九達磨㡳十
伽伽娜十一莎訶其持迦㡳十二薩婆婆毗輸㡳十三摩訶娜耶十四波唎婆囉莎訶十五
若有七寶等於須弥山用布施其福上能知其限量是无量壽經典其福不
可知數陀羅尼曰　南謨薄伽勃底一阿波唎蜜多二阿喻紇硯娜三須毗你悉指
陀四羅佐耶五怛他羯他耶六怛姪他唵七薩婆桑悉迦羅八波唎輸㡳九達磨㡳十伽伽
娜十一莎訶其持迦㡳十二薩婆婆毗輸㡳十三摩訶娜耶十四波唎婆囉莎訶十五
如是四大海水可知滴數是无量壽經典所生果報不可數量陀羅尼曰
南謨薄伽勃底一阿波唎蜜多二阿喻紇硯娜三須毗你悉指陀四羅佐耶五怛他羯他
耶六怛姪他唵七薩婆桑悉迦羅八波唎輸㡳九達磨㡳十伽伽娜十一莎訶其持迦㡳十二
薩婆婆毗輸㡳十三摩訶娜耶十四波唎婆囉莎訶十五
若有自書使人書寫是无量壽經典又能讓持供養即如恭敬供養一切
十方佛土如來无有異別陀羅尼曰　南謨薄伽勃底一阿波唎蜜多二
阿喻紇硯娜三須毗你悉指陀四羅佐耶五怛他羯他耶六怛姪他唵七薩婆桑悉迦羅八
波唎輸㡳九達磨㡳十伽伽娜十一莎訶其持迦㡳十二薩婆婆毗輸㡳十三摩訶娜耶十四
波唎婆囉莎訶十五
布施力能成正覺　悟布施力人師子　布施力能聲善聞　慈悲皆漸最能入
持戒力能成正覺　悟持戒力人師子　持戒力能聲善聞　慈悲皆漸最能入
忍辱力能成正覺　悟忍辱力人師子　忍辱力能聲善聞　慈悲皆漸最能入
精進力能成正覺　悟精進力人師子　精進力能聲善聞　慈悲皆漸最能入
禪定力能成正覺　悟禪定力人師子　禪定力能聲善聞　慈悲皆漸最能入
智慧力能成正覺　悟智慧力人師子　智慧力能聲善聞　慈悲皆漸最能入
尒時如來說是經已一切世間天人阿脩羅揵闥婆等聞佛所說皆大歡喜信
受奉行
佛說无量壽宗要經
李和興寫

BD02343 號　無量壽宗要經　（5–5）

BD02343 號背　勘記　（1–1）

金光明最勝王經第四卷護

BD02344號背　金光明最勝王經卷四護首　　（1–1）

金光明最勝王經最淨地陀羅尼品
尒時師子相无礙光焰菩薩
而起偏袒右肩右膝著地
足以種種花香寶幢幡
世尊以幾因緣得菩提
尊即於菩提現在心
過去心不可得離於菩
菩提者不可言說心亦無
非可造作衆生亦不可得亦

BD02344號　金光明最勝王經卷四　　（17–1）

於菩提現在心
過去心不可得離於菩
菩提者不可言說心亦無
非可造作衆生亦不可得亦
何謂法甚深之義而可得
佛言善男子如是如是菩
皆不可得若離菩提菩提
者不可說心亦不可說无色相
衆生亦不可得何以故菩提及心
能證所證皆平等故非无諸
男子菩薩摩訶薩如是知
諸法善說菩提及菩提心
非未來非現在心亦如是
二相實不可得何以故以一
菩提不可得菩提名亦不可
不可得聲聞聲聞名不可得
可得菩薩菩薩名不可得佛
非行不可得行非行名不可得
一切寂靜法中而得安住
根而得生起
善男子譬如寶須弥山王
心利衆生故是名第一布
子譬如大地持衆物故是名
蜜曰譬如師子有大威力獨步
故是名第三忍辱波羅蜜曰
迮力勇壯速疾心不退故是名
羅蜜曰譬如七寶樓觀

故是名第三忍辱波羅蜜曰
迮力勇壯速疾心不退故是名
羅蜜曰譬如七寶樓觀
來吹四門受安隱樂靜慮
名第五靜慮波羅蜜曰譬如
此心速能破滅生死无明闇故
波羅蜜曰譬如商主能令一切心
心能度生死險道獲功德寶故
方便勝智波羅蜜因譬如淨
心能於一切境界清淨具
波羅蜜曰譬如轉輪聖
在此心善能莊嚴淨佛國
羣生故是名第九波羅蜜
轉輪聖王此心能於一切境界
一切處皆得自在至灌頂位故
波羅蜜因善男子是名菩
提心因如是十因汝當脩
善男子依五種法菩
羅蜜云何為五一者信根
求欲心四者攝受一切衆生
智智善男子是名菩薩摩
羅蜜善男子復依五法菩
戒波羅蜜云何為五一者三
為一切衆生作煩惱因
善趣門四者過於聲聞
功德皆悲滿足善男子
就持戒波羅蜜善男子

戒波羅蜜云何為五一者三
為一切衆生作煩惱因
善趣門四者過於聲聞
切德皆悉滿足善男子
就持戒波羅蜜善男子
薩成就忍辱波羅蜜云何
瞋煩惱二者不惜身命不求
三者思惟往業遭苦能忍四
就衆生諸善根故五者
善男子是名菩薩摩
善男子復依五法菩薩
波羅蜜云何為五一者
二者福德未具不受安樂
行之事不生厭心四者以大
便成熟一切衆生五者願
子是名菩薩摩訶薩
男子復依五法菩薩摩
蜜云何為五一者於諸善法
常願解脫不著二邊
衆生諸善根故四者為
五者為斷衆生煩惱根
薩摩訶薩成就靜慮波羅
五法菩薩摩訶薩成就
一者常於一切諸佛菩薩
近不生厭背二者諸佛如來
樂聞无有厭足三者
者見修煩惱咸速斷除

BD02344號　金光明最勝王經卷四　（17–4）

樂聞无有厭足三者
者見修煩惱咸速斷除
大法皆悉通達善男子
就智慧波羅蜜善男子
薩成就方便波羅蜜云
衆生意樂煩惱心行差別
量諸法對治之門心
出入自在四者於諸波
熟滿足五者一切佛法
善男子是名菩薩摩
羅蜜善男子復依五法
波羅蜜云何為五一者
不生不滅非有非無心
法寂妙理趣離
切相心本真如无作
住四者為欲利益諸
得安住五者於奢摩
得安住善男子是名
羅蜜善男子復依五
力波羅蜜云何為五一者
衆生心行善惡二
深微妙之法三者一
緣業如實了知四者
正智力能分別知
令種善根成熟
名菩薩摩訶薩
依五法菩薩摩訶

BD02344號　金光明最勝王經卷四　（17–5）

令種善根成熟
名菩薩摩訶薩
依五法菩薩摩訶薩
五一者能於諸法
遠離攝受三者能
者具福智行至究
諸佛不共法等及
薩摩訶薩成就
羅蜜義所謂脩習
量大甚深智具
着是波羅蜜義
觀是波羅蜜義
蜜義能現種種珍
解脫智慧滿足具
分別知是波羅蜜義
是波羅蜜義无生法忍
義一切眾生功德善
義能於菩提成佛
皆悉成就是波羅
是波羅蜜義濟度
道來相諸難善斷
義能轉十二妙行法輪具
无所見无患累是波羅
善男子初地菩薩是
無量无邊種種寶
男子二地菩薩是相
平如掌无量无邊

BD02344號　金光明最勝王經卷四　（17–6）

無量无邊種種寶
男子二地菩薩是相
平如掌无量无邊
之具菩薩悉見善男
自身勇健甲仗莊嚴一切
薩悉見善男子四地菩
輪種種妙花悉皆散
善男子五地菩薩具
瓔珞周遍嚴身首冠
見善男子六地菩薩是
四階道金砂遍布清淨无
盈滿嗢鉢羅花拘物頭花
嚴於花池所遊戲快樂
善男子七地菩薩是相
眾生應墮地獄以菩薩
傷亦无恐怖菩薩悉見
相先現於身兩邊有師子
眾獸悉皆怖畏菩薩悉見
是相先現轉輪聖王无量億
白蓋无量眾寶之所莊嚴
十地菩薩是相先現如來之
量淨光悉皆圓滿有无量億
供養轉於无上微妙法輪菩
善男子云何初地名為歡喜謂
之心昔所未得而今始得於
悉皆成就生極喜樂是故最初
諸微細垢犯戒過失皆得清

BD02344號　金光明最勝王經卷四　（17–7）

之心善所求得而今始得於大
悲皆成就生極喜樂是故最初
諸微細垢犯戒過失皆得清
為无垢无量智慧三昧光明不
摧伏聞持陀羅尼以為根本是
明地以智慧火燒諸煩惱增長
覺品是故四地名為焰地脩
在極難得故見脩煩惱難伏能
為難勝行法相續了了顯現無
現前是故六地名為現前無漏无
故七地名為遠行无相思惟脩
惱行不能令動是故八地名為
切法種種差別皆得自在无患
慧自在无礙是故九地名為善慧
空智慧如大雲皆能遍滿覆一切
十名為法雲
善男子執著有相我法无明怖
明此二无明障於初地微細學處誤
發起種種業行无明此二无明障於
得令得愛著無明能障殊勝捴持无
无明障於三地味著等至喜悅无明
法愛樂无明此二无明障於四地欲
无明希趣涅槃无明此二无明障於
行流轉无明麁相現前无明此二无
六地微細諸相現行无明作意欣樂
明此二无明障於七地於无相觀功

BD02344號　金光明最勝王經卷四　（17–8）

无明希趣涅槃无明此二无明障於
行流轉无明麁相現前无明此二无
六地微細諸相現行无明作意欣樂
明此二无明障於七地於无相觀功
相自在无明此二无明障於八地於一
及名句文此二无量未善巧无明於
未不隨意无明此二无明障於九地
通未得自在變現无明微細祕密
事業无明此二无明障於十地於一切
細所知障礙无明極細煩惱麁重无
无明障於佛地
善男子菩薩摩訶薩於初地中行檀
於第二地行戒波羅蜜於第三地行
蜜於第四地行勤波羅蜜於第五地行
羅蜜於第六地行慧波羅蜜於第七
便勝智波羅蜜於第八地行願波羅
九地行力波羅蜜於第十地行智波
男子菩薩摩訶薩最初發心攝受
三摩地第二發心攝受能生可愛樂三
三發心攝受能生難動三摩地第四
受能生不退轉三摩地第五發心攝
生寶花三摩地第六發心攝受能
焰三摩地第七發心攝受能生一切
成就三摩地第八發心攝受能生現
三摩地第九發心攝受能生智藏
十發心攝受能生勇進三摩地善男
菩薩摩訶薩十種發心善男子善

BD02344號　金光明最勝王經卷四　（17–9）

三摩地第九發心攝受能生智藏
十發心攝受能生勇進三摩地善男
菩薩摩訶薩十種發心善男子菩
於此初地得陀羅尼名依功德力
說呪曰
怛 姪 他 晡嵂你曼奴喇剃
獨虎獨虎獨虎 耶䟦 蘇利瑜
阿婆婆薩底丁里反下皆同 耶䟦 旃達囉
調 怛底 多䟦達 洛叉湯
憚荼鉢唎訶藍 矩 嚕 莎 訶
善男子此陀羅尼是過一恒河沙數諸佛所
說為護初地菩薩故若有誦持此陀羅尼呪
者得脫一切怖畏所謂虎狼師子惡獸之類一
切惡鬼人非人等怨賊災橫及諸苦惱解脫
五障不忘念初地
善男子菩薩摩訶薩於第二地得陀羅尼
名善安樂住
怛 姪 他 嗢 篅入聲下同 里
質 里 質 里 嗢 篅 羅 篅 羅 喃
繕覩繕覩 篅里 虎嚕虎嚕 莎 訶
善男子此陀羅尼是過二恒河沙數諸佛所
說為護二地菩薩故若有誦持此陀羅尼呪
者脫諸怖畏惡獸惡鬼人非人等怨賊災橫
及諸苦惱解脫五障不忘念二地
善男子菩薩摩訶薩於第三地得陀羅尼名
難勝力
怛 姪 他 憚宅枳 般宅枳

BD02344號　金光明最勝王經卷四 （17–10）

及諸苦惱解脫五障不忘念二地
善男子菩薩摩訶薩於第三地得陀羅尼名
難勝力
怛 姪 他 憚宅枳 般宅枳
羯喇撥 高喇撥 雞田哩 憚撥里 莎訶
善男子此陀羅尼是過三恒河沙數諸佛所
說為護三地菩薩故若有誦持此陀羅尼呪
者脫諸怖畏惡獸惡鬼人非人等怨賊災橫
及諸苦惱解脫五障不忘念三地
善男子菩薩摩訶薩於第四地得陀羅尼名
大利益
怛 姪 他 室剩 室唎
陀彌你陀彌你 陀哩 陀哩你
室唎室唎 你 毗舍羅波世波始娜
畔陀彌帝莎訶
善男子此陀羅尼是過四恒河沙數諸佛所
說為護四地菩薩故若有誦持此陀羅尼呪
者脫諸怖畏惡獸惡鬼人非人等惡賊災橫
及諸苦惱解脫五障不忘念四地
善男子菩薩摩訶薩於第五地得陀羅尼
名種種功德莊嚴
怛 姪 他 訶哩 訶 引哩你
遮哩遮引哩你 羯喇摩引你
僧羯喇摩引你 三婆山你 瞻跋你
悉耽婆你謨漢你 碎閻步階 莎訶
善男子此陀羅尼是過五恒河沙數諸佛所
說為護五地菩薩故若有誦持此陀羅

BD02344號　金光明最勝王經卷四 （17–11）

悉䩭婆你謨漢你　碎闍步階莎訶
善男子此陀羅尼是過五恒河沙數諸佛所
說為護五地菩薩摩訶薩故若有誦持此陀
羅尼呪者脫諸怖畏惡獸惡鬼人非人等怨
賊災橫及諸苦惱解脫五障不忘念五地
善男子菩薩摩訶薩於第六地得陀羅尼名
圓滿智
怛姪他　毗徒哩毗徒哩
摩哩你迦里迦里　毗度漢底
嚕嚕嚕嚕　主嚕主嚕
杜嚕婆杜嚕婆　捨捨設者婆哩灑
莎入悉底薩婆薩埵喃　悉甸覩漫
曼怛囉鉢陀你莎訶
善男子此陀羅尼過去六恒河沙數諸佛所
說為護六地菩薩摩訶薩故若有誦持此陀
羅尼呪者脫諸怖畏惡獸惡鬼人非人等怨
賊災橫及諸苦惱解脫五障不忘念六地
善男子菩薩摩訶薩於第七地得陀羅尼名
法勝行
怛姪他　勺訶上勺訶引嚕
勺訶勺訶勺訶嚕　鞞陸枳鞞陸枳
阿蜜栗多嚧漢你　勃里山你
鞞嚕勑枳婆嚕伐底　鞞提呬枳
頻陀鞞哩你　阿蜜哩底枳
薄虎主愈　薄虎主愈莎訶
善男子此陀羅尼是過七恒河沙數諸佛所
說為護七地菩薩故若有誦持此陀羅尼呪

薄虎主愈　薄虎主愈莎訶
善男子此陀羅尼是過七恒河沙數諸佛所
說為護七地菩薩故若有誦持此陀羅尼呪
者脫諸怖畏惡獸惡鬼人非人等怨賊災橫
及諸苦惱解脫五障不忘念七地
善男子菩薩摩訶薩於第八地得陀羅尼
名無盡藏
怛姪他　室唎室唎室唎你
蜜底蜜底　羯哩羯哩醢嚕醢嚕
主嚕主嚕　畔陀弭莎訶
善男子此陀羅尼過八恒河沙數諸佛所
說為護八地菩薩故若有誦持此陀羅尼呪
者脫諸怖畏惡獸惡鬼人非人等怨賊災橫及
諸苦惱解脫五障不忘念八地
善男子菩薩摩訶薩於第九地得陀羅尼
名無量門
怛姪他　訶哩旃荼哩枳
俱藍婆唎體天里反　都剌死
㧞吒㧞吒死室唎室唎　迦室哩迦必室唎
莎蘇活反悉底　薩婆薩埵喃莎訶
善男子此陀羅尼是過九恒河沙數諸佛所
說為護九地菩薩故若有誦持此陀羅尼呪
者脫諸怖畏惡獸惡鬼人非人等怨賊災橫
及諸苦惱解脫五障不忘念九地
善男子菩薩摩訶薩於第十地得陀羅尼名
破金剛山
怛姪他　[illegible]

善男子菩薩摩訶薩於第十地得陀羅尼名
破金剛山
怛姪他　悉提去蘇悉提去
謨析儞木察儞　毗木底菴末麗
毗末麗湼末麗　忙揭麗
呬囒若揭鞞　遏喇怛娜揭鞞
三曼多跋姪囇　薩婆頞他娑憚儞
摩捺斯莫訶摩捺斯　頞步底
頞窒步底　阿喇誓毗喇誓
頞主底菴蜜栗底　阿喇誓毗喇誓
跋嚂謎　跋囉鉗麼莎入囇
晡喇儞晡喇娜　曼奴喇剃莎訶
善男子此陀羅尼灌頂吉祥句是過十恒河
沙數諸佛所說為護十地菩薩故若有誦持
此陀羅尼呪者脫諸怖畏惡獸惡鬼人非人
等怨賊災橫一切毒害皆悉除滅解脫五
障不忘念十地
尒時師子相无礙光焰菩薩聞佛說此不可
思議陀羅尼已即從座起偏袒右肩右膝著
地合掌恭敬頂礼佛足以頌讚佛
敬礼无譬喻　甚深无相法　衆生失正知　唯佛能濟度
如來明慧眼　不見一法相　復以正法眼　普照不思議
不生於一法　亦不滅一法　由斯平等見　得至无上處
不壞於生死　亦不住涅槃　不著於二邊　是故證圓寂
於淨不淨品　世尊知一味　由不分別故　獲得最清淨
世尊无邊身　不說於一字　令諸弟子衆　法雨皆充滿

BD02344 號　金光明最勝王經卷四　（17–14）

不生於一法　亦不滅一法　由斯平等見　得至无上處
不壞於生死　亦不住涅槃　不著於二邊　是故證圓寂
於淨不淨品　世尊知一味　由不分別故　獲得最清淨
世尊无邊身　不說於一字　令諸弟子衆　法雨皆充滿
佛觀衆生相　一切種皆無　然於苦惱者　常興於救護
苦樂常无常　有我无我等　不一亦不異　不生亦不滅
如是衆多義　隨說有差別　譬如空谷響　唯佛能了知
法界无分別　是故无異乘　為度衆生故　分別說有三
尒時大自在梵天王亦從座起偏袒右肩右膝
著地合掌恭敬頂礼佛足而白佛言世尊此
金光明最勝王經希有難量初中後文義
究竟皆能成就一切佛法若受持者是人則
為報諸佛恩佛言善男子如是如是如汝所
說善男子若得聽聞是經典者皆不退於阿
耨多羅三藐三菩提何以故善男子是能成
熟不退地菩薩殊勝善根是第一法印是衆
經王故應聽聞受持讀誦何以故善男子若
一切衆生未種善根未成熟善根未親近諸
佛者不能聽聞是微妙法若善男子善女人
能聽受者一切罪障皆悉除滅得最清淨常
得見佛不離諸佛及善知識勝行之人恒聞妙
法住不退地獲得如是勝陀羅尼門所謂无
盡无減海印出妙功德陀羅尼无盡无減通
達衆生意行言語陀羅尼无盡无減日圓
无垢相光陀羅尼无盡无減滿月相光陀羅
尼无盡无減能伏諸惑演功德流陀羅尼无
盡无減破金剛山陀羅尼无盡无減說不可

BD02344 號　金光明最勝王經卷四　（17–15）

尼无盡无減能伏諸惑演功德流陁羅尼无
盡无減破金剛山陁羅尼无盡无減說不可
說義因緣藏陁羅尼无盡无減通達實語法
則音聲陁羅尼无盡无減虛空无垢心行印
陁羅尼无盡无減无邊佛身皆能顯現陁羅
尼无盡无減
善男子如是等无盡无減諸陁羅尼門得成
就故是菩薩摩訶薩能於十方一切佛土化
作佛身演說无上種種正法於法真如不動
不住不來不去善能成熟一切眾生善根亦
不見一切眾生可成熟者雖說種種諸法於言
詞中不動不住不去不來能於生滅證无生
滅以何因緣說諸行法无有去來由一切法
體无異故說是法時三万億菩薩摩訶薩得
无生法忍无量諸菩薩不退菩提心无量无
邊苾芻苾芻尼得法眼淨无量眾生發菩薩
心尒時世尊而說頌曰
勝法能逆生死流　甚深微妙難得見
有情盲冥貪欲覆　由不見故愛眾苦
尒時大眾俱從座起頂礼佛足而白佛言世
尊若所在處講宣讀誦此金光明最勝王經
我等大眾皆悉往彼為作聽眾是說法師令
得利益安樂无障身意泰然我等皆當盡
心供養亦令聽眾安隱快樂所住國土无諸怨
賊恐怖厄難飢饉之苦人民熾盛此說法處道
場之地一切諸天人非人等一切眾生不應履踐

BD02344號　金光明最勝王經卷四　（17–16）

有情盲冥貪欲覆　由不見故愛眾苦
尒時大眾俱從座起頂礼佛足而白佛言世
尊若所在處講宣讀誦此金光明最勝王經
我等大眾皆悉往彼為作聽眾是說法師令
得利益安樂无障身意泰然我等皆當盡
心供養亦令聽眾安隱快樂所住國土无諸怨
賊恐怖厄難飢饉之苦人民熾盛此說法處道
場之地一切諸天人非人等一切眾生不應履踐
及以汙穢何以故說法之處即是制底當以
香花繒綵幡蓋而為供養我等常為守護
令離衰損佛告大眾善男子汝等應當精
勤脩習此妙經典是則正法久住於世

金光明經卷第四

BD02344號　金光明最勝王經卷四　（17–17）

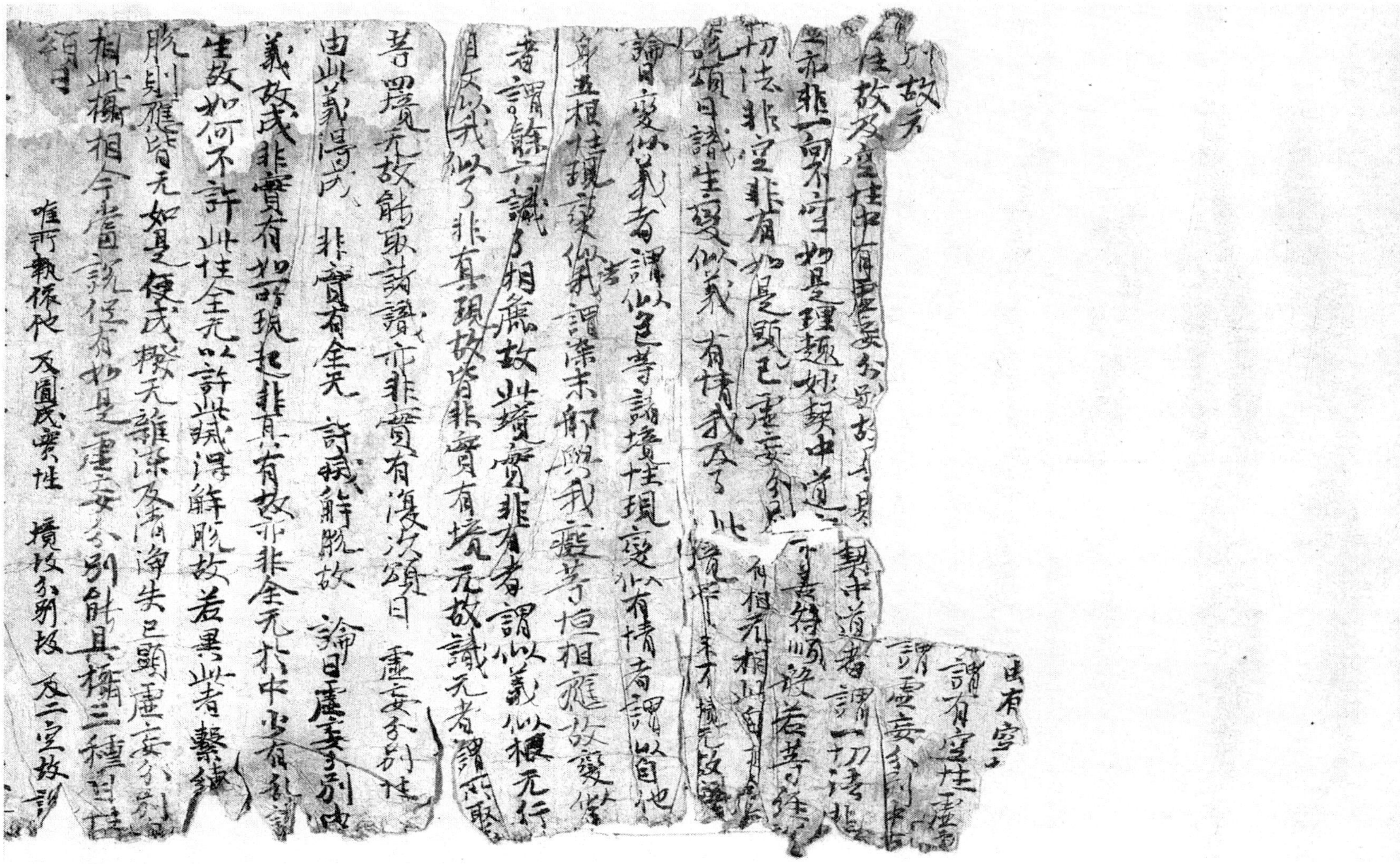

……故方
……住故及空性中有虛妄分別故 是……
……空亦非一向不空 如是理趣妙契中道……
……切法非空非有 如是頌已顯虛妄分別……
……說頌曰 諸生變似義 有情我及了 此……
論曰 變似義者 謂似色等諸境性現 變似有情者 謂似自他
身五根性現 變似我者 謂染末那與我癡等恒相應故 變似
了者 謂餘六識了相麁故 此境實非有者 謂似義似根无行
相故 似我似了非真現故 皆非實有 境无故識无者 謂所取
菩四境无故能取諸識亦非實有 復次頌曰 虛妄分別性
由此義得成 非實有全无 許滅解脫故 論曰 虛妄分別由
此義故成非實有 如所現起非真有故 亦非全无 於中少有亂識
生故 如何不許此性全无 以許此滅得解脫故 若異此者 繫縛
脫則應皆无 如是便成撥无雜染及清淨失 已顯虛妄分別
相 此攝相今當說 但有如是虛妄分別能具攝三種自性
頌曰 唯所執依他 及圓成實性 境故分別故 及二空故說

BD02345號　辯中邊論卷上　（8–1）

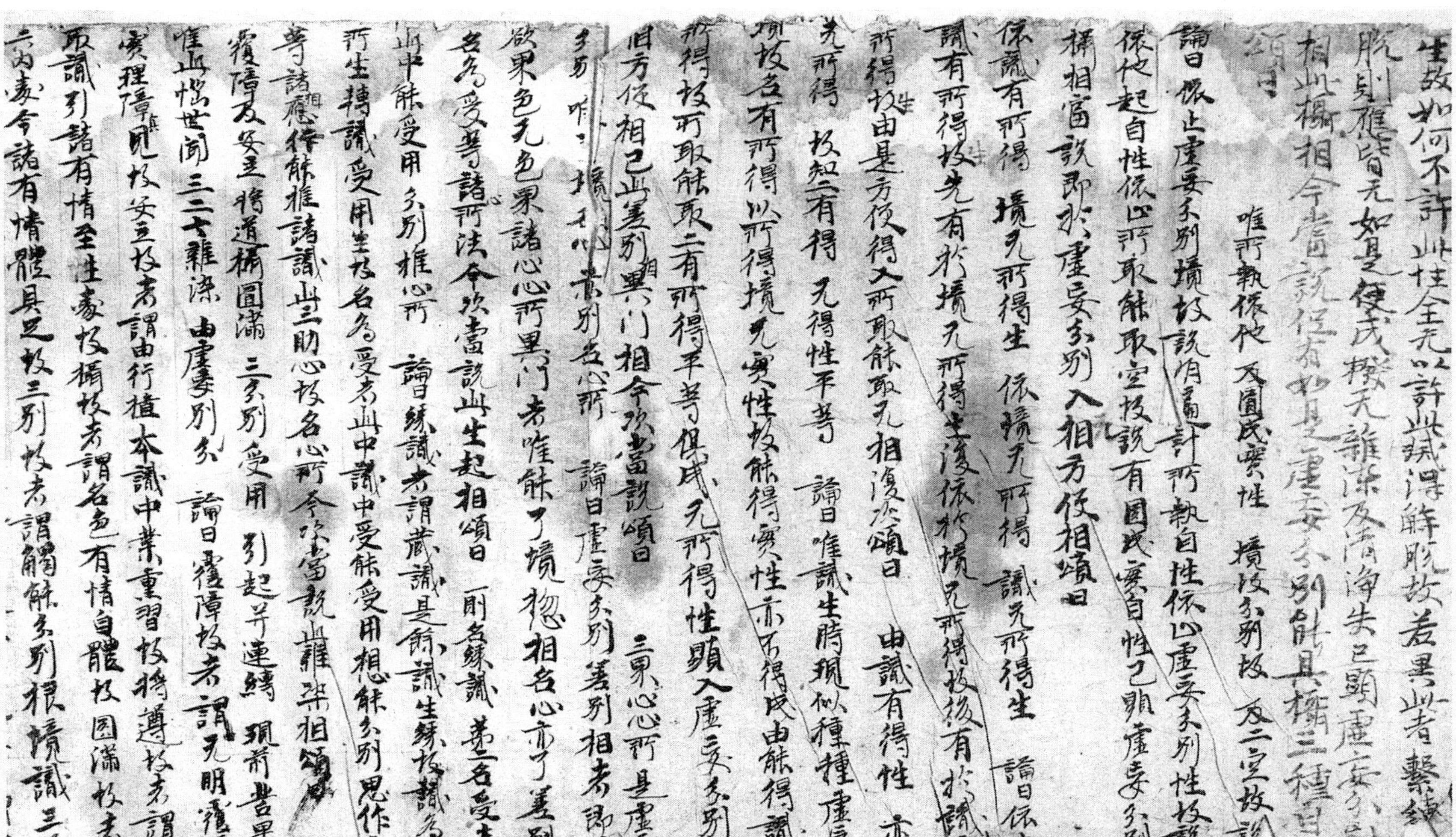

生故 如何不許此性全无 以許此滅得解脫故 若異此者 繫縛
脫則應皆无 如是便成撥无雜染及清淨失 已顯虛妄分別
相 此攝相今當說 但有如是虛妄分別能具攝三種自性
頌曰 唯所執依他 及圓成實性 境故分別故 及二空故說
論曰 依止虛妄分別境故 說有遍計所執自性 依止虛妄分別性故 說有
依他起自性 依止所取能取空故 說有圓成實自性 已顯虛妄分別
攝相 當說即於虛妄分別入相方便相 頌曰
依識有所得 境无所得生 依境无所得 識无所得生
論曰 依止唯識有所得故 先有於境无所得生 復依於境无所得故 後有於識
无所得生 由是方便得入所取能取无相 復次頌曰
由識有得性 亦成无所得 故知二有得 无得性平等
論曰 唯識生時現似種種虛妄
境故名有所得 以所得境无實性故 能得實性亦不得成 由能得識无
所得故 所取能取二有所得平等俱成无所得性 顯入虛妄分別无
相方便相已 此差別異門相今次當說 頌曰 三界心心所 是虛妄
分別 唯了境名心 亦別名心所 論曰 虛妄分別差別相者 即[illegible]
欲界色无色界諸心心所異門者 唯能了境總相名心 亦了差別
名為受等諸心所法 今次當說此生起相 頌曰 一名緣識 第二名受者
此中能受用 分別推心所 論曰 緣識者 謂藏識 是餘識生緣故 藏識名緣
所生轉識受用主故名為受者 此中受識中受能受用 想能分別 思作意
等諸相應行能推諸識 此三助心故名心所 今次當說此雜染相 頌曰
覆障及安立 將導攝圓滿 三分別受用 引起并連縛 現前苦果故
唯此惱世間 三二七雜染 由虛妄分別 論曰 覆障故者 謂无明覆障
實理 障真見故 安立故者 謂由行植本識中業熏習故 將導故者 謂有
取識引諸有情至生處故 攝故者 謂名色有情自體故 圓滿故者 謂
六內處令諸有情體具足故 三分別故者 謂觸能分別根境識三順

BD02345號　辯中邊論卷上　（8–2）

[illegible]謂由行植本識中業熏習故三將導故者謂
取識引諸有情至生處故四攝故者謂名色有情自體故五圓滿故者謂
六內處令諸有情體具足故六分別故者謂觸能分別根境識三順
三受故七受用故者謂由受支領納順違非二境故八引起故者謂由
愛力令識先業所引後有得生起故九連縛故者謂取令識緣順欲等
連縛生故十現前故者謂由有力令已作業所與後有諸異熟果
得現前故十一苦果故者謂生老死性有逼迫酬前因故唯此所說十二
有支逼惱世間令不安隱三雜染者一煩惱雜染謂無明愛取
二業雜染謂行有三生雜染謂餘支二雜染者一因雜染謂煩惱業
二果雜染謂所餘支七雜染者謂七種因一顛倒因謂無明二牽引因謂
行三將導因謂識四攝受因謂名色六處五受用因謂觸受六引起
因謂愛取有七厭怖因謂生老死此諸雜染無不皆由虛妄分別而得
長生此前總顯虛妄分別有九種相一有相二無相三自相四攝相
五入無相方便相六差別相七異門相八起生相九雜染相如是
已顯虛妄分別今次當說所知空性頌曰
諸相及異門　義差別成立　應知二空性　略說唯由此　論曰應知所
取能取空性略說但由此相等五所知空性其相云何頌曰
無二有無故　非有亦非無　非異亦非一　是說為空相　論曰無二謂
無所取能取有無謂有二取之無此即顯空無性為性故此空
相非有非無云何非有無二有故云何非無有無有故此顯空相
非有非無此空與彼虛妄分別非異非一若異應成法性異法
便違正理如苦等性若一則應非淨智境亦非共相此即顯空
與妄分別離一異相所知空性異門云何頌曰　略說空異門　謂真
如實際　無相勝義性　法界等應知　論曰略說空性有此異門云
何應知此異門義頌曰　由無變無倒　相滅聖智境　及諸聖法因
異門義如次　論曰即此中說所知空性由無變義說為真如真
[illegible]易故由無倒義說為實際非諸顛倒依緣事故由相

BD02345號　辯中邊論卷上　（8-3）

如實際　無相勝義性　法界等應知　論曰略說空性有此異門云
何應知此異門義頌曰　由無變無倒　相滅聖智境　及諸聖法因
異門義如次　論曰即此中說所知空性由無變義說為真如真
性常如無轉易故由無倒義說為實際非諸顛倒依緣事故由相
滅義說為無相此中永絕一切相故由聖智境義說為勝義性
是最勝智所行義故由聖法因義說為法界以一切聖法緣此生故
此中界者即是因義無我等義如理應知云何應知空性差別
頌曰　此雜染清淨　由有垢無垢　如水界金空　淨故許為淨
論曰空性差別略有二種一雜染二清淨此成染淨由分位別謂有
垢位說為雜染出離垢時說為清淨雖先雜染後成清淨
而非轉變成無常失如水界等出離客塵空淨亦然非性轉變
此空差別復有十六謂內空外空內外空大空空空勝義空有
為空無為空畢竟空無際空無散空本性空相空一切法空無性
空無性自性空此等略義云何應知頌曰　能食及所食　此依
身所住　能見此如理　所求二淨空　為常益有情　為不捨生死
為善無窮盡　故觀此為空　為種性清淨　為得諸相好
為淨諸佛法　故菩薩觀空　論曰能食空者依內處說即是內
空所食空者依外處說即是外空此依身者能謂所食所依止身
此身空故名內外空諸器世間說為所住此相寬廣故名為大所
住空故名為大空能見此者謂智能見內處等空空智空故說
名空空如理者謂勝義即如實行所觀真理此即空故名勝義空
菩薩修行為得二淨即諸有為無為善法此二空故名有為空及無
為空於有情常作饒益而觀空故名畢竟空生死長遠無初後
際觀此空故名無際空不觀為空便速厭捨為不厭捨此生死故觀
此無際生死為空為所修善至無餘依般涅槃位亦無散捨而觀空故
名無散空諸聖種性自體本有非習所成說名本性菩薩為此速得清淨
[illegible]

BD02345號　辯中邊論卷上　（8-4）

際觀此空故名无際空不觀為空便速厭捨為不厭捨此生死故觀
此无際生死為空為所修善至无餘依般涅槃位亦无散捨而觀空故
名无散空 諸聖種性自體本有非習所成說名本性善為此速得清淨
而觀空故名本性空 菩薩為得大士相好而觀空故名為相空 菩薩
為令力无畏等一切佛法皆得清淨而觀此空故名一切法空 是十四空
隨別安立此中何者說名為空 頌曰 補特伽羅法 實性俱非有
此无性有性 故別立二空 論曰補特伽羅及法實性俱非有故名无性
空此无性空非无自性空以无性為自性故名无性自性空於前所說能
食空等為顯空相別立二空此為遮止補特伽羅法增益執空損減執
如其次第立後二空 如是已顯空性差別此所立義云何應知 頌曰
此若无雜染 一切應自脫 此若无清淨 功用應无果 論曰若諸法空未
生對治无容雜染者一切有情不由功用應自然解脫對治已生亦不清淨
則應求解脫勤勞无果 既爾 頌曰 非染非不染 非淨非不淨 本性本淨故
由客塵所染 論曰云何非染非不淨以心本淨故云何非不染非淨由客塵所
染故是名成立空差別義 此前空義總有二種謂相安立相復有二謂
无及有空性有相離有離无離異離一以為其相應知安立即異門等
辯障品第二 已辯其相障今當說頌曰 具分及一分 增盛與平等 於生死取捨
說障二種性 論曰具分障者謂煩惱障及所知障於諸菩薩種性法中具為障故
一分障者謂煩惱障障聲聞等種性法故增盛障者謂即彼貪等行平等障者謂
即彼等分行取捨生死能障菩薩種姓所得无住卌名於生死有取捨障如是五障
隨其所應說障菩薩及聲聞等二種種姓復次頌曰 九種煩惱相 謂愛等九結
初二障厭捨 餘七障真見 謂能障身見 彼事滅道寶 利養恭敬尊
遠離遍知故 論曰煩惱障相略有九種謂愛等九種結愛結障厭由此於順境不能
厭離故恚結障捨由此於違境不能棄捨故餘七結障真見於七遍知如此障故
謂慢結能障身見遍知修現觀時有間无間我慢現起由此勢力彼不斷故无明結
能障身見事遍知由此不知諸取蘊故見結能障滅諦遍知由薩迦耶見及邊執見

BD02345 號　辯中邊論卷上　（8–5）

遠離遍知故 論曰煩惱相略有九種謂愛等九種結愛結障厭由此於順境不能
厭離故恚結障捨由此於違境不能棄捨故餘七結障真見於七遍知如此障故
謂慢結能障身見遍知修現觀時有間无間我慢現起由此勢力彼不斷故无明結
能障身見事遍知由此不知諸取蘊故見結能障滅諦遍知由薩迦耶見及邊執見
怖畏滅故由邪見謗滅故取結能障道諦遍知取餘法為淨故疑結能障三寶遍
知由此不信受三寶功德故嫉結能障利養恭敬遍知由此不見彼過失故慳
結能障遠離遍知由此耽著資生具故復有別障能障善等十種淨法其相
云何頌曰 无加行非處 不如理不生 不起正思惟 資糧未圓滿 闕種姓善友
心極疲厭性 及闕於正理 鄙惡者同居 倒麁重三餘 般若未成熟 及本性麁重
懈怠放逸性 著有著資財 及心性下劣 不信无勝解 如言而思義 輕法重名利
於有情无悲 匱聞及少聞 不修治妙定 論曰如是名為善等法所障善等其相
云何頌曰 善菩提攝受 有慧无亂障 迴向不怖慳 自在名善等 論曰如是善男
子等十種淨法諸有前說幾種障耶頌曰 如是善等十各有前三障 論曰善有三
種障一无加行二非處加行三不如理加行 菩提有三障一不生善法二不起正思惟三資糧未
圓滿發菩提心名為攝受此有三障一闕種姓二闕善友三心極疲厭性有慧者謂菩薩於
此性有三障種一闕正行二鄙者共住三惡者共住此中鄙者謂愚癡類未毀壞彼名為
惡者名无亂有三障一顛倒麁重二煩惱等三障中隨一有餘性三能成熟解脫慧未
成熟性障斷滅名无障此有三障一俱生麁重二懈怠性三放逸性迴向有三障令
心向餘不向无上正等菩提一貪著諸有二貪著資財三心下劣性不怖有三障一不信
重補特伽羅二於法无勝解三如言而思義不慳有三障一不尊重正法二尊重名譽利養恭
敬三於諸有情心无悲愍自在有三障令不得自在一匱正法生長能感匱法業故二
少聞三不修治勝三摩地復次如是諸障於善等十隨餘義中有十能作即依義應
知此名十能作者一生起能作如眼等於眼識等二安住能作如四食於有情三住持能作
任持如器世間於有情四照了能作如光明於諸色五變壞能作如火等於所熟等六分離能作如鎌等於所斷等七轉變
能作如金師等轉變金成鐶釧等八信解能作如烟等於火等九顯了能作如因於宗
十至得能作如聖道等於涅槃等依如是義故說頌曰 能作有十種 謂生住持照

BD02345 號　辯中邊論卷上　（8–6）

任持如器世間於有情世間照了能作如光明於諸色五變壞能作如火等於所熟等六分離能作如鎌等於所斷等七轉變
能作如金師等轉變金成鐶釧等八信解能作如烟等於火等九顯了能作如因於宗
十至得能作如聖道等於涅槃等依如是義故說頌曰　能作有十種　謂生住持照
變分離轉變　信解顯至得　如識因食地　燈火鎌工巧　烟因聖道等　於識等所依
於善等障應知　論曰一生起障謂於其障善以諸善法應生起故二安住障謂疾病以大
種不可動故三任持障謂於攝受以攝心能任持故四照了障謂於有慧以有慧
性應照了故五變壞障謂於無乱轉成迷乱名變壞故六分離障謂於無障此於
障離繫故七轉變障謂於迴向以攝心轉變相故八信解障謂於不怖無信解者
有怖畏故九顯了障謂於不慳於法無慳者為他顯了故十至得障謂於自在此能得
自在相故所障十法次第義者謂求欲證無上菩提於勝善根先應生起勝善根力
所任持故必得安住無上菩提為令善根得增長故次應發起大菩提心此菩提心與菩薩為
所依止如是菩薩由已發起大菩提心及勝善根力所持故斷諸乱倒由見道中無乱倒故次於修
道斷一切障既斷障已持諸善根迴向無上正等菩提由迴向力任持故於深廣法便無
怖畏既無怖畏便於彼法勝功德能廣為他宣說開示菩薩如是種種功德力所持故疾證
無上正等菩提於一切法皆得自在是名善等十義次第雖善等法即是覺分波羅
蜜多諸地功德而總別異今應顯彼菩提分等諸障差別頌曰　於覺分度地
有別障應知　論曰復於覺分波羅蜜多諸地功德各有別障於菩提分有別障者頌曰
於事不善巧　懈怠定減二　不植羸劣性　見麁重過失　論曰於四念住有於諸事不
善巧障於四正斷有懈怠障於四神足有三摩地減二事障一於圓滿欲勤心觀隨
減一故二於修習八斷行中隨減一故於五根有不植圓滿順解脫分勝善根障於五力有
羸劣性障謂即五根由障所雜有羸劣性於七等覺支有見過失障此是見道所顯示
故於八聖道支有麁重過失障此是修道所顯示故於到彼岸有別障者頌曰
障富貴善趣　不捨諸有情　於失德減增　令趣入解脫　障施等諸善　無盡亦無間
所作善決定　受用法成熟　論曰此說十種波羅蜜多所得果障以顯十種波羅蜜
多自性之障謂於布施波羅蜜多說富貴自在障於淨戒波
羅蜜多說善趣障於安忍波羅蜜多說不捨有情障於精進

怖畏既無怖畏便於彼法勝功德能廣為他宣說開示菩薩如是種種功德力所持故疾證
無上正等菩提於一切法皆得自在是名善等十義次第雖善等法即是覺分波羅
蜜多諸地功德而總別異今應顯彼菩提分等諸障差別頌曰　於覺分度地
有別障應知　論曰復於覺分波羅蜜多諸地功德各有別障於菩提分有別障者頌曰
於事不善巧　懈怠定減二　不植羸劣性　見麁重過失　論曰於四念住有於諸事不
善巧障於四正斷有懈怠障於四神足有三摩地減二事障一於圓滿欲勤心觀隨
減一故二於修習八斷行中隨減一故於五根有不植圓滿順解脫分勝善根障於五力有
羸劣性障謂即五根由障所雜有羸劣性於七等覺支有見過失障此是見道所顯示
故於八聖道支有麁重過失障此是修道所顯示故於到彼岸有別障者頌曰
障富貴善趣　不捨諸有情　於失德減增　令趣入解脫　障施等諸善　無盡亦無間
所作善決定　受用法成熟　論曰此說十種波羅蜜多所得果障以顯十種波羅蜜
多自性之障謂於布施波羅蜜多說富貴自在障於淨戒波
羅蜜多說善趣障於安忍波羅蜜多說不捨有情障於精進
波羅蜜多說減過失增功德障於靜慮波羅蜜多說令所化趣
入法障於般若波羅蜜多說解脫障於方便善巧波羅蜜多說
施等善無窮盡障由此迴向無上菩提令施等善無窮盡故於
願波羅蜜多說一切生中善無間轉障由大願力攝受能順善故於
力波羅蜜多說所作善得決定障由思擇力及修習力能伏彼

……
永以大乘正明四種真證行二從如是得大寶
證行中有四句第一摠舉喻二列喻三摠合四別合矣
乃至大寶者衆因攝受正法善男子善女人證得此四行也前喻
亡云人天善根今喻中加以功德故知知此是證也此直云无聞非法不善
知識復是一相世尊攝受正法攝受正法者已下是第二大段中第二
子敢利他應上三願中外化願也就中有三從初至攝受正法即是波羅
蜜正明攝受正法利他行義二從何以故下訖是名波羅（波若）蜜成利他行義
三從是故已下至即是波羅蜜結成也就初段中前法与心相即明自住
善法相下三句明攝受正法行与利他行相即波羅蜜是利他行次釋
文攝受正法明此一句中有二攝受是心正法是法攝受正法者此一句出
上攝受与正法二義故（云）者无異正法此一句明攝受即正法无異攝受正法
无異攝受正法此一句明正法即攝受正即是攝受正法此一句結成
不異義世尊无異波羅蜜已下明自利攝受行有利他義即是波羅
蜜相即是之相義顯在此世尊无異波羅蜜者明攝受即波羅蜜
下句明波羅蜜即攝受也攝受正法即波羅蜜者結不異之義何以故
第二釋成此之六度初二直明離過清淨後四正辯成就行也其唯
有二前三明功德行次第六是智慧行釋進与禪之功德只知慧檀以捨
著為義戒以息非為能忍以能安為趣釋進以策循為致定以凝靜以（遣）
遣觀為況所以光明施者以外著易捨故也攝受正法男子女人者善
薩自住善法也應以施成熟者一觀衆生機也二以施成熟者至捨身
支節以種為藥三將護意種種功便也四成熟者衆生建立施行彼
所成熟衆生建立正法者將依歸功菩薩故稱來也是名波羅蜜
皆第正歸功大士成受中別觀機二明去華三種種功便四成熟衆生

薩自住善法也二以施成熟者一觀衆生機也二以施成熟者至捨身
文意以種爲藥三持護意種〻功便也四成熟者衆生建立施行彼
所成熟衆生建立正法者持綵歸功菩薩故隸來也是名波羅蜜
者第五歸功大士救度中初觀機二明法藥三種〻功便四成熟衆生
五歸功大士說藥中初守六根者正念現前恐外緣亂散是救方便也
淨三業者正是救離乃至正四威儀者顯堅固相捨外著救護內垢若
不能忍爲緣所動救行不立故次第三明忍度也故經云持救苦行所不能
乃說中初觀機二明法藥三明種〻功便四成熟衆生五歸功大士上二度
宣明內外二邊功行未顯是以文中不對衆生說忍境中罵詈毀辱是
稱相也誹謗惡怖是虛誕說藥中以无恚心饒益者是忍離非直不恚乃
於前人有資潤故曰饒益第一忍力者出過二乘也上豈不出二乘爲雜行之
之優劣故亦乃至顏色无變者鄣成就相也自下同前忍雖成善不常熟
策脩非是勝出故次明精進度也說中一觀機二法明藥三種〻功便四成熟
衆生五歸功大士說藥中不起懈心化衆生不惓也生大欲心者是精進
相要令衆生成就佛果故名大也第一精進者出二乘也乃至皆四威儀者
示勇猛精進也自下同前懈怠竊懶此四知何所別竊者一向不作墮
者有心亦以懈者輕是息怠者久亭是以經云菩薩行尚不辭退況竊
墮也懈怠者疲惓之異稱身勞曰疲心勞曰惓心住一處則无事不辦
是以第五次明禪定說中初觀機二明法藥三種〻功便四成熟衆生五
歸功大士說藥中不亂心者離非分別不外向心者離分別想第一定
亦是勝出義乃至久時住身業也久時口業說也不忘失者意業也
爲明大士三業動靜无失二自下同前心靜則照明是以第六明般若
度說中初觀機二明法藥三種〻功便四成熟衆生五歸功大士說
藥中但明方便慧不明實慧爲度衆生故亦被諸衆生入道非一也以无畏心
者四无无畏心也亦爲演說者典籍君王治道三聲武廣略也一切論者
五明攝一切也一內論佛法因果有无之相二因論〻五經典籍君王治道三聲
論〻宮商等音知行也四醫方論〻四大增損夫鄉之事五功巧論〻
金玉石性等知王務列琢安斷緣五石也前四合明者有理可尋也第
五相淺易知亂故在四外復學習方知方皆有論也見責明處者窮

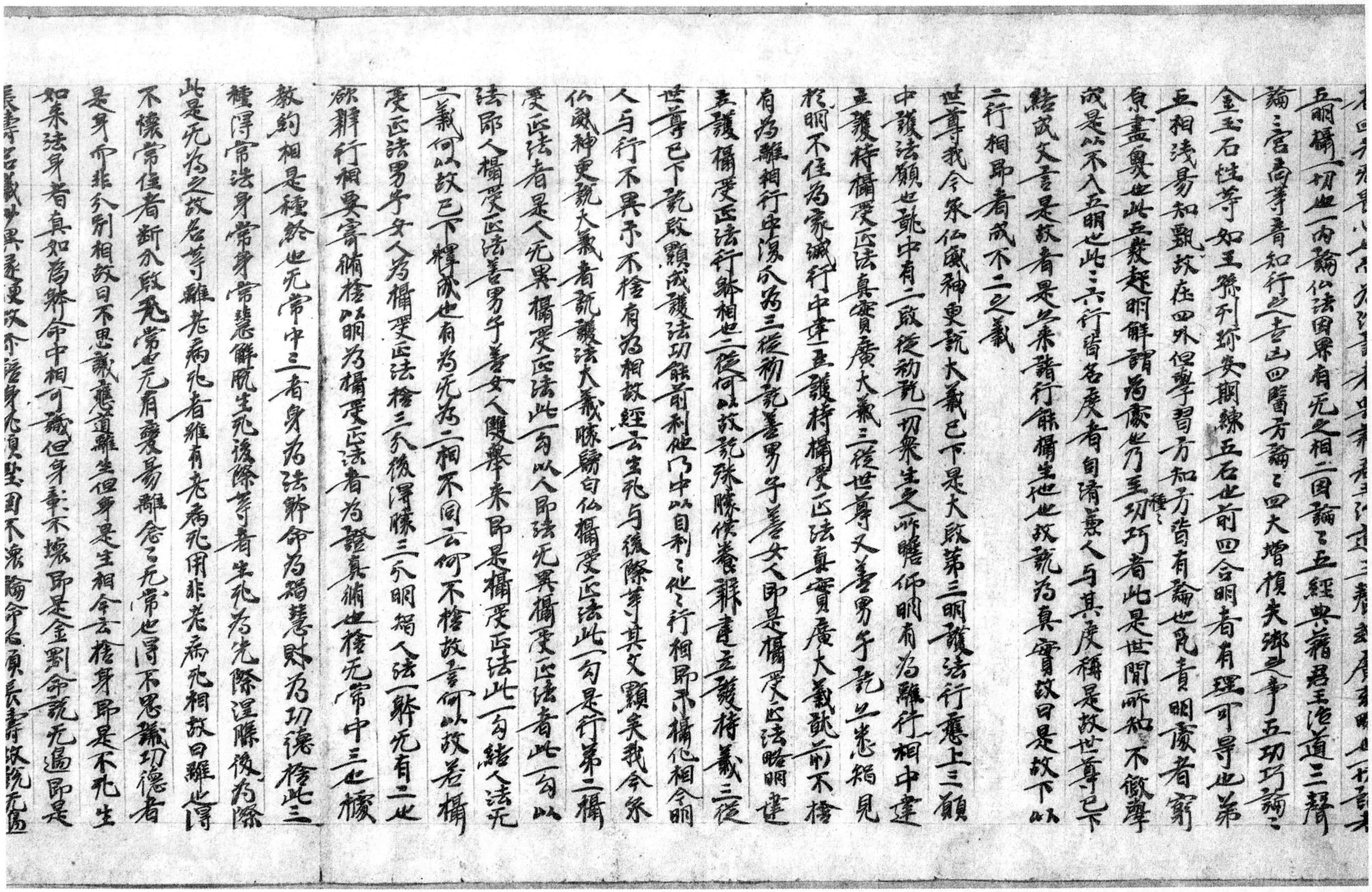

五明攝一切世一內論仏法因果有无之相二因論〻五經典籍君王治道三聲
論〻宮商等音知行也四吉凶四醫方論〻四大增損失衛之事五功巧論〻
金玉石性等知王縣刑獄安期練五石也前四合明者有理可尋也第
五相淺易知顯故在四外但學習方知方皆有論也凡責明處者窮
究盡奧也此五數起明解謂為處也乃至功巧者此是世間所知不斂攀
戒是以不入五明也此三六行皆名處者自清慕人与其處稱是故世尊已下
結成文言是故者是大乘諸行能攝生他也故說為真實故曰是故下以
三行相即者成不二之義
世尊我今承仏威神更說大義已下是大段第三明護法行應上三願
中護法願也就中有二段後初說一切眾生之所瞻仰明有為離行相中建
立護持攝受正法真實廣大義三後世尊又善男子說大悲稱見
於明不住為家誠行中建立護持攝受正法真實廣大義就前不捨
有為離相行中復分為三後初說善男子善女人即是攝受正法略明建
立護攝受正法行體相也二從何以故說殊勝供養難建立護持義三從
世尊已下說欲顯成護法功能前利他乃中以自利〻他〻行相即不攝他相令明
人与行不異示不捨有為相故經云生死与後際等其文顯矣我今承
仏威神更說大義者就護法大義勝歸白仏攝受正法此一句是行第二攝
受正法者是人无異攝受正法〻〻此一句以人即法无異攝受正法者此一句以
法即人攝受正法善男子善女人攝受來即是攝受正法此一句結人法无
二義何以故已下釋成也有為无為二相不同云何不捨故言何以故若攝
受正法男子女人為攝受正法捨三分後得勝三分明紹人法一體无有二也
欲辨行相異實脩捨以明為攝受正法者為證真脩也捨无常中三也懷
教約相是種終也无常中三者身為法體命為緒慧財為功德捨此三
種得常法身常身常悲解脫生死後際等者生死為先際涅槃後為際
此是无為之故名等可離老病死者雖有老病死用非老病死相故曰離也得
不壞常住者斷分段死常也无有變易離念〻无常也得不思議功德者
是身亦非分別相故曰不思議應道離生但身是生相今云捨身即是不死生
如來法身者真如為體命中相可識但身事不壞即是金剛命說无邊即是
長壽者義異義便次亦語身无復堅固不壞論命者須長壽故說无邊

BD02346號　涅槃經疏（擬）　（9–3）

[illegible]老病死者非有老病死用非老病死相故曰離此[illegible]
不懷常住者斷分段无常也无有變易離念念无常也得不思議功德者
是身亦非分別相故曰不思議應道離生但身是生相今云捨身即是不死生
如來法身者真知為壽命中相可識但身壽不壞即是金剛命說无邊即是
長壽者義少異逐便故示語身无須堅固不懷論命不須長壽故說无邊
不云離老病者不与命相損故也通達一切甚深仏法者結般若次明捨
財功德資成曰財得不共一切衆生者此是世間財非凡夫二乘所得是大士自
在隨意故曰不共此中云所捨者但財有共義更无別境故[illegible]有捨无盡无
滅者雖不可盡用不可滅此三行莫非循成故皆云功德得一切衆生殊勝供
養者明功德行備足為諸衆生善求慕之極故云供養如是已下結護法功成
也為一切諸仏所記者自力成也一切衆生瞻仰者化功成就矣上句明離相此句
明不捨世間義也世尊又善男子善女人已下是護法中第二段就中有二
從初至无為諸仏之所授記正明不住授記正明无為密藏行中護持之義
第二世尊我見攝受已下請證表已真實不虛之義就密藏行中復有
五句從初攝受正者護法之二法時一句明法藏時第三從比丘已下說破壞離
散出所護之法但法存由人故寄人明此四從已不諂曲說入法明中正明護法義
第五從入法明者已下出護法功能也次釋文初明護法菩薩可解法欲滅時
示涅槃相也即表密藏義云時尊者者借相耳次辨四衆者二衆出離行二
衆世間行所謂方便妙慧內外各二故曰四也即是所護法明黨者情觸曰
朋助成曰黨有為无二法各別即是明黨諍訟者有自他相未銷融故云諍
訟壞者應得不離得散者應證不此二皆對治中說以不諂曲者身業
清淨不欺誑者口業清淨不為偽者意業清淨雖三業清淨要須解
慧愛樂正法者思慧成就受正法循慧成就入證決定无須為諸仏之所
授記者既尅證必然定得諸仏无生記也若情事而言明黨者結伴借也
諍訟者五相是非也破壞者異見離散者別衆我見攝受正法如是大力者於
无為法中循相應得无生記故曰大力仙為實眼已下嘆德引證成已不虛之
義凡真智在理理而言之不出四諦然此有於四行所謂眼智明慧皆法忍初
照為眼苦智為智苦未智忍為明苦未智為慧為法根本即是明為通達法即是
慧既智根識藥勘為衆生作其大師故云正法依仏慈知見者結成已
[illegible]

義見真智在理〻而言之不出四諦並皆有於四行所謂眼智明慧苦法忍初
照為眼苦智苦未智忍為明苦未智為慧為法根本即是明為通達法界
慧既智根識藥勘為衆生作甚大師故云正法依於慈知見者結成已
說為如來知見也
尒時世尊已下大段第四述成明勝
歸所說慥慎軽心為仏仲寸故曰述成就中有三從初訖赳隨喜經家出
如來述可勝歸不虛之相二從勝歸已下至盡立衆生明如來〻述成上攝
受正法二種衍真實廣大勝勝義三從如是勝歸訖於此章明
如來舉結攝受正法行真實廣大包含之義初經家出如來總述意
二如來親自仰成文顯勇智攝受正法大精進力者總指三行下別下況三行
先舉自利行出見夫境界魔是有為即況夫相住喻合文別二歷然不須鼎者
如大力士者自行菩薩也少觸身分者況攝受正法行中一念力也生大苦痛者
斷絕四魔積惱處深日名大苦此就對治語方實正是大苦用如是勝
歸已下合喻喻可解不餘一善法令魔憂苦者未見別相大乘絕四魔如
攝受正法有如牛王形色无比者況攝受正法他行勝出相勝一切牛者出
脩相大乘非二乘也下合可知如須弥山王者況攝受正法護法行勝出相跡徹
殊特者異是此勝於衆山普遍十地緣照智也知是大乘今須弥山王捨身命財以
攝取心說攝受正法合端徹殊特捨有為身无常命難相財以攝取心者亦
方便相也攝受正法者亦正證相勝不捨身已下合勝於衆山勝信地菩薩
初住大乘也住有二種信住是初住證住是第二住故勝也一切善根者衆
生非一也何況二乘尚勝緣證中方便也是故勝歸者既成三行如來即勸勝歸
以此三行接化倉生故勝歸開示者今未信者教化者令已信者脩行建立
者令脩行者解脫也如是勝歸第三段如來總結成利益相大利者自利成
就大福者他利成就也大果者二行滿足護法功成曰大果我於阿僧祇者說
攝受正法功德義利者如來引已為證顯成真實義功德者即是大福
義者即是大果利者即是大利不得邊際者此法廣大故无邊非始終
故无際故曰不得邊際非是不盡也
第五說一乘章
從世尊勝歸已下第五次辯一乘章上明攝受正法自雙化法成就衆生
故能建立无上菩提之道真實調伏廣大无邊故能行融海與德无

故无際故曰不得過際非是不盡也

第五說一乘章

私若勝鬘已下第五次辯一乘章上明攝受正法自熟佛法成就衆生
故能建立无上菩提之道真實調伏廣大无邊故能行融海與德无
不備曠運兼濟其致莫二故次明也言說入一乘者約根辨教略作四
門如大品經會解入一乘三乘諸人同一般若故也无量義經會行入一乘
以行異故得道得果亦異故知會行法華會因入一乘万善同歸即是也此
經通會一切入一乘道一切入一乘道名同歸會以其因家之極故也有餘行
行有感義即是因也應有會果但尋讀未周此四同入其實即是會
是會歸義之次第理數无然此中辨會說入一乘故名會非是破執
故名會但顯實之來要假方便成義亦會因果也就此章中分為二
一從初說一切世間出世間善法略明一乘體根真廣大義二從世尊如說
六處下說章廣辨一乘真實相就體根中有三句從初說是摩訶衍
略舉一乘宗旨二從何以故已下說二喻釋成真廣大之相三從是故已下
結會不二義次釋文上來四章皆无皆辭今云皆者以圓極之義出自
如來若不特命何以得表窮宗之致待皆世言更說者以攝受正法圓通
之義未顯故言更非謂重明也一切諸佛所說攝受正法者明教道无二
也雖然者表敘之稱也師宗父唯而不諾伯鄰兄姑諾而不唯皆子曰
唯即是事也攝受正法是摩訶衍者義異體一也何以故者釋攝受正法即
是大乘義就中復有二句一法說二喻中有二出生喻體不異增長喻明
行不異言八河者離因分果即是八也說摠別故云出不取生也
為出阿耨大池在香山頂上東有金牛頭名伽河南有銀馬頭名新頭
河西有鳥頭名斯陀河有瑠璃師子頭名博叉河此四河皆遶池一匝直
入四海諸經俱云八河不列名字時人云從阜乳出八河或有此理未見經
文是故世尊者結成大乘與攝受正法不異義也住於大乘者指摩訶
衍攝受正法大乘住者相應義攝受者不異義何故明住於二乘乃至世
間出世間善法法也即是住於二乘者成上摩訶衍中二乘攝受二乘者還
指指受二乘下二句法開同此可解故經云不具說也
如世尊說六處已下是章中第二大段廣辨一乘廣大義就中復有
二從初說依於了義一向說明一乘因行廣大義二從世尊不受後有猶

聞出世間善法法也即是住於二乘者成上摩訶衍中二乘攝受二乘者還
楷攝受二乘下二句法用同此可解故經云不具說也
如世尊說六處已下是章中第二大[illegible]廣辨一乘廣大義就中復有
二從初說依於了義一向說明一乘因行廣大義二從世尊不受後有指
二種說章明一乘果廣大義就因廣大中復有二段從初至以恐怖畏故依
於如來釋上攝受正法自利行不同世間人天善根是故廣大入一乘行義、
二從阿羅漢辟支仏有怖畏至處是有餘不了義說釋上攝受正法利
他行不同二乘善根是故廣大一乘行義三從何以故有二種死說此段
釋上攝受正法建立護法不同不捨三入初住菩薩大乘根是故廣大
真實入一乘行義就一乘自利行不同世間人天善根中有二句從初說如出
家受具足故明一乘自利方便行悲大如來真實行中无別之義二從阿羅漢
歸依於仏說此段明皆是依如來行故无怖畏不同世間義也就前自利行
入仏境不男中有三句初列六處第二解釋第三結入如來行文顯易解
行相不同所以辯六心所極說謂之為處此六處非獨昔曰小乘六處乃至
通教及以此宗中相別明六辨駈故一也為顯圓宗大乘非殊相之六故偖
亦表之雖有六處義分為三明法中二明果後二辨因法宗二一者涅槃菩提
法果二者一是有為果二是无為果因二者一是方便行二是成就行略明此
六義无不包初二明法与果何別謂法通於因果論果不通於因異在於此
言正法住者方便顯用名為住正法滅家絕万相名為滅非謂法盡名滅
波羅提木叉者魏云報解脫此是有為果累縛斯亡謂之解脫毗尼者魏云
滅此是无為果家出示方便顯出離道也受具足者示成就相顯圓滿義
是初卑故先明目是以涅槃經中三告比丘只但舉一戒目若就化宜住滅據
時時後四仍同為大乘故說此六處者為顯大乘行備是此六外无大乘也
何以者釋成離六无大乘也正法无大小備者有差別是故莫問大乘住
滅義同皆言為者本說方便方為成不二故言為也木叉比尼義一名異
者菩提涅槃解一義殊故云名一義異比尼即大乘學者餘三亦然今
以出家具足釋比尼即大乘學者何也上明比尼木叉即大乘學明知家
具足亦即大乘學今云出家具足依仏明知毗尼木叉亦依仏也但經家隨
便釋目是故說大乘威儀者正比尼等四不異故是故此四是大乘家

者若於過去身一義殘故[illegible]
以出家具足釋比尼即大乘學者何也上明比尼木叉即大乘學明知家
具足只即大乘學今云出家具足依仏明知毗尼木叉只依仏也但經家隨
便釋耳是故就大乘威儀者正比尼等四不異故是故此四是大乘家
威儀攝也是比尼出家是受是足既投為大乘方便眾稍當名義取
是故阿羅漢无出家受具足已下第三子句結入如來行也无出家
受具足者无别小乘出家法何故者何以六種方便得入一乘真實道故下
句義顯阿羅漢歸依於仏已下是不同世間行中第二子段明无怖畏
故得過世間義羅漢過世間名義則顯故借羅漢亦大乘行過人天義
若借顯過義者不應言有怖畏也今言畏之變易不言分段稍得差宛
況阿羅漢歸於仏者亦出離怖畏相有怖畏者顯歸依義阿羅漢於一切
无行者於无明分中治道未來現世怖畏想住在怖畏想中也如人執劍
者羅漢分别知名為人慮或雖謝无明復起謂之執劍无餘重果故云欲
來變易苦過名曰害已結業未上究竟安在故言无究竟樂也何以故已下
釋非究竟義世尊依不求依者初之於仏不求依者不求与人作依即依
即上故歸依於仏也如衆生死依已下借況可彼之恐怖者如彼帬恐怖非
一故曰彼之以恐怖故則求歸依者畏鷹歸故三匙也如是阿羅漢已下合譬可
解世尊阿羅漢辟支仏有怖畏已下明因廣大中第二段釋攝受正法利他
行出過二乘相就中有二段從初至以不斷煩故去涅槃界遠明一乘利他其
音斷知皆入如來行中不同二乘義二從所以故已下訖此釋顯入如來行无
前智斷故顯入一乘真實廣大義次釋文阿羅漢辟支仏有怖畏者攝
煩因緣舉其相是故阿羅漢已下正明不究竟義何者非究竟下即出
四智涅槃四智有餘果涅槃无餘果此經明四智略依涅槃後迦葉所問中明
四智廣彼云何是羅漢永斷三世生緣故自說我生已盡已生上也只斷三界五陰
身故自說我生已盡已生果竟也所修梵行已畢竟故之言梵行已立顯方便
修又捨學道只名已立是也知證道也如本求今入所今日得故言所作已辯此
明顯諦修道得果只言已辯此明行成得盡无生智是故唱言我已盡諸有
結此句明不受後有智果名為有因名為結此明未生分中因果也善對四
諦我生已盡知苦知梵行已立斷集所作已辯是修道智不受後有是證滅智阿
有是證滅阿羅漢辟支仏有怖畏言封名未忘脉是有為知可不怖此是修

明顯滿脩道得果亦云言已辦此明行成得盡无生智是故唱言我已盡諸有
結此句明不受後有智果名為有因名為結此明未生分中因果也善對四
諦我生已盡知苦知梵行已立斷集所作已辦是脩道智不受後有是證滅智
有是證滅阿羅漢辟支仏有怖畏對治未忘解是有為如何不怖此是脩
菩薩厭患生死過於二乘百千万億故云怖畏釋文可解不煩辭何以故果弟
二段釋成二乘不滿若爾初地已上應過何故引如來也理應爾然但據位顯
是以云如來也此五句中初句一切廣也第二无量深也第三不思議微也第四
清淨妙也此等號名相差別亦隨耳是即深廣後妙也為一切眾生聽仰者
顯證涅槃勝出義出過二乘菩薩境界者號相為言非是仙過也即是
弟五涅槃是故阿羅漢辟支仏未得涅槃界遠者二乘涅槃有餘義言阿羅
漢已下所以棄來者向來別結有餘義此一句總有餘義生下義便故也有
二種死已下即是因乃中第三段明護法行過初住大乘義何故不言二種生
死明分段變易解是盡法死也一分段死二不思議變易死分段者報有局
限死生相殊故曰分段不思議變易者明无漏果報念念改換但以情期
難以時局故曰不思議號此段中復有二段從此為始下至名得涅槃明非
究竟行不盡有餘以顯不同之義二從若智一切菩薩下證此段明是究
實廣大行即上攝受正法者是摩訶衍義號明不盡有餘
悲斷者不究竟別明五種不盡義二從不斷故說
生死有餘二重死是也二一煩惱有餘无
有受住地已下是也五涅
句並初全

BD02346號　涅槃經疏（擬）

（9–9）

一□中□
場經於灌頂部□□
阿難云何六入本如來藏妙真如性阿
難即彼目睛瞪發勞者兼目與勞同是菩
提瞪發勞相因于明暗二種妄塵發見居中吸
此塵象名為見性此見離彼明暗二塵畢竟
無體如是阿難當知是見非明暗來非於根
出不於空生何以故若從明來暗即隨滅應
非見暗若從暗來明即隨滅應無見明若從
根生必無明暗如是見精本無自性若於空
出前矚塵象歸當見根又空自觀何關汝入
是故當知眼入虛妄本非因緣非自然性
阿難譬如有人以兩手指急塞其耳耳根勞
故頭中作聲兼耳與勞同是菩提瞪發勞相
因于動靜二種妄塵發聞居中吸此塵象名
聽聞性此聞離彼動靜二塵畢竟無體如是
阿難當知是聞非動靜來非於根出不於空
生何以故若從靜來動即隨滅應非聞動若
從動來靜即隨滅應無覺靜若從根生必無
動靜如是聞體本無自性若於空出有聞成
性即非虛空又空自聞何關汝入是故當知

BD02347 號　大佛頂如來密因修證了義諸菩薩萬行首楞嚴經卷三　（11–1）

阿難當知是聞非動靜來非於根出不於空
生何以故若從靜來動即隨滅應非聞動若
從動來靜即隨滅應無覺靜若從根生必無
動靜如是聞體本無自性若於空出有聞成
性即非虛空又空自聞何關汝入是故當知
耳入虛妄本非因緣非自然性
阿難譬如有人急畜其鼻畜久成勞則於鼻
中聞有冷觸因觸分別通塞虛實如是乃至
諸香臭氣兼鼻與勞同是菩提瞪發勞相因
于通塞二種妄塵發聞居中吸此塵象名齅
聞性此聞離彼通塞二塵畢竟無體當知是
聞非通塞來非於根出不於空生何以故若
從通來塞自聞滅云何知塞如因塞有通則
無聞云何發明香臭等觸若從根生必無通
塞如是聞體本無自性若從空出是聞自當
迴齅汝鼻空自有聞何關汝入是故當知鼻
入虛妄本非因緣非自然性
阿難譬如有人以舌舐吻熟舐令勞其人若
病則有苦味無病之人微有甜觸由甜與苦
顯此舌根不動之時淡性常在兼舌與勞同
是菩提瞪發勞相因甜苦淡二種妄塵發知
居中吸此塵象名知味性此知味性離彼甜
苦及淡二塵畢竟無體如是阿難當知如是
嘗苦淡知非甜苦來非因淡有又非根出不
於空生何以故若甜苦來淡即知滅云何知

BD02347 號　大佛頂如來密因修證了義諸菩薩萬行首楞嚴經卷三　（11–2）

苦及淡二塵畢竟無體如是阿難當知如是
嘗苦淡知非甜苦來非因淡有又非根出不
於空生何以故若甜苦來淡即知滅云何知
淡若從淡出甜即知亡復云何知甜苦二相
若從舌生必無甜淡及與苦塵斯知味根本
無自性若於空出虛空自味非汝口知又空
自知何關汝入是故當知舌入虛妄本非因
緣非自然性
阿難譬如有人以一冷手觸於熱手若冷勢
多熱者從冷若熱功勝冷者成熱如是以此
合覺之觸顯於離知涉勢若成因于勞觸兼
身與勞同是菩提瞪發勞相因于離合二種
妄塵發覺居中吸此塵象名知覺性此知覺
體離彼離合違順二塵畢竟無體如是阿難
當知是覺非離合來非違順有不於根出又
非空生何以故若合時來離當已滅云何覺
離違順二相亦復如是若從根出必無離合
違順四相則汝身知元無自性必於空出空
自知覺何關汝入是故當知身入虛妄本非
因緣非自然性
阿難譬如有人勞倦則眠睡熟便寤覽塵斯
憶失憶為妄是其顛倒生住異滅吸習中歸
不相逾越稱意知根兼意與勞同是菩提瞪
發勞相因于生滅二種妄塵集知居中吸撮

不相逾越稱意知根兼意與勞同是菩提瞪
發勞相因于生滅二種妄塵集知居中吸撮
內塵見聞逆流流不及地名覺知性此覺知
性離彼寤寐生滅二塵畢竟無體如是阿難
當知如是覺知之根非寤寐來非生滅有不
於根出亦非空生何以故若從寤來寐即隨
滅將何為寐必生時有滅即同無令誰受滅
若從滅有生即滅無孰知生者若從根出寤
寐二相隨身開合離斯二體此覺知者同於
空花畢竟無性若從空生自是空知何關汝
入是故當知意入虛妄本非因緣非自然性
復次阿難云何十二處本如來藏妙真如性
阿難汝且觀此祇陀樹林及諸泉池於意云
何此等為是色生眼見眼生色相阿難若復
眼根生色相者見空非色色性應銷銷則顯
發一切都無色相既無誰明空質空亦如是
若復色塵生眼見者觀空非色見即銷亡亡
則都無誰明空色是故當知見與色空俱無
處所即色與見二處虛妄本非因緣非自
然性
阿難汝更聽此祇陀園中食辦擊鼓眾集撞
鍾鍾鼓音聲前後相續於意云何此等為是
聲來耳邊耳往聲處阿難若復此聲來於耳
邊如我乞食室羅筏城在祇陀林則無有我
此聲必來阿難耳處目連迦葉應不俱聞何

聲來耳邊耳往聲處阿難若復此聲來於耳
邊如我乞食室羅筏城在祇陀林則無有我
此聲必來阿難耳處目連迦葉應不俱聞何
況其中一千二百五十沙門一聞鐘聲同來
食處若復汝耳往彼聲邊如我歸住祇陀林
中在室羅城則無有我汝聞鼓聲其耳已往
擊鼓之處鐘聲齊出應不俱聞何況其中象
馬牛羊種種音響若無來往亦復無聞是故
當知聽與音聲俱無處所即聽與聲二處虛
妄本非因緣非自然性
阿難汝又齅此鑪中旃檀此香若復然於一
銖室羅筏城卌里內同時聞氣於意云何此
香為復生旃檀木生於汝鼻為生於空阿難
若復此香生於汝鼻稱鼻所生當從鼻出鼻
非旃檀云何鼻中有旃檀氣稱汝聞香當於
鼻入鼻中出香說聞非義若生於空空性常
恒香應常在何藉鑪中爇此枯木若生於木
則此香質因爇成煙若鼻得聞合蒙煙氣其
煙騰空未及遙遠卌里內云何已聞是故當
知香臭與聞俱無處所即齅與香二處虛妄
本非因緣非自然性
阿難汝常二時眾中持鉢其間或遇酥酪醍
醐名為上味於意云何此味為復生於空中
生於舌中為生食中阿難若復此味生於空

醐名為上味於意云何此味為復生於空中
生於舌中為生食中阿難若復此味生於空
舌在汝口中秖有一舌其舌尒時已成酥味
遇黑石蜜應不推移若不變移不名知味若
變移者舌非多體云何多味一舌之知若生
於食食非有識云何自知又食自知即同他
食何預於汝名味之知若生於空汝敢虛空
當作何味必其虛空若作鹹味既鹹汝舌亦
鹹汝面則此界人同於海魚既常受鹹了不
知淡若不識淡亦不覺鹹必無所知云何名
味是故當知味舌與嘗俱無處所即嘗與味
二俱虛妄本非因緣非自然性
阿難汝常晨朝以手摩頭於意云何此摩所
知誰為能觸能為在手為復在頭若在於手
頭則無知云何成觸若在於頭手則無用云
何名觸若各各有則汝阿難應有二身若頭
與手一觸所生則手與頭當為一體若一體
者觸則無成若二體者觸誰為在在能非所
在所非能不應虛空與汝成觸是故當知覺
觸與身俱無處所即身與觸二俱虛妄本非
因緣非自然性
阿難汝常意中所緣善惡無記三性生成法
則此法為復即心所生為當離心別有方所
阿難若即心者法則非塵非心所緣云何成

阿難汝常意中所緣善惡無記三性生成法
則此法為復即心所生為當離心別有方所
阿難若即心者法則非塵非心所緣云何成
處若離於心別有方所則法自性為知非知
知則名心異汝非塵同他心量即汝即心云
何汝心更二於汝若非知者此塵既非色聲
香味離合冷煖及虛空相當於何在今於色
空都無表示不應人間更有空外心非所緣
處從誰立是故當知法則與心俱無處所則
意與法本非因緣非自然性
復次阿難云何十八界本如來藏妙真如性
阿難如汝所明眼色為緣生於眼識此識為
復因眼所生以眼為界因色所生以色為界
阿難若因眼生既無色空無可分別縱有汝
識欲將何用汝見又非青黃赤白無所表示
從何立界若因色生空無色時汝識應滅云
何識知是虛空性若色變時汝亦識其色相
遷變汝識不遷界從何立從變則變界相自
無不變則恒既從色生應不識知虛空所在
若兼二種眼色共生合則中離離則兩合體
性雜亂云何成界是故當知眼色為緣生眼
識界三處都無則眼與色及色界三本非因
緣非自然性
阿難又汝所明耳聲為緣生於耳識此識為
復因耳所生以耳為界因聲所生以聲為界

BD02347號　大佛頂如來密因修證了義諸菩薩萬行首楞嚴經卷三　（11－7）

識界三處都無則眼與色及色界三本非因
緣非自然性
阿難又汝所明耳聲為緣生於耳識此識為
復因耳所生以耳為界因聲所生以聲為界
阿難若因耳生動靜二相既不現前根不成
知必無所知知尚無成識何形貌若取耳聞
無動靜故聞無所成云何耳形雜色觸塵名
為識界則耳識界復從誰立若生於聲識因
聲有則不關聞無聞則亡聲相所在識從聲
生許聲因聞而有聲相聞應聞識不聞非界
聞則同聲識已被聞誰知聞識若無知者終
如草木不應聲聞雜成中界界無中位則內
外相復從何成是故當知耳聲為緣生耳識
界三處都無則耳與聲及聲界三本非因緣
非自然性
阿難又汝所明鼻香為緣生於鼻識此識為
復因鼻所生以鼻為界因香所生以香為界
阿難若因鼻生則汝心中以何為鼻為取宍
形雙爪之相為取嗅知動搖之性若取宍形
宍質乃身身知即觸名身非鼻名觸即塵鼻
尚無名云何立界若取嗅知又汝心中以何
為知以宍為知則宍之知元觸非鼻以空為
知空則自知宍應非覺如是則應虛空是汝
汝身非知今日阿難應無所在以香為知知
自屬香何預於汝若香臭氣必生汝鼻則彼

BD02347號　大佛頂如來密因修證了義諸菩薩萬行首楞嚴經卷三　（11－8）

知空則自知汝應非覺知是則應虛空是汝
汝身非知今日阿難應無所在以香為知知
自屬香何預於汝若香臭氣必生汝鼻則彼
香臭二種流氣不生伊蘭及栴檀木二物不
來汝自齅鼻為香為臭臭則非香香應非
臭若香臭二俱能聞者則汝一人應有兩鼻
對我問道有二阿難誰為汝體若鼻是一香臭
無二臭既為香香復成臭二性不有界從誰
立若因香生識因香有如眼有見不能觀眼
因香有故應不知香知則非生不知非識香
非知有香界不成識不知香因界則非從香
建立既無中間不成內外彼諸聞性畢竟虛
妄是故當知鼻香為緣生鼻識界三處都无
則鼻與香及香界三本非因緣非自然性
阿難又汝所明舌味為緣生於舌識此識為
復因舌所生以舌為界因味所生以味為界阿
難若因舌生則諸世間甘蔗烏梅黃連石鹽
細辛薑桂都無有味汝自嘗舌為甜為苦若
舌性苦誰來嘗舌舌不自嘗孰為知覺舌性
非苦味自不生云何立界若因味生識自為
味同於舌根應不自嘗云何識知是味非味
又一切味非一物生味既多生識應多體識
體若一體必味生鹹淡甘辛和合俱生諸變
異相同為一味應無分別分別既無則不名
識云何復名舌味識界不應虛空生汝心識

BD02347號　大佛頂如來密因修證了義諸菩薩萬行首楞嚴經卷三　（11-9）

體若一體必味生鹹淡甘辛和合俱生諸變
異相同為一味應無分別分別既無則不名
識云何復名舌味識界不應虛空生汝心識
舌味和合即於是中元無自性云何界生是
故當知舌味為緣生舌識界三處都無則舌
與味及舌界三本非因緣非自然性
阿難又汝所明身觸為緣生於身識此識為
復因身所生以身為界因觸所生以觸為界
阿難若因身生必無合離二覺觀緣身何所
識若因觸生必無汝身誰有非身知合離者
阿難物不觸知身知有觸知身即觸知觸即
身即觸非身即身非觸身觸二相元無處所
合身即為身自體性離身即是虛空等相內
外不成中云何立中不復立內外性空即汝
識生從誰立界是故當知身觸為緣生身識
界三處都無則身與觸及身界三本非因緣
非自然性
阿難又汝所明意法為緣生於意識此識為
復因意所生以意為界因法所生以法為界
阿難若因意生於汝意中必有所思發明汝
意若無前法意無所生離緣無形識將何用
又汝識心與諸思量兼了別性為同為異同
意即意云何所生異意不同應無所識若無
所識云何意生若有所識云何識意唯同與

BD02347號　大佛頂如來密因修證了義諸菩薩萬行首楞嚴經卷三　（11-10）

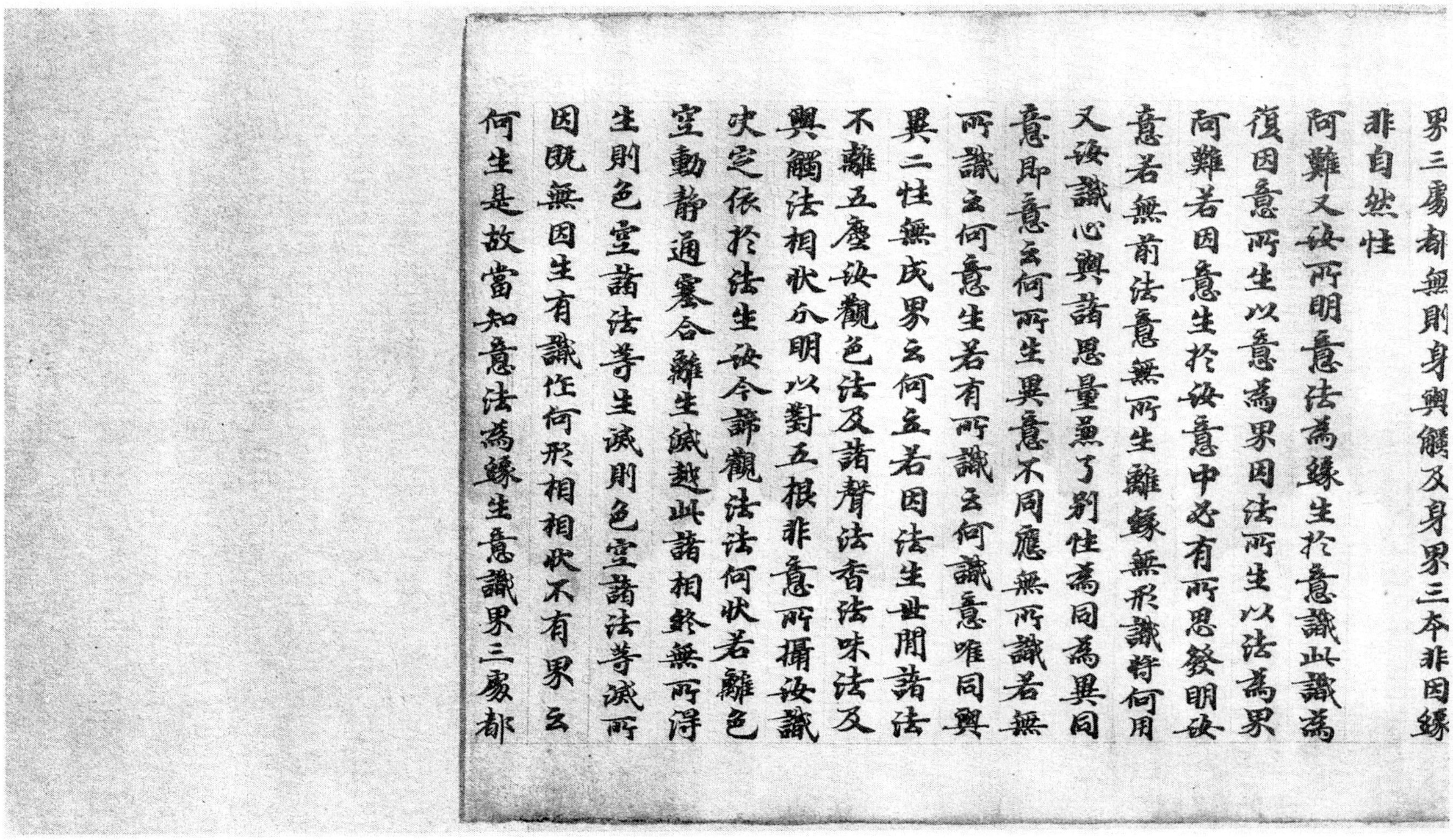

界三處都無則身與觸及身界三本非因緣
非自然性
阿難又汝所明意法為緣生於意識此識為
復因意所生以意為界因法所生以法為界
阿難若因意生於汝意中必有所思發明汝
意若無前法意無所生離緣無形識將何用
又汝識心與諸思量兼了別性為同為異同
意即意云何所生異意不同應無所識若無
所識云何意生若有所識云何識意唯同與
異二性無成界云何立若因法生世間諸法
不離五塵汝觀色法及諸聲法香法味法及
與觸法相狀分明以對五根非意所攝汝識
決定依於法生汝今諦觀法法何狀若離色
空動靜通塞合離生滅越此諸相終無所得
生則色空諸法等生滅則色空諸法等滅所
因既無因生有識作何形相相狀不有界云
何生是故當知意法為緣生意識界三處都

BD02347號　大佛頂如來密因修證了義諸菩薩萬行首楞嚴經卷三　（11-11）

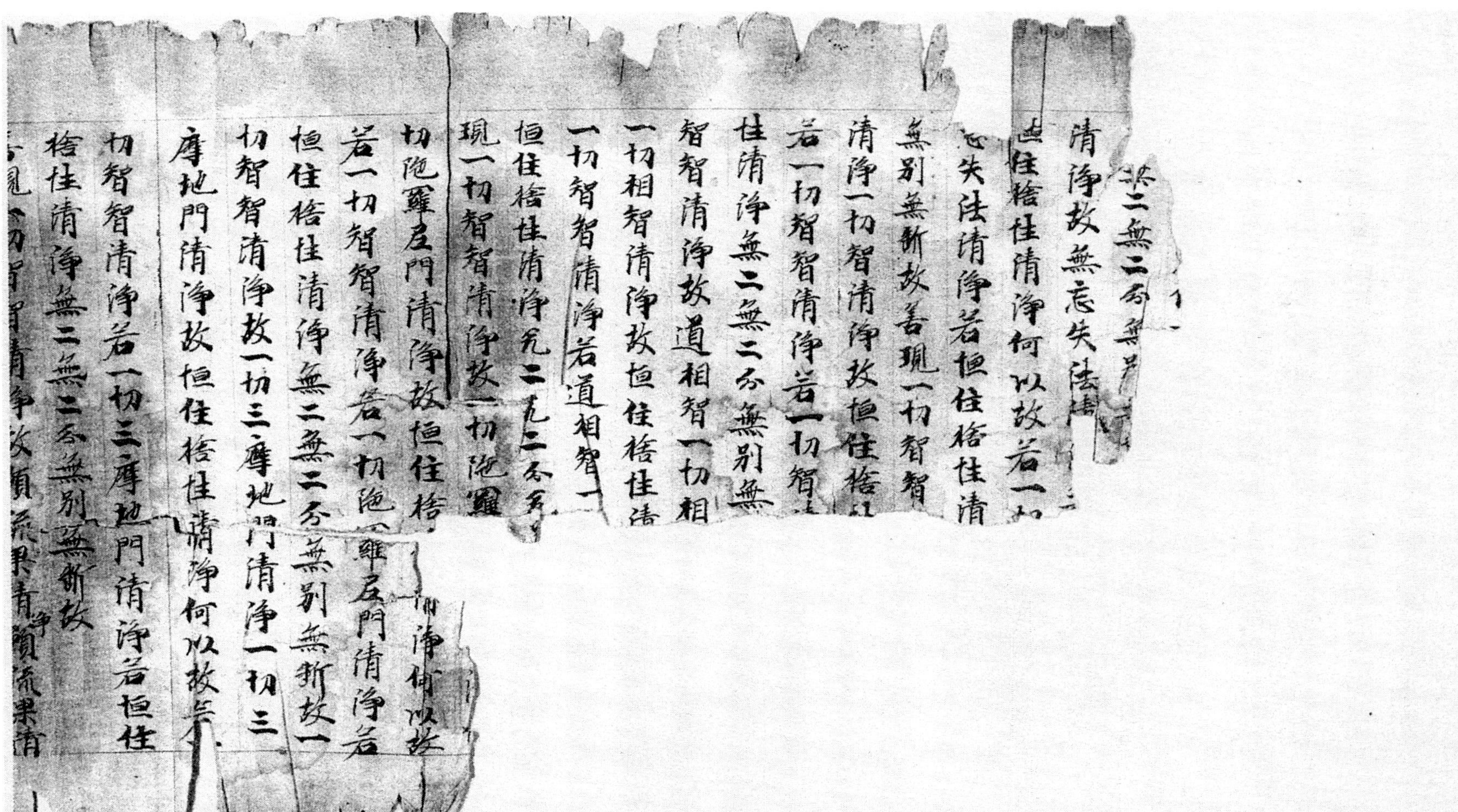

二無二分無
清淨故無忘失法清
恒住捨性清淨何以故若一切
忘失法清淨若恒住捨性清
無別無斷故善現一切智智
清淨一切智清淨故恒住捨性
若一切智智清淨若一切智
性清淨無二無二分無別無
智智清淨故道相智一切相
一切相智清淨故恒住捨性清
一切智智清淨若道相智一
恒住捨性清淨无二无二分無
現一切智智清淨故一切陁羅
切陁羅尼門清淨故恒住捨淨何以故
若一切智智清淨若一切陁羅尼門清淨若
恒住捨性清淨無二無二分無別無斷故一
切智智清淨故一切三摩地門清淨一切三
摩地門清淨故恒住捨性清淨何以故若一
切智智清淨若一切三摩地門清淨若恒住
捨性清淨無二無二分無別無斷故
善現一切智智清淨故預流果清淨預流果清

BD02348號　大般若波羅蜜多經卷二七九　（11-1）

摩地門清淨故恒住捨性清淨何以故若
切智智清淨若一切三摩地門清淨若恒住
捨性清淨無二無二分無別無斷故
善現一切智智清淨故預流果清淨預流果清
淨故恒住捨性清淨何以故若一切智智清
淨若預流果清淨若恒住捨性清淨無二
無二分無別無斷故一切智智清淨故一來
不還阿羅漢果清淨一來不還阿羅漢果清
淨故恒住捨性清淨何以故若一切智智清
淨若一來不還阿羅漢果清淨若恒住捨性
清淨無二無二分無別無斷故善現一切智
智清淨故獨覺菩提清淨獨覺菩提清淨
故恒住捨性清淨何以故若一切智智清淨若
獨覺菩提清淨若恒住捨性清淨無二無二
分無別無斷故善現一切智智清淨故一切
菩薩摩訶薩行清淨一切菩薩摩訶薩行清
淨故恒住捨性清淨何以故若一切智智清
淨若一切菩薩摩訶薩行清淨若恒住捨性
清淨無二無二分無別無斷故善現一切智
智清淨故諸佛无上正等菩提清淨諸佛无
上正等菩提清淨故恒住捨性清淨何以故
若一切智智清淨若諸佛无上正等菩提清
淨若恒住捨性清淨無二無二分無別無斷
故
復次善現一切智智清淨故色清淨色清淨

BD02348號　大般若波羅蜜多經卷二七九　（11–2）

淨若恒住捨性清淨無二無二分無別無斷
故
復次善現一切智智清淨故色清淨色清淨
故一切智清淨何以故若一切智智清淨若
色清淨若一切智清淨無二無二分無別無
斷故一切智智清淨故受想行識清淨受想
行識清淨故一切智清淨何以故若一切智
智清淨若受想行識清淨若一切智清淨無
二無二分無別無斷故善現一切智智清淨
故眼處清淨眼處清淨故一切智清淨何以
故若一切智智清淨若眼處清淨若一切智
清淨無二無二分無別無斷故一切智智清
淨故耳鼻舌身意處清淨耳鼻舌身意處
清淨故一切智清淨何以故若一切智智清淨
若耳鼻舌身意處清淨若一切智清淨無二
無二分無別無斷故善現一切智智清淨故
色處清淨色處清淨故一切智清淨何以
故若一切智智清淨若色處清淨若一切智
清淨無二無二分無別無斷故一切智智清
淨故聲香味觸法處清淨聲香味觸法處
清淨故一切智清淨何以故若一切智智清淨
若聲香味觸法處清淨若一切智清淨無二
無二分無別無斷故善現一切智智清淨故眼
界清淨眼界清淨故一切智清淨何以故若
一切智智清淨若眼界清淨若一切智清淨
無二無二分無別無斷故一切智智清淨故

BD02348號　大般若波羅蜜多經卷二七九　（11–3）

界清淨眼界清淨故一切智清淨何以故若
一切智智清淨若眼界清淨若一切智清淨
無二無二分無別無斷故一切智智清淨故
色界眼識界及眼觸眼觸為緣所生諸受清
淨色界乃至眼觸為緣所生諸受清淨故一
切智清淨何以故若一切智智清淨若色界
乃至眼觸為緣所生諸受清淨若一切智清
淨無二無二分無別無斷故善現一切智智
清淨故耳界清淨耳界清淨故一切智清淨
何以故若一切智智清淨若耳界清淨若一
切智清淨無二無二分無別無斷故一切智
智清淨故聲界耳識界及耳觸耳觸為緣所
生諸受清淨聲界乃至耳觸為緣所生諸受
清淨故一切智清淨何以故若一切智智清
淨若聲界乃至耳觸為緣所生諸受清淨若
一切智清淨無二無二分無別無斷故善現
一切智智清淨故鼻界清淨鼻界清淨故一
切智清淨何以故若一切智智清淨若鼻界
清淨若一切智清淨无二无二分无别无斷故
一切智智清淨故香界鼻識界及鼻觸鼻
觸為緣所生諸受清淨香界乃至鼻觸為緣所
生諸受清淨故一切智清淨何以故若一切
智智清淨若香界乃至鼻觸為緣所生諸受
清淨若一切智清淨無二無二分無別無斷故
善現一切智智清淨故舌界清淨舌界清
淨故一切智清淨何以故若一切智智清淨

BD02348號　大般若波羅蜜多經卷二七九　（11–4）

清淨若一切智智清淨無二無二分無別無斷故
善現一切智智清淨故舌界清淨舌界清
淨故一切智清淨何以故若一切智智清淨
若舌界清淨若一切智智清淨無二無二分無
別無斷故一切智智清淨故味界舌識界及
舌觸舌觸為緣所生諸受清淨味界乃至舌
觸為緣所生諸受清淨故一切智清淨何以
故若一切智智清淨若味界乃至舌觸為緣
所生諸受清淨若一切智清淨無二無二分
無別無斷故善現一切智智清淨故身界清
淨身界清淨故一切智清淨何以故若一切
智智清淨若身界清淨若一切智清淨無二
無二分無別無斷故一切智智清淨故觸界
身識界及身觸身觸為緣所生諸受清淨
觸界乃至身觸為緣所生諸受清淨故一切智
清淨何以故若一切智智清淨若觸界乃至
身觸為緣所生諸受清淨若一切智清淨無
二無二分無別無斷故善現一切智智清淨
故意界清淨意界清淨故一切智清淨何以
故若一切智智清淨若意界清淨若一切智
清淨無二無二分無別無斷故一切智智清
淨故法界意識界及意觸意觸為緣所生
諸受清淨法界乃至意觸為緣所生諸受清淨
故一切智清淨何以故若一切智智清淨若
法界乃至意觸為緣所生諸受清淨若一切
智清淨無二無二分無別無斷故善現一切

BD02348號　大般若波羅蜜多經卷二七九　（11–5）

故一切智智清淨何以故若一切智智清淨若
法界乃至意觸為緣所生諸受清淨若一切
智清淨無二無二分無別無斷故善現一切
智智清淨故地界清淨地界清淨故一切智
智清淨何以故若一切智智清淨若地界清淨
若一切智智清淨無二無二分無別無斷故一
切智智清淨故水火風空識界清淨水火風
空識界清淨故一切智智清淨何以故若一切
智智清淨若水火風空識界清淨若一切智
清淨無二無二分無別無斷故善現一切智
智清淨故無明清淨無明清淨故一切智清
淨何以故若一切智智清淨若无明清淨若
一切智清淨無二無二分無別無斷故一切智
智清淨故行識名色六處觸受愛取有生
老死愁歎苦憂惱清淨行乃至老死愁歎苦
憂惱清淨故一切智智清淨何以故若一切
智清淨若行乃至至老死愁歎苦憂惱清淨
若一切智清淨無二無二分無別無斷故
善現一切智智清淨故布施波羅蜜多清淨
布施波羅蜜多清淨故一切智清淨何以故
若一切智智清淨若布施波羅蜜多清淨若
一切智清淨無二無二分無別無斷故一切智
智清淨故淨戒安忍精進靜慮般若波羅
蜜多清淨淨戒乃至般若波羅蜜多清淨故
一切智清淨何以故若一切智智清淨若淨
戒乃至般若波羅蜜多清淨若一切智清淨
無二無二分無別無斷故善現一切智智清

BD02348號　大般若波羅蜜多經卷二七九　（11–6）

蜜多清淨淨戒乃至般若波羅蜜多清淨故
一切智智清淨何以故若一切智智清淨若淨
戒乃至般若波羅蜜多清淨若一切智清淨
無二無二分無別無斷故善現一切智智清
淨故內空清淨內空清淨故一切智智清淨何
以故若一切智智清淨若內空清淨若一切
智清淨無二無二分無別無斷故一切智智
清淨故外空內外空空空大空勝義空有為
空無為空畢竟空無際空散空無變異空本
性空自相空共相空一切法空不可得空無
性空自性空無性自性空清淨外空乃至無
性自性空清淨故一切智智清淨何以故若一
切智智清淨若外空乃至無性自性空清淨
若一切智清淨無二無二分無別無斷故善
現一切智智清淨故真如清淨真如清淨故
一切智清淨何以故若一切智智清淨若真
如清淨若一切智清淨無二無二分無別無
斷故一切智智清淨故法界法性不虛妄性
不變異性平等性離生性法定法住實際虛
空界不思議界清淨法界乃至不思議界清
淨故一切智智清淨何以故若一切智智清淨
若法界乃至不思議界清淨若一切智清淨
無二無二分無別無斷故善現一切智智清
淨故苦聖諦清淨苦聖諦清淨故一切智清
淨何以故若一切智智清淨若苦聖諦清淨
若一切智清淨無二無二分無別無斷故一
切智智清淨故集滅道聖諦清淨集滅道聖

BD02348號　大般若波羅蜜多經卷二七九　（11–7）

無二無二分無別無斷故善現一切智智清
淨故苦聖諦清淨苦聖諦清淨故一切智清
淨何以故若一切智智清淨若苦聖諦清淨
若一切智清淨無二無二分無別無斷故一
切智智清淨故集滅道聖諦清淨集滅道聖
諦清淨故一切智清淨何以故若一切智智
清淨若集滅道聖諦清淨若一切智清淨無
二無二分無別無斷故
善現一切智智清淨故四靜慮清淨四靜慮
清淨故一切智清淨何以故若一切智智清
淨若四靜慮清淨若一切智清淨無二無二
分無別無斷故一切智智清淨故四無量四
無色定清淨四無量四無色定清淨故一切
智清淨何以故若一切智智清淨若四無量
四無色定清淨若一切智清淨無二無二分
無別無斷故善現一切智智清淨故八解脫
清淨八解脫清淨故一切智清淨何以故若
一切智智清淨若八解脫清淨若一切智清
淨無二無二分無別無斷故一切智智清淨
故八勝處九次第定十遍處清淨八勝處九
次第定十遍處清淨故一切智清淨何以故
若一切智智清淨若八勝處九次第定十遍
處清淨若一切智清淨無二無二分無別無
斷故善現一切智智清淨故四念住清淨四念
住清淨故一切智清淨何以故若一切智智
清淨若四念住清淨若一切智清淨無二無

BD02348號　大般若波羅蜜多經卷二七九　（11–8）

處清淨若一切智清淨無二無二分無別無
斷故善現一切智智清淨故四念住清淨四念
住清淨故一切智清淨何以故若一切智智
清淨若四念住清淨若一切智清淨無二無
二分無別無斷故一切智智清淨故四正斷
四神足五根五力七等覺支八聖道支清淨
四正斷乃至八聖道支清淨故一切智清淨
何以故若一切智智清淨若四正斷乃至八
聖道支清淨若一切智清淨無二無二分無
別無斷故善現一切智智清淨故空解脫門
清淨空解脫門清淨故一切智清淨何以故
若一切智智清淨若空解脫門清淨若一切
智清淨無二無二分無別無斷故一切智智
清淨故無相無願解脫門清淨無相無願解
脫門清淨故一切智清淨何以故若一切智
智清淨若無相無願解脫門清淨若一切智
清淨無二無二分無別無斷故善現一切智
智清淨故菩薩十地清淨菩薩十地清淨
故一切智清淨何以故若一切智智清淨若菩
薩十地清淨若一切智清淨無二無二分無
別無斷故
善現一切智智清淨故五眼清淨五眼清淨
故一切智清淨何以故若一切智智清淨若
五眼清淨若一切智清淨無二無二分無別
無斷故善現一切智智清淨故六神通清淨
六神通清淨故一切智清淨何以故若一切智
智清淨若六神通清淨若一切智清淨無二

BD02348號　大般若波羅蜜多經卷二七九　（11–9）

無斷故善現一切智智清淨故六神通清淨
六神通清淨故一切智清淨何以故若一切智
智清淨若六神通清淨若一切智清淨無二
無二分無別無斷故善現一切智智清淨
故佛十力清淨佛十力清淨故一切智清淨
何以故若一切智智清淨若佛十力清淨若
一切智清淨無二無二分無別無斷故一切
智智清淨故四無所畏四無礙解大慈大悲
大喜大捨十八佛不共法清淨四無所畏乃
至十八佛不共法清淨故一切智清淨何以
故若一切智智清淨若四無所畏乃至十八
佛不共法清淨若一切智清淨無二無二分
無別無斷故善現一切智智清淨故無忘失
法清淨無忘失法清淨故一切智清淨何以
故若一切智智清淨若無忘失法清淨若
一切智清淨無二無二分無別無斷故一切智
智清淨故恒住捨性清淨恒住捨性清淨故
一切智清淨何以故若一切智智清淨若恒
住捨性清淨若一切智清淨無二無二分無
別無斷故善現一切智智清淨故道相智
清淨道相智清淨故一切智清淨何以故若
一切智智清淨若道相智清淨若一切智清
淨無二無二分無別無斷故一切智智清淨故一
切相智清淨一切相智清淨故一切智清淨
何以故若一切智智清淨若一切相智清淨
若一切智清淨無二無二分無別無斷故

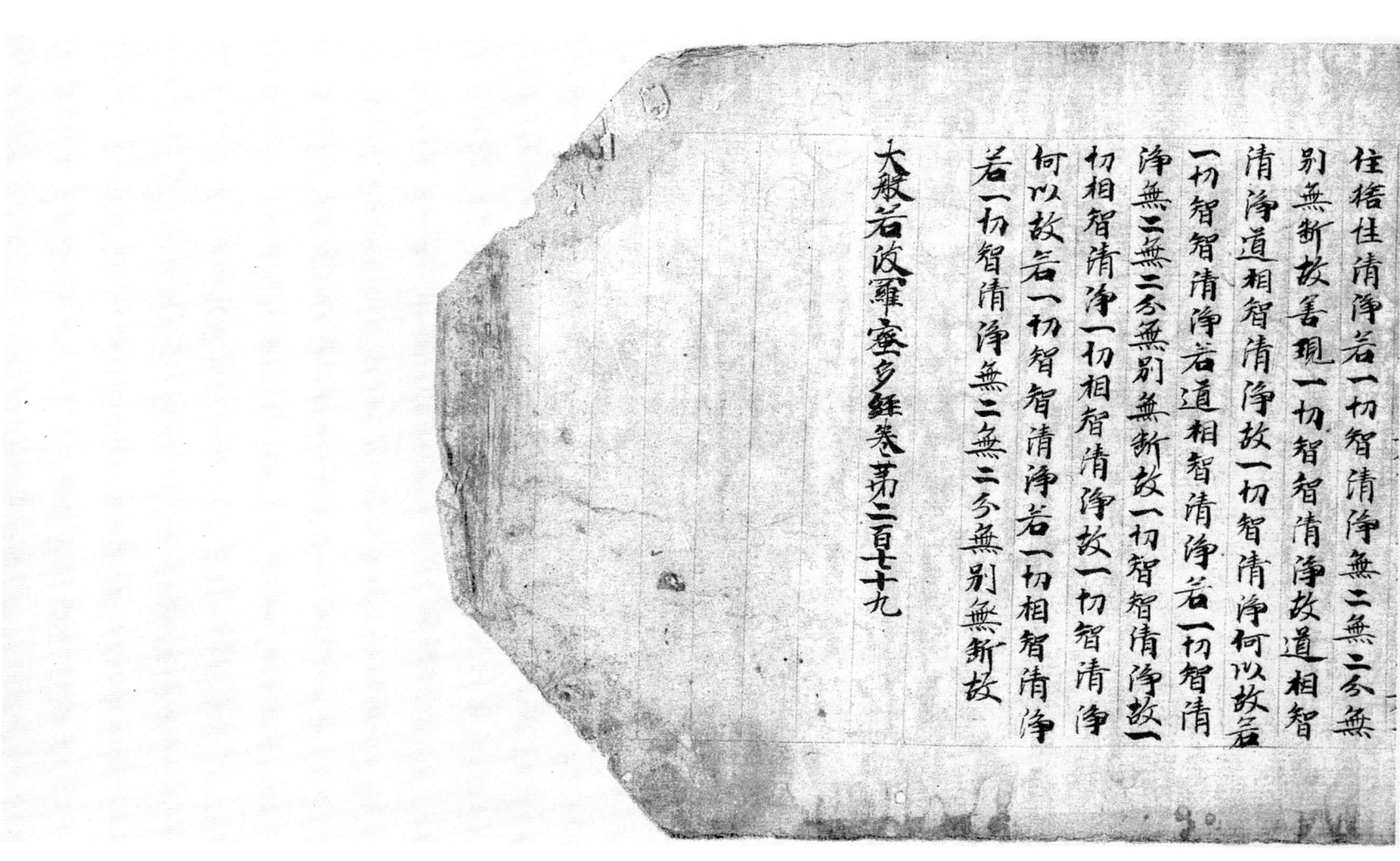

BD02348號　大般若波羅蜜多經卷二七九　（11–10）

住捨性清淨若一切智清淨無二無二分無
別無斷故善現一切智智清淨故道相智
清淨道相智清淨故一切智清淨何以故若
一切智智清淨若道相智清淨若一切智清
淨無二無二分無別無斷故一切智智清淨故一
切相智清淨一切相智清淨故一切智清淨
何以故若一切智智清淨若一切相智清淨
若一切智清淨無二無二分無別無斷故

大般若波羅蜜多經卷苐二百七十九

BD02348號　大般若波羅蜜多經卷二七九　（11–11）

達諸法相无罣礙　稽
尒時長者子寶積說此偈已白佛言世尊是
五百長者子皆已發阿耨多羅三藐三菩提
心願聞得佛國土清淨唯願世尊說諸菩薩
淨土之行佛言善哉寶積乃能為諸菩薩問
於如來淨土之行諦聽諦聽善思念之當為
汝說於是寶積及五百長者子受教而聽佛
言寶積衆生之類是菩薩佛土所以者何菩
薩隨所化衆生而取佛土隨所調伏衆生而
取佛土隨諸衆生應以何國入佛智慧而取
佛土隨諸衆生應以何國起菩薩根而取佛
土所以者何菩薩取於淨國皆為饒益諸衆
生故譬如有人欲於空地造立宮室隨意无
閡若於虛空終不能成菩薩如是為成就衆
生故願取佛國願取佛國者非於空也寶積
當知直心是菩薩淨土菩薩成佛時不諂衆
生來生其國深心是菩薩淨土菩薩成佛時
具足功德衆生來生其國大乘心是菩薩淨
土菩薩成佛時大乘衆生來生其國布施是
菩薩淨土菩薩成佛時一切能捨衆生來生
其國持戒是菩薩淨土菩薩成佛時行十善

[illegible]菩薩成佛時
具足功德衆生來生其國大乘心是菩薩淨
土菩薩成佛時大乘衆生來生其國布施是
菩薩淨土菩薩成佛時一切能捨衆生來生
其國持戒是菩薩淨土菩薩成佛時行十善
道滿願衆生來生其國忍辱是菩薩淨土菩
薩成佛時三十二相莊嚴衆生來生其國精
進是菩薩淨土菩薩成佛時勤脩一切功德衆
生來生其國禪定是菩薩淨土菩薩成佛
時攝心不亂衆生來生其國智慧是菩薩淨
土菩薩成佛時正定衆生來生其國四无量
心是菩薩淨土菩薩成佛時成就慈悲喜捨
衆生來生其國四攝法是菩薩淨土菩薩成
佛時解脫所攝衆生來生其國方便是菩薩
淨土菩薩成佛時於一切法方便无閡衆生
來生其國三十七道品是菩薩淨土菩薩成
佛時念處正勤神足根力覺道衆生來生
其國迴向心是菩薩淨土菩薩成佛時得一切
具足功德國土說除八難是菩薩淨土菩薩
成佛時國土无有三惡八難自守戒行不譏
彼闕是菩薩淨土菩薩成佛時國土无有犯
禁之名十善是菩薩淨土菩薩成佛時命不
中夭大富梵行所言成諦常以濡語眷屬不
離善和諍訟言必饒益不疾不恚正見衆生
來生其國如是寶積菩薩隨其[illegible]心則能發
行隨其發行則得深心隨其深心則意調伏
[illegible]

衆生其國如是寶積菩薩隨其直心則能發
行隨其發行則得深心隨其深心則意調伏
隨意調伏則如說行隨如說行則能迴向隨其
迴向則有方便隨其方便則成就衆生隨成
就衆生則佛土淨隨佛土淨則說法淨隨
說法淨則智慧淨隨智慧淨則其心淨隨其
心淨則一切功德淨是故寶積若菩薩欲得
淨土當淨其心隨其心淨則佛土淨
尒時舍利弗承佛威神作是念若菩薩心淨
則佛土淨者我世尊本為菩薩時意豈不淨
而是佛土不淨若此佛知其念即告之言於
意云何日月豈不淨耶而盲者不見對曰不
也世尊是盲者過非日月咎舍利弗衆生罪
故不見如來佛國嚴淨非如來咎舍利弗我
此土淨而汝不見尒時螺髻梵王語舍利弗
勿作是意謂此佛土以為不淨所以者何我
見釋迦牟尼佛土清淨譬如自在天宮舍利
弗言我見此土丘陵坑坎荊棘砂礫土石諸
山穢惡充滿螺髻梵言仁者心有高下不依
佛慧故見此土為不淨耳舍利弗菩薩於一
切衆生悉皆平等深心清淨依佛智慧則能
見此佛土清淨於是佛以足指案地即時三
千大千世界若干百千珍寶嚴飾譬如寶莊
嚴佛无量功德寶莊嚴土一切大衆歎未曾
有而皆自見坐寶蓮華佛告舍利弗汝且觀
是佛土嚴淨舍利弗言唯然世尊本所不見

BD02349 號　維摩詰所說經卷上　（4–3）

勿作是意謂此佛土以為不淨所以者何我
見釋迦牟尼佛土清淨譬如自在天宮舍利
弗言我見此土丘陵坑坎荊棘砂礫土石諸
山穢惡充滿螺髻梵言仁者心有高下不依
佛慧故見此土為不淨耳舍利弗菩薩於一
切衆生悉皆平等深心清淨依佛智慧則能
見此佛土清淨於是佛以足指案地即時三
千大千世界若干百千珍寶嚴飾譬如寶莊
嚴佛无量功德寶莊嚴土一切大衆歎未曾
有而皆自見坐寶蓮華佛告舍利弗汝且觀
是佛土嚴淨舍利弗言唯然世尊本所不見
本所不聞今佛國土嚴淨悉現佛語舍利弗
我佛國土常淨若此為欲度斯下劣人故示
是衆惡不淨土耳譬如諸天共寶器食隨其
福德飯色有異如是舍利弗若人心淨便見
此土功德莊嚴當佛現此國土嚴淨之時寶
積所將五百長者子皆得无生法忍八万四

BD02349 號　維摩詰所說經卷上　（4–4）

大般涅槃經壽命品　　卷二
尒時會中有優婆塞是拘尸那工巧之子名
曰純陁與其同類十五人俱為令世間得善
果故捨身威儀從座而起偏袒右肩右膝著
地合掌向佛悲涕墮淚頂禮佛足而白佛言
唯願世尊及比丘僧哀受我等冣後供養為
度无量諸衆生故世尊我等從今无主无親
无救无護无歸无趣貧窮飢困欲從如來求
將來食唯願哀愍受我微供然後乃入於般
涅槃世尊譬如刹利若婆羅門毗舍首陁以
貧窮故遠至他國傭力農作得好調牛良田
平正无諸沙鹵惡草株杌唯悕天雨言調牛
者喻身口七良田平正喻於智慧除去沙鹵

BD02350號　大般涅槃經（北本）卷二　　（26–1）

貧窮故遠至他國傭力農作得好調牛良田
平正无諸沙鹵惡草株杌唯悕天雨言調牛
者喻身口七良田平正喻於智慧除去沙鹵
惡草株杌喻除煩惱世尊我今身有調牛良
田除去株杌唯悕如來甘露法雨貧四姓者
即我身是貧於无上法之財寶唯願哀愍除
斷我等貧窮困苦拯及无量苦惱衆生我今
所供雖復微少兾得充足如來大衆我今无
主无親无歸願垂矜愍如羅睺羅尒時世尊
一切種智无上調御告純陁曰善哉善哉我
今為汝除斷貧窮无上法雨雨汝身田令生
法牙汝今於我欲求壽命色力安樂无礙辯
才我當施汝常命色力安无礙辯何以故純
陁施食有二果報无差何等為二一者受已
得阿耨多羅三藐三菩提二者受已入於涅
槃我今受汝冣後供養令汝具足檀波羅蜜
尒時純陁即白佛言如佛所說二施果報无差
別者是義不然何以故先受施者煩惱未
盡未得成就一切種智亦未能令衆生具足
檀波羅蜜後受施者煩惱已盡已得成就一
切種智能令衆生普得具足檀波羅蜜先受
施者直是衆生後受施者是天中天先受施
者是雜食身煩惱之身是後邊身是无常身
後受施者非煩惱身金剛之身法身常身无
邊之身云何而言二施果報等无差別先受
施者未能具足檀波羅蜜乃至般若波羅蜜

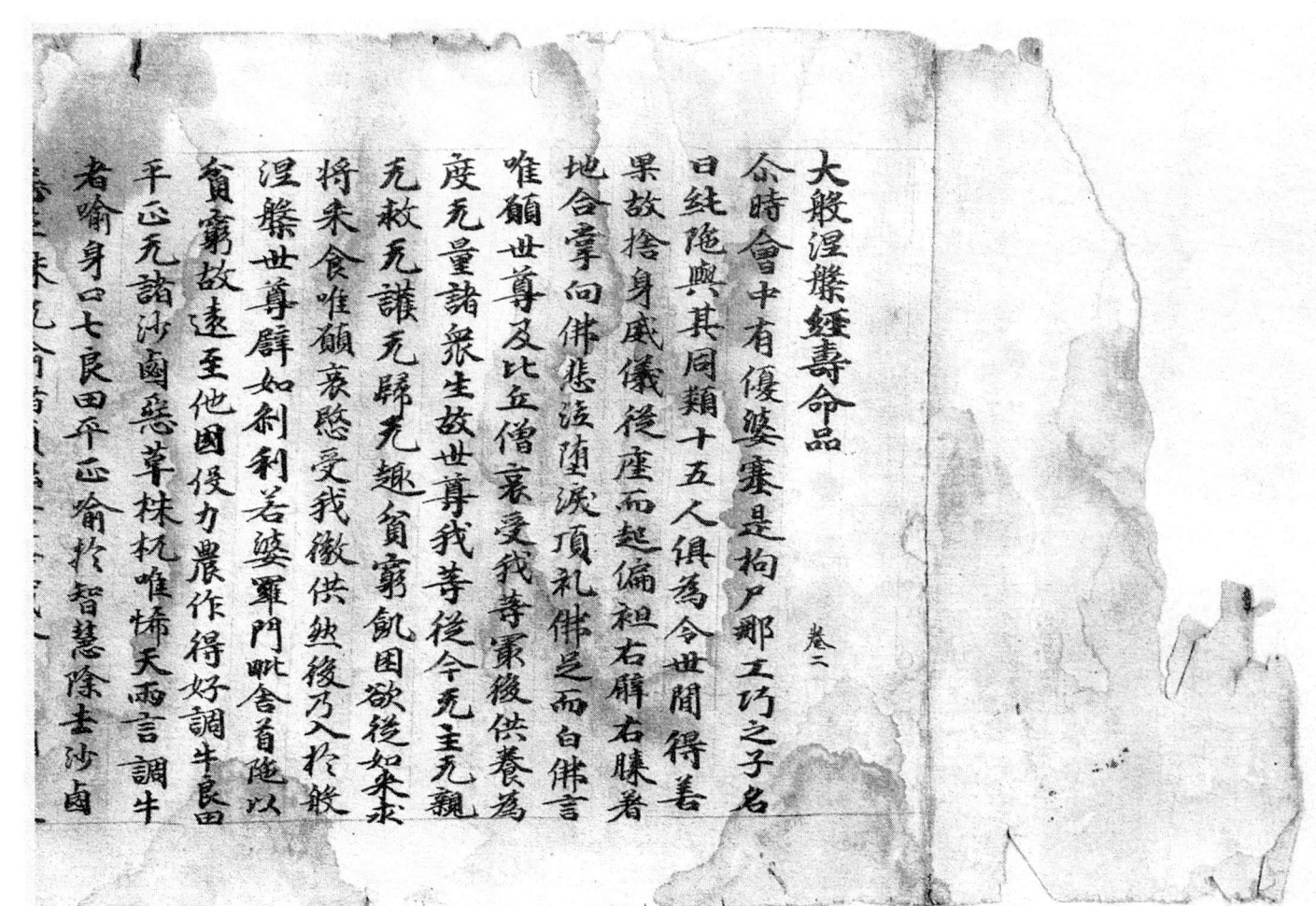

BD02350號　大般涅槃經（北本）卷二　　（26–2）

者是雜食身煩惱之身是後邊身是无常身
後受施者非煩惱身金剛之身法身常身无
邊之身云何而言二施果報等无差別先受
施者未能具足檀波羅蜜乃至般若波羅蜜
唯得肉眼未得佛眼乃至慧眼後受施者已
得具足檀波羅蜜乃至般若波羅蜜具足佛
眼乃至慧眼云何而言二施果報等无差別
世尊先受施者受已食噉入腹消化得命得
色得力得安得无礙辯後受施者不食不消
无五事果云何而言二施果報等无差別佛
言善男子如來已於无量无邊阿僧祇劫无
有食身煩惱之身无後邊身常身法身金剛
之身善男子未見佛性者名煩惱身雜食之
身是後邊身菩薩尒時受飲食已入金剛三
昧此食消已即見佛性得阿耨多羅三藐三
菩提是故我言二施果報等无差別菩薩尒
時破壞四魔今入涅槃亦破四魔是故我言
二施果報等无差別菩薩尒時雖不廣說十
二部經先已通達今入涅槃廣為衆生分別
演說是故我言二施果報等无差別善男子
如來之身已於无量阿僧祇劫不受飲食為
諸聲聞說言先受難陁難陁波羅二牧牛女
所奉乳糜然後乃得阿耨多羅三藐三菩提
我實不食我今為於此會大衆是故受汝最
後所奉實亦不食
尒時大衆聞佛世尊普為大會受於純陁最

BD02350號　大般涅槃經（北本）卷二　（26–3）

諸聲聞說言先受難陁難陁羅二牧牛女
所奉乳糜然後乃得阿耨多羅三藐三菩提
我實不食我今為於此會大衆是故受汝最
後所奉實亦不食
尒時大衆聞佛世尊普為大會受於純陁最
後供養歡喜踊躍同聲讚言善哉善哉希
有純陁汝今立字名不虛稱言純陁者名解妙
義汝今建立如是大義是故依實從義立名
故名純陁汝今現世得大名利得願滿足甚
奇純陁生在人中復得難得无上之利善哉
純陁如優曇華世間希有佛出於世亦復甚
難值佛生信聞法復難佛臨涅槃最後供養
能辦是事復難於是南无純陁南无純陁汝
今已具檀波羅蜜猶如秋月十五日夜清淨圓
圓滿无諸雲翳一切衆生无不瞻仰汝亦如
是而為我等之所瞻仰佛已受汝最後供養
令汝具足檀波羅蜜南无純陁是故說汝如
月盛滿一切衆生无不瞻仰南无純陁雖受
人身心如佛心汝今純陁真是佛子如羅睺
羅等无有異尒時大衆即說偈言
汝雖生人道　已超第六天　我及一切衆　今故稽首請
人中最勝尊　今當入涅槃　汝應愍我等　唯願速請佛
久住於世間　利益无量衆　演說智所讚　无上甘露法
汝若不請佛　我命將不全　是故應見為　啓請調御師
尒時純陁歡喜踊躍譬如有人父母卒喪忽
然還活純陁歡喜亦復如是復起礼佛而說

BD02350號　大般涅槃經（北本）卷二　（26–4）

汝若不請佛　我命將不全　是故應見為　啟請調御師
尒時純陁歡喜踊躍譬如有人父母卒喪忽
然還活純陁歡喜亦復如是復起礼佛而說
偈言
快哉獲已利　善得於人身　蠲除貪恚等　永離三惡道
快哉獲已利　遇得金寶聚　值遇調御師　不懼墮畜生
佛如優曇華　值遇生信難　遇已種善根　永滅餓鬼苦
亦復能損減　阿脩羅種類　芥子投針鋒　佛出難於是
我已具足檀　度人天生死　佛不染世法　如蓮華處水
善斷有頂種　永度生死流　生世為人難　值佛世亦難
猶如大海中　盲龜遇浮孔　我今所奉食　願得无上報
一切煩惱結　摧破不堅牢　我今於此處　不求天人身
設使得之者　心亦不甘樂　如來受我供　歡喜无有量
猶如伊蘭華　出於栴檀香　我身如伊蘭　如來受我供
如出栴檀香　是故我歡喜　我今得現報　最勝上妙處
釋梵諸天等　悉來供養我　一切諸世間　悉生諸苦惱
以知佛世尊　欲入於涅槃
高聲唱是言　世間无調御　不應捨眾生　應視如一子
如來在僧中　演說无上法　如須弥寶山　安處于大海
佛智能善斷　我等无明闇　猶如虛空中　起雲得清涼
如來能善除　一切諸煩惱　猶如日出時　除雲光普照
是諸眾生等　啼泣面目腫　皆悉為生死　苦水之所漂
以是故世尊　應長眾生信　為斷生死苦　久住於世間
佛告純陁　如是如是如汝所說佛出世難如優
曇華值佛生信亦復甚難佛臨涅槃最後

BD02350號　大般涅槃經（北本）卷二　　（26–5）

是諸眾生等　啼泣面目腫　皆悉為生死　苦水之所漂
以是故世尊　應長眾生信　為斷生死苦　久住於世間
佛告純陁　如是如是如汝所說佛出世難如優
曇華值佛生信亦復甚難佛臨涅槃最後
施食能具足檀復倍甚難汝今純陁莫大愁
苦應生踊躍喜自慶幸得值最後供養如來
成就具足檀波羅蜜不應請佛久住於世汝
今當觀諸佛境界悉皆无常諸行性相亦復
如是即為純陁而說偈言
一切諸世間　生者皆歸死　壽命雖无量　要必當有盡
夫盛必有衰　合會有別離　壯年不久停　盛色病所侵
命為死所吞　无有法常者　諸王得自在　勢力无等雙
一切皆遷動　壽命亦如是　眾苦輪无際　流轉无休息
三界皆无常　諸有无有樂　有道本性相　一切皆空无
可壞法流動　常有憂患等　恐怖諸過惡　老病死衰惱
是諸有无邊　易壞怨所侵　煩惱所纏裹　猶如蠶處繭
何有智慧者　而當樂是處　此身苦所集　一切皆不淨
扼縛癰瘡等　根本无義利　上至諸天身　皆亦復如是
諸欲皆无常　故我不貪著　離欲善思惟　而證於真實
究竟斷有者　今日當涅槃
我度有彼岸　已得過諸苦　是故於今者　純受上妙樂
以是因緣故　證无戲論邊　永斷諸纏縛　今日入涅槃
我无老病死　壽命不可盡　我今入涅槃　猶如大火滅
純陁汝不應　思量如來義　當觀如來性　猶如須弥山
我今入涅槃　受於第一樂　諸佛法如是　不應復啼哭

BD02350號　大般涅槃經（北本）卷二　　（26–6）

我无老病死　壽命不可盡　我今入涅槃　猶如大火滅
純陁汝不應　思量如來義　當觀如來性　猶如須弥山
我今入涅槃　受於第一樂　諸佛法如是　不應復啼哭
尒時純陁白佛言世尊如是如是誠如聖教
我今所有智慧微淺猶如蚊蝱何能思議如
來涅槃深奥之義世尊我今已與諸大龍象
菩薩摩訶薩斷諸結漏文殊師利法王子等
世尊譬如幼年初得出家雖未受具即墮僧
數我亦如是以佛菩薩神通力故得在如是
大菩薩數是故我今欲令如來久住於世不
入涅槃譬如飢人終无變吐願使世尊亦復
如是常住於世不入涅槃尒時文殊師利法
王子告純陁言純陁汝今不應發如是言欲
使如來常住於世不般涅槃如彼飢人无所
變吐汝今當觀諸行性相如是觀行具空三
昧欲求正法應如是學純陁聞言文殊師利
夫如來者天上人中冣尊冣勝如是如來豈
是行邪若是行者為生滅法譬如水泡速起
速滅往來流轉猶如車輪一切諸行亦復如是
我聞諸天壽命極長云何世尊是天中天壽
命更促不滿百年如聚落主勢得自在以自
在力能制他人是人福盡其後貧賤人所輕
蔑為他策使所以者何失勢力故世尊亦尒
同於諸行同諸行者則不得稱為天中天何
以故諸行即是生死法故是故文殊勿觀如

同於諸行同諸行者則不得稱為天中天何
以故諸行即是生死法故是故文殊勿觀如
來同於諸行復次文殊為知而説不知而説
而言如來同於諸行設使如來同諸行者則
不得言於三界中為天中天自在法王譬如
人王有大力士其力當千更无有能降伏之
者故稱此人一人當千如是力士王所愛念
偏賜爵祿封賞自然所以得稱當千人者是
人未必力敵於千但以種種伎藝所能能勝
千故故稱當千如來亦尒降煩惱魔陰魔
天魔死魔是故如來名三界尊如彼力士一人
當千以是因緣成就具足種種无量真實功
德故稱如來應正遍知文殊師利汝今不應
億想分別以如來法同於諸行譬如巨富長
者生子相師占之有短壽相父母聞已知其
不任紹繼家嗣不復愛重視如草芥夫短壽
者不為沙門婆羅門等男女大小之所敬念
若使如來同諸行者亦復不為一切世間人
天衆生之所奉敬如來所説不變不異真實
之法亦无受者是故文殊不應説言如來同
於一切諸行
復次文殊譬如貧女无有居家救護之者加
復病苦飢渴所逼遊行乞匃止他客舍寄生
一子是客舍主驅逐令去其產未久攜抱是
兒欲至他國於其中路遇惡風雨寒苦並至

一子是客舍主驅逐令去其產未久携抱是
兒欲至他國於其中路遇惡風雨寒苦並至
多為蚊虻蜂螫毒虫之所唼食逕由恒河抱
兒而度其水灂疾而不放捨於是母子遂共
俱沒如是女人慈念功德命終之後生於梵
天文殊師利若有善男子欲護正法勿說如
來同於諸行不同諸行唯當自責我今愚癡
未有慧眼如來正法不可思議是故不應宣
說如來定是有為定是無為若正見者應說
如來定是無為何以故能為衆生生善法故
生憐愍故如彼貧女在於恒河為愛念子而
捨身命善男子護法菩薩亦應如是寧捨身
命不說如來同於有為當言如來同於無為
以說如來同無為故得阿耨多羅三藐三菩
提如彼女人得生梵天何以故以護法故云
何護法所謂說言如來同於無為善男子如
是之人雖不求解脫解脫自至如彼貧女不
求梵天梵天自至文殊師利如人遠行中路
疲極寄止他舍臥寐之中其室忽然大火卒
起即時驚寤尋自思惟我於今者定死不疑
具慚愧故以衣纏身即便命終生忉利天從
是已後滿八十反作大梵王滿百千世生於
人中為轉輪王是人不復生三惡趣展轉常
生安樂之處以是緣故文殊師利若善男子
有慚愧者不應觀佛同於諸行文殊師利外

BD02350號　大般涅槃經（北本）卷二　（26-9）

生安樂之處以是緣故文殊師利若善男子
有慚愧者不應觀佛同於諸行文殊師利外
道邪見可謂如來同於有為持戒比丘不應
如是於如來所生有為想若言如來是有為
者即是妄語當知是人死入地獄如人自處
於己舍宅文殊師利如來真實是無為法不
應復言是有為也汝從今日於生死中應捨
無智求於正智當知如來即是無為若能如
是觀如來者具足當得卅二相速疾成就阿
耨多羅三藐三菩提
尒時文殊師利法王子讚純陀言善哉善哉
善男子汝今已作長壽因緣能知如來是常
住法不變異法無為之法汝今如是善覆如
來有為之相如彼火人為慚愧故以衣覆身
以是善心生忉利天復為梵王轉輪聖王不
至惡趣常受安樂汝亦如是善覆如來有為
相故於未來世必定當得三十二相八十種
好十八不共法無量壽命不在生死常受安
樂不久得成應正遍知純陀如來次後自當
廣說我之與汝俱亦當覆如來有為有為無
為且共置之汝可隨時速施飲食如是施者
諸施中最若比丘比丘尼優婆塞優婆夷遠
行疲極所須之物應當清淨隨時給與如是
速施即是具足檀波羅蜜根本種子純陀若
有最後施佛及僧若多若少若足不足宜速

BD02350號　大般涅槃經（北本）卷二　（26-10）

速施即是具足檀波羅蜜根本種子純陁若
有眾後施佛及僧若多若少若足不足宜速
及時如來正尒當般涅槃純陁荅言文殊師
利汝今何故貪為此食而言多少足與不足
令我時施文殊師利如來昔日苦行六年尚
自支持況於今日須臾間耶文殊師利汝今
實謂如來正覺受斯食耶然我定知如來身
者即是法身非為食身
尒時佛告文殊師利如是如是如純陁言善
哉純陁汝已成就微妙大智善入甚深大乘
經典文殊師利語純陁言汝謂如來是无為
者如來之身即是長壽若作是知佛所悅
可純陁荅言如來非獨悅可於我亦復悅可一
切眾生文殊師利言如來於汝及以於我一
切眾生皆悉悅可純陁荅言汝不應言如來
悅可夫悅可者則是倒想若有倒想則是生
死有生死者即有為法是故文殊勿謂如來
是有為也若言如來是有為者我與仁者俱
行顛倒文殊師利如來无有愛念之想夫愛
念者如彼母牛愛念其子雖復飢渴行求水
草若足不足忽然還歸諸佛世尊无有是念
等視一切如羅睺羅如是念者即是諸佛智
慧境界文殊師利辟如國王調御駕駟欲令
驢車而及之者无有是處我與仁者亦復如
是欲盡如來微密深奧亦无是處文殊師利

驢車而及之者无有是處我與仁者亦復如
是欲盡如來微密深奧亦无是處文殊師利
如金翅鳥上昇虛空无量由旬下觀大海悉
見水性魚鼈黿鼉龜龍之屬及見己影如
於明鏡見諸色像凡夫少智不能籌量如是
所見我與仁者亦復如是不能籌量如來智
慧文殊師利語純陁言如是如是如汝所說
我於此事非為不達直欲試汝諸菩薩事
尒時世尊從其面門出種種光其光明曜照
文殊身文殊師利遇斯光已即知是事尋告
純陁如來今者現是瑞相不久必當入於涅
槃汝先所設最後供養宜時奉獻佛及大眾
純陁當知如來放是種種光明非无因緣純
陁聞已情塞嘿然佛告純陁汝所奉施佛及
大眾今正是時如來正尒當般涅槃第二第
三亦復如是尒時純陁聞佛語已舉聲啼哭
悲噎而言苦哉苦哉世間空虛復白大眾我
等今者一切當共五體投地同聲勸佛莫般
涅槃尒時世尊復告純陁莫大啼哭令心憔
悴當觀是身猶如芭蕉熱時之焰水沫幻化
乾闥婆城坏器電光亦如畫水臨死之囚熟
果段肉如織經盡如碓上下當觀諸行猶雜
毒食有為之法多諸過患於是純陁復白佛
言如來不欲久住於世我當云何而不啼泣
苦哉苦哉世間空虛唯願世尊憐愍我等及

苦哉苦哉世間空虛唯願世尊憐愍我等及
諸衆生久住於世勿般涅槃佛告純陀汝今
不應發如是言憐愍我故久住於世我以憐
愍汝及一切是故今欲入於涅槃何以故諸
佛法尒有爲亦然是故諸佛而說是偈
有爲之法　其性无常　生已不住　寂滅爲樂
純陀汝今當觀一切行雜諸法无我无常不
汝今不應啼泣尒時純陀復白佛言如是如
是誠如尊教雖知如來方便示現入於涅槃
而我不能不懷苦惱復自思惟復生慶悅佛
讚純陀善哉善哉能知如來亦同衆生方便
涅槃純陀汝今當聽如娑羅娑鳥春陽之月皆
共集彼阿耨達池諸佛亦尒皆至是處純陀汝
今不應思惟諸佛長壽短壽一切諸法皆如
幻相如來在中以方便力无所染著何以故
諸佛法尒純陀我今受汝所獻供養爲欲令
汝度於生死諸有流故若諸人天於此最後
供養我者悉皆當得不動果報常受安樂何
以故我是衆生良福田故汝若復欲爲諸衆
生作福田者速辦所施不宜久停尒時純陀
爲諸衆生得度脫故低頭飲淚而白佛言善
哉世尊我若堪任爲福田時則能了知如來
涅槃及非涅槃我等今者及諸聲聞緣覺智
慧猶如蚉蟻實不能量如來涅槃及非涅槃

BD02350 號　大般涅槃經（北本）卷二　（26–13）

哉世尊我若堪任爲福田時則能了知如來
涅槃及非涅槃我等今者及諸聲聞緣覺智
慧猶如蚉蟻實不能量如來涅槃及非涅槃
尒時純陀及其眷屬愁憂啼泣圍繞如來燒
香散華盡心敬奉尋與文殊從座而去供
辦食具其去未久是時此地六種震動乃至梵
世亦復如是地動有二或有地動或大地動
小動者名爲地動大動者名大地動有小聲
者名曰地動有大聲者名大地動獨地動者
名曰地動山河樹木及大海水一切動者名
大地動一向動者名曰地動周迴旋轉名大
地動動名地動動時能令衆生心動名大地
動菩薩初從兜率天下閻浮提時名大地動
從初生出家成阿耨多羅三藐三菩提轉於
法輪及般涅槃名大地動今日如來將入涅
槃是故此地如是大動時諸天龍乾闥婆阿
脩羅迦樓羅緊那羅摩睺羅伽人及非人聞
是語已身毛皆豎同聲哀泣而說偈言
稽首禮調御　我等今勸請　遠離於人仙　故无有救護
今見佛涅槃　我等沒苦海　愁憂懷悲惱　猶如犢失母
貧窮无救護　猶如困病人　无醫隨自心　食所不應食
衆生煩惱病　常爲諸見害　遠離法醫師　服食邪毒藥
是故佛世尊　不應見捨離
如國无君主　人民皆飢餓　我等亦如是　失蔭及法味
今聞佛涅槃　我等心迷亂　如彼大地動　迷失於諸方
大仙入涅槃　佛日墜於地　法水悉枯涸　我等定當死

BD02350 號　大般涅槃經（北本）卷二　（26–14）

今聞佛涅槃　我等心迷亂　如彼大地動　迷失於諸方
大仙入涅槃　佛日墜於地　法水悉枯涸　我等定當死
如來般涅槃　衆生極苦惱　譬如長者子　新喪於父母
如來入涅槃　如其不還者　我等及衆生　悉无有救護
如來入涅槃　乃至諸畜生　一切皆愁怖　苦惱燋其心
我等於今者　云何不愁惱　如來見放捨　猶如棄涕唾
譬如日初出　光明甚暉焰　既能還自照　亦滅一切闇
如來神通光　能除我苦惱　處在大衆中　譬如須弥山
世尊譬如國王生育諸子形貌端正心常愛
念先教伎藝悉令通利然後將付魁儈令
煞世尊我等今日為法王子蒙佛教誨已具正
見願莫放捨如其放捨則同王子唯願久住
不入涅槃世尊譬如有人善學諸論復於此
論而生怖畏如來亦令通達諸法而於諸法
復生怖畏若使如來久住於世說甘露味充
足一切如是衆生則不復畏墮於地獄世尊
譬如有人初學作務為官所收閉之囹圄有
人問之汝受何事荅曰我今受大憂苦若其
得脫則得安樂世尊亦尒為我等故修諸苦
行我等今者猶未得免生死苦惱云何如來
得受安樂世尊譬如醫王善解方藥偏以祕
方教授其子不教其餘外受學者如來亦尒
猶以甚深祕密之藏偏教文殊遺棄我等不
見顧愍如來於法應无慳悋如彼醫王偏教
其子不教外來諸受學者彼醫所以不能普

BD02350號　大般涅槃經（北本）卷二　（26-15）

方教授其子不教其餘外受學者如來亦尒
猶以甚深祕密之藏偏教文殊遺棄我等不
見顧愍如來於法應无慳悋如彼醫王偏教
其子不教外來諸受學者彼醫所以不能普
教情存勝負故有祕惜如來之心終无勝負
何故如是不見教誨唯願久住莫般涅槃世
尊譬如老少病苦之人離於善住行於險路
路險濫難多受苦惱更有異人見之憐愍即
便示以平坦好道世尊我亦如是所謂少者
喻未增長法身之人老者喻重煩惱病者喻
未脫生死險路者喻廿五有唯願如來示導
我等甘露正道久住於世勿入涅槃尒時世
尊告諸比丘汝等比丘莫如凡夫諸天人等
愁憂啼哭當勤精進繫心正念時諸天人阿
脩羅等聞佛所說心不啼泣猶如有人殯喪
子已心不啼哭尒時世尊為諸大衆說是
偈言
汝等當閑意　不應大愁苦　諸佛法皆尒　是故當嘿然
樂不放逸行　守心正憶念　遠離諸非法　慰意受歡樂
復次比丘若有疑惑今皆當問若空不空若
常无常若苦不苦若依非依若去不去若
歸非歸若恒非恒若斷若常若衆生非衆生若
有若无若實不實若真不真若滅不滅若
密不密若二不二如是等種種法中有所疑者
今應諮問我當隨順為汝斷之亦當為汝先
說甘露然後乃當入於涅槃諸比丘佛出世

BD02350號　大般涅槃經（北本）卷二　（26-16）

密不密若二不二如是等種種法中有所疑者
今應諮問我當隨順為汝斷之亦當為汝先
說甘露然後乃當入於涅槃諸比丘佛出世
難人身難得值佛生信是事亦難能忍難忍
是亦復難成就禁戒具足无缺得阿羅漢果
是事亦難如求金沙優曇鉢華諸比丘離於
八難得人身難汝等遇我不應空過我於往
昔種種苦行今得如是无上方便為汝等故
无量劫中捨身手足頭目髓腦是故汝等不
應放逸汝等比丘云何莊嚴正法寶城具足
種種功德珍寶戒定智慧為牆塹俾倪汝今
遇是佛法寶城不應取此虛偽之物譬如商
主遇真寶城取諸凡礫而便還家汝亦如是
值遇寶城取虛偽物汝諸比丘勿以下心而
生知足汝等今者雖得出家於此大乘不生
貪慕汝諸比丘身雖得服袈裟染衣其心猶
未得染大乘清淨之法汝諸比丘雖行乞食
逕歷多處初未曾乞大乘法食汝諸比丘雖
除鬚髮未為正法除諸結使汝諸比丘今當
真實教勅汝等我今現在大衆和合如來法
性真實不倒是故汝等應當精進攝心勇猛
摧諸結使十力慧日既滅沒已汝等當為无
明所覆諸比丘譬如大地諸山藥草為衆生
用我法亦尒出生妙善甘露法味而為衆生
種種煩惱病之良藥我今當令一切衆生及

BD02350號　大般涅槃經（北本）卷二　（26–17）

用我法亦尒出生妙善甘露法味而為衆生
種種煩惱病之良藥我今當令一切衆生及
以我子四部之衆悉皆安住祕密藏中我亦
復當安住是中入於涅槃何等名為祕密之
藏猶如伊字三點若並則不成伊縱亦不成
如摩醯首羅面上三目乃得成伊三點若別
亦不得成我亦如是解脫之法亦非涅槃如
來之身亦非涅槃摩訶般若亦非涅槃三法
各異亦非涅槃我今安住如是三法為衆生
故名入涅槃如世伊字
尒時諸比丘聞佛世尊定當涅槃皆悉憂愁
身毛為竪涕淚盈目稽首佛足遶无量帀
白佛言世尊快說无常苦空无我世尊譬如一
切衆生跡中象跡為上是无常想亦復如是
於諸想中最為第一若有精勤脩習之者能
除一切欲界欲愛色无色愛无明憍慢及无
常想世尊如來若離无常想者則不應入於
般涅槃若不離者云何說言脩无常想離三
界愛无明憍慢及无常想世尊譬如農夫秋
月之時深耕其地能除穢草是无常想亦復
如是能除一切欲界欲愛色无色愛无明憍
慢及无常想世尊譬如耕田秋耕為勝如諸
跡中象跡為勝於諸想中无常為勝世尊譬
如帝王知命將終恩赦天下獄囚繫閉悉令
得脫然後捨命如來今者亦應如是度諸衆
生一切无知无明繫閉皆令解脫然後乃入

BD02350號　大般涅槃經（北本）卷二　（26–18）

如帝王知命將終恩赦天下獄囚繫閉悉令
得脱然後捨命如來今者亦應如是度諸衆
生一切无知无明繫閉皆令解脱然後乃入
於般涅槃我等今者皆未得度云何如來便
欲放捨入於涅槃世尊譬如有人爲鬼所持
遇良呪師以呪力故便得除差如來亦尒爲
諸聲聞除无明鬼令得安住摩訶般若解脱
等法如世伊字世尊譬如香爲爲王所縺雖
有良師不能禁制猶絶轡鏁鎖自恣而去我亦未
如是未脱五十七煩惱繫縛云何如來便欲放
捨入於涅槃世尊如人病瘧值遇良醫所苦
得除我亦如是多諸患苦邪命熱病雖遇如
來病未除愈未得无上安隱常樂云何如
來便欲放捨入於涅槃世尊譬如醉人不自覺
知不識親踈母子姊妹迷荒婬亂言語放逸
卧黨穢中時有良師與藥令服服已吐酒還
自憶識心懷慙愧深自剋責酒爲不善諸惡
根本若能除斷則遠衆罪世尊我亦如是往
昔已來輪轉生死情色所醉貪嗜五欲非母
母想非姊姊想非女女想於非衆生生衆生
想是故輪轉受生死苦如彼醉人卧糞穢中
如來今當施我法藥令我還吐煩惱惡酒而
我未得醒悟之心云何如來便欲放捨入於
涅槃世尊譬如有人歎芭蕉樹以爲堅實无
有是處世尊衆生亦尒若歎我人衆生壽
者養育知見作者受者是真實者亦无是處我

涅槃世尊譬如有人歎芭蕉樹以爲堅實无
有是處世尊衆生亦尒若歎我人衆生壽
者養育知見作者受者是真實者亦无是處我
等如是脩无義我想世尊譬如漿滓无所復用
是身亦尒无我无主世尊如七葉華无有香
氣是身亦尒无我无主我等如是心常脩習
无我之想如佛所説一切諸法无我我所汝諸
比丘應當脩習如是脩已則除我慢離我
慢已便入涅槃世尊譬如鳥跡空中現者无
有是處有能脩習无我想者而有諸見亦无
是處尒時世尊讚諸比丘善哉善哉汝等善
能脩无我想時諸比丘即白佛言世尊我等
不但脩无我想亦更脩習其餘諸想所謂苦
想无常想无我想世尊譬如人醉其心惛眩
見諸山河石壁草木宫殿屋舍日月星辰皆
悉迴轉世尊若有不脩苦无常想无我等想
如是之人不名爲聖多諸放逸流轉生死世
尊以是因緣我等善脩如是諸想
尒時佛告諸比丘言諦聽諦聽汝向所引醉
人喻者但知文字未達其義何等爲義如彼
醉人見上日月實非迴轉生迴轉想衆生亦
尒爲諸煩惱无明所覆生顛倒心我計无我
常計无常淨計不淨樂計爲苦以爲煩惱之
所覆故雖生此想不達其義如彼醉人於非
轉處而生轉想我者即是佛義常者是法身
義樂者是涅槃義淨者是法義汝等比丘云

所覆故雖生此想不達其義如彼醉人於非
轉處而生轉想我者即是佛義常者是法身
義樂者是涅槃義淨者是法義汝等比丘云
何而言有我想者憍慢貢高流轉生死汝等
若言我亦修習无常苦无我等想是三種修
无有實義我今當說勝三修法苦者計樂樂
者計苦是顛倒法无常計常常計无常是顛
倒法无我計我我計无我是顛倒法不淨計
淨淨計不淨是顛倒法有如是等四顛倒法
是人不知正修諸法汝諸比丘於苦法中生
於樂想於无常中生於常想於无我中生於
我想於不淨中生於淨想世間亦有常樂我
淨出世亦有常樂我淨世間法者有字无義
出世間者有字有義何以故世間之法有四
顛倒故不知義所以者何有想顛倒心倒見
倒以三倒故世間之人樂中見苦常見无常
我見无我淨見不淨是名顛倒以顛倒故世
間知字而不知義何等為義无我者名為生
死我者名為如來无常者聲聞緣覺常者如
來法身苦者一切外道樂者即是涅槃不淨
者即有為法淨者諸佛菩薩所有正法是名
不顛倒以不倒故知字知義若欲遠離四顛
倒者應知如是常樂我淨時諸比丘白佛言
世尊如佛所說離四倒者則得了知常樂我
淨如來今者永无四倒則已了知常樂我淨
若已了知常樂我淨何故不住一劫半劫教

BD02350號　大般涅槃經（北本）卷二　（26–21）

世尊如佛所說離四倒者則得了知常樂我
淨如來今者永无四倒則已了知常樂我淨
若已了知常樂我淨何故不住一劫半劫教
導我等令離四倒而見放捨欲入涅槃如來
若見顧念教勑我當至心頂受修習如來若
入於涅槃者我等云何與是毒身同共止住
修於梵行我等亦當隨佛世尊入於涅槃
尒時佛告諸比丘汝等不應作如是語我今所
有无上正法悉以付囑摩訶迦葉是迦葉
者當為汝等作大依止猶如如來為諸衆生
作依止處摩訶迦葉亦復如是當為汝等作
依止處譬如大王多所統領若遊巡時悉以
國事付囑大臣如來亦尒所有正法亦以付囑
摩訶迦葉汝等當知先所修習无常苦想
非是真實譬如春時有諸人等在大池浴乘
船遊戲失瑠璃寶沒深水中是時諸人悉共
入水求覓是寶競捉凡石草木沙礫各各自
謂得瑠璃珠歡喜持出乃知非真是時寶珠
猶在水中以珠力故水皆澄清於是大衆乃
見寶珠故在水下猶如仰觀虛空月形是時
衆中有一智人以方便力安徐入水即便得
珠汝等比丘不應以是修習无常苦无我想
不淨想等以為實義如彼諸人各以凡石草
木沙礫而為寶珠汝等應當善學方便在在
處處常修我想常樂淨想復應當知先所修
習四法相貌悉是顛倒欲得真實修諸想

BD02350號　大般涅槃經（北本）卷二　（26–22）

木沙礫而為寶珠汝等應當善學方便在在
處處常脩我想常樂淨想復應當知先所脩
習四法相貌悉是顛倒欲得真實脩諸想
者如彼智人巧出寶珠所謂我想常樂淨想
尒時諸比丘白佛言世尊如佛先說諸法无我
汝當脩學脩學是已則離我想離我想者
則離憍慢離憍慢者得入涅槃是義云何佛告
諸比丘善哉善哉汝今善能諮問是義為自
斷疑辟如國王闇鈍少智有一醫師性復頑
嚚而王不別厚賜奉祿療治眾病純以乳藥
亦復不知病起根原雖知乳藥復不善解或
有風病冷病熱病一切諸病悉教服乳是王
不別是醫知乳好醜善惡復有明醫曉八種
術善療眾病知諸方藥從遠方來是時舊醫
不知諮受反生貢高輕慢之心彼時明醫即
便依附請以為師諮受醫方祕奧之法語舊
醫言我請仁者以為師範唯願為我宣暢解
說舊醫荅言卿今若能為我給使卌八年然
後乃當教汝醫法彼明能醫即受其教我當
如是我當如是隨我所能當給走使是時舊
醫即將客醫共入見王是時客醫即為王說
種種醫方及餘伎藝大王當知應善分別此
法如是可以治國此法如是可以療病尒時
國王聞是語已方知舊醫癡騃無知即便駈
逐令出國界然後倍復恭敬客醫是時客醫

BD02350 號　大般涅槃經（北本）卷二　　（26–23）

國王聞是語已方知舊醫癡騃無知即便駈
逐令出國界然後倍復恭敬客醫是時客醫
作是念言欲教王者今正是時即語王言大
王於我實愛念者當求一願王即荅言從此
右臂及餘身分隨意所求一切相與彼客醫
言王雖許我一切身分然我不敢多有所求
今所求者願王宣令一切國內從今已往不
得復服舊醫乳藥所以者何是藥毒害多傷
損故若欲服者當斬其首斷乳藥已終更無
有橫死之者常處安樂故求是願時王荅言
汝之所求蓋不足言尋為宣令一切國內有
病之者皆悉不聽以乳為藥若為藥者當斬
其首尒時客醫以種種味和合眾藥謂辛苦
醎甜醋等味以療眾病無不得差其後不久
王復得病即命是醫我今病重困苦欲死當
云何治醫占王病應用乳藥尋白王言如王
所患應當服乳我於先時所斷乳藥是大妄
語今若服者最能除病王今患熱正應服乳時
王語醫汝今狂邪為熱病乎而言服乳能
除此病汝先言毒今云何服欲欺我耶先醫
所讚汝言是毒令我駈遣今復言好最能除
病如汝所言我本舊醫定為勝汝是時客醫
復語王言王今不應作如是語如虫食木有
成字者此虫不知是字非字智人見之終不唱
言是虫解字亦不驚怪大王當知舊醫亦
尒不別諸病悉與乳藥如彼虫道偶成是字

BD02350 號　大般涅槃經（北本）卷二　　（26–24）

成字者此虫不知是字非字智人見之終不唱
言是虫解字亦不驚怪大王當知舊醫亦
尒不別諸病悉與乳藥如彼虫道偶成於字
是先舊醫不解乳藥好醜善惡時王問言云
何不解客醫荅王是乳藥者亦是毒害亦是
甘露云何是乳復名甘露若是牸牛不食酒
糟滑草麦麩其犢調善放牧之處不在高原
亦不下濕飲以清流不令馳走不與特牛同
共一羣飲餧調適行住得所如是乳者能除
諸病是則名為甘露妙藥除是乳已其餘一
切皆名毒害尒時大王聞是語已讚言大醫
善哉善哉我從今日始知乳藥善惡好醜即
便服之病得除愈尋時宣令一切國內從今
已往當服乳藥國人聞之皆生瞋恨咸相謂
言大王今者為鬼所持為狂顛邪而誑我等
復令服乳一切人民皆懷瞋恨悉集王所王
言汝等不應於我而生瞋恨而此乳藥服與
不服悉是醫教非是我咎尒時大王及諸人
民踊躍歡喜倍共恭敬供養是醫一切病者
皆服乳藥病悉除愈汝等比丘當知如來應
供遍知明行足善逝世間解無上士調御丈
夫天人師佛世尊亦復如是為大醫王出現
於世降伏一切外道邪醫諸王衆中唱如是
言我為醫王欲伏外道故唱是言無我無人衆
衆生壽命養育知見作者受者比丘當知是
諸外道所言我者如虫食木偶成字耳是故

BD02350號　大般涅槃經（北本）卷二　（26–25）

言我為醫王欲伏外道故唱是言無我無人衆
衆生壽命養育知見作者受者比丘當知是
諸外道所言我者如虫食木偶成字耳是故
如來於佛法中唱言無我為調衆生故為知
時故說是無我有因緣故亦說有我如彼良
醫善知於乳是藥非藥非如凡夫所計吾我
凡夫愚人所計我者或言大如拇指或如芥
子或如微塵如來說我悉不如是是故說言
諸法無我實非無我何者是我若法是實是
真是常是主是依性不變者是名為我如彼
大醫善解乳藥如來亦尒為衆生故說諸法
中真實有我汝等四衆應當如是脩習是法

大般涅槃經卷第二

BD02350號　大般涅槃經（北本）卷二　（26–26）

…利益我示不
…處猶真實不虛是時是法能為一切
益聞雖不悅我要說之何以故諸佛
世尊應當知知方便故善男子如我一時
遊彼曠野聚落藂樹在其林下有一鬼神即
名曠野純食肉血多殺衆生復於其聚日食
一人善男子我於尒時為彼鬼神廣說法要
然彼暴惡愚癡无智不受教法我即化身為
大力鬼動其宮殿令不安所彼鬼于時將其
眷屬出其宮殿欲来拒逆鬼見我時即失心
念惶怖躃地迷悶斷絶猶如死人我以慈愍
手摩其身即還起坐作如是言快哉今日還
得身命是大神王具大威德有慈愍心赦我
衍咎即於我所生善信心我即還復如来之
身復更為說種種法要令彼鬼神受不殺戒
即於是日曠野村中有一長者次應當死村
人已送付彼鬼神鬼神得已即以施我我既
受已便為長者更立名字名手長者尒時彼
鬼即白我言世尊我及眷屬唯仰血肉以自
存活今以受戒當何資立我即荅言從今當
…弟子隨有修行佛法之處悉當令其
施汝飲食……
是故汝等從今常當施彼曠野鬼食若有住
…弟子即是…

BD02351 號　大般涅槃經（北本）卷一六　（1–1）

…尼品第廿六
即從座起偏袒右肩合掌向
佛而白佛言世尊若善男子善女人有能受
持法華經者若讀誦通利若書寫經卷得幾
所福佛告藥王若有善男子善女人供養八
百万億那由他恒河沙等諸佛於汝意云何
其所得福寧為多不甚多世尊佛言若善男
子善女人能於是經乃至受持一四句偈讀
誦解義如說脩行功德甚…尒時藥王菩薩
白佛言世尊我今當與說法者陁羅尼呪以
守護之即說呪曰
安尒一 曼尒二 摩祢三 摩摩祢四 旨隸五 遮
梨第六 賒咩羊鳴音七 賒履反多瑋八 羶丁反
帝九 目帝十 目多履十一 娑履十二 阿瑋娑履十三 桑履
十四 娑履十五 叉裔十六 阿叉裔十七 阿耆膩十八 羶帝十九
賒履二十 陁羅尼廿一 阿盧伽婆娑反 蘇奈 簸蔗毗
叉膩廿二 祢毗剃廿三 阿便哆都餓反 邏祢履剃廿四 阿
亶哆波隸輸地途賣反廿五 漚究隸廿六 牟究隸廿七 阿
羅隸廿八 波羅隸廿九 首迦差初几反卅 阿三磨三履
卅一 佛馱毗吉利袠帝卅二 達磨波利差精離反卅三
僧伽涅瞿沙祢卅四 婆舍婆舍輸地卅五 曼哆邏卅六

BD02352 號　妙法蓮華經卷七　（13–1）

羅絺廿八波羅絺廿九首迦羌初几反卅阿三磨三履卅一
佛駄毗吉利袠帝卅二達磨波利羌精離反卅三
僧伽涅瞿沙祢卅四婆舍婆舍輸地卅五曼哆邏卅六
曼哆邏叉夜多卅七郵樓哆卅八郵樓哆憍舍略
卅九惡叉邏卌惡叉冶多冶卌一阿婆盧卌二阿摩
若荏蔗反那多夜卌三
世尊是陁羅尼神呪六十二億恒河沙等諸
佛所說若有侵毀此法師者則為侵毀是諸
佛已時釋迦牟尼佛讚藥王菩薩言善哉善
哉藥王汝愍念擁護此法師故說是陁羅尼
於諸衆生多所饒益尒時勇施菩薩白佛言
世尊我亦為擁護讀誦受持法華經者說陁
羅尼若此法師得是陁羅尼若夜叉若羅剎
若富單那若吉蔗若鳩槃荼若餓鬼等伺
求其短无能得便即於佛前而說呪曰
痤檣螺反絺一摩訶痤絺二郁枳三目枳四阿絺
五阿羅婆第六涅絺第七涅絺多婆第八伊
緻猪履反柅九韋緻柅十旨緻柅十一涅絺墀柅十二
涅犁墀婆底十三
世尊是陁羅尼神呪恒河沙等諸佛所說亦
皆隨喜若有侵毀此法師者則為侵毀是諸
佛已尒時毗沙門天王護世者白佛言世尊
我亦為愍念衆生擁護此法師故說是陁羅
尼即說呪曰

BD02352號　妙法蓮華經卷七　（13–2）

佛已尒時毗沙門天王護世者白佛言世尊
我亦為愍念衆生擁護此法師故說是陁羅
尼即說呪曰
阿棃一那棃二㝹那棃三阿那盧四那履五
拘那履六
世尊以是神呪擁護法師我亦自當擁護持
是經者令百由旬內无諸衰患尒時持國天
王在此會中與千万億那由他乹闥婆衆恭
敬圍繞前詣佛所合掌白佛言世尊我亦以
陁羅尼神呪擁護持法華經者即說呪曰
阿伽祢一伽祢二瞿利三乹陁利四旃陁利
五摩蹬耆六常求利七浮樓莎柅八頞底九
世尊是陁羅尼神呪四十二億諸佛所說若
有侵毀此法師者則為侵毀是諸佛已尒時
有十羅剎女等一名藍婆二名毗藍婆三名曲
齒四名華齒五名黒齒六名多髮七名无猒
足八名持瓔珞九名睾帝十名奪一切衆生
精氣是十羅剎女與鬼子母并其子及眷屬
俱詣佛所同聲白佛言世尊我等亦欲擁護
讀誦受持法華經者除其衰患若有伺求法
師短者令不得便即於佛前而說呪曰
伊提履一伊提泯二伊提履三阿提履四伊提
履五泥履六泥履七泥履八泥履九泥履十
樓醯十一樓醯十二樓醯十三樓醯十四多醯十五
[illegible]醯十六[illegible]醯十七[illegible]醯十八[illegible]醯十九

BD02352號　妙法蓮華經卷七　（13–3）

伊提履 伊提泯 伊提履 一 向提履 伊提
履 五 泥履 六 泥履 七 泥履 八 泥履 九 泥履 十
樓醯 十一 樓醯 十二 樓醯 十三 樓醯 十四 多醯 十五
多醯 十六 多醯 十七 兜醯 十八 㝹醯 十九
寧上我頭上莫惱於法師若夜叉若羅刹若
餓鬼若富單那若吉蔗若毗陁羅若揵䭾若
烏摩勒伽若阿跋摩羅若夜叉吉蔗若人吉
蔗若熱病若一日若二日若三日若四日若
至七日若常熱病若男形若女形若童男形
若童女形乃至夢中亦復莫惱即於佛前而
說偈言
若不順我呪　惱亂說法者　頭破作七分　如阿梨樹枝
如殺父母罪　亦如壓油殃　斗秤欺誑人　調達破僧罪
犯此法師者　當獲如是殃
諸羅刹女說此偈已白佛言世尊我等亦當身
自擁護受持讀誦脩行是經者令得安隱
離諸衰患消衆毒藥佛告諸羅刹女善哉
善哉汝等但能擁護受持法華名者福不可量
何況擁護具足受持供養經卷華香瓔珞末
香塗香燒香幡蓋伎樂然種種燈蘇燈油燈
諸香油燈蘇摩那華油燈瞻蔔華油燈婆師
迦華油燈優鉢羅華油燈如是等百千種供
養者睪帝汝等及眷屬應當擁護如是法師
說是陁羅尼品時六万八千人得无生法忍
妙法蓮華經妙莊嚴王本事品第廿七

BD02352號　妙法蓮華經卷七　（13–4）

養者睪帝汝等及眷屬應當擁護如是法師
說是陁羅尼品時六万八千人得无生法忍
妙法蓮華經妙莊嚴王本事品第廿七
尒時佛告諸大衆乃往古世過无量无邊不
可思議阿僧祇劫有佛名雲雷音宿王華智
多陁阿伽度阿羅訶三藐三佛陁國名光明
莊嚴劫名憙見彼佛法中有王名妙莊嚴其
王夫人名曰淨德有二子一名淨藏二名淨
眼是二子有大神力福德智慧久脩菩薩所
行之道所謂檀波羅蜜尸羅波羅蜜羼提波
羅蜜毗梨耶波羅蜜禪波羅蜜般若波羅蜜
方便波羅蜜慈悲喜捨乃至三十七助道法
皆悉明了通達又得菩薩淨三昧日星宿王
昧淨光三昧淨色三昧淨照明三昧長莊
嚴三昧大威德藏三昧於此三昧亦悉通達
尒時彼佛欲引導妙莊嚴王及愍念衆生故
說是法華經時淨藏淨眼二子到其母所合
十指爪掌白言願母往詣雲雷音宿王華智
佛所我等亦當侍從親近供養禮拜所以者
何此佛於一切天人衆中說法華經宜應聽
受母告子言汝父信受外道深著婆羅門法
汝等應往白父與共俱去淨藏淨眼合十指
爪掌白母我等是法王子而生此邪見家母
告子言汝等當憂念汝父為現神變若得見
者心必清淨或聽我等往至佛所於是二子

BD02352號　妙法蓮華經卷七　（13–5）

爪掌白母我等是法王子而生此耶見家母
告子言汝等當憂念汝父為現神變若得見
者心必清淨或聽我等往至佛所於是二子
念其父故踊在虛空高七多羅樹現種種神
變於虛空中行住坐臥身上出水身下出火
身下出水身上出火或現大身滿虛空中而
復現小小復現大於空中滅忽然在地入地
如水履水如地現如是等種種神變令其父
王心淨信解時父見子神力如是心大歡喜
得未曾有合掌向子言汝等師為是誰誰之
弟子二子白言大王彼雲雷音宿王華智佛
今在七寶菩提樹下法座上坐於一切世間
天人衆中廣說法華經是我等師我是弟子
父語子言我今亦欲見汝等師可共俱往於
是二子從空中下到其母所合掌白母父王
今已信解堪任發阿耨多羅三藐三菩提心
我等為父已作佛事願母見聽於彼佛所出
家脩道尒時二子欲重宣其意以偈白母

願母放我等　出家作沙門　諸佛甚難值　我等隨佛學
如優曇波羅　值佛復難是　脫諸難亦難　願聽我出家

母即告言聽汝出家所以者何佛難值故於
是二子白父母言善哉父母願時往詣雲雷
音宿王華智佛所親近供養所以者何佛難
得值如優曇波羅華又如一眼之龜值浮木

是二子白父母言善哉父母願時往詣雲雷
音宿王華智佛所親近供養所以者何佛難
得值如優曇波羅華又如一眼之龜值浮木
孔而我等宿福深厚生值佛法是故父母當
聽我等令得出家所以者何諸佛難值時亦
難遇彼時妙莊嚴王後宮八万四千人皆悉
堪任受持是法華經淨眼菩薩於法華三昧
久已通達淨藏菩薩已於无量百千万億
劫通達離諸惡趣三昧欲令一切衆生離諸
惡趣故其王夫人得諸佛集三昧能知諸佛祕
密之藏二子如是以方便力善化其父令心
信解好樂佛法於是妙莊嚴王與羣臣眷屬
俱淨德夫人與後宮婇女眷屬俱其王二子
與四万二千人俱一時共詣佛所到已頭面
礼足遶佛三帀却住一面尒時彼佛為王說
法示教利喜王大歡悅尒時妙莊嚴王及
其夫人解頸真珠瓔珞價直百千以散佛上於
虛空中化成四柱寶臺臺中有大寶牀敷百
千万天衣其上有佛結加趺坐放大光明尒
時妙莊嚴王作是念佛身希有端嚴殊特
成就第一微妙之色時雲雷音宿王華智佛告
四衆言汝等見是妙莊嚴王於我前合掌立
不此王於我法中作比丘精勤脩習助佛道
法當得作佛号娑羅樹王國名大光劫名大
高王其娑羅王佛有无量菩薩衆及无量

不此王於我法中作比丘精懃脩習助佛道
法當得作佛号娑羅樹王國名大光劫名大
高王其娑羅王佛有无量菩薩衆及无量
聲聞其國平正功德如是其王即時以國付
弟王與夫人二子并諸眷屬於佛法中出家脩
道王出家已於八万四千歲常勤精進脩行
妙法華經過是已後得一切淨功德莊嚴三
昧即昇虛空高七多羅樹而白佛言世尊此
我二子已作佛事以神通變化轉我邪心令
得安住於佛法中得見世尊此二子者是我
善知識為欲發起宿世善根饒益我故來
生我家尒時雲雷音宿王華智佛告妙莊嚴王
言如是如是如汝所言若善男子善女人種
善根故世世得善知識其善知識能作佛事
示教利喜令入阿耨多羅三藐三菩提大王
當知善知識者是大因緣所謂化導令得見
佛發阿耨多羅三藐三菩提心大王汝見此
二子不此二子已曾供養六十五百千万億那
由他恒河沙諸佛親近恭敬於諸佛所受
持法華經愍念邪見衆生令住正見妙莊嚴
王即從虛空中下而白佛言世尊如來甚希
有以功德智慧故頂上肉髻光明顯照其眼
長廣而紺青色眉間豪相白如珂月齒白齊
密常有光明脣色赤好如頻婆菓尒時妙莊
嚴王讚嘆佛如是等无量百千万億功德已

長廣而紺青色眉間豪相白如珂月齒白齊
密常有光明脣色赤好如頻婆菓尒時妙莊
嚴王讚嘆佛如是等无量百千万億功德已
於如來前一心合掌復白佛言世尊未曾有
也如來之法具足成就不可思議微妙功德教
戒所行安隱快善我從今日不復自隨心
行不生邪見憍慢瞋恚諸惡之心說是語已
礼佛而出佛告大衆於意云何妙莊嚴王豈
異人乎今華德菩薩是其淨德夫人今佛前
光照莊嚴相菩薩是哀愍妙莊嚴王及諸眷
屬故於彼中生其二子者今藥王菩薩藥上
菩薩是是藥王藥上菩薩成就如此諸大功
德已於无量百千万億諸佛所殖衆德本成
諸不可思議諸善功德若有人識是二菩薩
名字者一切世間諸天人民亦應礼拜佛說
是妙莊嚴王本事品時八万四千人遠塵離
垢於諸法中得法眼淨
妙法蓮華經普賢菩薩勸發品第廿八
尒時普賢菩薩以自在神通威德名聞與大
菩薩无量无邊不可稱數從東方來所經諸
國普皆震動雨寶蓮華作无量百千万億種
種伎樂又與无數諸天龍夜叉乾闥婆阿脩
羅迦樓羅緊那羅摩睺羅伽人非人等大衆
圍繞各現威德神通之力到娑婆世界耆闍
崛山中頭面礼釋迦牟尼佛右繞七帀白佛

羅迦樓羅緊那羅摩睺羅伽人非人等大衆
圍繞各現威德神通之力到娑婆世界耆闍
崛山中頭面礼釋迦牟尼佛右繞七帀白佛
言世尊我於寶威德上王佛國遥聞此娑婆
世界說法華經與无量无邊百千万億諸
菩薩衆共來聽受唯願世尊當為說之若善
男子善女人於如來滅後云何能得是法華
經佛告普賢菩薩若善男子善女人成就四
法於如來滅後當得是法華經一者為諸佛
護念二者殖衆德本三者入正定聚四者發
救一切衆生之心善男子善女人如是成就
四法於如來滅後必得是經尒時普賢菩薩
白佛言世尊於後五百歲濁惡世中其有受
持是經典者我當守護除其衰患令得安隱
使无伺求得其便者若魔若魔子若魔女若
魔民若為魔所着者若夜叉若羅剎若鳩槃
荼若毗舍闍若吉蔗若富單那若韋陁羅等
諸惱人者皆不得便是人若行若立讀誦此
經我尒時乗六牙白象王與大菩薩衆俱詣
其所而自現身供養守護安慰其心亦為供
養法華經故是人若坐思惟此經尒時我復
乗白象王現其人前其人若於法華經有所
忘失一句一偈我當教之與共讀誦還令通
利尒時受持讀誦法華經者得見我身甚大

乗白象王現其人前其人若於法華經有所
忘失一句一偈我當教之與共讀誦還令通
利尒時受持讀誦法華經者得見我身甚大
歡喜轉復精進以見我故即得三昧及陁羅
尼名為旋陁羅尼百千万億旋陁羅尼法音
方便陁羅尼得如是等陁羅尼世尊若後世
後五百歲濁惡世中比丘比丘尼優婆塞優
婆夷求索者受持者讀誦者書寫者欲脩習
是法華經於三七日中應一心精進滿三七
日已我當乗六牙白象與无量菩薩而自圍
繞以一切衆生所憙見身現其人前而為說
法亦教利喜亦復與其陁羅尼呪得是陁羅
尼故无有非人能破壞者亦不為女人之所
惑亂我身亦自常護是人唯願世尊聽我說
此陁羅尼呪即於佛前而說呪曰
阿檀地 途賣反 檀陁婆地 二 檀陁婆帝 三 檀陁
鳩舍隸 四 檀陁脩陁隸 五 脩陁隸 六 脩陁羅
婆底 七 佛䭾波羶祢 八 薩婆陁羅尼阿婆多
尼 九 薩婆婆沙阿婆多尼 十 脩阿婆多尼 十一
僧伽婆履叉尼 十二 僧伽涅伽陁尼 十三 阿僧祇
十四 僧伽波伽地 十五 帝隸阿惰僧伽兜略 盧遮反 阿
羅帝波羅帝 十六 薩婆僧伽三摩地伽蘭地 十七
薩婆達磨脩波利剎帝 十八 薩婆薩埵樓䭾憍
舍略阿㝹伽地 十九 辛阿毗吉利地帝 二十

薩婆達磨脩波利刹帝 十八 薩婆薩埵樓馱憍
舍略阿㝹伽地 十九 辛阿毗吉利地帝 二十
世尊若有菩薩得聞是陁羅尼者當知普賢
神通之力若法華經行閻浮提有受持者應
作此念皆是普賢威神之力若有受持讀誦
正憶念解其義趣如說脩行當知是人行普
賢行於无量无邊諸佛所深種善根為諸如
來手摩其頭若但書寫是人命終當生忉利
天上是時八万四千天女作衆伎樂而來迎之
其人即著七寶冠於婇女中娛樂快樂何況受
持讀誦正憶念解其義趣如說脩行若
有人受持讀誦解其義趣是人命終為千佛
授手令不恐怖不墮惡趣即往兜率天上彌
勒菩薩所彌勒菩薩有三十二相大菩薩衆
所共圍繞有百千万億天女眷屬而於中生有
如是等功德利益是故智者應當一心自書
若使人書受持讀誦正憶念如說脩行世尊
我今以神通力守護是經於如來滅後閻浮
提内廣令流布使不斷絶尒時釋迦牟尼
佛讚言善哉善哉普賢汝能護助是經令
多所衆生安樂利益汝已成就不可思議功
德深大慈悲從久遠來發阿耨多羅三藐三
菩提意而能作是神通之願守護是經我當
以神通力守護能受持普賢菩薩名者普賢

BD02352號　妙法蓮華經卷七　（13–12）

有人受持讀誦解其義趣是人命終為千佛
授手令不恐怖不墮惡趣即往兜率天上彌
勒菩薩所彌勒菩薩有三十二相大菩薩衆
所共圍繞有百千万億天女眷屬而於中生有
如是等功德利益是故智者應當一心自書
若使人書受持讀誦正憶念如說脩行世尊
我今以神通力守護是經於如來滅後閻浮
提内廣令流布使不斷絶尒時釋迦牟尼
佛讚言善哉善哉普賢汝能護助是經令
多所衆生安樂利益汝已成就不可思議功
德深大慈悲從久遠來發阿耨多羅三藐三
菩提意而能作是神通之願守護是經我當
以神通力守護能受持普賢菩薩名者普賢
若有受持讀誦正憶念脩習書寫是法華經
者當知是人則見釋迦牟尼佛如從佛口聞此
經典當知是人供養釋迦牟尼佛當知是

BD02352號　妙法蓮華經卷七　（13–13）

……在中間故知此罪從

本是空生如是等七種心已緣想十方諸佛賢聖擎拳合掌
披陳至到慙愧改革舒歷心肝洗蕩腸胃如此懺悔亦何罪
而不滅亦何障而不消若復心尒攸攸緩縱情慮徒自勞
形於事何益且復人命无常喻如轉燭一息不還便同灰
壤三塗苦報即身應受不可以錢財寶貨囑託求脫窈
冥冥恩赦无期獨嬰此苦无代受者莫言我今生中
无有此罪所以不能懇到懺悔經中道言凡夫之人舉足動
步无非是罪又復過去生中皆悉成就无量惡業追逐
行者如影隨形若不懺悔罪惡日深故知苞藏瑕疵佛教
不許說悔先罪淨名所尚故知長淪苦海寔由隱覆是
故弟子今日發露懺悔不敢覆藏所言三障者一曰煩惱
二名爲業三是果報此三種法更相由藉因煩惱故以起
惡業惡業因緣故得苦果是故弟子今日至心第一先應懺
悔煩惱障又此煩惱諸佛菩薩入理聖人種種呵責亦招
此煩惱以爲怨家何以故能斷衆生慧命根故亦招此煩惱以

BD02353 號 1　賢劫千佛名經（二卷本　異本）卷上　（20–1）

故弟子今日發露懺悔不敢覆藏所言三障者一曰煩惱
二名爲業三是果報此三種法更相由藉因煩惱故以起
惡業惡業因緣故得苦果是故弟子今日至心第一先應懺
悔煩惱障又此煩惱諸佛菩薩入理聖人種種呵責亦招
此煩惱以爲怨家何以故能斷衆生慧命根故亦招此煩惱以

之爲賊能劫衆生諸善法故亦詺此煩惱以爲暴河能漂
衆生入於生死大苦海故亦曰招此煩惱以爲羈鎖能繫衆
生於生死獄不能得出故所以六道牽連死生不絶惡業
无窮苦果不息當知皆是煩惱過患是故弟子今日運
此增上善心歸依佛

南无富足佛　南无福德佛　南无隨時佛
南无廣意佛　南无功德數佛　南无善寂滅佛
南无財天佛　南无淨斷疑佛　南无无量持佛
南无妙樂佛　南无不負佛　南无不住佛
南无得叉伽佛　南无衆首佛　南无世光佛

南无多德佛　南无弗沙佛　南无无邊威德佛
南无義意佛　南无藥王佛　南无斷惡佛
南无无契佛　南无善調佛　南无名德佛
南无華德佛　南无勇德佛　南无金剛軍佛
南无大德佛　南无寶藏意佛　南无香象佛

南无那羅延佛　南无善住佛　南无无所負佛
南无月積佛　南无電相佛　南无供敬佛
南无威德守佛　南无智日佛　南无上利佛

BD02353 號 1　賢劫千佛名經（二卷本　異本）卷上　（20–2）

南无月積佛　南无電相佛　南无供敬佛
南无威德守佛　南无智日佛　南无上利佛
南无須弥頂佛　南无治怨賊佛　南无蓮華佛
南无應讚佛　南无智次佛　南无離憍佛

南无那羅延佛　南无常樂佛　南无不少國佛
南无天名佛　南无見有邊佛　南无甚良佛
南无多功德佛　南无寶月佛　南无師子相佛
南无樂禪佛　南无无所光佛　南无遊戲佛
南无德寶佛　南无應名稱佛　南无華身佛

南无大音聲佛　南无辯才讚佛　南无金剛珠佛
南无无量壽佛　南无珠莊嚴佛　南无大王佛
南无德高德佛　南无高名佛　南无百光佛
南无喜悅佛　南无龍步佛　南无意願佛
南无寶月佛　南无滅已佛　南无喜王佛

南无調御佛　南无喜自在佛　南无寶髻佛
南无離畏佛　南无寶藏佛　南无月面佛
南无淨名佛　南无威德寂滅佛　南无愛相佛
南无名天佛　南无須炎摩佛　南无天愛佛
南无寶衆佛　南无寶步佛　南无師子分佛

南无拯高行佛　南无人王佛　南无善意佛
南无世明佛　南无寶威德佛　南无德乘佛
南无覺相佛　南无喜莊嚴佛　南无香濟佛

BD02353 號 1　賢劫千佛名經（二卷本　異本）卷上　（20–3）

南无拯高行佛　南无人王佛　南无善意佛
南无世明佛　南无寶威德佛　南无德乘佛
南无覺相佛　南无喜莊嚴佛　南无香濟佛
南无香烏佛　南无衆炎佛　南无慈相佛
南无妙香佛　南无堅鎧佛　南无威德猛佛

南无珠鎧佛　南无人賢佛　南无善逝月佛
南无梵自在佛　南无師子月佛　南无福威德佛
南无正生佛　南无无勝佛　南无月觀佛
南无寶名佛　南无大精進佛　南无山光佛
南无德聚佛　南无供養名佛　南无法讚佛

南无施明佛　南无電德佛　南无寶語佛
南无寶命佛　南无善戒佛　南无善衆佛
南无定意佛　南无破有闇佛　南无喜勝佛
南无師子光佛　南无照明佛　南无止名佛
南无利慧佛　南无珠明佛　南无威光佛

南无不破闇佛　南无光明佛　南无珠輪佛
南无世師佛　南无吉手佛　南无善月佛
南无寶炎佛　南无西南方隱蓋佛　南无龍王德佛
南无寶聲佛　南无地自在佛　南无人王佛
南无妙聲佛　南无點慧佛　南无妙香花佛

南无天王佛　南无常清淨眼佛　南无西北方月光面佛
南无月光佛　南无寶名佛　南无衆清淨佛
南无无邊明佛　南无不盡光佛　南无聖天佛

BD02353 號 1　賢劫千佛名經（二卷本　異本）卷上　（20–4）

南无天王佛
南无淨清淨眼佛
南无西北方月光面佛
南无月光佛
南无寶名佛
南无衆清淨佛
南无无邊明佛
南无不虛光佛
南无聖天佛
南无智王佛
南无金剛衆佛
南无善鄣佛
南无遠慧佛
南无華國佛
南无法意佛

南无風行佛
南无善思名佛
南无多明佛
南无蜜衆佛
南无功德守佛
南无利意佛
南无无懼佛
南无堅觀佛
南无住法佛
南无珠足佛
南无解脫德佛
南无妙身佛
南无善意佛
南无普德佛
南无妙智佛

南无梵財佛
南无寶音佛
南无正智佛
南无力德佛
南无師子意佛
南无華相佛
南无智積佛
南无華遊佛
南无功德藏佛
南无名寶佛
南无希有名佛
南无上戒佛
南无无畏佛
南无日明佛
南无梵壽佛

南无一切天佛
南无樂智佛
南无寶天佛
南无珠藏佛
南无德流布佛
南无智王佛
南无无縛佛
南无堅法佛
南无天德佛
南无梵牟尼佛
南无安祥行佛
南无懃精進佛
南无炎肩佛
南无大威德佛
南无瞻蔔華佛

南无歡喜佛
南无善衆佛
南无帝幢佛
南无大愛佛
南无須蔓色佛
南无衆妙佛
南无可樂佛
南无勢力佛
南无善定義佛

BD02353號1　賢劫千佛名經（二卷本　異本）卷上　（20–5）

南无歡喜佛
南无善衆佛
南无帝幢佛
南无大愛佛
南无須蔓色佛
南无衆妙佛
南无可樂佛
南无勢力佛
南无善定義佛
南无牛王佛
南无妙辟佛
南无大車佛
南无滿願佛
南无德光佛
南无寶音佛

南无金剛軍佛
南无富貴佛
南无師子力佛
南无淨目佛
南无迦葉佛
南无淨意佛
南无智次第佛
南无猛威德佛
南无大光明佛
南无日光曜佛
南无淨藏佛
南无分別威佛
南无无損佛
南无密口佛
南无月光佛

南无持明佛
南无善齊行佛
南无不動佛
南无大請佛
南无德法佛
南无嚴土佛
南无莊嚴王佛
南无高出佛
南无寶嚴佛
南无上善佛
南无炎熾佛
南无華德佛
南无寶上佛
南无利慧佛
南无虛空藏佛

南无寶幢佛
南无清淨眼佛
南无樂莊嚴佛
南无寶山佛
南无光王佛
南无北方難勝佛
南无日光佛
南无旃檀佛
南无自在佛
南无金色王佛
南无月色旃檀佛
南无普眼見佛
南无普照眼見佛
南无輪手佛
南无垢佛

南无東南方淨佛
南无自在佛
南无法自在佛
南无法惠佛
南无法思佛
南无常法慧佛
南无常樂佛
南无善思惟佛
南无善住佛

BD02353號1　賢劫千佛名經（二卷本　異本）卷上　（20–6）

南无法惠佛　南无法思佛　南无常法慧佛
南无常樂佛　南无善思惟佛　南无善住佛
南无善觧佛　弟子從无始以來至于今日或
在人天六道受報有此心識常懷愚惑繁滿留衿
或曰三毒根造一切罪或曰三漏造一切罪或曰三覺
造一切罪或曰三受造一切罪或曰三苦造一切罪或
緣三假造一切罪或貪三有造一切罪如是等罪无量无
邊惱亂一切六道生四今日慙愧皆悉懺悔
又復弟子无始以來至於今日或曰四識住造一切罪或曰
四流造一切罪或曰四取造一切罪或曰四執造一切罪或曰
四緣造一切罪或曰四大造一切罪或曰四縛造一切罪或曰
四食造一切罪或曰四生造一切罪如是等罪无量无邊
惱亂六道一切衆生今日慙愧皆悉懺悔　又復弟子无
始以來至於今日或曰五住地煩惱造一切罪或曰五受根
造一切罪或曰五蓋造一切罪或曰五慳造一切罪或曰五
見造一切罪或曰五心造一切罪如是等煩惱无量无邊惱
亂六道一切四生今日發露皆悉懺悔　又復无始以來至
於今日或曰六情根造一切罪或曰六識造一切罪或曰六
想造一切罪或曰六受造一切罪或曰六行造一切罪或曰六愛
造一切罪或曰六疑造一切罪如是等煩惱无量无邊惱亂六
道一切四生今日慙愧發露皆悉懺悔　又復弟子无始以
來至於今日或曰七漏造一切罪或曰七使造一切罪或曰八

道一切四生今日慙愧發露皆悉懺悔　又復弟子无始以
來至於今日或曰七漏造一切罪或曰七使造一切罪或曰八
到造一切罪或曰八垢造一切罪或曰八苦造一切罪惱亂六道
一切四生今日發露皆悉懺悔　又復无始以來至於今日或
曰九惱造一切罪或曰九結造一切罪或曰九上緣造一切罪
或曰十煩惱造一切罪或曰十纏造一切罪或曰十一遍使
造一切罪或曰十二入造一切罪或曰十六知見造一切罪或
曰十八界造一切罪或曰廿五我造一切罪或曰六十二見造
一切罪或曰見諦思惟九十八使百八煩惱晝夜熾然開諸
漏門造一切罪惱亂賢聖及以死生遍滿三界彌亘六道无
處可藏无處可避今日至到向十方佛尊法聖衆慙愧
發露皆悉懺悔　願弟子等承是懺悔三毒一切煩惱生生
世世三慧明三達朗三苦滅三願滿　願弟子承是懺悔四識
等一切煩惱所生功德生生世世廣四等心立四信業四惡
趣滅得四无畏　願弟子承是懺悔五蓋等諸煩惱度
五道樹五根淨五眼成五分法身懺悔六受等諸煩惱所生
功德願生生世世具足六神通滿足六度業不為六塵惑常
行六妙行又復弟子承是懺悔七漏八垢九結十纏等一切
諸煩惱所生功德生生世世坐七淨華洗塵八水具九斷智
成十地行願以懺悔十一遍使及十二入十八界等一切諸煩
惱所生功德願十一空解常用栖心自然能轉十二行輪具
足十八不共之法无量功德一切圓滿　弟子等從无始
以來至於今日積聚无明障蔽心目隨煩惱性造三業罪或

惱所生功德願十一空解常用栖心自然能轉十二行輪具
足十八不共之法无量功德一切圓滿　弟子等從无始
以來至於今日積聚无明障蔽心目隨煩惱性造三業罪或
耽染愛著起於貪欲煩惱或復瞋恚忿怒懷害煩惱或惛
憒瞪瞢不了煩惱或我慢自高輕傲煩惱凝或云道猶預
煩惱謗无因果邪見煩惱不識緣假著我煩惱迷於三世
執斷常煩惱朋押惡法起見取煩惱僻稟邪師造戒取煩惱
乃至一切四執橫計煩惱今日至誠皆悉懺悔　願弟子
等承是懺悔貪瞋癡等一切煩惱生生世世折憍慢幢竭愛
欲水滅瞋恚火破愚癡闇拔斷疑根裂諸見網深識三
界猶如牢獄四大毒蛇五陰怨賊六入空聚愛詐親善修
八聖道斷无明源正向涅槃不休不息卅七品心心相應十波
羅蜜常見在前　作礼一拜
已懺地獄等竟今當次復懺悔三惡道報經中佛說多欲
之人多求利故苦煩亦多知足之人雖卧地上猶以為安樂不
知足者雖處天堂猶不稱意但世間人忽有急難便能捨
財不計多少而不知此身臨於三塗深坑之上一息不還便
應墮落忽有知識營功福德合修未來善法資粮翻此極
心无肯作理夫如此者慜為愚惑何以故尔經中生時不賫一
文而去苦身積聚為之憂惱於已无益徒為他有无善可
恃无德可怙致使命終墮諸惡道是故弟子等今日發誓頼
懇到歸於依佛　弟子今日次復懺悔畜生道中无所識
知罪報懺悔畜生道中負重牽犁償他宿債罪報懺悔

恃无德可怙致使命終墮諸惡道是故弟子等今日發誓頼
懇到歸於依佛　弟子今日次復懺悔畜生道中无所識
知罪報懺悔畜生道中負重牽犁償他宿債罪報懺悔
畜生道中不得自在為他所刻屠割罪報懺悔畜生无足
二足四足罪報懺悔畜生道中身諸毛羽鱗甲之內為諸
小虫之所唼食罪報如是畜生道中有无量罪報今日
至誠皆悉懺悔次復懺悔餓鬼道中長飢罪報懺悔餓鬼百
千万歲初不曾聞漿水之名罪報懺悔餓鬼食噉濃糞
糞穢罪報懺悔餓鬼動身之時一切枝節火然罪報懺悔餓
鬼腹咽小罪報如是餓鬼道中无量苦報今日發誓頼皆悉
懺悔　次復一切鬼神修羅道中諛諂詐稱罪報懺悔鬼
神道中擔沙負石填河塞海罪報懺悔鬼神羅刹鳩槃茶
諸惡鬼神生噉血肉受此醜陋罪報如是鬼神道中无量
无邊一切罪報今日發誓頼向十方佛大地菩薩求哀懺悔悉
令消滅願弟子等承是懺悔畜生等報所生功德生生世世
滅愚癡垢自識業緣智慧明照斷惡道身願以懺悔餓
鬼等報所生功德生生世世永離慳貪飢餓之苦常食甘
露解脫之味願以懺悔鬼神脩羅等報所生功德生生世世
質直无諂離邪命因除醜陋果福利人天願弟子等從今已
去乃至道場永定不受四惡道報惟除大悲為衆生故以誓願
力處之无猒　作礼一拜
賢劫千佛名經卷上
佛說賢劫千佛名經卷下
南无海德佛　南无梵相佛　南无月蓋佛

去乃至道場决定不受四惡道難雖除大悲為衆生故以捨頽
力處之光歡　作礼一拜　賢劫千佛名卷上
佛說賢劫千佛名經卷下
南无海德佛　南无梵相佛　南无月盖佛
南无多炎佛　南无蓮藍王佛　南无智稱佛
南无覺相佛　南无切德光佛　南无聲流布佛
南无滿月佛　南无華光佛　南无善成王佛
南无燈王佛　南无電光佛　南无光王佛
南无光明佛　南无具足讚佛　南无華藏佛
南无弗沙佛　南无身端嚴佛　南无淨義佛
南无威猛軍佛　南无福威德佛　南无力行佛
南无羅睺天佛　南无智聚佛　南无調御佛
南无如王佛　南无華相佛　南无羅睺羅佛
南无大藥佛　南无宿王佛　南无藥王佛
南无德首佛　南无得叉伽佛　南无流布王佛
南无日光佛　南无法藏佛　南无妙意佛
南无德主佛　南无金剛衆佛　南无慧頂佛
南无善住佛　南无意行佛　南无梵音佛
南无師子佛　南无雷音佛　南无通相佛
南无慧音佛　南无安隱佛　南无梵王佛
南无牛王佛　南无梨陁目佛　南无龍德佛
南无寶相佛　南无莊嚴佛　南无不没音佛
南无華持佛　南无音得佛　南无師子佛

BD02353 號 2　賢劫千佛名經（二卷本　異本）卷下　（20–11）

南无牛王佛　南无梨陁自佛　南无龍德佛
南无寶相佛　南无莊嚴佛　南无不没音佛
南无華持佛　南无音得佛　南无師子佛
南无莊嚴幢佛　南无勇智佛　南无華積佛
南无華開佛　南无力行佛　南无得積佛
南无上形色佛　南无明曜佛　南无月燈佛
南无威德王佛　南无菩提王佛　南无无盡佛
南无菩提根佛　南无身充滿佛　南无慧國佛
南无最上佛　南无清淨照佛　南无慧德佛
南无妙音聲佛　南无導師佛　南无无礙藏佛
南无上施佛　南无大尊佛　南无智力勢佛
南无大炎佛　南无帝王佛　南无制力佛
南无威德佛　南无善明佛　南无名聞佛
南无端嚴佛　南无无塵垢佛　南无威儀佛
南无師子軍佛　南无天王佛　南无名聲佛
南无殊勝佛　南无大藏佛　南无福德光佛
南无梵聲佛　南无燈王佛　南无智頂佛
南无上天佛　南无地王佛　南无智解脫佛
南无金髻佛　南无羅睺日佛　南无莫能勝佛
南无牟尼淨佛　南无善光佛　南无金聲佛
南无衆天王佛　南无法蓋佛　南无德臂佛
南无鴦伽陁佛　南无美妙惠佛　南无微意佛
南无諸威德佛　南无師子髮佛　南无解脫相佛

BD02353 號 2　賢劫千佛名經（二卷本　異本）卷下　（20–12）

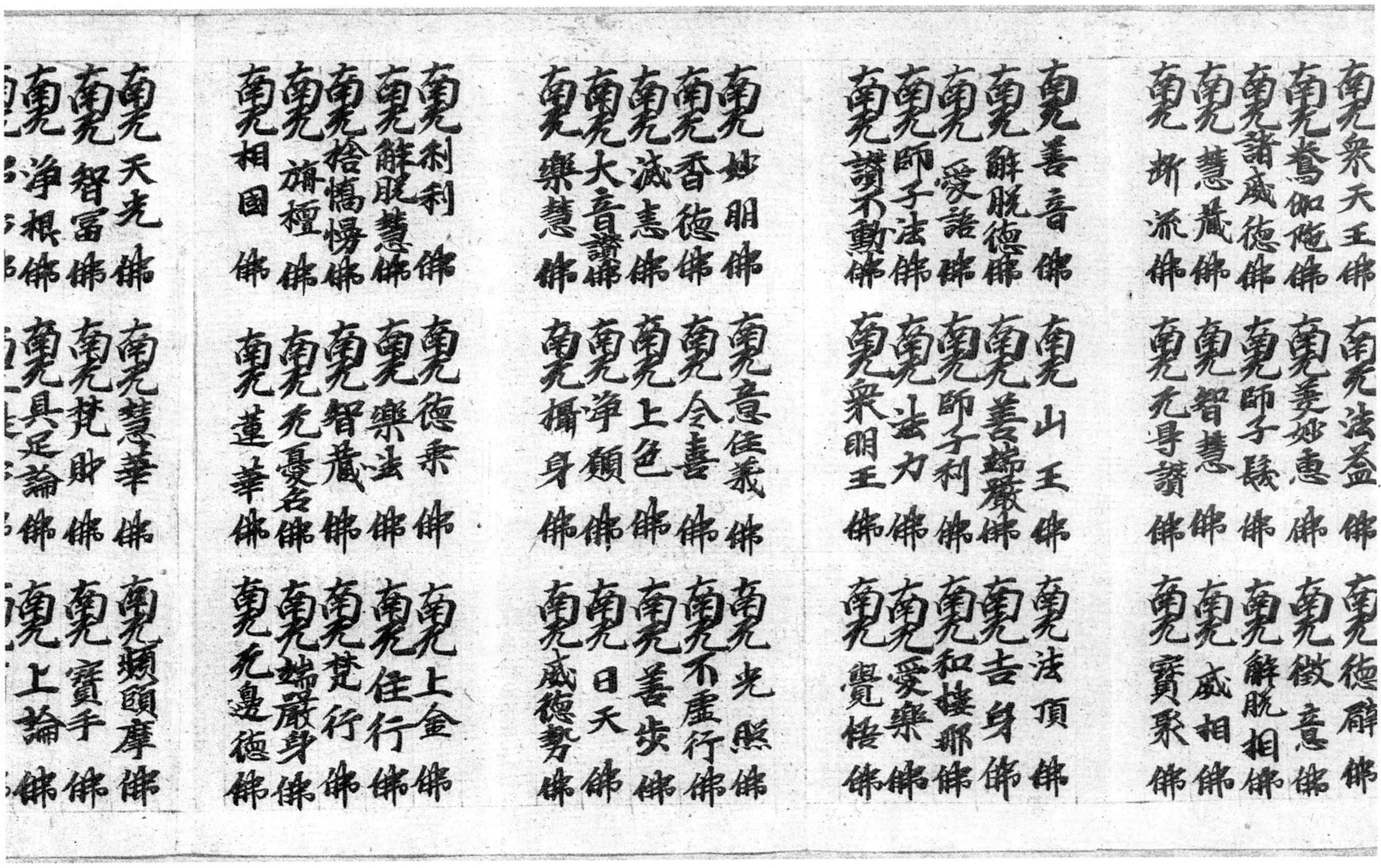
南無眾天王佛 南無法益佛 南無德辟佛
南無鴦伽陁佛 南無善妙惠佛 南無徵意佛
南無諸威德佛 南無師子髲佛 南無解脫相佛
南無慧藏佛 南無智慧佛 南無威相佛
南無斷流佛 南無無導讃佛 南無寶眾佛
南無善音佛 南無山王佛 南無法頂佛
南無解脫德佛 南無善端嚴佛 南無吉身佛
南無愛語佛 南無師子利佛 南無和樓那佛
南無師子法佛 南無法力佛 南無愛樂佛
南無讃不動佛 南無眾明王佛 南無覺悟佛
南無妙明佛 南無意住義佛 南無光照佛
南無香德佛 南無令喜佛 南無不虛行佛
南無滅恚佛 南無上色佛 南無善步佛
南無大音讃佛 南無淨願佛 南無日天佛
南無樂慧佛 南無攝身佛 南無威德勢佛
南無利利佛 南無德乘佛 南無上金佛
南無解脫慧佛 南無樂法佛 南無住行佛
南無捨憍慢佛 南無智藏佛 南無梵行佛
南無旃檀佛 南無無憂名佛 南無端嚴身佛
南無相國佛 南無蓮華佛 南無無邊德佛
南無天光佛 南無慧華佛 南無頻頭摩佛
南無智富佛 南無梵助佛 南無寶手佛
南無淨根佛 南無具足論佛 南無上論佛

BD02353號2　賢劫千佛名經（二卷本　異本）卷下

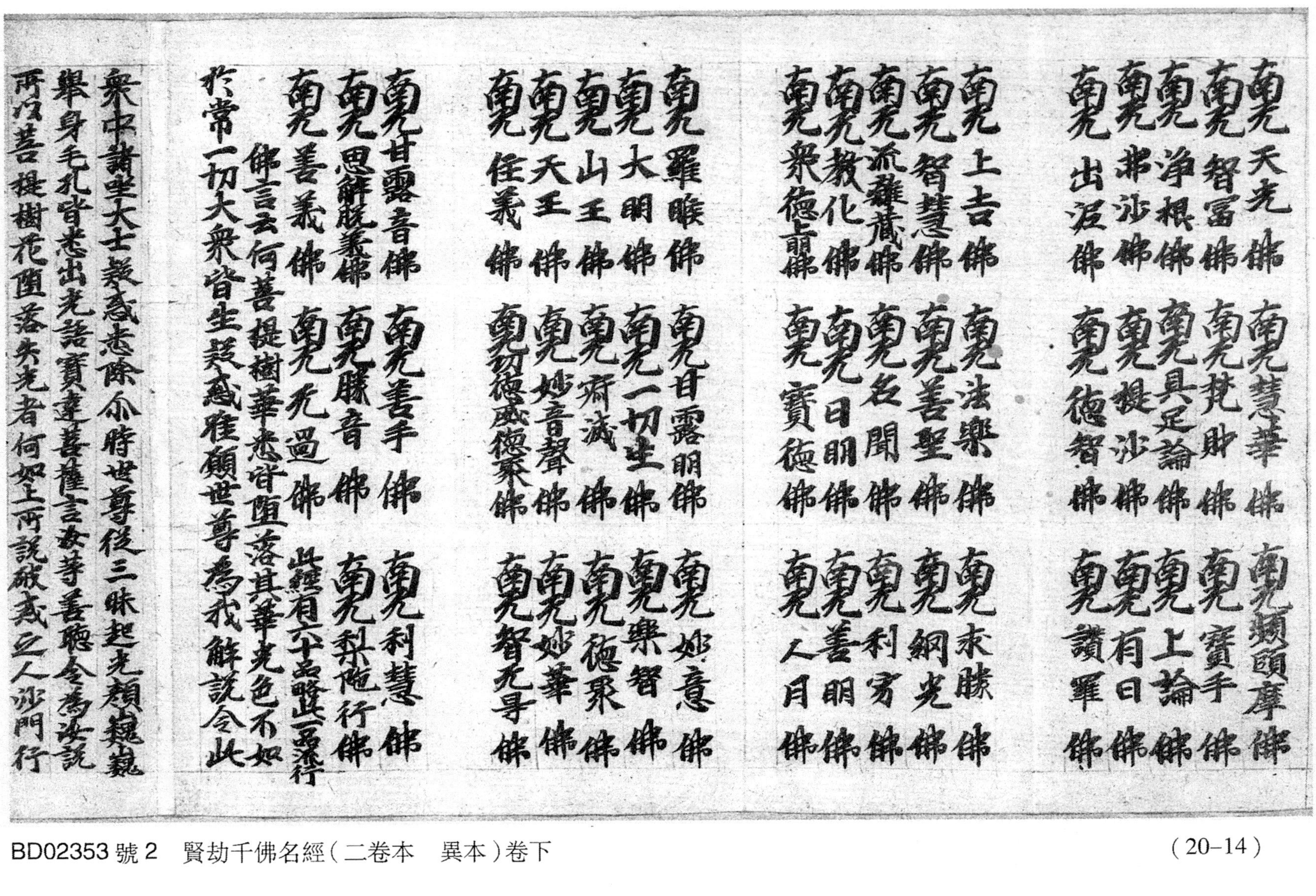
南無天光佛 南無慧華佛 南無頻頭摩佛
南無智富佛 南無梵助佛 南無寶手佛
南無淨根佛 南無具足論佛 南無上論佛
南無非沙佛 南無提沙佛 南無有日佛
南無出泥佛 南無德智佛 南無讃羅佛
南無上吉佛 南無法樂佛 南無求勝佛
南無智慧佛 南無善聖佛 南無網光佛
南無流離藏佛 南無名聞佛 南無利寶佛
南無教化佛 南無日明佛 南無善明佛
南無眾德上明佛 南無寶德佛 南無人月佛
南無羅睺佛 南無甘露明佛 南無妙意佛
南無大明佛 南無一切主佛 南無樂智佛
南無山王佛 南無寂滅佛 南無德眾佛
南無天王佛 南無妙音聲佛 南無妙華佛
南無住義佛 南無功德威德聚佛 南無智無導佛
南無甘露音佛 南無善手佛 南無利慧佛
南無思解脫義佛 南無勝音佛 南無梨陁行佛
南無善義佛 南無無過佛 此經有六十[illegible][illegible]此一[illegible][illegible]行
佛言云何菩提樹華悉皆墮落其華光色不如
於常一切大眾皆生疑惑唯願世尊為我解說令此
眾中諸坐大士疑惑悉除尒時世尊從三昧起光顏巍巍
舉身毛孔皆悉出光語寶達菩薩言汝等善聽今為汝說
所以菩提樹花墮落失光者何如上所說疑惑之人沙門行

BD02353號2　賢劫千佛名經（二卷本　異本）卷下

衆中諸坐大士發惑悲除佘時世尊從三昧起光顏巍巍
舉身毛孔皆悉出光語寶達菩薩言汝等善聽今為汝說
所以菩提樹花墮落失光者何如上所說破戒之人沙門行
惡悉墮此處受罪光狀是故菩提樹花失光墮落寶達
前白佛言唯願為我說此惡行破戒沙門果報之處佛

告寶達菩薩東方乃有鐵圍大山其中闇幽冥之處
日月光明及以火光所不能照名曰地獄其獄之中有惡
破戒之人受如是罪汝可往詣問諸罪人云何因緣來生此
處脩何等行受如是罪寶達白佛言世尊我无威神
何能往詣願佛大悲垂神願念乃使我等得見東方向鼻

地獄佛言善哉汝今但往余汝得見寶達菩薩礼佛而去
龍飛虛空俳佪自在當佘之時大地震動於虛空中雨
寶蓮華飛流而下佘時寶達一念之頃往詣東方鐵圍
山間其山嶮巇幽冥高峻其山四方了無草木日月威
光都不能照寶達須前使道兩邊有卅六王典主地獄其

王名恒伽樂王波吉頭王廣目都王安頭羅王虎目見王揚
聲吉王大諍訟王吸血鬼王安得羅王陁達王達多羅王
吉梨善王安侯羅王寶首王金樹吉王大惡聲王烏頭
王等虎眼王等烏牙王等震聲王等歸首王依首王
廣安王廣定王王頭王立正王立見王摩尼羅王都曹王部

見王惡目王善王龍口王鬼王南安王等卅六王遙見寶達
菩薩悉皆叉手合掌前行作礼白言大智尊王云何
因入此惡處亦如栴檀在伊蘭而生寶達荅言我聞如來

BD02353 號 2　賢劫千佛名經（二卷本　異本）卷下　（20–15）

見王惡目王善王龍口王鬼王南安王等卅六王遙見寶達
菩薩悉皆叉手合掌前行作礼白言大智尊王云何
因入此惡處亦如栴檀在伊蘭而生寶達荅言我聞如來
三界大師說言東方有鐵圍山其山幽冥日月之光所不能
照我故聞之故來詣汝諸王前入地獄行諸罪人汝等諸王誰

能共我往詣大王前見罪人受苦之者佘時恒伽樂王即便与
寶達菩薩往詣大王佘時大鬼王遙見寶達菩薩從門
而來光顏瓔珞即便下坐往詣礼敬白言大王今此惡處云
何姓我伊蘭林中忽生栴檀佘時寶達便前就又問鬼王言
今此東方地獄可有幾獄鬼王荅言此山之中有无量地獄

今此一方有卅二破戒地獄寶達問曰卅二地獄其名云何鬼王
荅曰鐵車鐵馬鐵牛鐵驢地獄鐵衣地獄鐵洋銅灌口地
獄流火地獄鐵床地獄鏵田地獄斫首地獄燒腳地獄鐵錐地
獄飲鐵鉢地獄飛刀地獄火箭地獄服肉地獄身然地獄火丸
仰口地獄諍論地獄雨火地獄流火地獄糞屎地獄鉤骨地獄火
為地獄呼聲叫地獄諸鉢鐵地獄崩埋地獄燃手腳地獄
銅柱地獄鋸牙地獄剝皮飲血地獄解身地獄鐵屋地獄
鐵山地獄飛火交叫分頭地獄佘時鬼王荅寶達曰地獄受
苦其名如是寶達即便入地獄中上高樓頭四顧望視罪人
等各從四門哭叫而入寶達前入鐵車鐵馬鐵牛鐵驢此四

小獄并為一地獄云何名曰鐵車鐵馬鐵牛鐵驢地獄此地
獄方圓縱廣十五由旬其中鐵城高一由旬猛火熾赫烟然
其車鐵作爐鞴熾然中有鐵牛其身亦然頭角毛尾皆
如鋒釼大然烟炎俱出鐵馬者身毛髮尾盡如剛鋒毛尾

BD02353 號 2　賢劫千佛名經（二卷本　異本）卷下　（20–16）

小獄并為一地獄云何名曰鐵車鐵馬鐵牛鐵驢地獄此地
獄方圓縱廣十五由旬其中鐵城高一由旬猛火熢赫烟然
其車鐵作焱赫熾然中有鐵牛其身亦然頭角毛尾皆
如鋒釯火然烟炎俱出其鐵馬者身毛騣尾鬐如劍鋒毛尾
火然烟炎俱出其鐵驢者亦復如是其地獄中有鐵鑛鋒
鬐如鋒屖鐵銷遼乱遍布其地其鋒火然猛盛於前
尒時此門之中有五百沙門呼聲哽咽口眼火出唱如是言云
何我今受如是苦獄卒夜叉馬頭羅剎手捉三鈷鐵叉各
背而鑽匈前而出復有鐵索來絓其髆其索火然燒罪
人髆復有鐵枷枷罪人咽其枷八方鬐如鋒釯咽火猛盛來
燒罪人頭尒時罪人宛轉倒地而不肯前馬頭羅剎手捉
鐵棒三頭而打罪人身體碎而微塵復有鐵嘴來食其肉
復有鐵狗來飲其血馬頭羅剎蹹地言活罪人即活尒時鐵
牛吼喚跳地其牛吼喚來向罪人罪人迫迮宛轉於地馬頭
羅剎手捉鐵叉叉著車上罪人跳躑復墮牛上牛尾倒刺徑
腹而入背上而出牛復跳躑復墮馬上馬尾倒刺亦如鋒釯
馬尾逍之身即碎爛須臾還活尒時鐵馬舉脚連蹹身
碎如塵須臾還活復騎鐵驢驢即跳躑罪人墮地驢便大
嗔舉脚連蹹須臾還活一日一夜受罪无量賓達問馬
頭羅剎曰此諸沙門云何如是羅剎答曰此諸沙門受佛
禁戒不惜將來但是現在違犯淨戒故作惡業畜不淨物
乘車騎馬走驢治生心无慈善不護威儀受人信施惡因
緣故墮此地獄百千万劫若得為人身不具足聾盲闇瘂
不見三寶不聞正法賓達聞之悲泣歎曰云何沙門應為

BD02353號2　賢劫千佛名經（二卷本　異本）卷下　（20–17）

禁戒不惜將來但是現在違犯淨戒故作惡業畜不淨物
乘車騎馬走驢治生心无慈善不護威儀受人信施惡因
緣故墮此地獄百千万劫若得為人身不具足聾盲闇瘂
不見三寶不聞正法賓達聞之悲泣歎曰云何沙門應為
出三界云何惡業受如是罪賓達即去　已懺三塗等報
今當次復稽顙懺悔人天餘報相與稟此閻浮壽命雖
日百千滿者无幾於其中間歲年夭枉其數无量但有衆
苦煎迫形心愁憂怨怯未曾暫捨如此皆是善根微弱
惡業慈多致使現在心有所為皆不稱意當知悉是過
去已來惡業餘報是故弟子今日至誠歸依於佛

南无善行佛　南无華藏佛　南无妙光佛
南无樂說佛　南无善濟佛　南无衆生佛
南无離畏佛　南无樂智佛　南无辯才日佛
南无名聞佛　南无寶月明佛　南无上意佛
南无无畏佛　南无大見佛　南无梵音佛

南无善意佛　南无慧濟佛　南无无等音佛
南无金剛軍佛　南无菩提意佛　南无樹王佛
南无盤陁音佛　南无福德力佛　南无勢德佛
南无聖愛佛　南无勢行佛　南无珠珀佛
南无雷音雷佛　南无善愛目佛　南无善知佛

南无具足佛　南无德積佛　南无大音佛
南无法相佛　南无智意佛　南无虛空佛
南无祠音佛　南无惠音別善佛　南无功德光佛
南无聖王佛　南无衆意佛　南无辯才論佛

BD02353號2　賢劫千佛名經（二卷本　異本）卷下　（20–18）

南无具足佛 南无德□佛 南无大音佛
南无法相佛 南无智意佛 南无虛空佛
南无祠音佛 南无惠音差別佛 南无功德光佛
南无聖王佛 南无衆意佛 南无辯才論佛
南无善寂佛 南无月面佛 南无日名佛
南无无垢佛 南无功德集佛 南无華德相佛
南无辯才國佛 南无寶施佛 南无愛月佛
南无不高佛 南无師子力佛 南无自在王佛
南无无量淨佛 南无等定佛 南无不壞佛
南无滅垢佛 南无不失方佛 南无无垢佛
南无妙面佛 南无智制住佛 南无法師王佛
南无大天佛 南无深意佛 南无无量佛
南无法力佛 南无世供養佛 南无華光佛
南无三世供佛 南无應日藏佛 南无天供養佛
南无上智人佛 南无真髻佛 南无信甘露佛
南无金剛佛 南无堅固佛 南无寶肩明佛
南无梨陀步佛 南无隨日佛 南无清淨佛
南无明力佛 南无功德聚佛 南无具足德佛
南无師子行佛 南无高出佛 南无華施佛
南无珠明佛 南无蓮華佛 南无愛智佛
南无盤陀嚴佛 南无不虛行佛 南无生法佛
南无相好佛 南无思惟樂佛 南无樂解脫佛
南无知道理佛 南无多聞海佛 南无持華佛
南无不隨世佛 南无善衆佛 南无孔雀音佛

BD02353 號 2　賢劫千佛名經（二卷本　異本）卷下　（20–19）

南无盤陀嚴佛 南无不虛行佛 南无生法佛
南无相好佛 南无思惟樂佛 南无樂解脫佛
南无知道理佛 南无多聞海佛 南无持華佛
南无不隨世佛 南无善衆佛 南无孔雀音佛
南无不退沒佛 南无斷有愛佛 南无威儀濟佛
南无諸天流布佛 南无寶步佛 南无華手佛
南无威德佛 南无破惡賊佛 南无富多聞佛
南无妙國佛 南无上華明佛 南无師子智佛
南无月出佛 南无滅闇佛 南无不動佛
南无次第行佛 南无福燈佛 南无音聲治佛
南无橋曇佛 南无勢力佛 南无身心住佛
南无善月佛 南无覺意花佛 南无上吉佛
南无善威德佛 南无智力德佛 南无善燈佛
南无堅行佛 南无天音佛 南无樂安佛
南无日面佛 南无樂解脫佛 南无戒明佛

BD02353 號 2　賢劫千佛名經（二卷本　異本）卷下　（20–20）

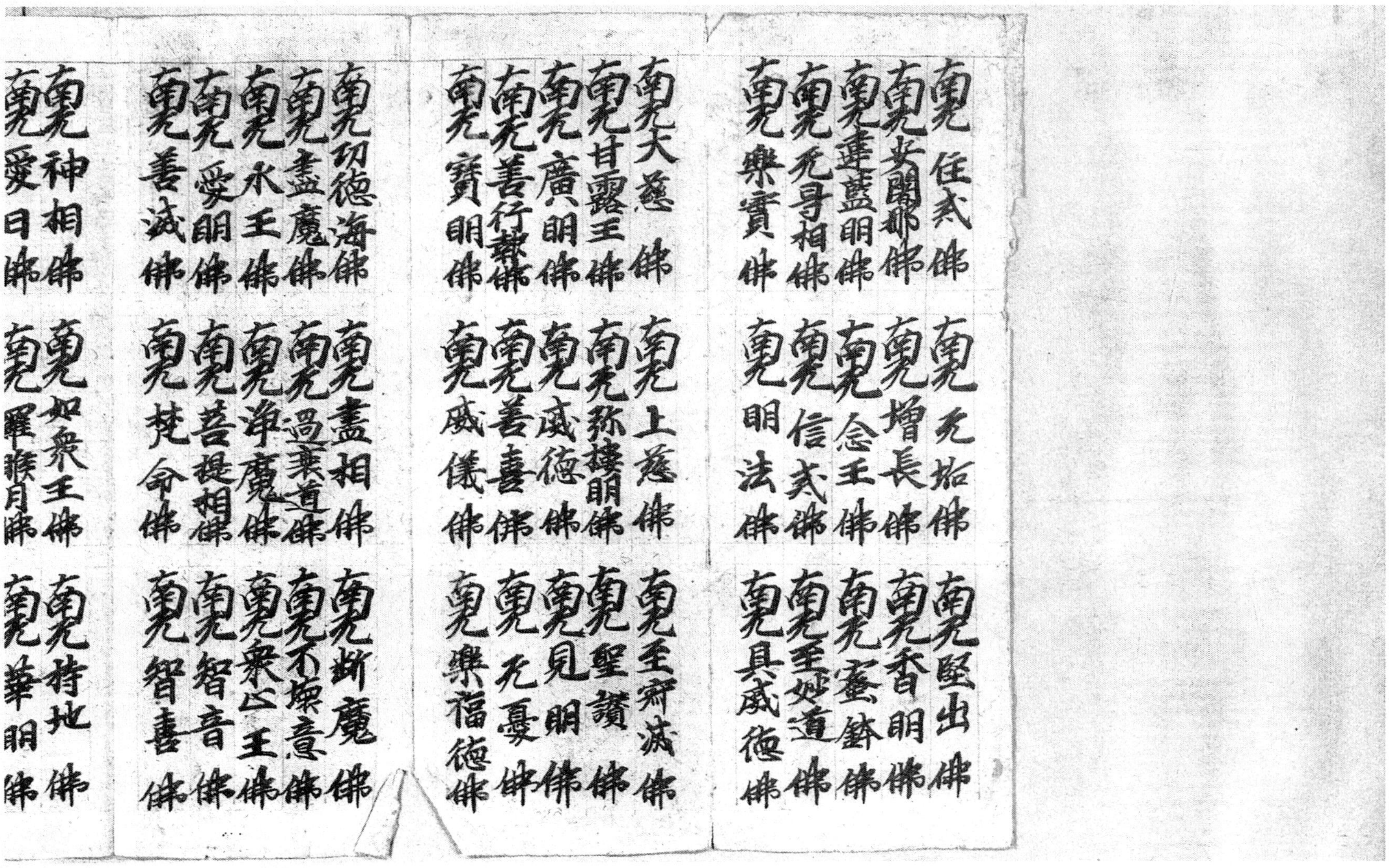

BD02353 號背　賢劫千佛名經（二卷本　異本）卷下　（20–1）

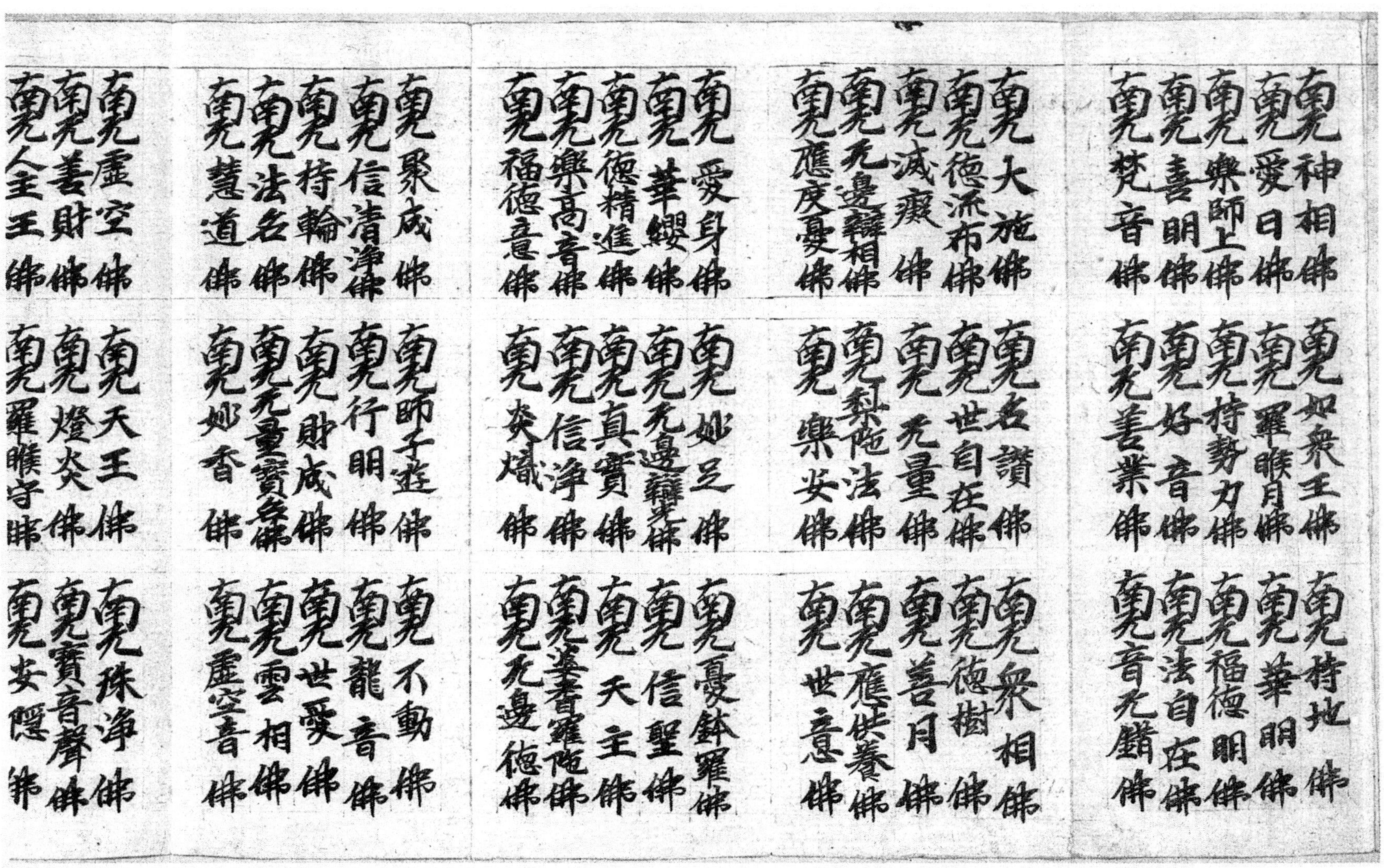

BD02353 號背　賢劫千佛名經（二卷本　異本）卷下　（20–2）

南无虛空佛　南无天王佛　南无珠淨佛
南无善財佛　南无燈炎佛　南无寶音聲佛
南无人主王佛　南无羅睺守佛　南无安隱佛
南无師子意佛　南无寶名聞佛　南无得利佛
南无遍見佛　南无世華佛　南无高頂佛
南无无偏輪手佛　南无善別飲見佛　南无師子牙佛
南无梨陀步佛　南无福德佛　南无法燈蓋佛
南无目揵連佛　南无无憂國佛　南无意思佛
南无樂菩提佛　南无法天敬佛　南无斷勢力佛
南无極勢力佛　南无慧華佛　南无堅音佛
南无安樂佛　南无妙義佛　南无愛淨佛
南无慚愧顏佛　南无妙髻佛　南无欲樂佛
南无樓至一千佛　賢劫千佛名卷　南无東方阿閦佛
南无大光佛　南无靈目佛　南无无畏佛
南无不可思議佛　南无燈王佛　南无放光佛
南无光明莊嚴佛　南无大勝佛　南无成就大事佛
南无寶見佛　南无堅王花佛　南无南方普滿佛
南无威王佛　南无住持疾行佛　南无點慧佛
南无彌聲佛　南无不厭見身佛　南无師子聲佛
南无不空見佛　南无起行佛　南无一切行清淨行佛
南无莊嚴王佛　南无西方无量壽佛　南无師子佛
南无香積王佛　南无香手佛　南无棄迁佛
弟子等无始以來至於今日所有現在及以未來人天之中
无量餘報流殃宿對癃殘百疾六根不具罪報懺悔人間

BD02353 號背　賢劫千佛名經（二卷本　異本）卷下　（20–3）

南无香積王佛　南无香手佛　南无棄迁佛
弟子等无始以來至於今日所有現在及以未來人天之中
无量餘報流殃宿對癃殘百疾六根不具罪報懺悔人間
邊地邪見三塗八難罪報懺悔人間多病痟瘦徒命夭枉
罪報懺悔人間六親眷屬不能得常相保守罪報懺悔
人間親友眾喪愛別離苦罪報懺悔人間怨家聚會愁
憂怖畏罪報懺悔人間水火盜賊刀兵危嶮驚恐怯弱
罪報懺悔人間孤獨困苦流離波迸忘失國土罪報懺悔人
間牢獄繫閉幽執側立鞭撻拷楚罪報懺悔人間公私
口舌送相羅染更相誣謗罪報懺悔人間惡病連年累月
不差枕卧床席不能起居罪報懺悔人間冬溫夏疫毒厲
傷寒罪報懺悔人間賊風腫滿否塞罪報懺悔人間為諸
惡神伺求其便欲作禍祟罪報懺悔人間有烏鳴百怪飛
屍邪鬼為作妖異罪報懺悔人間為虎豹豺狼水陸一切
諸惡禽獸所傷罪報懺悔人間自經自刺自然罪報懺悔人間
投坑赴水自沒自墜罪報懺悔人間无有威德名聞罪報
懺悔人間衣服資生不稱心罪報懺悔人間行來出入有所去
為值惡知識為作留難罪報如是現在及以未來人天之中无
量禍橫殃厄苦難罪報弟子今日向十方佛尊法聖眾
求哀懺悔　礼佛一拜　佛說賢劫千佛名經卷下

佛說佛藏經　一名選擇諸法　諸法實相品第一
如是我聞一時佛住王舍城耆闍崛山中與大比丘僧俱皆是眾所知識及無邊大菩薩
摩訶薩眾無量无數尒時舍利弗從三昧起行詣佛所偏袒右肩頭面作礼白佛言希
有世尊[illegible]

BD02353 號背　賢劫千佛名經（二卷本　異本）卷下　（20–4）
BD02353 號背 1　佛藏經（異卷）卷一

佛說佛藏經　一名選擇諸法　諸法實相品第一
如是我聞一時佛住王舍城耆闍崛山中與大比丘僧俱皆是衆所知識及無邊大菩薩
摩訶薩衆無量无數尒時舍利弗從三昧起行詣佛所偏袒右肩頭面作礼白佛言希
有世尊如来所說一切諸法無生無滅無相無為令人信解佛告舍利弗汝見何利嘆
言希有如来所說一切諸法無生無滅無相無為令人信解舍利弗白佛言世尊
我在靜處每作是念世尊乃於無名相法以名相說無語言法以語言說思惟是
事生希有心佛告舍利弗如是如是是事希有第一希有謂是諸佛阿耨多
羅三藐三菩提舍利弗譬如巧畫師畫於虛空現種種色相於意云何是畫師者
為希有不希有世尊舍利弗如来所得阿耨多羅三藐三菩提說一切法無生無滅
無相無為令人信解倍為希有所以者何無名相法無念無得亦無有憶不可思議
非心所係無着戲論非是戲論所可依止無覺無覩無有所攝不在於心非得所得無
此無彼無有分別無動無性本来自空不可念不可出一切世間所不能信如是無名
法以名相說如是舍利弗一切諸法無生无滅無相無為令人信解倍為希有舍利弗譬
如有人嚼咽須弥能令消盡飛行虛空不以為難於意云何為希有不希有世尊舍
利弗諸佛所說一切諸法無生無滅無相無為令人信解倍為希有舍利弗譬如火城
縱廣深淺各一由旬四門出焰人負乾草於中而過猛風吹焰燒博其身是人能令
火不燒草及不燒身於中而出如本無異於意云何為希有不希有世尊舍利弗如来
所說一切諸法無生無滅無相無為令人信解倍為希有舍利弗譬如有人以石為栰
從海此岸度至彼岸於意云何為希有不希有世尊舍利弗如来所說一切諸法無生
無滅無相無為令人信解倍為希有舍利弗譬如有人負四天下及諸須弥山河草木
以蚑脚為梯登至梵天於意云何為希有不希有世尊舍利弗如来所說一切諸法無
生無滅無相無為令人信解倍為希有舍利弗譬如藕絲懸須弥山在於虛空於意云
何為希有不希有世尊舍利弗如来所說一切諸法無生無滅無相無為令人信解倍
[illegible]

[illegible]
以蚑脚為梯登至梵天於意云何為希有不希有世尊舍利弗如来所說一切諸法無
生無滅無相無為令人信解倍為希有舍利弗譬如藕絲懸須弥山在於虛空於意云
何為希有不希有世尊舍利弗如来所說一切諸法無生無滅無相無為令人信解倍
為希有舍利弗譬如劫盡大火燒時人以一唾能滅炎火以吹還成世界及諸天宮於意
云何為希有不希有世尊舍利弗如来所說一切諸法無生無滅無相無為令人信解倍為
希有舍利弗恒河廣大為無量不如是世尊舍利弗四天下中普雨大雨滴如恒河有人以
手承此雨滴無所遺落於意云何為希有不希有世尊舍利弗如来所說一切諸法無
生無滅無相無為令人信解倍為希有舍利弗須弥山王為高大不高大世尊舍利弗
四天下中普雨大石皆如須弥有人以手承接此石無有遺落如弄子者於意云何為希有不
希有世尊舍利弗如来所說一切諸法無生無滅無相無為令人信解倍為希有舍利
弗譬如有人以一切衆生置左手中以右手接舉三千世界山河草木皆能令是一切衆
生同心喜樂其意不異於意云何為希有不希有世尊舍利弗如来所說一切諸法無
生無滅無相無為令人信解倍為希有舍利弗如来所說諸法無性空無所有一切
世間所難信解何以故舍利弗是法無想離諸想無念離諸念無取無捨無戲論
無惱熱非此岸非彼岸非陸地非處非明以無量智乃可得解非以思量所能得知
無行無想無有惱熱無念過諸念無心過諸心無向無背無縛無解無妄
無妄法無處無處法無有處網無名無言無說無不說無盡無不盡無行
無行相無道無道果無離過諸離無思惟無雜雜不取不捨無得不可得除
諸諍除貪恚癡非實非虛妄非常非無常非明非不明非闇非照不在心無
有性性本空能降伏魔降伏煩惱降伏五陰降伏十二入降伏十八界降伏說有我者
降伏說有十二入者降伏說有十八界者降伏說有衆生者說有人者說有壽者說有
命者說有有者說有無者降伏一切諸邪行者舍利弗我此聖法皆能降伏一切貪
著乃至說有法者不信樂諸法如實相者逆佛法者所以者何舍利弗若有衆生說

隨伏說有十六種隨伏說有十八界者隨伏說有衆生者說有人者說有壽者說有
命者說有有者說有無者降伏一切諸邪行者舍利弗我此聖法皆能降伏一切貪
著乃至說有法者不信樂諸法如實相者違佛法者所以者何舍利弗若有衆生說
我者說人者說衆生者說斷滅者說常者說有者說無者說諸法者說假名者
說邊者皆違逆佛與佛共諍舍利弗乃至於法少許得者皆與佛諍與佛諍者
皆入邪道非我弟子若非我弟子即與涅槃共諍與佛共諍與法共諍與僧共諍舍利弗
如是見人我則不聽出家受戒舍利弗如是見人我則不聽受一飲水以自供養舍利弗若人
除捨如是不善貪著事者於我法中出家求道不念涅槃不以涅槃爲念不貪涅槃於畢竟
空法不驚不畏是人尚爲斷諸法故勤行精進何況如是不善貪著謂著我者衆生著人
著法是人爲斷諸貪著故但勤修習無相三昧於無相三昧亦不取相是人通達一切諸法相皆是
一相所謂無相舍利弗是則名爲於聖法中柔順法忍得是柔順法忍乃名是我弟
子能消供養不空受身所以者何舍利弗我是真實相法不可入不可取不可捨不可貪
不可說斷語言道無歡無喜斷貪喜心非衆緣合離衆因緣無道斷道至於無道
斷諸語言論議音聲無形無色無取無著無用無實無妄無閑無明無壞無諍
無合無散無動無念無有分別不可得亦非垢非淨非名非相非心數法非心所解
我此法中無男無女無天無龍無夜叉無乾闥婆無鳩槃茶無毗舍闍無斷無常
無我無衆生無人無來無去無出無入無戒無犯無淨無垢無有三昧無定無定
根無禪無禪根無知無見無貪無諍無道無道果無慧無慧根無明無非明無
解脫無非解脫無果無得果無力無非力無所畏無無所畏無念無念根無坐無
行無有威儀無此無彼無憶相分別無菩提無菩提分無智無非智無地無水無
火無風無罪無福無法無非法無苦無樂於諸一切戲論根本一切永離冷而無烟
舍利弗擧要言之我法悉破一切諸念一切諸見一切諸結諸增上慢不念一切諸所憶
念除斷一切種種語言我是法中無常無無常無苦無樂無垢無淨無斷無常
無我無衆生無人無壽者無命者[illegible]

[illegible]離冷而無烟
舍利弗擧要言之我法悉破一切諸念一切諸見一切諸結諸增上慢不念一切諸所憶
念除斷一切種種語言我是法中無常無無常無苦無樂無垢無淨無斷無常
無我無衆生無人無壽者無命者無生無滅何以故舍利弗如來於法都無所得
有所滅故名爲涅槃亦不見有得涅槃者舍利弗佛亦不念涅槃不以涅槃爲念亦不
貪著涅槃是故當知是爲第一奇特希有所謂如來說一切法無生無滅無相無爲
令人信解信爲希有
念佛品第二　尒時舍利弗白佛言世尊於此法中云何爲惡知
識云何爲善知識佛告舍利弗若有比丘教餘比丘比丘汝當念佛念法念僧念戒念
施念天比丘當觀身取是身相所謂不淨當觀一切諸有爲法皆悉無常觀一切法空無
有我比丘汝當取所緣相繫心緣中專念空相當樂善法當取不善法相取不善法相
已爲令斷故觀念修習謂爲斷貪觀不淨相爲斷瞋恚觀慈心相爲斷愚癡觀
因緣法常念淨戒深取空相勤行精進爲得四禪專心求道觀不善法皆是業惱觀於
善法最是安隱一心修道分別諦觀善不善法諦取相已一心思惟惟觀涅槃安隱寂滅
離愛涅槃畢竟清淨如是教者名爲邪教謂是正教而是邪教舍利弗如是教者名惡
知識是人名爲誹謗於我助於外道亦爲他人說邪道法舍利弗如是惡人我乃不聽受一
飲水以自供養我說教者不說受者舍利弗於我法中多有如是增上慢教舍利弗若是教
者受戒五歲不能悉離如是所教於是教中勤心精進自有得無所有比丘不往諮問我
說此人雖有五歲猶名邪見雖外道法順行魔教舍利弗若有比丘受是教已聞空無所
得法即自覺知我先受者皆是邪見於空無所得法無疑無悔深入通達不依一切我見
人見舍利弗我說此人名爲清淨梵行舍利弗若有比丘成就如是無所得忍雖現未得無
餘涅槃我記是人彌勒佛時當在初會時彌勒佛歡喜三唱是人能於釋迦牟尼佛法中
成就無所得忍舍利弗若在家出家成就此忍我記是人必得涅槃舍利弗若有人受如
是教已聞空無所得法即時驚畏是人可愍無有救者無有依者直趣地獄何以故
舍利弗於佛教中驚疑畏者是人則爲具足惡道所以者何我常自說有所得者是惡

能涅槃我記是人歎佛時當在初會時歎佛獨喜三唱是人能於精進中居佛法中
成就無所得忍舍利弗若在家出家成就此忍我記是人必得涅槃舍利弗若有人受如
是教已聞空無所得法即時驚畏是人可愍無有救者無有依者直趣地獄何以故
舍利弗於佛教中驚疑畏者是人則為具足惡道所以者何我常自說有所得者是惡
道分何以故舍利弗佛所得法無有差別是與不是若可差別是有所得舍利弗人等
成就五逆重罪不成就我見衆生見人見壽見命見陰入界見貪著持戒著持戒見
貪著三昧著三昧見依於佛想得於法想於僧斷事成就身見何以故於佛法中
成就身見不在僧數舍利弗佛弟子衆心無分別舍利弗弟子衆無不善者無破戒
者無破見者無破威儀者舍利弗何等為惡不善於佛衆中不在僧數名惡不善謂
心心數法與諸緣合無真實事但作分別以分別故計有所得得人乃至所有言說心心
相續乃至善不善法於聖法中名惡不善法何以故舍利弗所有樂處中亦有苦來
法者滅是苦樂舍利弗如來所得是中無欲亦無非欲無樂無苦無思無想無脩乃至
亦無空想何以故舍利弗若計空想即是我想衆生想者是常想者是斷想者何以
故舍利弗隨所有相則生諸相是皆隨邪舍利弗空名無念是名為空空念亦空是名
為空舍利弗空中無善無惡乃至亦無空想是故名空舍利弗諸有為法可知可解空
非可知亦非可解非可思量是故名空舍利弗空非念得何以故空無相故是故名空舍利
弗何故說行空行不念一切諸想乃至空相亦復不念是名空行舍利弗相名乃至心有所
念即名為想無所念者乃至無想離諸相故名為無想隨所取相皆是邪見何以故舍
利弗於聖法中計得有滅皆墮邪見何況言說何況說者如是空法以何可說舍利弗
諸佛何故說諸語言皆名為邪不能通達一切法者是則皆為言說所覆是故如來
知諸語言皆為是邪乃至少有言語不得其實舍利弗諸佛阿耨多羅三藐三菩
提皆是無想無念何以故如來於法不得體性亦不得念舍利弗如來何故說有念處
舍利弗雖說若人得四念處是人能得諸法體性能得自身得我得人無有是處亦法
別相空故說四念處四念處性無性無處無念無說無有貪著念性尚無何況念處是

BD02353 號背 1　佛藏經（異卷）卷一　（20–9）

知諸語言皆為是邪乃至少有言語不得其實舍利弗諸佛阿耨多羅三藐三菩
提皆是無想無念何以故如來於法不得體性亦不得念舍利弗如來何故說有念處
舍利弗雖說若人得四念處是人能得諸法體性能得自身得我得人無有是處亦法
別相空故說四念處四念處性無性無處無念無說無有貪著念性尚無何況念處是
故如來說名念處舍利弗諸法若有決定體性如析毛髮百分一者是則諸佛不出於世
終不說諸法性空舍利弗諸法實空無性一相所謂無相如來悉見如來以是說有念
處舍利弗念處名為無處無非處無念無念業無想無分別無意無意業無思
無思業無法無法相皆無合散是故賢聖名為無分別者是名念處如來以是說有
念處隨順無所有故名為念處隨順念佛故名為念處舍利弗云何名為念佛見無
所有名為念佛舍利弗諸佛無量不可思議不可稱量以是義故見無所有名為念佛
實名無分別諸佛無分別以是故言念無分別即是念佛復次見諸法實相名為見
佛何等名為諸法實相所謂諸法畢竟空無所有以是畢竟空無所有法念佛復
次如是法中乃至小念尚不可得是名念佛舍利弗是念佛法斷諸言道過出諸念不可
得念是名念佛舍利弗一切諸念皆寂滅相隨順是法此則名為脩習念佛不可以色念
佛何以故念色取相貪味為識無形無色無緣無性是名念佛是故當知無有分別無取
無捨是真念佛

念法品第三　尒時舍利弗白佛言世尊云何為人亦說是法
為惡知識世尊云何為人亦說是法為善知識舍利弗若有比丘教他比丘比丘受當
知念佛事空念所緣處是不應念汝所念空念亦復空是無性空能斷色相能斷取相是
人尒時不得無相何況於念是人尒時都無所有寂滅無性不集諸想滅一切法是則
名為脩習念佛念佛名為破善不善一切覺觀無覺無觀寂然無想名為念佛何以
故不應以覺觀憶念諸佛無觀無覺名為清淨念佛於此念中乃無微細心心念
業況身口業又念佛者離諸相諸想不在心無分別無名字無鄣無導欲無得不起
覺觀何以故舍利弗隨所念起一切諸想皆是邪見舍利弗隨無所有無覺無觀無
生無滅通達是者名為念佛如是念中無貪無著無諍無頂無名無見舍利弗無想

BD02353 號背 1　佛藏經（異卷）卷一　（20–10）

故不應以覺觀憶念諸佛無觀無覺名為清淨念佛於是念中乃無微細心心念
業況身口業又念佛者離諸相諸想不在心無分別無名字無鄣無尋欲無得不起
覺觀何以故舍利弗隨所念起一切諸想皆是邪見舍利弗隨無所有無覺無觀無
生無滅通達是者名為念佛如是念中無貪無著無逆無順無名無想舍利弗無想
無諍乃名念佛是中乃無微細小念何況麁身口意業無身口意業處無取無捨無
諍無訟無念無分別空寂無性滅諸覺觀是名念佛舍利弗若人成就如是念者於
轉四天下地隨意能轉亦能降伏百千億魔況弊無明從虛誑緣起無決定想是法智是
無想無戲論無生無滅不可說不可分別無闇無明魔若魔民所不能測但以世俗言
說有所教化而作是言汝念佛時莫取小想莫生戲論莫有分別何以故是法皆空無有
體性不可念一相所謂無相是名真實念佛所謂無生無滅無相何以故如來不名為色
不名為相不名為念不在分別不逆不順不取不捨非定非慧非明非無明如來不可說不
可思議無相汝今莫樂取相莫樂戲論佛於諸法無執無量不見有法可執可量是
人於佛猶尚不得何況於念舍利弗如是教者名善知識第一義中無有決定是善知識
是惡知識復次舍利弗若有比丘教餘比丘比丘汝當分別觀察諸法亦復莫念法相而
是比丘如是脩習心無繫著則能通達諸法一相所謂無相是人猶尚不生法相況我人
想舍利弗於意云何念法想者是人能滅一切法耶不也世尊舍利弗如樹無根能有枝
葉華菓實不不也世尊如是舍利弗若人不得諸法根本是人能生諸法想不不也世尊
舍利弗若人不得不念法想是人能滅一切法不不也世尊舍利弗是人不得於法不得法
相不得於滅亦不分別無生無滅是人爾時不然不滅不名得涅槃者亦復不名先得
涅槃舍利弗如是教者名善知識第一義中無善知識無惡知識舍利弗若人成就如是
相者世間希有得不顛倒真實見故是為正見復次舍利弗正見者名為正作正行正
道正解無顛倒如實而見是故如來說名正見舍利弗若有眾生無有顛倒如實觀
者則有正見若生我相人想眾生想者當知是人皆行邪行舍利弗佛及弟子不說有我

相者世間希有得不顛倒真實見故是為正見復次舍利弗正見者名為正作正行正
道正解無顛倒如實而見是故如來說名正見舍利弗若有眾生無有顛倒如實觀
者則有正見若生我相人想眾生想者當知是人皆行邪行舍利弗佛及弟子不說有我
不說有人不說眾生不說壽命不說斷常是故佛及弟子名為正見何以故正觀不顛倒
故舍利弗一切凡夫於此法中無能入者何以故一切凡夫都无正見但有隨順正見得柔順忍
不能如實舍利弗是名正見邪見差別如實見故名為正見見世樂因增長財利是世間
正見是皆欺誑不離生死舍利弗佛說世間正見是說解怠下劣者法賢聖不作是念此
是正見此是邪見所以者何一切諸見皆從虛妄緣起舍利弗若作是念此是正見是人
即是邪見舍利弗於聖法中拔斷一切諸見根本悉斷一切諸語言道如虛空中手無觸
聞諸沙門法皆應如是
念僧品第四　舍利弗白佛言世尊何等為聖眾舍利弗若有
人能信解通達一切諸法無生無滅無起無相成就如是忍者尚不得我況得須陀洹
斯陀含阿那含況得阿羅漢況復得法況得男女何況得道況得如是等事是名
聖眾是亦不得復次舍利弗眾生少能信解無生無滅無相法者若能信解無生無
滅無相法者心無顛倒共相知解以法和合不受後有如諸世間但從虛妄緣起是則
更不住是身以是因緣說名聖眾是人於是語言亦復不得謂諸名相但集無相無戲論事
是名僧寶應受供養得無顛倒真實義故是人以是方便念僧是事亦空舍利弗
如是教者名善知識舍利弗斷一切語言道名為聖眾何以故於聖法中言因言語說真
實義如是語言亦不可得是故當知斷諸語言名為聖眾舍利弗或有人言若於此法中無
有言說無有定者何名為僧舍利弗我於此中有如是善眾僧名為亦如實事此事決定
亦不可得但同一學一忍一味是事亦以世俗語故說非第一義第一義中無有定實名為
僧法常不壞者聖人若說言有是法是即為汙所以者何若人作是分別是男是女是天
是龍是夜叉是乾闥婆是鳩槃荼是法是非法作是分別已得種種事得種種事故
作是言是坐是臥是行是住聖人得諸法實相故亦不分別是男是女是天是龍乃至是

亦不可得但同一學一退一味是事亦以世俗諦故說非第一義第一義中無有定實名為
僧法常不壞者聖人若說言有是法是即為汙所以者何若人作是分別是男是女是天
是龍是夜叉是乾闥婆是鳩槃荼是法是非法作是分別已得種種事得種種事故
作是言是坐是卧是行是住聖人得諸法實相故亦不分別是男是女是天是龍乃至是
法是非法不分別故不得種種法不得種種法者餘作是說是坐是卧是行是住不不
也世尊舍利弗若人言是男是女是天是龍乃至是法是非法是人所說非虛妄耶虛妄
世尊舍利弗若不入是虛妄者名為聖衆不顛倒故名為聖衆舍利弗所有不善所有可知
所有可得如是一切諸不善法皆以名相為本此賢聖法中斷諸名相又不念名相不得無
相去何當言是聖是衆斷諸名相名為聖衆若有法處可破可斷賢聖法中無名無
相無有語言斷諸語言無有合散若言無僧則破聖衆是亦不得所謂名相虛妄想
故著種種耶見因是耶見更受後身貪著諸見則五陰生舍利弗五陰皆是虛妄貪
著是名惡道是名耶道賢聖衆者無有此事但知虛妄緣故起於三界知是事故名為
聖衆舍利弗凡所有見於聖衆中皆不可得謂我見衆生見壽命見人見男見女見天
見地獄見畜生見餓鬼見陰入界見貝聲見鼓聲見起聲見來去聲見持戒聲
見毀戒聲見正道聲見耶道聲見垢聲見淨聲見禪定三昧八聖道聲須陁洹果斯
陁含果阿那含果阿羅漢果聲見解脫聲見得果聲見佛聲見法聲見僧聲見
識聲見涅槃聲見舍利弗是名虛妄音聲等見賢聖衆者於第一義不得是見
通達種種音聲一相所謂無相無違無諍成就不顛倒法忍故名為聖衆舍利弗
是不顛倒法忍即是無相無相故無取無捨無逆無順無生無滅是中自然歸滅無循
無壞無趣無得不分別此彼故心常捨離所以者何於是忍中無此岸無彼岸無割無
非分別通達無相成就是忍名為聖衆破和合故名為聖衆舍利弗我餘經說若人見
法是為見我如來非法亦非非法何以故調達惡人及諸外道皆以色身見佛舍利弗如來不應
以色身見亦復不應以音聲見舍利弗若人以色身見佛是去佛遠所以者何佛不名見色

BD02353號背 1　佛藏經（異卷）卷一　（20–13）

非分別通達無相成就是忍名為聖衆破和合故名為聖衆舍利弗我餘經說若人見
法是為見我如來非法亦非非法何以故調達惡人及諸外道皆以色身見佛舍利弗如來不應
以色身見亦復不應以音聲見舍利弗若人以色身見佛是去佛遠所以者何佛不名見色
是名為見佛舍利弗若人能見諸法無相無名無觸無憶無念無生無滅無有戲論
不念一切法不念涅槃不以涅槃為念不貪涅槃信解諸法皆是一相所謂無相舍利弗是名
真見佛謂一切法無來無戲論無生於此事中亦不念不分別是名見佛若有人於此事中
無憶想分別無取無捨無貪無違無想無想業不貪言說知法假名皆無所有斷
語言道無有差別亦無戲論是名無生無想行者於世間中名為聖衆舍利弗見何法
故名為見佛所謂无想无分別無戲論不受一切法若以空門若寂滅門若離門不念見
不得見是事亦不得所謂名字是處亦不得所謂涅槃何以故舍利弗我尚不念涅槃
去何當說汝等當念涅槃當得涅槃舍利弗若人得涅槃者是人不隨如來出家
隨大師出家舍利弗當知是人為是法賊入我法中當知是人汙辱我法當知是人為是
大賊如大城邑中有大賊所以者何如是癡人尚得涅槃何況我人舍利弗如是癡人我以
數等遠非我弟子不入衆數我非彼師舍利弗若知諸法無生無滅無念無想得是法忍者
尚得涅槃何況我人舍利佛說如是名為見法餘見是事名為見佛舍利弗去何名
為佛一切法如不異不壞是名如來若人於是法中無有疑悔是名聖衆舍利弗過去世
中有一癡人不識獼猴入一大林見獼猴群聚聚一處是人曾聞有忉利天便謂為是忉利
諸天即出樹林還本聚落多人衆中作如是言汝等曾見忉利天不衆人答言未曾見也
即時語言我已得見汝欲見不皆言欲見即將大衆詣彼林中示獼猴群汝等觀此忉利
諸天衆人皆言非忉利天此是獼猴衆住林中汝癡闇故不識獼猴又亦不識忉利諸天舍利弗
是人空將大衆詣彼林中如是舍利弗於未來世當有比丘至白衣家作是言汝欲見佛
聖衆聽佛法不中有白衣信佛法者皆言欲見聽受佛法舍利弗有白衣貪樂語言入
於塔寺有諸比丘好於言說能通諸經依止語言樂於文飾是諸沙門隨順為說謂是真道

BD02353號背 1　佛藏經（異卷）卷一　（20–14）

是人空將大乘諂彼林中如是舍利弗於未來世當有比丘至白衣家作是言汝欲見佛
聖衆聽佛法不中有白衣信佛法者皆言欲見聽受佛法舍利弗有白衣貪樂語言入
於塔寺有諸比丘好於言說能通諸經依止語言樂於文飾是諸沙門隨順為說謂是真道
但見衆數如於平人但樂讀經不入真際但悅人意貪於名利善巧世事不淨說法但能
巧語行世間道無有威德破涅槃因捨聖嘿然不樂禪定晝夜常好談論諍訟臥
厚被蓐尚無一念隨順禪定何況能成得沙門果是人瞎眠常與俗心相應初夜後夜不
修順忍樂於下法是人亦多得供養衣服飲食何以故是人常為惡魔所攝樂遠近
語於第一義不能勤學不能誦持第一深經聞則驚畏捨於淳濃而取糟粕有諸凡夫
見得利養生貪著心作是念言我等亦當習此言論舍利弗是人捨於無上法寶墮
在邪見是沙門旃陀羅有諸白衣往詣其所如此惡人而為說法以利養故稱讚於
佛及法與僧但求活命為財奴僕貪重衣食讚已所樂若行布施得生天上於
佛法中施為下法讀以為寂而作是言大施因緣得生天上不知語言不解義趣但如初
入道下法貪著我人捨第一義舍利弗如是說法或時有人生信出家與諸惡人而共
和合不能勤求第一深義有所得者說有我人壽者命者憶想分別無所有法於阿
毗曇備嫉路中自有義論或說斷常或說有作或說無作舍利弗我法爾時多外道
法令諸衆生正見心壞如是舍利弗我清淨法以是因緣漸漸滅盡舍利弗我久在生死
受諸苦惱所成菩提是諸惡人爾時毀壞舍利弗若有比丘不能捨是有所得見我見
人見不解如來隨宜所說而言決定有我人法如是之人我則不聽受一飲水或時是人得聞
空法信心清淨而不驚疑即便還應導引衆人入實相義更應出家受具足戒何以
故舍利弗若人不捨如是見者是名外道舍利弗我以世俗因緣假說有我非第一義若有
人言我亦復以世俗因緣而說有我是人若能通達無生無滅無相之法與我所說不相
違者是我弟子舍利弗若有人言如來何故隨世因緣於無我法而說有人如來不應為
世間故作不實語又諸經中多說有人佛所說者不應虛也舍利弗應答是人能說諸法

BD02353號背1　佛藏經（異卷）卷一　（20–15）

違者是我弟子舍利弗若有人言如來何故隨世因緣於無我法而說有人如來不應為
世間故作不實語又諸經中多說有人佛所說者不應虛也舍利弗應答是人能說諸法
皆空無主無性俗是虛妄非第一義如來不以第一義故說有我人聖人言說無所貪著無
智慧人無與佛等亦無過者舍利弗如來智慧不可思議以是智慧知衆生心寧當有人
與佛等者佛為大龍大法之王不應難言佛說有人一切世間常共我諍我常不與
世間共諍舍利弗說有我者甚可憂愍此中無法亦無有我多有衆生不解如來隨宜
所說違逆法實多墮惡趣舍利弗我知邪見而不為邪見能知邪見即是正見舍利弗
邪見終不變作正見見不知見舍利弗諸佛如來阿耨多羅三藐三菩提一切世間所難得
信我於諸天一切世間是最可信非不可信舍利弗我所說法為至彼岸是中亦無至彼
岸者我所說法為盡諸行是中亦無盡諸行者我所說法為寂滅故是中亦無有
寂滅者我所說法為滅度故是中亦無有滅度者我所說法為解脫故是中亦無有解
脫者我所說法為諸智者是中亦無有諸智者我所說法為淨治故是中亦無有淨
治者舍利弗如來為天說法亦無有天為人說法亦無有人為衆生說法亦無有衆生
舍利弗如來說明及與解脫是中無明及與解脫我說念佛佛不可念我說空行空不可
行亦不可念舍利弗是名如來所說經法章句是中無有說者諸惡人等得此章句為
他人說亦復以我為師無有如來聖衆功德而自為僧數舍利弗譬如獼猴群不似忉利
天如是衆惡人不似我聖衆舍利弗是諸惡人但以音聲語言自謂沙門似如瘦人見獼猴
羣謂忉利天舍利弗中有出家人喜樂閑靜得值善師為說色寂滅語言道斷無起
無失通達無相得聞如是無生無滅無相之法不驚畏者當知是人已曾供養無量諸
佛能知我法可名聖衆
淨戒品第五佛藏經二　佛告舍利弗破戒比丘有十憂惱箭
難可堪忍比丘成就十憂惱箭則於佛法不得嘗味憎說法者不樂親近何等為十舍利弗破戒比丘見僧和合生
憂心何以故和合布薩必驅我出是惡比丘自知有過常懷憂惱於持戒者瞋恨不喜舍利
弗是名破戒比丘初憂惱箭必墮惡道復次舍利弗破戒比丘衆所憎惡不欲親近如惡羊利

BD02353號背1　佛藏經（異卷）卷一　（20–16）
BD02353號背2　佛藏經（異卷）卷二

佛能知我法可名聖衆　淨戒品第五　佛藏經二　佛告舍利弗破戒比丘有十憂惱箭
難可堪忍比丘成就十憂惱箭則於佛法不得啗味憎說法者不樂親近何等爲十舍利弗破戒比丘見僧和合生
憂心何以故和合布薩必驅我出是惡比丘自知有過常懷憂惱於持戒者瞋恨不喜舍利
弗是名破戒比丘初憂惱箭必墮惡道復次舍利弗破戒比丘衆所憎惡不欲親近如惡牛利
角人所捨遠是惡比丘自知有過常懷疑憂惱舍利弗是名破戒比丘二憂惱箭
必墮惡道復次舍利弗破戒比丘遙見比丘衆自知不同惡心捨離慚愧耻故不能入衆
舍利弗是名破戒比丘三憂惱箭必墮惡道復次舍利弗破戒比丘毒惡心盛不可
化喻猶尚無有外道戒法况於淨法以其破戒因緣人不親近舍利弗是名破戒比丘四
憂惱箭必墮惡道復次舍利弗破戒比丘以他財物自養其身我說此人爲重擔者
所以者何行者得者應受供養破戒比丘非是行者非是得者是故舍利弗破戒比
丘當於百千億万劫數割截身肉以償布施若生畜生身常負重所以者何如析一毛
爲千億分破戒比丘尚不能消一分供養况能消他衣服飲食卧具醫藥舍利弗破戒比
丘著聖法服猶尚不應入寺一步何况得受一歃之水乃至床榻何以故舍利弗如是惡
人於天人中是爲大賊一切世間皆應遠離舍利弗是敗壞人即是怨家如來悲聽一切世間皆
至我所破戒之人如來手遠非我弟子何况一日住我法中舍利弗譬如死人死蛇死狗最爲
臭穢清淨諸天欲遊戲時不應得見若見則遠如是舍利弗破戒比丘如彼三屍臭穢
不淨習者遠離不與同事布薩自恣舍利弗破戒比丘於我法中爲是不吉持戒比丘見此
破戒即時遠離何以故若破戒比丘手所觸物及所受物於持戒者則爲毒惡舍利弗正
使三屍臭穢滿地我時於中行四威儀不能與此破戒比丘須臾共住何以故舍利弗是爲
沙門中卑陋下賤爲沙門朽壞弊惡爲沙門中糠糩爲沙門中垢爲沙門中濁爲沙門中
汙爲沙門中曲爲沙門中塵爲沙門中失聖道者如是人等於我法中出家求道而得重罪
舍利弗如是之人於我法中爲是逆賊爲是法賊爲是欺誑詐僞之人但求活命貪重衣
食是則名爲世樂奴僕舍利弗譬如黃門非男非女破戒比丘亦復如是不名在家不名出家命

汙爲沙門中曲爲沙門中塵爲沙門中失聖道者如是人等於我法中出家求道而得重罪
舍利弗如是之人於我法中爲是逆賊爲是法賊爲是欺誑詐僞之人但求活命貪重衣
食是則名爲世樂奴僕舍利弗譬如黃門非男非女破戒比丘亦復如是不名在家不名出家命
終之後直入地獄舍利弗譬如蝙蝠欲捕鳥時則入穴爲鼠欲捕鼠時飛空爲鳥而實無有
大鳥之用其身臭穢但樂闇冥舍利弗破戒比丘亦復如是既不入於布薩自恣亦復不入
王者使役不名白衣不名出家如燒屍殘木不復中用如是比丘無有戒品定品慧品解脫
品解脫知見品但有具足破淨戒品不能出天微妙音聲戒聲定聲慧聲解脫聲
解脫知見聲但出毀戒弊惡音聲與諸同惡俱出惡聲但論衣服飲食床卧受取布施
樹木華菓爲貴人使及論國王吉凶安危戲咲衆事諸不善語常於日夜比丘如是身業
不淨口業不淨意業不淨當墮地獄舍利弗是破戒比丘樂於闇冥如彼蝙蝠聞說正
經以爲憂惱所以者何如實說故世間之人不喜實說但樂順意如是比丘於說法者心不清
淨重更爲罪增益地獄舍利弗是名破戒比丘五憂惱箭必墮地獄復次舍利弗破戒比
丘無有羞耻諸根散亂成就不淨身口意業不淨威儀所著衣服皆不如法好喜妄語不
能護口心常馳騁染於垢穢舍利弗如新瓦器成以屎尿臭爛膿血後去不淨著諸種香
復去諸種如是瓦器有何等氣世尊是新瓦器先盛屎尿臭氣堅著惟有臭氣无諸
種香舍利弗人以清淨信等諸根出家學道是惡知識而隨其教舍利弗何等爲惡
知識惡知識者常好調戲輕躁无羞言語散乱不攝諸根心不專一癡如白羊親近如是惡知識
者失須陁洹果斯陁含果阿那含果阿羅漢果乃至失於生天之樂况涅槃道但能
備集破法罪業與破法者而共從事是人成就不淨身業不淨口業不淨意業不
淨持戒身死之後入於惡趣云何惡趣惡趣名爲地獄畜生餓鬼阿脩羅道復有惡道
如阿由勒虫婆伽羅目佉虫浮弥脩遮迦虫脩暗目迦虫是人多生此諸虫中舍利弗是人
隨惡知識若生人中父母生離死亡喪失親理乘惱國土破壞生八難中捨八樂處

隨惡知識若生人中父母生離无丘壹失親理衆惱國土破壞生八難中捨八樂處
多欲瞋癡常好戲調輕躁无羞言語散亂不能攝心癡如白羊為貪欲瞋恚愚癡
所壞聾瘂盲瞎手脚攣躄其惡知識生无佛處若值佛世目不喜見不喜聞法
不與佛衆而共和合起是惡業惡人共生樂下劣法於邪見中生邪見想於邪見中正見

想是名下欲下起下慧舍利弗下慧之人終不能為厭離滅道涅槃生心舍利弗愚惡
知識而得如是諸衰惱恚有是相狼是人聞是諸深經法驚疑怖畏如墮深坑則墮大罪
深坑塹中何以故舍利弗如經中說破戒比丘有大重罪何因緣故名為破戒破所受戒難可
教語行无常住多所違逆常行貪著多雜穢行貪瞋癡行樂諸雜語名為破戒復有
樂多事務樂多諷誦樂多睡眠所言不慎无有次第說不清淨貪著我人壽者命者是

故名為弊惡比丘不知節量不知沙門法不知婆羅門法樂行醫術販賣求利樂為國使詠
汙諸家樂為白衣給使作務以諸樹葉華菓奉上白衣好為說外道法心常捨離出世間
法未滿二十受具足戒受戒事中有諸不具形體缺少不應於法受生未聚錢帛金銀不
順教悔違師命不自知身不知他人不能分別貴賤老品好喜妄語貪著戒取行事散亂
心不專一面有嗔相樂貪不信不識恩誼多懷貪欲睡眠戲論疑悔瞋恨覆藏惡始自專執嫉妬

諂曲无有慚愧自大放逸憍慢我慢大慢邪慢好行欺詐讚美其身多作方便問利養門候
隨自衣為現親厚因勢得財以誇衆人毀破戒品定慧解品解脫知見品於餘法衆心不至信
不信業報貴於現利謂无後世多諸疑悔志性淺弱常好教為怖舍利弗是名弊惡比丘如是
癡人於我法中便是屎尿是穢不淨是人身口意惡命不清淨故命終之後墮在惡
道入大地獄如是比丘諸佛如來及弟子衆常所遠離餘好道者求滅度者亦皆不近

舍利弗譬如穢種置不淨器同於不淨不復任用如是舍利弗若在家出家親近是人
習効所行亦破戒品不久同惡顏色醜悴破失威儀命終之後生地獄中舍利弗如是惡
人諸佛如來及弟子衆并餘求道好滅度者皆所遠離舍利弗譬如穢種置不淨器不復

BD02353號背 2　佛藏經(異卷)卷二　(20–19)

隨自衣為現親厚因勢得財以誇衆人毀破戒品定慧解品解脫知見品於餘法衆心不至信
不信業報貴於現利謂无後世多諸疑悔志性淺弱常好教為怖舍利弗是名弊惡比丘如是
癡人於我法中便是屎尿是穢不淨是人身口意惡命不清淨故命終之後墮在惡
道入大地獄如是比丘諸佛如來及弟子衆常所遠離餘好道者求滅度者亦皆不近

舍利弗譬如穢種置不淨器同於不淨不復任用如是舍利弗若在家出家親近是人
習効所行亦破戒品不久同惡顏色醜悴破失威儀命終之後生地獄中舍利弗如是惡
人諸佛如來及弟子衆并餘求道好滅度者皆所遠離舍利弗譬如穢種置不淨器不復
任用如是舍利弗若在家出家雖以塗身猶不離不淨舍利弗此惡比丘亦復如是雖坐衆
中著聖法服然是比丘惡相猶現覺行比丘見此不淨遠而不近見他遠離心則瞋恨以是因

緣死入地獄舍利弗名破戒比丘六憂惱背去墮地獄　復次舍利弗破戒比丘聞佛所說如是
等經心不清淨毀呰信樂自知有過便疑此經為我等說不為餘人何以故如我等比丘在此
事故舍利弗如是上妙无比之法破戒比丘乃生瞋恨於說法者心多不信得聞如是佛所說經
違逆不受而作是言此非佛說教語餘人何以故破戒比丘不樂脩道脩道比丘不逆佛語此
皆破戒愚癡惡法謂心不信違逆佛語如是比丘自知有過但生瞋恨嫉慢很戾惡邪
[illegible]不通達无上菩提教語諸人非佛
[illegible]當滅壞是等比丘

BD02353號背 2　佛藏經(異卷)卷二　(20–20)

妙法蓮華經安樂行品第十四
尒時文殊師利法王子菩薩摩訶薩白佛言
世尊是諸菩薩甚為難有敬順佛故發大誓
願於後惡世護持讀誦是法華經世尊菩薩
摩訶薩於後惡世云何能說是經佛告文殊
師利若菩薩摩訶薩於後惡世欲說是經當
安住四法一者安住菩薩行處親近處
衆生演說是經文殊師利云何名菩薩摩訶
薩行處若菩薩摩訶薩住忍辱地柔和善順
而不卒暴心亦不驚又復於法无所行而觀
諸法如實相亦不行不分別是名菩薩摩訶
薩行處云何名菩薩摩訶薩親近處菩薩摩
訶薩不親近國王王子大臣官長不親近諸
外道梵志尼揵子等及造世俗文筆讚詠外
書及路伽耶陁逆路伽耶陁者亦不親近諸
有凶戲相扠相撲及那羅等種種變現
又不親近旃陁羅及畜猪羊雞狗田獵魚捕
諸惡律儀如是人等或時來者則為說法无
所悕望又不親近求聲聞比丘比丘尼優婆
塞優婆夷亦不問訊若於房中若經行處若
在講堂中不共住止或時來者隨宜說法无

BD02354號　妙法蓮華經卷五　（9–1）

諸惡律儀如是人等或時來者則為說法无
所悕望又不親近求聲聞比丘比丘尼優婆
塞優婆夷亦不問訊若於房中若經行處若
在講堂中不共住止或時來者隨宜說法无
所悕求文殊師利又菩薩摩訶薩不應於女
人身取能生欲想相而為說法亦不樂見若
入他家不與小女處女寡女等共語亦復不
近五種不男之人以為親厚不獨入他家若
有因緣須獨入時但一心念佛若為女人說
法不露齒咲不現胷臆乃至為法猶不親厚
況復餘事不樂畜年少弟子沙彌小兒亦不
樂與同師常好坐禪在於閑處脩攝其心文
殊師利是名初親近處復次菩薩摩訶薩觀
一切法空如實相不顛倒不動不退不轉如
虛空无所有性一切語言道斷不生不出不
起无名无相實无所有无量无邊无礙无障
但以因緣有從顛倒生故說常樂觀如是法
相是名菩薩摩訶薩第二親近處尒時世尊
欲重宣此義而說偈言
若有菩薩　於後惡世　无怖畏心　欲說是經
應入行處　及親近處　常離國王　及國王子
大臣官長　兇險戲者　及旃陁羅　外道梵志
亦不親近　增上慢人　貪著小乘　三藏學者
破戒比丘　名字羅漢　及比丘尼　好戲咲者
深著五欲　求現滅度　諸優婆夷　皆勿親近
若是人等　以好心來　到菩薩所　為聞佛道
菩薩則以　无所畏心　不懷悕望　而為說法

BD02354號　妙法蓮華經卷五　（9–2）

破戒比丘 名字羅漢 及比丘尼 好戲咲者
深著五欲 求現滅度 諸優婆夷 皆勿親近
若是人等 以好心來 到菩薩所 為聞佛道
菩薩則以 无所畏心 不懷悕望 而為說法
寡女處女 及諸不男 皆勿親近 以為親厚
亦莫親近 屠兒魁膾 畋獵魚捕 為利殺害
販肉自活 衒賣女色 如是之人 皆勿親近
兇險相撲 種種嬉戲 諸婬女等 盡勿親近
莫獨屏處 為女說法 若說法時 无得戲咲
入里乞食 將一比丘 若无比丘 一心念佛
是則名為 行處近處 以此二處 能安樂說
又復不行 上中下法 有為无為 實不實法
亦不分別 是男是女 不得諸法 不知不見
是則名為 菩薩行處 一切諸法 空无所有
无有常住 亦无起滅 是名智者 所親近處
顛倒分別 諸法有无 是實非實 是生非生
在於閑處 脩攝其心 安住不動 如須弥山
觀一切法 皆无所有 猶如虛空 无有堅固
不生不出 不動不退 常住一相 是名近處
若有比丘 於我滅後 入是行處 及親近處
說斯經時 无有怯弱 菩薩有時 入於靜室
以正憶念 隨義觀法 從禪定起 為諸國王
王子臣民 婆羅門等 開化演暢 說斯經典
其心安隱 无有怯弱 文殊師利 是名菩薩
安住初法 能於後世 說法華經
又文殊師利 如來滅後 於末法中 欲說是經
應住安樂行 若口宣說 若讀經時 不樂說人

BD02354號　妙法蓮華經卷五　（9–3）

安住初法 能於後世 說法華經
又文殊師利 如來滅後 於末法中 欲說是經
應住安樂行 若口宣說 若讀經時 不樂說人
及經典過 亦不輕慢 諸餘法師 不說他人好
惡長短 於聲聞人 亦不稱名 說其過惡 亦不
稱名 讚歎其美 又亦不生 怨嫌之心 善脩如
是安樂心故 諸有聽者 不逆其意 有所難問
不以小乘法荅 但以大乘 而為解說 令得一
切種智 尒時世尊 欲重宣此義 而說偈言
菩薩常樂 安隱說法 於清淨地 而施床座
以油塗身 澡浴塵穢 著新淨衣 內外俱淨
安處法座 隨問為說 若有比丘 及比丘尼
諸優婆塞 及優婆夷 國王王子 群臣士民
以微妙義 和顏為說 若有難問 隨義而荅
因緣譬喻 敷演分別 以是方便 皆使發心
漸漸增益 入於佛道 除嬾墯意 及懈怠想
離諸憂惱 慈心說法 晝夜常說 无上道教
以諸因緣 无量譬喻 開示衆生 咸令歡喜
衣服卧具 飲食醫藥 而於其中 无所悕望
但一心念 說法因緣 願成佛道 令衆亦尒
是則大利 安樂供養 我滅度後 若有比丘
能演說斯 妙法華經 心无嫉恚 諸惱障礙
亦无憂愁 及罵詈者 又无怖畏 加刀杖等
亦无擯出 安住忍故 智者如是 善脩其心
能住安樂 如我上說 其人功德 千万億劫
算數譬喻 說不能盡

BD02354號　妙法蓮華經卷五　（9–4）

亦无損出　安住忍故　智者如是　善脩其心
能住安樂　如我上說　其人功德　千万億劫
筭數譬喻　說不能盡
又文殊師利菩薩摩訶薩於後末世法欲滅
時受持讀誦斯經典者无懷嫉妬諂誑之心
亦勿輕罵學佛道者求其長短若比丘比丘
尼優婆塞優婆夷求聲聞者求辟支佛者求
菩薩道者无得惱之令其疑悔語其人言汝
等去道甚遠終不能得一切種智所以者何
汝是放逸之人於道懈怠故又亦不應戲論
諸法有所諍競當於一切衆生起大悲想於
諸如來起慈父想於諸菩薩起大師想於十
方諸大菩薩常應深心恭敬礼拜於一切衆
生平等說法以順法故不多不少乃至深愛
法者亦不為多說文殊師利是菩薩摩訶薩
於後末世法欲滅時有成就是第三安樂行
者說是法時无能惱亂得好同學共讀誦是
經亦得大衆而來聽受聽已能持持已能誦
誦已能說說已能書若使人書供養經卷恭
敬尊重讚歎尒時世尊欲重宣此義而說偈言
若欲說是經　當捨嫉恚慢　諂誑邪偽心　常脩質直行
不輕蔑於人　亦不戲論法　不令他疑悔　云汝不得佛
是佛子說法　常柔和能忍　慈悲於一切　不生懈怠心
十方大菩薩　愍衆故行道　應生恭敬心　是則我大師
於諸佛世尊　生无上父想　破於憍慢心　說法无障礙
第三法如是　智者應守護　一心安樂行　无量衆所敬
又文殊師利菩薩摩訶薩於後末世法欲滅

BD02354號　妙法蓮華經卷五　（9–5）

於諸佛世尊　生无上父想　破於憍慢心　說法无障礙
第三法如是　智者應守護　一心安樂行　无量衆所敬
又文殊師利菩薩摩訶薩於後末世法欲滅
時有持法華經者於在家出家人中生大慈
心於非菩薩人中生大悲心應作是念如是
之人則為大失如來方便隨宜說法不聞不
知不覺不問不信不解其人雖不問不信不
解是經我得阿耨多羅三藐三菩提時隨在
何地以神通力智慧力引之令得住是法中
文殊師利是菩薩摩訶薩於如來滅後有成
就此第四法者說是法時无有過失常為比
丘比丘尼優婆塞優婆夷國王王子大臣人
民婆羅門居士等供養恭敬尊重讚歎虛空
諸天為聽法故亦常隨侍若在聚落城邑空
閑林中有人來欲難問者諸天晝夜常為法
故而衛護之能令聽者皆得歡喜所以者何
此經是一切過去未來現在諸佛神力所護
故文殊師利是法華經於无量國中乃至名
字不可得聞何況得見受持讀誦文殊師利
譬如強力轉輪聖王欲以威勢降伏諸國而
諸小王不順其命時轉輪王起種種兵而往
討伐王見兵衆戰有功者即大歡喜隨功賞
賜或與田宅聚落城邑或與衣服嚴身之具
或與種種珍寶金銀瑠璃車𤦲馬瑙珊瑚虎
珀象馬車乘奴婢人民唯髻中明珠不以與
之所以者何獨王頂上有此一珠若以與之

BD02354號　妙法蓮華經卷五　（9–6）

賜或與田宅聚落城邑或與衣服嚴身之具
或與種種珍寶金銀瑠璃車𤦲馬瑙珊瑚虎
珀象馬車乘奴婢人民唯髻中明珠不以與
之所以者何獨王頂上有此一珠若以與之
王諸眷屬必大驚恠文殊師利如來亦復如
是以禪定智慧力得法國土王於三界而諸
魔王不肯順伏如來賢聖諸將與之共戰其
有功者心亦歡喜於四衆中為說諸經令其
心悅賜以禪定解脫无漏根力諸法之財又
復賜與涅槃之城言得滅度引導其心令皆
歡喜而不為說是法華經文殊師利如轉輪
王見諸兵衆有大功者心甚歡喜以此難信
之珠久在髻中不妄與人而今與之如來亦
復如是於三界中為大法王以法教化一切
衆生見賢聖軍與五陰魔煩惱魔死魔共戰
有大功勳滅三毒出三界破魔網尒時如來亦
大歡喜此法華經能令衆生至一切智一切
世間多怨難信先所未說而今說之文殊師
利此法華經是諸如來第一之說於諸說中
最為甚深末後賜與如彼强力之王久護
明珠今乃與之文殊師利此法華經諸佛如
來秘密之藏於諸經中最在其上長夜守護
不妄宣說始於今日乃與汝等而敷演之尒
時世尊欲重宣此義而說偈言
常行忍辱　哀愍一切　乃能演說　佛所讚經
後末世時　持此經者　於家出家　及非菩薩
應生慈悲　斯等不聞　不信是經　則為大失

BD02354 號　妙法蓮華經卷五　(9–7)

時世尊欲重宣此義而說偈言
常行忍辱　哀愍一切　乃能演說　佛所讚經
後末世時　持此經者　於家出家　及非菩薩
應生慈悲　斯等不聞　不信是經　則為大失
我得佛道　以諸方便　為說此法　令住其中
譬如强力　轉輪之王　兵戰有功　賞賜諸物
象馬車乘　嚴身之具　及諸田宅　聚落城邑
或與衣服　種種珍寶　奴婢財物　歡喜賜與
如有勇健　能為難事　王解髻中　明珠賜之
如來亦尒　為諸法王　忍辱大力　智慧寶藏
以大慈悲　如法化世　見一切人　受諸苦惱
欲求解脫　與諸魔戰　為是衆生　說種種法
以大方便　說此諸經　既知衆生　得其力已
末後乃為　說是法華　如王解髻　明珠與之
此經為尊　衆經中上　我常守護　不妄開示
今正是時　為汝等說　我滅度後　求佛道者
欲得安隱　演說斯經　應當親近　如是四法
讀是經者　常无憂惱　又无病痛　顏色鮮白
不生貧窮　卑賤醜陋　衆生樂見　如慕賢聖
天諸童子　以為給使　刀杖不加　毒不能害
若人惡罵　口則閉塞　遊行无畏　如師子王
智慧光明　如日之照　若於夢中　但見妙事
見諸如來　坐師子座　諸比丘衆　圍繞說法
又見龍神　阿脩羅等　數如恒沙　恭敬合掌
自見其身　而為說法　又見諸佛　身相金色
放无量光　照於一切　以梵音聲　演說諸法

BD02354 號　妙法蓮華經卷五　(9–8)

智慧光明　如日之照　若於夢中　但見妙事
見諸如來　坐師子座　諸比丘衆　圍繞說法
又見龍神　阿修羅等　數如恒沙　恭敬合掌
自見其身　而為說法　又見諸佛　身相金色
放无量光　照於一切　以梵音聲　演說諸法
佛為四衆　說无上法　見身處中　合掌讚佛
聞法歡喜　而為供養　得陀羅尼　證不退智
佛知其心　深入佛道　即為授記　成最正覺
汝善男子　當於來世　得无量智　佛之大道
國土嚴淨　廣大无比　亦有四衆　合掌聽法
又見自身　在山林中　修習善法　證諸實相
深入禪定　見十方佛
諸佛身金色　百福相莊嚴　聞法為人說　常有是好夢
又夢作國王　捨宮殿眷屬　及上妙五欲　行詣於道場
在菩提樹下　而處師子座　求道過七日　得諸佛之智
成无上道已　起而轉法輪　為四衆說法　經千萬億劫
說无漏妙法　度无量衆生　後當入涅槃　如烟盡燈滅
若後惡世中　說是第一法　是人得大利　如上諸功德

BD02354號　妙法蓮華經卷五

（9–9）

華如須弥山并以供
百千
華供養已各以宮殿奉上彼佛而作是言唯
見哀愍饒益我等所獻宮殿願垂納受尒時
諸梵天王即於佛前一心同聲以偈頌曰
世尊甚難見　破諸煩惱者　過百三十劫　今乃得一見
諸飢渴衆生　以法雨充滿　昔所未曾覩　无量智慧者
如優曇波羅　今日乃值遇　我等諸宮殿　蒙光故嚴飾
世尊大慈愍　唯願垂納受
尒時諸梵天王偈讚佛已各作是言唯願世
尊轉於法輪令一切世間諸天魔梵沙門婆
羅門皆獲安隱而得度脫時諸梵天王一心
同聲以偈頌曰
唯願天人尊　轉无上法輪　擊于大法鼓　而吹大法螺
普雨大法雨　度无量衆生　我等咸歸請　當演深遠音
尒時大通智勝如来嘿然許之西南方乃至
下方亦復如是尒時上方五百萬億國土諸
大梵王皆悉自覩所止宮殿光明威曜昔所
未有歡喜踊躍生希有心即各相詣共議此

BD02355號　妙法蓮華經卷三

（10–1）

尒時大通智勝如來嘿然許之西南方乃至
下方亦復如是尒時上方五百萬億國土諸
大梵王皆悉自覩所止宮殿光明威曜昔所
未有歡喜踊躍生希有心即各相詣共議此
事以何因緣我等宮殿有斯光明時彼衆中
有一大梵天王名曰尸棄為諸梵衆而說偈
言
今以何因緣　我等諸宮殿　威德光明曜　嚴飾未曾有
如是之妙相　昔所未聞見　為大德天生　為佛出世間
尒時五百萬億諸梵天王與宮殿俱各以衣
裓盛諸天華共詣下方推尋是相見大通智
勝如來處于道場菩提樹下坐師子座諸天
龍王乾闥婆緊那羅摩睺羅伽人非人等
恭敬圍遶及見十六王子請佛轉法輪時諸
梵天王頭面禮佛遶百千匝即以天華而散
佛上所散之華如須弥山并以供養佛菩提
樹華供養已各以宮殿奉上彼佛而作是言
唯見哀愍饒益我等所獻宮殿願垂納處時
諸梵天王即於佛前一心同聲以偈頌曰
善哉見諸佛　救世之聖尊　能於三界獄　勉出諸衆生
普智天人尊　哀愍群萌類　能開甘露門　廣度於一切
於昔无量劫　空過无有佛　世尊未出時　十方常闇瞑
三惡道增長　阿脩羅亦盛　諸天衆轉減　死多墮惡道
不從佛聞法　常行不善事　色力及智慧　斯等皆減少
罪業因緣故　失樂及樂想　住於邪見法　不識善儀則
不蒙佛所化　常墮於惡道　佛為世間眼　久遠時乃出
哀愍諸衆生　故現於世間　超出成正覺　我等甚欣慶
及餘一切衆　喜歎未曾有　我等諸宮殿　蒙光故嚴飾

BD02355號　妙法蓮華經卷三　（10–2）

不蒙佛所化　常墮於惡道　佛為世間眼　久遠時乃出
哀愍諸衆生　故現於世間　超出成正覺　我等甚欣慶
及餘一切衆　喜歎未曾有　我等諸宮殿　蒙光故嚴飾
今以奉世尊　唯垂哀納受　願以此功德　普及於一切
我等與衆生　皆共成佛道
尒時五百萬億諸梵天王偈讚佛已各白佛
言唯願世尊轉於法輪多所安隱多所度脫
時諸梵天王而說偈言
世尊轉法輪　擊甘露法鼓　度苦惱衆生　開示涅槃道
唯願受我請　以大微妙音　哀愍而敷演　无量劫習法
尒時大通智勝如來受十方諸梵天王及十
六王子請即時三轉十二行法輪若沙門婆
羅門若天魔梵及餘世間所不能轉謂是苦
是苦集是苦滅是苦滅道及廣說十二因緣
法无明緣行行緣識識緣名色名色緣六入
六入緣觸觸緣受受緣愛愛緣取取緣有有
緣生生緣老死憂悲苦惱无明滅則行滅行
滅則識滅識滅則名色滅名色滅則六入滅
六入滅則觸滅觸滅則受滅受滅則愛滅愛
滅則取滅取滅則有滅有滅則生滅生滅則
老死憂悲苦惱滅佛於天人大衆之中說是
法時六百萬億那由他人以不受一切法故
而於諸漏心得解脫皆得深妙禪定三明六
通具八解脫第二第三第四說法時千萬億
恒河沙那由他等衆生亦以不受一切法故
而於諸漏心得解脫從是已後諸聲聞衆无
量无邊不可稱數尒時十六王子皆以童子

BD02355號　妙法蓮華經卷三　（10–3）

恒河沙那由他等衆生亦以不受一切法故
而於諸漏心得解脫從是已後諸聲聞衆无
量无邊不可稱數尒時十六王子皆以童子
出家而爲沙弥諸根通利智恵明了已曾供
養百千萬億諸佛淨脩梵行求阿耨多羅三
藐三菩提倶白佛言世尊是諸无量千萬億
大德聲聞皆已成就世尊亦當爲我等說阿
耨多羅三藐三菩提法我等聞已皆共脩學
世尊我等志願如來知見深心所念佛自證
知尒時轉輪聖王所將衆中八萬億人見十
六王子出家亦求出家王即聽許尒時彼佛
受沙弥請過二萬劫已乃於四衆之中說是
大乘經名妙法蓮華教菩薩法佛所護念說
是經已十六沙弥爲阿耨多羅三藐三菩提
故皆共受持諷誦通利說是經時十六菩薩
沙弥皆悉信受聲聞衆中亦有信解其餘衆
生千萬億種皆生疑惑佛說是經於八千劫
未曾休廢說此經已即入靜室住於禪定八
萬四千劫是時十六菩薩沙弥知佛入室寂
然禪定各昇法座亦於八萬四千劫爲四部
衆廣說分別妙法華經一一皆度六百萬億
那由他恒河沙等衆生示教利喜令發阿耨
多羅三藐三菩提心大通智勝佛過八萬四
千劫已從三昧起住詣法座安詳而坐普告
大衆是十六菩薩沙弥甚爲希有諸根通利
智慧明了已曾供養无量千萬億數諸佛於
諸佛所常脩梵行受持佛智開示衆生令入

BD02355號　妙法蓮華經卷三　（10–4）

千劫已從三昧起住詣法座安詳而坐普告
大衆是十六菩薩沙弥甚爲希有諸根通利
智慧明了已曾供養无量千萬億數諸佛於
諸佛所常脩梵行受持佛智開示衆生令入
其中汝等皆當數數親近而供養之所以者
何若聲聞辟支佛及諸菩薩能信是十六菩
薩所說經法受持不毀者是人皆當得阿耨
多羅三藐三菩提如來之恵佛告諸比丘是
十六菩薩常樂說是妙法蓮華經一一菩薩
所化六百萬億那由他恒河沙等衆生世世
所生與菩薩倶從其聞法悉皆信解以此因
緣得值四萬億諸佛世尊于今不盡諸比丘
我今語汝彼佛弟子十六沙弥今皆得阿耨
多羅三藐三菩提於十方國土現在說法有
无量百千萬億菩薩聲聞以爲眷屬其二沙
弥東方作佛一名阿閦在歡喜國二名須弥
頂東南方二佛一名師子音二名師子相南
方二佛一名虛空住二名常滅西南方二佛
一名帝相二名梵相西方二佛一名阿弥陁
二名度一切世間苦惱西北方二佛一名多
摩羅跋栴檀香神通二名須弥相北方二佛
一名雲自在二名雲自在王東北方佛名壞
一切世間怖畏第十六我釋迦牟尼佛於娑
婆國土成阿耨多羅三藐三菩提諸比丘我
等爲沙弥時各各教化无量百千萬億恒河
沙等衆生從我聞法爲阿耨多羅三藐三菩
提此諸衆生于今有住聲聞地者我常教化

BD02355號　妙法蓮華經卷三　（10–5）

等為沙彌時各各教化无量百千萬億恒河
沙等衆生從我聞法為阿耨多羅三藐三菩
提此諸衆生于今有住聲聞地者我常教化
阿耨多羅三藐三菩提是諸人等應以是法
漸入佛道所以者何如來智惠難信難解尒
時所化无量恒河沙等衆生者汝等諸比丘
及我滅度後未來世中聲聞弟子是也我滅
度後復有弟子不聞是經不知不覺菩薩所
行自於所得功德生滅度想當入涅槃我於
餘國作佛更有異名是人雖生滅度之想入
於涅槃而於彼土求佛智惠得聞是經唯以
佛乘而得滅度更无餘乘除諸如來方便說
法諸比丘若如來自知涅槃時到衆又清淨
信解堅固了達空法深入禪定便集諸菩薩
及聲聞衆為說是經世間无有二乘而得滅
度唯一佛乘得滅度耳比丘當知如來方便
深入衆生之性知其志樂小法深著五欲為
是等故說於涅槃是人若聞則便信受譬如
五百由旬險難惡道曠絕无人怖畏之處若
有多衆欲過此道至珎寶處有一導師聰惠
明達善知險道通塞之相將導衆人欲過此
難所將人衆中路懈退白導師言我等疲極
而復怖畏不能復進前路猶遠今欲退還導
師多諸方便而作是念此等可愍云何捨大
珎寶而欲退還作是念已以方便力於險道
中過三百由旬化作一城告衆人言汝等勿

師多諸方便而作是念此等可愍云何捨大
珎寶而欲退還作是念已以方便力於險道
中過三百由旬化作一城告衆人言汝等勿
怖莫得退還今此大城可於中止隨意所作
若入是城快得安隱若能前至寶所亦可得
去是時疲極之衆心大歡喜歎未曾有我等
今者免斯惡道快得安隱於是衆人前入化
城生已度想生安隱想尒時導師知此人衆
既得止息无復疲惓即滅化城語衆人言汝
等去來寶處在近向者大城我所化作為止
息耳諸比丘如來亦復如是今為汝等作大
導師知諸生死煩惱惡道險難長遠應去應
度若衆生但聞一佛乘者則不欲見佛不欲
親近便作是念佛道長遠久受勤苦乃可得
成佛知是心怯弱下劣以方便力而於中道
為止息故說二涅槃若衆生住於二地如來
尒時即便為說汝等所作未辦汝所住地近
於佛惠當觀察籌量所得涅槃非真實也但
是如來方便之力於一佛乘分別說三如
彼導師為止息故化作大城既知息已而告
之言寶處在近此城非實我化作耳尒時世
尊欲重宣此義而說偈言
大通智勝佛　十劫坐道場　佛法不現前　不得成佛道
諸天神龍王　阿脩羅衆等　常雨於天華　以供養彼佛
諸天擊天鼓　并作衆伎樂　香風吹萎華　更雨新好者
過十小劫已　乃得成佛道　諸天及世人　心皆懷踊躍
彼佛十六子　并與其眷屬　千萬億圍遶　俱行至佛所

諸天擊天鼓　并作眾伎樂　香風吹萎華　更雨新好者
過十小劫已　乃得成佛道　諸天及世人　心皆懷踊躍
彼佛十六子　皆與其眷屬　千萬億圍遶　俱行至佛所
頭面礼佛足　而請轉法輪　聖師子法雨　充我及一切
世尊甚難值　久遠時一現　為覺悟群生　震動於一切
東方諸世界　五百萬億國　梵宮殿光曜　昔所未曾有
諸梵見此相　尋來至佛所　散華以供養　并奉上宮殿
請佛轉法輪　以偈而讚歎　佛知時未至　受請嘿然坐
三方及四維　上下亦復尒　散華奉宮殿　請佛轉法輪
世尊甚難值　願以大慈悲　廣開甘露門　轉无上法輪
无量慧世尊　受彼眾人請　為宣種種法　四諦十二緣
无明至老死　皆從生緣有　如是眾過患　汝等應當知
宣暢是法時　六百萬億姟　得盡諸苦際　皆成阿羅漢
第二說法時　千萬恒沙眾　於諸法不受　亦得阿羅漢
從是後得道　其數无有量　萬億劫筭數　不能得其邊
時十六王子　出家作沙彌　皆共請彼佛　演說大乘法
我等及營從　皆當成佛道　願得如世尊　慧眼第一淨
佛知童子心　宿世之所行　以无量因緣　種種諸譬喻
說六波羅蜜　及諸神通事　分別真實法　菩薩所行道
說是法華經　如恒河沙偈
彼佛說經已　靜室入禪定　一心一處坐　八萬四千劫
是諸沙彌等　知佛禪未出　為无量億眾　說佛无上慧
各各坐法座　說是大乘經　於佛宴寂後　宣揚助法化
一一沙彌等　所度諸眾生　有六百萬億　恒河沙等眾
彼佛滅度後　是諸聞法者　在在諸佛土　常與師俱生
是十六沙彌　具足行佛道　今現在十方　各得成正覺

BD02355號　妙法蓮華經卷三　（10-8）

彼佛滅度後　是諸聞法者　在在諸佛土　常與師俱生
是十六沙彌　具足行佛道　今現在十方　各得成正覺
尒時聞法者　各在諸佛所　其有住聲聞　漸教以佛道
我在十六數　曾亦為汝說　是故以方便　引汝趣佛慧
以是本因緣　今說法華經　令汝入佛道　慎勿懷驚懼
譬如險惡道　迥絕多毒獸　又復无水草　人所怖畏處
无數千萬眾　欲過此險道　其路甚曠遠　經五百由旬
時有一導師　強識有智慧　明了心決定　在險濟眾難
眾人皆疲惓　而白導師言　我等今頓乏　於此欲退還
導師作是念　此輩甚可愍　如何欲退還　而失大珍寶
尋時思方便　當設神通力　化作大城郭　莊嚴諸舍宅
周匝有園林　渠流及浴池　重門高樓閣　男女皆充滿
即作是化已　慰眾言勿懼　汝等入此城　各可隨所樂
諸人既入城　心皆大歡喜　皆生安隱想　自謂已得度
導師知息已　集眾而告言　汝等當前進　此是化城耳
我見汝疲極　中道欲退還　故以方便力　權化作此城
汝今勤精進　當共至寶所　我亦復如是　為一切導師
見諸求道者　中路而懈廢　不能度生死　煩惱諸險道
故以方便力　為息說涅槃　言汝等苦滅　所作皆已辦
既知到涅槃　皆得阿羅漢　尒乃集大眾　為說真實法
諸佛方便力　分別說三乘　唯有一佛乘　息處故說二
今為汝說實　汝所得非滅　為佛一切智　當發大精進
汝證一切智　十力等佛法　具三十二相　乃是真實滅
諸佛之導師　為息說涅槃　既知是息已　引入於佛慧

妙法蓮華經卷第三

BD02355號　妙法蓮華經卷三　（10-9）

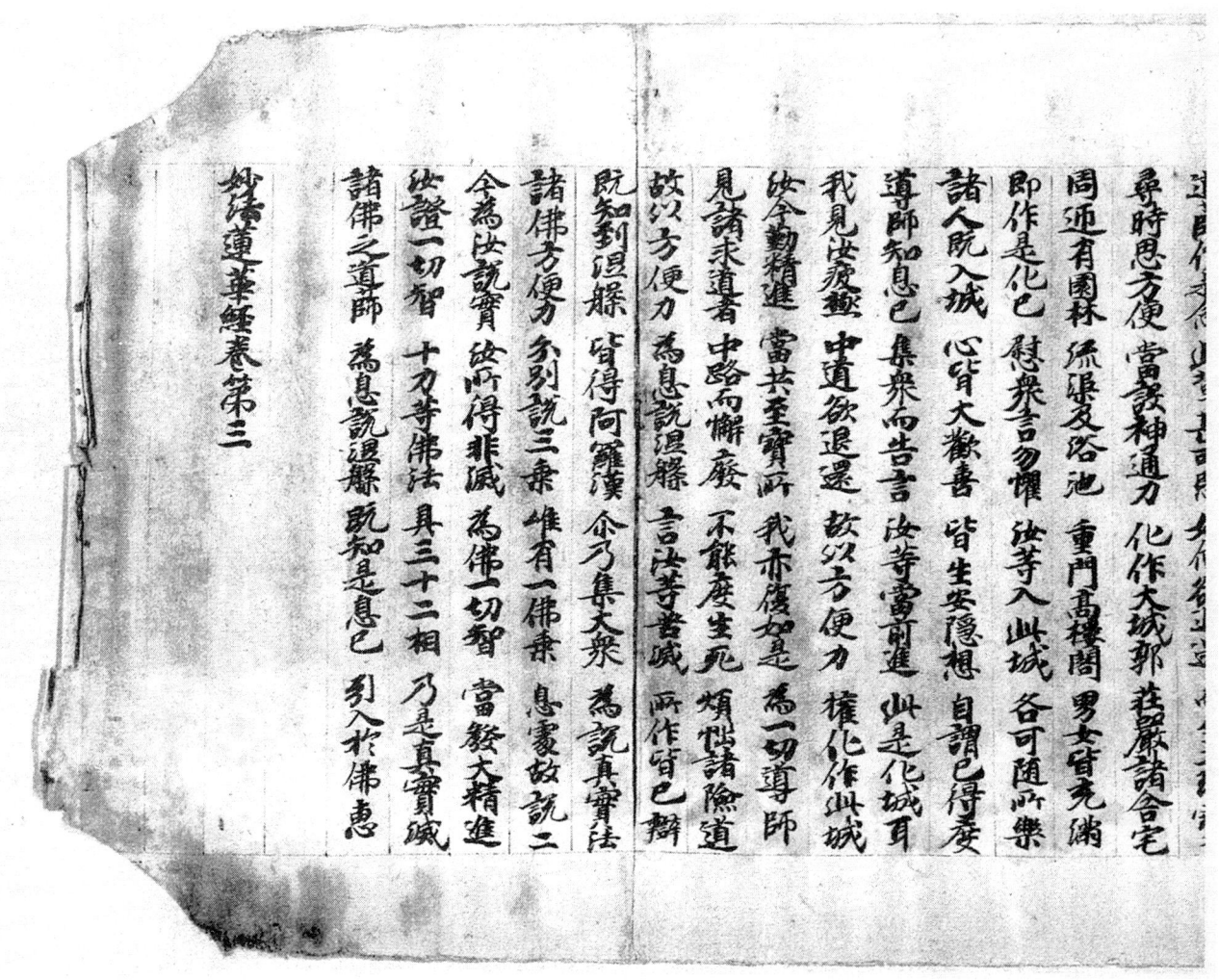

尋時思方便　當設神通力　化作大城郭　莊嚴諸舍宅
周匝有園林　渠流及浴池　重門高樓閣　男女皆充滿
即作是化已　慰衆言勿懼　汝等入此城　各可隨所樂
諸人既入城　心皆大歡喜　皆生安隱想　自謂已得度
導師知息已　集衆而告言　汝等當前進　此是化城耳
我見汝疲極　中道欲退還　故以方便力　權化作此城
汝今勤精進　當共至寶所　我亦復如是　為一切導師
見諸求道者　中路而懈廢　不能度生死　煩惱諸險道
故以方便力　為息說涅槃　言汝等苦滅　所作皆已辦
既知到涅槃　皆得阿羅漢　尒乃集大衆　為說真實法
諸佛方便力　分別說三乘　唯有一佛乘　息處故說二
今為汝說實　汝所得非滅　為佛一切智　當發大精進
汝證一切智　十力等佛法　具三十二相　乃是真實滅
諸佛之導師　為息說涅槃　既知是息已　引入於佛慧

妙法蓮華經卷第三

BD02355 號　妙法蓮華經卷三　（10–10）

行之道，當得作佛，号曰華光如來、應供、正遍
知、明行足、善逝、世間解、无上士、調御丈夫、天
人師、佛、世尊。國名離垢，其土平正，清淨嚴飾，
安隱豐樂，天人熾盛。瑠璃為地，有八交道，黃
金為繩，以界其側。其傍各有七寶行樹，常有
華果。華光如來亦以三乘教化衆生。舍利弗！
彼佛出時，雖非惡世，以本願故，說三乘法。其
劫名大寶莊嚴。何故名曰大寶莊嚴？其國中
以菩薩為大寶故。彼諸菩薩，无量无邊，不可
思議，筭數譬喻所不能及，非佛智力无能知
者。若欲行時，寶華承足。此諸菩薩，非初發意，
皆久殖德本，於无量百千萬億佛所淨修梵
行，恒為諸佛之所稱歎，常修佛慧，具大神通，
善知一切諸法之門，質直无偽，志念堅固。如
是菩薩，充滿其國。舍利弗！華光佛壽十二小
劫，除為王子未作佛時。其國人民壽八小
劫。華光如來過十二小劫，授堅滿菩薩阿耨
多羅三藐三菩提記，告諸比丘：是堅滿菩薩
次當作佛，号曰華足安行、多陀阿伽度、阿羅
訶、三藐三佛陀，其佛國土亦復如是……

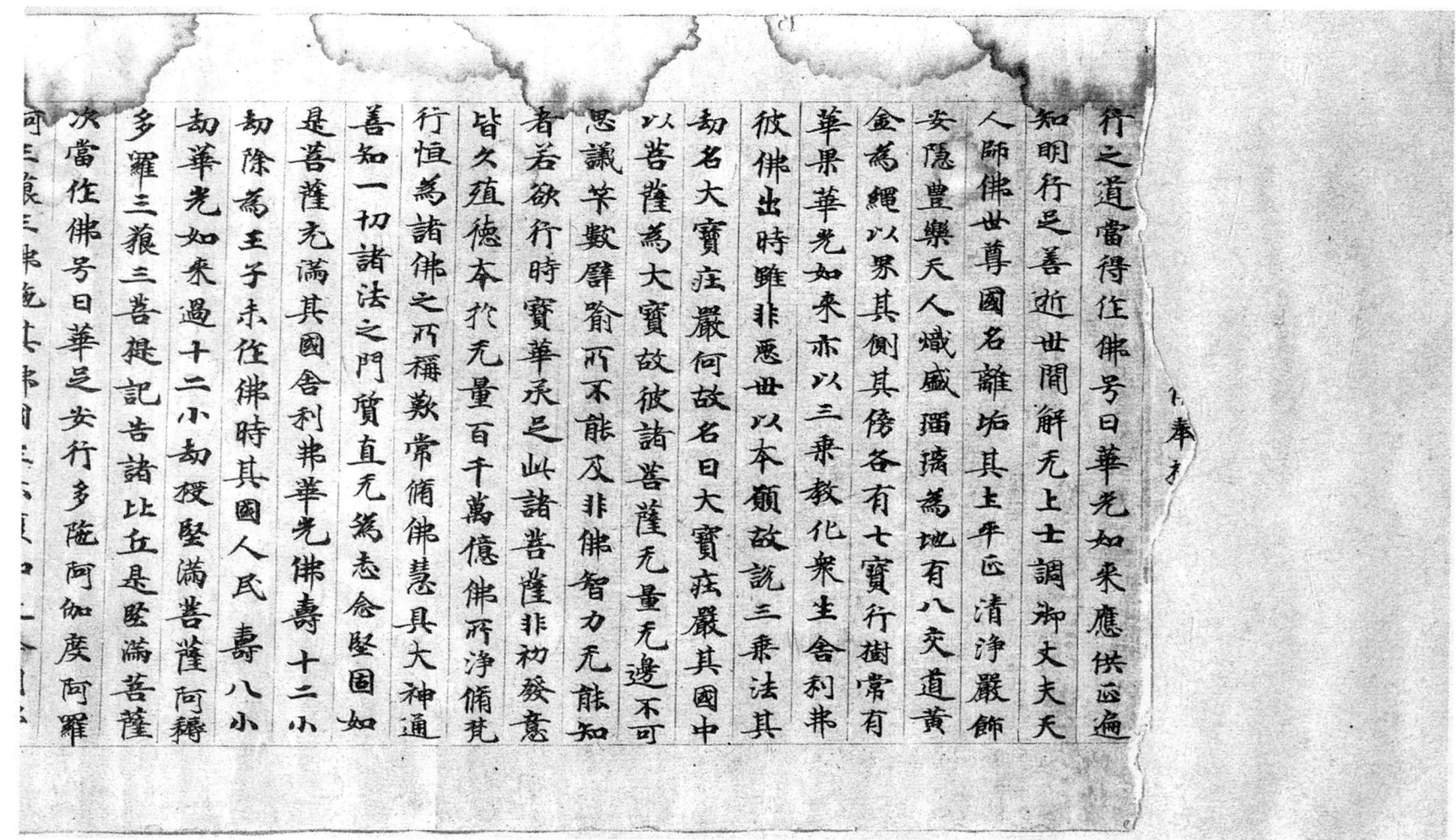

BD02356 號　妙法蓮華經卷二　（2–1）

者若欲行時寶華承足此諸菩薩非初發意
皆久殖德本於无量百千萬億佛所淨脩梵
行恒為諸佛之所稱歎常脩佛慧具大神通
善知一切諸法之門質直无偽志念堅固如
是菩薩充滿其國舍利弗華光佛壽十二小
劫除為王子未作佛時其國人民壽八小
劫華光如來過十二小劫授堅滿菩薩阿耨
多羅三藐三菩提記告諸比丘是堅滿菩薩
次當作佛号曰華足安行多陀阿伽度阿羅
訶三藐三佛陁其佛國土亦復如是舍利弗
是華光佛滅度之後正法住世三十二小劫
像法住世亦三十二小劫尒時世尊欲重宣
此義而說偈言
舍利弗來世　成佛普智尊　号名曰華光　當度无量眾
供養无數佛　具足菩薩行　十力等功德　證於无上道
過无量劫已　劫名大寶嚴　世界名離垢　清淨无瑕穢

BD02356號　妙法蓮華經卷二　（2–2）

大乘无量壽經
如是我聞一時薄伽梵在舍衛國祇樹給孤獨園與大苾蒭僧千二百五十人大菩
薩摩訶薩眾俱同會坐尒時世尊告曼殊室利童子曰上方有世界名无
量功德聚彼土有佛号无量智決定王如來阿耨多羅三藐三菩提現為眾
生開示說法曼殊師聽南閻浮提人皆短壽大限百年於中枉橫死者眾多
曼殊如是无量壽如來功德稱法要若有眾生得聞名号若自書若使人書供為
經卷受持讀誦若於舍宅所住之處以種種花鬘瓔珞塗香末香而為供養如其命
盡復得延年滿足百歲如是曼殊若有眾生得聞是无量壽智決定王如來一百八名
号者益其長壽若有眾生大命將盡憶念是如來名号更得增壽如是曼殊若有善
男子善女人欲求長命於是无量壽如來一百八名号更有得聞者或自書若使人書受持
讀誦得如是等果報福得具足陁羅尼曰
南謨薄伽勃底一 阿波唎蜜多二 阿喻紇硯娜三 須毗你至指陁四 羅佐耶五 怛他揭他耶六 怛姪他七 唵薩婆桑悉迦
羅八 波唎輸底九 達磨底十 伽迦娜十一 莎訶莎持迦底十二 摩訶娜耶十四 波唎婆嚟莎訶十五
世尊復告曼殊室利如是如來一百八名号若有自書或使人書能為經卷受持讀誦者壽
命盡復滿百年壽終此身後得往生无量福智世界无量壽淨土陁羅尼曰
南謨薄伽勃底一 阿波唎蜜多二 阿喻紇硯娜三 須毗你至指陁四 囉佐耶五 怛他揭他耶六 怛姪他七 唵薩
婆桑悉迦羅八 波唎輸底九 達磨底十 伽迦娜十一 莎訶莎持迦底十二 薩婆婆毗輸底十三 摩訶娜耶十四 波唎婆嚟莎訶十五
尒時復有九十九殑伽佛一時同聲說是无量壽宗要經陁羅尼曰
南謨薄伽勃底一 阿波唎蜜多二 阿喻紇硯娜三 須毗你至指陁四 羅佐耶五 怛他揭他耶六 怛姪他七 唵薩婆桑悉迦
羅八 波唎輸底九 達磨底十 伽迦娜十一 莎訶莎持迦底十二 薩婆婆毗輸底十三 摩訶娜耶十四 波唎婆嚟莎訶十五
尒時復有一百四殑伽佛一時同聲說是无量壽宗要經陁羅尼曰

BD02357號1　無量壽宗要經　（14–1）

尒時復有九十九姟佛一時同聲說是无量壽宗要經陁羅尼曰
南謨薄伽勃底一阿波唎蜜多二阿喻紇硯那三須毗你失指陁四囉佐耶五怛他羯他耶六怛姪他七薩婆桑悉迦
囉八波唎輸底九達磨底十伽伽那十一莎訶娑謨嗢伽底十二莎婆皤毗輸底十三摩訶娜耶十四波唎婆𠸪莎訶十五
尒時復有一百四姟佛一時同聲說是无量壽宗要經陁羅尼曰
南謨薄伽勃底一阿波唎蜜多二阿喻紇硯那三須毗你失指陁四囉佐耶五怛他羯他耶六怛姪他七薩婆桑悉迦囉八
波唎輸底九達磨底十伽伽那十一莎訶娑謨嗢伽底十二莎婆皤毗輸底十三摩訶娜耶十四波唎婆𠸪莎訶十五
尒時復有七姟佛一時同聲說量无壽宗要經陁羅尼曰
南謨薄伽勃底一阿波唎蜜多二阿喻紇硯那三須毗你失指陁四囉佐耶五怛他羯他耶六怛姪他七薩婆桑悉
迦囉八波唎輸底九達磨底十伽伽那十一莎訶娑謨嗢伽底十二莎婆皤毗輸底十三摩訶娜耶十四波唎婆𠸪莎訶十五
尒時復有六十五姟佛一時同聲說是无量壽宗要經陁羅尼曰
南謨薄伽勃底一阿波唎蜜多二阿喻紇硯那三須毗你失指陁四囉佐耶五怛他羯他耶六怛姪他七薩婆桑悉迦囉八
波唎輸底九達磨底十伽伽那十一莎訶娑謨嗢伽底十二莎婆皤毗輸底十三摩訶娜耶十四波唎婆𠸪莎訶十五
尒時復有五十五姟佛一時同聲說是无量壽宗要經陁羅尼曰
南謨薄伽勃底一阿波唎蜜多二阿喻紇硯那三須毗你失指陁四囉佐耶五怛他羯他耶六怛姪他七薩婆桑悉迦囉八
波唎輸底九達磨底十伽伽那十一莎訶娑謨嗢伽底十二莎婆皤毗輸底十三摩訶娜耶十四波唎婆𠸪莎訶十五
尒時復有四十五姟佛一時同聲說是无量壽宗要經陁羅尼曰
南謨薄伽勃底一阿波唎蜜多二阿喻紇硯那三須毗你失指陁四囉佐耶五怛他羯他耶六怛姪他七薩婆桑悉迦囉八
波唎輸底九達磨底十伽伽那十一莎訶娑謨嗢伽底十二莎婆皤毗輸底十三摩訶娜耶十四波唎婆𠸪莎訶十五
尒時復有三十五姟佛一時同聲說是无量壽宗要經陁羅尼曰
南謨薄伽勃底一阿波唎蜜多二阿喻紇硯那三須毗你失指陁四囉佐耶五怛他羯他耶六怛姪他七薩婆桑悉迦
囉八波唎輸底九達磨底十伽伽那十一莎訶娑謨嗢伽底十二莎婆皤毗輸底十三摩訶娜耶十四波唎婆𠸪莎訶十五
尒時復有二十五姟佛一時同聲說是无量壽宗要經陁羅尼曰
南謨薄伽勃底一阿波唎蜜多二阿喻紇硯那三須毗你失指陁四囉佐耶五怛他羯他耶六怛姪他七薩婆桑悉
迦囉八波唎輸底九達磨底十伽伽那十一莎訶娑謨嗢伽底十二莎婆皤毗輸底十三摩訶娜耶十四波唎婆𠸪莎訶十五
尒時復有恒河沙姟佛一時同聲說是无量壽宗要經陁羅尼曰
南謨薄伽勃底一阿波唎蜜多二阿喻紇硯那三須毗你失指陁四囉佐耶五怛他羯他耶六怛姪他七薩婆桑悉
迦囉八波唎輸底九達磨底十伽伽那十一莎訶娑謨嗢伽底十二莎婆皤毗輸底十三摩訶娜耶十四波唎婆𠸪莎訶十五
善男子若有自書寫教人書寫是无量壽宗要經如其命盡復得長壽而滿百年陁羅尼曰
南謨薄伽勃底一阿波唎蜜多二阿喻紇硯那三須毗你失指陁四囉佐耶五怛他羯他耶六怛姪他七薩婆桑悉迦囉八
波唎輸底九達磨底十伽伽那十一莎訶娑謨嗢伽底十二莎婆皤毗輸底十三摩訶娜耶十四波唎婆𠸪莎訶十五
若有自書寫教人書寫是无量壽宗要經如其命盡復得長壽而滿百年陁羅尼曰

BD02357 號 1　無量壽宗要經　（14–2）

尒時復有恒河沙姟佛一時同聲說是无量壽宗要經陁羅尼曰
南謨薄伽勃底一阿波唎蜜多二阿喻紇硯那三須毗你失指陁四囉佐耶五怛他羯他耶六怛姪他七薩婆桑悉迦
囉八波唎輸底九達磨底十伽伽那十一莎訶娑謨嗢伽底十二莎婆皤毗輸底十三摩訶娜耶十四波唎婆𠸪莎訶十五
善男子若有自書寫教人書寫是无量壽宗要經如其命盡復得長壽而滿百年陁羅尼曰
南謨薄伽勃底一阿波唎蜜多二阿喻紇硯那三須毗你失指陁四囉佐耶五怛他羯他耶六怛姪他七薩婆桑悉迦囉八
波唎輸底九達磨底十伽伽那十一莎訶娑謨嗢伽底十二莎婆皤毗輸底十三摩訶娜耶十四波唎婆𠸪莎訶十五
若有自書寫教人書寫是无量壽宗要經如其命盡復得長壽而滿百年陁羅尼曰
南謨薄伽勃底一阿波唎蜜多二阿喻紇硯那三須毗你失指陁四囉佐耶五怛他羯他耶六怛姪他七薩婆桑悉迦
囉八波唎輸底九達磨底十伽伽那十一莎訶娑謨嗢伽底十二莎婆皤毗輸底十三摩訶娜耶十四波唎婆𠸪莎訶十五
若有自書寫教人書寫是无量壽宗要經受持讀誦如同書寫八万四千一切經典陁羅尼曰
南謨薄伽勃底一阿波唎蜜多二阿喻紇硯那三須毗你失指陁四囉佐耶五怛他羯他耶六怛姪他七薩婆桑悉
迦囉八波唎輸底九達磨底十伽伽那十一莎訶娑謨嗢伽底十二莎婆皤毗輸底十三摩訶娜耶十四波唎婆𠸪莎訶十五
若有自書寫教人書寫是无量壽宗要經即是書寫八万四千部建立塔廟陁羅尼曰
南謨薄伽勃底一阿波唎蜜多二阿喻紇硯那三須毗你失指陁四囉佐耶五怛他羯他耶六怛姪他七薩婆桑悉
迦囉八波唎輸底九達磨底十伽伽那十一莎訶娑謨嗢伽底十二莎婆皤毗輸底十三摩訶娜耶十四波唎婆𠸪莎訶十五
若有自書寫教人書寫是无量壽宗要經能消五无間等一切重罪陁羅尼曰
南謨薄伽勃底一阿波唎蜜多二阿喻紇硯那三須毗你失指陁四囉佐耶五怛他羯他耶六怛姪他七薩婆桑悉迦囉八
波唎輸底九達磨底十伽伽那十一莎訶娑謨嗢伽底十二莎婆皤毗輸底十三摩訶娜耶十四波唎婆𠸪莎訶十五
若有自書寫教人書寫是无量壽宗要經受持讀誦有重罪猶如須弥盡能除滅陁羅尼曰
南謨薄伽勃底一阿波唎蜜多二阿喻紇硯那三須毗你失指陁四囉佐耶五怛他羯他耶六怛姪他七薩婆桑悉
迦囉八波唎輸底九達磨底十伽伽那十一莎訶娑謨嗢伽底十二莎婆皤毗輸底十三摩訶娜耶十四波唎婆𠸪莎訶十五
若有自書寫教人書寫是无量壽宗要經受持讀誦若魔王眷屬夜叉羅剎不能得其便
无枉死陁羅尼曰　南謨薄伽勃底一阿波唎蜜多二阿喻紇硯那三須毗你失指陁四囉佐耶五怛他羯他耶六
怛姪他七薩婆桑悉迦囉八波唎輸底九達磨底十伽伽那十一莎訶娑謨嗢伽底十二莎婆皤毗輸底十三摩訶娜耶十四
波唎婆𠸪莎訶十五　若有自書寫教人書寫是无量壽宗要經受持讀誦當命終時有九十
九姟佛現其人前萬千佛授手能遊一切佛剎莫於此經生於疑惑陁羅尼曰
南謨薄伽勃底一阿波唎蜜多二阿喻紇硯那三須毗你失指陁四囉佐耶五怛他羯他耶六怛姪他七薩婆
桑悉迦囉八波唎輸底九達磨底十伽伽那十一莎訶娑謨嗢伽底十二莎婆皤毗輸底十三摩訶娜耶十四波唎婆𠸪莎訶十五
若有自書寫教人書寫是无量壽宗要經受持讀誦常得四大天王隨其衛護陁羅尼曰
南謨薄伽勃底一阿波唎蜜多二阿喻紇硯那三須毗你失指陁四囉佐耶五怛他羯他耶六怛姪他七薩婆桑悉迦
囉八波唎輸底九達磨底十伽伽那十一莎訶娑謨嗢伽底十二莎婆皤毗輸底十三摩訶娜耶十四波唎婆𠸪莎訶十五

BD02357 號 1　無量壽宗要經　（14–3）

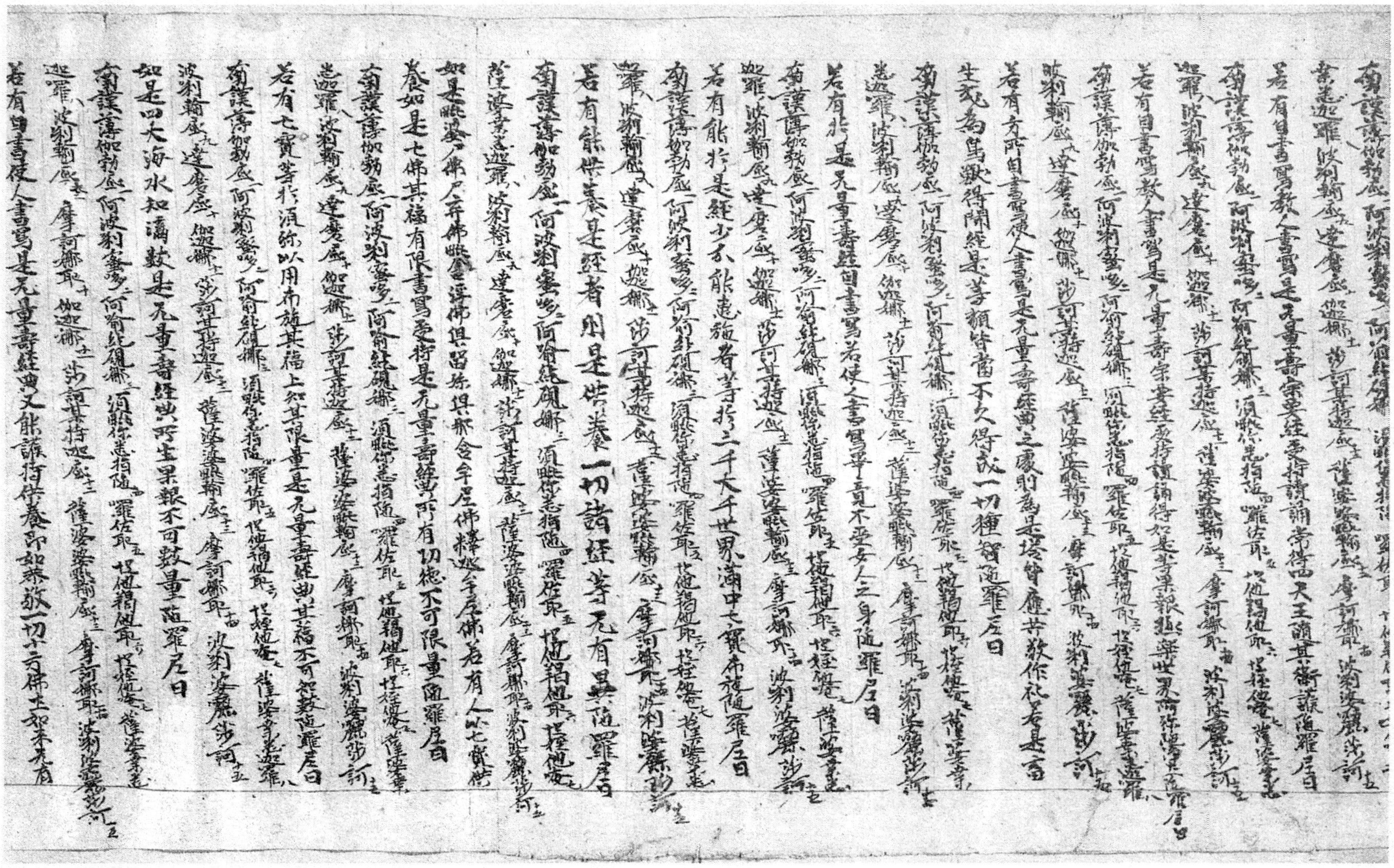

BD02357 號 1　無量壽宗要經　（14–4）

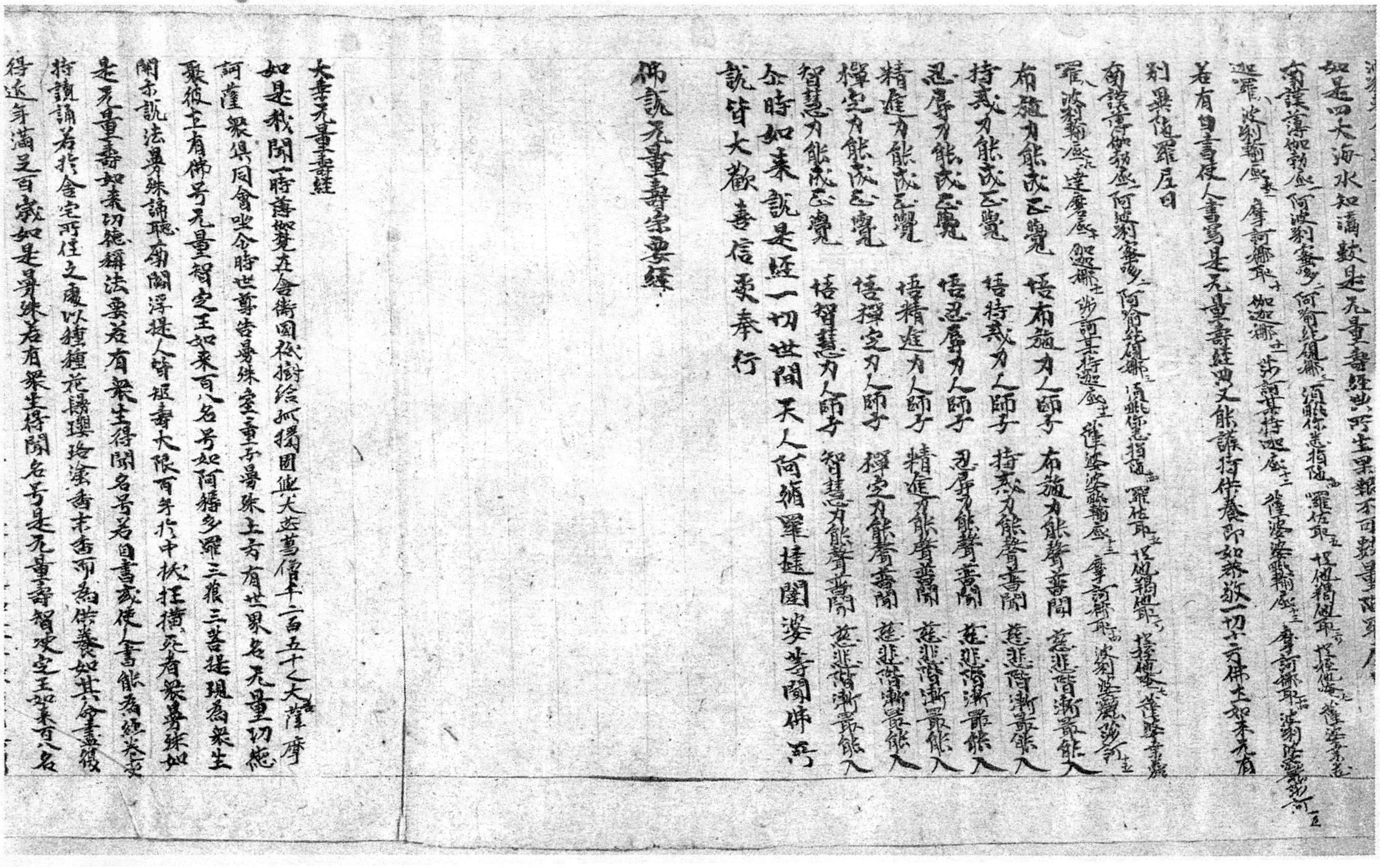

布施力能成正覺　悟布施力人師子　布施力能聲普聞　慈悲門中能入
持戒力能成正覺　悟持戒力人師子　持戒力能聲普聞　慈悲門中能入
忍辱力能成正覺　悟忍辱力人師子　忍辱力能聲普聞　慈悲門中能入
精進力能成正覺　悟精進力人師子　精進力能聲普聞　慈悲門中能入
禪定力能成正覺　悟禪定力人師子　禪定力能聲普聞　慈悲門中能入
智慧力能成正覺　悟智慧力人師子　智慧力能聲普聞　慈悲門中能入
尒時如來說是經，一切世間天人阿脩羅揵闥婆等，聞佛所說，皆大歡喜，信受奉行。

佛說无量壽宗要經

大乘无量壽經

如是我聞一時薄伽梵在舍衛國祇樹給孤獨園與大苾蒭衆千二百五十人大菩薩摩訶薩衆俱同會坐尒時世尊告曼殊室利童子……

BD02357 號 1　無量壽宗要經　（14–5）
BD02357 號 2　無量壽宗要經

娑彼土有佛号无量智決定王如來……
聞未說法要殊諸聽南閻浮提人皆短壽大限百年於中夭枉橫死者衆勇殊如
是无量壽如來功德稱法要若有衆生得聞名号若自書或使人書能為經卷受
持讀誦若於舍宅所住之處以種種花鬘瓔珞塗香末香而為供養如其命盡復
得延年滿足百歲如是勇殊若有衆生得聞名号是无量壽智決定王如來百八名
号者益其長壽若有衆生大命將盡憶是如來名号更得增壽如是勇殊若有善男
子善女人欲求長命於是无量壽如來一百八名号有得聞者或自書若使人書受
持讀誦得如是等果報福得具足陁羅尼曰
南謨薄伽勃底一阿波唎蜜多二阿喻紇硯那三須毗你悉指陁四囉佐耶五怛他羯他耶六怛姪他七唵薩婆桑悉迦
囉八波唎輸底九達麼底十伽迦那十一莎訶某持迦底十二薩婆婆毗輸底十三摩訶那耶十四波唎婆囇莎訶十五
世尊復告勇殊室利如是如來一百八名号若有自書或使人書能為經卷受持讀
誦如壽命盡復滿百年壽終此身後得往生无量福智世界无量壽淨土陁羅尼曰
南謨薄伽勃底一阿波唎蜜多二阿喻紇硯那三須毗你悉指陁四囉佐耶五怛他羯他耶六怛姪他七薩婆桑
悉迦囉八波唎輸底九達麼底十伽迦那十一莎訶某持迦底十二薩婆婆毗輸底十三摩訶那耶十四波唎婆囇
莎訶十五 尒時復有九十九姟佛一時同聲說是无量壽宗要經陁羅尼曰
南謨薄伽勃底一阿波唎蜜多二阿喻紇硯那三須毗你悉指陁四囉佐耶五怛他羯他耶六怛姪他七薩婆桑
悉迦囉八波唎輸底九達麼底十伽迦那十一莎訶某持迦底十二薩婆婆毗輸底十三摩訶那耶十四波唎婆囇莎訶十五
尒時復有一百五姟佛一時同聲說是无量壽宗要經陁羅尼曰
南謨薄伽勃底一阿波唎蜜多二阿喻紇硯那三須毗你悉指陁四囉佐耶五怛他羯他耶六怛姪他七薩婆桑悉迦囉八
波唎輸底九達麼底十伽迦那十一莎訶某持迦底十二薩婆婆毗輸底十三摩訶那耶十四波唎婆囇莎訶十五
尒時復有七姟佛一時同聲說是无量壽宗要經陁羅尼曰
南謨薄伽勃底一阿波唎蜜多二阿喻紇硯那三須毗你悉指陁四囉佐耶五怛他羯他耶六怛姪他七薩婆桑悉
迦囉八波唎輸底九達麼底十伽迦那十一莎訶某持迦底十二薩婆婆毗輸底十三摩訶那耶十四波唎婆囇莎訶十五
尒時復有六十五姟佛一時同聲說是无量壽宗要經陁羅尼曰
南謨薄伽勃底一阿波唎蜜多二阿喻紇硯那三須毗你悉指陁四囉佐耶五怛他羯他耶六怛姪他七薩婆桑悉
迦囉八波唎輸底九達麼底十伽迦那十一莎訶某持迦底十二薩婆婆毗輸底十三摩訶那耶十四波唎婆囇莎訶十五
尒時復有五十五姟佛一時同聲說是无量壽宗要經陁羅尼曰
南謨薄伽勃底一阿波唎蜜多二阿喻紇硯那三須毗你悉指陁四囉佐耶五怛他羯他耶六怛姪他七
薩婆桑悉迦囉八波唎輸底九達麼底十伽迦那十一薩婆婆毗輸底十三摩訶那耶十四波唎婆囇莎訶十五
尒時復有四十五姟佛一時同聲說是无量壽宗要經陁羅尼曰
南謨薄伽勃底一阿波唎蜜多二阿喻紇硯那三須毗你悉指陁四囉佐耶五怛他羯他耶六怛姪他七薩婆
桑悉迦囉八波唎輸底九達麼底十伽迦那十一莎訶某持迦底十二薩婆婆毗輸底十三摩

BD02357 號 2　無量壽宗要經　（14-6）

悉迦囉八波唎輸底九達麼底十伽迦那十一莎訶某持迦底十二薩婆婆毗輸底十三摩訶那耶十四波唎婆囇莎訶十五
尒時復有五十五姟佛一時同聲說是无量壽宗要經陁羅尼曰
南謨薄伽勃底一阿波唎蜜多二阿喻紇硯那三須毗你悉指陁四囉佐耶五怛他羯他耶六怛姪他七
薩婆桑悉迦囉八波唎輸底九達麼底十伽迦那十一薩婆婆毗輸底十三摩訶那耶十四波唎婆囇莎訶十五
尒時復有四十五姟佛一時同聲說是无量壽宗要經陁羅尼曰
南謨薄伽勃底一阿波唎蜜多二阿喻紇硯那三須毗你悉指陁四囉佐耶五怛他羯他耶六怛姪他七薩婆
桑悉迦囉八波唎輸底九達麼底十伽迦那十一莎訶某持迦底十二薩婆婆毗輸底十三摩
訶那耶十四波唎婆囇莎訶十五 尒時復有三十五姟佛一時同聲說是无量壽宗要經陁羅尼曰
南謨薄伽勃底一阿波唎蜜多二阿喻紇硯那三須毗你悉指陁四囉佐耶五怛他羯他耶六怛姪他七薩婆桑悉迦
囉八波唎輸底九達麼底十伽迦那十一莎訶某持迦底十二薩婆婆毗輸底十三摩訶那耶十四波唎婆囇莎訶十五
尒時復有二十五姟佛一時同聲說是无量壽宗要經陁羅尼曰
南謨薄伽勃底一阿波唎蜜多二阿喻紇硯那三須毗你悉指陁四囉佐耶五怛他羯他耶六怛姪他七薩婆
桑悉迦囉八波唎輸底九達麼底十伽迦那十一莎訶某持迦底十二薩婆婆毗輸底十三摩訶那耶十四波唎婆囇莎訶十五
尒時復有恒沙姟佛一時同聲說是无量壽宗要經陁羅尼曰
南謨薄伽勃底一阿波唎蜜多二阿喻紇硯那三須毗你悉指陁四囉佐耶五怛他羯他耶六怛姪他七薩婆桑
悉迦囉八波唎輸底九達麼底十伽迦那十一薩婆婆毗輸底十三摩訶那耶十四波唎婆囇莎訶十五
善男子若有自書寫教人書寫是无量壽宗要經如其命盡復得長壽然滿百年陁羅尼曰
南謨薄伽勃底一阿波唎蜜多二阿喻紇硯那三須毗你悉指陁四囉佐耶五怛他羯他耶六怛姪他七薩婆桑
悉迦囉八波唎輸底九達麼底十伽迦那十一莎訶某持迦底十二薩婆婆毗輸底十三摩訶那耶十四波唎婆囇莎訶十五
若有自書寫教人書寫是无量壽宗要經受持讀誦畢竟不墮地獄在在所生得宿命陁羅尼曰
南謨薄伽勃底一阿波唎蜜多二阿喻紇硯那三須毗你悉指陁四囉佐耶五怛他羯他耶六怛姪他七薩婆桑
悉迦囉八波唎輸底九達麼底十伽迦那十一莎訶某持迦底十二薩婆婆毗輸底十三摩訶那耶十四波唎婆囇莎訶十五
若有自書寫教人書寫是无量壽宗要經如同書寫八万四千一切經典陁羅尼曰
南謨薄伽勃底一阿波唎蜜多二阿喻紇硯那三須毗你悉指陁四囉佐耶五怛他羯他耶六怛姪他七薩婆桑悉迦
囉八波唎輸底九達麼底十伽迦那十一莎訶某持迦底十二薩婆婆毗輸底十三摩訶那耶十四波唎婆囇莎訶十五
若有自書寫教人書寫是无量壽宗要經即是書寫八万四千一切經典建立塔廟陁羅尼曰
南謨薄伽勃底一阿波唎蜜多二阿喻紇硯那三須毗你悉指陁四囉佐耶五怛他羯他耶六怛姪他七薩婆桑悉迦囉八
波唎輸底九達麼底十伽迦那十一莎訶某持迦底十二薩婆婆毗輸底十三摩訶那耶十四波唎婆囇莎訶十五
若有自書寫教人書寫是无量壽宗要經能消五无間等一切重罪陁羅尼曰
南謨薄伽勃底一阿波唎蜜多二阿喻紇硯那三須毗你悉指陁四囉佐耶五怛他羯他耶六怛姪他七薩婆桑悉迦囉八
波唎輸底九達麼底十伽迦那十一莎訶某持迦底十二薩婆婆毗輸底十三摩訶那耶十四波唎婆囇莎訶十五
若有自書寫教人書寫是无量壽宗要經受持讀誦設有重罪猶如須彌盡能消滅陁羅尼曰

BD02357 號 2　無量壽宗要經　（14-7）

若有自書寫教人書寫是无量壽宗要經能消五无間等一切重罪陀羅尼曰
南謨薄伽勃底一　阿波唎蜜多二　阿喻紇硯那三　須毗你悉指陀四　囉佐耶五　怛他羯他耶六　怛姪他七　薩婆桑悉
迦囉八　波唎輸底九　達磨底十　伽伽那十一　娑摩訶伽底十二　娑婆婆毗輸底十三　摩訶娜耶十四　波唎婆唎娑訶十五
若有自書寫教人書寫是无量壽宗要經受持讀誦設有重罪猶如須彌盡能消滅陀羅尼曰
南謨薄伽勃底一　阿波唎蜜多二　阿喻紇硯那三　須毗你悉指陀四　囉佐耶五　怛他羯他耶六　怛姪他七　薩婆桑
悉迦囉八　波唎輸底九　達磨底十　伽伽那十一　娑摩訶伽底十二　娑婆婆毗輸底十三　摩訶娜耶十四　波唎婆唎娑訶十五
若有自書寫教人書寫是无量壽宗要經受持讀誦當得命終時有九十九姟佛現
其人前千佛授手能遊一切佛刹莫於此經生於疑惑陀羅尼曰
南謨薄伽勃底一　阿波唎蜜多二　阿喻紇硯那三　須毗你悉指陀四　囉佐耶五　怛他羯他耶六　怛姪他七　薩婆桑悉迦
囉八　波唎輸底九　達磨底十　伽伽那十一　娑摩訶伽底十二　娑婆婆毗輸底十三　摩訶娜耶十四　波唎婆唎娑訶十五
若有自書寫教人書寫是无量壽宗要經受持讀誦當得往生西方極樂世界阿彌陀淨土陀羅尼曰
南謨薄伽勃底一　阿波唎蜜多二　阿喻紇硯那三　須毗你悉指陀四　囉佐耶五　怛他羯他耶六　怛姪他七　薩婆桑悉
迦囉八　波唎輸底九　達磨底十　伽伽那十一　娑摩訶伽底十二　娑婆婆毗輸底十三　摩訶娜耶十四　波唎婆唎娑訶十五
若有方所自書寫使人書寫是无量壽經典之處則為是塔皆應恭敬作礼若
是畜生或為鳥獸得聞是經如是等類皆當不久得成一切種智陀羅尼曰
南謨薄伽勃底一　阿波唎蜜多二　阿喻紇硯那三　須毗你悉指陀四　囉佐耶五　怛他羯他耶六　怛姪他七　薩婆桑
悉迦囉八　波唎輸底九　達磨底十　伽伽那十一　娑摩訶伽底十二　娑婆婆毗輸底十三　摩訶娜耶十四　波唎婆唎娑訶十五
若有於是无量壽經自書寫若使人書寫畢竟不受女人之身陀羅尼曰
南謨薄伽勃底一　阿波唎蜜多二　阿喻紇硯那三　須毗你悉指陀四　囉佐耶五　怛他羯他耶六　怛姪他七　薩婆桑悉
迦囉八　波唎輸底九　達磨底十　伽伽那十一　娑摩訶伽底十二　娑婆婆毗輸底十三　摩訶娜耶十四　波唎婆唎娑訶十五
若有能於是經少分能惠施者等於三千大千世界滿中七寶布施陀羅尼曰
南謨薄伽勃底一　阿波唎蜜多二　阿喻紇硯那三　須毗你悉指陀四　囉佐耶五　怛他羯他耶六　怛姪他七　薩婆桑悉
迦囉八　波唎輸底九　達磨底十　伽伽那十一　娑摩訶伽底十二　娑婆婆毗輸底十三　摩訶娜耶十四　波唎婆唎娑訶十五
若有自書寫教人書寫
南謨薄伽勃底一　阿波唎蜜多二　阿喻紇硯那三　須毗你悉指陀四　囉佐耶五　怛他羯他耶六　怛姪他七　薩婆桑悉
迦囉八　波唎輸底九　達磨底十　伽伽那十一　娑摩訶伽底十二　娑婆婆毗輸底十三　摩訶娜耶十四　波唎婆唎娑訶十五
如是毗婆尸佛尸棄佛毗舍浮佛俱留孫佛俱那含牟尼佛迦葉佛釋迦牟尼佛若有人
以七寶供養如是七佛其福有限書寫受持讀誦是无量壽經典所有功德不可限量陀羅
尼曰　南謨薄伽勃底一　阿波唎蜜多二　阿喻紇硯那三　須毗你悉指陀四　囉佐耶五　怛他羯他耶六　怛姪他七

BD02357 號 2　無量壽宗要經　（14–8）

迦囉八　波唎輸底九　達磨底十　伽伽那十一　娑摩訶伽底十二　娑婆婆毗輸底十三
若有自書寫教人書寫
南謨薄伽勃底一　阿波唎蜜多二　阿喻紇硯那三　須毗你悉指陀四　囉佐耶五　怛他羯他耶六　怛姪他七　薩婆桑悉
迦囉八　波唎輸底九　達磨底十　伽伽那十一　娑摩訶伽底十二　娑婆婆毗輸底十三　摩訶娜耶十四　波唎婆唎娑訶十五
如是毗婆尸佛尸棄佛毗舍浮佛俱留孫佛俱那含牟尼佛迦葉佛釋迦牟尼佛若有人
以七寶供養如是七佛其福有限書寫受持讀誦是无量壽經典所有功德不可限量陀羅
尼曰　南謨薄伽勃底一　阿波唎蜜多二　阿喻紇硯那三　須毗你悉指陀四　囉佐耶五　怛他羯他耶六　怛姪他七　薩
婆桑悉迦囉八　波唎輸底九　達磨底十　伽伽那十一　娑摩訶伽底十二　娑婆婆毗輸底十三　摩訶娜耶十四　波唎
婆唎娑訶十五
若有七寶等於須彌以用布施其福上能知其限量是无量壽經典其福不可知數量陀羅尼
南謨薄伽勃底一　阿波唎蜜多二　阿喻紇硯那三　須毗你悉指陀四　囉佐耶五　怛他羯他耶六　怛姪他七　薩婆桑悉
迦囉八　波唎輸底九　達磨底十　伽伽那十一　娑摩訶伽底十二　娑婆婆毗輸底十三　摩訶娜耶十四　波唎婆唎娑訶十五
如是[illegible]海水可知數滴是无量壽經典所生果報不可數量陀羅尼曰
南謨薄伽勃底一　阿波唎蜜多二　阿喻紇硯那三　須毗你悉指陀四　囉佐耶五　怛他羯他耶六　怛姪他七　薩婆桑悉
迦囉八　波唎輸底九　達磨底十　伽伽那十一　娑摩訶伽底十二　娑婆婆毗輸底十三　摩訶娜耶十四　波唎婆唎娑訶十五
若有自書若人書寫是无量壽經典又能護持供養即如恭敬一切十方佛土如來无有異陀羅尼曰
南謨薄伽勃底一　阿波唎蜜多二　阿喻紇硯那三　須毗你悉指陀四　囉佐耶五　怛他羯他耶六　怛姪他七　薩婆桑悉
波唎輸底九　達磨底十　伽伽那十一　娑摩訶伽底十二　娑婆婆毗輸底十三　摩訶娜耶十四　波唎婆唎娑訶十五
布施力能成正覺　悟布施力人師子　布施力能聲普聞　慈悲階漸能入
持戒力能成正覺　悟持戒力人師子　持戒力能聲普聞　慈悲階漸能入
忍辱力能成正覺　悟忍辱力人師子　忍辱力能聲普聞　慈悲階漸能入
精進力能成正覺　悟精進力人師子　精進力能聲普聞　慈悲階漸能入
禪定力能成正覺　悟禪定力人師子　禪定力能聲普聞　慈悲階漸能入
智慧力能成正覺　悟智慧力人師子　智慧力能聲普聞　慈悲階漸能入
尒時如來說是經一切世間天人阿脩羅揵闥婆等聞佛所說皆大
歡喜信受奉行
佛說无量壽宗要經

BD02357 號 2　無量壽宗要經　（14–9）

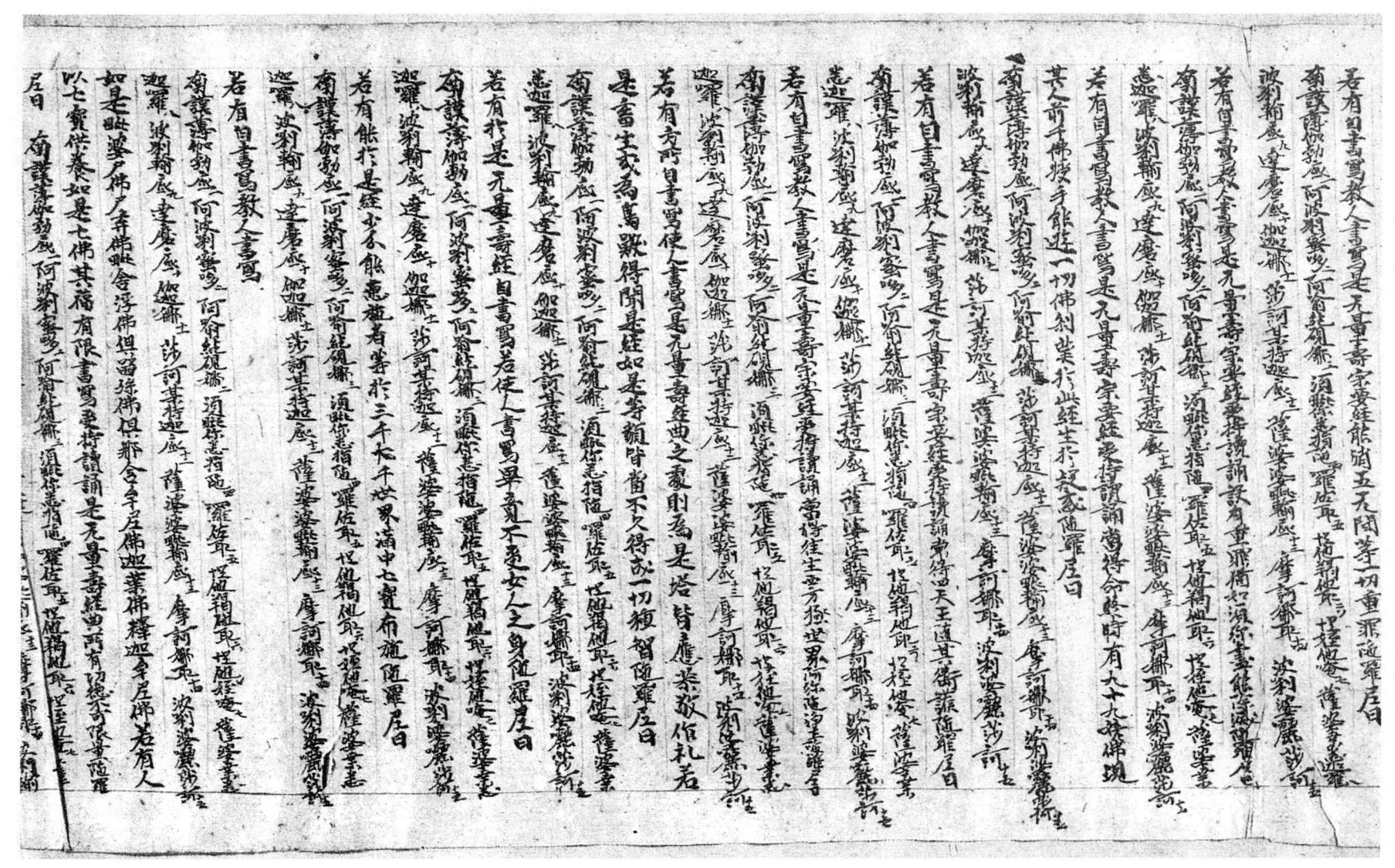

爾時如來說是經已一切世間天人阿脩羅揵闥婆等聞佛所說皆大
歡喜信受奉行
佛說无量壽宗要經

大乘无量壽經
如是我聞一時薄伽梵在舍衛國祇樹給孤獨園與大苾蒭僧千二百五十人
菩薩摩訶薩衆俱會坐爾時世尊告曼殊室利童子曼殊上方有世界
名无量功德聚彼土有佛号无量智決定王如來阿羅訶三藐三菩提現為衆
生開示說法曼殊諦聽南閻浮人皆短壽大限百年於中枉橫死者衆多曼殊如
是无量壽如來功德稱讚法要若有衆生得聞名号若自書或使人書能為經卷
受持讀誦若於舍宅所住之處以種種花鬘瓔珞塗香末香而為供養其命盡
復得延年滿足百歲如是曼殊若有衆生得聞是无量壽智決定王如來一百八
名号者益其長壽若有衆生大命將盡憶念是如來名号更得增壽如是曼殊
若有善男子善女人欲長命於是无量壽如來一百八名号更得增壽如是曼
有得聞者或自書若使人書受持讀誦得如是等果報福得具足陁羅尼曰
南謨薄伽勃底一阿波唎蜜多二阿喻紇硯那三須毗你失指陁四羅佐耶五怛他揭他耶六怛姪他七唵薩婆
桑悉迦囉八波唎輸底九達磨底十伽伽那十一莎訶莎揚迦底十二薩婆婆毗輸底十三摩訶那耶十四波唎婆囉莎訶十五
世尊若復曼殊室利如是如來一百八名号若有自書或使人書能為經卷受持讀誦壽
命盡復滿百年壽終此身後得往生无量福智世界无量壽淨土陁羅尼曰
南謨薄伽勃底一阿波唎蜜多二阿喻紇硯那三須毗你失指陁四羅佐耶五怛他揭他耶六怛姪他七薩婆桑悉迦囉八波唎輸底九達磨底十伽伽那十一莎訶莎揚迦底十二薩婆婆毗輸底十三摩訶那耶十四波唎婆囉莎訶十五

BD02357 號 3　無量壽宗要經　（14–10）

有得聞者或自書若使人書受持讀誦得如是等果報福得具足陁羅尼曰
南謨薄伽勃底一阿波唎蜜多二阿喻紇硯那三須毗你失指陁四羅佐耶五怛他揭他耶六怛姪他七唵薩婆
桑悉迦囉八波唎輸底九達磨底十伽伽那十一莎訶莎揚迦底十二薩婆婆毗輸底十三摩訶那耶十四波唎婆囉莎訶十五
世尊若復曼殊室利如是如來一百八名号若有自書或使人書能為經卷受持讀誦壽
命盡復滿百年壽終此身後得往生无量福智世界无量壽淨土陁羅尼曰
南謨薄伽勃底一阿波唎蜜多二阿喻紇硯那三須毗你失指陁四羅佐耶五怛他揭他耶六怛姪他七薩婆桑悉迦囉八
波唎輸底九達磨底十伽伽那十一莎訶莎揚迦底十二薩婆婆毗輸底十三摩訶那耶十四波唎婆囉莎訶十五
爾時復有九十九殑佛一時同聲說是无量壽宗要經陁羅尼曰
南謨薄伽勃底一阿波唎蜜多二阿喻紇硯那三須毗你失指陁四羅佐耶五怛他揭他耶六怛姪他七薩婆桑悉迦囉八
波唎輸底九達磨底十伽伽那十一莎訶莎揚迦底十二薩婆婆毗輸底十三摩訶那耶十四波唎婆囉莎訶十五
爾時復有八十四殑佛一時同聲說是无量壽宗要經陁羅尼曰
南謨薄伽勃底一阿波唎蜜多二阿喻紇硯那三須毗你失指陁四羅佐耶五怛他揭他耶六怛姪他七薩婆桑悉迦囉八
波唎輸底九達磨底十伽伽那十一莎訶莎揚迦底十二薩婆婆毗輸底十三摩訶那耶十四波唎婆囉莎訶十五
爾時復有七殑佛一時同聲說是无量壽宗要經陁羅尼曰
南謨薄伽勃底一阿波唎蜜多二阿喻紇硯那三須毗你失指陁四羅佐耶五怛他揭他耶六怛姪他七唵薩婆桑悉迦囉八波唎輸底九
達磨底十伽伽那十一莎訶莎揚迦底十二薩婆婆毗輸底十三摩訶那耶十四波唎婆囉莎訶十五
爾時復有六十五殑佛一時同聲說是无量壽宗要經陁羅尼曰
南謨薄伽勃底一阿波唎蜜多二阿喻紇硯那三須毗你失指陁四羅佐耶五怛他揭他耶六怛姪他七薩婆桑悉迦囉八
波唎輸底九達磨底十伽伽那十一莎訶莎揚迦底十二薩婆婆毗輸底十三摩訶那耶十四波唎婆囉莎訶十五
爾時復有五十五殑佛一時同聲說是无量壽宗要經陁羅尼曰
南謨薄伽勃底一阿波唎蜜多二阿喻紇硯那三須毗你失指陁四羅佐耶五怛他揭他耶六怛姪他七薩婆桑悉迦囉八
波唎輸底九達磨底十伽伽那十一莎訶莎揚迦底十二薩婆婆毗輸底十三摩訶那耶十四波唎婆囉莎訶十五
爾時復有四十五殑佛一時同聲說是无量壽宗要經陁羅尼曰
南謨薄伽勃底一阿波唎蜜多二阿喻紇硯那三須毗你失指陁四羅佐耶五怛他揭他耶六怛姪他七薩婆桑悉迦囉八
波唎輸底九達磨底十伽伽那十一莎訶莎揚迦底十二薩婆婆毗輸底十三摩訶那耶十四波唎婆囉莎訶十五
爾時復有三十五殑佛一時同聲說是无量壽宗要經陁羅尼曰
南謨薄伽勃底一阿波唎蜜多二阿喻紇硯那三須毗你失指陁四羅佐耶五怛他揭他耶六怛姪他七薩婆桑悉迦囉八
波唎輸底九達磨底十伽伽那十一莎訶莎揚迦底十二薩婆婆毗輸底十三摩訶那耶十四波唎婆囉莎訶十五
爾時復有二十五殑佛一時同聲說是无量壽宗要經陁羅尼曰
南謨薄伽勃底一阿波唎蜜多二阿喻紇硯那三須毗你失指陁四羅佐耶五怛他揭他耶六怛姪他七薩婆桑悉
迦囉八波唎輸底九達磨底十伽伽那十一莎訶莎揚迦底十二薩婆婆毗輸底十三摩訶那耶十四波唎婆囉莎訶十五
爾時復有恒河沙殑佛一時同聲說是无量

BD02357 號 3　無量壽宗要經　（14–11）

須毗你悉指陁四 囉佐耶五 怛他羯他耶六 怛姪他七 薩婆桑悉迦囉八
波唎輸底九 達磨底十 伽迦那十一 娑訶某持迦底十二 薩婆婆毗輸底十三 摩訶娜耶十四 波唎婆麗莎訶十五
尒時復有二十五殑佛一時同聲說是无量壽宗要經陁羅尼曰
南謨薄伽勃底一 阿波唎蜜多二 阿喻紇硯那三 須毗你悉指陁四 囉佐耶五 怛他羯他耶六 怛姪他七 薩婆桑悉
迦囉八 波唎輸底九 達磨底十 伽迦那十一 娑訶某持迦底十二 薩婆婆毗輸底十三 摩訶娜耶十四 波唎婆麗莎訶十五
尒時復有恒河沙殑佛一時同聲說是无量壽宗要經陁羅尼曰
南謨薄伽勃底一 阿波唎蜜多二 阿喻紇硯那三 須毗你悉指陁四 囉佐耶五 怛他羯他耶六 怛姪他七 薩婆桑悉迦囉八
波唎輸底九 達磨底十 伽迦那十一 娑訶某持迦底十二 薩婆婆毗輸底十三 摩訶娜耶十四 波唎婆麗莎訶十五
善男子若有自書寫教人書寫是无量壽宗要經如其命盡復得長命滿百年陁羅尼曰
南謨薄伽勃底一 阿波唎蜜多二 阿喻紇硯那三 須毗你悉指陁四 囉佐耶五 怛他羯他耶六 怛姪他七 薩婆桑悉迦
囉八 波唎輸底九 達磨底十 伽迦那十一 娑訶某持迦底十二 薩婆婆毗輸底十三 摩訶娜耶十四 波唎婆麗莎訶十五
若有自書寫教人書寫是无量壽宗要經受持讀誦畢竟不墮地獄在在所生得宿命智陁羅尼曰
南謨薄伽勃底一 阿波唎蜜多二 阿喻紇硯那三 須毗你悉指陁四 囉佐耶五 怛他羯他耶六 怛姪他七 薩婆桑悉迦囉八
波唎輸底九 達磨底十 伽迦那十一 娑訶某持迦底十二 薩婆婆毗輸底十三 摩訶娜耶十四 波唎婆麗莎訶十五
若有自書寫教人書寫是无量壽宗要經受持讀誦如同書寫八万四千一切經典陁羅尼曰
南謨薄伽勃底一 阿波唎蜜多二 阿喻紇硯那三 須毗你悉指陁四 囉佐耶五 怛他羯他耶六 怛姪他七 薩婆桑悉迦囉八
波唎輸底九 達磨底十 伽迦那十一 娑訶某持迦底十二 薩婆婆毗輸底十三 摩訶娜耶十四 波唎婆麗莎訶十五
若有自書寫教人書寫是无量壽宗要經即是書寫八万四千部建立塔廟陁羅尼曰
南謨薄伽勃底一 阿波唎蜜多二 阿喻紇硯那三 須毗你悉指陁四 囉佐耶五 怛他羯他耶六 怛姪他七 薩婆桑悉迦囉八
波唎輸底九 達磨底十 伽迦那十一 娑訶某持迦底十二 薩婆婆毗輸底十三 摩訶娜耶十四 波唎婆麗莎訶十五
若有能自書寫教人書寫是无量壽宗要經能消五无間等一切重罪陁羅尼曰
南謨薄伽勃底一 阿波唎蜜多二 阿喻紇硯那三 須毗你悉指陁四 囉佐耶五 怛他羯他耶六 怛姪他七 薩婆桑悉迦囉八
波唎輸底九 達磨底十 伽迦那十一 娑訶某持迦底十二 薩婆婆毗輸底十三 摩訶娜耶十四 波唎婆麗莎訶十五
若有自書寫教人書寫是无量壽宗要經受持讀誦設有重罪猶如須彌盡能除滅陁羅尼曰
南謨薄伽勃底一 阿波唎蜜多二 阿喻紇硯那三 須毗你悉指陁四 囉佐耶五 怛他羯他耶六 怛姪他七 薩婆桑悉迦囉八
波唎輸底九 達磨底十 伽迦那十一 娑訶某持迦底十二 薩婆婆毗輸底十三 摩訶娜耶十四 波唎婆麗莎訶十五
若有自書寫教人書寫是无量壽宗要經受持讀誦若魔王之眷屬夜叉羅剎不得其便終无枉死陁羅尼曰
南謨薄伽勃底一 阿波唎蜜多二 阿喻紇硯那三 須毗你悉指陁四 囉佐耶五 怛他羯他耶六 怛姪他七 薩婆桑悉迦囉八
波唎輸底九 達磨底十 伽迦那十一 娑訶某持迦底十二 薩婆婆毗輸底十三 摩訶娜耶十四 波唎婆麗莎訶十五
若有自書寫教人書寫是无量壽宗要經受持讀誦當得命終時有九十九殑佛現其人前來千佛授手能

BD02357 號 3　無量壽宗要經　（14–12）

若有自書寫教人書寫是无量壽宗要經受持讀誦若魔王之眷屬夜叉羅剎不得其便終无枉死陁羅尼曰
南謨薄伽勃底一 阿波唎蜜多二 阿喻紇硯那三 須毗你悉指陁四 囉佐耶五 怛他羯他耶六 怛姪他七 薩婆桑悉迦囉八
波唎輸底九 達磨底十 伽迦那十一 娑訶某持迦底十二 薩婆婆毗輸底十三 摩訶娜耶十四 波唎婆麗莎訶十五
若有自書寫教人書寫是无量壽宗要經受持讀誦當得命終時有七十九殑佛現其人前來千佛授手能
遊一切剎莫於此經生於疑惑陁羅尼曰 南謨薄伽勃底一 阿波唎蜜多二 阿喻紇硯那三 須毗你悉指陁四 囉佐耶五
怛他羯他耶六 怛姪他七 薩婆桑悉迦囉八 波唎輸底九 達磨底十 伽迦那十一 娑訶某持迦底十二 薩婆婆毗輸底十三 摩
訶娜耶十四 波唎婆麗莎訶十五 若有自書寫教人書寫是无量壽宗要經受持讀誦常得四大天王隨其
衛護陁羅尼曰 南謨薄伽勃底一 阿波唎蜜多二 阿喻紇硯那三 須毗你悉指陁四 囉佐耶五 怛他羯他耶六 怛姪他七
薩婆桑悉迦囉八 波唎輸底九 達磨底十 伽迦那十一 娑訶某持迦底十二 薩婆婆毗輸底十三 摩訶娜耶十四 波唎婆麗莎訶十五
若有自書寫教人書寫是无量壽宗要經受持讀誦當得往生西方極樂世界阿彌陁淨土陁羅尼曰
南謨薄伽勃底一 阿波唎蜜多二 阿喻紇硯那三 須毗你悉指陁四 囉佐耶五 怛他羯他耶六 怛姪他七 薩婆桑悉迦囉八
波唎輸底九 達磨底十 伽迦那十一 娑訶某持迦底十二 薩婆婆毗輸底十三 摩訶娜耶十四 波唎婆麗莎訶十五
若有於此自書寫使人書寫是无量壽經典之處則為是塔皆應恭敬作禮若是畜生禽鳥
獸得聞是經如是等類皆當不久得成一切種智陁羅尼曰 南謨薄伽勃底一 阿波唎蜜多二 阿喻紇硯那三
須毗你悉指陁四 囉佐耶五 怛他羯他耶六 怛姪他七 薩婆桑悉迦囉八 波唎輸底九 達磨底十 伽迦那十一 娑訶某持迦底十二 薩婆
婆毗輸底十三 摩訶娜耶十四 波唎婆麗莎訶十五 若有於是无量壽經自書寫若使人書寫若其身之者亦不受之女身
陁羅尼曰 南謨薄伽勃底一 阿波唎蜜多二 阿喻紇硯那三 須毗你悉指陁四 囉佐耶五 怛他羯他耶六 怛姪他七 薩婆桑悉迦
囉八 波唎輸底九 達磨底十 伽迦那十一 娑訶某持迦底十二 薩婆婆毗輸底十三 摩訶娜耶十四 波唎婆麗莎訶十五
若有能於是經少分能惠施者等於三千大千世界滿中七寶布施陁羅尼曰
南謨薄伽勃底一 阿波唎蜜多二 阿喻紇硯那三 須毗你悉指陁四 囉佐耶五 怛他羯他耶六 怛姪他七 薩婆桑悉迦囉八 波唎輸底九
達磨底十 伽迦那十一 娑訶某持迦底十二 薩婆婆毗輸底十三 摩訶娜耶十四 波唎婆麗莎訶十五
若有能供養是經者則是供養一切諸經无有異陁羅尼曰
南謨薄伽勃底一 阿波唎蜜多二 阿喻紇硯那三 須毗你悉指陁四 囉佐耶五 怛他羯他耶六 怛姪他七 薩婆桑悉迦囉八
波唎輸底九 達磨底十 伽迦那十一 娑訶某持迦底十二 薩婆婆毗輸底十三 摩訶娜耶十四 波唎婆麗莎訶十五
如是毗婆尸佛尸棄佛毗舍浮佛拘留孫佛拘那含牟尼佛迦葉佛釋迦牟尼佛若有人以七寶供養如是七
寶等供養如是七佛其福有限書寫受持是无量壽經典所有功德不可限量陁羅尼曰
南謨薄伽勃底一 阿波唎蜜多二 阿喻紇硯那三 須毗你悉指陁四 囉佐耶五 怛他羯他耶六 怛姪他七 薩婆桑悉迦囉八
波唎輸底九 達磨底十 伽迦那十一 娑訶某持迦底十二 薩婆婆毗輸底十三 摩訶娜耶十四 波唎婆麗莎訶十五
若有七寶等於須彌以用布施其福上能知其限量是无量壽經典所生果報不可數量陁羅尼曰
南謨薄伽勃底一 阿波唎蜜多二 阿喻紇硯那三 須毗你悉指陁四 囉佐耶五 怛他羯他耶六 怛姪他七 薩婆桑悉迦囉八 波唎輸底九
達磨底十 伽迦那十一 娑訶某持迦底十二 薩婆婆毗輸底十三 摩訶娜耶十四 波唎婆麗莎訶十五

BD02357 號 3　無量壽宗要經　（14–13）

南謨薄伽勃底一 阿波唎蜜多二 阿喻紇硯娜三 須毗你悉指陀四 囉佐耶五 怛他羯他耶六 怛姪他七 薩婆桑悉迦囉八
波唎輸底九 達磨底十 伽伽娜十一 娑訶其特迦底十二 薩婆婆毗輸底十三 摩訶娜耶十四 波唎婆羅莎訶十五

若有七寶等於須彌山用布施其福上能知其限量是无量壽經典所生果報不可數量陁羅尼曰

南謨薄伽勃底一 阿波唎蜜多二 阿喻紇硯娜三 須毗你悉指陀四 囉佐耶五 怛他羯他耶六 怛姪他七 薩婆桑悉迦囉八 波唎輸底九
達磨底十 伽伽娜十一 娑訶其特迦底十二 薩婆婆毗輸底十三 摩訶娜耶十四 波唎婆羅莎訶十五

如是毗婆四大海水可知滴數是无量壽經典所生果報不能可數量陁羅尼曰

南謨薄伽勃底一 阿波唎蜜多二 阿喻紇硯娜三 須毗你悉指陀四 囉佐耶五 怛他羯他耶六 怛姪他七 薩婆桑悉迦囉八 波唎輸
底九 達磨底十 伽伽娜十一 娑訶其特迦底十二 薩婆婆毗輸底十三 摩訶娜耶十四 波唎婆羅莎訶十五

若有自書寫使人書寫是无量壽經典之能誦持供養恭敬如禮敬一切十方佛土如來无有異陁羅尼曰

南謨薄伽勃底一 阿波唎蜜多二 阿喻紇硯娜三 須毗你悉指陀四 囉佐耶五 怛他羯他耶六 怛姪他七 薩婆桑悉迦囉八 波唎
輸底九 達磨底十 伽伽娜十一 娑訶其特迦底十二 薩婆婆毗輸底十三 摩訶娜耶十四 波唎婆羅莎訶十五

南謨薄伽勃底一 阿波唎蜜多二 阿喻紇硯娜三 須毗你悉指陀四 囉佐耶五 怛他羯他耶六 怛姪他七 薩婆桑悉迦囉八
波唎輸底九 達磨底十 伽伽娜十一 娑訶其特迦底十二

布施力能成正覺　悟布施力人師子　布施力能聲普聞　慈悲濟漸最能入
持戒力能成正覺　悟持戒力人師子　持戒力能聲普聞　慈悲濟漸最能入
忍辱力能成正覺　悟忍辱力人師子　忍辱力能聲普聞　慈悲濟漸最能入
精進力能成正覺　悟精進力人師子　精進力能聲普聞　慈悲濟漸最能入
禪定力能成正覺　悟禪定力人師子　禪定力能聲普聞　慈悲濟漸最能入
智慧力能成正覺　悟智慧力人師子　智慧力能聲普聞　慈悲濟漸最能入

尒時如來說是經已一切世間天人阿修羅揵闥婆等聞佛所說皆大歡喜信受奉行

佛說无量壽宗要經

[illegible]

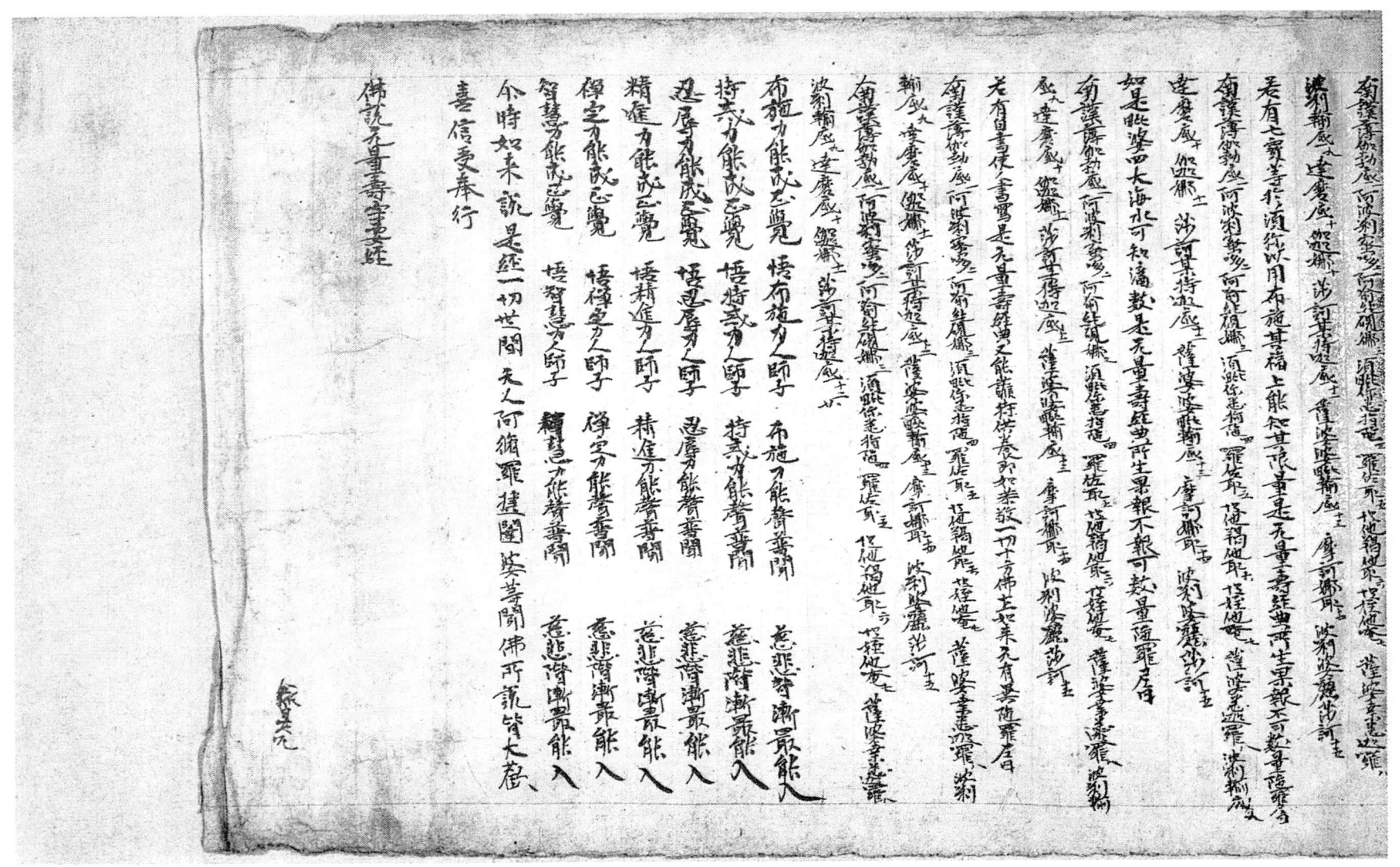

BD02357 號 3　無量壽宗要經　（14–14）

……及遶……

……說聚……

……聚若別如何

……七聚如何竟護

……衣六物者一安多會……二名

……一者如法……衣之

……念我比丘某甲……多羅僧七條衣受兩長一短割截

或云襟葉衣授持……目同上捨衣文大德一心念我比丘

某甲此僧伽梨是我三衣數先授今捨……四尼師壇

六針筒……授藥法藥有四種一時藥於中有二

二授非時藥……三授七日

藥法……授法者云大德一心念我比丘某甲

今為熱病冷病因緣此七日藥為欲服故今於大德

邊授（三說）餘二藥若有病患因緣須服者臨事須准此文授

文同上四授盡形藥法……安居法

從始至終物有四法……對手安居安居法云

大德一心念我比丘某甲……前三月夏安居房舍破

修治故（三說）……問菩薩戒中煞先婬後何故聲聞戒中婬

先然後答菩薩以大慈為本是以殺戒為初聲聞

以梵行為基基是以婬戒為首也問婬戒具幾緣成犯答

具行為基是以婬戒為首也

具四緣成犯一前境是人二興染心三起方便四与境合便

犯問盜戒具幾緣成犯答具六因緣成犯一有主物二有

主想三有盜心四重物五興方便六離本處便犯問

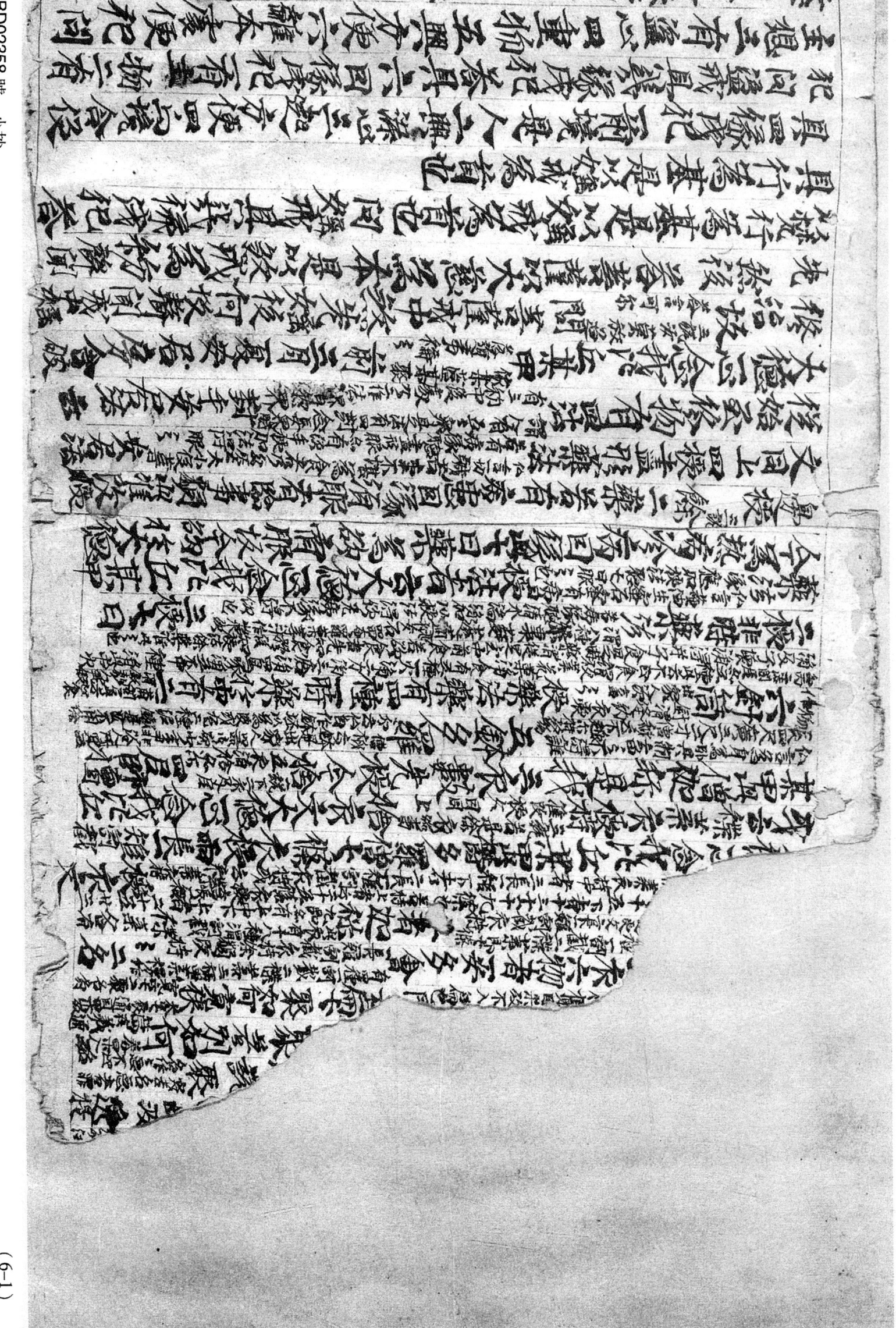

……

[illegible]

具行為基是以婬戒為首也

具四緣成犯 一前境是人 二興殺心 三起方便 四与境命促

犯 問盜戒具幾緣成犯 答具六 一有主物 二有

主想 三有盜心 四重物 五興方便 六離本處便犯 問

殺戒具幾緣成犯 答具五緣成犯 一境是人 二人想 三興殺

心 四起方便 五斷命根 問大妄語戒具幾緣成犯 答具

八緣成犯 一前境是人 二人想 三事虛 四知是事虛 五有

誑他心 六自言已得 七言辭了了 八前人知解便犯 問僧

幾種 答有四種 一者四人僧 除授戒自恣出罪 餘一切羯磨得作 二者五人僧 除中國授戒出罪 餘法得作

三者十人僧 除出罪 餘法得作之 四者二十人僧 一切羯磨得作 若後更多 四衣法 一糞掃衣 二常

乞食 三樹下坐 四食腐爛藥 糞掃衣有十種 一牛嚼衣 二

鼠齧衣 三火燒衣 四月水衣 五王衣 六神廟衣 若鳥銜

風吹離處者是 七願衣 八塚間衣 九產衣 十往還衣

僧物隨事立名 凡有六種 一者常住常住 謂眾僧廚庫寺舍眾具華果樹林田園僕畜等

十方眾僧不可分用 言常住者 常在此處不可易動 四方僧來即權受用 後物為名 故稱常住僧 二十方常住僧物 如僧家熟食等物 體通十方 上至羅漢下至沙彌 並皆有分 元有知合不得 賣買得人及私用之也

三現前現前物者 謂亡眾物作羯磨 分及有施現前大眾 物法是新有人守護 名現前現前物

四者十方現前 如亡五眾衣物未羯磨前 屬十方現前 僧若羯磨物者 從十方僧屬現前之也 五者招提僧物 謂招提 施園田 與現前僧自造僧房 四方僧來 先安置處 令見已訖 後房自更 施園田建立僧房 六者

僧鬘物 謂僧園中有花 或賣或已花作鬘 出賣 得物從鬘得物 故名僧鬘物也 妄語有四種 一波羅夷妄語 二僧殘妄語 三偷蘭遮妄語 四方便妄語

羅受 語也 口有四威儀語 一作法語 二非法語 三和合語 四作悅意藥宗語 惱有五種 一惱財 二惱法 三惱家 四惱眾 五惱諍也

四分義者云何 答四者數也 分者段也 世尊在世四度

說此律 結集 名分 五分十誦亦 又云梵本四夾 故名分

今依律本從初至僧戒未名為初分 從尼戒終至揵說二

揵度為第二分 從安居揵度至房舍揵度已前 名第三

分 從房舍揵度訖律本終 名為第四分 持戒得十利 一者攝取於僧 二令僧

歡喜 三令僧安樂 四未信者令信 五已信者令增長 六難調者令調 七慚愧者得安樂 八斷現在有漏 九斷未來有漏 十令正法久住

名知足 頭陀 十二頭陀法 頭陀此云抖擻 謂少欲知足 抖擻煩惱 離諸著故

一持糞掃衣 二持三衣 三持隨衣 四常乞食 五一

令依律本從初至僧戒未名為初分後尼戒終至受揵說二
揵度為第二分從安居揵度至房舍揵度已前名第三
分從房舍揵度訖律本終名為第四分持戒得十利（一者攝取於僧二令僧歡喜三令僧安樂四未信者令信五已信者令增長六難調者令調七慚愧者得安樂八斷現在有漏九斷未來有漏十令正法得久住）
十二頭陀法（此有共數大小不同小乘有數亦有十二……）（名知足少欲……雜住若欲……頭陀）
一持糞掃衣二持三衣三持隨衣四常乞食五一
揣食六坐食七不作餘食法八樹下坐九无塚間坐十一露地坐十二
隨處坐十二常坐不臥十二者持衣有三食法有四處所有五行
人於此衣食處所心无染著積聚集道更不思須
檀越施物凡有八種一施比丘僧物（唯僧現前人分）二施比丘尼物（尼僧現前人分）
三施四方僧得施物來者皆得作羯磨分與不得與餘尼同（現前比丘）
作羯磨施物提僧不須作法至者界內僧得施物唯屬住
處入界皆得取施主為定六施同羯磨僧得施物唯屬
一處同作法者分之七施稱名字僧得施物若言施禪師律師
法師呪願師老病僧等不問親疏入眾中一僧得施物從上至行
之隨者與隨檀越所有捨施依此八法分之若无定分至主處
問於何等施若不依此八法則不得施僧之福若不依此法而
施者則輕慢施主遠犯處深應具五德分之好惡不令不見
者斷簒餘人不得亂語判養雜消負留不存此莫生嫌恨
人出家之人不得迴施入己若欲迴者其罪甚重應知法
施如法受如法求如法用如法住問律儀有幾種答
四種一靜慮律儀是色界尸羅二无漏律儀為无漏身中所起律
儀三斷律儀為斷煩惱名斷律儀四別解脫律儀為欲界
尸羅為別防非名解脫律儀問律以何為宗以何為體答以戒為
宗諸說不同依東塔疏以戒為宗律以何為體者合是語業
為體住意取捨色十甲以法為體答依經部中以不相應為
體依有部以色為體俱是法處攝也問比丘有幾種答有
八種一名字比丘二相似比丘三自稱比丘四乞求比丘五著割截
衣比丘六破結使比丘七善來比丘八羯磨比丘問比丘有幾
種……比丘……有四……（一名乞士二曰怖魔三破煩惱）……

為體住意取捨色十中以法為躰答依經部中以不相應為
躰依有部以色為躰俱是法處攝也問比丘有幾種答有
八種一名字比丘二相似比丘三自稱比丘四乞求比丘五著割截
衣比丘六破結使比丘七善來比丘八羯磨比丘問比丘有幾
種義名曰比丘答有四義故一名乞士二曰怖魔三破惡四名淨持戒也問何名苾蒭答
有五義是草名也一者躰性柔軟二者引蔓旁布三者馨香遠騰四能療疼五不背日光滋潤餘草
五四門夢傍補五冬夏不彫客舊相遇法
昔大師在日親為教主客苾蒭至白唱善來又復西方寺衆
多為制法允見新來无論客舊及弟子門人舊人即須
迎前唱莎揭多譯曰善來客乃尋聲即云窣莎揭多譯曰
極善來如不說者一違寺制二准律有犯无問大小悉皆
如此即為收取瓶鉢衣在壁牙隨處安坐令其憩息幼白
屏處尊乃房前早則敬上而欵禍其踹後乃遍身尊
乃據下而捫按其背下至要不至足若年之類事无闕上六
然既鮮疲勞澡手濯足之次就尊所申其禮敬但為一禮而按
足尊乃展其右手撫其肩背若別非經久乃不為於乃
問其安不萊安隨事見答然後退坐一邊恭敬而坐實无
立法然西方軌則多坐小枯復皆露足之華夏既无斯事然
之禮之不行經說人來至佛所頂禮雙足退坐一面而其
儀矣然後猜其時候恭餉飲如兼湯津或蜜不聞香湯之
議躰是祠獨准依道理全非飲限律云凡將漿湯濾色如大黃纈
此謂西國師弟門徒客舊相遇逢迎之禮豈有日月寒創至
觸熱新來或遍躰汗流或手足皆凍放却衣襆急有和帝
若情狀苦急性深垂軌式時乃立之閑閑餘事識教太急將
為紹縫言和南者梵語略或云畔睇南譯為敬但為稱
語不真翼和南矣不能移舊語且道和南的取正音應
云畔睇又道行礼拜非儀合掌低頭口云畔睇故經云或但
合掌乃至小低頭即是致敬也有人不審依希合度便

爲結經言和南者梵語畔睇或云畔憚南譯爲敬禮但爲[illegible]
語不真。真和南矣不能移舊語且道和南的取正音應
云畔睇，又道行禮拜非儀合掌低頭口云畔睇，故經云或但
合掌乃至小低頭即是致敬也。南人不審依俙合度便
改不審爲畔睇斯但含論有五種 問羯磨是
問捨戒有幾種
何義 答羯磨所作事有幾種 答總攝束爲
三種 問戒律毗尼波羅提木叉有何差別
問略說戒有幾種後急
如何 答有三種 問安居是
何義 答九旬修道攝心住於一處名爲安居有三義故
問自恣有幾種 答有三種 問自恣是
何義 問二十部小乘此律何部所
攝 答法密部所攝 問戒律
所防三業之中何不防意業耶
問十三同篇何故九初倚使犯罪戒三諫方犯
作末諫結罪不同自橋花等汙提汙家西念行等浮吉罪
汙家戒緣何事犯所說言僧有愛有恚等遂僧及犯
殘 問惡性所諫者云何爲言說相似不受非言仏是我
十既是同篇何以分爲二 問 答世因過起會心積生及捨物方懺
故爲一 問九十作即直懺更不捨別財物故分二 問此捨墮具
幾義名捨 答具三義故一捨財二捨相續會心三捨以歸至死過具
此三義故入捨墮 問七滅諍何篇所攝 答七滅諍是第五篇吉羅所
攝 此七藥各具幾滅 前四言諍用二藥現前多人語 見諍用
三藥憶念不癡罪處所 犯諍用二藥自言草覆地 事諍通
用七藥一切滅之 問七滅諍幾通凡聖局義云何 答憶念略反唯
聖 不作犯罪處所唯凡 亦作不犯不癡等而作不犯爲通凡聖
問 戒諍 不 淨 戒罪

答[illegible]
幾義名捨答具三義故一捨財二捨相續會心三捨以歸至見過具
此三義故入捨隨問七滅諍何篇所攝答七滅諍是吉羅篇所攝
此七藥各具幾滅前四言諍用二藥殄一現前二多人語覓諍用
三藥憶念不癡罪處所犯諍用二藥自言持草覆地事諍　通
用七藥一切滅之問七滅諍幾通凡聖局義云何答憶念略唯
聖不作犯罪處所唯凡亦作不犯不癡善而作不犯為通凡聖
問七滅諍有幾殄諍幾不殄諍答自言草覆地亦滅諍滅罪
憶念不癡善但滅不滅罪答言諍者八結道理是非紛紜
來往故云言諍覓諍者覓彼前人所犯之罪而情不知發也
犯諍者如稱他人犯罪前人抵地云（云不抵）或犯提或吉而
情發覓故也事諍者物前三諍中所有羯磨非如而人共
諍是想也問何以四篇結數衆學何以不結答戒數微細之中
略及指在下明得言應當學問夏有四月何故結三月（有二義及一開人不違）
（三藥殘留一日前一日過不及前安居人前稱量得所以為償前安居人一月後一日償前安居者是立犯也）問比丘受具已持幾種衣（答有二種二衣一三衣二重隨衣）
問何名五德（一知時不以非時……）問離衣宿罪有何差別（答離三衣得提餘衣……）
（滑吉三衣是出家遺服僧識天人歸依故離衣滑提餘衣非正道服離則滑吉罪也）問比丘何故制畜三衣不得五衣其意
如何（答所制三衣者按論云用約為不多不少但畏三衣不同白衣……）
問八不淨物者云何

大乘无量壽經
如是我聞一時薄伽梵在舍衛國祇樹給孤獨園與大苾芻僧千二百五十人大菩薩摩訶薩衆
俱同會坐尒時世尊告曼殊室利童子曼殊上方有世界名无量功德聚彼土有佛号名无
量壽智決定王如來阿羅訶三藐三菩提現為衆生開示說法曼殊諦聽南閻浮提
人皆短壽大限百年於中殀枉橫死者衆曼殊如是无量壽如來功德名稱法要若有
衆生得聞名号若自書或使人書能為經卷受持讀誦若有舍宅所住之處以種種
花鬘瓔珞塗香末香而為供養如其命盡復得延年滿足百歲如是曼殊若有衆生
得聞是无量壽智決定王如來一百八名号者益其長壽若有衆生大命將盡憶念是如來
名号更得增壽如是曼殊若有善男子善女人欲求長壽於是无量壽如來一百八名
号有得聞者或自書若使人書受持讀誦得如是等果報福德具足陀羅尼曰
南謨薄伽勃底一阿波唎蜜哆二阿喻紇硯娜三須毗你志指陁四囉佐耶五怛他羯他耶六怛姪
他唵七薩婆桒悉迦囉八波唎輸底九達磨底十伽伽娜十一莎訶某特迦底十二莎婆婆毗輸底
十三摩訶娜耶十四波唎婆嚩莎訶十五 世尊復告曼殊室利如是如來一百八名号若有
自書或使人書為經卷受持讀誦如壽命盡復滿百年壽終此身後得往生无量福智
世界无量壽淨土陀羅尼曰 南謨薄伽勃底一阿波唎蜜哆二阿喻紇硯娜三須毗你志指陁
四囉佐耶五怛他羯他耶六怛姪他唵七薩婆桒悉迦囉八波唎輸底九達磨底十伽伽娜十一莎訶某特迦
底十二莎婆婆毗輸底十三摩訶娜耶十四波唎婆嚩莎訶十五 尒時有九十九垓佛一時同聲說是
无量壽宗要經陀羅尼曰 南謨薄伽勃底一阿波唎蜜哆二阿喻紇硯娜三須毗你志指
陁四囉佐耶五怛他羯他耶六怛姪他唵七薩婆桒悉迦囉八波唎輸底九達磨底十伽伽娜十一莎
訶某特迦底十二莎婆婆毗輸底十三摩訶娜耶十四波唎婆嚩莎訶十五 尒時復有一百四垓佛
一時同聲說是无量壽宗要經陀羅尼曰 南謨薄伽勃底一阿波唎蜜哆二阿喻紇硯娜三
須毗你志指陁四囉佐耶五怛他羯他耶六怛姪他唵七薩婆桒悉迦囉八波唎輸底九達磨底十伽
娜十一莎訶某特迦底十二莎婆婆毗輸底十三摩訶娜耶十四波唎婆嚩莎訶十五 尒時復有七垓佛

BD02359號　無量壽宗要經　（5-1）

底十二莎婆婆毗輸底十三摩訶娜耶十四波唎婆嚩莎訶十五 尒時有九十九垓佛一時同聲說是
无量壽宗要經陀羅尼曰 南謨薄伽勃底一阿波唎蜜哆二阿喻紇硯娜三須毗你志指
陁四囉佐耶五怛他羯他耶六怛姪他唵七薩婆桒悉迦囉八波唎輸底九達磨底十伽伽娜十一莎
訶某特迦底十二莎婆婆毗輸底十三摩訶娜耶十四波唎婆嚩莎訶十五 尒時復有一百四垓佛
一時同聲說是无量壽宗要經陀羅尼曰 南謨薄伽勃底一阿波唎蜜哆二阿喻紇硯娜三
須毗你志指陁四囉佐耶五怛他羯他耶六怛姪他唵七薩婆桒悉迦囉八波唎輸底九達磨底十伽
娜十一莎訶某特迦底十二莎婆婆毗輸底十三摩訶娜耶十四波唎婆嚩莎訶十五 尒時復有七垓佛
一時同聲說是无量壽宗要經陀羅尼曰 南謨薄伽勃底一阿波唎蜜哆二阿喻紇硯
娜三須毗你志指陁四囉佐耶五怛他羯他耶六怛姪他唵七薩婆桒悉迦囉八波唎輸底九達摩底十伽迦娜十一
莎訶某特迦底十二莎婆婆毗輸底十三摩訶娜耶十四波唎婆嚩莎訶十五 尒時復有六十五垓佛
一時同聲說是无量壽宗要經陀羅尼曰 南謨薄伽勃底一阿波唎蜜哆二阿喻紇硯
娜三須毗你志指陁四囉佐耶五怛他羯他耶六怛姪他唵七薩婆桒悉迦囉八波唎輸底九達磨底
十伽迦娜十一莎訶某特迦底十二莎婆婆毗輸底十三摩訶娜耶十四波唎婆嚩莎訶十五 尒時復有五十
五垓佛一時同聲說是无量壽宗要經陀羅尼曰 南謨薄伽勃底一阿波唎蜜多二
阿喻紇硯娜三須毗你志指陁四囉佐耶五怛他羯他耶六怛姪他唵七薩婆桒悉迦囉八波唎輸底九達
磨底十伽迦娜十一莎訶某特迦底十二莎婆婆毗輸底十三摩訶娜耶十四波唎婆嚩莎訶十五
尒時復有四十五垓佛一時同聲說是无量壽宗要經陀羅尼曰 南謨薄伽勃底一阿波唎蜜
哆二阿喻紇硯娜三須毗你志指陁四囉佐耶五怛他羯他耶六怛姪他唵七薩婆桒悉迦囉八波唎輸底
九達底十伽迦娜十一莎訶某特迦底十二莎婆婆毗輸底十三摩訶娜耶十四波唎婆嚩莎訶十五
尒時復有三十六垓佛一時同聲說是无量壽宗要經陀羅尼曰 南謨薄伽勃底一阿波
唎蜜哆二阿喻紇硯娜三須毗你志指陁四囉佐耶五怛他羯他耶六怛姪他唵七薩婆桒悉迦囉八波唎輸
底九達磨底十伽迦娜十一莎訶某特迦底十二莎婆婆毗輸底十三摩訶娜耶十四波唎婆嚩莎訶
尒時復有二十五垓佛一時同聲說是无量壽宗要經陀羅尼曰 南謨薄伽勃底一阿
波唎蜜哆二阿喻紇硯娜三須毗你志指陁四囉佐耶五怛他羯他耶六怛姪他唵七薩婆桒悉迦
囉八波唎輸底九達磨底十伽迦娜十一莎訶某特迦底十二莎婆婆毗輸底十三摩訶娜耶十四波唎
婆嚩莎訶十五 尒時復有恒河沙垓佛一時同聲說是无量壽宗要經陀羅尼曰
南謨薄伽勃底一阿波唎蜜哆二阿喻紇硯娜三須毗你志指陁四囉佐耶五怛他羯他耶六怛姪他唵七
薩婆桒悉迦囉八波唎輸底九達磨底十伽迦娜十一莎訶某特迦底十二莎婆婆毗輸底十三摩訶娜耶
十四波唎婆嚩莎訶十五 善男子若有自書寫教人書是无量宗要經如其命盡復得
長壽而滿百年陀羅尼曰 南謨薄伽勃底一阿波唎蜜哆二阿喻紇硯娜三須毗你志指陁四羅
佐耶五怛他羯他耶六怛姪他唵七薩婆桒悉迦囉八波唎輸底九達磨底十伽迦娜十一莎訶某特迦底十二莎
婆婆毗輸底十三摩訶娜耶十四波唎婆嚩莎訶十五

BD02359號　無量壽宗要經　（5-2）

娑嚩莎訶十五 尒時復有恒河沙姟佛一時同聲說是无量壽宗要經陁羅尼曰
南謨薄伽勃底一 阿波唎蜜哆二 阿蝓紇硯娜三 須毗你悉指陁四 囉佐耶五 怛他羯他耶六 怛姪他唵七
薩婆桑悉迦囉八 波唎輸底九 達磨底十 伽迦娜十一 莎訶某特迦底十二 薩婆婆毗輸底十三 摩訶娜耶
十四 波唎婆嚩莎訶十五 善男子若有自書寫教人書是无量宗要經如其命盡復得
長壽滿百年陁羅尼曰 南謨薄伽勃底一 阿波唎蜜哆二 阿蝓紇硯娜三 須毗你悉指陁四 囉
佐耶五 怛他羯他耶六 怛姪他唵七 薩婆桑悉迦囉八 波唎輸底九 達磨底十 伽迦娜十一 莎訶某特迦底十二 莎
婆婆毗輸底十三 摩訶娜耶十四 波唎婆嚩莎訶十五 若有自書寫教人書寫是无量壽宗要經
受持讀誦畢竟不墮地獄在在所生得宿命智陁羅尼曰 南謨薄伽勃底一 阿波唎蜜
哆二 阿蝓紇硯娜三 須毗你悉指陁四 囉佐耶五 怛他羯他耶六 怛姪他唵七 薩婆桑悉迦囉八 波唎
輸底九 達磨底十 伽迦娜十一 莎訶某特迦底十二 莎婆婆毗輸底十三 摩訶娜耶十四 波唎
婆嚩莎訶十五 若有自書寫教人書寫是无量壽宗要經受持讀誦如同書寫八万
四千一切經典陁羅尼曰 南謨薄伽勃底一 阿波唎蜜哆二 阿蝓紇硯娜三 須毗你悉指陁
四 囉佐耶五 怛他羯他耶六 怛姪他唵七 薩婆桑悉迦囉八 波唎輸底九 達磨底十 伽迦娜十一 莎訶
某特迦底十二 薩婆婆毗輸底十三 摩訶娜耶十四 波唎婆嚩莎訶十五 若有自書寫教人書寫是
无量壽宗要經即是書寫八万四千部建立塔廟陁羅尼曰 南謨薄伽勃底一
阿波唎蜜哆二 阿蝓紇硯娜三 須毗你悉指陁四 囉佐耶五 怛他羯他耶六 怛姪他唵七 薩婆桑悉迦囉
八 波唎輸底九 達磨底十 伽迦娜十一 莎訶某特迦底十二 莎婆婆毗輸底十三 摩訶娜耶十四 波唎
娑嚩莎訶十五 若有自書寫教人書寫是无量壽宗要經能滅无間等一切重罪陁羅
尼曰 南謨薄伽勃底一 阿波唎蜜哆二 阿蝓紇硯娜三 須毗你悉指陁四 囉佐耶五 怛他羯他耶六
怛姪他唵七 薩婆桑悉迦囉八 波唎輸底九 達磨底十 伽迦娜十一 莎訶某特迦底十二 莎婆婆毗輸底十三
摩訶娜耶十四 波唎婆嚩莎訶十五 若有自書寫教人書寫是无量壽宗要經受持讀誦
設有重罪猶如須弥盡能除滅陁羅尼曰 南謨薄伽勃底一 阿波唎蜜哆二 阿蝓紇硯娜三
須毗你悉指陁四 囉佐耶五 怛他羯他耶六 怛姪他唵七 薩婆桑悉迦囉八 波唎輸底九 達磨底十 伽迦
娜十一 莎訶某特迦底十二 莎婆婆毗輸底十三 摩訶娜耶十四 波唎婆嚩莎訶十五 若有自書寫
教人書寫是无量壽宗要經受持讀誦若魔之眷屬夜叉羅剎不得其便終
无枉死陁羅尼曰 南謨薄伽勃底一 阿波唎蜜哆二 阿蝓紇硯娜三 須毗你悉指陁四 囉
佐耶五 怛他羯他耶六 怛姪他唵七 薩婆桑悉迦囉八 波唎輸底九 達磨底十 伽迦娜十一 莎訶某
特迦底十二 莎婆婆毗輸底十三 摩訶娜耶十四 波唎婆嚩莎訶十五 若有自書或使人書是无
量壽宗要經受持讀誦當命終時有九十九姟佛現其人前蒙千佛授手餘遊一切佛
剎莫於此經生於疑惑陁羅尼曰 南謨薄伽勃底一 阿波唎蜜哆二 阿蝓紇硯娜三 須毗你
悉指陁四 囉佐耶五 怛他羯他耶六 怛姪他唵七 薩婆桑悉迦囉八 波唎輸底九 達磨底十 伽迦

BD02359號　無量壽宗要經　（5–3）

佐耶五 怛他羯他耶六 怛姪他唵七 薩婆桑悉迦囉八 波唎輸底九 達磨底十 伽迦娜十一 莎訶某
特迦底十二 莎婆婆毗輸底十三 摩訶娜耶十四 波唎婆嚩莎訶十五 若有自書或使人書是无
量壽宗要經受持讀誦當命終時有九十九姟佛現其人前蒙千佛授手餘遊一切佛
剎莫於此經生於疑惑陁羅尼曰 南謨薄伽勃底一 阿波唎蜜哆二 阿蝓紇硯娜三 須毗你
悉指陁四 囉佐耶五 怛他羯他耶六 怛姪他唵七 薩婆桑悉迦囉八 波唎輸底九 達磨底十 伽迦
娜十一 莎訶某特迦底十二 莎婆婆毗輸底十三 摩訶娜耶十四 波唎婆嚩莎訶十五 若有自書
寫教人書寫是无量壽宗要經受持讀誦常得四天大王隨其衛護陁羅尼曰
南謨薄伽勃底一 阿波唎蜜哆二 阿蝓紇硯娜三 須毗你悉指陁四 囉佐耶五 怛他羯他耶六 怛姪他
唵七 薩婆桑悉迦囉八 波唎輸底九 達磨底十 伽迦娜十一 莎訶某特迦底十二 莎婆婆毗輸底十三
摩訶娜耶十四 波唎婆嚩莎訶十五 若有自書寫教人書寫是无量壽宗要經受持讀
誦當得往生西方極樂世界阿弥陁淨土陁羅尼曰 南謨薄伽勃底十 阿波唎蜜哆二 阿
蝓紇硯娜三 須毗你悉指陁四 囉佐耶五 怛他羯他耶六 怛姪他唵七 薩婆桑悉迦囉八 波唎輸底九 達磨
底十 伽迦娜十一 莎訶某特迦底十二 莎婆婆毗輸底十三 摩訶娜耶十四 波唎婆嚩莎訶十五 若有方
所自書寫教人書寫是无量壽經典之處則為是塔皆應恭敬作礼若是畜生或為
鳥獸得聞是經如是等類皆當不久得成一切種智陁羅尼曰 南謨薄伽勃底一 阿波
唎蜜哆二 阿蝓紇硯娜三 須毗你悉指陁四 囉佐耶五 怛他羯他耶六 怛姪他唵七 薩婆桑悉迦囉八 波
唎輸底九 達磨底十 伽迦娜十一 莎訶某特迦底十二 莎婆婆毗輸底十三 摩訶娜耶十四 波唎婆嚩莎訶
若有於是无量壽經自書寫若使人書畢不受女人之身陁羅尼曰 南謨薄伽勃底一 阿波唎
蜜哆二 阿蝓紇硯娜三 須毗你悉指陁四 囉佐耶五 怛他羯他耶六 怛姪他唵七 薩婆桑悉迦囉八 波唎輸
提九 達磨底十 伽迦娜十一 莎訶某特迦底十二 莎婆婆毗輸提十三 摩訶娜耶十四 波唎婆
嚩莎訶十五 若有能於是經少分能惠施者等三千大千世界滿中七寶布施陁
羅尼曰 南謨薄伽勃底一 阿波唎蜜哆二 阿蝓紇硯娜三 須毗你悉指陁四 囉佐耶五
怛他羯他耶六 怛姪他唵七 薩婆桑悉迦囉八 波唎輸底九 達磨底十 伽迦娜十一 莎訶
某特迦底十二 莎婆婆毗輸底十三 摩訶娜耶十四 波唎婆嚩莎訶十五 若有能於是經
者則是供養一切諸經等无有異陁羅尼曰 南謨薄伽勃底一 阿波唎蜜哆二 阿蝓
紇硯娜三 須毗你悉指陁四 囉佐耶五 怛他羯他耶六 怛姪他唵七 薩婆桑悉迦囉八 波唎輸底九 達
磨底十 伽迦娜十一 莎訶某特迦底十二 莎婆婆毗輸底十三 摩訶娜耶十四 波唎婆嚩莎訶十五
如是毗婆尸佛 尸弃佛 毗舍浮佛 俱留孫佛 俱那含牟尼佛 迦葉佛 釋迦牟尼佛
若有人以七寶供養如是七佛其福有限書寫受持是无量壽經典所有功德不可限量陁
羅尼曰 南謨薄伽勃底一 阿波唎蜜哆二 阿蝓紇硯娜三 須毗你悉指陁四 囉佐耶五 怛他羯他耶六
怛姪他唵七 薩婆桑悉迦囉八 波唎輸底九 達磨底十 伽迦娜十一 莎訶某特迦底十二

BD02359號　無量壽宗要經　（5–4）

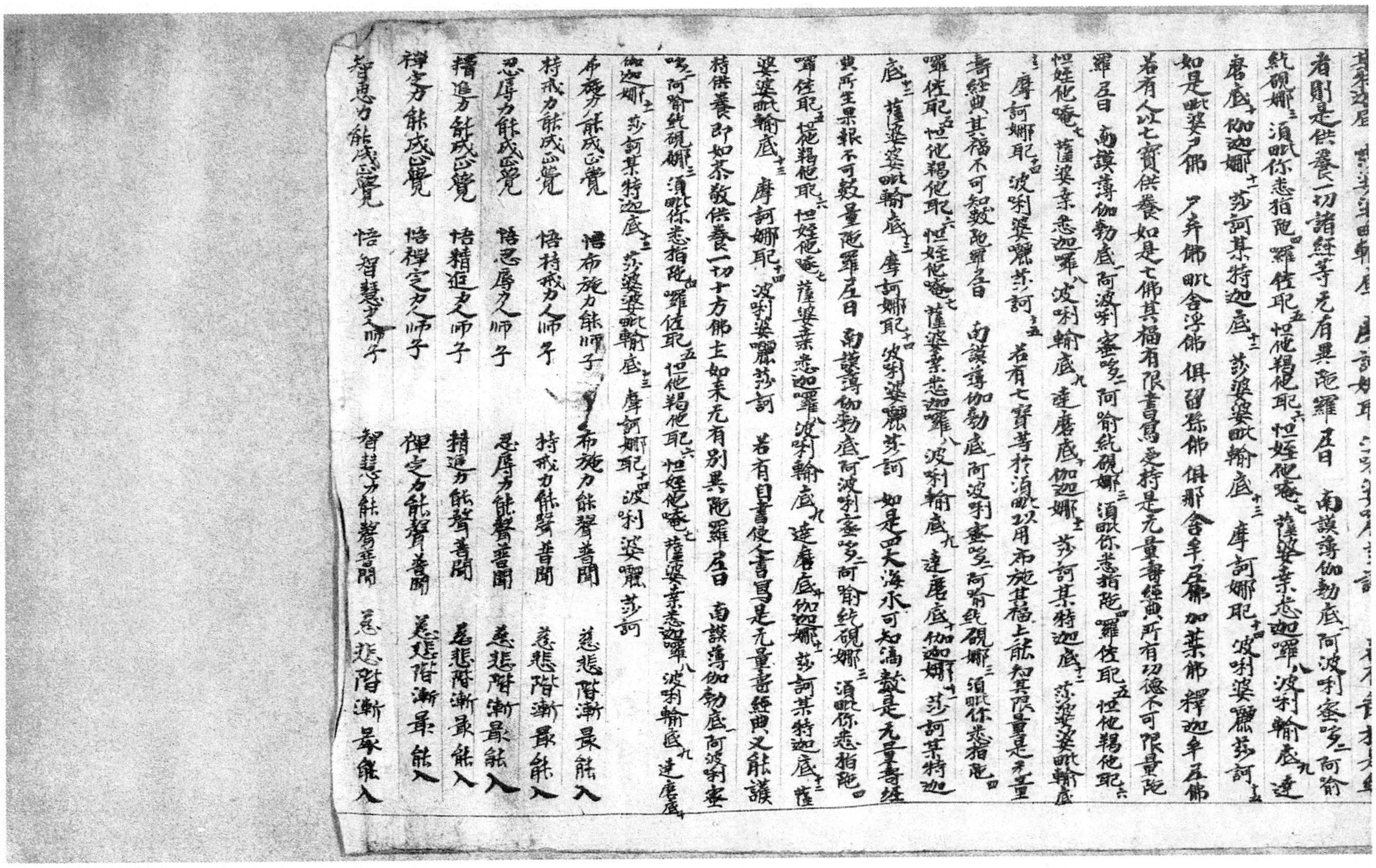

者則是供養一切諸經等无有異陁羅尼曰 南謨薄伽勃底一 阿波唎蜜哆二 阿喻
紇硯娜三 須毗你悉指陁四 囉佐耶五 怛他羯他耶六 怛姪他唵七 薩婆桑悉迦囉八 波唎輸底九 達
磨底十 伽迦娜十一 莎訶某特迦底十二 莎婆婆毗輸底十三 摩訶娜耶十四 波唎婆囉莎訶十五
如是毗婆尸佛 尸弃佛 毗舍浮佛 俱留孫佛 俱那含牟尼佛 迦葉佛 釋迦牟尼佛
若有人以七寶供養如是七佛其福有限書寫受持是无量壽經典所有功德不可限量陁
羅尼曰 南謨薄伽勃底一 阿波唎蜜哆二 阿喻紇硯娜三 須毗你悉指陁四 囉佐耶五 怛他羯他耶六
怛姪他唵七 薩婆桑悉迦囉八 波唎輸底九 達磨底十 伽迦娜十一 莎訶某特迦底十二 莎婆婆毗輸底
十三 摩訶娜耶十四 波唎婆囉莎訶十五 若有七寶等於須彌以用布施其福上能知其限量是无量
壽經典其福不可知數陁羅尼曰 南謨薄伽勃底一 阿波唎蜜哆二 阿喻紇硯娜三 須毗你悉指陁四
囉佐耶五 怛他羯他耶六 怛姪他唵七 薩婆桑悉迦囉八 波唎輸底九 達磨底十 伽迦娜十一 莎訶某特迦
底十二 薩婆婆毗輸底十三 摩訶娜耶十四 波唎婆囉莎訶 如是四大海水可知滴數是无量壽經
典所生果報不可數量陁羅尼曰 南謨薄伽勃底一 阿波唎蜜哆二 阿喻紇硯娜三 須毗你悉指陁四
囉佐耶五 怛他羯他耶六 怛姪他唵七 薩婆桑悉迦囉八 波唎輸底九 達磨底十 伽迦娜十一 莎訶某特迦底十二 薩
婆婆毗輸底十三 摩訶娜耶十四 波唎婆囉莎訶 若有自書使人書寫是无量壽經典又能讃
持供養即如恭敬供養一切十方佛土如來无有別異陁羅尼曰 南謨薄伽勃底一 阿波唎蜜
哆二 阿喻紇硯娜三 須毗你悉指陁四 囉佐耶五 怛他羯他耶六 怛姪他唵七 薩婆桑悉迦囉八 波唎輸底九 達磨底
伽迦娜十一 莎訶某特迦底十二 莎婆婆毗輸底十三 摩訶娜耶十四 波唎婆囉莎訶
布施力能成正覺 悟布施力人師子 布施力能聲普聞 慈悲階漸最能入
持戒力能成正覺 悟持戒力人師子 持戒力能聲普聞 慈悲階漸最能入
忍辱力能成正覺 悟忍辱力人師子 忍辱力能聲普聞 慈悲階漸最能入
精進力能成正覺 悟精進力人師子 精進力能聲普聞 慈悲階漸最能入
禪定力能成正覺 悟禪定力人師子 禪定力能聲普聞 慈悲階漸最能入
智慧力能成正覺 悟智慧力人師子 智慧力能聲普聞 慈悲階漸最能入

BD02359號 無量壽宗要經 （5–5）

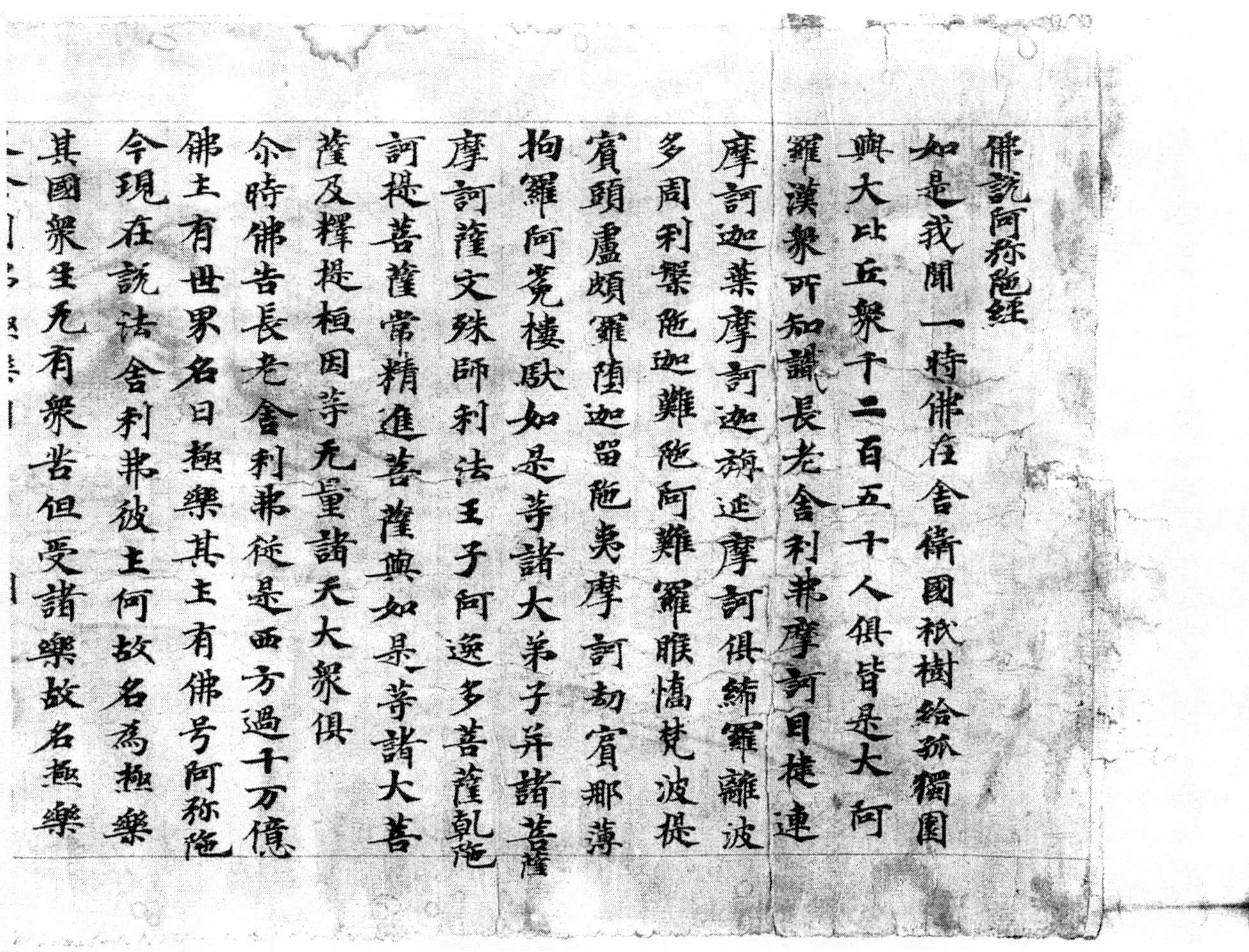

佛說阿弥陁經
如是我聞一時佛在舍衛國祇樹給孤獨園
與大比丘衆千二百五十人俱皆是大阿
羅漢衆所知識長老舍利弗摩訶目揵連
摩訶迦葉摩訶迦旃延摩訶俱絺羅離波
多周利槃陁迦難陁阿難陁羅睺羅憍梵波提
賓頭盧頗羅墮迦留陁夷摩訶劫賓那薄
拘羅阿㝹樓馱如是等諸大弟子并諸菩薩
摩訶薩文殊師利法王子阿逸多菩薩乾陁
訶提菩薩常精進菩薩與如是等諸大菩
薩及釋提桓因等无量諸天大衆俱
尒時佛告長老舍利弗從是西方過十万億
佛土有世界名曰極樂其土有佛号阿弥陁
今現在說法舍利弗彼土何故名為極樂
其國衆生无有衆苦但受諸樂故名極樂

BD02360號 1 阿彌陀經 （7–1）

尒時佛告長老舍利弗從是西方過十万億
佛土有世界名曰極樂其土有佛号阿弥陁
今現在說法舍利弗彼土何故名為極樂
其國衆生无有衆苦但受諸樂故名極樂
又舍利弗極樂國土七重欄楯七重羅網七
重行樹皆是四寶周帀圍繞是故彼國名曰
極樂
又舍利弗極樂國土有七寶池八功德水充
滿其中池底純以金沙布地四邊階道金銀
瑠璃頗梨合成上有樓閣亦以金銀瑠璃頗
梨車𤦲赤珠馬瑙而嚴飾之池中蓮華大如
車輪青色青光黃色黃光赤色赤光白色白
光微妙香潔舍利弗極樂國土成就如是功
德莊嚴
又舍利弗彼佛國土常作天樂黃金為地晝
夜六時而雨曼陁羅華其國衆生常以清
旦各以衣裓盛衆妙華供養他方十万億佛
即以食時還到本國飯食經行舍利弗極樂
國土成就如是功德莊嚴
復次舍利弗彼國常有種種奇妙雜色之鳥
白鵠孔雀鸚鵡舍利迦陵頻伽共命之鳥
是諸衆鳥晝夜六時出和雅音其音演暢
五根五力七菩提分八聖道分如是等法其
土衆生聞是音已皆悉念佛念法念僧舍利
弗汝勿謂此鳥實是罪報所生所以者何彼

BD02360 號 1　阿彌陀經　（7–2）

是諸衆鳥晝夜六時出和雅音其音演暢
五根五力七菩提分八聖道分如是等法其
土衆生聞是音已皆悉念佛念法念僧舍利
弗汝勿謂此鳥實是罪報所生所以者何彼
佛國土无三惡道舍利弗其佛國土尚无三
惡道之名何況有實是諸衆鳥皆是阿弥陁
佛欲令法音宣流變化所作舍利弗彼佛國土微
風吹動諸寶行樹及寶羅網出微妙音譬如百
千種樂同時俱作聞是音者自然皆生念佛
念法念僧之心舍利弗其佛國土成就如是
功德莊嚴
舍利弗於汝意云何彼佛何故号阿弥陁
舍利弗彼佛光明无量照十方國无所鄣㝵
是故号為阿弥陁又舍利弗彼佛壽命及
其人民无量无邊阿僧祇劫故名阿弥陁舍
利弗阿弥陁佛成佛以來於今十劫又舍利
弗彼佛有无量无邊聲聞弟子皆阿羅漢
非是筭數之所能知諸菩薩衆亦復如是舍
利弗彼佛國土成就如是功德莊嚴又舍利
弗極樂國土衆生生者皆是阿鞞跋致其
中多有一生補處其數甚多非是筭數所能
知之但可以无量无邊阿僧祇說
舍利弗衆生聞者應當發願生彼國土所以
者何得與如是諸上善人俱會一處舍利
弗不可以少善根福德因緣得生彼國

BD02360 號 1　阿彌陀經　（7–3）

知之但可以无量无邊阿僧祇說
舍利弗衆生聞者應當發願生彼國土所以
者何得與如是諸上善人俱會一處舍利
弗不可以少善根福德因緣得生彼國
舍利弗若有善男子善女人聞說阿弥陁佛
執持名号若一日若二日若三日若四日若
五日若六日若七日一心不乱其人臨命終
時阿弥陁佛與諸聖衆現在其前是人終
時心不顛倒即得往生阿弥陁佛極樂國土
舍利弗我見是利故說此言若有衆生聞是
說者應當發願生彼國土舍利弗如我今者
讚歎阿弥陁佛不可思議功德之利東方
亦有阿閦鞞佛須弥相佛大須弥佛須弥
光佛妙音佛如是等恒河沙數諸佛各於
其國出廣長舌相遍覆三千大千世界說誠
實言汝等衆生當信是稱讚不可思議功德
一切諸佛所護念經舍利弗南方世界有日月
燈佛名聞光佛大炎肩佛須弥燈佛无量精
進佛如是等恒河沙數諸佛各於其國出廣
長舌相遍覆三千大千世界說誠實言汝等
衆生當信是稱讚不可思議功德一切諸佛所
護念經舍利弗西方世界有无量壽佛无量
相佛无量幢佛大光佛大明佛寶相佛淨光
佛如是等恒河沙數諸佛各於其國出廣長
舌相遍覆三千大千世界說誠實言汝等衆

BD02360號1　阿彌陀經　（7–4）

護念經舍利弗西方世界有无量壽佛无量
相佛无量幢佛大光佛大明佛寶相佛淨光
佛如是等恒河沙數諸佛各於其國出廣長
舌相遍覆三千大千世界說誠實言汝等衆
生當信是稱讚不可思議功德一切諸佛所
護念經舍利弗北方世界有炎肩佛最勝
音佛難阻佛日生佛網明佛如是等恒河沙
數諸佛各於其國出廣長舌相遍覆三千大
千世界說誠實言汝等衆生當信是稱讚
不可思議功德一切諸佛所護念經舍利弗
下方世界有師子佛名聞佛名光佛達摩佛
法幢佛持法佛如是等恒河沙數諸佛各於
其國出廣長舌相遍覆三千大千世界說誠
實言汝等衆生當信是稱讚不可思議功德
一切諸佛所護念經舍利弗上方世界有梵
音佛宿王佛香上佛香光佛大炎肩佛雜
色寶華嚴身佛娑羅樹王佛寶華德佛見
一切義佛如須弥山佛如是等恒河沙數諸
佛各於其國出廣長舌相遍覆三千大千世
界說誠實言汝等衆生當信是稱讚不可思
議功德一切諸佛所護念經
舍利弗於汝意云何何故名為一切諸佛所
護念經舍利弗若有善男子善女人聞是經
受持者及聞諸佛名者是諸善男子善女人
皆為一切諸佛共所護念皆得不退轉於

BD02360號1　阿彌陀經　（7–5）

護念經舍利弗若有善男子善女人聞是經
受持者及聞諸佛名者是諸善男子善女人
皆為一切諸佛共所護念皆得不退轉於
阿耨多羅三藐三菩提是故舍利弗汝等
皆當信受我語及諸佛所說舍利弗若有
人已發願今發願當發願欲生阿弥陁佛國
者是諸人等皆得不退轉於阿耨多羅三藐
三菩提於彼國土若已生若今生若當生是
故舍利弗諸善男子善女人若有信者應
當發願生彼國土
舍利弗如我今者稱讚諸佛不可思議功
德彼諸佛等亦稱讚我不可思議功德而
作是言釋迦牟尼佛能為甚難希有之事
能於娑婆國土五濁惡世劫濁見濁煩惱
濁衆生濁命濁中得阿耨多羅三藐三菩
提為諸衆生說是一切世間難信之法舍利
弗當知我於五濁惡世行此難事得阿耨
多羅三藐三菩提為一切世間說此難信之法
是為甚難佛說此經已舍利弗及諸比丘
一切世間天人阿脩羅等聞佛所說歡
喜信受作礼而去
佛說阿弥陁經卷
般若波羅蜜多心經菩薩觀自
在菩薩行心般若波羅蜜多是照見五蘊皆

BD02360 號 1　阿彌陀經　（7–6）

一切世間天人阿脩羅等聞佛所說歡
喜信受作礼而去
佛說阿弥陁經卷
般若波羅蜜多心經菩薩觀自
在菩薩行心般若波羅蜜多是照見五蘊皆
空度一切苦厄舍利子色不異空空不異色
色即是空空即是色受想行識亦復如是舍利
子是諸法空相不生不滅不垢不淨不增不減是
故空中无色无受想行識无眼界耳鼻舌身意
无色聲香味觸法无眼界乃至无意識界无無明
亦无無明盡乃至老死亦无老死盡无苦集滅道无智亦
知亦无得以无所得故菩提薩埵依般若波羅蜜多故心无罣
㝵故无有恐怖遠離顛倒夢想究竟涅槃三世諸佛依般若波羅
蜜多故得阿耨多羅三藐三菩提故知般若波羅蜜多是大神呪

BD02360 號 1　阿彌陀經　（7–7）
BD02360 號 2　般若波羅蜜多心經

觀十方殑伽沙等諸佛世界見已引發神境
智通往彼饒益諸有情類或以布施乃至般
若波羅蜜多而作饒益或以三十七種菩提分
法而作饒益或以靜慮无量无色而作饒益
或以解脫等持等至而作饒益或以空无相
无願解脫門而作饒益或以諸餘殊勝善法
而作饒益或以聲聞獨覺菩薩及諸佛法而作
饒益是菩薩摩訶薩遊十方界若見有情
慳貪多者深生憐愍說如是法汝等有情當
行布施諸慳貪者受貧窮苦由貧窮故无
有威德不能自益況能益他是故汝等當勤布
施既自安樂亦安樂他莫以貧窮更相食噉
俱不解脫諸惡趣苦若見有情毀淨戒者深
生憐愍說如是法汝等有情當持淨戒諸破
戒者受惡趣苦破戒之人无有威德不能自益
況能益他破戒因緣墮諸惡趣受苦異熟
楚毒難忍不能自濟況能濟他是故汝等當
持淨戒不應容納犯戒之心經一念頃況經
多時莫縱自心後生憂悔若見有情更相瞋

BD02361號　大般若波羅蜜多經（兌廢稿）卷五三六　　（2–1）

兑

行布施諸慳貪者受貧窮苦由貧窮故无
有威德不能自益況能益他是故汝等當勤布
施既自安樂亦安樂他莫以貧窮更相食噉
俱不解脫諸惡趣苦若見有情毀淨戒者深
生憐愍說如是法汝等有情當持淨戒諸破
戒者受惡趣苦破戒之人无有威德不能自益
況能益他破戒因緣墮諸惡趣受苦異熟
楚毒難忍不能自濟況能濟他是故汝等當
持淨戒不應容納犯戒之心經一念頃況經
多時莫縱自心後生憂悔若見有情更相瞋
忿展轉結恨互相損惱深生憐愍說如是法
汝等有情當脩安忍莫相瞋忿結恨相害諸
忿恨心不順善法增長惡法招現衰損汝等
由此忿恨心故身壞命終當墮惡趣受諸劇
苦難有出期是故汝等不應容納忿恨之心
經一念頃何況令其多時相續汝等今者展
轉相緣應起慈悲作饒益事若見有情懈
怠懶墮深生憐愍說如是法汝等有情當勤
精進莫於善法懈怠懶墮諸懶墮者於諸善法及

BD02361號　大般若波羅蜜多經（兌廢稿）卷五三六　　（2–2）

BD02361 號背　勘記　　（1–1）

故名…
須菩提譬…
說人身長大則為…
須菩提菩薩亦如是若作…
量眾生則不名菩薩何以故須菩提實无有
法名為菩薩是故佛說一切法无我无人无
眾生无壽者須菩提若菩薩作是言我當莊
嚴佛土是不名菩薩何以故如來說莊嚴佛
土者即非莊嚴是名莊嚴須菩提若菩薩通
達无我法者如來說名真是菩薩
須菩提於意云何如來有肉眼不如是世尊
如來有肉眼須菩提於意云何如來有天眼
不如是世尊如來有天眼須菩提於意云何
如來有慧眼不如是世尊如來有慧眼須菩
提於意云何如來有法眼不如是世尊如來
有法眼須菩提於意云何如來有佛眼不如
是世尊如來有佛眼須菩提於意云何如恒河
中所有沙佛說是沙不如是世尊如來說是
沙須菩提於意云何如一恒河中所有沙有如
是等恒河是諸恒河所有沙數佛世界如是
寧為多不甚多世尊佛告須菩提爾所國土
中所有眾生若干種心如來悉知何以故如

BD02362 號　金剛般若波羅蜜經　　（6–1）

有法眼須菩提於意云何如來有佛眼不如
是世尊如來有佛眼須菩提於意云何如恒河
中所有沙佛說是沙不如是世尊如來說是
沙須菩提於意云何如一恒河中所有沙有如
是等恒河是諸恒河所有沙數佛世界如是
寧為多不甚多世尊佛告須菩提尒所國土
中所有衆生若干種心如來悉知何以故如
來說諸心皆為非心是名為心所以者何
須菩提過去心不可得現在心不可得未來
心不可得須菩提於意云何若有人滿三千
大千世界七寶以用布施是人以是因緣得
福多不如是世尊此人以是因緣得福甚多
須菩提若福德有實如來不說得福德多以
福德无故如來說得福德多
須菩提於意云何佛可以具足色身見不不
也世尊如來不應以具足色身見何以故如
來說具足色身即非具足色身是名具足色
身須菩提於意云何如來可以具足諸相見
不不也世尊如來不應以具足諸相見何以
故如來說諸相具足即非具足是名諸相具
足須菩提汝勿謂如來作是念我當有所說
法莫作是念何以故若人言如來有所說法
即為謗佛不能解我所說故須菩提說法者
无法可說是名說法
須菩提白佛言世尊佛得阿耨多羅三藐三
菩提為无所得耶如是如是須菩提我於阿

BD02362號　金剛般若波羅蜜經　（6–2）

无法可說是名說法
須菩提白佛言世尊佛得阿耨多羅三藐三
菩提為无所得耶如是如是須菩提我於阿
耨多羅三藐三菩提乃至无有少法可得是
名阿耨多羅三藐三菩提復次須菩提是法
平等无有高下是名阿耨多羅三藐三菩提
以无我无人无衆生无壽者脩一切善法則
得阿耨多羅三藐三菩提須菩提所言善法
者如來說非善法是名善法
須菩提若三千大千世界中所有諸須弥山
王如是等七寶聚有人持用布施若人以此
般若波羅蜜經乃至四句偈等受持讀誦為
他人說於前福德百分不及一百千万億分
乃至筭數譬喻所不能及
須菩提於意云何汝等勿謂如來作是念我
當度衆生須菩提莫作是念何以故實无有
衆生如來度者若有衆生如來度者如來則
有我人衆生壽者須菩提如來說有我者則
非有我而凡夫之人以為有我須菩提凡夫
者如來說則非凡夫
須菩提於意云何可以三十二相觀如來不須
菩提言如是如是以三十二相觀如來佛言須
菩提若以三十二相觀如來者轉輪聖王則是
如來須菩提白佛言世尊如我解佛所說義
不應以三十二相觀如來尒時世尊而說偈言
若以色見我　以音聲求我　是人行邪道　不能見如來

BD02362號　金剛般若波羅蜜經　（6–3）

菩提若以三十二相觀如來者轉輪聖王則是
如來須菩提白佛言世尊如我解佛所說義
不應以三十二相觀如來尒時世尊而說偈言
若以色見我 以音聲求我 是人行邪道 不能見如來
須菩提汝若作是念如來不以具足相故得
阿耨多羅三藐三菩提須菩提莫作是念如
來不以具足相故得阿耨多羅三藐三菩提
須菩提汝若作是念發阿耨多羅三藐三菩
提者說諸法斷滅相莫作是念何以故發阿耨
多羅三藐三菩提者於法不說斷滅相須菩提
若菩薩以滿恒河沙等世界七寶布施若復
有人知一切法无我得成於忍此菩薩勝前
菩薩所得功德須菩提以諸菩薩不受福德
故須菩提白佛言世尊云何菩薩不受福德
須菩提菩薩所作福德不應貪著是故說不
受福德須菩提若有人言如來若來若去若
坐若卧是人不解我所說義何以故如來者无
所從來亦无所去故名如來
須菩提若善男子善女人以三千大千世界碎
為微塵於意云何是微塵衆寧為多不甚多
世尊何以故若是微塵衆實有者佛則不說
是微塵衆所以者何佛說微塵衆則非微塵
衆是名微塵衆世尊如來所說三千大千世
界則非世界是名世界何以故若世界實有者
則是一合相如來說一合相則非一合相是名
一合相須菩提一合相者則是不可說但凡夫
之人貪著其事須菩提若人言佛說我見人

BD02362號　金剛般若波羅蜜經　（6–4）

衆是名微塵衆世尊如來所說三千大千世
界則非世界是名世界何以故若世界實有者
則是一合相如來說一合相則非一合相是名
一合相須菩提一合相者則是不可說但凡夫
之人貪著其事須菩提若人言佛說我見人
見衆生見壽者見須菩提於意云何是人解
我所說義不世尊是人不解如來所說義何
以故世尊說我見人見衆生見壽者見即非
我見人見衆生見壽者見是名我見人見衆
生見壽者見須菩提發阿耨多羅三藐三菩
提心者於一切法應如是知如是見如是信
解不生法相須菩提所言法相者如來說即
非法相是名法相
須菩提若有人以滿无量阿僧祇世界七寶持
用布施若有善男子善女人發菩薩心者持於
此經乃至四句偈等受持讀誦為人演說其福
勝彼云何為人演說不取於相如如不動何
以故
一切有為法 如夢幻泡影 如露亦如電 應作如是觀
佛說是經已長老須菩提及諸比丘比丘尼
優婆塞優婆夷一切世間天人阿脩羅聞佛
所說皆大歡喜信受奉行

金剛般若波羅蜜經

BD02362號　金剛般若波羅蜜經　（6–5）

解不生法相須菩提所言法相者如来說即
非法相是名法相
須菩提若有人以滿无量阿僧祇世界七寶持
用布施若有善男子善女人發菩薩心者持於
此經乃至四句偈等受持讀誦為人演說其福
勝彼云何為人演說不取於相如如不動何
以故
一切有為法　如夢幻泡影　如露亦如電　應作如是觀
佛說是經已長老須菩提及諸比丘比丘尼
優婆塞優婆夷一切世間天人阿脩羅聞佛
所說皆大歡喜信受奉行
金剛般若波羅蜜經

BD02362號　金剛般若波羅蜜經　（6–6）

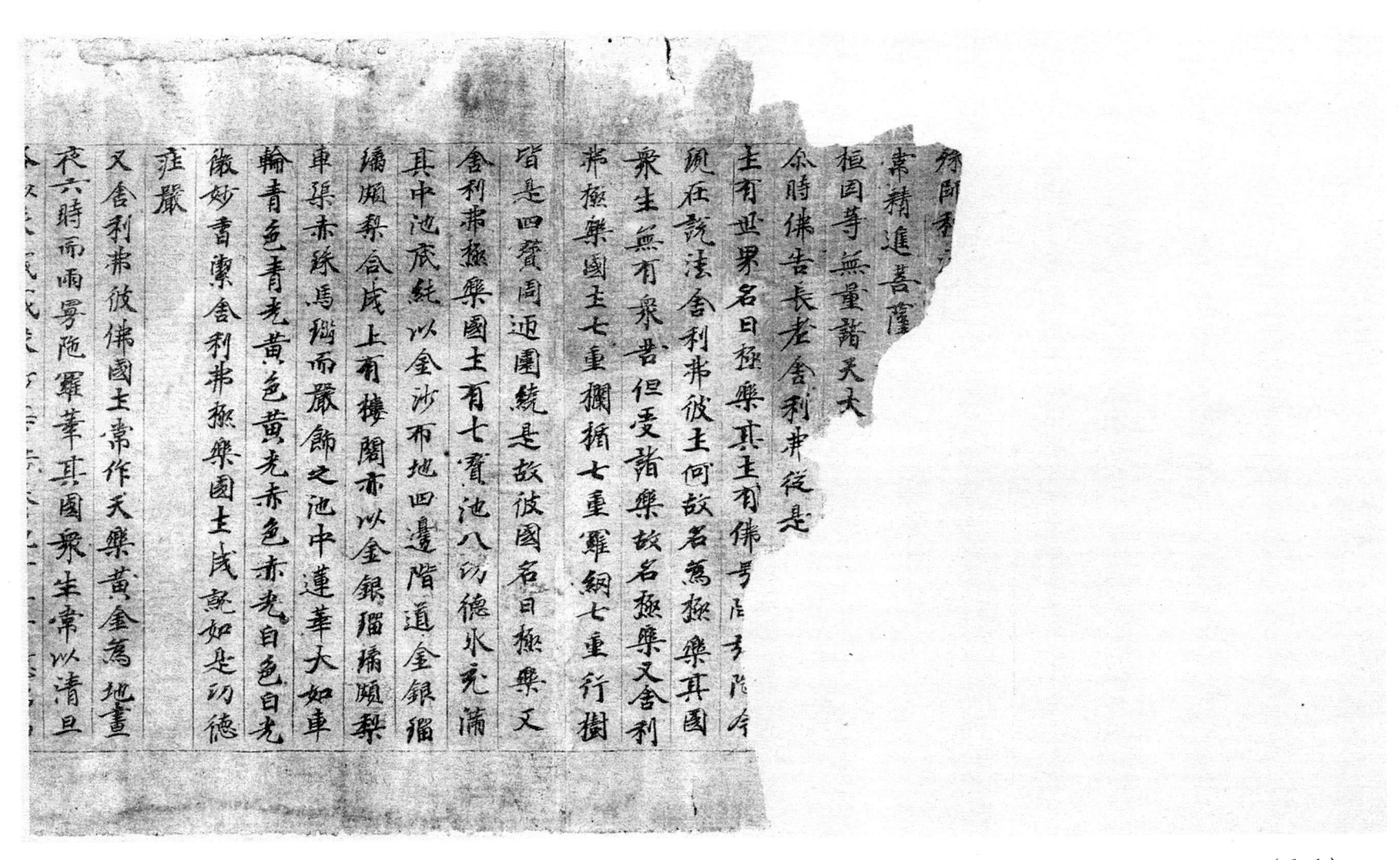

殊師利
常精進菩薩
桓因等無量諸天大
尒時佛告長老舍利弗從是
土有世界名曰極樂其土有佛号阿弥陁今
現在說法舍利弗彼土何故名為極樂其國
眾生無有眾苦但受諸樂故名極樂又舍利
弗極樂國土七重欄楯七重羅網七重行樹
皆是四寶周匝圍繞是故彼國名曰極樂又
舍利弗極樂國土有七寶池八功德水充滿
其中池底純以金沙布地四邊階道金銀瑠
璃頗梨合成上有樓閣亦以金銀瑠璃頗梨
車𤦲赤珠馬瑙而嚴飾之池中蓮華大如車
輪青色青光黃色黃光赤色赤光白色白光
微妙香潔舍利弗極樂國土成就如是功德
莊嚴
又舍利弗彼佛國土常作天樂黃金為地晝
夜六時而雨曼陁羅華其國眾生常以清旦

BD02363號　阿彌陀經　（6–1）

莊嚴
又舍利弗彼佛國土常作天樂黃金為地晝
夜六時雨曼陀羅華其國衆生常以清旦
各以衣裓盛衆妙華供養他方十万億佛即
以食時還到本國飯食經行舍利弗極樂國
土成就如是功德莊嚴
復次舍利弗彼國常有種種奇妙雜色之鳥
白鵠孔雀鸚鵡舍利迦陵頻伽共命之鳥是
諸衆鳥晝夜六時出和雅音其音演暢五根
五力七菩提分八聖道分如是等法其土衆
生聞是音已皆悉念佛念法僧舍利弗汝
勿謂此鳥實是罪報所生所以者何彼佛國
土無三惡趣舍利弗其佛國土尚無三惡道
之名何況有實是諸衆鳥皆是阿弥陀佛
令法音宣流變化所作舍利弗彼佛國土微
風吹動諸寶行樹及寶羅網出微妙音譬如
百千種樂同時俱作聞是音者皆自然生念
佛念法念僧之心舍利弗其佛國土成就如
是功德莊嚴舍利弗於汝意云何彼佛何故
号阿弥陀舍利弗彼佛光明無量照十方國
無所鄣礙是故号為阿弥陀
又舍利弗彼佛壽命及其人民無量無邊阿
僧祇劫故名阿弥陀舍利弗阿弥陀佛成佛
已來於今十劫又舍利弗彼佛有無量無邊
聲聞弟子皆阿羅漢非是算數之所能知諸
菩薩亦如是舍利弗彼佛國土成就如是功

BD02363號　阿彌陀經　（6–2）

僧祇劫故名阿弥陀舍利弗阿弥陀佛成佛
已來於今十劫又舍利弗彼佛有無量無邊
聲聞弟子皆阿羅漢非是算數之所能知諸
菩薩亦如是舍利弗彼佛國土成就如是功
德莊嚴
又舍利弗極樂國土衆生生者皆是阿鞞跋
致其中多有一生補處其數甚多非是算數
所能知之但可以無量無邊阿僧祇劫說舍
利弗衆生聞者應當發願願生彼國所以者
何得與如是諸上善人俱會一處舍利弗不
可以少善根福德因緣得生彼國舍利弗若
有善男子善女人聞說阿弥陀佛執持名号
若一日若二日若三日若四日若五日若六
日若七日一心不亂其人臨命終時阿弥陀
佛與諸聖衆現在其前是人終時心不顛倒
即得往生阿弥陀佛極樂國土舍利弗我見
是利故說此言若有衆生聞是說者應當發
願生彼國土舍利弗如我今者讚歎阿弥陀
佛不可思議功德東方亦有阿閦鞞佛須弥
相佛大須弥佛須弥光佛妙音佛如是等恒
河沙數諸佛各於其國出廣長舌相遍覆三
千大千世界說誠實言汝等衆生當信是稱
讚不可思議功德一切諸佛所護念經
舍利弗南方世界有日月燈佛名聞光佛大
焰肩佛須弥燈佛無量精進佛如是等恒河
沙數諸佛各於其國出廣長舌相遍覆三千
大千世界說誠實言汝等衆生當信是稱讚

BD02363號　阿彌陀經　（6–3）

舍利弗南方世界有日月燈佛名聞光佛大
焰肩佛須弥燈佛無量精進佛如是等恒河
沙數諸佛各於其國出廣長舌相遍覆三千
大千世界說誠實言汝等衆生當信是稱讚
不可思議功德一切諸佛所護念經
舍利弗西方世界有無量壽佛無量相佛無
量憧佛大光佛大明佛寶相佛淨光佛如是
等恒河沙數諸佛各於其國出廣長舌相遍
覆三千大千世界說誠實言汝等衆生當信
是稱讚不可思議功德一切諸佛所護念經
舍利弗北方世界有焰肩佛最勝音佛難阻
佛日生佛網明佛如是等恒河沙數諸佛各
於其國出廣長舌相遍覆三千大千世界說
誠實言汝等衆生當信是稱讚不可思議功
德一切諸佛所護念經
舍利弗下方世界有師子佛名聞佛名光佛
達摩佛法憧佛持法佛如是等恒河沙數諸
佛各於其國出廣長舌相遍覆三千大千世
界說誠實言汝等衆生當信是稱讚不可思
議功德一切諸佛所護念經
舍利弗上方世界有梵音佛宿王佛香上佛
香光佛大焰肩佛雜色寶華嚴身佛娑羅
樹王佛寶華德佛見一切義佛如須弥山佛如
是等恒河沙數諸佛各於其國出廣長舌相
遍覆三千大千世界說誠實言汝等衆生當
信是稱讚不可思議功德一切諸佛所護念

BD02363號　阿彌陀經　（6–4）

舍利弗上方世界有梵音佛宿王佛香上佛
香光佛大焰肩佛雜色寶華嚴身佛娑羅
樹王佛寶華德佛見一切義佛如須弥山佛如
是等恒河沙數諸佛各於其國出廣長舌相
遍覆三千大千世界說誠實言汝等衆生當
信是稱讚不可思議功德一切諸佛所護念
經
舍利弗於汝意云何何故名一切諸佛所護
念經舍利弗若有善男子善女人聞是受
持者及聞諸佛名者是諸善男子善女人皆
爲一切諸佛共所護念皆得不退轉於阿耨多
羅三藐三菩提是故舍利弗汝等皆當信受
我語及諸佛所說舍利弗若有人已發願今
發願當發願欲生阿弥陀佛國者是諸人
等皆得不退轉於阿耨多羅三藐三菩提於
彼國土若已生若今生若當生是故舍利弗
諸善男子善女人若有信者應當發願生
彼國土舍利弗如我今者稱讚諸佛不可思議
功德彼諸佛等亦稱說我不可思議功德而
作是言釋迦牟尼佛能爲甚難希有之事能
於娑婆國土五濁惡世劫濁見濁煩惱濁衆生
濁命濁中得阿耨多羅三藐三菩提爲諸
衆生說是一切世間難信之法舍利弗當知
我於五濁惡世行此難事得阿耨多羅三藐
三菩提爲一切世間說此難信之法是爲甚
難佛說此經已舍利弗及諸比丘一切世間天
人阿脩羅等聞佛所說歡喜信受作禮而去

BD02363號　阿彌陀經　（6–5）

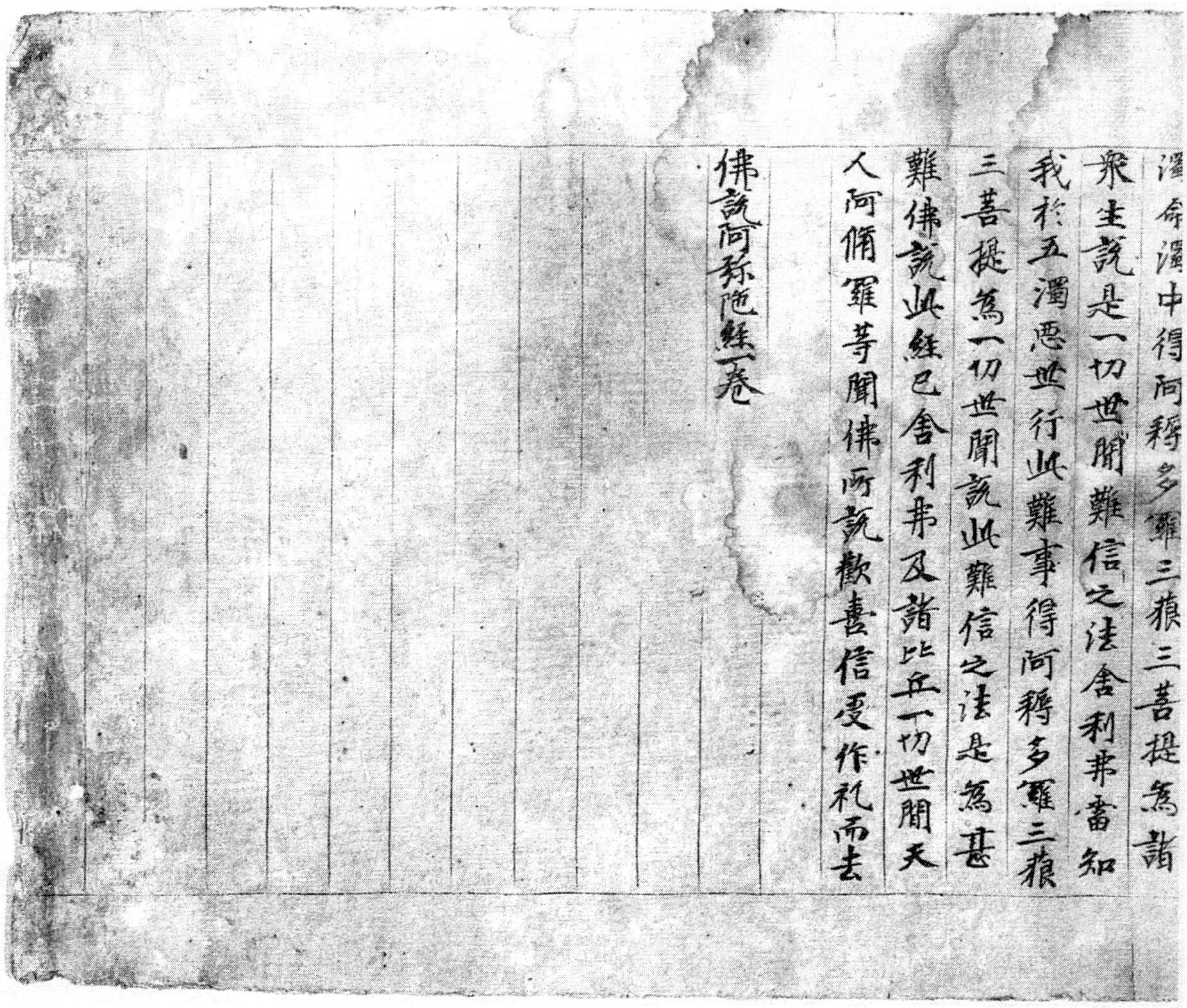

濁命濁中得阿耨多羅三藐三菩提為諸
衆生說是一切世間難信之法舍利弗當知
我於五濁惡世行此難事得阿耨多羅三藐
三菩提為一切世間說此難信之法是為甚
難佛說此經已舍利弗及諸比丘一切世間天
人阿脩羅等聞佛所說歡喜信受作禮而去
佛說阿弥陀經一卷

BD02363 號　阿彌陀經　　（6–6）

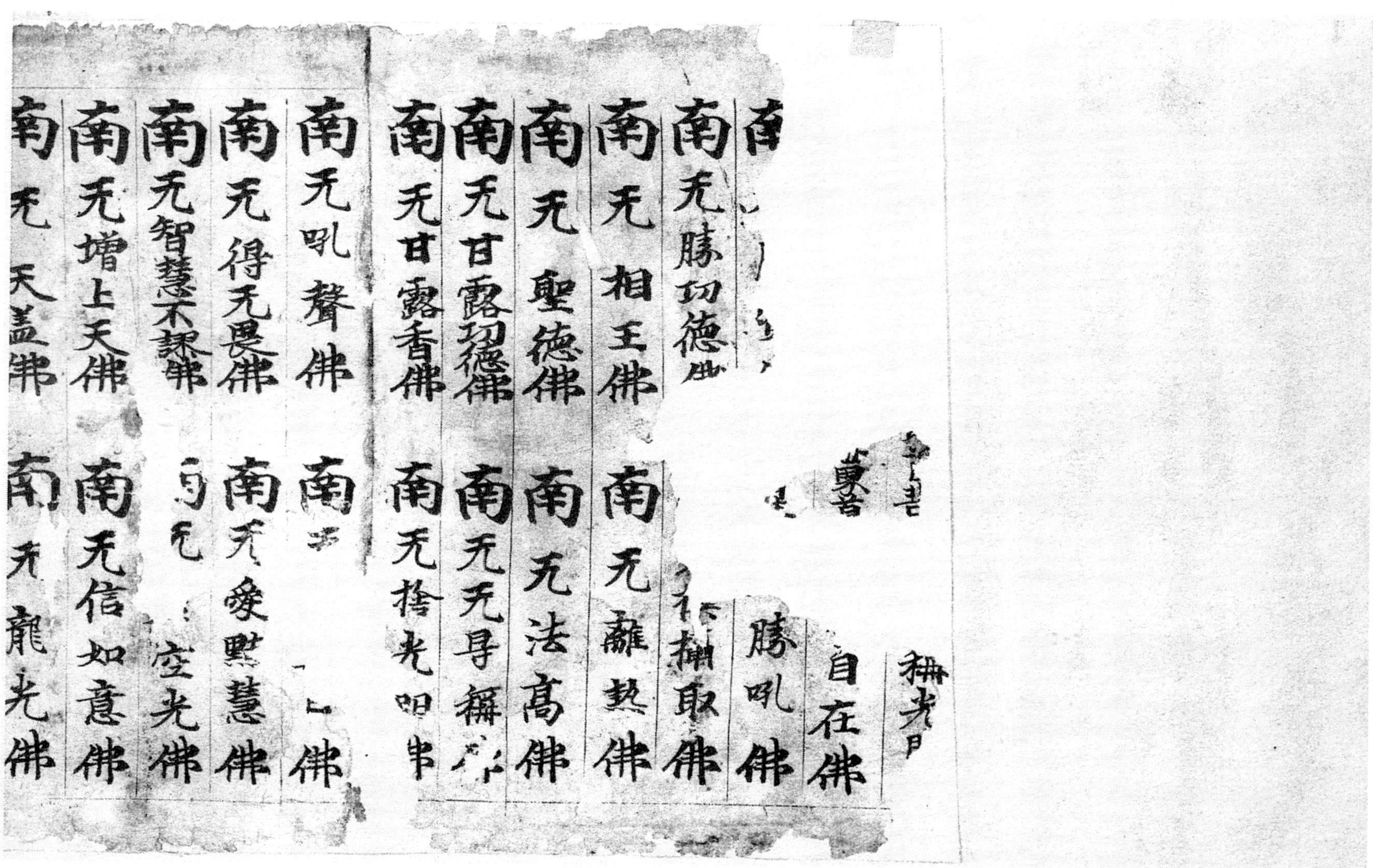

稱光
自在佛
南　勝吼佛
南无勝功德佛　攝取佛
南无相王佛　南无離熱佛
南无聖德佛　南无法高佛
南无甘露功德佛　南无无等稱佛
南无甘露香佛　南无捨光明佛
南无吼聲佛　南　佛
南无得无畏佛　南无愛默慧佛
南无智慧不隷佛　无　空光佛
南无增上天佛　南无信如意佛
南无天蓋佛　南无龍光佛

BD02364 號　佛名經（十六卷本）卷一四　　（44–1）

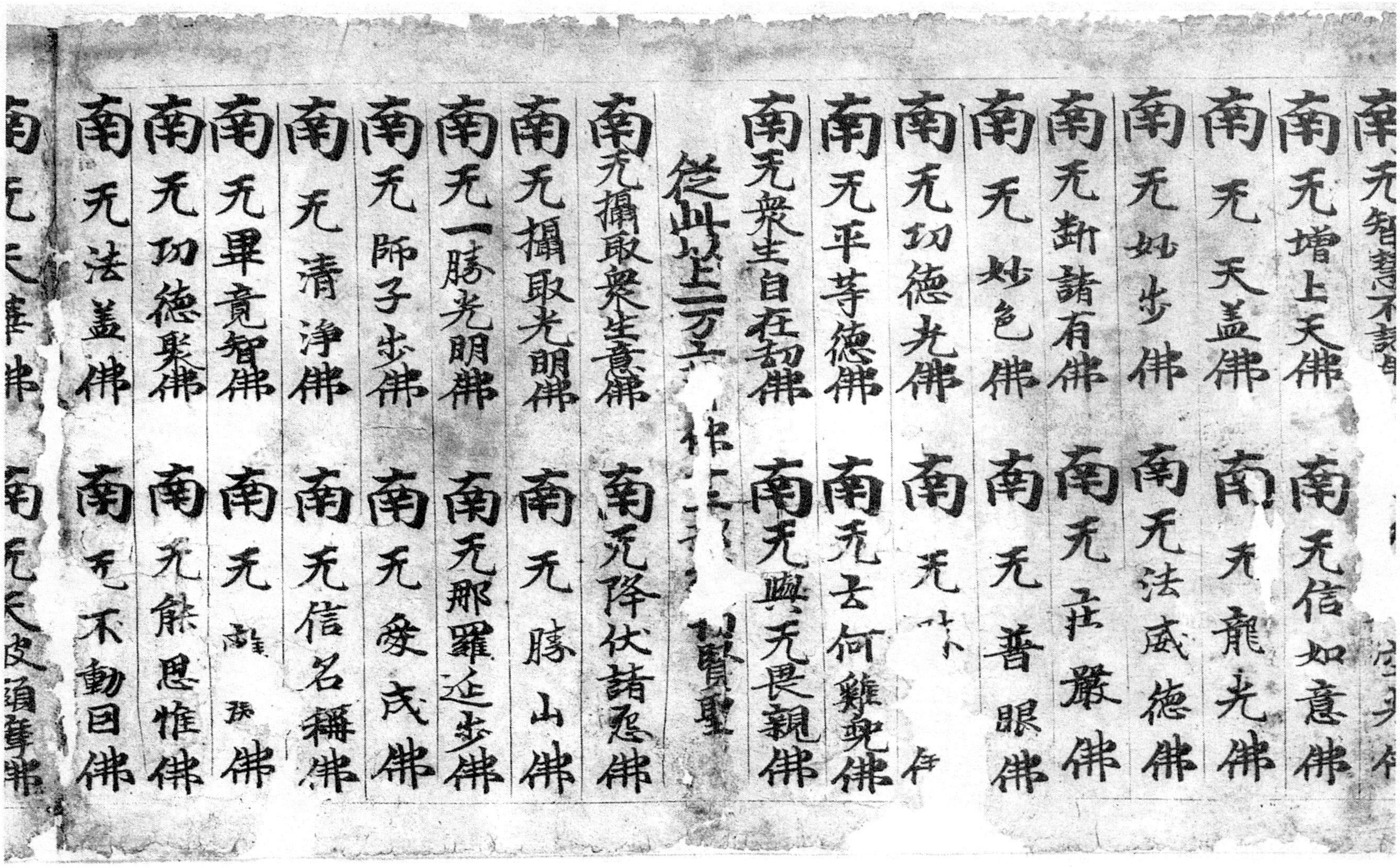
南无智慧不[...]
南无增上天佛　南无信如意佛
南无天蓋佛　南无龍光佛
南无妙步佛　南无法威德佛
南无斷諸有佛　南无莊嚴佛
南无妙色佛　南无普眼佛
南无功德光佛　南无[...]佛
南无平等德佛　南无去何難死佛
南无衆生自在智佛　南无與无畏親佛
從此以上二万五千[...]佛[...]賢聖
南无攝取衆生意佛　南无降伏諸怨佛
南无攝取光明佛　南无勝山佛
南无一勝光明佛　南无那羅延步佛
南无師子步佛　南无愛氏佛
南无清淨佛　南无信名稱佛
南无畢竟智佛　南无離[...]佛
南无功德聚佛　南无餘思惟佛
南无法蓋佛　南无不動曰佛
南无天華佛　南无天波頭摩佛

BD02364 號　佛名經（十六卷本）卷一四　（44–2）

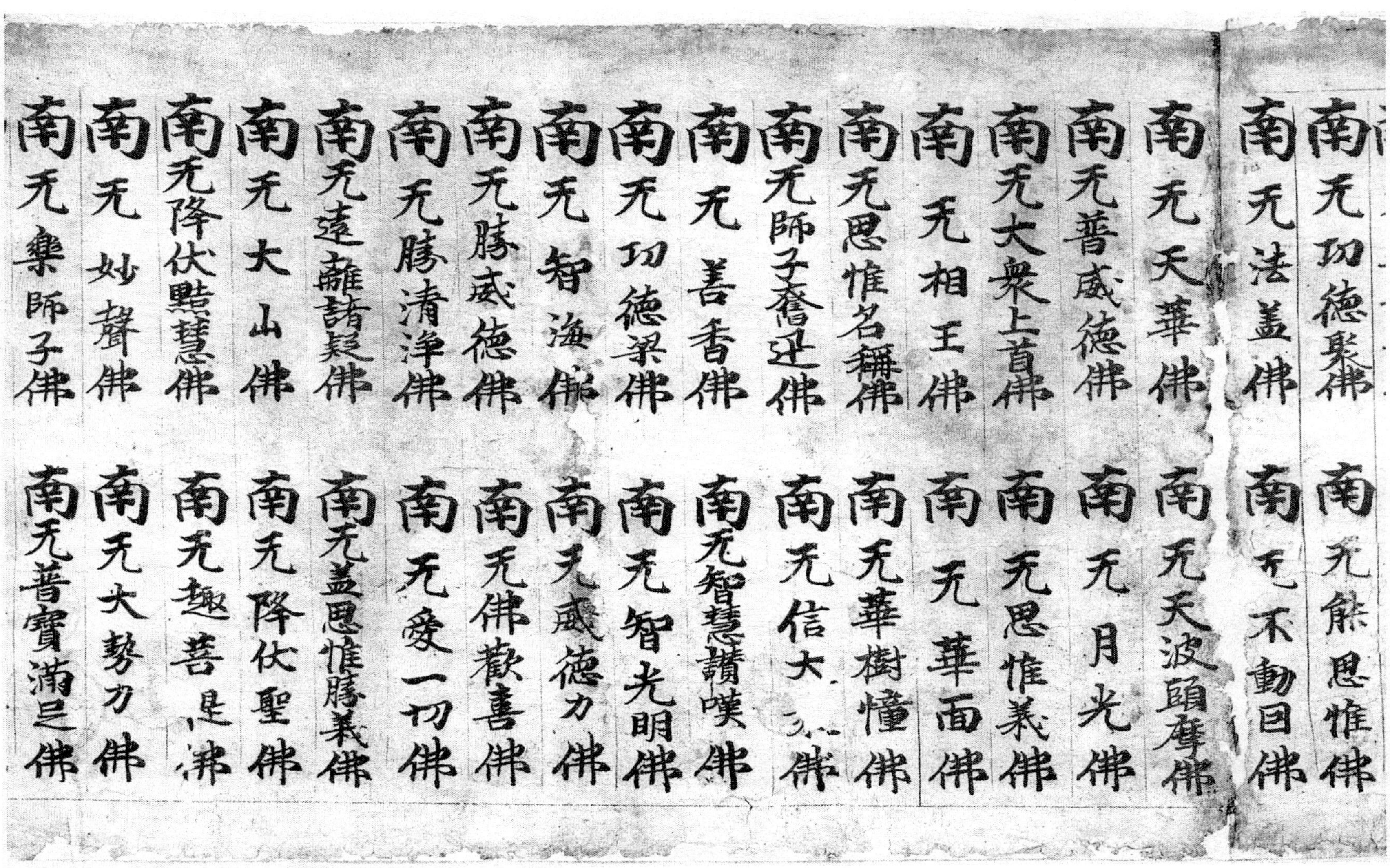
南[...]
南无功德聚佛　南无餘思惟佛
南无法蓋佛　南无不動曰佛
南无天華佛　南无天波頭摩佛
南无普威德佛　南无月光佛
南无大衆上首佛　南无思惟義佛
南无相王佛　南无華面佛
南无思惟名稱佛　南无華樹幢佛
南无師子奮迅佛　南无信大[...]佛
南无善香佛　南无智慧讃嘆佛
南无功德梁佛　南无智光明佛
南无智海佛　南无威德力佛
南无勝威德佛　南无佛歡喜佛
南无勝清淨佛　南无愛一切佛
南无遠離諸疑佛　南无蓋思惟勝義佛
南无大山佛　南无降伏聖佛
南无降伏黠慧佛　南无趣菩是佛
南无妙聲佛　南无大勢力佛
南无樂師子佛　南无普寶滿足佛

BD02364 號　佛名經（十六卷本）卷一四　（44–3）

南无妙聲佛 南无大勢力佛
南无衆師子佛 南无普寶滿足佛
南无一切世間愛佛 南无金剛輪佛
南无過火佛 南无大將佛
南无衆生月佛 南无大莊嚴佛
南无日月光明佛 南无大勝嚴佛
南无斷諸有意香佛 南无寂靜行佛
南无稱愛稱佛 南无梵天供養佛
南无大吼佛 南无无量无邊踊佛
南无世間光明佛 南无可見忍佛
南无大華佛 南无脩行身佛
南无諸根清淨佛 南无婆藪達多佛
南无不怯弱聲佛 南无普見佛
南无月賢佛 南无決定色佛
南无方便脩佛 南无信勝功德佛
南无勝報佛 南无賢莊嚴佛
南无慚愧賢佛 南无勘受器聲佛
南无勝愛佛 南无普行佛

BD02364號　佛名經（十六卷本）卷一四　（44–4）

南无慚愧賢佛 南无勘受器聲佛
南无勝愛佛 南无普行佛
南无普智佛 南无大成佛
南无月雞兜佛 南无堅固行佛
南无供養佛 南无敬善佛
南无勝妙稱佛 南无成就一切功德佛
南无堅固莎梨羅佛 南无甘露光佛
南无大貴佛 南无勝聲佛
南无大力佛 南无大步佛
南无信甘露佛 南无道[illegible]佛
南无勝聲心佛 南无勝意佛
南无婆樓那步佛 南无大脩行佛
從此以上二万七百佛十二部經一切賢聖
南无威德光佛 南无无淨智佛
南无師子聲佛 南无善德佛
南无善住佛 南无日光佛
南无菩提上首佛 南无降伏怨佛
南无无垢濁義佛 南无勝去佛

BD02364號　佛名經（十六卷本）卷一四　（44–5）

南无善住佛　南无日光佛
南无菩提上首佛　南无降伏怨佛
南无无垢濁義佛　南无勝去佛
南无妙光明佛　南无普光明佛
南无大莊嚴佛　南无功德山佛
南无摩尼月佛　南无愛眼佛
南无月名佛　南无菩提智佛
南无寶功德佛　南无天光明佛
南无勝仙佛　南无寶智佛智佛
南无甘露威德佛　南无能思惟佛
南无龍步佛　南无信智佛
南无寶愛佛　南无蓮華香佛
南无勝相佛　南无大威德佛
南无種種日佛　南无廣地佛
南无甘露眼佛　南无慚愧智佛
南无山王自在積佛　南无怖勝佛
南无種種間錯聲佛　南无信脩行佛
南无捨憂惱佛　南无諸世間智佛

BD02364號　佛名經（十六卷本）卷一四　（44–6）

南无種種間錯聲佛　南无信脩行佛
南无捨憂惱佛　南无諸世間智佛
南无威德力佛　南无信勝佛
南无勢力稱佛　南无放光明佛
南无過諸疑佛　南无毗羅那王佛
南无新華佛　南无勝華佛
南无捨諍佛　南无大長佛
南无大稱佛　南无愛去佛
南无甘露步佛　南无日聚佛
南无月聲佛　南无見天佛
南无清淨光明佛　南无秋日佛
南无解華佛　南无妙聲佛
南无雨甘露佛　南无善天佛
南无勝聲佛　南无愛上首佛
南无愛甘露佛　南无甘露稱佛
南无法華佛　南无大莊嚴佛
南无世間尊重佛　南无高意佛
南无高山佛　南无甘露威德光明佛

BD02364號　佛名經（十六卷本）卷一四　（44–7）

南无愛甘露佛　南无甘露稱佛
南无法華佛　南无大莊嚴佛
南无世間尊重佛　南无高意佛
南无高山佛　南无甘露威德光明佛
南无菩提威德佛　南无清淨心佛
南无能作日降伏惡佛　南无甘露星宿佛
南无大稱佛　南无安隱思惟佛
南无菩提華佛　南无奢摩羅供養佛
南无度世間佛　南无成就佛
南无法星宿佛　南无大勝佛
南无隨意光佛　南无火光明佛
南无見愛佛　南无光明愛佛
南无希聲佛　南无功德德佛
南无舌去佛　南无无障智佛
南无得威德佛　南无月藏佛
南无梵光明佛　南无集光明佛
南无勝光明佛　南无辯光明佛
從此以上一万八百佛十二部經一切賢聖
南无離異意佛　南无无過智佛

從此以上一万八百佛十二部經一切賢聖
南无離異意佛　南无无過智佛
南无成就功德佛　南无嚴身佛
南无无畏愛佛　南无到光明佛
南无大聲佛　南无智知佛
南无大思惟佛　南无集眼佛
南无无諸勢智佛　南无不怯弱佛
南无善清淨佛　南无捨施威德佛
南无天成佛　南无无憍聲佛
南无華日佛　南无无善住心佛
南无雞兜清淨佛　南无俱蘇摩光佛
南无法井沙佛　南无月希佛
南无辯照佛　南无不錯行佛
南无大精進佛　南无人聲佛
南无普聲佛　南无菩提願佛
南无邑思惟佛　南无慧力佛
南无漫多盧齋那佛　南无梵供養佛
南无聖井沙佛　南无虛空智佛

南无漫多廬舍那佛　南无梵供養佛
南无聖井沙佛　南无虛空智佛
南无能降伏放逸佛　南无不可比慧佛
南无勝軍陁羅佛　南无降阿梨佛
南无應受佛　南无貳供養佛
南无平等心眼佛　南无信心不怯弱佛
南无精進清淨佛　南无聞智佛
南无无障㝵思惟佛　南无无畏光明佛
南无甘露聲佛　南无名去佛
南无捨佛　南无護根佛
南无禪解脫佛　南无文殊提佛
次礼十二部尊經大藏法輪
南无陰持入經　南无佛護淨經
南无方便心經　南无諫心經
南无摩訶剎頭經　南无中陰經
南无所欲致患經　南无流離王經
南无孫陁耶致經　南无逝經
南无僧大經　南无夫婦經

BD02364號　佛名經（十六卷本）卷一四　（44–10）

南无所欲致患經　南无流離王經
南无孫陁耶致經　南无逝經
南无僧大經　南无夫婦經
南无佛般泥洹後灌臘經　南无天皇梵摩經
南无遺日定行經　南无十二死經
南无和難經　南无施陁梨呪經
南无犯貳罪報輕重經　南无菩薩大業經
南无菩薩所生地經　南无分然泥洹國迦羅越經
次礼十方諸大菩薩
南无金色世界文殊師利菩薩　南无樂色世界覺首菩薩
南无華色世界財[illegible]薩　南无膽蔔華色世界寶首菩薩
南无青蓮華色世[illegible]菩薩　南无金色世界自首菩薩
南无寶色世界進首[illegible]薩　南无金剛色世界法首菩薩
南无頗梨色世界智首菩薩　南无如實色世界賢首菩薩
南无无量慧世界功德林菩薩　南无幢慧世界義慧林菩薩
南无地慧世界勝林菩薩　南无勝慧世界无畏林菩薩
南无燈慧世界慚愧林菩薩　南无金剛慧世界精進林菩薩
南无安樂慧世界力成就林菩薩　南无日慧世界堅固林菩薩

BD02364號　佛名經（十六卷本）卷一四　（44–11）

南无燈慧世界衛擇林菩薩　南无金剛慧世界精進林菩薩
南无安樂慧世界少欲林菩薩　南无日慧世界堅固林菩薩
南无清淨慧世界妙法林菩薩　南无梵慧世界智林菩薩
南无因陀羅世界法慧菩薩　南无蓮華世界一切慧菩薩
南无衆寶世界勝慧菩薩　南无優鉢羅世界功德慧菩薩
從此以上一万九百佛十二部經一切賢聖
次礼聲聞緣覺一切賢聖
南无轉覺辟支佛　南无去垢辟支佛
南无高去辟支佛　南无阿衆多辟支佛
南无无漏辟支佛　南无憍慢辟支佛
南无盡憍慢辟支佛　南无親辟支佛
南无得脫辟支佛　南无无垢辟支佛
南无濁辟支佛　南无鷄畫辟支佛
南无能作憍慢辟支佛　南无退辟支佛
南无不退去辟支佛　南无尋辟支佛
南无善吉辟支佛　南无不可心辟支佛
南无善住辟支佛　南无比辟支佛
礼三寶已次復懺悔
夫欲礼懺必須先敬三寶所以然者三寶即是

南无善吉辟支佛　南无不可心辟支佛
南无善住辟支佛　南无比辟支佛
礼三寶已次復懺悔
夫欲礼懺必須先敬三寶所以然者三寶即是
一切衆生良友福田若能歸向者則滅无量罪長
无量福能令行者離生死苦得解脫樂是故弟
子某甲等歸依十方盡虛空界一切諸佛歸依十
方盡虛空界一切諸佛歸依十方盡虛空界一切
聖僧弟子今日所以懺悔者正言无始以來在凡
夫地不問貴賤罪自无量或因三業而生罪或因
六根而起過或因內心自邪思惟或藉外境起於染
著如是乃至十惡增長八万四千諸塵勞門然其罪
相雖復无量大而爲語不出有三何等爲三一
者煩惱二者是業三者果報此三法能障聖道
及以人天勝妙好事是故經中目爲三障所以諸佛
菩薩教作方便懺悔除此三障者則六根十惡
乃至八万四千諸塵勞門皆悉清淨是故弟子
今日運此增上勝心懺悔三障欲滅此三罪者當
用何等心令此罪滅先當興七種心以爲方便然

今日運此增上勝心懺悔三障欲滅此三罪者當
用何等心令此罪滅先當與七種心以為方便無
後此罪乃可得滅何等為七一者慚愧二者恐
怖三者厭離四者發菩提心五者怨親平等六
者念報佛恩七者觀罪性空第一慚愧者自惟我
與釋迦如來同為凡夫而今世尊成道已來逕尒
所塵沙劫數而我等相與耽染六塵流浪生死永
无出期此實天下可慚可愧可羞可恥
第二恐怖者既是凡夫身口意業常與罪相應
以是因緣命終之後應墮地獄畜生餓鬼受无量
苦如此實為可驚可恐可怖可懼
第三厭離者相與當觀生死之中唯有无常苦空
无我不淨虛假如水上泡速起速滅往來流轉
猶若車輪生老病死八苦交煎无時蹔息衆生相
与但觀自身從頭至足其中但有卅六物髮毛爪齒
膿囊涕唾生熟二藏大腸小腸脾腎心肺肝膽腸胃
肪膏腦膜筋脈骨髓大小便利九孔常流是故經
言此身苦集(所)一切皆不淨何有智者而當樂此

言此身苦集(所)一切皆不淨何有智者而當樂此
身生死既有如此種種惡法甚可患厭第四發
菩提心者經言當樂佛身(佛身)者即法身也從无量
功德智慧生從六波羅蜜生從慈悲喜捨從卅
七助菩提法生從如是等種種功德智慧生如來
身欲得此身者當發菩提心求一切種智常樂
我淨薩婆若果淨佛國土成就衆生於身命財无
有愛惜第五怨親平等者於一切衆生起慈悲
心无彼我想何以故若見怨親即是分別以分別
故起諸相著(相著)因緣生諸煩惱煩惱因緣造諸惡
業惡業因緣故得苦果
第六念報佛恩者如來往昔无量劫中捨頭目髓
腦支節手足國城妻子象馬七珍為我等故脩諸
苦行此恩此德實難酬報是故經言若以頂戴兩
肩荷負於恒河沙劫亦不能報(我等欲報)如來恩者當
於此世界勇猛精進捍勞忍苦不惜身命建
立三寶弘通大乘廣化衆生同入正道
第七觀罪(性空)者无有實相從因緣生顛倒而有既

於此世界勇猛精進捍勞忍苦不惜身命建
立三寶弘通大乘廣化衆生同入正道
第七觀罪空者无有實相從因緣生顛倒而有既
從因緣而生則可從因緣而滅從因緣而生者押
近惡友造作无端從因緣而滅者即是今日洗心
懺悔是故經言此罪相不在內不在外不在中間故
知此罪從本是空生如是等七種心已緣想十方
諸佛賢聖擎拳合掌披陳至到慚愧改革舒歷心
肝洗蕩腸胃如此懺悔亦何罪而不滅亦何障而不
消若復泛尒悠悠緩縱情慮徒自勞形於事何益
且復人命无常喻如轉燭一息不還便同灰壤三塗
苦報即身應受不可以錢財寶貨囑託求脫窈窈
冥冥息殺无期獨嬰此苦无代受者莫言我今生
中无有此罪所以不能懇到懺悔經中道言凡夫
之人舉足動步无非是罪又復過去生中皆悉成
就无量惡業追逐行者如影隨形若不懺悔罪惡
日深故包藏瑕疵佛教不許説悔先罪淨名所尚
故知長淪苦海寔由隱覆是故弟子今日發露
懺悔不敢覆藏所言三障者一曰煩惱二名爲業三

日深故包藏瑕疵佛教不許説悔先罪淨名所尚
故知長淪苦海寔由隱覆是故弟子今日發露
懺悔不敢覆藏所言三障者一曰煩惱二名爲業三
是果報此三種法更相由藉因煩惱故以起惡業惡
業因緣故得苦果是故弟子今日至心第一先應
懺悔煩惱障又此煩惱諸佛菩薩入理聖人種種
呵嘖亦以此煩惱爲怨家何以故能斷衆生慧命根
故亦名此煩惱以之爲賊能劫衆生諸善法故以
此煩惱爲瀑河能漂衆生入於生死大苦海故亦
目此煩惱以爲羈鏁能繫衆生於生死獄不能
得出故所以六道牽連四生不絕惡業无窮苦果
不息當知皆是煩惱過患是故弟子今日運
此增上善心歸依於佛
南无東方善德佛　南无南方實相佛
南无西方普光佛　南无北方相德佛
南无東南方網明佛　南无西南方上智佛
南无西北方華德佛　南无東北方明智佛
南无下方明德佛　南无上方香積佛

南无西北方華德佛　南无東北方明智佛
南无下方明德佛　南无上方香積佛
如是十方盡虛空界佛一切三寶至心歸依常住三寶
弟子從无始以來至於今日或在人天六道受報
有此心識常懷愚惑繁滿胸衿或因三毒根
造一切罪或因三漏造一切罪或因三覺造一切罪或
因三受造一切罪或因三苦造一切罪或緣三假造
一切罪或因三有造一切罪如是等罪无量无邊
惱乱一切六道四生今日慚愧皆悉懺悔至心歸
命常住三寶
又復弟子无始以來至於今日或因四識住造一切
罪或因四流造一切罪或因四取造一切罪或因四執
造一切罪或因四緣造一切罪或因四大造一切罪或
因四縛造一切罪或因四食造一切罪或因四生造
一切罪如是等罪无量无邊惱亂六道一切衆生今
日慚愧皆悉懺悔至心歸命常住三寶
又復弟子无始以來至於今日或因五住煩惱地
造一切罪或因五受根造一切罪或因五蓋造一切罪

又復弟子无始以來至於今日或因五住煩惱地
造一切罪或因五受根造一切罪或因五蓋造一切罪
或因五慳造一切罪或因五見造一切罪或因五心造一
切罪如是等煩惱无量无邊惱亂六道一切四生
今日發露皆悉懺悔至心歸命常住三寶
又復弟子无始以來至於今日或因六情根造一切
罪或因六識造一切罪或因六想造一切罪或因六受
造一切罪或因六行造一切罪或因六愛造一切罪或
因六疑造一切罪如是等煩惱无量无邊惱乱六
道一切四生今日慚愧發露皆悉懺悔至心歸命
常住三寶　又復弟子等无始以來至於今日
或因七漏造一切罪或因七使造一切罪或因八倒造一
切罪或因八垢造一切罪或因八苦造一切罪惱亂
六道一切四生今日發露皆悉懺悔至心歸命常住三寶
又復无始以來至於今日或因九惱造一切罪或因
九結造一切罪或因九上緣造一切罪或因十煩惱造
一切罪或因十纏造一切罪或因十一遍使造一切罪
或因十二入造一切罪或因十六智見造一切罪或

又復无始以来至於今日或因九惱造一切罪或因
九結造一切罪或因九上緣造一切罪或因十煩惱造
一切罪或因十纏造一切罪或因十一遍使造一切罪
或因十二入造一切罪或因十六智見造一切罪或
因十八界造一切罪或因廿五我造一切罪或因六十
二見造一切罪或因見諦思惟九十八使百八煩惱
晝夜熾然開諸漏門造一切罪惱亂賢聖及以
四生遍滿三界弥亘六道无處可藏无處可避今
日至到向十方佛尊法聖衆慚愧發露皆悉懺
悔至心歸命常住三寶
願弟子承是懺悔三毒一切煩惱生　世世三慧
三達朗三苦滅三願滿
願弟子承是懺悔四識等一切煩惱所生功德生生
世世廣四等心立四信業四惡趣滅得四无畏
願弟子承是懺悔五蓋等諸煩惱度五道樹五根
淨五眼成五分懺悔六愛等諸煩惱所生功德願
生生世世具足六通神滿足六度業不為六塵
或常行六妙行　又願弟子承是懺悔七漏
八垢九縛十纏等一切煩惱所生功德生生世世坐

BD02364號　佛名經（十六卷本）卷一四　（44–20）

或常行六妙行　又願弟子承是懺悔七漏
八垢九縛十纏等一切煩惱所生功德生生世世坐
七淨華洗塵八水具九斷智成十地行
願以懺悔十一遍使及十二入十八界等一切煩惱所
生功德願十一空解常用栖心自在能轉十二行
輪具足十八不共之法无量功德一切圓滿至心
歸命常住三寶
佛說罪業報應教化地獄經
如是我聞一時佛在王舍城耆闍崛山中與菩薩
摩訶薩及聲聞眷屬俱亦有比丘比丘尼優婆
塞優婆夷及諸天龍鬼神等皆悉集會尒時
信相菩薩白佛言今有地獄餓鬼畜生奴婢貧
富貴賤種類若干唯願世尊具演說之凡有衆
生聞佛說法如嬰兒得母如病得醫如倮者
得衣如闇得燈世尊說法利益衆生亦復如是
尒時世尊觀時已至知諸菩薩勸請慇懃即放
眉間白毫相光照於世界地獄休息苦痛安寧
尒時一切受罪衆生尋佛光明來詣佛所遶

BD02364號　佛名經（十六卷本）卷一四　（44–21）

肩間白豪相光照於黑地獄休息苦痛安寧
尒時一切受罪衆生尋佛光明來詣佛所遶
佛七帀至心作礼勸請世尊慈濟道化令此
衆生得蒙解脫
尒時信相菩薩爲諸衆生而作發起白佛言
世尊尒時衆生爲諸獄卒剉碓斬身從足斬
之乃至頂斬之已訖巧風吹活而復斬之何罪
所致佛言此人前世坐不信三尊不孝父母屠
兒魁膾斬害衆生故獲斯罪
南无旃檀香佛　南无可觀佛
南无无量智佛　南无千日威德佛
南无捨重擔佛　南无稱清淨佛
南无提賒聞佛　南无自在王佛
南无无邊智佛　南无廣光佛
南无信甘露佛　南无妙眼佛
南无解脫行佛　南无妙見佛
南无勝光佛　南无大聲佛
南无大威德聚佛　南无光明寶難陀佛

南无解脫行佛
南无勝光佛　南无大聲佛
南无大威德聚佛　南无光明寶難陀佛
南无應供養佛　南无求那提闍積佛
南无信相佛　南无大炎佛
南无阿羅訶信佛　南无善信思惟佛
南无善橋梁佛　南无智作佛
南无普寶佛　南无日光佛
南无說橋梁佛　南无婆薩婆俱他佛
南无心荷身佛　南无勝親光佛
南无清淨身佛　南无隨意希佛
南无寶威德佛　南无善威德供養佛
南无世間光明佛　南无世間可敬佛
南无行清淨佛　南无應眼佛
南无大步佛　南无无邊色佛
南无住持般若佛　南无衆橋梁佛
南无殊留波婆佛　南无安隱愛佛
南无提婆摩醯多佛　南无毗闍荷佛
南无呵羅多那闍所佛　南无橋梁佛

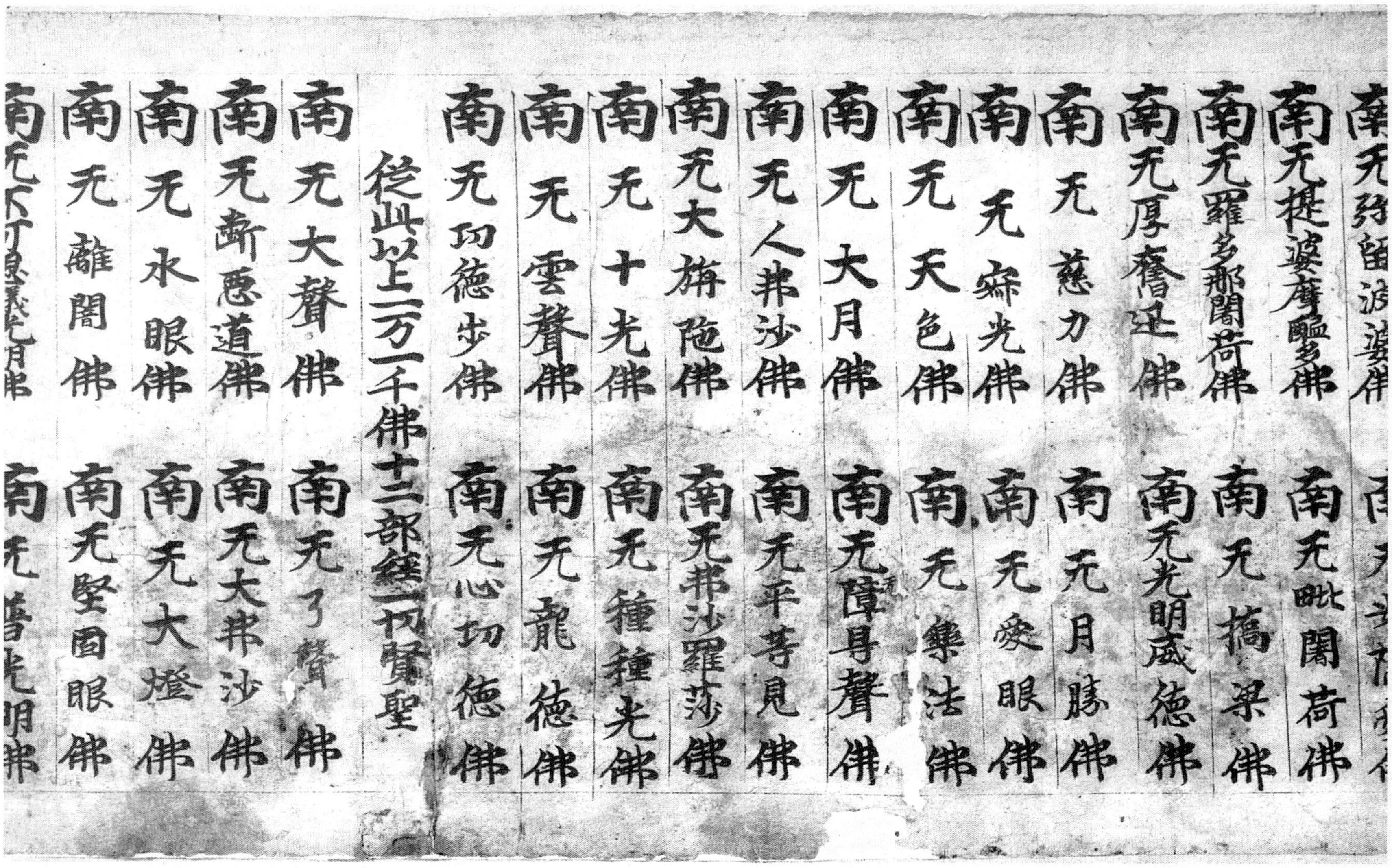

南无豸留波婆佛
南无提婆摩醯多佛　南无毗闍荷佛
南无羅多那闍荷佛　南无攜梁佛
南无厚奮迅佛　南无光明威德佛
南无慈力佛　南无月勝佛
南无㷔光佛　南无愛眼佛
南无天色佛　南无集法佛
南无大月佛　南无障身聲佛
南无人弗沙佛　南无平等見佛
南无大旃陁佛　南无弗沙羅莎佛
南无十光佛　南无種種光佛
南无雲聲佛　南无龍德佛
南无功德步佛　南无心功德佛
從此以上一万一千佛十二部經一切賢聖
南无大聲佛　南无了聲佛
南无斷惡道佛　南无大弗沙佛
南无水眼佛　南无大燈佛
南无離闇佛　南无堅固眼佛
南无不可思議光明佛　南无普光明佛

BD02364號　佛名經（十六卷本）卷一四　（44–24）

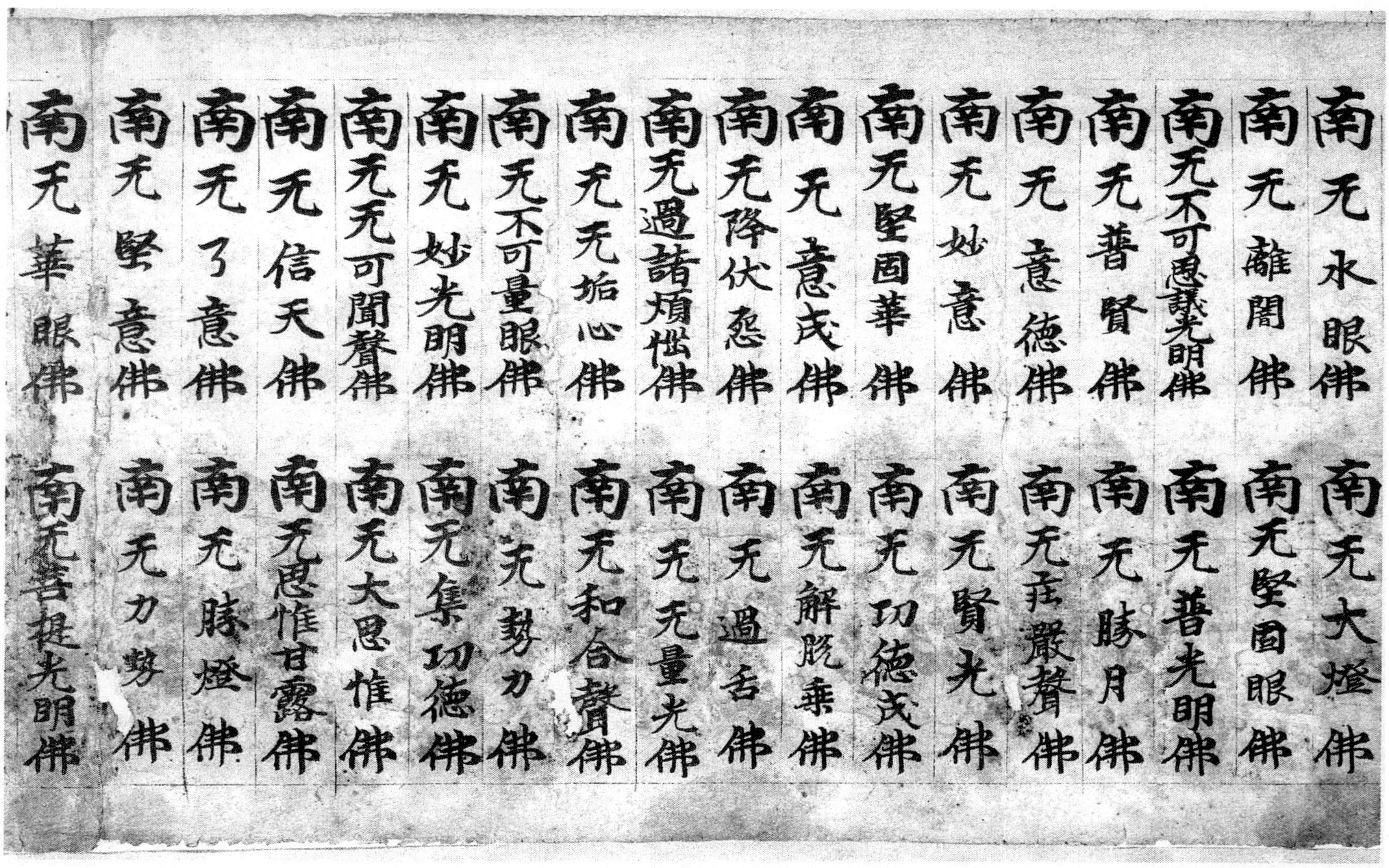

南无水眼佛　南无大燈佛
南无離闇佛　南无堅固眼佛
南无不可思議光明佛　南无普光明佛
南无普賢佛　南无勝月佛
南无意德佛　南无莊嚴聲佛
南无妙意佛　南无賢光佛
南无堅固華佛　南无功德氏佛
南无意氏佛　南无解脫乘佛
南无降伏怨佛　南无過舌佛
南无過諸煩惱佛　南无无量光佛
南无无垢心佛　南无和合聲佛
南无不可量眼佛　南无勢力佛
南无妙光明佛　南无集功德佛
南无无可聞聲佛　南无大思惟佛
南无信天佛　南无思惟甘露佛
南无了意佛　南无勝燈佛
南无堅意佛　南无力勢佛
南无華眼佛　南无菩提光明佛

BD02364號　佛名經（十六卷本）卷一四　（44–25）

南无堅意佛　南无力勢佛
南无華眼佛　南无菩提光明佛
南无寂勝聲佛　南无六通聲佛
南无威德力佛　南无人稱佛
南无勝華集佛　南无大髻佛
南无不隨他佛　南无不畏行佛
南无離一切憂闇佛　南无月光明佛
南无心勇猛佛　南无解脫慧佛
南无離惡道佛　南无閻浮燈佛
南无勝供養佛　南无善思惟佛
南无勝威德色佛　南无信衆生佛
南无快莊嚴佛　南无波頭摩清淨佛
南无人波頭摩佛　南无善香佛
南无勝供養佛　南无種種色華佛
南无勝功德佛　南无虛空劫佛
南无月賢佛　南无堅固佛
南无妙力佛　南无勝因陀羅智佛

BD02364號　佛名經（十六卷本）卷一四　（44–26）

南无妙力佛　南无勝因陀羅智佛
南无勝親佛　南无愛思惟佛
南无勝香佛　南无无諍行佛
南无功德勝佛　南无大精進思惟佛
南无大光明佛　南无攝受施佛
南无脩行深思惟佛　南无香希佛
南无香烏佛　南无種種智佛
南无思惟妙智佛　南无功德莊嚴佛
南无增上行佛　南无智行佛
南无功德山佛　南无聲滿十方佛
南无攝受擇佛　南无信妙佛
南无月見佛　南无功德聚佛
南无法力佛　南无過一切疑佛
南无稱王佛　南无護諸根佛
南无勝意佛　南无甘露光佛
南无思惟甘露佛　南无一切衆生上首佛
從此以上二万一千二百佛十二部經一切賢聖
南无愛髻佛　南无不可降伏色佛

BD02364號　佛名經（十六卷本）卷一四　（44–27）

從此以上一万一千一百佛十二部經一切賢聖

南无發髻佛　南无不可降伏色佛

南无普信佛　南无莊嚴王佛

南无金剛步佛　南无賢作佛

南无功德報光明佛　南无精進力起佛

南无善清淨明佛　南无得脫一切縛佛

南无无垢波頭摩勝藏佛　南无得无等解脫佛

南无十方稱聲无畏佛　南无破一切闇起佛

南无光明王佛　南无大炎積佛

南无无邊行功德寶光明佛

南无法光明佛　南无歡喜王佛

南无作(能)一切眾生光明破闇勝佛

南无起善光明脩行无邊願稱王佛

南无普滿足不怯弱佛　南无一切見光明佛

南无无垢光莊嚴王佛　南无功德藏山金剛佛

南无龍王自在佛

南无寶精進日月摩尼莊嚴威德聲王佛

南无吼聲妙聲佛　南无善住持地佛

南无[illegible]佛　南无[illegible]樹勝佛

南无寶精進日月摩尼莊嚴威德聲王佛

南无吼聲妙聲佛　南无善住持地佛

南无世間自在王佛　南无无障导藥王樹勝佛

南无孫留幢佛　南无大山佛

南无孫留光明佛　南无妙聲佛

南无日月住佛　南无稱光明佛

南无无量光佛　南无不可量幢佛

南无大光明佛　南无寶雞兜佛

南无諍王佛　南无大炎聚佛

南无一切王聲佛　南无難勝佛

南无日生佛　南无羅網光明佛

南无胎光明佛　南无師子佛

南无稱佛　南无稱光明佛

南无法佛　南无法住持佛

南无法幢佛　南无梵聲佛

南无星宿王佛　南无香勝佛

南无香光佛　南无大積佛

南无寶種種華(身)敷佛　南无娑羅自在王佛

南无寶蓮華勝佛　南无見一切義佛

南无寶種種華敷身佛　南无莎羅自在王佛
南无寶蓮華勝佛　南无見一切義佛
南无須弥劫佛　南无智燈佛
南无大光明照佛　南无難伏佛
南无照佛　南无勤難梵幢佛
南无威德自在佛　南无覺王佛
南无寶藏佛　南无大海佛
南无十力增上自在佛　南无唯寶莊嚴佛
南无无邊寶莊嚴佛　南无无相聲佛
南无過境界步佛　南无須弥山聚佛
南无虛空眼佛　南无虛空壽佛
南无稱力王佛　南无放光明佛
南无離諸染佛　南无種種華成就勝佛
南无遠離諸畏驚怖毛竪佛
南无智積佛　南无旃檀香佛
南无伏眼佛　南无寶來佛
南无香首佛　南无勝衆佛
南无唯蓋佛　南无无障眼佛

BD02364號　佛名經（十六卷本）卷一四　（44–30）

南无伏眼佛　南无寶來佛
南无香首佛　南无勝衆佛
南无唯蓋佛　南无无障眼佛
南无旃檀去佛　南无智華寶光明勝佛
南无賢勝光明佛　南无能一切畏佛
南无无畏佛　南无孫留藏佛
從此以上二万一千二百佛十二部經一切賢聖
南无法作佛　南无十方光明佛
南无千上光明佛　南无智光明佛
南无寶勝光明佛　南无无邊光明佛
南无无尋聲佛　南无羅網光明佛
南无種種寶智佛　南无无邊莊嚴佛
南无優波羅勝佛　南无住智勝佛
南无勝能聖佛　南无智稱佛
南无莎羅自在王佛　南无寶娑羅奉佛
南无大将佛　南无寶髻佛
南无不空名佛　南无勝成就功德佛
南无稱王佛　南无不空步佛

BD02364號　佛名經（十六卷本）卷一四　（44–31）

南无不空名佛　南无勝成就功德佛
南无稱王佛　南无不空步佛
南无香光明佛　南无无障㝵聲佛
南无稱力王佛　南无須弥增長勝王佛
南无寶勝功德佛　南无波頭摩勝佛
南无寶起佛　南无香光明佛
南无十方稱發起佛
南无普護增長上雲聲王佛
南无无邊光明佛　南无无邊智成佛
南无无邊輪奮迅佛　南无眾上道佛
南无華勝王佛　南无寶像佛
南无空名稱佛　南无發起无邊精進功德佛
南无蓋行佛　南无發心莊嚴一切眾生佛
南无光明輪威德王佛　南无功德王光明佛
南无一切功德劉彼羞佛　南无然燈作佛
南无能作光明佛　南无得功德佛
南无波頭摩上勝佛　南无寶作佛
南无无邊顏佛　南无无邊功德王住佛

BD02364 號　佛名經（十六卷本）卷一四　（44–32）

南[illegible]
南无无邊顏佛　南无无邊功德王住佛
南无寶聚佛　南无婆羅自在王佛
南无寶光明佛　南无寶積佛
南无寂上佛　南无脩行无邊功德佛
南无觀聲佛　南无須弥山光明佛
南无无邊境界佛　南无妙去佛
南无寶華成就勝佛　南无无邊奮迅佛
南无發起一切眾生信佛　南无寶蓋起佛
南无勝功德佛　南无不可華佛
南无寶境界光明佛　南无寶勝功德佛
南无發心即轉法輪佛　南无十方稱名佛
南无迦陵迦王佛　南无日輪然燈佛
南无寶上佛　南无智成就勝佛
南无功德王作佛　南无无障㝵眼佛
南无无畏佛　南无智積佛
南无發起无礙相佛　南无積光明輪威德佛
南无因意佛　南无那羅延佛
南无无垢離[illegible]佛　南无月積佛

BD02364 號　佛名經（十六卷本）卷一四　（44–33）

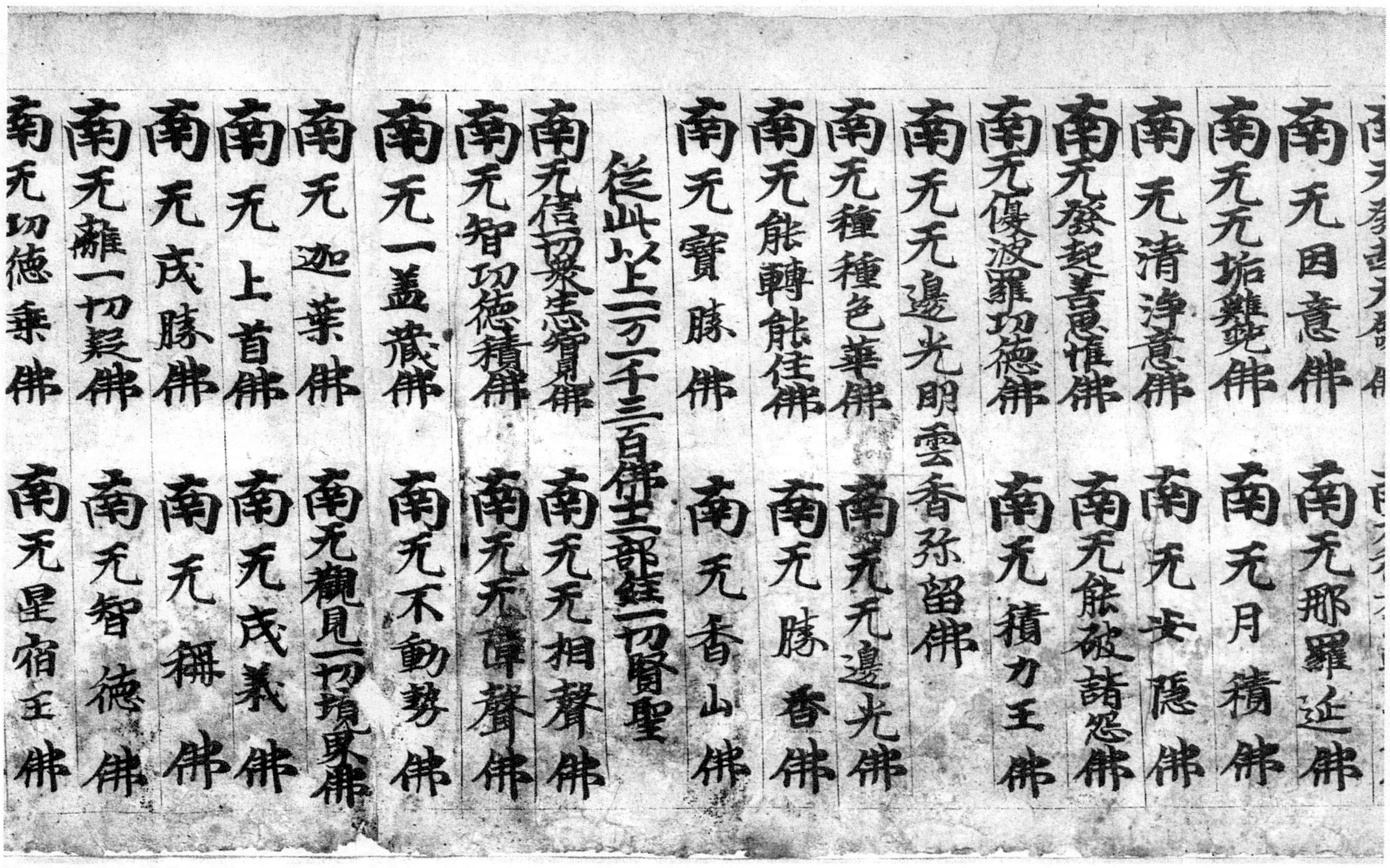
南无因意佛　南无耶羅延佛
南无无垢難勝佛　南无月積佛
南无清淨意佛　南无安隱佛
南无發起善思惟佛　南无能破諸怨佛
南无優波羅功德佛　南无積力王佛
南无无邊光明雲香彌留佛
南无種種色華佛　南无无邊光佛
南无能轉能住佛　南无勝香佛
南无寶勝佛　南无香山佛
從此以上二万一千三百佛十二部經一切賢聖
南无信一切眾生意見佛　南无无相聲佛
南无智功德積佛　南无无障聲佛
南无一蓋藏佛　南无不動勢佛
南无迦葉佛　南无觀見一切境界佛
南无上首佛　南无成義佛
南无成勝佛　南无稱佛
南无離一切疑佛　南无智德佛
南无功德乘佛　南无星宿王佛

BD02364 號　佛名經（十六卷本）卷一四　（44–34）

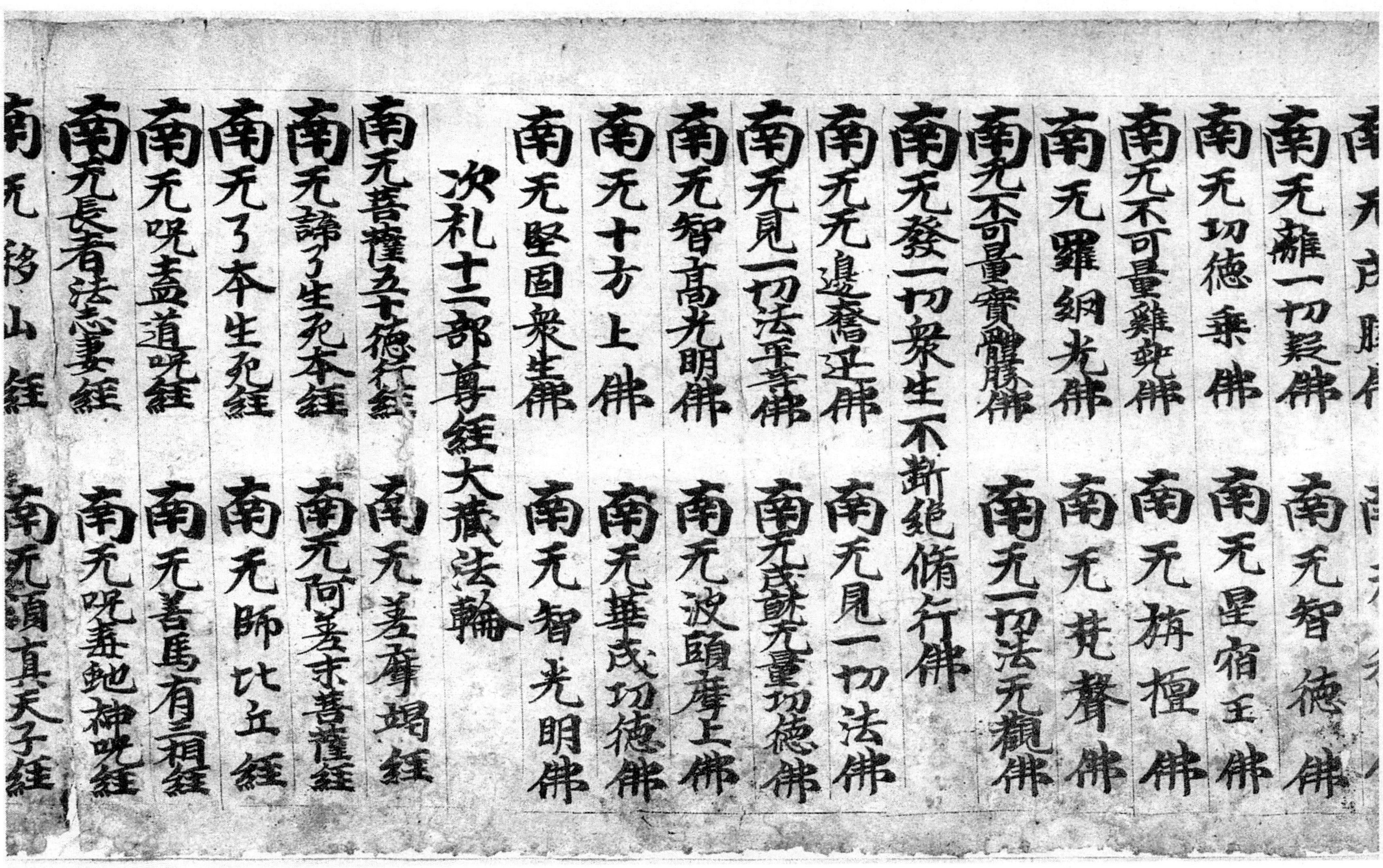
南无離一切疑佛　南无智德佛
南无功德乘佛　南无星宿王佛
南无不可量難勝佛　南无旃檀佛
南无羅網光佛　南无梵聲佛
南无不可量寶體勝佛　南无一切法无觀佛
南无發一切眾生不斷絕脩行佛
南无无邊奮迅佛　南无見一切法佛
南无見一切法平等佛　南无成就无量功德佛
南无智高光明佛　南无波頭摩上佛
南无十方上佛　南无華成功德佛
南无堅固眾生佛　南无智光明佛
次礼十二部尊經大藏法輪
南无菩薩五千德行經　南无差摩竭經
南无諦了生死本經　南无阿差末菩薩經
南无了本生死經　南无師比丘經
南无呪盡道呪經　南无善馬有三相經
南无長者法志妻經　南无呪毒蛇神呪經
南无移山經　南无須真天子經

BD02364 號　佛名經（十六卷本）卷一四　（44–35）

南无呪益道呪經 南无善[illegible]
南无長者法志妻經 南无呪毒蛇神呪經
南无移山經 南无有真天子經
南无聖法印經 南无諸佛要集經
南无七夢經 南无四貪想經
南无九傷經 南无諸福德田經
南无神呪辟除賊害經 南无尼吒國王經
南无比丘分衛經 南无鑪炭經
次礼十方諸大菩薩
南无妙行世界精進慧菩薩 南无善行世界善慧菩薩
南无歡喜世界智慧菩薩 南无星宿世界真實菩薩
南无虛空世界堅固慧菩薩
南无无獸慈世界无上慧菩薩
南无堅固寶世界金剛幢菩薩
南无堅固樂世界堅固幢菩薩
南无堅固寶王世界勇幢菩薩
南无堅固金剛世界寶幢菩薩
南无堅固蓮華世界精進幢菩薩
南无堅固青蓮華世界離垢菩薩

BD02364號　佛名經（十六卷本）卷一四　（44–36）

南无堅固金剛世界寶幢菩薩
南无堅固蓮華世界精進幢菩薩
南无堅固青蓮華世界離垢菩薩
南无堅固金世界夜光菩薩
南无堅固栴檀世界直寶菩薩
南无堅固摩尼世界智幢菩薩
南无堅固香世界法幢菩薩
南无寶光樂世界香美平等嚴日光菩薩
南无安樂世界觀善菩薩 南无華林世界寶首菩薩
南无安樂世界得勢菩薩 南无慧閑世界勝幢菩薩
南无寂靜世界持月始菩薩 南无寂靜世界无垢寶華菩薩
南无一切勝觀世界香美平等菩薩
次礼聲聞緣覺一切賢聖
南无憍傍辟支佛 南无物多辟支佛
南无斷疑辟支佛 南无耳辟支佛
南无心得解脫辟支佛 南无優波耳辟支佛
南无吉辟支佛 南无善摩辟支佛
南无遮羅辟支佛 南无優波遮羅辟支佛

BD02364號　佛名經（十六卷本）卷一四　（44–37）

南无心得解脫辟支佛　南无優波[?]辟支佛
南无吉辟支佛　南无差摩辟支佛
南无遮羅辟支佛　南无優波遮羅辟支佛
南无梨沙婆辟支佛　南无菩薩他淨辟支佛
南无善香擔辟支佛　南无阿沙羅辟支佛
礼三寶已次復懺悔
夫論懺悔者本是改往脩來滅惡興善人生居
世誰能无過學人失念尚起煩惱羅漢結習動
身口業豈況凡夫而當无過但智者先覺便
能改悔愚者覆藏遂便滋長所以積習長夜
曉悟无期若能慚愧發露懺悔者豈惟止是滅
罪而已亦復增長无量功德樹立如來涅槃妙果
若欲行此法者先當外肅形儀瞻奉尊像內起
敬意懷切至到生二種心何等為二一者自念我
此形命難可常保一朝散壞不知此身何時可復
若復不值諸佛賢聖忽逢惡友造衆罪業復
應墮落深坑嶮趣二者自念我此生中雖得值
遇如來正法為佛弟子弟子之法紹繼聖種

若復不值諸佛賢聖忽逢惡友造衆罪業復
應墮落深坑嶮趣二者自念我此生中雖得值
遇如來正法為佛弟子弟子之法紹繼聖種
淨身口意善法自居而今我等公自作惡而復
覆藏言他不知謂彼不見隱匿在心慠然无愧
此實天下愚惑之甚即今現有十方諸佛大地
菩薩諸天神仙何曾不以清淨天眼見於我等
所作罪惡又復幽顯靈祇注記罪福纖豪无差
夫論作罪之人命終之後牛頭獄卒錄其精神在
閻羅王所辯覈是非當尒之時一切怨對皆來證據
各言汝先屠裂我身炮煮蒸炙或言汝先剝奪
於我一切財寶離我眷屬我於今者始得汝便
于時現前證據何得敢諱唯應甘心分受宿殃如
經所明地獄之中不枉治人若其平素所作衆
罪心自忘失者是其生時造惡之處一切諸相皆現
在前各言汝昔在於我邊作如是罪今何得諱是
為作罪无藏隱處於是閻羅魔王切齒呵責
將付地獄歷劫窮年求出莫由此事不遠不關

在前各言汝昔在世我遣使如是罪今何得訴是
為作罪无藏隱處於是閻羅魔羅王切齒呵責
將付地獄歷劫窮年求出莫由此事不遠不關
他人正是我身自作自受雖父子至親一旦對
至无代受者衆等相與及[illegible]休體无衆疾
各自努力與性命競大怖至時悔无所及是故
弟子至心歸依於佛
南无東方破疑淨光佛　南无南方无憂功德佛
南无西方華嚴神通佛　南无北方月殿清淨佛
從此以上一万一千四百佛十二部經一切賢聖
南无東南方破一切闇佛　南无西南方大哀觀衆生佛
南无西北方香氣發明佛　南无東北方无量功德海佛
南无下方斷一切疑佛　南无上方離一切憂佛
如是十方盡虛空界一切三寶至心歸命常住三寶
弟子等從无始以来至於今日積聚无明障
蔽心目隨煩惱性造三世罪或耽染愛著起於貪欲
煩惱或瞋恚忿怒懷害煩惱或惛懵懵瞢不了
煩惱或我慢自高輕傲煩惱疑或正道猶豫煩惱
謗无因果邪見煩惱不識緣假著我煩惱迷於三

蔽心目隨煩惱性造三世罪[illegible]
煩惱或瞋恚忿怒懷害煩惱或惛懵懵瞢不了
煩惱或我慢自高輕傲煩惱疑或正道猶豫煩惱
謗无因果邪見煩惱不識緣假著我煩惱迷於三
世執斷常煩惱朋狎惡法起見取煩惱僻稟邪
師造戒取煩惱乃至一切四執橫計煩惱今日
識皆悲懺悔至心歸命常住三寶
又復无始以来至於今日守惜慳著起慳悋煩
惱不攝六情奢誕煩惱心行弊惡不忍煩惱
怠隨緩縱不勤煩惱猜慮躁動覺觀煩惱觸
境迷或无知解煩惱隨世八風生彼我煩惱諂
曲面譽不直心煩惱強獷難觸不調和煩惱易
忿難悅多含恨煩惱嫉妬擊刺很戾煩惱凶險
暴害諂毒煩惱乖背四諦執相煩惱於苦集滅
道生顛倒煩惱隨從生死十二因緣流轉煩惱乃
至无始无明住地恒沙煩惱起四住地構於三界
苦果煩惱如是諸煩惱无量无邊煩惱惱亂
賢聖六道四生今日發露向十方佛尊法聖衆
皆悉懺悔至心歸命常住三寶

賢聖六道四生今日發露向十方佛尊法衆
皆悉懺悔至心歸命常住三寶
願弟子等承是懺悔貪瞋癡等一切煩惱生生
世世折憍慢幢竭愛欲水滅瞋恚火破愚癡闇
拔斷疑根裂諸見網深識三界猶如牢獄四大
毒虵五陰怨賊六入空聚愛詐親善脩八聖
道斷无明源正向涅槃不休不息卅七品心心相
應十波羅蜜常現在前至心歸命常住三寶
佛說罪業報應教化地獄經
復有衆生身體頑痺眉鬚墮落舉身洪爛鳥
栖鹿宿人跡斷絕沾汙親族人不喜見名之癩
病何罪所致佛言以前世時坐不信三尊不
孝父母破壞塔寺剝脫道人斫射賢聖傷害
師長常无返復背恩忘義常行苟大婬匿
所尊不避親踈无有慚恥故獲斯罪
復有衆生身體長大聾騃无足宛轉腹行
唯食泥土以自活命為諸小虫之所唼食常
受此苦不可堪處何罪所致佛言以前世時為

BD02364號　佛名經（十六卷本）卷一四　（44-42）

唯食泥土以自活命為諸小虫之所唼食常
受此苦不可堪處何罪所致佛言以前世時為
人自用不信好言善語不孝父母返戾時君
若為帝王大臣四鎮方伯州郡令長里禁部
督謙持其威勢侵奪民物无有道理使
民有苦故獲斯罪
復有衆生兩目盲瞎都无所見或觸樹木
或墮墹坑於時死已更復受身亦復如是
何罪所致佛言以前世時坐不信罪福障佛
光明縫鷹眼合籠繫衆生皮囊盛頭不
得所見故獲斯罪

佛名經卷第十四

BD02364號　佛名經（十六卷本）卷一四　（44-43）

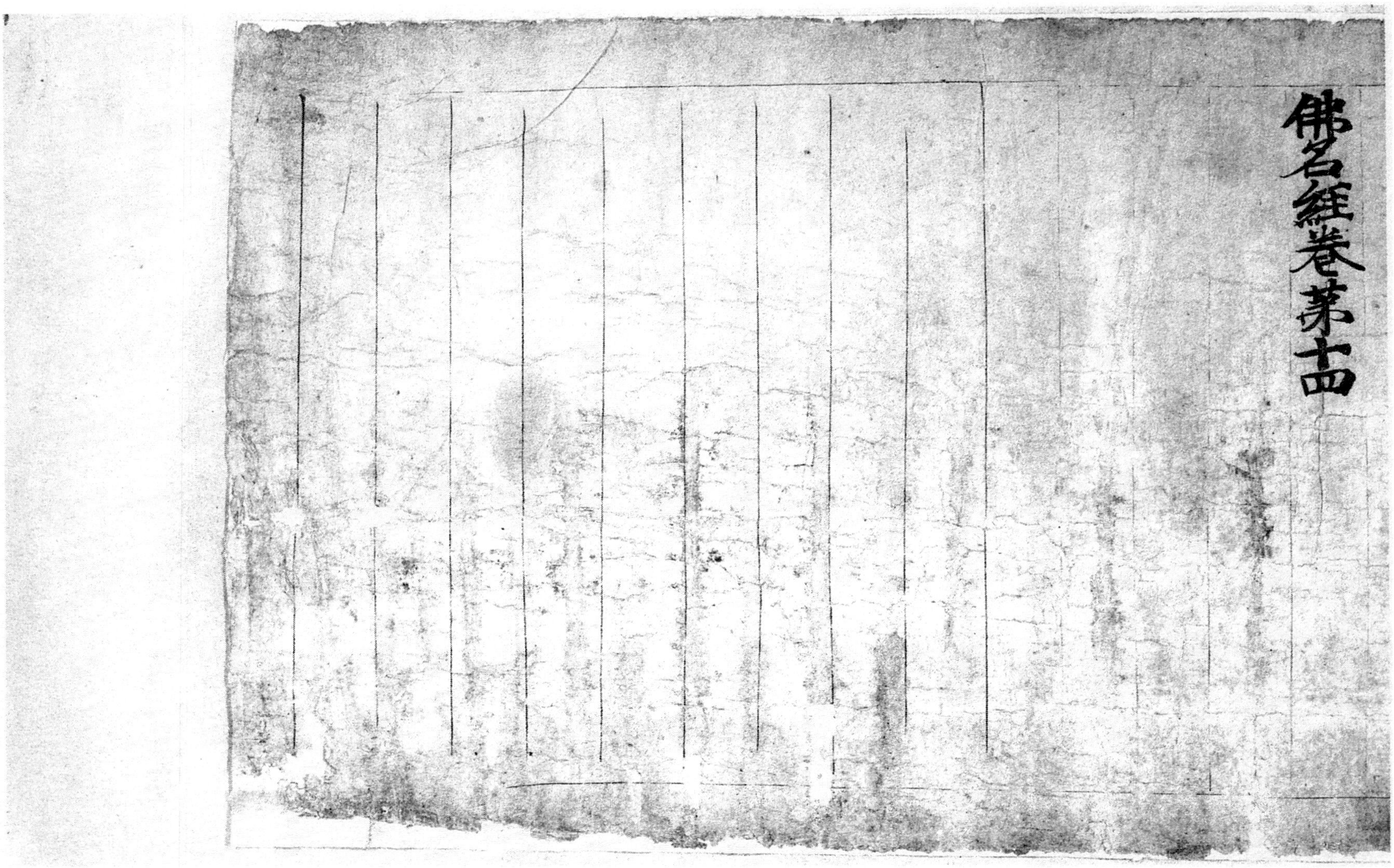

BD02364 號　佛名經（十六卷本）卷一四　（44–44）

BD02365 號　金剛般若波羅蜜經　（4–1）

即是非相又說一切衆生
須菩提如來是真語者實語者
語者不異語者須菩提如來所得此法无
實无虛
須菩提若菩薩心住於法而行布施如人入
闇則无所見若菩薩心不住法而行布施如
人有目日光明照見種種色
須菩提當來之世若有善男子善女人能於
此經受持讀誦則為如來以佛智慧悉知是
人悉見是人皆得成就无量无邊功德
須菩提若有善男子善女人初日分以恒河
沙等身布施中日分復以恒河沙等身布施
後日分亦以恒河沙等身布施如是无量百
千万億劫以身布施若復有人聞此經典信
心不逆其福勝彼何况書寫受持讀誦為人
解說
須菩提以要言之是經有不可思議不可稱
量无邊功德如來為發大乘者說為發最上
乘者說若有人能受持讀誦廣為人說如來
悉知是人悉見是人皆得成就不可量不可
稱无有邊不可思議功德如是人等則為荷
擔如來阿耨多羅三藐三菩提何以故須菩
提若樂小法者著我見人見衆生見壽者見
則於此經不能聽受讀誦為人解說須菩提
在在處處若有此經一切世間天人阿脩羅
所應供養當知此處則為是塔皆應恭敬作
礼圍遶以諸華香而散其處
復次須菩提善男子善女人受持讀誦此經
若為人輕賤是人先世罪業應墮惡道以今
世人輕賤故先世罪業則為消滅當得阿耨

則於此經不能聽受讀誦為人解說須菩提
在在處處若有此經一切世間天人阿脩羅
所應供養當知此處則為是塔皆應恭敬作
礼圍遶以諸華香而散其處
復次須菩提善男子善女人受持讀誦此經
若為人輕賤是人先世罪業應墮惡道以今
世人輕賤故先世罪業則為消滅當得阿耨
多羅三藐三菩提須菩提我念過去无量阿
僧祇劫於然燈佛前得值八百四千万億那
由他諸佛悉皆供養承事无空過者若復有
人於後末世能受持讀誦此經所得功德於
我所供養諸佛功德百分不及一千万億分
乃至筭數譬喻所不能及須菩提若善男子
善女人於後末世有受持讀誦此經所得功
德我若具說者或有人聞心則狂乱狐疑不
信須菩提當知是經義不可思議果報亦不
可思議
尒時須菩提白佛言世尊善男子善女人發
阿耨多羅三藐三菩提心云何應住云何降
伏其心佛告須菩提善男子善女人發阿耨
多羅三藐三菩提者當生如是心我應滅度
一切衆生滅度一切衆生已而无有一衆生
實滅度者何以故若菩薩有我相人相衆生
相壽者相則非菩薩所以者何須菩提實无
有法發阿耨多羅三藐三菩提者
須菩提於意云何如來於然燈佛所有法得
阿耨多羅三藐三菩提不不也世尊如我解
佛所說義佛於然燈佛所无有法得阿耨多
羅三藐三菩提佛言如是如是須菩提實无
有法如來得阿耨多羅三藐三菩提須菩提
若有法如來得阿耨多羅三藐三菩提者然燈

實滅度者何以故若菩薩有我相人相衆生
相壽者相則非菩薩所以者何須菩提實无
有法發阿耨多羅三藐三菩提者
須菩提於意云何如来於然燈佛所有法得
阿耨多羅三藐三菩提不不也世尊如我解
佛所說義佛於然燈佛所无有法得阿耨多
羅三藐三菩提佛言如是如是須菩提實无
有法如来得阿耨多羅三藐三菩提須菩提
若有法如来得阿耨多羅三藐三菩提者然燈
佛則不與我受記汝於来世當得作佛号釋
迦牟尼以實无有法得阿耨多羅三藐三菩
提是故然燈佛與我受記作是言汝於来世
當得作佛号釋迦牟尼何以故如来者即諸
法如義若有人言如来得阿耨多羅三藐三
菩提須菩提實无有法佛得阿耨多羅三藐
三菩提須菩提如来所得阿耨多羅三藐三
菩提於是中无實无虛是故如来說一切法
皆是佛法須菩提所言一切法者即非一切
法是故名一切法
須菩提譬如人身長大須菩提言世尊如来
說人身長大則為非大身是名大身
須菩提菩薩亦如是若作是言我當滅度无
量衆生則不名菩薩何以故須菩提實无有
法名為菩薩是故佛說一切法无我无人无
衆生无壽者須菩提若
嚴佛土是不名菩
土者即非莊嚴

BD02365號　金剛般若波羅蜜經　（4–4）

成爲佛号曰普明如来應供正遍知明行足善逝世間解无上士調御丈夫天人師佛世
尊其五百阿羅漢優樓頻螺迦葉伽耶迦葉那提迦葉迦留陁夷優陁夷阿㝹樓馱離
婆多劫賔那薄拘羅周陁莎伽陁等皆當得阿耨多羅三藐三菩提盡同一号名曰普明尒時
世尊欲重宣此義而說偈言
憍陳如比丘　當見无量佛　過阿僧祇劫　乃成等正覺
常放大光明　具足諸神通　名聞遍十方　一切之所敬　常說无上道　故号爲普明　其國土清淨
菩薩皆勇猛　咸昇妙樓閣　遊諸十方國　以无上供具　奉獻於諸佛　作是供養已　心懷大歡喜
須臾還本國　有如是神力　佛壽六万劫　正法住倍壽　像法復倍是　法滅天人憂　其五百比丘
次第當作佛　同号曰普明　轉次而授記　我滅度之後　某甲當作佛　其所化世間　亦如我今日
國土之嚴淨　及諸神通力　菩薩聲聞衆　正法及像法　壽命劫多少　皆如上所說　迦葉汝已知
五百自在者　餘諸聲聞衆　亦當復如是　其不在此會　汝當爲宣說
尒時五百阿羅漢於佛前得受記已歡喜踊躍即從座起到於佛前頭面礼足悔過自責
世尊我等常作是念自謂已得究竟滅度今乃知之如无智者所以者何我等應得如来智
慧而便自以小智爲足世尊譬如有人至親友家醉酒而卧是時親友官事當行以无價寶
珠繫其衣裏與之而去其人醉卧都不覺知起已遊行到於他國爲衣食故勤力求索
甚大艱難若少有所得便以爲足於後親友會遇見之而作是言咄哉丈夫何爲衣食
乃至如是我昔欲令汝得安樂五欲自恣於某年日月以无價寶珠繫汝衣裏今故現在
而汝不知勤苦憂惱以求自活甚爲癡也汝今可以此寶貿易所須常可如意无所乏短佛亦
如是爲菩薩時教化我等令發一切智心而尋廢忘不知不覺既得阿羅漢道自謂滅度
資生艱難得少爲足一切智願猶在不失今者世尊覺悟我等作如是言諸比丘汝等所得
非究竟滅我久令汝等種佛善根以方便故示涅槃相而汝謂爲實得滅度世尊我今乃知
實是菩薩得受阿耨多羅三藐三菩提記以是因緣甚大歡喜得未曾有尒時阿若
憍陳如等欲重宣此義而說偈言　我等聞无上　安隱授記聲　歡喜未曾有　礼无量智佛
今於世尊前　自悔諸過咎　於无量佛寶　得少涅槃分　如无智愚人　便自以爲足　譬如貧窮人
往至親友家　其家甚大富　具設諸餚饍　以无價寶珠　繫著内衣裏　默與而捨去　時卧不覺知
是人既已起　遊行詣他國　求衣食自濟　資生甚艱難　得少便爲足　更不願好者　不覺内衣裏
有无價寶珠　與珠之親友　後見此貧人　苦切責之已　示以所繫珠　貧人見此珠　其心大歡喜
富有諸財物　五欲而自恣　我等亦如是　世尊於長夜　常愍見教化　令種无上願　我等无智故
不覺亦不知　得少涅槃分　自足不求餘　今佛覺悟我　言非實滅度　得佛无上慧　尒乃爲真滅
我今從佛聞　受記莊嚴事　及轉次受決　身心遍歡喜

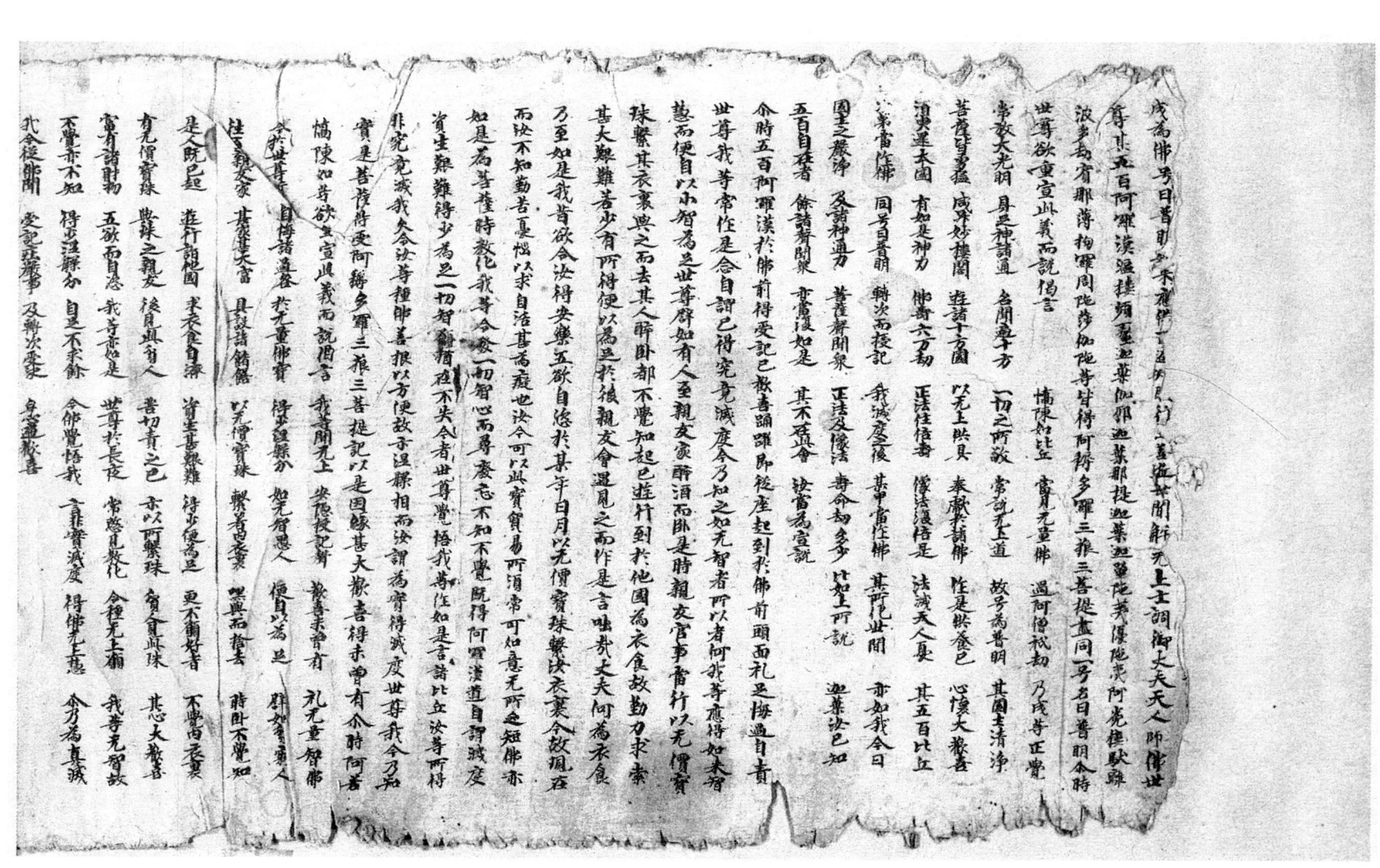

BD02366號　妙法蓮華經卷四　（2–1）

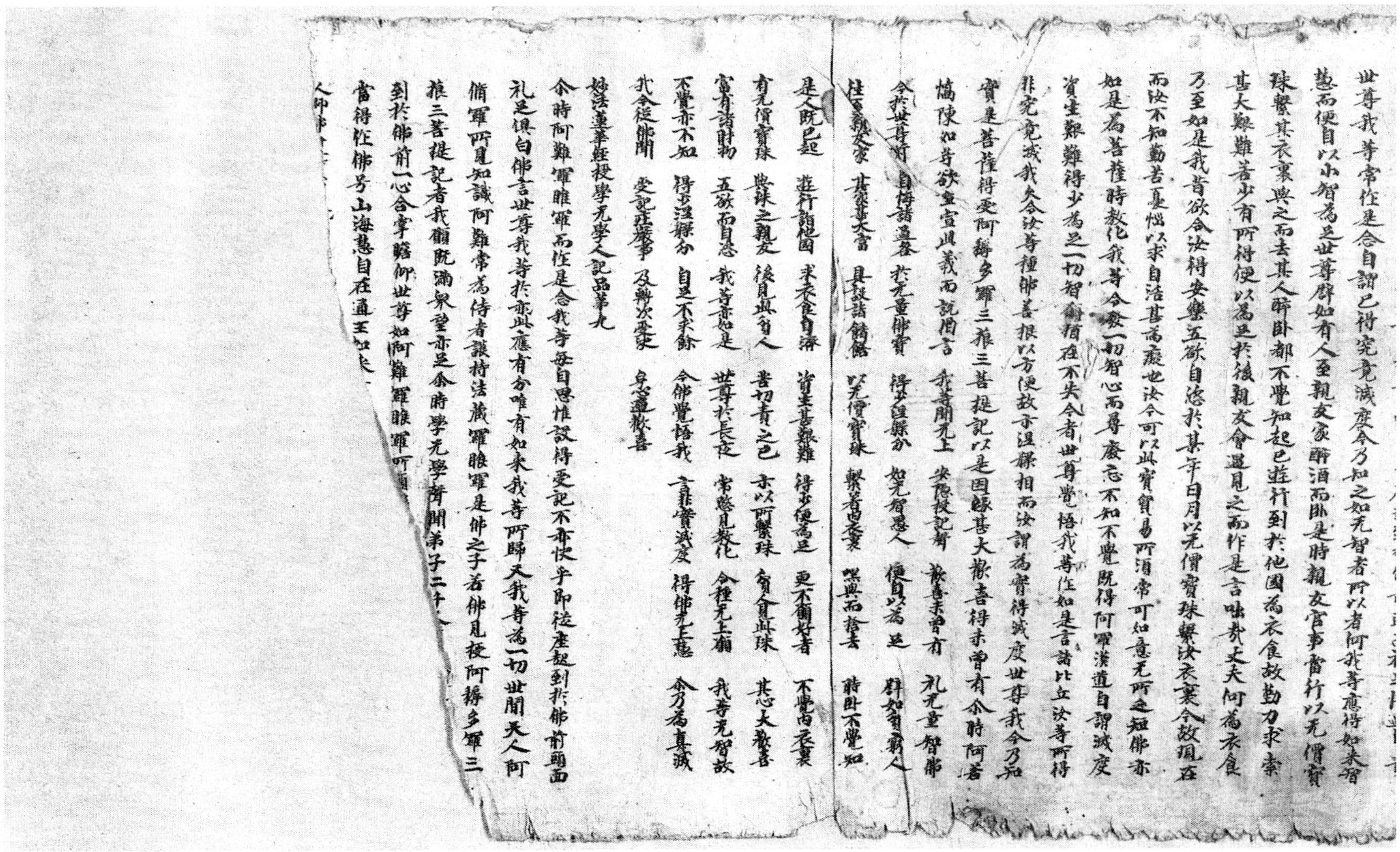
世尊我等常作是念自謂已得究竟滅度今乃知之如无智者所以者何我等應得如來智
慧而便自以小智為足世尊譬如有人至親友家醉酒而卧是時親友官事當行以无價寶
珠繫其衣裏與之而去其人醉卧都不覺知起已遊行到於他國為衣食故勤力求索
甚大艱難若少有所得便以為足於後親友會遇見之而作是言咄哉丈夫何為衣食
乃至如是我昔欲令汝得安樂五欲自恣於某年日月以无價寶珠繫汝衣裏今故現在
而汝不知勤苦憂惱以求自活甚為癡也汝今可以此寶貿易所須常可如意无所乏短佛亦
如是為菩薩時教化我等令發一切智心而尋廢忘不知不覺既得阿羅漢道自謂滅度
資生艱難得少為足一切智願猶在不失今者世尊覺悟我等作如是言諸比丘汝等所得
非究竟滅我久令汝等種佛善根以方便故示涅槃相而汝謂為實得滅度世尊我今乃知
實是菩薩得受阿耨多羅三藐三菩提記以是因緣甚大歡喜得未曾有尒時阿若
憍陳如等欲重宣此義而說偈言　我等聞无上　安隱授記聲　歡喜未曾有　礼无量智佛
今於世尊前　自悔諸過咎　於无量佛寶　得少涅槃分　如无智愚人　便自以為足
譬如貧窮人　往至親友家　其家甚大富　具設諸餚饍　以无價寶珠　繫著內衣裏　默與而捨去　時卧不覺知
是人既已起　遊行詣他國　求衣食自濟　資生甚艱難　得少便為足　更不願好者　不覺內衣裏
有无價寶珠　與珠之親友　後見此貧人　苦切責之已　示以所繫珠　貧人見此珠　其心大歡喜
富有諸財物　五欲而自恣　我等亦如是　世尊於長夜　常愍見教化　令種无上願　我等无智故
不覺亦不知　得少涅槃分　自足不求餘　今佛覺悟我　言非實滅度　得佛无上慧　尒乃為真滅
我今從佛聞　授記莊嚴事　及轉次受決　身心遍歡喜
妙法蓮華經授學无學人記品第九
尒時阿難羅睺羅而作是念我等每自思惟設得受記不亦快乎即從座起到於佛前頭面
礼足俱白佛言世尊我等於此亦應有分唯有如來我等所歸又我等為一切世間天人阿
脩羅所見知識阿難常為侍者護持法藏羅睺羅是佛之子若佛見授阿耨多羅三
藐三菩提記者我願既滿眾望亦足尒時學无學聲聞弟子二千人
到於佛前一心合掌瞻仰世尊如阿難羅睺羅所
當得作佛号山海慧自在通王如來

BD02366 號　妙法蓮華經卷四　（2–2）

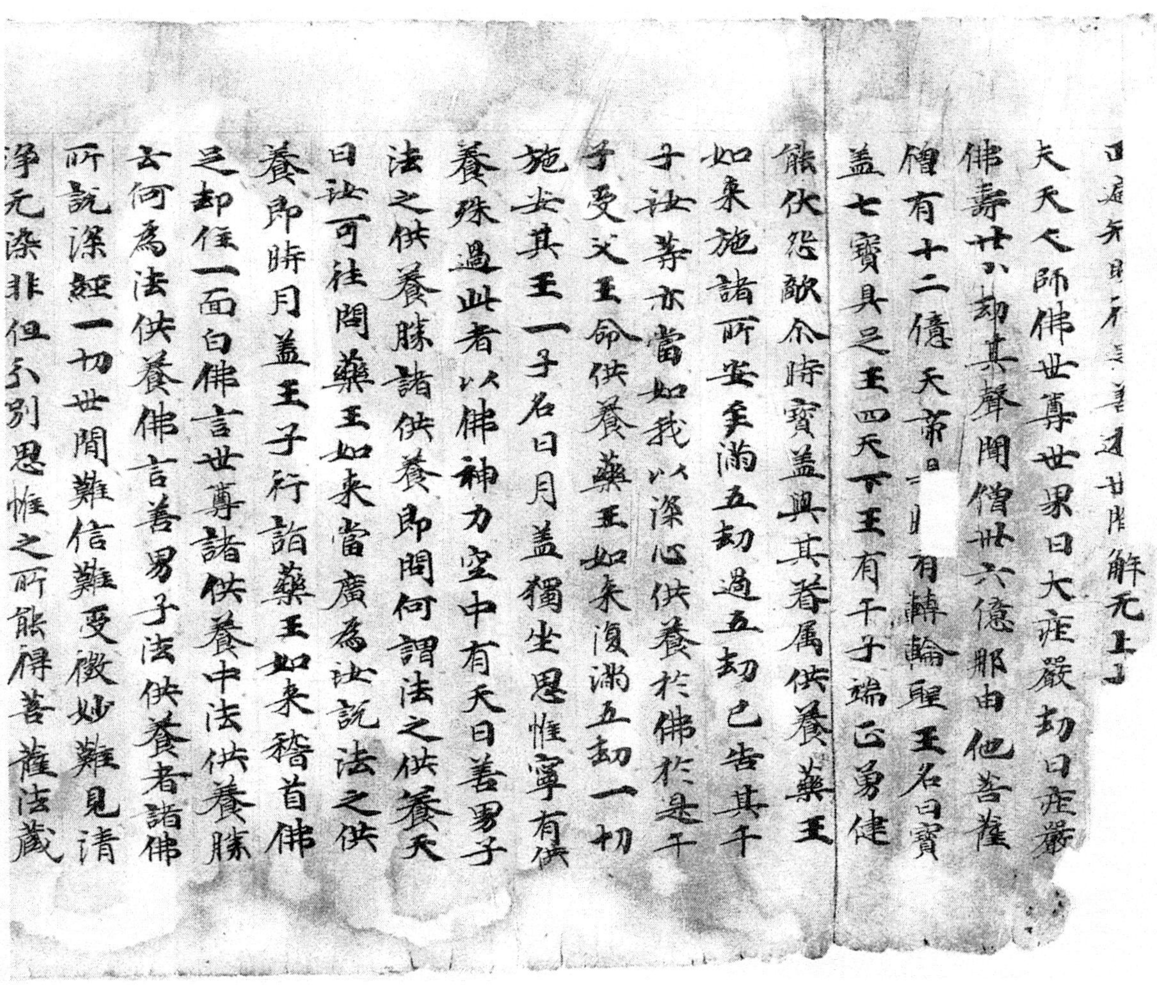
正遍知明行足善逝世間解无上士
夫天人師佛世尊世界曰大莊嚴劫曰莊嚴
佛壽廿小劫其聲聞僧卅六億那由他菩薩
僧有十二億天帝是時有轉輪聖王名曰寶
蓋七寶具足王四天下王有千子端正勇健
能伏怨敵尒時寶蓋與其眷屬供養藥王
如來施諸所安至滿五劫過五劫已告其千
子汝等亦當如我以深心供養於佛於是千
子受父王命供養藥王如來復滿五劫一切
施安其王一子名曰月蓋獨坐思惟寧有供
養殊過此者以佛神力空中有天曰善男子
法之供養勝諸供養即問何謂法之供養天
曰汝可往問藥王如來當廣為汝說法之供
養即時月蓋王子行詣藥王如來稽首佛
足却住一面白佛言世尊諸供養中法供養勝
云何為法供養佛言善男子法供養者諸佛
所說深經一切世間難信難受微妙難見清
淨无染非但分別思惟之所能得菩薩法藏

BD02367 號　維摩詰所說經卷下　（2–1）

曰汝可往問藥王如來當廣為汝說法之供
養即時月蓋王子行詣藥王如來稽首佛
足却住一面白佛言世尊諸供養中法供養勝
云何為法供養佛言善男子法供養者諸佛
所說深經一切世間難信難受微妙難見清
淨无染非但分別思惟之所能得菩薩法藏
所攝陀羅尼印印之至不退轉成就六度善
分別義順菩提法眾經之上入大慈悲離眾
魔事及諸邪見順因緣法无我无眾生无壽
命空无相无作无起能令眾生坐於道場而
轉法輪諸天龍神乾闥婆等所共歎譽能令
眾生入佛法藏攝諸賢聖一切智慧說眾菩
薩所行之道依於諸法實相之義明宣无常
苦空无我寂滅能救一切毀禁眾生諸魔外
道及貪著者能使怖畏諸佛賢聖所共稱歎
背生死苦示涅槃樂十方三世諸佛所說若
聞如是等經信解受持讀誦以方便力為諸
眾生分別解說顯示分明守護法故是名法
之供養又於諸法如說修行隨順十二因緣
離諸邪見得无生忍決定无我无有眾生而
於因緣果報无違无争離諸我所依於義不

BD02367號　維摩詰所說經卷下　　（2–2）

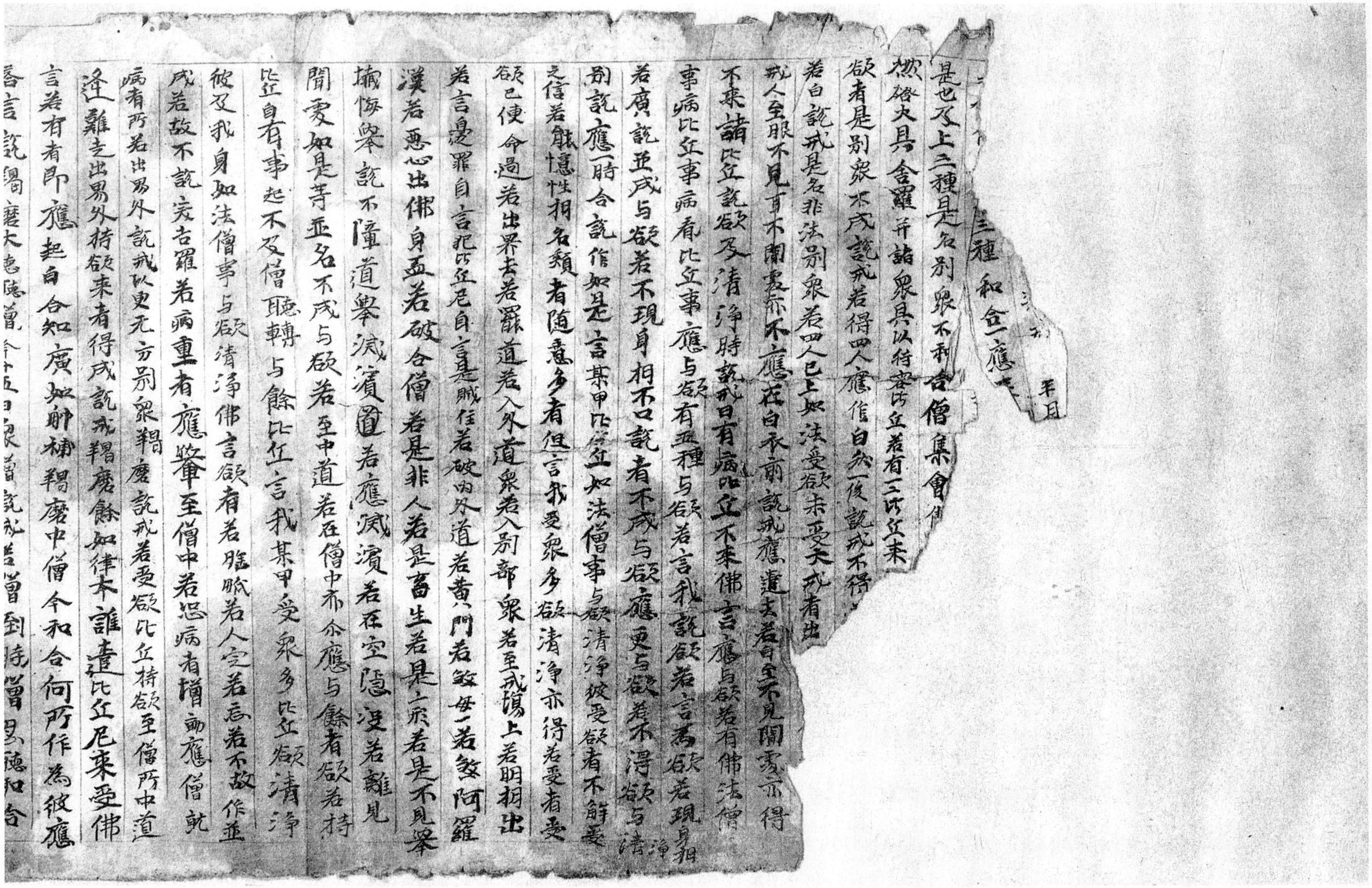
三種和合一應……半日
是也及上三種是名別衆不和合僧集會
燃燈火具舍羅并諸衆具以待客比丘若有三比丘未
欲者是別衆不成說戒若得四人應作白和一後說戒不得
若白說戒是名非法別衆若四人已上如法受欲未受大戒者出
戒人至眼不見耳不聞處亦不應在白衣前說戒應遣去若白衣至不見聞處亦得
不來諸比丘說欲及清淨時說戒日有病比丘不來佛言應與欲若有佛法僧
事病比丘事病看比丘事應與欲有五種與欲若言我說欲若言為欲若現身相
若廣說應與欲若不現身相不口說者不成與欲應更與欲若不得欲與清淨
別說應一時合說作如是言某甲比丘如法僧事與欲清淨彼受欲者不解受
之信若能憶性相名類者隨意多者但言我受衆多欲清淨亦得若受者受
欲已便命過若出界去若罷道若入外道衆若入別部衆若至戒場上若明相出
若言是罪自言犯比丘尼自言是賊住若破內外道若黃門若殺父母若殺阿羅
漢若惡心出佛身血若破和合僧若是非人若是畜生若是二形若是不見擧
擁懺擧說不懺道擧滅擯置若應滅擯若在空隱沒若離見
聞處如是等並名不成與欲若至中道若在僧中亦爾應與餘者欲若持
比丘自有事起不及僧聽轉與餘比丘言我某甲受衆多比丘欲清淨
彼及我身如法僧事與欲清淨佛言欲有若睡眠若入定若忘若不故作並
成若故不說突吉羅若病重者應擧至僧中若恐病有增動應僧就
病者所若出界外說戒以更无方別衆羯磨說戒若受欲比丘持欲至僧所中道
逢難走出界外持欲來者得成說戒羯磨餘如律本誰遣比丘尼來受佛
言若有者即應起白合知廣如辨補羯磨中僧今和合何所作為彼應
答言說羯磨大德聽僧今十五日衆僧說戒若僧到時僧忍聽和合

BD02368號　四分律比丘含注戒本　（7–1）

戒若故不說突吉羅若病重者應舉至僧中若恐病有增動應僧就
病者所若出界外說戒以更無方别衆羯磨說戒若要欲比丘持欲至僧所中道
逕難去出界外持欲來者得戒說戒羯磨餘如律本誰遣比丘尼來受佛
言若有者即應起白合知廣如前補羯磨中僧今和合何所作爲彼應
答言說羯磨大德聽僧今十五日衆僧說戒若僧到時僧忍聽和合
說戒白如是諸大德我今欲說波羅提木叉佛言波羅提木叉者戒也
自攝持威儀作處行相面首集衆義時成就當結說當發起演布開
現反覆分别故名波羅提木叉也餘下廣如律諸比丘共集在一處令時說
戒日迎賓寬比丘在異住處念言說戒者清淨也我常第一清淨便不往赴世尊
在說衆中出不見迎賓寬便以神力於坐處沒在其前踊出以彼所念勅命至
僧中不得乘足往應涉往也佛言若說戒日有比丘在戒場上見相更求索
而不見應喚盡集不得一處同共說戒乃至客比丘舊比丘來僧伽藍內外
相見聞疑廣作白如律若喚不得謂无同界者羯磨說戒不成而无犯
異界者戒而无犯若見聞疑而不求喚戒不成如上並犯突吉羅若唄四言
吉俞蘭遮時六群比丘不往說戒處往戒外至有比丘處无比丘處有比丘无比丘處
處乃至无住處佛言應往不往如法治汝等諦聽善思念之佛言善意
專心聽法若自知有犯者即應自悔懺佛言若說戒日而僧犯罪當
詣比丘僧衆中往清淨比丘所悔懺已還至住處餘比丘一二從其懺悔无
來者應作已當懺悔然後自說戒疑罪同犯亦如是佛言若有犯者不得
聞戒不得向有犯者說戒不得向有犯者懺悔有犯者不得受他解罪是
名二種智罪人不犯者嘿然者知諸大德清淨佛言忍者嘿然不忍者說
若衆中有犯罪者不自見犯諸比丘或言偷蘭遮者佛言不得從遍僧
應說戒若有他問者亦如是答佛言如二比丘相問答不應藏如是諸比丘
在於衆中乃至三問憶念有罪而不懺悔者得故忘語罪故妄語者
佛說障道法僧說戒時嘿妄語者突吉羅障道者禪障果若彼比丘
憶念有罪欲求清淨者應懺悔得安樂得禪果安樂諸大德我以說
戒經序今問諸大德是中清淨不如是三問諸大中德清淨嘿然故是事
如是持諸大德是四波羅夷法半月半月說戒經來爾時世尊
在毗舍離時迦蘭陀村須提那子持信出家後還本村其母以財勸令捨
道至三從以婦往勸便言我欲後行不淨常懷憂愁諸比丘呵責已往
[illegible]

[illegible]
戒經序今問諸大德是中清淨不如是三問諸大中德清淨嘿然故是事
如是持諸大德是四波羅夷法半月半月說戒經來一婬戒緣爾時世尊
在毗舍離時迦蘭陀村須提那子持信出家後還本村其母以財勸令捨
道至三從以婦往勸便言我欲後行不淨常懷憂愁諸比丘呵責已往
白世尊集諸比丘知時僕合問取自言種種呵責已告諸比丘當與結集十句
義一攝取於僧二令僧歡喜三令僧安樂四令未來信者信五已信者令增
長六難調者順七慚愧者安樂八斷現在有漏九斷未來有漏十正法久住故便制此
戒更有隨結如常說若比丘佛言若比丘者名為比丘相似比丘自稱比丘
乞求比丘著割截衣比丘破結使比丘善來比丘受大戒白四羯磨如法成就
得處所比丘是中比丘若受大戒白四羯磨如法成就得處所住比丘法中是謂
比丘義共比丘若餘比丘受大戒白四羯磨如法成就得處所住比丘法中是止
比丘義同戒我為諸弟子結戒已寧死不犯是中共餘比丘同一戒是名同
若不還戒若自言癲狂心亂痛惱瘂聾又向如是人前捨戒或中國邊地人前
捨不靜靜想捨或戲咲捨若天龍神鬼若睡眠人若死人若无知人若自不語
若前人不解如是等不名捨若言我捨佛捨法和尚戒律學事若言受居家法
作淨人憂婆塞沙彌外道若復毀佛法僧乃至學事讚嘆家業如是等
說是名捨戒羸不自悔佛言若有餘比丘不樂淨行聽捨戒還家若復
欲出家修行應度出家受大戒或有戒羸不捨戒若愁憂不樂梵行常懷慚
愧厭比丘法意樂在家便言我念父母兄弟田宅業乃至非門釋子是
謂戒羸不捨戒何者戒羸而戒捨若思惟言我欲捨戒便即捨捨故犯不淨行
是婬欲法也從道入道從道入非道若限齊盡入若以婬心乃至入如毛頭波羅
夷方便而不入偷蘭遮乃至共畜生可行婬處者是也是中比丘以婬意
向人非人畜生男夫三處二處行不淨稍入便犯有隔无隔四句亦爾若睡眠若
死形未壞多未壞亦爾若為怨家將至人大令入三處三時中隨一時受樂
者犯有隔无隔亦爾乃至男子亦爾乃至死形多未壞亦爾若為怨家
從捉比丘道中行不淨隨三時中受樂者犯乃至有隔无隔亦爾若屍半壞
及骨間摶泥等中犯偷蘭遮若道作道想若道疑若道非道非道道想而
波羅夷非道道想及疑偷蘭遮是比丘波羅夷譬如斷人頭不可復起
比丘亦復如是犯此法者不復成比丘故名也比丘尼波羅夷式又摩那沙彌沙彌尼
突吉羅戒實不犯者若睡眠無所覺知不受樂而无有婬意癡狂心亂痛

從捉比丘道中行不淨隨三時中受樂者犯乃至有隔无隔亦尒若三扇半擇
及骨間摶深等中犯偷蘭遮若道作道想若道疑若道非道道想非
波羅夷非道道想及疑偷蘭遮是比丘波羅夷譬如斷人頭不可復起
比丘亦復如是犯此法者不須戒比丘故名也比丘尼波羅夷式叉摩那沙彌沙彌尼
突吉羅滅擯不犯者若睡眠無所覺知不受樂而无有婬意癡狂心亂痛
惱不共住有二共住同一羯磨同一說戒得於是二事中住故 二盜戒緣 尒時
佛在羅閱城耆闍崛山有檀尼迦比丘在閑靜處止一草屋後為人將作薪持
去便作全成赤色瓦屋為佛呵責勑諸比丘打破便至王守財人所詐宣王勑取要
材持去為王臣人民比丘呵責世尊因呵制戒 若比丘比丘義如上若在村落村有四
種一者周匝垣墻二者柵籬三者籬墻不周四者四周有屋若閑淨處村外閑淨
地是也處有多若地上處若乘處若擔若虛空若上若村若向蘭若處若田若
處五所若船若水處若私度關塞不輸稅若取他寄信物若取水若楊枝若
園樹菓草不无足衆生若二足四足多足若同財若要若同若守若邏要道
等是也不与物他不捨也若他物想他護想有主想非己物非暫用非同意故
盜心取賊心取也有五種黑闇心邪心曲戾心恐怯心常有盜他物心又五種取決
定取恐怯取寄物取見便便取倚託取或詃親厚強力若以言辯辭說
誑惑而取隨不与取法王法若取五錢若直五錢物應死佛隨王法制若為王
得自在不屬人大臣種種大臣輔佐王也所捉若殺若縛若驅出國決是
賊決癡決无所知是比丘波羅夷若方便教人求五錢得者犯減五錢偷蘭遮若
能教所教事不想應牙犯有主想取五錢若過者犯重有主疑偷蘭无主
主想若疑而偷蘭遮若減五錢相當心境偷蘭遮不當者突吉羅下四
衆如前犯不犯者与想取已有想糞掃想暫取親厚意是不共住
如上說 三煞人戒緣 佛在毗舍離与諸比丘說不淨觀彼習定覺猒患身
命嘆死勸死讚死有難提比丘受鹿杖僱求鉢便斷他命被魔惑已日煞六十
人為諸居士驚怪佛知此事便說數息觀已語比丘修獲果證佛如前
呵已戒制 若比丘故自手斷煞者若自煞若教嘆若遣使煞若往來使煞
若重使煞若展轉使煞若求男子煞若教人求男子煞若求持刀煞若教求持刀
人煞若口說若身現相身口俱相若遣書若教遣書若坑埳若倚撥若与藥
若安煞具人命從初識至後識而斷其命持刀与人嘆譽死快勸死咄
男子用此惡活為寧死不生作如是思惟種種方便嘆譽死快勸死是比丘
波羅夷若比丘如上煞失及餘方便死者犯重方便不煞偷蘭遮若天龍

BD02368號　四分律比丘含注戒本

若重使殺若展轉使殺若求男子殺若教人求男子殺若求持刀人殺若教求持刀
人殺若口說若身現相身口俱現若遣書若教遣書若坑埳若倚撥若与藥
若安殺具人命從初識至後識而斷其命持刀与人歎譽死快勸死咄
男子用此惡活為寧死不生作如是思惟種種方便嘆譽死快勸死是比丘
波羅夷若比丘如上殺法及餘方便死者犯重方便不殺偷蘭遮若天龍
神鬼畜生中有解人語者若有變形者方便求殺者偷蘭遮不能變形吉
羅下四眾如前說不犯者若擲若扶病人无害心而死共者不住四大妄語戒緣
佛在毗舍離時世穀貴乞食難得集眾告言當隨同師親友安居諸
在婆求河邊安居者便共稱讚得上人法諸信居士減食分施与安居貴稱
衣持鉢往至佛所為聖慰問二眾發覺呵制若比丘實无所知謂覺无知見
自稱言自稱說有信戒施聞智慧辯上人法人法者人陰人界人入上人法者諸出
要成就若得善果自言念在身若正憶念若持戒若少欲若不施遠若精若得
定若正受若有道若修若慧若見若知已入聖智勝法我知是我見是彼於異
時若問若不問欲自清淨故作是說我實不知不見言知言見虛誑妄語除
增上慢時有比丘增上慢自謂得道後便真證諸比丘白佛佛言增上慢人不犯是比丘
波羅夷若知是重何人說前人知者波羅夷不知者偷蘭若遣手印遣使若書若
作知相者亦爾若不能變形畜生向說得吉羅若實得道向不同意比丘說吉羅
下四眾如前說不犯者增上慢業報得不言我得戲咲說疾疾說屏處說欲說此錯
說彼下不共諸大德我已說四波羅夷法若比丘犯一一波羅夷法不德与諸比
丘共住如前後亦如是是比丘得波羅夷不應共住今問諸大德是中清淨
不三說諸大德是中清淨默然故是事如是持諸大德是十三僧伽婆尸沙法
半月半說戒經中來一故出不淨戒緣佛遊舍衛城時有迦留陀夷比丘欲意識
盛身色瘦悴獨處一房好床褥被地施敷具飲食豐足隨念作失諸根悅豫
顏色光澤諸比丘舉過白佛便无數責已制此戒也若比丘故作實心故作
陰前境有六若於內色外色若水風若空隨方便出則犯失精除夢中佛言
亂意睡眠有五過失一者惡夢二諸天不護三者心不入法四者不思惟明相五者
於夢失精善意睡眠有五功德即反上白僧伽婆尸沙若方便作不失偷蘭
遮比丘自相教若失犯偷蘭不失吉羅尼波逸提三眾吉羅不犯者一切不作
精意二觸女人戒緣佛在舍衛國時迦留陀夷以佛制前戒故便在門外伺諸
婦女將至房中守捉捫摸樂者便咲不樂瞋罵呵責諸比丘舉過呵責往
白世尊佛便集僧制戒若比丘婬欲意愛染汙心與女人覺睡新死少分壞
[illegible]

BD02368號　四分律比丘含注戒本　（7–5）

於夢失精善意睡眠有五功德所夕上句僧伽婆尸沙若不作

遮比丘自相教若失犯偷蘭不失吉羅尼波逸提三衆吉羅不犯者一切不作

精意二觸女人戒緣佛在舍衛國時迦留陀夷以佛制前戒故便在門外伺諸

婦女將至房中守捉捫摸樂者便嘿不樂嗔罵呵責諸比丘舉過呵責往

白世尊佛便集僧制戒若比丘婬欲意愛染汙心與女人覺膞新死少分壞

四種女但著犯僧殘若女人來觸比丘動身受樂亦同犯若不動也身從緣

至足相觸若捉摩重摩或牽或推或逆摩順摩或舉或下或捺若餘觸方便

若捉手若髮若觸二身分者僧伽婆尸沙若比丘往觸四種女但著

犯僧殘若女人來觸比丘動身受樂亦同犯若動不身吉羅若先有染心

偷蘭可有衣相觸偷蘭俱有吉羅若与二形相觸偷蘭若欲心觸男子

或衣鉢坐具乃至自觸身及以畜生一切吉羅尼波羅夷下三衆吉羅

不犯者有所取与戲笑相解時是三与女人麁語戒緣佛在舍衛國

時迦留陀夷以聞佛制前二戒故便將婦女入房中以欲心向彼麁惡語諸比丘

舉白佛因制此戒若比丘婬欲意与女人人女有智命根不斷麁惡婬欲語

麁惡者非梵行婬欲語者稱說二道好惡若求若教他求若問若答若解若

說若教若罵求者言与我二道作如是如是事若復作餘語次弟如是

辭若麁隨惡婬欲語僧伽婆尸沙若一反麁惡語僧殘隨語多少說而了

了者二僧殘不了了偷蘭若与書印遣使作相令彼女知僧殘不知偷蘭

除大小便道說餘處好惡偷蘭与非人女黃門二形麁語知者偷蘭畜生不

能變形若向男子麁語一切吉羅尼偷蘭下三衆吉羅乃至下戒亦示不犯者

為說不淨觀若毗尼受經問答无欲心驚四嘆身向女人索婬欲供養戒緣佛

在舍衛國時迦留陀夷以聞佛制前三戒故便便門外伺諸婦女將入房中自

讚嘆身汝可持欲供養諸女可供比丘舉過白佛因制此戒若比丘婬欲意於女

人前女人如上自嘆身嘆身端正好顏色我是剎帝利長者居士婆羅門

種言大妹我脩梵行勤脩離穢濁也持戒精進不缺不身漏无染汙也脩

善法衆閑處時到乞食著糞掃衣作餘食法不食一坐食一揣食塚間坐露

地坐樹下坐常坐隨坐持三衣唄唱多聞能說法持毗尼坐禪可持是婬欲法供養

我如是供養第一最僧伽婆尸沙若作如上自舉已供養我來不說婬

欲者偷蘭餘境雜犯如前戒說不犯者若比丘語女人言此處妙尊最上

比丘精進持戒脩善法汝當應以身口意業應供養彼女意謂為我故嘆

身若說毗尼時言次及彼此謂嘆身若錯說不犯五媒人戒緣佛在羅閱

城有迦羅比丘本是大臣善知俗法城中嫁娶盡往說問時娶或得好

我如是供養第一最僧伽婆尸沙　若作如上自擧已供養我夫不說婬
欲者偷蘭餘境雜犯如前戒說不犯者若比丘語女人言此處妙善最上
此比丘精進持戒脩善法汝當應以身口意業慈供養彼女意謂爲我故嘆
身若說眼耳時言次及彼此謂嘆身若錯說不犯五婬人戒緣佛在羅閱
城有迦羅比丘本是大臣善知俗法城中嫁娶盡往說問時婚娶或得好
者便願迦羅受於喜樂諸居士識言若欲結婚者可往沙門釋子中問
諸比丘舉過白佛因制戒若比丘往來彼此媒嫁所應和合者是持男
意語女持女意語男女人有廿種母護父護兄護姉護兄姉護自護法
護姓護宗親護自樂婢與衣婢與財同作業婢水所漂婢不偷稅婢放
去婢客作婢他護婢自邊方得婢是也男子亦有廿種並同上列若爲城婦
事若爲私通事乃至須臾須僧伽婆尸沙若受彼語爲吉羅往說不
還報偷蘭若不還報僧殘若使書指印現相隨媒嫁多少說而了
了二返僧殘若不了了偷蘭除二道說餘身處了丈夫媒嫁者偷蘭
若非人黃門二根媒者偷蘭若畜生及人男吉羅若持他書往不看若
爲白衣作餘使一切吉羅比丘尼同犯不犯者若男女先已通後而離別
爲和合父母疾患繫閉看書持往信心精進俗人亦尒佛法比丘使亦尒六
无主自爲己過量房戒緣佛在羅閱祇聽諸比丘造私房室有曠野
國比丘私造大房乞求煩多惱亂居士又有比丘自斫神樹彼神白佛佛住
曠野城迦葉以事白佛佛以神事呵責又以畜生親緣喻制戒也若比丘
自求彼處處乞索作屋屋者房也无主彼无有人若一若兩若衆多
自爲己自求索不爲他也當應量作是量者長十二佛傑手內廣七
傑手當將諸比丘指授處所彼比丘看无難无防處已到僧中脫革屣偏
露有膞有膝着地合掌白佛言大德僧聽我某甲比丘自求作屋无主自
爲己我從衆僧乞知无難處无防處如是再三稱彼比丘當指示處所
尒時衆僧當觀此比丘若可信者即當聽使作若不可信而衆僧往
看若僧不去遣僧中

葬之

…法盡如…
…明如來意…種
…是法明如來善男子此六根顯現
…諸法輪常轉即墮惡趣善男子善惡之理
菩薩人之身心是佛法器亦是十二部大經卷也无始
…盡不損毫毛如來藏唯識心見性者之所能
凡夫所能知也善男子讀誦此經者解真理即知
若醉迷不醒不了自…是佛根本流浪諸趣墮
…苦海不聞佛法名字…復白佛言世尊
…覆載生大不擇日時至即生死不擇日時至即死何
問良辰吉日然始殯葬殯葬之後還有妨害貧
門者少唯願世尊為諸邪見眾生說其因緣令得
…顛倒
善哉善男子汝實甚能問於眾生生死之事殯葬
聽當為汝說智慧之理大道之法夫天地廣大清
…時年善善美實无有異善男子人王菩薩甚大
念眾生皆如赤子下為人主作人父母順於俗民教於俗法
頒下天下令知時節為有平滿成收開除之字執
…危破人依字信用无不免於凶禍又使邪師厭鎮
…温求神拜餓鬼却邪殃自受其苦如斯人輩返天時
…日月之光明常投闇室違正道之廣路長恒尋邪
…也善男子生時讀此經三遍兒易生大利聰明
…具足而无中夭死時讀三遍一无妨害得福无量善男
…月月好月年年好年實无間隔但辦即須殯葬殯
…讀此經七遍甚大吉利獲福无量門榮人貴延年益壽

BD02369 號　天地八陽神咒經　　　　（6–1）

…温求神拜餓鬼却邪殃自受其苦如斯人輩返天時
…日月之光明常投闇室違正道之廣路長恒尋邪
…也善男子生時讀此經三遍兒易生大利聰明
…具足而无中夭死時讀三遍一无妨害得福无量善男
…月月好月年年好年實无間隔但辦即須殯葬殯
…讀此經七遍甚大吉利獲福无量門榮人貴延年益壽
葬之
命終之日…並得成聖善男子殯葬之地不問東西南北安穩之
處人之愛樂鬼神愛樂即讀此經三遍便以脩營安置墓田永
无灾…富人興甚大吉利尒時世尊欲重宣此義而說偈言
營生善善日　佳實好好時　生死讀誦經　甚得大益利
月月善明月　年年大好年　讀經即殯葬　榮華万代昌
尒時眾中七万千人聞佛所說心開意解捨邪歸正得佛法
分…疑惑皆得阿耨多羅三藐三菩提无上菩薩復白
佛言…切凡夫皆以婚嫁為親先問相宜復取吉日然始
成親已後富貴偕老者少貧窮生離死別者多一種信邪如何
有差別唯願世尊為決眾疑
佛言善男子汝等諦聽當為汝說天陰地陽月陰日陽水陰火
陽男陰女陽天地氣合一切草木生焉日月交運四時八節相
焉水火相承一切万物熟焉男女允諧子孫興焉皆是天之常道
自然之理世諦之法善男子愚人无知信其邪師卜問望吉而不
…造種種惡業命終之後復得人身者如指甲上土墮於地
樹作餓鬼畜生者如大地土善男子復得人身正信脩善者如指
甲上土信邪造惡業者如大地土善男子善結婚親莫問水火
相尅胎胞相壓唯看祿命書即知福德多少以為眷屬呼迎
之日讀此經三遍以成禮此乃善善相因明明相屬門高人
貴子孫興盛聰明利智多才多藝孝敬相承甚大吉利而无中

BD02369 號　天地八陽神咒經　　　　（6–2）

造種種惡業命終之後復得人身者如指甲上土墮於地
樹作餓鬼畜生者如大地土善男子復得人身正信脩善者如指
甲上土信邪造惡業者如大地土善男子若結婚親莫問水火
相尅胎胞相厭唯看祿命書即知福德多少以為眷屬呼迎
之日讀此經三遍即以成礼此乃善善相因明明相屬門高人
貴子孫興盛聰明利智多才多藝孝敬相承甚大吉利而无中
夭福德具足皆成佛道
時有八菩薩承佛威神得大揔持常處人間和光同塵破邪立
正度四生處八解其名曰
跋陁菩薩漏盡和　羅隣竭菩薩漏盡和
愓目兜菩薩漏盡和　須弥菩薩漏盡和
那羅達菩薩漏盡和　因坻達菩薩漏盡和
和輪調菩薩漏盡和　无緣觀菩薩漏盡和
是八菩薩俱白佛言世尊我等於諸佛所受得陁羅尼神呪
而今說之擁護受持讀誦八陽經者永無恐怖使一切不善之
物不得侵損讀經法師即於佛前而說呪曰
阿佉尼　尼佉尼　阿比羅　曼隸　曼多隸
世尊若有不善者欲來惱法師聞我說此呪頭破作七分
如阿梨樹枝
是時无邊身菩薩白佛言世尊云何名為八陽經唯願世尊
為諸聽衆解說其義令得醒悟速達心本入佛知見永斷疑悔
佛言善哉善哉善男子汝等諦聽吾今為汝解說八陽之經八者
分別也陽者明解也明解大乘无為之利了能分別識因
緣空實无所得又云八識為經陽明為緯經緯相投
以成經教故名八陽經八識者眼是色識耳是聲識
鼻是香識舌是味識身是觸識意是分別識含藏識

BD02369號　天地八陽神咒經　（6–3）

分別也陽者明解也明解大乘无為之利了能分別識因
緣空實无所得又云八識為經陽明為緯經緯相投
以成經教故名八陽經八識者眼是色識耳是聲識
鼻是香識舌是味識身是觸識意是分別識含藏識
阿賴耶識是名八識明了分別八識相源空无所有即知兩
眼光明天光明天中即現日月光明世尊兩耳聲聞天聲聞天中即
現无量聲如來兩鼻佛香天佛香天中即現香積如來口舌
是法味天法味天中即現法憙如來身是盧舍那天盧
舍那天中即現成就盧舍那鏡像佛盧舍那光明佛意是
无分別天无分別天中即現不動如來大光明佛心是法界
天法界天中即現空王如來含藏識天演出阿那含經大
湼槃經阿賴耶識天演出大智度論經瑜伽論經善男子佛
即是法法即是佛合為一相即現大通智勝如來佛說此經時
一切大地六種震動光照天地无有邊際浩浩蕩蕩而无所名
一切幽冥皆悉明朗一切罪地獄並皆消滅一切罪人俱得離苦
皆發无上菩提心
尒時衆中八万八千菩薩一時成佛号曰虛空藏如來應正
等覺劫名圓滿國号无邊一切民人无有彼此並證无諍三
昧六千比丘比丘尼優婆塞優婆夷得大揔持无數天龍夜
叉乾闥婆阿脩羅迦樓羅緊那羅摩睺羅伽人非人等得法
眼淨行菩薩道
復次善男子若復有人得官登位之日及新入宅之日即讀此
經三遍甚大吉利獲福无量善男子若讀此經一遍者如讀
一切經一遍能寫一卷者如寫一切經一部其功德不可稱不可
量无有邊如斯人等即成聖道
[illegible]

BD02369號　天地八陽神咒經　（6–4）

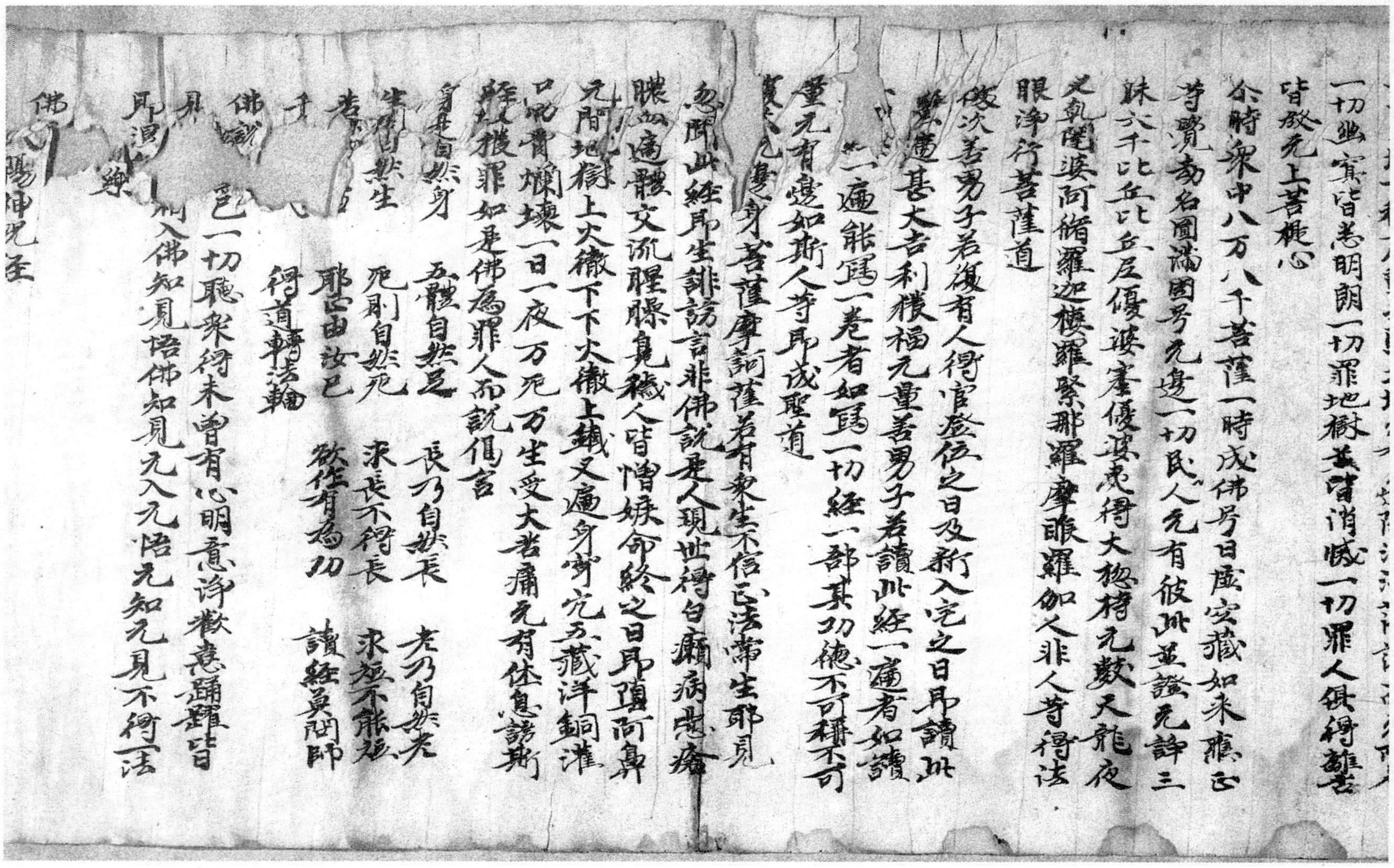

一切幽冥皆悉明朗一切罪地獄並皆消滅一切罪人俱得離苦
皆發无上菩提心
尒時衆中八万八千菩薩一時成佛号曰虛空藏如來應正
等覺劫名圓滿國号无邊一切民人无有彼此並證无諍三
昧六千比丘比丘尼優婆塞優婆夷得大揔持无數天龍夜
叉乾闥婆阿脩羅迦樓羅緊那羅摩睺羅伽人非人等得法
眼淨行菩薩道
復次善男子若復有人得官登位之日及新入宅之日即讀此
經三遍甚大吉利獲福无量善男子若讀此經一遍者如讀
一切經一遍能寫一卷者如寫一切經一部其功德不可稱不可
量无有邊如斯人等即成聖道
復次无邊身菩薩摩訶薩若有衆生不信正法常生邪見
忽聞此經即生誹謗言非佛說是人現世得白癩病惡瘡
膿血遍體交流腥臊臭穢人皆憎嫉命終之日即墮阿鼻
无間地獄上火徹下下火徹上鐵叉遍身穿穴五藏洋銅灌
口觔骨爛壞一日一夜万死万生受大苦痛无有休息謗斯
經故獲罪如是佛為罪人而說偈言
身是自然身　五體自然足　長乃自然長　老乃自然老
生乃自然生　死則自然死　求長不得長　求短不能短
苦[illegible]　邪正由汝已　欲作有為功　讀經莫問師
千[illegible]　得道轉法輪
佛說[illegible]已一切聽衆得未曾有心明意淨歡喜踊躍皆
見[illegible]即入佛知見悟佛知見无入无悟无知无見不得一法
即涅槃樂
佛說八陽神呪經

BD02369 號　天地八陽神咒經　（6–5）

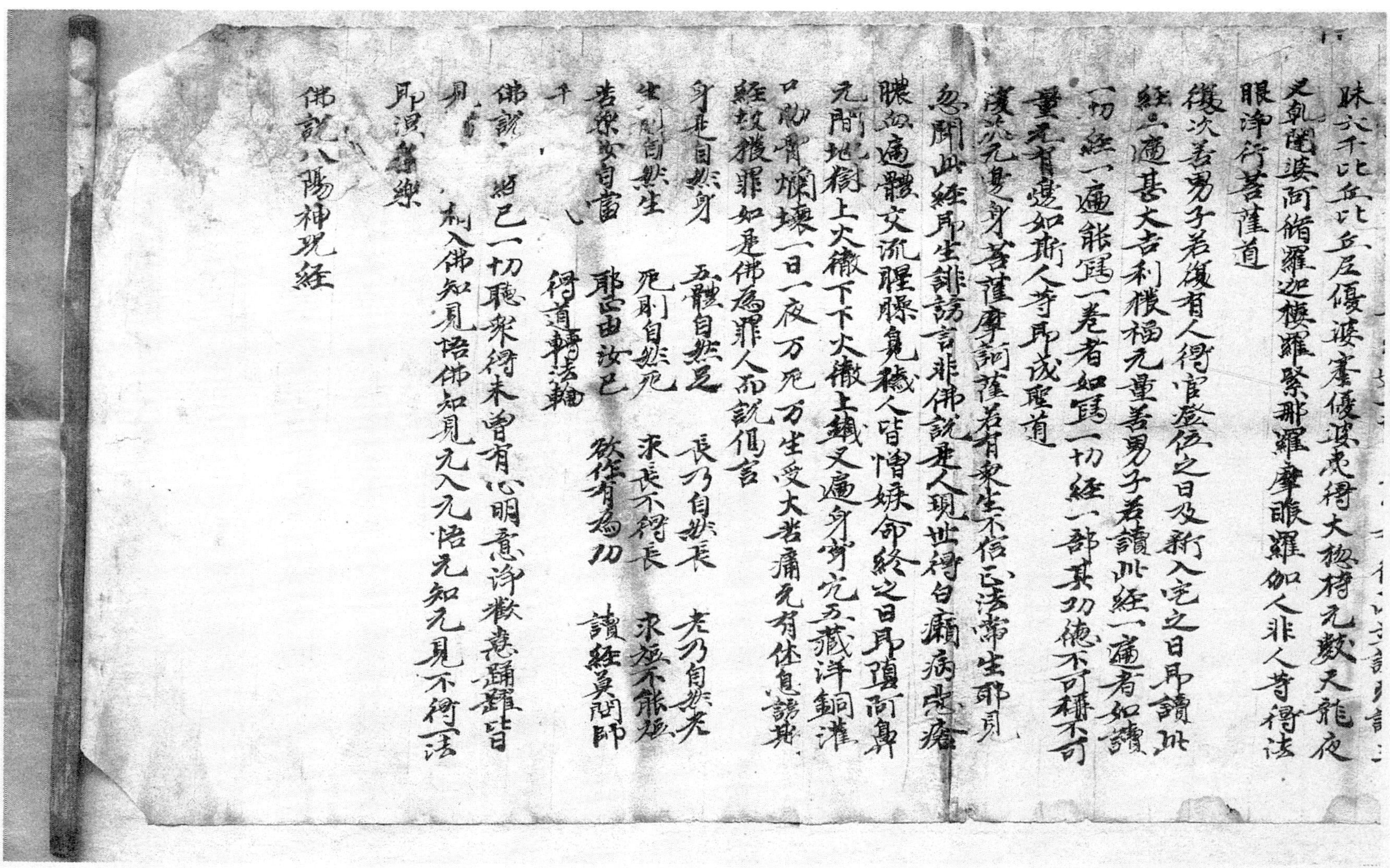

昧六千比丘比丘尼優婆塞優婆夷得大揔持无數天龍夜
叉乾闥婆阿脩羅迦樓羅緊那羅摩睺羅伽人非人等得法
眼淨行菩薩道
復次善男子若復有人得官登位之日及新入宅之日即讀此
經三遍甚大吉利獲福无量善男子若讀此經一遍者如讀
一切經一遍能寫一卷者如寫一切經一部其功德不可稱不可
量无有邊如斯人等即成聖道
復次无邊身菩薩摩訶薩若有衆生不信正法常生邪見
忽聞此經即生誹謗言非佛說是人現世得白癩病惡瘡
膿血遍體交流腥臊臭穢人皆憎嫉命終之日即墮阿鼻
无間地獄上火徹下下火徹上鐵叉遍身穿穴五藏洋銅灌
口觔骨爛壞一日一夜万死万生受大苦痛无有休息謗斯
經故獲罪如是佛為罪人而說偈言
身是自然身　五體自然足　長乃自然長　老乃自然老
生乃自然生　死則自然死　求長不得長　求短不能短
苦樂汝自當　邪正由汝已　欲作有為功　讀經莫問師
千[illegible]　得道轉法輪
佛說此經已一切聽衆得未曾有心明意淨歡喜踊躍皆
見[illegible]即入佛知見悟佛知見无入无悟无知无見不得一法
即涅槃樂
佛說八陽神呪經

BD02369 號　天地八陽神咒經　（6–6）

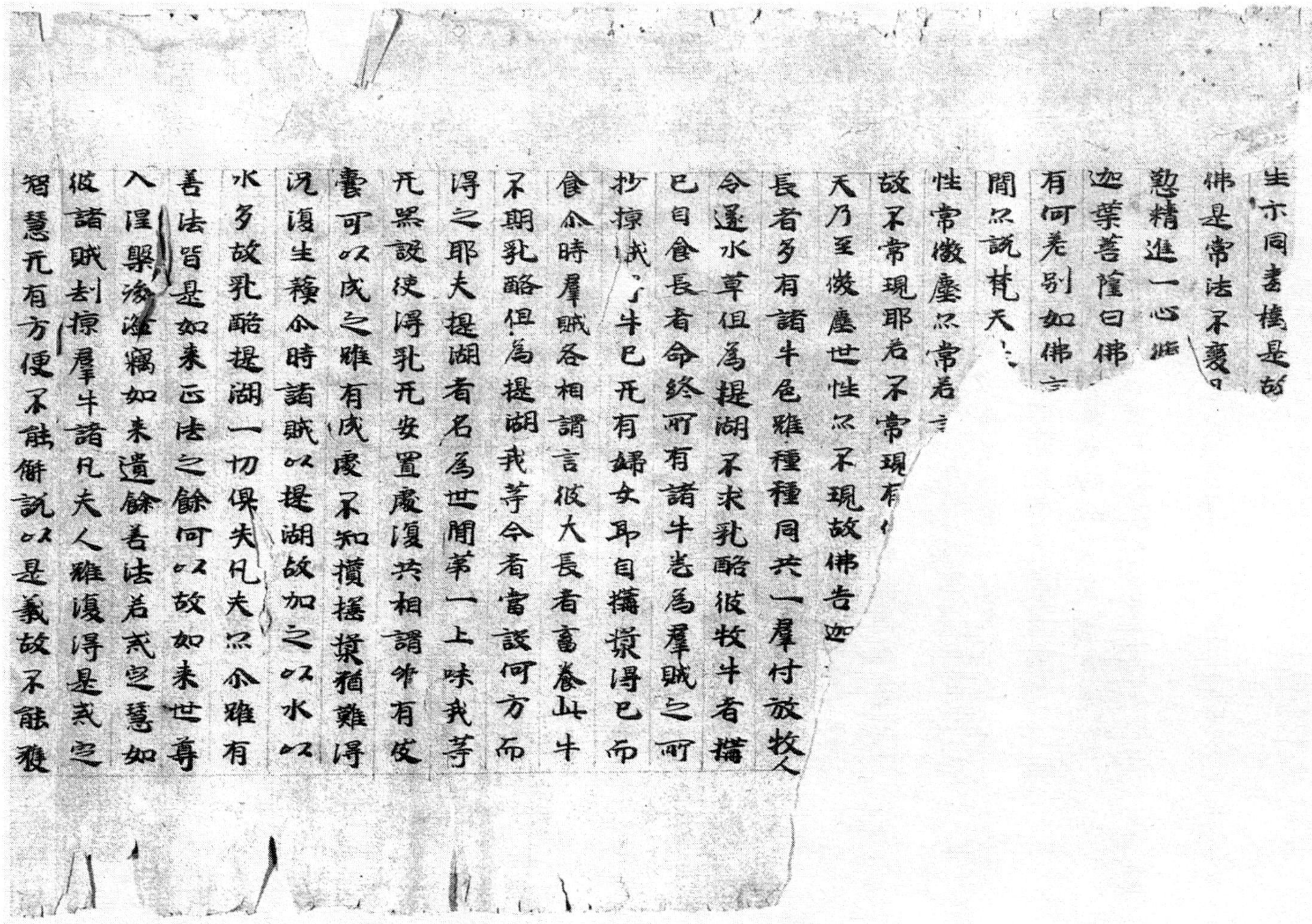
生亦同書樓是故
佛是常法不變
懃精進一心
迦葉菩薩白佛
有何差別如佛言
聞尒說梵天
性常微塵亦常若
故不常現耶若不常現
天乃至微塵世性亦不現故佛告迦
長者多有諸牛色雖種種同共一羣付放牧人
令逐水草但為提湖不求乳酪彼牧牛者攝
已自食長者命終所有諸牛悉為羣賊之所
抄掠賊得牛已无有婦女即自攝撥得已而
食尒時羣賊各相謂言彼大長者畜養此牛
不期乳酪但為提湖我等今者當設何方而
得之耶夫提湖者名為世閒第一上味我等
无器設使得乳无安置處復共相謂唯有皮
囊可以盛之雖有盛處不知攢搖撥猶難得
況復生穌尒時諸賊以提湖故加之以水以
水多故乳酪提湖一切俱失凡夫亦尒雖有
善法皆是如來正法之餘何以故如來世尊
入涅槃後盜竊如來遺餘善法若戒定慧如
彼諸賊劫掠羣牛諸凡夫人雖復得是戒定
智慧无有方便不能解說以是義故不能獲

BD02370 號　大般涅槃經（北本）卷三　（3–1）

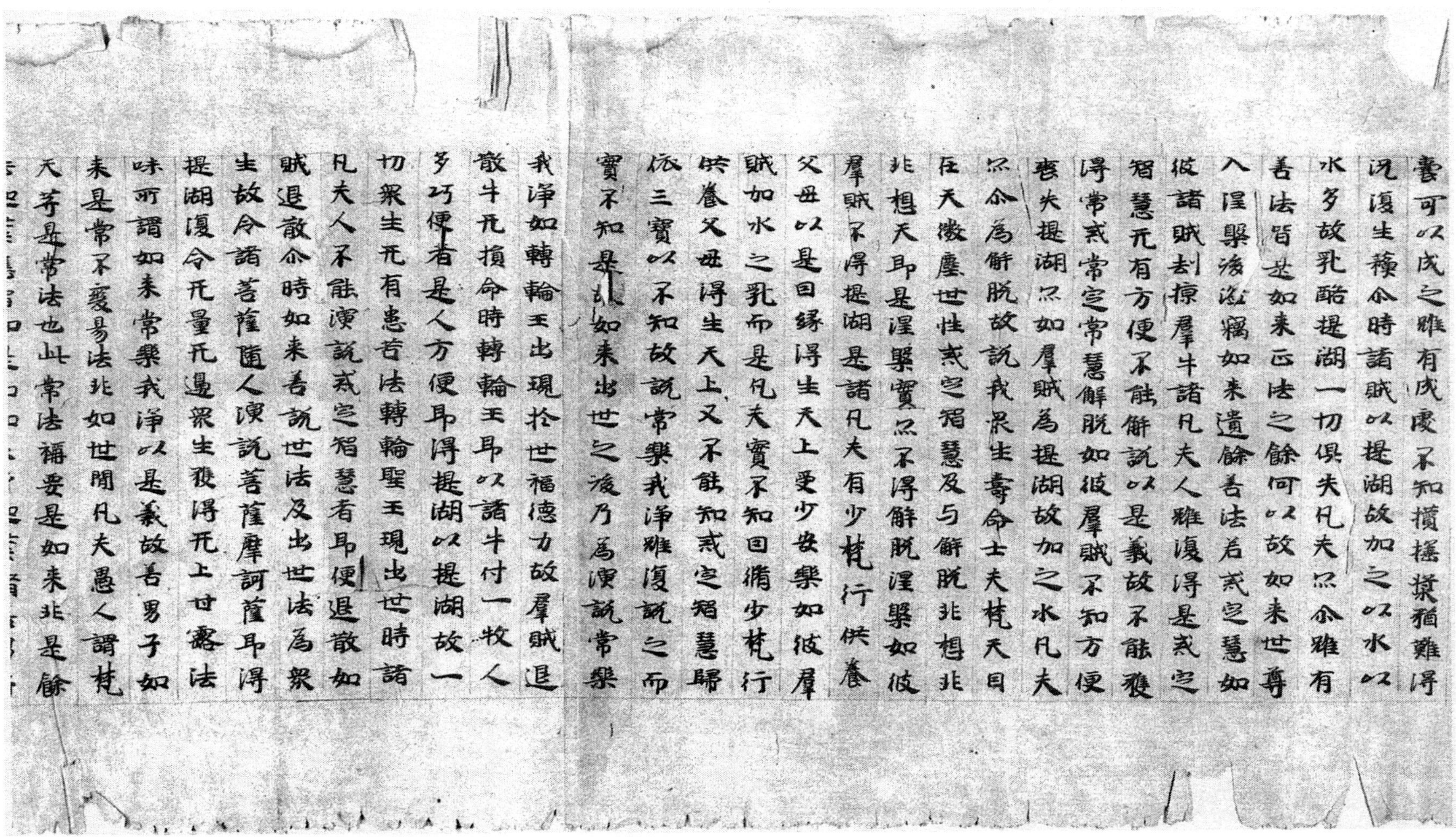
囊可以盛之雖有盛處不知攢搖撥猶難得
況復生穌尒時諸賊以提湖故加之以水以
水多故乳酪提湖一切俱失凡夫亦尒雖有
善法皆是如來正法之餘何以故如來世尊
入涅槃後盜竊如來遺餘善法若戒定慧如
彼諸賊劫掠羣牛諸凡夫人雖復得是戒定
智慧无有方便不能解說以是義故不能獲
得常戒常定常慧解脫如彼羣賊不知方便
喪失提湖亦如羣賊為提湖故加之水凡夫
亦尒為解脫故說我眾生壽命士夫梵天自
在天微塵世性戒定智慧及与解脫非想非
非想天即是涅槃實亦不得解脫涅槃如彼
羣賊不得提湖是諸凡夫有少梵行供養
父母以是因緣得生天上受少安樂如彼羣
賊加水之乳而是凡夫實不知因脩少梵行
供養父母得生天上又不能知戒定智慧歸
依三寶以不知故說常樂我淨雖復說之而
實不知是故如來出世之後乃為演說常樂
我淨如轉輪王出現於世福德力故羣賊退
散牛无損命時轉輪王即以諸牛付一牧人
多巧便者是人方便即得提湖以提湖故一
切眾生无有患苦法轉輪聖王現出世時諸
凡夫人不能演說戒定智慧者即便退散如
賊退散尒時如來善說世法及出世法為眾
生故令諸菩薩隨人演說菩薩摩訶薩即得
提湖復令无量无邊眾生獲得无上甘露法
味所謂如來常樂我淨以是義故善男子如
來是常不變易法非如世閒凡夫愚人謂梵
天等是常法也此常法稱要是如來非是餘

BD02370 號　大般涅槃經（北本）卷三　（3–2）

實不知是故如來出世之後乃為演說常樂
我淨如轉輪王出現於世福德力故群賊退
散牛无損命時轉輪王即以諸牛付一牧人
多巧便者是人方便即得提醐以提醐故一
切眾生无有患苦法轉輪聖王現出世時諸
凡夫人不能演說戒定智慧者即便退散如
賊退散尒時如來善說世法及出世法為眾
生故令諸菩薩隨人演說菩薩摩訶薩即得
提醐復令无量无邊眾生獲得无上甘露法
味所謂如來常樂我淨以是義故善男子如
來是常不變易法非如世間凡夫愚人謂梵
天等是常法也此常法稱要是如來非是餘
法迦葉應當如是知如來身迦葉諸善男子
善女人常當繫心脩此二字佛是常住迦葉
若有善男子善女人脩此二字當知是人隨
我所行至我至處善男子若有脩習如是二
字為滅相者當知如來則於其人為般涅槃
善男子涅槃義者即是諸佛之法性也迦葉
菩薩白佛言世尊佛法性者其義云何世尊
我今欲知法性之義唯願如來哀愍廣說夫
法性者即
舍身者名无所□

BD02370號　大般涅槃經（北本）卷三　（3–3）

報是
一切受生
因緣故二生煩惱
緣故生苦苦因緣故生於煩□
有因緣生苦有因緣生有有因緣生業業因
緣生煩惱煩惱因緣生苦苦因緣生苦善男子
智者若能作如是觀當知是人能觀業苦何
以故如上所觀即是生死十二因緣若人能觀
如是生死十二因緣當知是人不造新業能
壞故業善男子有智之人觀地獄苦觀一地
獄乃至一百卅六所一一地獄有種種苦皆
是煩惱業因緣生觀地獄已次觀餓鬼畜生
等苦作是觀已次觀人天所有諸苦如是眾
苦皆從煩惱業因緣生善男子天上雖无大
苦惱事然其身體柔濡細滑見五相時極受
大苦如地獄苦等无差別善男子智者深觀
三界諸苦皆從煩惱業因緣生善男子譬如
坏器則易破壞眾生受身亦復如是既受身
已是眾苦器譬如大樹華葉繁茂眾鳥能壞
如多乾草小火能焚眾生受身為苦所壞亦
復如是善男子智者若能觀苦八種如聖行
中當知是人能斷眾苦善男子智者深觀是
觀苦因苦因者即愛无明是愛无
□持求身求財

BD02371號　大般涅槃經（北本）卷三七　（1–1）

佛說阿弥陀經

五

BD02372 號背　阿彌陀經護首　　（1–1）

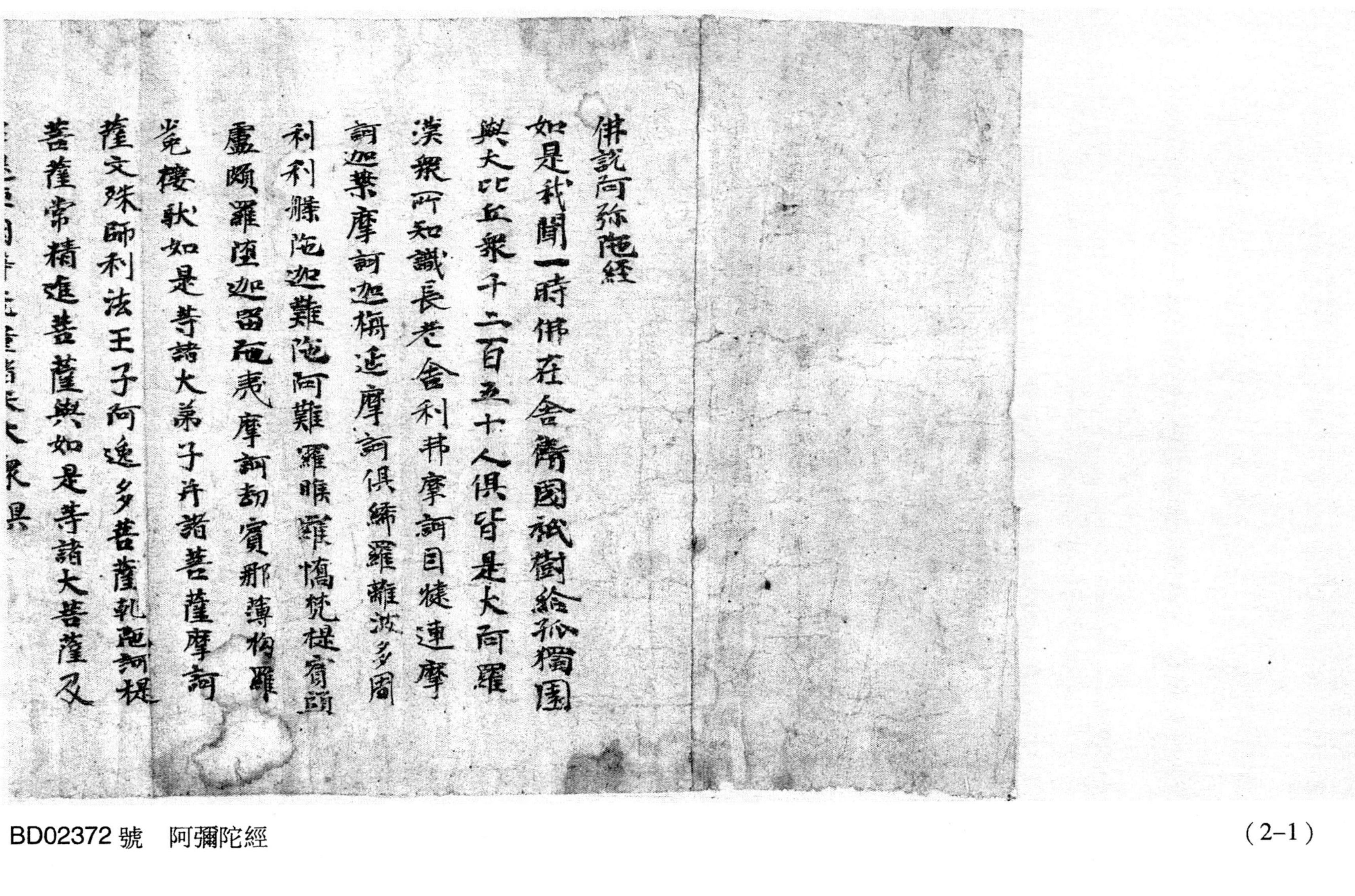

佛說阿弥陀經

如是我聞一時佛在舍衛國祇樹給孤獨園

與大比丘衆千二百五十人俱皆是大阿羅

漢衆所知識長老舍利弗摩訶目揵連摩

訶迦葉摩訶迦旃延摩訶俱絺羅離波多周

利利槃陀迦難陀阿難羅睺羅憍梵提賓頭

盧頗羅墮迦留陀夷摩訶劫賓那薄拘羅

阿㝹樓馱如是等諸大弟子并諸菩薩摩訶

薩文殊師利法王子阿逸多菩薩乾陀訶提

菩薩常精進菩薩與如是等諸大菩薩及

釋提桓因等無量諸天大衆俱

BD02372 號　阿彌陀經　　（2–1）

[illegible]
㝹樓馱如是等諸大弟子并諸菩薩摩訶
薩文殊師利法王子阿逸多菩薩乾陀訶提
菩薩常精進菩薩與如是等諸大菩薩及
釋提桓因等无量諸天大衆俱
尒時佛告長老舍利弗從是西方過十万億
佛土有世界名曰極樂其土有佛号阿弥陁今
現在說法舍利弗彼土何故名為極樂其國衆生
无有衆苦但受諸樂故名極樂又舍利弗極
樂國土七重欄楯七重羅網七重行樹皆是
四寶周匝圍繞是故彼國名曰極樂又舍利
弗極樂國土有七寶池八功德水充滿其中
池底純以金沙布地四邊階道金銀瑠璃頗梨
合成上有樓閣亦以金銀瑠璃頗梨車璖赤
珠碼瑙而嚴飾之池中蓮華大如車輪青色青
光黃色黃光赤色赤光白色白光微妙香潔
又舍利弗彼佛國土常作天樂黃金為地晝
夜六時而雨曼陁羅華其國衆生常以清旦各
以衣裓盛衆妙華供養他方十万億佛即以食
時還到本國飯食經行舍利弗極樂國土

BD02372號　阿彌陀經　（2–2）

十六[illegible]
所化六百[illegible]恒河沙
所生與菩薩俱從其聞法悉皆信
緣得值四萬億諸佛世尊于今不盡諸[illegible]
我今語汝彼佛弟子十六沙弥今皆得阿耨
多羅三藐三菩提於十方國土現在說法有
无量百千萬億菩薩聲聞以為眷屬其二沙
弥東方作佛一名阿閦在歡喜國二名須弥
頂東南方二佛一名師子音二名師子相南
方二佛一名虛空住二名常滅西南方二佛
一名帝相二名梵相西方二佛一名阿弥陁
二名度一切世間苦惱西北方二佛一名多
摩羅䟦栴檀香神通二名須弥相北方二佛
一名雲自在二名雲自在王東北方佛名壞
一切世間怖畏第十六我釋迦牟尼佛於娑
婆國土成阿耨多羅三藐三菩提諸比丘我
等為沙弥時各各教化无量百千萬億恒河
沙等衆生從我聞法為阿耨多羅三藐三菩
提此諸衆生于今有住聲聞地者我常教化
阿耨多羅三藐三菩提是諸人等應以是法
漸入佛道所以者何如來智慧難信難解尒
時所化無量恒河沙等衆生者汝等諸比丘
及我滅度後未來世中聲聞弟子是也我滅
度後復有弟子不聞是經不知不覺菩薩所
行自於所得功德生滅度想當入涅槃我於
餘國作佛更有異名是人雖生滅度之想入

BD02373號　妙法蓮華經卷三　（5–1）

時所化無量恒河沙等衆生者汝等諸比丘
及我滅度後未來世中聲聞弟子是也我滅
度後復有弟子不聞是經不知不覺菩薩所
行自於所得功德生滅度想當入涅槃我於
餘國作佛更有異名是人雖生滅度之想入
於涅槃而於彼土求佛智慧得聞是經唯以
佛乘而得滅度更无餘乘除諸如來方便
說法諸比丘若如來自知涅槃時到衆又清淨
信解堅固了達空法深入禪定便集諸菩
薩及聲聞衆為說是經世間无有二乘而
得滅度唯一佛乘得滅度耳比丘當知如來方便
深入衆生之性知其志樂小法深著五欲為
是等故說於涅槃是人若聞則便信受譬如
五百由旬險難惡道曠絕无人怖畏之處若
有多衆欲過此道至珍寶處有一導師聰慧
明達善知險道通塞之相將導衆人欲過此
難所將人衆中路懈退白導師言我等疲極
而復怖畏不能復進前路猶遠今欲退還
導師多諸方便而作是念此等可愍云何捨大
珍寶而欲退還作是念已以方便力於險道
中過三百由旬化作一城告衆人言汝等勿
怖莫得退還今此大城可於中止隨意所
作若入是城快得安隱若能前至寶所亦可
得去是時疲極之衆心大歡喜歎未曾有我等
今者免斯惡道快得安隱於是衆人前入化
城生已度想生安隱想尒時導師知此人衆
既得止息无復疲惓即滅化城語衆人言汝
等去來寶處在近向者大城我所化作為止

BD02373號　妙法蓮華經卷三　（5-2）

得去是時疲極之衆心大歡喜歎未曾有我等
今者免斯惡道快得安隱於是衆人前入化
城生已度想生安隱想尒時導師知此人衆
既得止息无復疲惓即滅化城語衆人言汝
等去來寶處在近向者大城我所化作為止
息耳諸比丘如來亦復如是今為汝等作大
導師知諸生死煩惱惡道險難長遠應去應
度若衆生但聞一佛乘者則不欲見佛不欲親
近便作是念佛道長遠久受勤苦乃可得
成佛知是心怯弱下劣以方便力而於中道
為止息故說二涅槃若衆生住於二地如來
尒時即便為說汝等所作未辦汝所住地近
於佛慧當觀察籌量所得涅槃非真實也但
是如來方便之力於一佛乘分別說三如彼
導師為止息故化作大城既知息已而告之
言寶處在近此城非實我化作耳尒時世
尊欲重宣此義而說偈言
大通智勝佛　十劫坐道場　佛法不現前　不得成佛道
諸天神龍王　阿修羅衆等　常雨於天華　以供養彼佛
諸天擊天鼓　并作衆伎樂　香風吹萎華　更雨新好者
過十小劫已　乃得成佛道　諸天及世人　心皆懷踊躍
彼佛十六子　皆與其眷屬　千萬億圍繞　俱行至佛所
頭面禮佛足　而請轉法輪　聖師子法雨　充我及一切
世尊甚難值　久遠時一現　為覺悟群生　震動於一切
東方諸世界　五百萬億國　梵宮殿光曜　昔所未曾有
諸梵見此相　尋來至佛所　散華以供養　并奉上宮殿
請佛轉法輪　以偈而讚歎　佛知時未至　受請默然坐
三方及四維　上下亦復尒　散華奉宮殿　請佛轉法輪
世尊甚難值　願以大慈悲　廣開甘露門　轉無上法輪

BD02373號　妙法蓮華經卷三　（5-3）

頭面礼佛足　而請轉法輪　聖師子法雨　充我及一切
世尊甚難值　久遠時一現　為覺悟群生　震動於一切
東方諸世界　五百萬億國　梵宮殿光曜　昔所未曾有
諸梵見此相　尋來至佛所　散華以供養　并奉上宮殿
請佛轉法輪　以偈而讚歎　佛知時未至　受請嘿然坐
三方及四維　上下亦復尒　散華奉宮殿　請佛轉法輪
世尊甚難值　願以大慈悲　廣開甘露門　轉无上法輪
无量慧世尊　受彼衆人請　為宣種種法　四諦十二緣
无明至老死　皆從生緣有　如是衆過患　汝等應當知
宣暢是法時　六百萬億姟　得盡諸苦際　皆成阿羅漢
第二說法時　千萬恒沙衆　於諸法不受　亦得阿羅漢
從是後得道　其數无有量　萬億劫筭數　不能得其邊
時十六王子　出家作沙弥　皆共請彼佛　演說大乘法
我等及營從　皆當成佛道　願得如世尊　慧眼第一淨
佛知童子心　宿世之所行　以无量因緣　種種諸譬喻
說六波羅蜜　及諸神通事　分別真實法　菩薩所行道
說是法華經　如恒河沙偈　彼佛說經已　靜室入禪定
一心一處坐　八萬四千劫　是諸沙弥等　知佛禪未出
為无量億衆　說佛无上慧　各各坐法座　說是大乘經
於佛宴寂後　宣揚助法化　一一沙弥等　所度諸衆生
有六百萬億　恒河沙等衆　彼佛滅度後　是諸聞法者
在在諸佛土　常與師俱生　是十六沙弥　具足行佛道
今現在十方　各得成正覺　尒時聞法者　各在諸佛所
其有住聲聞　漸教以佛道　我在十六數　曾亦為汝說
是故以方便　引汝趣佛慧　以是本因緣　今說法華經
令汝入佛道　慎勿懷驚懼　譬如險惡道　迥絕多毒獸
又復无水草　人所怖畏處　无數千萬衆　欲過此險道
其路甚曠遠　經五百由旬　時有一導師　強識有智慧

BD02373號　妙法蓮華經卷三　（5–4）

其有住聲聞　漸教以佛道　我在十六數　曾亦為汝說
是故以方便　引汝趣佛慧　以是本因緣　今說法華經
令汝入佛道　慎勿懷驚懼　譬如險惡道　迥絕多毒獸
又復无水草　人所怖畏處　无數千萬衆　欲過此險道
其路甚曠遠　經五百由旬　時有一導師　強識有智慧
明了心決定　在險濟衆難　衆人皆疲惓　而白導師言
我等今頓乏　於此欲退還　導師作是念　此輩甚可愍
如何欲退還　而失大珎寶　尋時思方便　當設神通力
化作大城郭　莊嚴諸舍宅　周帀有園林　渠流及浴池
重門高樓閣　男女皆充滿　即作是化已　慰衆言勿懼
汝等入此城　各可隨所樂　諸人既入城　心皆大歡喜
皆生安隱想　自謂已得度　導師知息已　集衆而告言
汝等當前進　此是化城耳　我見汝疲極　中路欲退還
故以方便力　權化作此城　汝今勤精進　當共至寶所
我亦復如是　為一切導師　見諸求道者　中路而懈廢
不能度生死　煩惱諸險道　故以方便力　為息說涅槃
言汝等苦滅　所作皆已辦　既知到涅槃　皆得阿羅漢
尒乃集大衆　為說真實法　諸佛方便力　分別說三乘
唯有一佛乘　息處故說二　今為汝說實　汝所得非滅
為佛一切智　當發大精進　汝證一切智　十力等佛法
具三十二相　乃是真實滅　諸佛之導師　為息說涅槃
既知是息已　引入於佛慧

妙法蓮華經卷第三

BD02373號　妙法蓮華經卷三　（5–5）

令正是時　唯垂給與　長者大富　庫藏衆多
金銀瑠璃　硨磲碼瑙　以衆寶物　造諸大車
莊校嚴飾　周帀欄楯　四面懸鈴　金繩交絡
真珠羅網　張施其上　金華諸瓔　處處垂下
衆綵雜飾　周帀圍繞　柔軟繒纊　以為茵蓐
上妙細氎　價直千億　鮮白淨潔　以覆其上
有大白牛　肥壯多力　形體姝好　以駕寶車
多諸儐從　而侍衛之　以是妙車　等賜諸子
諸子是時　歡喜踊躍　乘是寶車　遊於四方
嬉戲快樂　自在无礙　告舍利弗　我亦如是
衆聖中尊　世間之父　一切衆生　皆是吾子
深著世樂　无有慧心　三界无安　猶如火宅
衆苦充滿　甚可怖畏　常有生老　病死憂患
如是等火　熾然不息　如來已離　三界火宅
寂然閑居　安處林野　今此三界　皆是我有
其中衆生　悉是吾子　而今此處　多諸患難
唯我一人　能為救護　雖復教詔　而不信受
於諸欲染　貪著深故　以是方便　為說三乘
令諸衆生　知三界苦　開示演說　出世間道
是諸子等　若心決定　具足三明　及六神通

BD02374 號　妙法蓮華經卷二　（2–1）

深著世樂　无有慧心　三界无安　猶如火宅
衆苦充滿　甚可怖畏　常有生老　病死憂患
如是等火　熾然不息　如來已離　三界火宅
寂然閑居　安處林野　今此三界　皆是我有
其中衆生　悉是吾子　而今此處　多諸患難
唯我一人　能為救護　雖復教詔　而不信受
於諸欲染　貪著深故　以是方便　為說三乘
令諸衆生　知三界苦　開示演說　出世間道
是諸子等　若心決定　具足三明　及六神通
有得緣覺　不退菩薩　汝舍利弗　我為衆生
以此譬喻　說一佛乘　汝等若能　信受是語
一切皆當　得成佛道　是乘微妙　清淨第一
於諸世間　為无有上　佛所悅可　一切衆生
所應稱讚　供養礼拜　无量億千　諸力解脫
禪定智慧　及佛餘法　得如是乘　令諸子等

BD02374 號　妙法蓮華經卷二　（2–2）

妙法蓮華經藥草喻品第五
尒時世尊告摩訶迦
哉迦葉善說如來真
復有无量无邊阿僧
億劫說不能盡迦葉當知如來
若有所說皆不虛也於一切法以智方
演說之其所說法皆悉到於一切智地
觀知一切諸法之所歸趣亦知一切衆生
心所行通達无礙又於諸法究盡明了示諸
衆生一切智慧迦葉譬如三千大千世界山
川谿谷土地所生卉木叢林及諸藥草種類
若干名色各異密雲彌布遍覆三千大千世
界一時等澍其澤普洽卉木叢林及諸藥草
小根小莖小枝小葉中根中莖中枝中葉大
根大莖大枝大葉諸樹大小隨上中下各有
所受一雲所雨稱其種性而得生長華菓敷
實雖一地所生一雨所潤而諸草木各有差
別迦葉當知如來亦復如是出現於世如大
雲起以大音聲普遍世界天人阿脩羅如彼
大雲遍覆三千大千國土於大衆中而唱是

BD02375號　妙法蓮華經卷三　（17–1）

所受一雲所雨稱其種性而得生長華菓敷
實雖一地所生一雨所潤而諸草木各有差
別迦葉當知如來亦復如是出現於世如大
雲起以大音聲普遍世界天人阿脩羅如彼
大雲遍覆三千大千國土於大衆中而唱是
言我是如來應供正遍知明行足善逝世間
解无上士調御丈夫天人師佛世尊未度者
令度未解者令解未安者令安未涅槃者令
得涅槃今世後世如實知之我是一切知者
一切見者知道者開道者說道者汝等天人
阿脩羅衆皆應到此為聽法故尒時无數千
萬億種衆生來至佛所而聽法如來于時觀
是衆生諸根利鈍精進懈怠隨其所堪而為
說法種種无量皆令歡喜快得善利是諸衆
生聞是法已現世安隱後生善處以道受樂
亦得聞法既聞法已離諸障礙於諸法中任
力所能漸得入道如彼大雲雨於一切卉木藂
林及諸藥草如其種性具足蒙潤各得生
長如來說法一相一味所謂解脫相離相滅
究竟至於一切種智其有衆生聞如來法若
持讀誦如說脩行所得功德不自覺知所以
者何唯有如來知此衆生種相體性念何事
思何事脩何事云何念云何思云何脩以何
法念以何法思以何法脩以何法得何法衆
生住於種種之地唯有如來如實見之明了

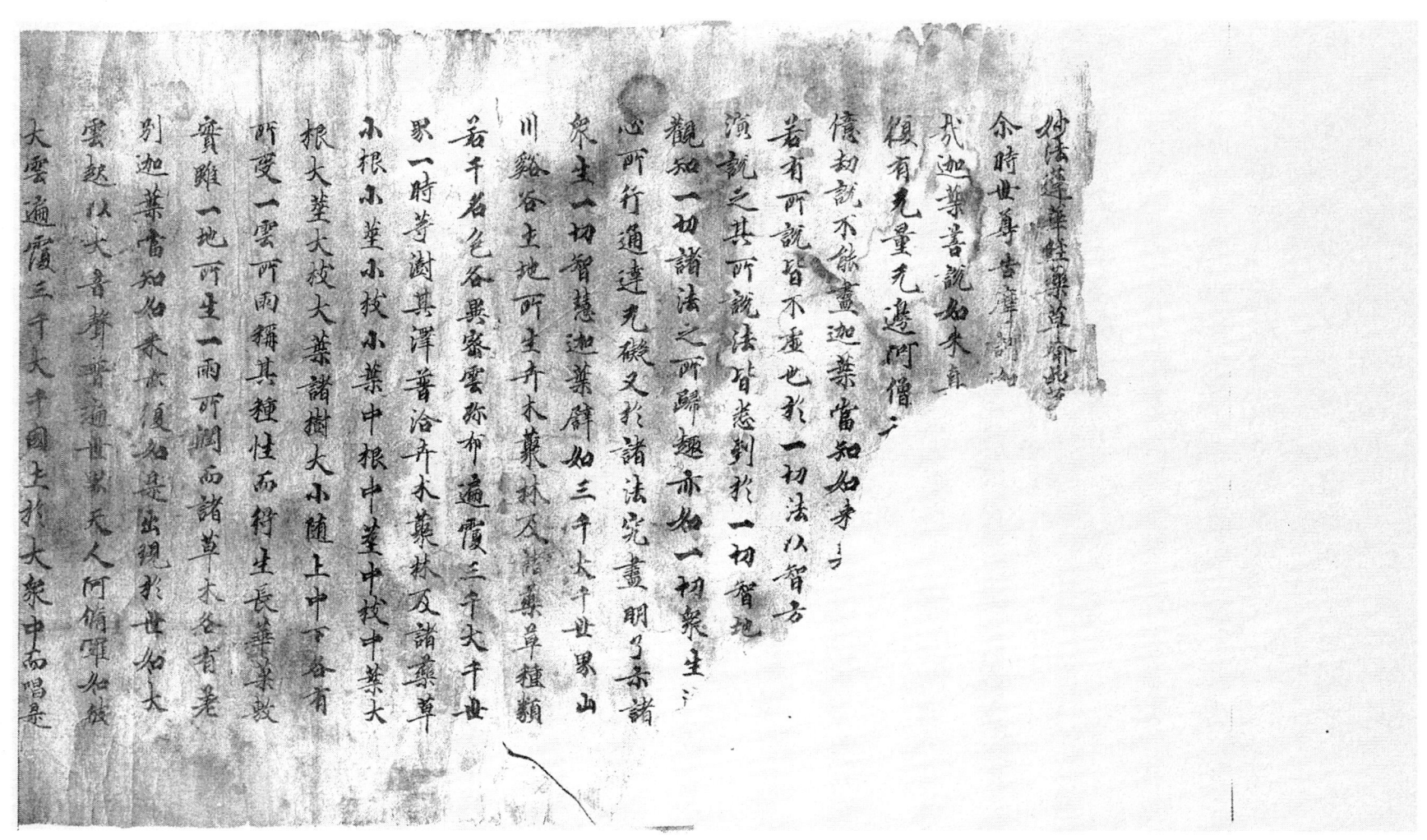

BD02375號　妙法蓮華經卷三　（17–2）

若聞持讀誦如說修行所得功德不自覺知所以
者何唯有如來知此衆生種相體性念何事
思何事脩何事云何念云何思云何脩以何
法念以何法思以何法脩以何法得何法衆
生住於種種之地唯有如來如實見之明了
无礙如彼卉木藥草等而不自知上中
下性如來知是一相一味之法所謂解脫
相離相滅相究竟涅槃常寂滅相終歸於空
佛知是已觀衆生心欲而將護之是故不即
為說一切種智汝等迦葉甚為希有能知如
來隨宜說法能信能受所以者何諸佛世尊
隨宜說法難解難知爾時世尊欲重宣此義
而說偈言
破有法王 出現世間 隨衆生欲 種種說法
如來尊重 智慧深遠 久嘿斯要 不務速說
有智若聞 則能信解 无智疑悔 則為永失
是故迦葉 隨力為說 以種種緣 令得正見
迦葉當知 譬如大雲 起於世間 遍覆一切
慧雲含潤 電光晃曜 雷聲遠震 令衆悅豫
日光掩蔽 地上清涼 靉靆垂布 如可承攬
其雨普等 四方俱下 流澍无量 率土充洽
山川險谷 幽邃所生 卉木藥草 大小諸樹
百穀苗稼 甘蔗蒲桃 雨之所潤 无不豐足
乾地普洽 藥木並茂 其雲所出 一味之水
草木藥林 隨分受潤 一切諸樹 上中下等
稱其大小 各得生長 根莖枝葉 華菓光色

BD02375號　妙法蓮華經卷三　（17–3）

山川險谷 幽邃所生 卉木藥草 大小諸樹
百穀苗稼 甘蔗蒲桃 雨之所潤 无不豐足
乾地普洽 藥木並茂 其雲所出 一味之水
草木藥林 隨分受潤 一切諸樹 上中下等
稱其大小 各得生長 根莖枝葉 華菓光色
一雨所及 皆得鮮澤 如其體相 性分大小
所潤是一 而各滋茂 佛亦如是 出現於世
譬如大雲 普覆一切 既出于世 為諸衆生
分別演說 諸法之實 大聖世尊 於諸天人
一切衆中 而宣是言 我為如來 兩足之尊
出于世間 猶如大雲 充潤一切 枯槁衆生
皆令離苦 得安隱樂 世間之樂 及涅槃樂
諸天人衆 一心善聽 皆應到此 覲无上尊
我為世尊 无能及者 安隱衆生 故現於世
為大衆說 甘露淨法 其法一味 解脫涅槃
以一妙音 演暢斯義 常為大乘 而作因緣
我觀一切 普皆平等 无有彼此 愛憎之心
我无貪著 亦无限礙 恒為一切 平等說法
如為一人 衆多亦然 常演說法 曾无他事
去來坐立 終不疲厭 充足世間 如雨普潤
貴賤上下 持戒毀戒 威儀具足 及不具足
正見邪見 利根鈍根 等雨法雨 而无懈惓
一切衆生 聞我法者 隨力所受 住於諸地
或處人天 轉輪聖王 釋梵諸王 是小藥草
知无漏法 能得涅槃 起六神通 及得三明
獨處山林 常行禪定 得緣覺證 是中藥草

BD02375號　妙法蓮華經卷三　（17–4）

我處人天　轉輪聖王　釋梵諸王　是小藥草
知无漏法　能得涅槃　起六神通　及得三明
獨處山林　常行禪定　得緣覺證　是中藥草
求世尊處　我當作佛　行精進定　是上藥草
又諸佛子　專心佛道　常行慈悲　自知作佛
決定无疑　是名小樹　安住神通　轉不退輪
度无量億　百千衆生　如是菩薩　名為大樹
佛平等說　如一味雨　隨衆生性　所受不同
如彼草木　所稟各異　佛以此喻　方便開示
種種言辭　演說一法　於佛智慧　如海一渧
我雨法雨　充滿世間　一味之法　隨力修行
如彼叢林　藥草諸樹　隨其大小　漸增茂好
諸佛之法　常以一味　令諸世間　普得具足
漸次修行　皆得道果　聲聞緣覺　處於山林
住最後身　聞法得果　是名藥草　各得增長
若諸菩薩　智慧堅固　了達三界　求最上乘
是名小樹　而得增長　復有住禪　得神通力
聞諸法空　心大歡喜　放无數光　度諸衆生
是名大樹　而得增長　如是迦葉　佛所說法
譬如大雲　以一味雨　潤於人華　各得成實
迦葉當知　以諸因緣　種種譬喻　開示佛道
是我方便　諸佛亦然　今為汝等　說最實事
諸聲聞衆　皆非滅度　汝等所行　是菩薩道
漸漸修學　悉當成佛

妙法蓮華經授記品第六

BD02375號　妙法蓮華經卷三　（17-5）

諸聲聞衆　皆非滅度　汝等所行　是菩薩道
漸漸修學　悉當成佛

妙法蓮華經授記品第六

尒時世尊說是偈已告諸大衆唱如是言我
此弟子摩訶迦葉於未來世當得奉覲三百
万億諸佛世尊供養恭敬尊重讚歎廣宣諸
佛无量大法於最後身得成為佛名曰光明
如來應供正遍知明行足善逝世間解无上
士調御丈夫天人師佛世尊國名光德劫名
大莊嚴佛壽十二小劫正法住世廿小劫像
法亦住廿小劫國界嚴飾无諸穢惡瓦礫荊
棘便利不淨其土平正无有高下坑坎堆阜
琉璃為地寶樹行列黃金為繩以界道側散
諸寶華周遍清淨其國菩薩无量千億諸聲
聞衆亦復无數无有魔事雖有魔及魔民皆
護佛法尒時世尊欲重宣此義而說偈言
告諸比丘　我以佛眼　見是迦葉　於未來世
過无數劫　當得作佛　而於來世　供養奉覲
三百万億　諸佛世尊　為佛智慧　淨修梵行
供養最上　二足尊已　修習一切　无上之慧
於最後身　得成為佛　其土清淨　琉璃為地
多諸寶樹　行列道側　金繩界道　見者歡喜
常出好香　散衆名華　種種奇妙　以為莊嚴
其地平正　无有丘坑　諸菩薩衆　不可稱計
其心調柔　逮大神通　奉持諸佛　大乘經典

BD02375號　妙法蓮華經卷三　（17-6）

多諸寶樹行列道側金繩界道見者歡喜
常出好香散衆名華種種奇妙以為莊嚴
其地平正无有丘坑諸菩薩衆不可稱計
其心調柔逮大神通奉持諸佛大乘經典
諸聲聞衆无漏後身法王之子亦不可計
乃以天眼不能數知其佛當壽十二小劫
正法住世二十小劫像法亦住二十小劫
光明世尊其事如是
尒時大目揵連須菩提摩訶迦旃延等皆悉
悚慄一心合掌瞻仰世尊目不蹔捨即共同
聲而說偈言
大雄猛世尊　諸釋之法王　哀愍我等故　而賜佛音聲
若知我深心　見為授記者　如以甘露灑　除熱得清淨
如從飢國來　忽遇大王饍　心猶懷疑懼　未敢即便食
若復得王教　然後乃敢食　我等亦如是　每惟小乘過
不知當云何　得佛无上慧　雖聞佛音聲　言我等作佛
心尚懷憂懼　如未敢便食　若蒙佛授記　尒乃快安樂
大雄猛世尊　常欲安世間　願賜我等記　如飢須教食
尒時世尊知諸大弟子心之所念告諸比丘
是須菩提於當來世奉覲三百万億那由他
佛供養恭敬尊重讚歎常脩梵行具菩薩道
於最後身得成為佛号曰名相如來應供正
遍知明行足善逝世間解无上士調御丈夫
天人師佛世尊劫名有寶國名寶生其土平
正頗梨為地寶樹莊嚴无諸丘坑沙礫荊棘

遍知明行足善逝世間解无上士調御丈夫
天人師佛世尊劫名有寶國名寶生其土平
正頗梨為地寶樹莊嚴无諸丘坑沙礫荊棘
便利之穢寶華覆地周遍清淨其土人民皆
處寶臺珎妙樓閣聲聞弟子无量无邊算數
譬喻所不能知諸菩薩衆无數千万億那由
他佛壽十二小劫正法住世廿小劫像法亦
住廿小劫其佛常處虛空為衆說法度脫无
量菩薩及聲聞衆尒時世尊欲重宣此義而
說偈言
諸比丘衆　今告汝等　皆當一心　聽我所說
我大弟子　須菩提者　當得作佛　号曰名相
當供无數　万億諸佛　隨佛所行　漸具大道
最後身得　三十二相　端正殊妙　猶如寶山
其佛國土　嚴淨第一　衆生見者　无不愛樂
佛於其中　度无量衆　其佛法中　多諸菩薩
皆悉利根　轉不退輪　彼國常以　菩薩莊嚴
諸聲聞衆　不可稱數　皆得三明　具六神通
住八解脫　有大威德　其佛說法　現於无量
神通變化　不可思議　諸天人民　數如恒沙
皆共合掌　聽受佛語　其佛當壽　十二小劫
正法住世　二十小劫　像法亦住　二十小劫
尒時世尊復告諸比丘衆我今語汝是大迦
旃延於當來世以諸供具供養奉事八千億
佛恭敬尊重諸佛滅後各起塔廟高千由旬

尒時世尊復告諸比丘衆我今語汝是大迦
旃延於當來世以諸供具供養奉事八千億
佛恭敬尊重諸佛滅後各起塔廟高千由旬
縱廣正等五百由旬皆以金銀琉璃車𤦲馬
瑙真珠玫瑰七寶合成衆華瓔珞塗香末香
燒香繒蓋幢幡供養塔廟過是已後當復供養
二万億佛亦復如是供養是諸佛已具菩
薩道當得作佛号曰閻浮那提金光如來應
供正遍知明行足善逝世間解无上士調御
丈夫天人師佛世尊其土平正頗梨爲地寶
樹莊嚴黃金爲繩以界道側妙華覆地周遍
清淨見者歡喜无四惡道地獄餓鬼畜生阿
修羅道多有天人諸聲聞衆及諸菩薩无量
万億莊嚴其國佛壽十二小劫正法住世廿小
劫像法亦住廿小劫尒時世尊欲重宣此義
而說偈言
諸比丘衆　皆一心聽　如我所說　真實无異
是迦旃延　當以種種　妙好供具　供養諸佛
諸佛滅後　起七寶塔　亦以華香　供養舍利
其最後身　得佛智慧　成等正覺　國土清淨
度脫无量　万億衆生　皆爲十方　之所供養
佛之光明　无能勝者　其佛号曰　閻浮金光
菩薩聲聞　断一切有　无量无數　莊嚴其國
尒時世尊復告大衆我今語汝是大目揵連
當以種種供具供養八千諸佛恭敬尊重諸

BD02375號　妙法蓮華經卷三　（17-9）

佛之光明　无能勝者　其佛号曰　閻浮金光
菩薩聲聞　断一切有　无量无數　莊嚴其國
尒時世尊復告大衆我今語汝是大目揵連
當以種種供具供養八千諸佛恭敬尊重諸
佛滅後各起塔廟高千由旬縱廣正等五百
由旬以金銀瑠璃車𤦲馬瑙真珠玫瑰七寶
合成衆華瓔珞塗香末香燒香繒蓋幢幡以
用供養過是已後當復供養二百万億諸佛
亦復如是當得成佛号曰多摩羅跋栴檀香
如來應供正遍知明行足善逝世間解无上
士調御丈夫天人師佛世尊劫名喜滿國名
意樂其土平正頗梨爲地寶樹莊嚴散真珠
華周遍清淨見者歡喜多諸人菩薩聲聞
其數无量佛壽二十四小劫正法住世四十
小劫像法亦住四十小劫尒時世尊欲重宣
此義而說偈言
我此弟子　大目揵連　捨是身已　得見八千
二百万億　諸佛世尊　爲佛道故　供養恭敬
於諸佛所　常修梵行　於无量劫　奉持佛法
諸佛滅後　起七寶塔　長表金刹　華香伎樂
而以供養　諸佛塔廟　漸漸具足　菩薩道已
於意樂國　而得作佛　号多摩羅　栴檀之香
其佛壽命　二十四劫　常爲天人　演說佛道
聲聞无量　如恒河沙　三明六通　有大威德
菩薩无數　志固精進　於佛智慧　皆不退轉

BD02375號　妙法蓮華經卷三　（17-10）

其佛壽命 二十四劫 常為天人 演說佛道
聲聞无量 如恒河沙 三明六通 有大威德
菩薩无數 志固精進 於佛智慧 皆不退轉
佛滅度後 正法當住 四十小劫 像法亦尒
我諸弟子 威德具足 其數五百 皆當授記
於未來世 咸得成佛 我及汝等 宿世因緣
吾今當說 汝等善聽

妙法蓮華經化城喻品第七

佛告諸比丘乃往過去无量无邊不可思議
阿僧祇劫尒時有佛名大通智勝如來應供正
遍知明行足善逝世間解无上士調御丈夫
天人師佛世尊其國名好成劫名大相諸比
丘彼佛滅度已來甚大久遠譬如三千大千
世界所有地種假使有人磨以為墨過於東
方千國土乃下一點大如微塵又過千國土
復下一點如是展轉盡地種墨於汝等意云
何是諸國土若筭師若筭師弟子能得邊
際知其數不不也世尊諸比丘是人所經國
土若點不點盡末為塵一塵一劫彼佛滅度
已來復過是數无量无邊百千億阿僧祇
劫我以如來知見力故觀彼久遠猶若今日
尒時世尊欲重宣此義而說偈言
我念過去世 无量无邊劫 有佛兩足尊 名大通智勝
如人以力磨 三千大千土 盡此諸地種 皆悉以為墨
過於千國土 乃下一塵點 如是展轉點 盡此諸塵墨
如是諸國土 點與不點等 復盡末為塵 一塵為一劫

BD02375號　妙法蓮華經卷三　（17–11）

我念過去世 无量无邊劫 有佛兩足尊 名大通智勝
如人以力磨 三千大千土 盡此諸地種 皆悉以為墨
過於千國土 乃下一塵點 如是展轉點 盡此諸塵墨
如是諸國土 點與不點等 復盡末為塵 一塵為一劫
如諸微塵數 其劫復過是 彼佛滅度來 如是无量劫
如來无礙智 知彼佛滅度 及聲聞菩薩 如見今滅度
諸比丘當知 佛智淨微妙 无漏无所礙 通達无量劫
佛告諸比丘大通智勝佛壽五百四十万億
那由他劫其佛本坐道場破魔軍已垂得阿
耨多羅三藐三菩提而諸佛法不現在前如
是一小劫乃至十小劫結加趺坐身心不動
而諸佛法猶不在前尒時忉利諸天先為彼
佛於菩提樹下敷師子座高一由旬佛於此座
當得阿耨多羅三藐三菩提適坐此座時
諸梵天王雨衆天華面百由旬香風時來吹
去萎華更雨新者如是不絕滿十小劫供養
於佛乃至滅度常雨此華四王諸天為供養
佛常擊天鼓其餘諸天作伎樂滿十小劫
至于滅度亦復如是諸比丘大通智勝佛過
十小劫諸佛之法乃現在前成阿耨多羅三
藐三菩提其佛未出家時有十六子其第一
者名曰智積諸子各有種種珍異玩好之具
聞父得成阿耨多羅三藐三菩提皆捨所珍
往詣佛所諸母涕泣而隨送之其祖轉輪聖
王與一百大臣及餘百千万億人民皆共圍
遶隨至道場咸欲親近大通智勝佛供養

BD02375號　妙法蓮華經卷三　（17–12）

往詣佛所諸母涕泣而隨送之其祖轉輪聖
王與一百大臣及餘百千万億人民皆共圍
繞隨至道場咸欲親近大通智勝如來供養
恭敬尊重讚嘆到已頭面礼足繞佛畢已一
心合掌瞻仰世尊以偈頌曰
大威德世尊　為度衆生故　於无量億劫　尒乃得成佛
諸願已具足　善哉吉无上　世尊甚希有　一坐十小劫
身體及手足　靜然安不動　其心常惔怕　未曾有散亂
究竟永寂滅　安住无漏法　今者見世尊　安隱成佛道
我等得善利　稱慶大歡喜　衆生常苦惱　盲瞑无導師
不識苦盡道　不知求解脫　長夜增惡趣　減損諸天衆
從冥入於冥　永不聞佛名　今佛得最上　安隱无漏道
我等及天人　為得最大利　是故咸稽首　歸命无上尊
尒時十六王子偈讚佛已勸請世尊轉於法
輪咸作是言世尊說法多所安隱憐愍饒益
諸天人民重說偈言
世雄无等倫　百福自莊嚴　得无上智慧　願為世間說
度脫於我等　及諸衆生類　為分別顯示　令得是智慧
若我等得佛　衆生亦復然　世尊知衆生　深心之所念
亦知所行道　又知智慧力　欲樂及脩福　宿命所行業
世尊悉知已　當轉无上輪
佛告諸比丘大通智勝佛得阿耨多羅三藐
三菩提時十方各五百万億諸佛世界六種
震動其國中間幽冥之處日月威光所不能
照而皆大明其中衆生各得相見咸作是言

BD02375號　妙法蓮華經卷三　（17–13）

三菩提時十方各五百万億諸佛世界六種
震動其國中間幽冥之處日月威光所不能
照而皆大明其中衆生各得相見咸作是言
此中云何忽生衆生又其國界諸天宮殿乃
至梵宮六種震動大光普照遍滿世界勝諸
天光尒時東方万億諸國土中梵天宮殿光
明照曜倍於常明諸梵天王各作是念今者
宮殿光明昔所未有以何因緣而現此相是
時諸梵天王即各相詣共議此事時彼衆中
有一大梵天王名救一切為諸梵衆而說偈
言
我等諸宮殿　光明昔未有　此是何因緣　宜各共求之
為大德天王　為佛出世間　而此大光明　遍照於十方
尒時五百万億國土諸梵天王與宮殿俱各
以衣裓盛諸天華共詣西方推尋是相見大
通智勝如來處于道場菩提樹下坐師子座
諸天龍王乾闥婆緊那羅摩睺羅伽人非人
等恭敬圍繞及見十六王子請佛轉法輪即
時諸梵天王頭面礼佛繞百千匝即以天華
而散佛上其所散華如須弥山并以供養佛
菩提樹其菩提樹高十由旬華供養已各以
宮殿奉上彼佛而作是言唯見哀愍饒益我
等所獻宮殿願垂納受時諸梵天王即於佛
前一心同聲以偈頌曰
世尊甚希有　難可得值遇　具无量功德　能救護一切

BD02375號　妙法蓮華經卷三　（17–14）

等所獻宮殿願垂納受時諸梵天王即於佛
前一心同聲以偈頌
世尊甚希有　難可得值遇　具无量功德　能救護一切
天人之大師　哀愍於世間　十方諸衆生　普皆蒙饒益
我等所從來　五百万億國　捨深禪定樂　為供養佛故
我等先世福　宮殿甚嚴飾　今以奉世尊　唯願哀納受
尒時諸梵天王偈讚佛已各作是言唯願世
尊轉於法輪度脫衆生開涅槃道時諸梵天
王一心同聲而說偈言
世雄兩足尊　唯願演說法　以大慈悲力　度苦惱衆生
尒時大通智勝如來黙然許之又諸比丘東
南方五百万億國土諸大梵王各自見宮殿
光明照曜昔所未有歡喜踊躍生希有心即
各相詣共議此事時彼衆中有一大梵天王
名曰大悲為諸梵衆而說偈言
是事何因緣　而現如此相　我等諸宮殿　光明昔未有
為大德天生　為佛出世間　未曾見此相　當共一心求
過千万億土　尋光共推之　多是佛出世　度脫苦衆生
尒時五百万億諸梵天王與宮殿俱各以衣
裓盛諸天華共詣西北方推尋是相見大
通智勝如來處于道場菩提樹下坐師子座
諸天龍王乾闥婆緊那羅摩睺羅伽人非人
等恭敬圍繞及見十六王子請佛轉法輪時
諸梵天王頭面礼佛繞百千匝即以天華而
散佛上所散之華如須弥山并以供養佛菩

BD02375號　妙法蓮華經卷三　（17-15）

等恭敬圍繞及見十六王子請佛轉法輪時
諸梵天王頭面礼佛繞百千匝即以天華而
散佛上所散之華如須弥山并以供養佛菩
提樹華供養已各以宮殿奉上彼佛而作是
言唯見哀愍饒益我等所獻宮殿願垂納受
尒時諸梵天王即於佛前一心同聲以偈頌
曰
聖主天中王　迦陵頻伽聲　哀愍衆生者　我等今敬礼
世尊甚希有　久遠乃一現　一百八十劫　空過无有佛
三惡道充滿　諸天衆減少　今佛出於世　為衆生作眼
世間所歸趣　救護於一切　為衆生之父　哀愍饒益者
我等宿福慶　今得值世尊
尒時諸梵天王偈讚佛已各作是言唯願世
尊哀愍一切轉於法輪度脫衆生時諸梵天
王一心同聲而說偈言
大聖轉法輪　顯示諸法相　度苦惱衆生　令得大歡喜
衆生聞此法　得道若生天　諸惡道減少　忍善者增益
尒時大通智勝如來黙然許之又諸比丘南
方五百万億國土諸大梵王各自見宮殿光
明照曜昔所未有歡喜踊躍生希有心即各
相詣共議此事以何因緣我等宮殿有此光
曜而彼衆中有一大梵天王名曰妙法為諸
梵衆而說偈言
我等諸宮殿　光明甚威曜　此非无因緣　是相宜求之
過於百千劫　未曾見是相　為大德天生　為佛出世間

BD02375號　妙法蓮華經卷三　（17-16）

尒時諸梵天王偈讚佛已各作是言唯願世
尊哀愍一切轉於法輪度脫衆生時諸梵天
王一心同聲而說偈言
大聖轉法輪　顯示諸法相　度苦惱衆生　令得大歡喜
衆生聞此法　得道若生天　諸惡道減少　忍善者增益
尒時大通智勝如來嘿然許之又諸比丘南
方五百万億國土諸大梵王各自見宮殿光
明照曜昔所未有歡喜踊躍生希有心即各
相詣共議此事以何因緣我等宮殿有此光
曜而彼衆中有一大梵天王名曰妙法為諸
梵衆而說偈言
我等諸宮殿　光明甚威曜　此非无因緣　是相宜求之
過於百千劫　未曾見是相　為大德天生　為佛出世間
尒時五百万億諸梵天王與宮殿俱各以衣
裓盛諸天華共詣北方推尋是相見大通智
勝如來處于道場菩提樹下師子座諸天

BD02375號　妙法蓮華經卷三　（17–17）

若得作佛時　具三十二相　天人夜叉衆　龍神等恭敬
是時乃可謂　永盡滅无餘　佛於大衆中　說我當作佛
聞如是法音　疑悔悉已除　初聞佛所說　心中大驚疑
將非魔作佛　惱亂我心耶　佛以種種緣　譬喻巧言說
其心安如海　我聞疑網斷　佛說過去世　无量滅度佛
安住方便中　亦皆說是法　現在未來佛　其數无有量
亦以諸方便　演說如是法　如今者世尊　從生及出家
得道轉法輪　亦以方便說　世尊說實道　波旬无此事
以是我定知　非是魔作佛　我墮疑網故　謂是魔所為
聞佛柔軟音　深遠甚微妙　演暢清淨法　我心大歡喜
疑網永已盡　安住實智中　我定當作佛　為天人所敬
轉无上法輪　教化諸菩薩
尒時佛告舍利弗吾今於天人沙門婆羅門
等大衆中說我昔曾於二万億佛所為无上
道故常教化汝汝亦長夜隨我受學我以方
便引導汝故生我法中舍利弗我昔教汝志願
佛道汝今悉忘而便自謂已得滅度我今還
欲令汝憶念本願所行道故為諸聲聞說是
大乘經名妙法蓮華教菩薩法佛所護念舍
利弗汝於未來世過无量无邊不可思議劫
供養若干千萬億佛奉持正法具足菩薩所

BD02376號　妙法蓮華經卷二　（1–1）

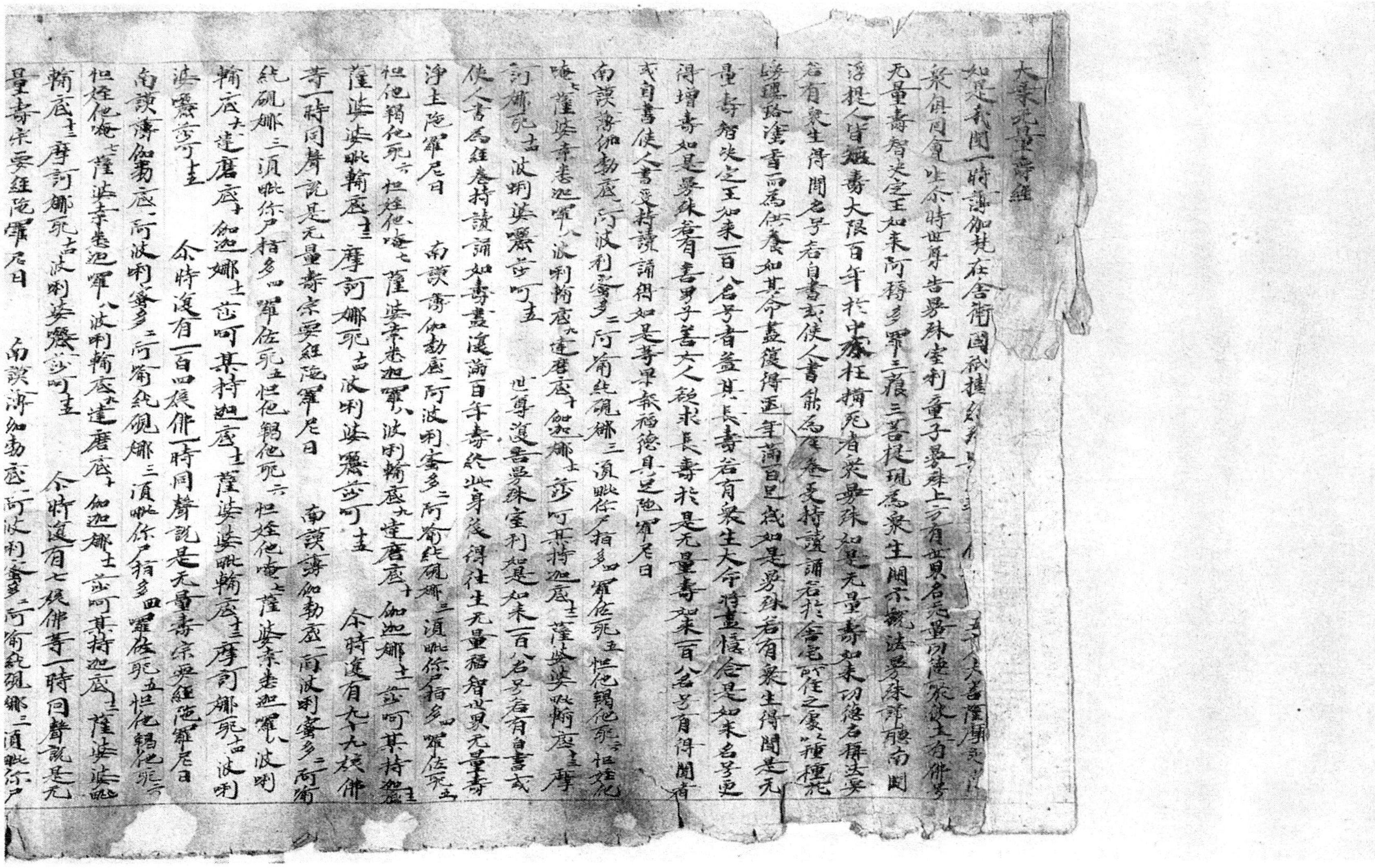

BD02377 號　無量壽宗要經　（5–1）

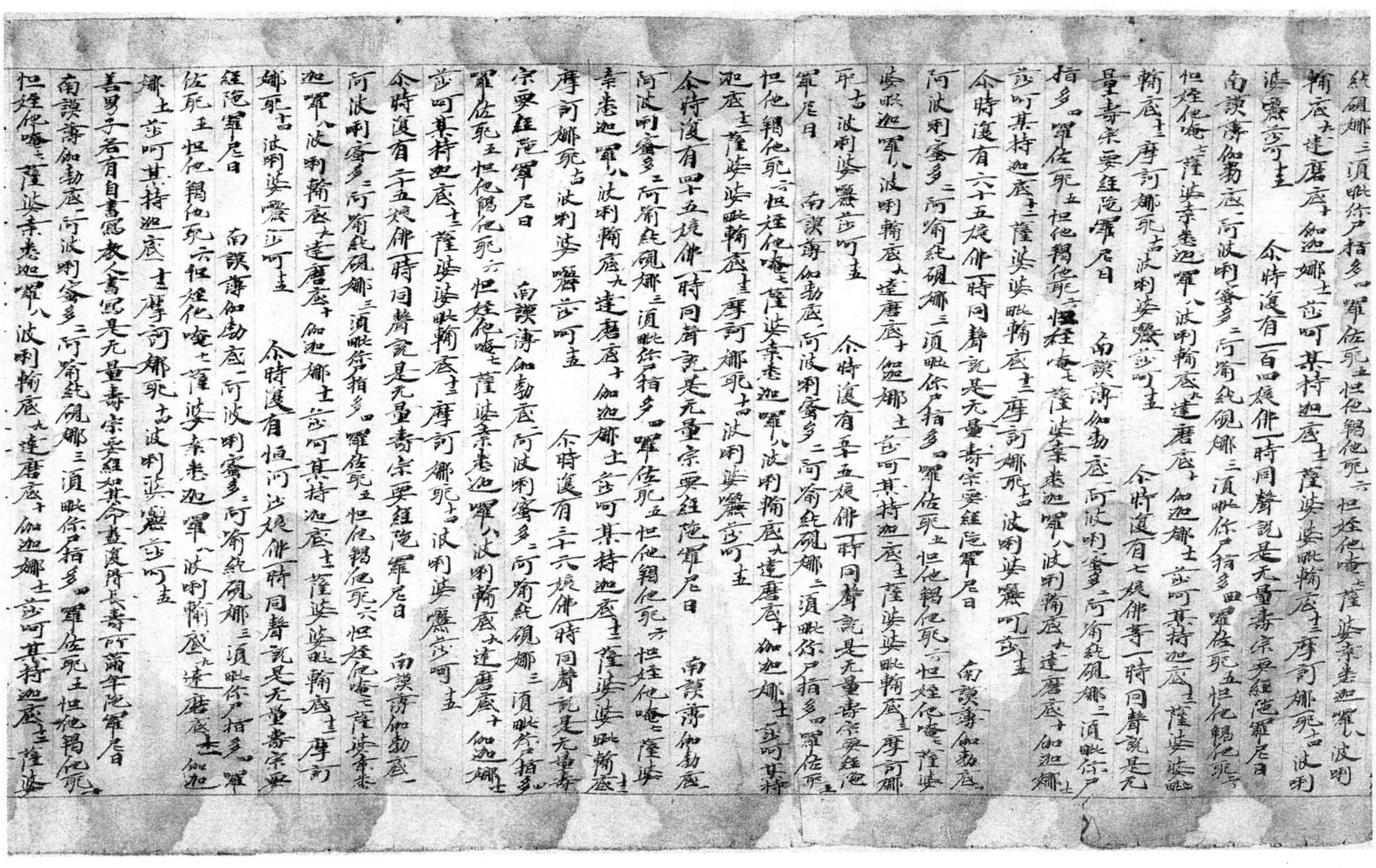

BD02377 號　無量壽宗要經　（5–2）

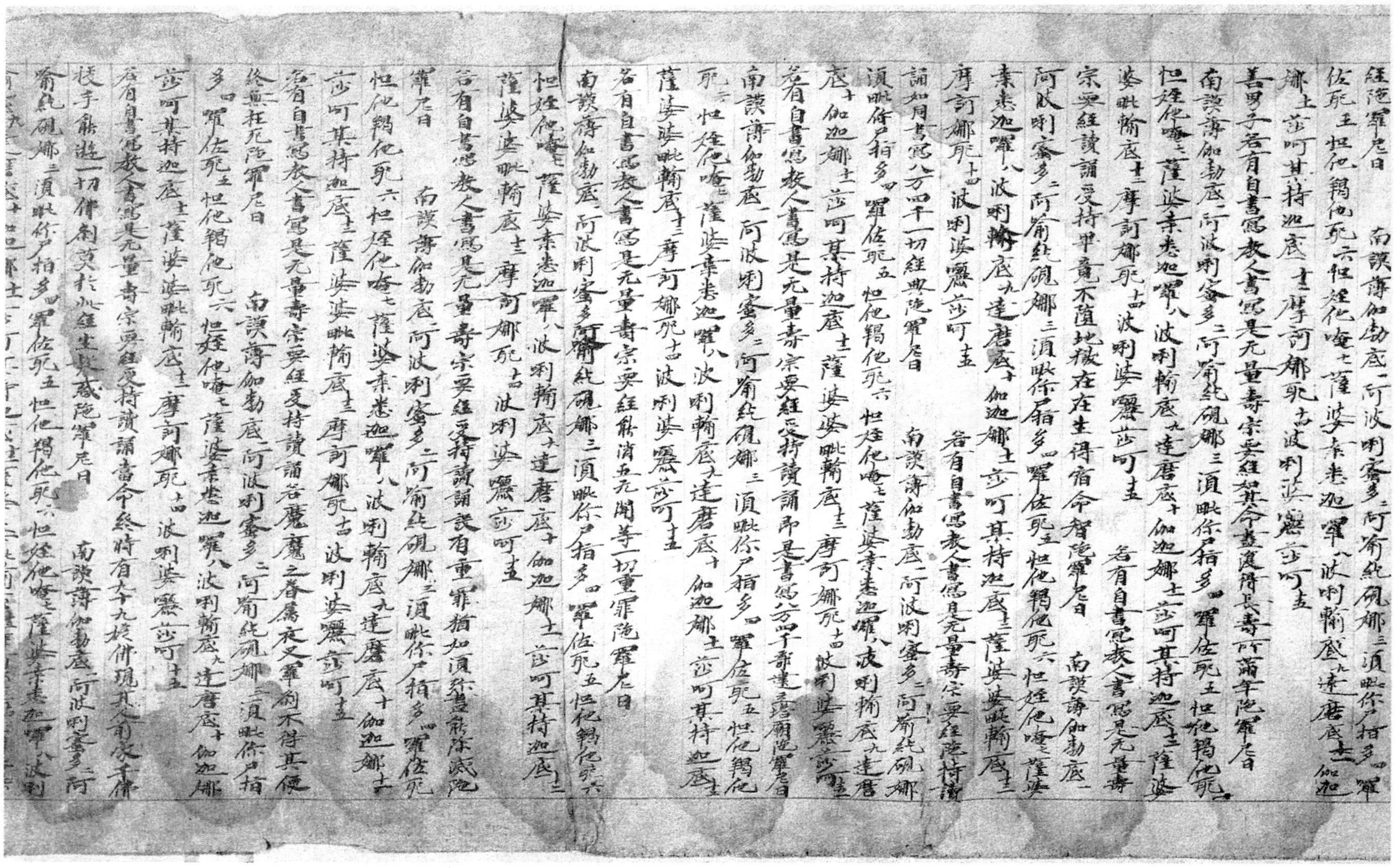

BD02377 號　無量壽宗要經　（5–3）

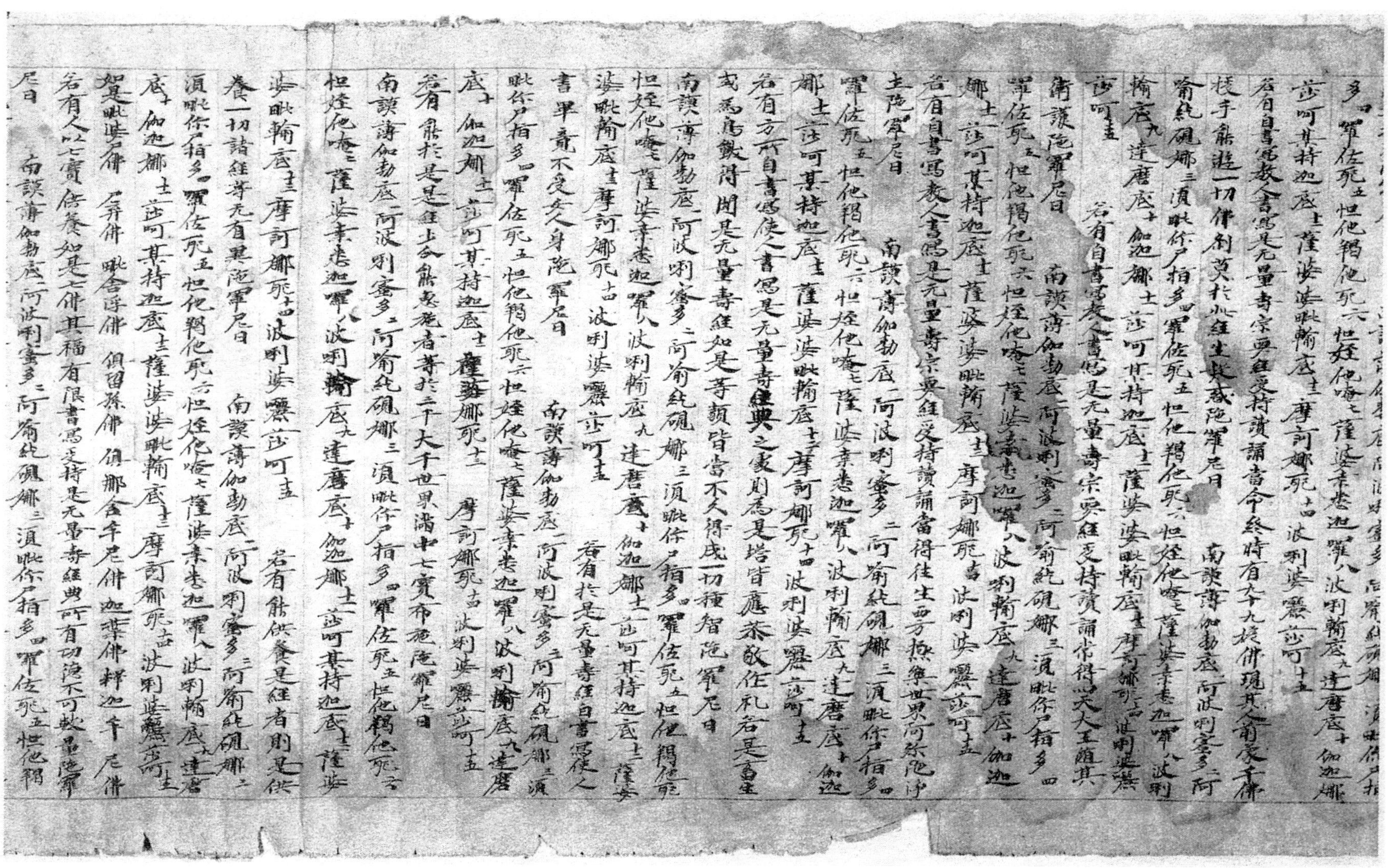

BD02377 號　無量壽宗要經　（5–4）

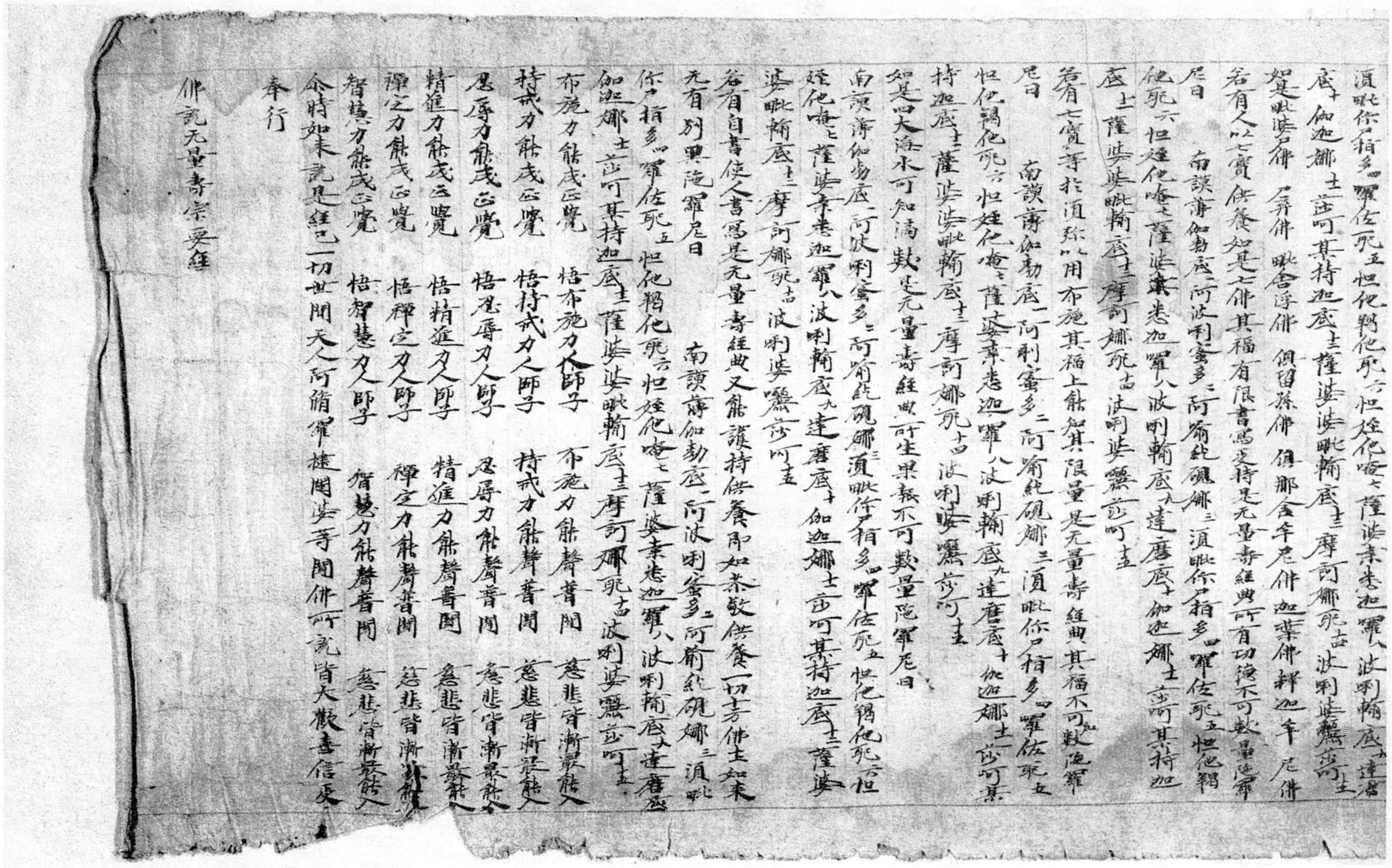

須毗你尸捐多四囉佐死五怛他羯他死六怛姪他唵七薩婆桑悉迦囉八波唎輸底九達磨
底十伽迦娜十一莎可其持迦底十二薩婆娑毗輸底十三摩訶娜死十四波唎婆嚩莎呵十五
如是毗婆尸佛　尸棄佛　毗舍浮佛　俱留孫佛　俱那含牟尼佛　迦葉佛　釋迦牟尼佛
若有人以七寶供養如是七佛其福有限書寫受持是无量壽經典所有功德不可數量陀羅
尼曰　南謨薄伽勃底一阿波唎蜜多二阿喻紇硯娜三須毗你尸捐多四囉佐死五怛他羯
他死六怛姪他唵七薩婆桑悉迦囉八波唎輸底九達磨底十伽迦娜十一莎可其持迦
底十二薩婆娑毗輸底十三摩訶娜死十四波唎婆嚩莎呵十五
若有七寶等於須彌山用布施其福上能知其限量是无量壽經典其福不可知數陀羅
尼曰　南謨薄伽勃底一阿利蜜多二阿喻紇硯娜三須毗你尸捐多四囉佐死五
怛他羯他死六怛姪他唵七薩婆桑悉迦囉八波唎輸底九達磨底十伽迦娜十一莎可其
持迦底十二薩婆娑毗輸底十三摩訶娜死十四波唎婆嚩莎呵十五
知是四大海水可知滴數是无量壽經典所生果報不可數量陀羅尼曰
南謨薄伽勃底一阿波唎蜜多二阿喻紇硯娜三須毗你尸捐多四囉佐死五怛他羯他死六怛
姪他唵七薩婆桑悉迦囉八波唎輸底九達磨底十伽迦娜十一莎可其持迦底十二薩婆
娑毗輸底十三摩訶娜死十四波唎婆嚩莎呵十五
若有自書使人書寫是无量壽經典又能護持供養即如恭敬供養一切十方佛土如來
无有別異陀羅尼曰　南謨薄伽勃底一阿波唎蜜多二阿喻紇硯娜三須毗
你尸捐多四囉佐死五怛他羯他死六怛姪他唵七薩婆桑悉迦囉八波唎輸底九達磨底
伽迦娜十一莎可其持迦底十二薩婆娑毗輸底十三摩訶娜死十四波唎婆嚩莎呵十五
布施力能成正覺　悟布施力人師子　布施力能聲普聞　慈悲皆漸最能入
持戒力能成正覺　悟持戒力人師子　持戒力能聲普聞　慈悲皆漸最能入
忍辱力能成正覺　悟忍辱力人師子　忍辱力能聲普聞　慈悲皆漸最能入
精進力能成正覺　悟精進力人師子　精進力能聲普聞　慈悲皆漸最能入
禪定力能成正覺　悟禪定力人師子　禪定力能聲普聞　慈悲皆漸最能入
智慧力能成正覺　悟智慧力人師子　智慧力能聲普聞　慈悲皆漸最能入
尒時如來說是經已一切世間天人阿脩羅揵闥婆等聞佛所說皆大歡喜信受
奉行
佛說无量壽宗要經

BD02377 號　無量壽宗要經　（5–5）

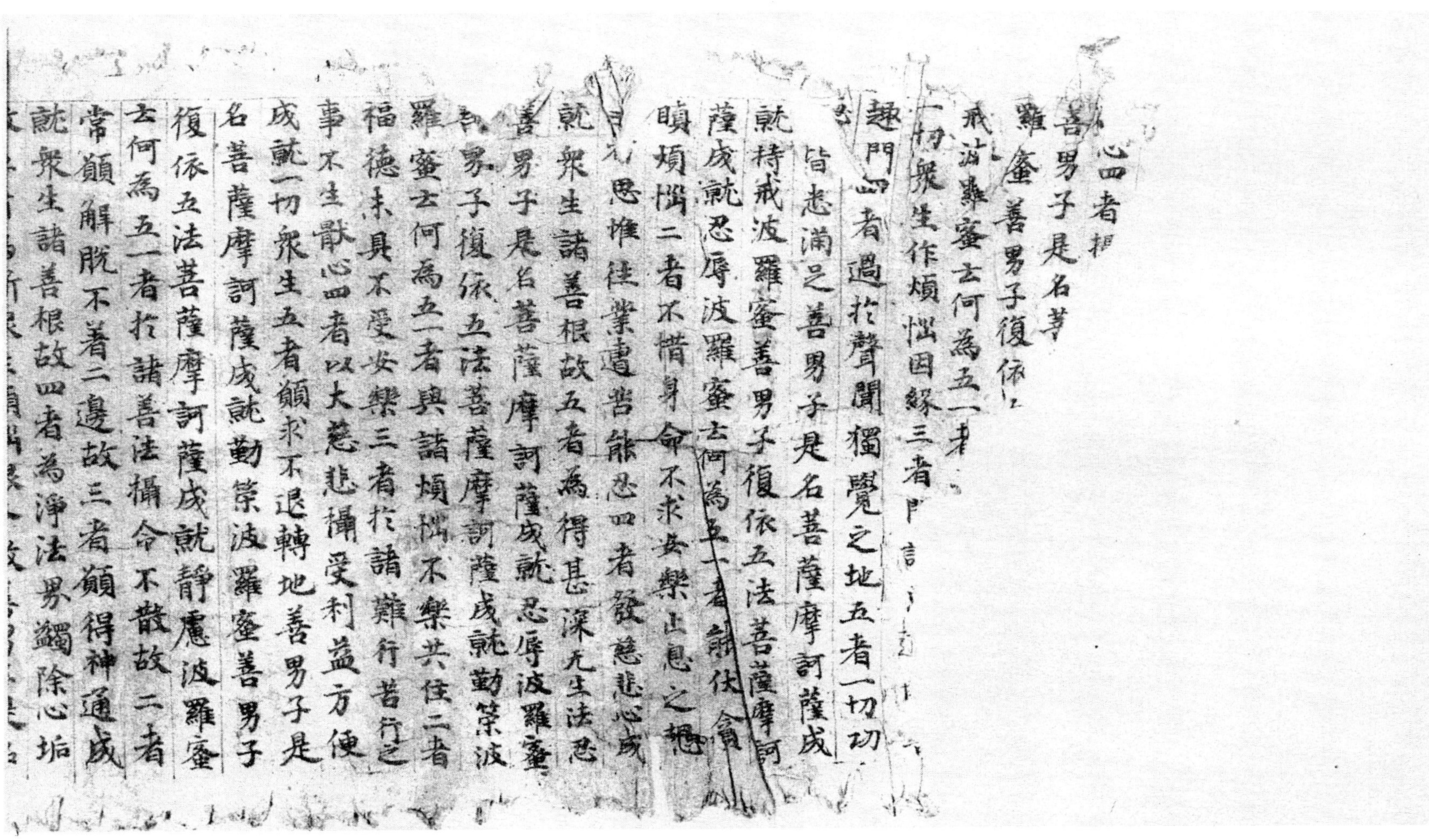

心四者担
善男子是名菩
羅蜜善男子復依五
戒波羅蜜云何為五一者
一切衆生作煩惱因緣三者尸
趣門四者過於聲聞獨覺之地五者一切功
皆悉滿足善男子是名菩薩摩訶薩成
就持戒波羅蜜善男子復依五法菩薩摩訶
薩成就忍辱波羅蜜云何為五一者能伏貪
瞋煩惱二者不惜身命不求安樂止息之想
三者思惟往業遭苦能忍四者發慈悲心成
就衆生諸善根故五者為得甚深无生法忍
善男子是名菩薩摩訶薩成就忍辱波羅蜜
善男子復依五法菩薩摩訶薩成就勤策波
羅蜜云何為五一者與諸煩惱不樂共住二者
福德未具不受安樂三者於諸難行苦行之
事不生猒心四者以大慈悲攝受利益方便
成就一切衆生五者願求不退轉地善男子是
名菩薩摩訶薩成就勤策波羅蜜善男子
復依五法菩薩摩訶薩成就靜慮波羅蜜
云何為五一者於諸善法攝令不散故二者
常願解脫不著二邊故三者願得神通成
就衆生諸善根故四者為淨法界蠲除心垢

BD02378 號　金光明最勝王經卷四　（11–1）

成就一切衆生五者願求不退轉地善男子是
名菩薩摩訶薩成就勤策波羅蜜善男子
復依五法菩薩摩訶薩成就靜慮波羅蜜
云何為五一者於諸善法攝令不散故二者
常願解脫不著二邊故三者願得神通成
就衆生諸善根故四者為淨法界蠲除心垢
故五者為斷衆生煩惱根本故善男子是名
菩薩摩訶薩成就靜慮波羅蜜善男子復
依五法菩薩摩訶薩成就智慧波羅蜜云何為
五一者常於一切諸佛菩薩及明智者供養親
近不生猒背二者諸佛如来說甚深法心常
樂聞无有猒足三者真俗勝智樂善分別四
者見修煩惱成速斷除五者世間伎術五明之
法皆悉通達善男子是名菩薩摩訶薩成就
智慧波羅蜜善男子復依五法菩薩摩訶
薩成就方便波羅蜜云何為五一者於一切
衆生意樂煩惱心行差別悉皆通達二者无
量諸法對治之門心皆曉了三者大慈悲定
出入自在四者於諸波羅蜜多皆願脩行成
就滿足五者一切佛法皆願了達攝受无遺
善男子是名菩薩摩訶薩成就方便勝智波
羅蜜善男子復依五法菩薩摩訶薩成就願
波羅蜜云何為五一者於一切法從本以来不生
不滅非有非无心得安住二者觀一切法寂妙
理趣離垢清淨心得安住三者過一切相心本
真如无作无行不異不動心得安住四者為欲利
益諸衆生事於俗諦中心得安住五者於奢
摩他毗鉢舍那同時運行心得安住善男子
是名菩薩摩訶薩成就願波羅蜜善男子

益諸衆生事於俗諦中心得安住五者於奢
摩他毗鉢舍那同時運行心得安住善男子
是名菩薩摩訶薩成就願波羅蜜善男子
復依五法菩薩摩訶薩成就力波羅蜜云何
為五一者以正智力能了一切衆生心行善惡二
者能令一切衆生入於甚深微妙之法三者一
切衆生輪迴生死隨其緣業如實了知四者
於諸衆生三種根性以正智力能分別知五者
於諸衆生如理為說令種善根成就度脫皆
是智力故善男子是名菩薩摩訶薩成就
力波羅蜜善男子復依五法菩薩摩訶
薩成就智波羅蜜云何為五一者能於諸法
分別善惡二者於黑白法遠離攝受三者
能於生死涅槃不猒不喜四者具福智行至
究竟處五者受勝灌頂能得諸佛不共法
等及一切智智善男子是名菩薩摩訶薩成
就智波羅蜜善男子何者是波羅蜜義所
謂修習勝利是波羅蜜義滿足无量大甚
深智是波羅蜜義行非行法心不執着是波
羅蜜義生死過失涅槃功德正覺正觀是
波羅蜜義愚人智人皆悉攝受是波羅蜜義
是能現種種珎妙法寶是波羅蜜義无礙
解脫智慧滿足是波羅蜜義法界衆生界
正分別　是波羅蜜義施等及智能令至不
退轉是波羅蜜義无生法忍能令滿足是
波羅蜜義一切衆生功德善根能令成就是
波羅蜜義能於菩提成佛十力四无所畏不
共法等皆悉成就是波羅蜜義生死涅槃
了无二相是波羅蜜義濟度一切是波羅蜜義
一切外道来相詰難善能解釋令其降伏是波

波羅蜜義能於菩提成佛十力四无所畏不
共法等皆悉成就是波羅蜜義生死涅槃
了无二相是波羅蜜義濟度一切是波羅蜜義
一切外道来相詰難善能解釋令其降伏是波
羅蜜義能轉十二妙行法輪是波羅蜜義无
所著无所見无患累是波羅蜜多義
善男子初地菩薩是相先現三千大千世界
无量无邊種種寶藏无不盈滿菩薩悉見善
男子二地菩薩是相先現三千大千世界地平
如掌无量无邊種種妙色清淨珎寶莊嚴
之具菩薩悉見善男子三地菩薩是相先現
自身勇健甲仗莊嚴一切怨賊皆能摧伏菩
薩悉見善男子四地菩薩是相先現四方風
輪種種妙花悉皆散灑充布地上[illegible]悉見
善男子五地菩薩是相先現有妙寶女衆寶
瓔珞周遍嚴身首冠名花以為其飾菩薩悉
見善男子六地菩薩是相先現七寶花池有四
階道金砂遍布清淨无穢八功德水皆悉
盈滿嗢鉢羅花拘物頭花分陁利花隨處莊
嚴於花池所遊戲快樂清涼无比菩薩悉見
善男子七地菩薩是相先現於菩薩前有諸
衆生應墮地獄以菩薩力便得不墮无有損
傷亦无恐怖菩薩悉見善男子八地菩薩是
相先現於身兩邊有師子王以為衛護一切
衆獸悉皆怖畏菩薩悉見善男子九地菩薩
是相先現轉輪聖王无量億衆圍遶供養頂
上白蓋无量衆寶之所莊嚴菩薩悉見善
男子十地菩薩是相先現如来之身金色晃
耀无量淨光悉皆圓滿有无量億梵王圍

男子十地菩薩是相先現如来之身金色晃
耀无量淨光悉皆圓滿有无量億梵王圍
遶恭敬供養於无上微妙法輪菩薩悉見
善男子云何初地名為歡喜謂初證得出世
之心昔所未得而今始得於大事用如其所願
悉皆成就生極喜樂是故最初名為歡喜
諸微細垢犯戒過失皆得清淨是故二地名
為无垢无量智慧三昧光明不可傾動无能
摧伏聞持陁羅尼以為根本是故三地名為
明地以智慧火燒諸煩惱增長光明修行覺
品是故四地名為焰地修行方便勝智自在極
難得故見修煩惱難伏能伏是故五地名為
難勝行法相續了了顯現无相思惟皆悉現
前是故六地名為現前无漏无間无相思惟
解脫三昧遠修行故是地清淨无有障礙是
故七地名為遠行无相思惟修得自在諸煩
惱行不能令動是故八地名為不動說一
法種種差別皆得自在无患无累增長智慧
自在无礙是故九地名為善慧法身如虛空
智慧如大雲皆能遍滿覆一切故是故第
十名為法雲
善男子執著有相我法无明怖畏生死惡趣
无明此二无明障於初地微細學處誤犯无
明發起種種業行无明此二无明障於二地未
得令得愛著无明能障殊勝總持无明此二无
明障於三地味著等至善悅无明微妙淨法
愛樂无明此二无明障於四地欲背生死无明
希趣涅槃无明此二无明障於五地觀行流轉
无明麁相現前无明此二无明障於六地微細

得令得愛着无明能障殊勝摠持无明此二无
明障於三地味着等至善悅无明微妙淨法
愛樂无明此二无明障於四地欲背生死无明
希趣涅槃无明此二无明障於五地觀行流轉
无明麁相現前无明此二无明障於六地微細
諸相現行无明作意欣樂无相无明此二无
明障於七地於无相觀功用无明執相自在无
明此二无明障於八地於所說義及名句文此
二无量未善巧无明於詞辯才不隨意无明
此二无明障於九地於大神通未得自在變現
无明微細秘密未能悟解事業无明此二无
明障於十地於一切境微細所知障礙無明極
細煩惱麁重无明此二无明障於佛
善男子菩薩摩訶薩於初地中行施波羅蜜
於第二地行戒波羅蜜於第三地行忍波羅蜜
於第四地行勤波羅蜜於第五地行定波羅
蜜於第六地行慧波羅蜜於第七地行方便
勝智波羅蜜於第八地行願波羅蜜於第九
地行力波羅蜜於第十地行智波羅蜜善男
子菩薩摩訶薩最初發心攝受能生妙寶
三摩地第二發心攝受能生可愛樂三摩地
第三發心攝受能生難動三摩地第四發心
攝受能生不退轉三摩地第五發心攝受能
生寶花三摩地第六發心攝受能生日圓光
焰三摩地第七發心攝受能生一切願如意
就三摩地第八發心攝受能生現前證住三摩
地第九發心攝受能生智藏三摩地第十發心
攝受能生勇進三摩地善男子是名菩薩摩
訶薩十種發心善男子菩薩摩訶薩於此初地

BD02378號　金光明最勝王經卷四　（11-6）

焰三摩地第七發心攝受能生一切願如意
就三摩地第八發心攝受能生現前證住三摩
地第九發心攝受能生智藏三摩地第十發心
攝受能生勇進三摩地善男子是名菩薩摩
訶薩十種發心善男子菩薩摩訶薩於此初地
得陀羅尼名依功德力尒時世尊即說呪曰
怛　姪　他　　晡律你曷奴喇剃
獨虎獨虎獨虎　　耶跋蘇利瑜
阿婆婆薩底（丁里反 下皆同）　耶跋旃達囉
調　怛　底　　多跋達路叉湯
憚茶鉢喇訶藍　矩嚕莎訶
善男子此陀羅尼是過一恒河沙數諸佛所
說為護初地菩薩故若有誦持此陀羅尼
呪者得脫一切怖畏所謂虎狼師子惡獸之
類一切惡鬼人非人等怨賊灾横及諸苦惱
解脫五障不忘念初地
善男子菩薩摩訶薩於第二地得陀羅尼名
善安樂住
怛　姪　他　　嗢　篅（入聲 下同）里
質里質里　　嗢篅羅篅羅
繕覩繕覩嗢篅里　虎嚕虎嚕莎訶
善男子此陀羅尼是過二恒河沙數諸佛所
說為護二地菩薩故若有誦持此陀羅尼呪
者脫諸怖畏惡獸惡鬼人非人等怨賊灾横
及諸苦惱解脫五障不忘念二地
善男子菩薩摩訶薩於第三地得陀羅尼名
難勝力
怛　姪　他　　憚宅枳　般宅枳
羯喇櫖高喇櫖　　雞田哩憚櫖里莎訶
善男子此陀羅尼是過三恒河沙數諸佛所

BD02378號　金光明最勝王經卷四　（11-7）

善男子菩薩摩訶薩於第三地得陁羅尼名
難勝力
怛姪他　憚宅枳　般宅枳
羯喇攞　高喇攞　雞田哩　憚攞里　莎訶
善男子此陁羅尼是過三恒河沙數諸佛所
說為護三地菩薩故若有誦持此陁羅尼呪
者脫諸怖畏悪獸悪鬼人非人等怨賊灾横
及諸苦惱解脫五障不忘念三地
善男子菩薩摩訶薩於第四地得陁羅尼名
大利益
怛姪他　室唎　室唎
陁弭你　陁弭你　陁哩　陁哩你
室唎　室唎你　毗舍羅波世波始娜
畔陁弭常莎訶
善男子此陁羅尼是過四恒河沙數諸佛所
說為護四地菩薩故若有誦持此陁羅尼呪
者脫諸怖畏悪獸悪鬼人非人等怨賊灾横
及諸苦惱解脫五障不忘念四地
善男子菩薩摩訶薩於第五地得陁羅尼
名種種功德莊嚴
怛姪他　訶哩　訶引哩你
遮哩　遮引哩你　羯喇摩引你
僧羯喇摩引你　三婆山你　瞻跋你
悉躭婆你　謨漢你　碎闍步陸莎訶
善男子此陁羅尼是過五恒河沙數諸佛所
說為護五地菩薩摩訶薩故若有誦持此
陁羅尼呪者脫諸怖畏悪獸悪鬼人非人等
怨賊灾横及諸苦惱解脫五障不忘念五地
善男子菩薩摩訶薩於第六地得陁羅尼名

BD02378號　金光明最勝王經卷四　（11–8）

善男子此陁羅尼是過五恒河沙數諸佛所
說為護五地菩薩摩訶薩故若有誦持此
陁羅尼呪者脫諸怖畏悪獸悪鬼人非人等
怨賊灾横及諸苦惱解脫五障不忘念五地
善男子菩薩摩訶薩於第六地得陁羅尼名
圓滿智
怛姪他　毗徒哩　毗徒哩
摩哩你　迦里迦里　毗度　漢底
嚕嚕　嚕嚕　主嚕　主嚕
杜嚕婆　杜嚕婆　捨捨設者婆哩灑
莎悉底薩婆薩埵喃　悉甸覩漫
曼怛囉鉢陁你莎訶
善男子此陁羅尼是過六恒河沙數諸佛所
說為護六地菩薩摩訶薩故若有誦持此陁
羅尼呪者脫諸怖畏悪獸悪鬼人非人等怨
賊灾横及諸苦惱解脫五障不忘念六地善
男子菩薩摩訶薩於第七地得陁羅尼名
法勝行
怛姪他　勺訶上勺訶引嚕
勺訶勺訶勺訶嚕　鞞陸枳鞞陸枳
阿蜜栗多嚧漢你　勃里山你
鞞嚕勅枳婆嚕伐底　鞞提呬枳
頻陁鞞哩你　阿蜜哩底枳
薄虎主愈　薄虎主愈莎訶
善男子此陁羅尼是過七恒河沙數諸佛所
說為護七地菩薩故若有誦持此陁羅尼呪
者脫諸怖畏悪獸悪鬼人非人等怨賊灾横
及諸苦惱解脫五障不忘念七地
善男子菩薩摩訶薩於第八地得陁羅尼

BD02378號　金光明最勝王經卷四　（11–9）

頻陁鞞哩你 阿蜜哩底枳
薄虎(主愈) 薄虎(主愈)莎訶
善男子此陁羅尼是過七恒河沙數諸佛所
說為護七地菩薩故若有誦持此陁羅尼呪
者脫諸怖畏惡獸惡鬼人非人等怨賊灾橫
及諸苦惱解脫五障不忘念七地
善男子菩薩摩訶薩於第八地得陁羅尼
名无盡藏
怛 姪 他 室唎室唎室唎你
蜜底蜜底 羯哩羯哩醯嚕醯嚕
主嚕主嚕 畔陁䫂莎訶
善男子此陁羅尼是過八恒河沙數諸佛所說
為護八地菩薩故若有誦持此陁羅尼呪者
脫諸怖畏惡獸惡鬼人非人等怨賊灾橫及
諸苦惱解脫五障不忘念八地
善男子菩薩摩訶薩於第九地得陁羅尼名
无量門
怛 姪 他 訶哩 旃荼哩 枳
俱藍婆唎體(天里反) 都 剌 死
拔吒拔吒死室唎室唎 迦室哩迦必室唎
莎(蘇活反)悉底 薩婆薩埵莎訶
善男子此陁羅尼是過九恒河沙數諸佛所
說為護九地菩薩故若有誦持此陁羅尼呪
者脫諸怖畏惡獸惡鬼人非人等怨賊灾橫
及諸苦惱解脫五障不忘念九地
善男子菩薩摩訶薩於第十地得陁羅尼
破金剛山
怛 姪 他 悉提(去) 蘇悉提(去)
謨折你木察你 毗木底菴末麗
毗末麗涅末麗 忙 揭 藍

BD02378號　金光明最勝王經卷四 （11–10）

畔陁䫂莎訶
善男子此陁羅尼是過八恒河沙數諸佛所說
為護八地菩薩故若有誦持此陁羅尼呪者
脫諸怖畏惡獸惡鬼人非人等怨賊灾橫及
諸苦惱解脫五障不忘念八地
善男子菩薩摩訶薩於第九地得陁羅尼名
无量門
怛 姪 他 訶哩 旃荼哩 枳
俱藍婆唎體(天里反) 都 剌 死
拔吒拔吒死室唎室唎 迦室哩迦必室唎
莎(蘇活反)悉底 薩婆薩埵莎訶
善男子此陁羅尼是過九恒河沙數諸佛所
說為護九地菩薩故若有誦持此陁羅尼呪
者脫諸怖畏惡獸惡鬼人非人等怨賊灾橫
及諸苦惱解脫五障不忘念九地
善男子菩薩摩訶薩於第十地得陁羅尼
破金剛山
怛 姪 他 悉提(去) 蘇悉提(去)
謨折你木察你 毗木底菴末麗
毗末麗涅末麗 忙 揭 藍
呬囒若揭鞞 遏唎怛娜揭鞞
三曼多跋姪囇 薩婆頞他娑憚你

BD02378號　金光明最勝王經卷四 （11–11）

BD02378 號背　勘記　　　（1–1）

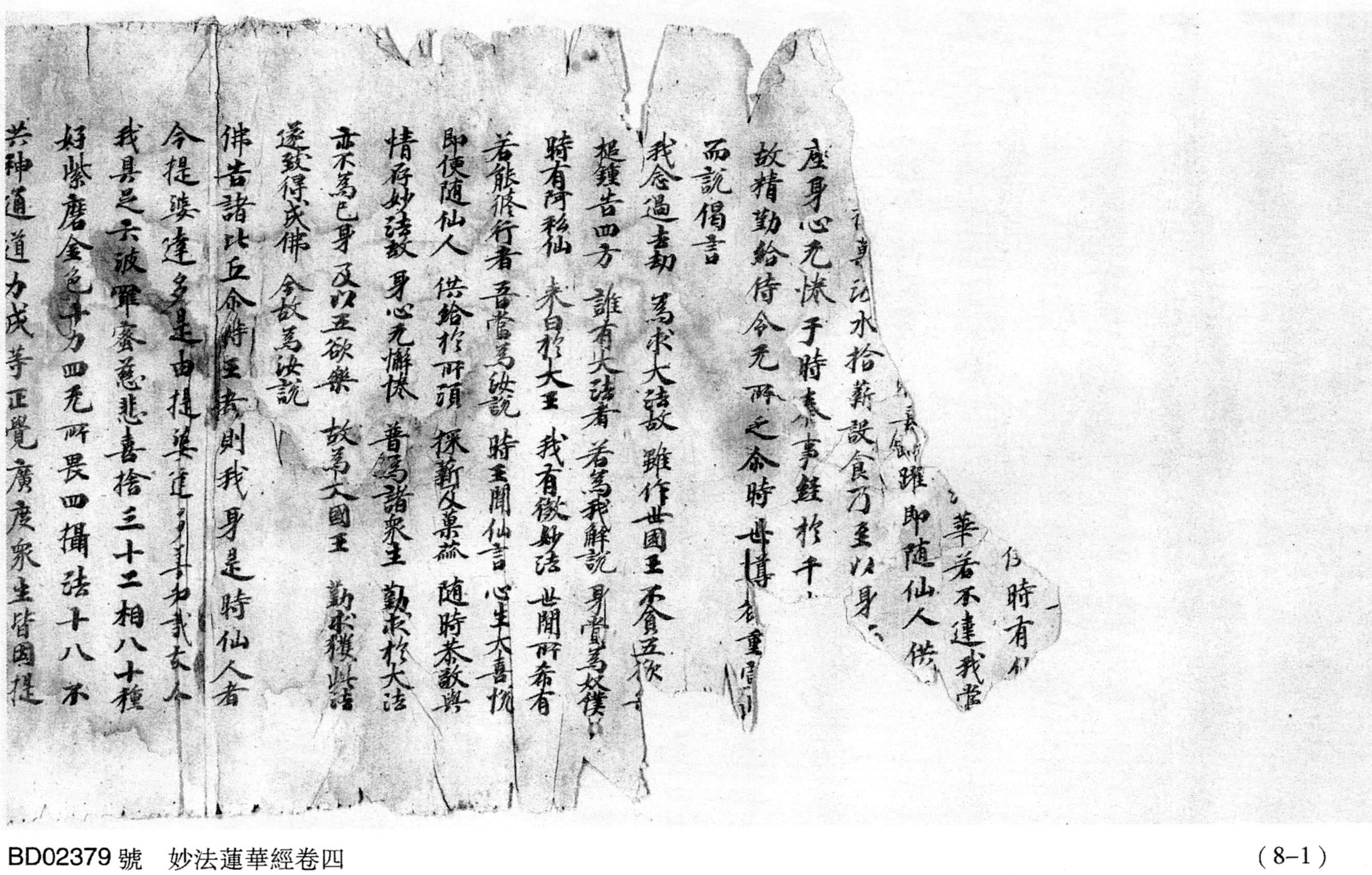

時有仙
華若不違我當
踊躍即隨仙人供
菓汲水拾薪設食乃至以身
座身心无惓于時奉事經於千
故精勤給侍令无所乏尒時世尊欲重宣
而說偈言
我念過去劫　為求大法故　雖作世國王　不貪五欲
椎鍾告四方　誰有大法者　若為我解說　身當為奴僕
時有阿私仙　來白於大王　我有微妙法　世間所希有
若能修行者　吾當為汝說　時王聞仙言　心生大喜悅
即便隨仙人　供給於所須　採薪及菓蓏　隨時恭敬與
情存妙法故　身心无懈惓　普為諸衆生　勤求於大法
亦不為己身　及以五欲樂　故為大國王　勤求獲此法
遂致得成佛　今故為汝說
佛告諸比丘尒時王者則我身是時仙人者
今提婆達多是由提婆達多善知識故令
我具足六波羅蜜慈悲喜捨三十二相八十種
好紫磨金色十力四无所畏四攝法十八不
共神通道力成等正覺廣度衆生皆因提

BD02379 號　妙法蓮華經卷四　　　（8–1）

佛告諸比丘尒時王者則我身是時仙人者
今提婆達多是由提婆達多善知識故令
我具足六波羅蜜慈悲喜捨三十二相八十種
好紫磨金色十力四无所畏四攝法十八不
共神通道力成等正覺廣度衆生皆因提
婆達多善知識故告諸四衆提婆達多却後
過无量劫當得成佛号曰天王如來應供正遍
知明行足善逝世間解无上士調御丈夫天
人師佛世尊世界名天道時天王佛住世二
十中劫廣為衆生說扵妙法恒河沙衆生
得阿羅漢果无量衆生發緣覺心恒河沙衆
生發无上道心得无生忍至不退轉時天王佛
般涅槃後正法住世二十中劫全身舍利起
七寶塔高六十由旬縱廣四十由旬諸天人民
悉以雜華末香燒香塗香衣服瓔珞幢幡寶
蓋伎樂歌頌礼拜供養七寶妙塔无量衆生得
阿羅漢无量衆生悟辟支佛不可思議衆生
發菩提心至不退轉佛告諸比丘未來世中
若有善男子善女人得聞妙法蓮華經提
婆達多品淨心信敬不生疑惑者不墮地獄
餓鬼畜生生十方佛前所生之處常聞此
經若生人天中受勝妙樂若在佛前蓮華化
生扵時下方多寶世尊所從菩薩名曰智積
白多寶佛當還本土釋迦牟尼佛告智積
曰善男子且待須臾此有菩薩名文殊師利可
與相見論說妙法可還本土尒時文殊師利

BD02379號　妙法蓮華經卷四

(8–2)

經若生人天中受勝妙樂若在佛前蓮華化
生扵時下方多寶世尊所從菩薩名曰智積
白多寶佛當還本土釋迦牟尼佛告智積
曰善男子且待須臾此有菩薩名文殊師利可
與相見論說妙法可還本土尒時文殊師利
坐千葉蓮華大如車輪俱來菩薩亦坐寶華
從扵大海娑竭龍宮自然踊出住虛空中詣
靈鷲山從蓮華下至扵佛所頭面敬礼二世
尊足脩敬已畢往智積所共相慰問却坐一
面智積菩薩問文殊師利仁往龍宮所化衆
生其數幾何文殊師利言其數无量不可稱
計非口所宣非心所測且待須臾自當有證所
言未竟无數菩薩坐寶蓮華從海踊出詣靈
鷲山住在虛空此諸菩薩皆是文殊師利之
所化度具菩薩行皆共論說六波羅蜜本聲
聞人在虛空中說聲聞行今皆脩行大乘空
義文殊師利謂智積曰扵海教化其事如是
尒時智積菩薩以偈讚曰
大智德勇健　化度无量衆　今此諸大會　及我皆已見
演暢實相義　開闡一乘法　廣度諸衆生　令速成菩提
文殊師利言我扵海中唯常宣說妙法華經
智積問文殊師利言此經甚深微妙諸經中
寶世所希有頗有衆生勤加精進脩行此經
速得佛不文殊師利言有娑竭羅龍王女年
始八歲智慧利根善知衆生諸根行業得陀羅
尼諸佛所說甚深秘藏悉能受持深入禪定

BD02379號　妙法蓮華經卷四

(8–3)

寶世所希有頗有眾生勤加精進脩行此經
速得佛不文殊師利言有娑竭羅龍王女年
始八歲智慧利根善知眾生諸根行業得陁羅
尼諸佛所說甚深秘藏悉能受持深入禪定
了達諸法於剎那頃發菩提心得不退轉
辯才无礙慈念眾生猶如赤子功德具足心念
口演微妙廣大慈悲仁讓志意和雅能至菩
提智積菩薩言我見釋迦如來於无量劫
難行苦行積功累德求菩薩道未曾止息觀
三千大千世界乃至无有如芥子許非是菩薩
捨身命處為眾生故然後乃得成菩提道不
信此女於須臾頃便成正覺言論未訖時龍
王女忽現於前頭面礼敬却住一面以偈讚曰
深達罪福相　遍照於十方　微妙淨法身　具相三十二
以八十種好　用莊嚴法身　天人所戴仰　龍神咸恭敬
一切眾生類　无不宗奉者　又聞成菩提　唯佛當證知
我闡大乘教　度脫苦眾生
時舍利弗語龍女言汝謂不久得无上道是
事難信所以者何女身垢穢非是法器云何
能得无上菩提佛道懸曠經无量劫勤苦積
行具脩諸度然後乃成又女人身猶有五障一
者不得作梵天王二者帝釋三者魔王四者
轉輪聖王五者佛身云何女身速得成佛爾
時龍女有一寶珠價直三千大千世界持
以上佛佛即受之龍女謂智積菩薩尊者
舍利弗言我獻寶珠世尊納受是事疾不答言

時龍女有一寶珠價直三千大千世界持
以上佛佛即受之龍女謂智積菩薩尊者
舍利弗言我獻寶珠世尊納受是事疾不答言
甚疾女言以汝神力觀我成佛復速於此當
時眾會皆見龍女忽然之間變成男子具菩
薩行即往南方无垢世界坐寶蓮華成等正
覺三十二相八十種好普為十方一切眾生演
說妙法爾時娑婆世界菩薩聲聞天龍八
部人與非人皆遙見彼龍女成佛普為時會
人天說法心大歡喜悉遙敬礼无量眾生聞
法解悟得不退轉无量眾生得受道記无垢
世界六反震動娑婆世界三千眾生住不退地
三千眾生發菩提心而得受記智積菩薩及
舍利弗一切眾會嘿然信受
妙法蓮華經持品第十三
爾時藥王菩薩摩訶薩及大樂說菩薩摩訶
薩與二萬菩薩眷屬俱皆於佛前作是誓言
唯願世尊不以為慮我等於佛滅後當奉持
讀誦說此經典後惡世眾生善根轉少多增
上慢貪利供養增不善根遠離解脫雖難
可教化我等當起大忍力讀誦此經持說書
寫種種供養不惜身命爾時眾中五百阿羅
漢得受記者白佛言世尊我等亦自誓願於異
國土廣說此經復有學无學八千人得受記
者從座而起合掌向佛作是誓言世尊我等
亦當於他國土廣說此經所以者何是娑婆國

漢得受記者白佛言世尊我等亦自推願於異
國土廣說此經復有學无學八千人得受記
者從座而起合掌向佛作是誓言世尊我等
亦當於他國土廣說此經所以者何是娑婆國
中人多弊惡懷增上慢功德淺薄瞋濁諂曲
心不實故尒時佛姨母摩訶波闍波提比丘
尼與學无學比丘尼六千人俱從座而起一心
合掌瞻仰尊顏目不暫捨於時世尊告憍曇
弥何故憂色而視如來汝心將无謂我不
說汝名授阿耨多羅三藐三菩提記耶憍
曇弥我先惣說一切聲聞皆已授記今汝欲
知記者將來之世當於六萬八千億諸佛法
中為大法師及六千學无學比丘尼俱為法
師汝如是漸漸具菩薩道當得作佛号一
切衆憙見如來應供正遍知明行足善逝
世間解无上士調御丈夫天人師佛世尊憍
曇弥是一切衆生憙見佛及六千菩薩轉
次授記得阿耨多羅三藐三菩提尒時羅睺羅
母耶輸陁羅比丘尼作是念世尊於授記中獨
不說我名佛告耶輸陁羅汝於來世百万億
諸佛法中脩菩薩行為大法師漸具佛道
於善國中當得作佛号具足千万光相如來
應供正遍知明行足善逝世間解无上士調
御丈夫天人師佛世尊佛壽无量阿僧祇劫
尒時摩訶波闍波提比丘尼及耶輸陁羅比
丘尼并其眷屬皆大歡喜得未曾有即於佛

BD02379號　妙法蓮華經卷四　（8–6）

應供正遍知明行足善逝世間解无上士調
御丈夫天人師佛世尊佛壽无量阿僧祇劫
尒時摩訶波闍波提比丘尼及耶輸陁羅比
丘尼并其眷屬皆大歡喜得未曾有即於佛
前而說偈言
世尊導師　安隱天人　我等聞記　心安具足
諸比丘尼說是偈已白佛言世尊我等亦能
於他方國土廣宣此經尒時世尊視八十万
億那由他諸菩薩摩訶薩是諸菩薩皆是
阿惟越致轉不退法輪得諸陁羅尼即從座
起至於佛前一心合掌而作是念若世尊告
勅我等持說此經者當如佛教廣宣斯法復
作是念佛今嘿然不見告勅我當云何時諸菩
薩敬順佛意并欲自滿本願便於佛前作師
子吼而發誓言世尊我等於如來滅後周旋
往反十方世界能令衆生書寫此經受持讀
誦解說其義如法脩行正憶念皆是佛之威
力唯願世尊在於他方遙見守護即時諸菩
薩俱同發聲而說偈言
唯願不為慮　於佛滅度後　恐怖惡世中　我等當廣說
有諸无智人　惡口罵詈等　及加刀杖者　我等皆當忍
惡世中比丘　邪智心諂曲　未得謂為得　我慢心充滿
或有阿練若　納衣在空閑　自謂行真道　輕賤人間者
貪著利養故　與白衣說法　為世所恭敬　如六通羅漢
是人懷惡心　常念世俗事　假名阿練若　好出我等過
而作如是言　此者比丘等　為[illegible]　[illegible]論議

BD02379號　妙法蓮華經卷四　（8–7）

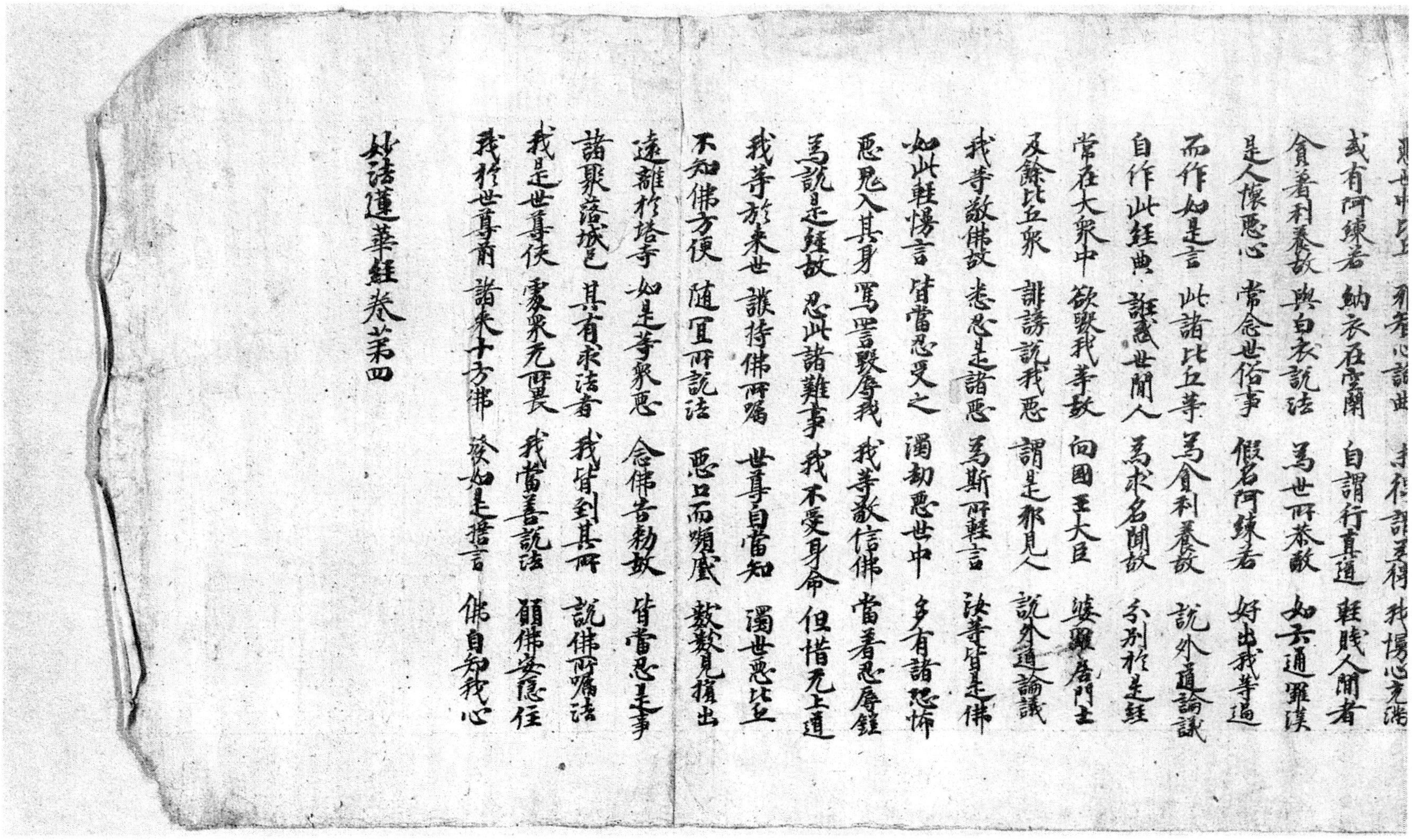

惡世中比丘　邪智心諂曲　未得謂為得　我慢心充滿
或有阿練若　納衣在空閑　自謂行真道　輕賤人間者
貪著利養故　與白衣說法　為世所恭敬　如六通羅漢
是人懷惡心　常念世俗事　假名阿練若　好出我等過
而作如是言　此諸比丘等　為貪利養故　說外道論議
自作此經典　誑惑世間人　為求名聞故　分別於是經
常在大眾中　欲毀我等故　向國王大臣　婆羅門居士
及餘比丘眾　誹謗說我惡　謂是邪見人　說外道論議
我等敬佛故　悉忍是諸惡　為斯所輕言　汝等皆是佛
如此輕慢言　皆當忍受之　濁劫惡世中　多有諸恐怖
惡鬼入其身　罵詈毀辱我　我等敬信佛　當著忍辱鎧
為說是經故　忍此諸難事　我不愛身命　但惜無上道
我等於來世　護持佛所囑　世尊自當知　濁世惡比丘
不知佛方便　隨宜所說法　惡口而顰蹙　數數見擯出
遠離於塔寺　如是等眾惡　念佛告勅故　皆當忍是事
諸聚落城邑　其有求法者　我皆到其所　說佛所囑法
我是世尊使　處眾無所畏　我當善說法　願佛安隱住
我於世尊前　諸來十方佛　發如是誓言　佛自知我心

妙法蓮華經卷第四

BD02379 號　妙法蓮華經卷四　　（8–8）

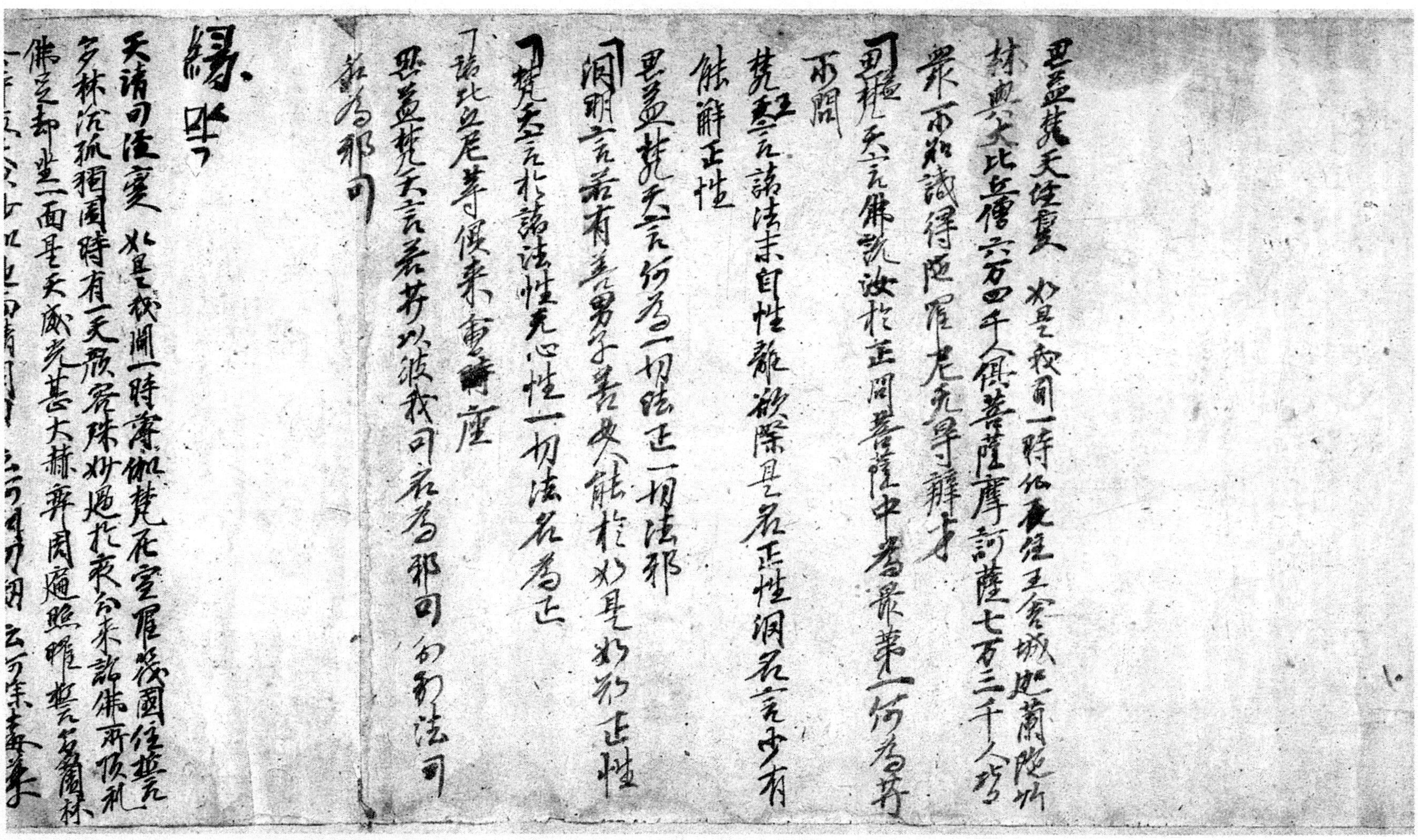

思益梵天住處　如是我聞一時佛在王舍城迦蘭陀竹
林與大比丘僧六万四千人俱菩薩摩訶薩七万二千人皆
眾所知識得陀羅尼无导辯才
問梵天言佛說汝於正問菩薩中為最第一何為菩
薩所問
梵天言諸法離自性離欲際是名正性網名言少有
能解正性
思益梵天言何為一切法正一切法邪
網明言若有善男子善女人能於如是如是正性
問梵天言於諸法性无心性一切法名為正
問諸比丘尼等從來重請座
思益梵天言若等以彼我何名為邪何　何者法何
名為邪何

緣啓

天請問經變　如是我聞一時薄伽梵在室羅筏國住逝多
多林給孤獨園時有一天顏容殊妙過於夜分來詣佛所頂禮
佛足卻坐一面是天威光甚大赫奕周遍照曜逝多園林
[illegible]

BD02379 號背 1　思益梵天所問經變　　（3–1）
BD02379 號背 2　天請問經變

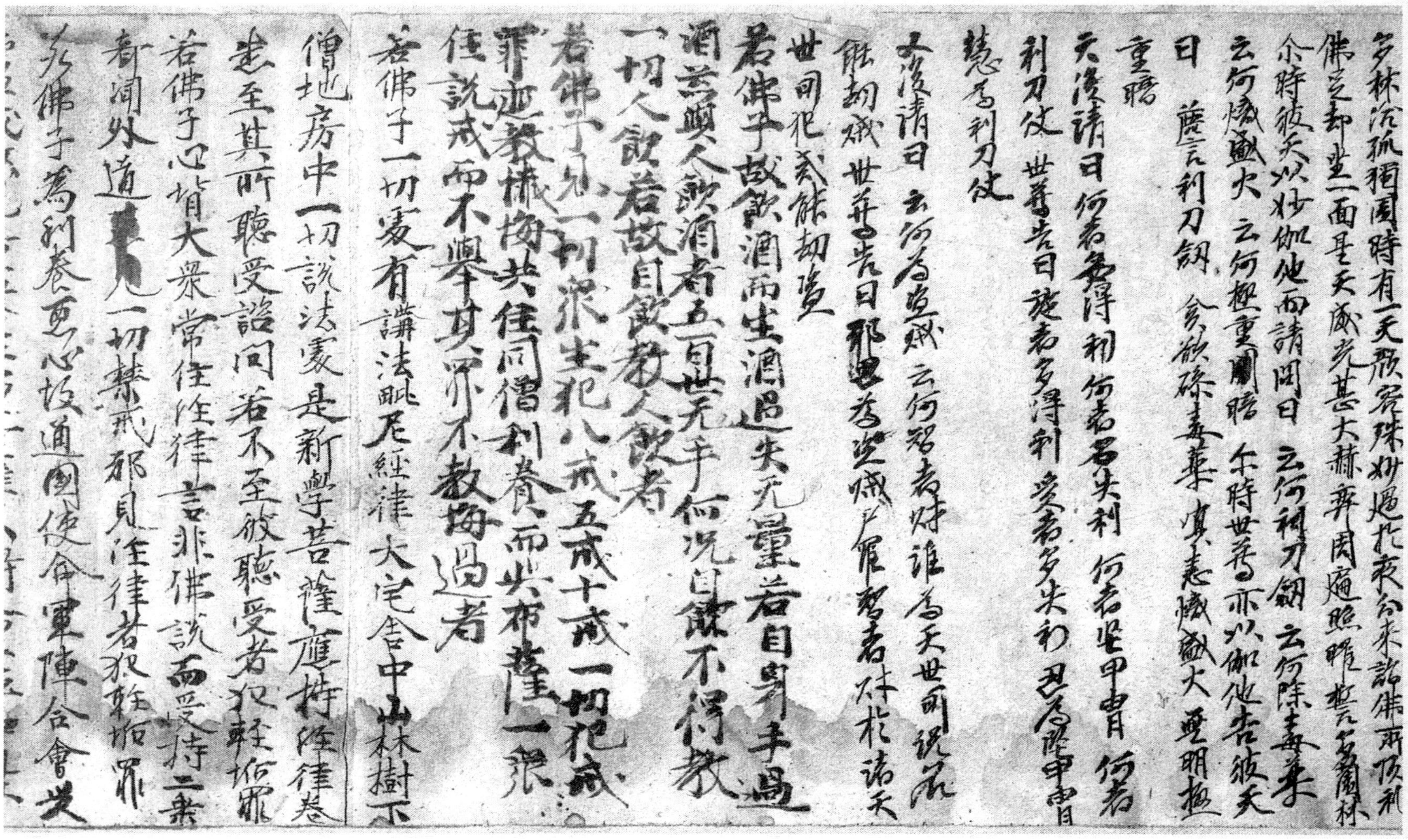

多林給孤獨園時有一天顏容殊妙過於夜分來詣佛所頂禮
佛足却坐一面是天威光甚大赫弈周遍照曜誓多園林
尒時彼天以妙伽他而請問曰 云何利刀劍 云何除毒藥
云何熾盛火 云何極重闇 尒時世尊亦以伽他告彼天
日 麁言利刀劍 貪欲除毒藥 嗔恚熾盛火 無明極
重暗
天復請曰 何者為得利 何者名失利 何者堅甲冑 何者
利刀仗 世尊告曰 施者為得利 受者名失利 忍為堅甲冑
慧為利刀仗
天復請曰 云何為盜賊 云何智者財 誰為天世間說名
能劫賊 世尊告曰 邪思為盜賊 尸羅智者財 於諸天
世間犯戒能劫奪

若佛子故飲酒而生酒過失无量若自身手過
酒器與人飲酒者五百世无手何況自飲不得教
一切人飲若故自飲教人飲者
若佛子見一切衆生犯八戒五戒十戒一切犯戒
罪逆教懺悔共住同僧利養而共布薩一衆
住說戒而不舉其罪不教悔過者
若佛子一切處有講法毗尼經律大宅舍中山林樹下
僧地房中一切說法處是新學菩薩應持經律卷
至其所聽受諮問若不至彼聽受者犯輕垢罪
若佛子心背大乘常住經律言非佛說而受持二乘
聲聞外道[illegible]一切禁戒邪見經律者犯輕垢罪
若佛子為利養惡心故通國使命軍陣合會興

BD02379 號背 2　天請問經變　　（3–2）
BD02379 號背 3　梵網經盧舍那佛說菩薩心地戒品第十鈔

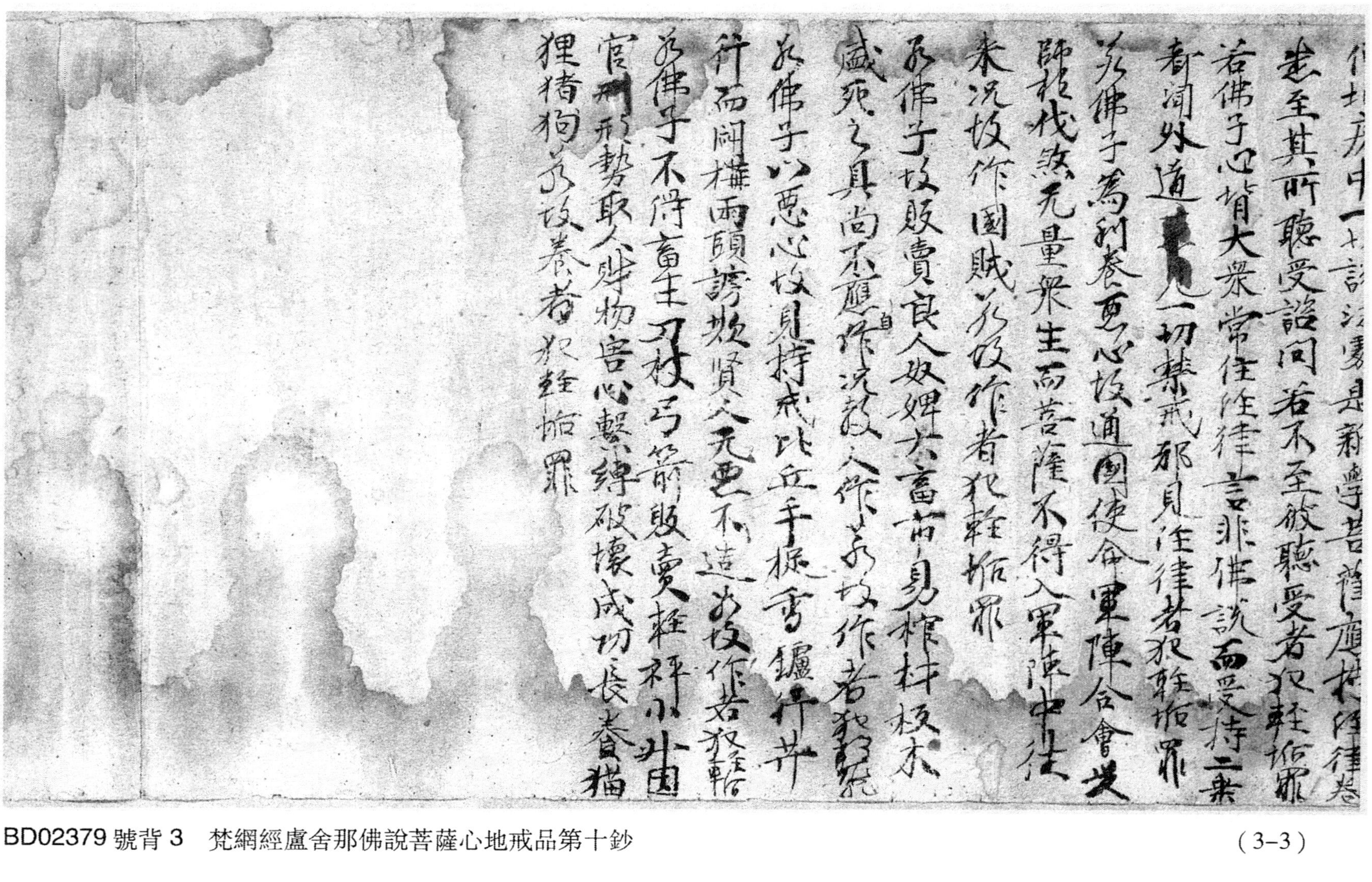

僧地房中一切說法處是新學菩薩應持經律卷
至其所聽受諮問若不至彼聽受者犯輕垢罪
若佛子心背大乘常住經律言非佛說而受持二乘
聲聞外道[illegible]一切禁戒邪見經律者犯輕垢罪
若佛子為利養惡心故通國使命軍陣合會興
師相伐殺无量衆生而菩薩不得入軍陣中往
來況故作國賊若故作者犯輕垢罪
若佛子故販賣良人奴婢六畜市易棺材板木
盛死之具尚不應作況教人作若故作者犯輕垢罪
若佛子以惡心故見持戒比丘手捉香鑪行菩
行而鬬構兩頭謗欺賢人无惡不造若故作者犯輕垢
若佛子不得畜養生刀杖弓箭販賣輕秤小斗因
官刑勢取人財物害心繫縛破壞成功長養猫
狸猪狗若故養者犯輕垢罪

BD02379 號背 3　梵網經盧舍那佛說菩薩心地戒品第十鈔　　（3–3）

[...]日之時現於[...]
之時於虛半[...]
歡喜三日之時
盛猶白銀色四日之[...]人身
身著天[...]衣見彼之[...]前行人見已同
說諸法五日之時即自現身證得
過去生死劫數六日之時[...]現天宮五
寶所作有四菩薩端坐說法行人見已漸漸
心明明徹十方即大歡喜奉心敬禮七日之
時觀世音菩薩即自現身其光晃曜明過於
日行人見已心甚怔怕觀世音菩薩即舉左
手摩行人頂心得安隱復舉右手指於西方
妙樂國土行人尋時即見西方无量壽國國
土清淨瑠璃寶樹華園浴池處處皆有行
人見已煩惱消除无明根拔此諸行人等世世
所生常與觀世音相值復見閻浮提雜類國
土猶如掌中阿摩勒菓復見東方阿閦佛國
不動如來登王高坐其諸菩薩多有眷屬為

BD02380號　觀世音三昧經　　（10–1）

土清淨瑠璃寶樹華園浴池處處皆有行
人見已煩惱消除无明根拔此諸行人等世世
所生常與觀世音相值復見閻浮提雜類國
土猶如掌中阿摩勒菓復見東方阿閦佛國
不動如來登王高坐其諸菩薩多有眷屬為
人說法其地平正名華浴池處處皆有復見
北方欝單越國彼土人民壽命長遠永无正
法可以習誦命終之時當墮惡道復見上方
香積佛國蓮華林茂經行禪室悉為香華
多饒菩薩復見下方百千万國金剛精舍金
剛諸國金剛城金剛坐其諸菩薩悉在坐上
為人說法行人見已即得六通具八解脫得无
导智飛到十方隨意即至千劫万劫百千億
劫度人无量得神通力具陀羅尼辯才无滯
樂說甚多當知此經是大威力七日七夜讀
誦此經如前所說都无虛事若有虛者我即
妄語諸餘經典皆不可信阿難從坐而起合
掌讚佛
世尊金剛惠　上語皆真實　一切諸眾生　頗有不信者
若不信此經　將墮惡道中　巍巍天中天　頗有不歸佛
我見魔波旬　稽首來宗仰　今說觀世音　三昧正經典
尒時佛告阿難此經亦名安隱處亦名脫苦
亦名歡喜亦名離惱患亦名除疑惑亦名離

BD02380號　觀世音三昧經　　（10–2）

我見魔波旬　稽首來宗仰　今說觀世音　三昧正經典
尒時佛告阿難此經亦名安隱處亦名脫苦
亦名歡喜亦名離惱患亦名除疑惑亦名離
惡道若有比丘犯四重禁五无間罪若比丘
尼犯八重禁放恣精神縱串六情破壞正法
若有優婆塞優婆夷犯五逆罪若能行此觀
世音三昧經者如向所說衆罪悉滅无有遺
餘亦見十方淨妙國土如前所說等无有異
佛告阿難若人受持讀誦斯經典者應持此
呪此呪難聞亦復難值若持此呪應斷酒肉
不食五辛貪瞋恚怒悲為當斷諸婬女色
悉復不為清淨梵行之人乃能受持斯經神
呪
南无僧伽五　觀音神呪六　拘摩賴陁七　陁波當八　阿
遮鄧九　丘唐十　賴波陁十一　賴摩尼伽尼伽十二　虵多
達多十三　阿由陁十四　阿覆唐十五　丘唐十六　阿兜耶十七
覆兜耶十八　阿由提十九　斯摩賴陁廿　淨多耶廿一　伽陁
波廿二　伽陁利廿三　波神佉佉陁那剎廿四　伽陁波廿五　遊訶
如此神呪諸佛如來皆當讀誦不獨我也
佛告阿難若有受持讀誦斯方等經當知此
人是大菩薩於我滅後開化十方一切衆生
使得聞之皆離惡道終不墮地獄餓鬼畜生
持此經者若入大水水即乾竭若入大火火

如此神呪諸佛如來皆當讀誦不獨我也
佛告阿難若有受持讀誦斯方等經當知此
人是大菩薩於我滅後開化十方一切衆生
使得聞之皆離惡道終不墮地獄餓鬼畜生
持此經者若入大水水即乾竭若入大火火
即消滅若遇大賊刀箭即折若遭縣官枷鏁
自裂若入地獄皆毒變樂若有衆生欲得天
眼通者天耳通者他心智通者宿命通者漏盡
通者身中通者當持此經七日七夜自觀身
中內外穢惡流溢不淨即得六通无导解脫
欲得離地獄者不作畜生者欲得見十方世
界者欲得長壽者欲得值佛聞法者欲得
淨妙國土生者欲得捨惡身者欲得捨女人身
者欲得遠離八難者欲得作沙門者欲得中
國生者欲得生天者當持此經讀誦受持持
是經者慎莫放逸必如所願
尒時阿難從坐而起而白佛言觀世音有何神
力威神乃尒佛今稱歎其德不輕
佛告阿難我今道實其事不虛我念觀世音
菩薩於我前成佛号曰正法明如來應供正
遍知明行足善逝世間解无上士調御丈夫
天人師佛世尊我於彼時為彼佛下作苦行
弟子受持斯經七日七夜讀誦不忘復不念
食不念五欲即見无量百千諸佛在我前立

遍知明行足善逝世間解无上士調御丈夫
天人師佛世尊我於彼時為彼佛下作苦行
弟子受持斯經七日七夜讀誦不忘復不念
食不念五欲即見无量百千諸佛在我前立
於斯悟道今得成佛号曰釋迦文受持斯經
猶故讀誦呪復今日汝等諸人宜應受持莫
令懈怠何以故觀世音菩薩有大神力故現
神通力故救衆生故度苦難故現坐摩身
故欲使行人得成道故當知此觀世音三昧經
甚難思議叵可分別汝等阿難於我滅後急
應流通此經此經出時當有衆魔比丘及比
丘尼毀破諸戒无法自持猶如天牛犢麃无
法自持縱有沙門飲酒食肉昏婬五欲不自
制斷猶如外道无戒可持命過當墮阿鼻
地獄億劫受罪出為畜生如斯人輩不信此經
自相謂言此經非佛所說魔所說耳便相告
語樊燒此經竟共破壞如斯人輩增益惡
道千劫万劫終无有得復人身持諸三昧經何
斯復聞唯有須陁洹人乃至十住菩薩當信
此經流通此經佛告阿難此經出時當衆法
明持白衣賢者生天无量受道方億當有出
家比丘比丘尼甚不精進多貪財物聚積槃
皁多作生業養育畜生常與獨師婬女國主
沽酒屠兒魁膾以為親友如斯人輩永不見

BD02380 號　觀世音三昧經　（10–5）

明持白衣賢者生天无量受道方億當有出
家比丘比丘尼甚不精進多貪財物聚積槃
皁多作生業養育畜生常與獨師婬女國主
沽酒屠兒魁膾以為親友如斯人輩永不見
佛若能讀誦受持斯經者其罪漸漸自然
滅盡若不讀此經必當墮惡道尒時世尊即
以偈言

佛告阿難叵思議　光明甚盛照十方
摧滅三界魔波旬　拔除苦惱觀世音
普現一切大神力　受持斯經讀誦持
不墮惡道離諸見　七日七夜菩薩現
手摩行人須上持　行人心中无有疑
掃地清淨嚴一房　思惟觀世音三昧經
即見十方如眼前　備足六通一時聞
受持斯經解苦空　觀三界裡明眼徹
永離苦難三惡道　讀誦斯經是真寶
除五蓋心離四魔　得離生死煩惱河
於持踊躍得身通　稽首礼佛觀世音
三昧方等度諸人　其不信者墮惡道
說此偈時有一樹　業如車輪枝敷茂
普覆十方蓋大千　葉中化佛異同音
其形甚好身紫金　演說法味義甚深
各各賫華下散佛　普及大衆觀世音

BD02380 號　觀世音三昧經　（10–6）

三昧方等度諸人　其不信者墮惡道
說此偈時有一樹　菓如車輪枝敷茂
普覆十方蓋大千　菓中化佛與同音
其形甚好身紫金　演說法味義甚深
各各齎華下散佛　普及大衆觀世音
作天伎樂出妙聲　於時十方佛來聽
魔王慈迫心中驚　釋迦如來乘空行
觀音菩薩即現身　於時大衆悟道真
度脫衆生果報因　同時讚歎哉佛
現金色身作十力　行人脩道得如是
阿難稽首過去佛　於先滅度今以出
号觀世音大菩薩　稽首無上天中天
大勢甚薩觀世音　能度十方皆難人
我今稽首難思議　普現十方魔皆知
破壞魔宮碎殿時　是故稽首正法王
哀哉無量事難當　拔地獄皆生天堂
今故稽首現世間　威神無量淨國主
得離衆來生死苦
尒時佛告阿難汝當受持此經開化聾盲使
得聞見必得悟道若人能受持此經當得五
種果報何等為五一者離生死苦滅煩惱賊
二者常與十方諸佛同生一處出即隨出滅
則隨滅生生之處不離佛邊三者弥勒出世
之時常為三會初首四者不墮惡道地獄餓

BD02380號　觀世音三昧經　（10–7）

得聞見必得悟道若人能受持此經當得五
種果報何等為五一者離生死苦滅煩惱賊
二者常與十方諸佛同生一處出即隨出滅
則隨滅生生之處不離佛邊三者弥勒出世
之時常為三會初首四者不墮惡道地獄餓
鬼畜生阿脩羅中五者生處常值淨妙國
土是為五種果報
佛告阿難世有五種人不得成佛一者邊地
國王常懷怨惡與裏相罰國國相自鬪戰
共相殺害晝夜思惟念欲相欺以是之故常
生難處二者旃陁羅人心中常念食噉人血
行於塚間覓人死屍無時停息三者破戒比丘
及比丘尼於佛法中是破戒賊心懷嫉妬加
誹他人狂生是非自稱譽好道他人惡見善
不說自惡不道稽無一念心生悔情四者多
婬之人不避親疏道俗尊卑晝夜思念無時
停息無有一念衆善法五者出家還俗
毀壞道法向世間人稱說言語道佛無聖佛無
神力佛不能得度人脩毀謗故墮惡道中經
歷諸趣常懷苦惱若能受持觀世音三昧經
者改往脩來受持斯經七日七夜讀誦通利
衆罪消盡如向果報復能終身行道習誦
斯經未曾廢忘若有忘失我於夢中即教此
令人得故即說偈言

BD02380號　觀世音三昧經　（10–8）

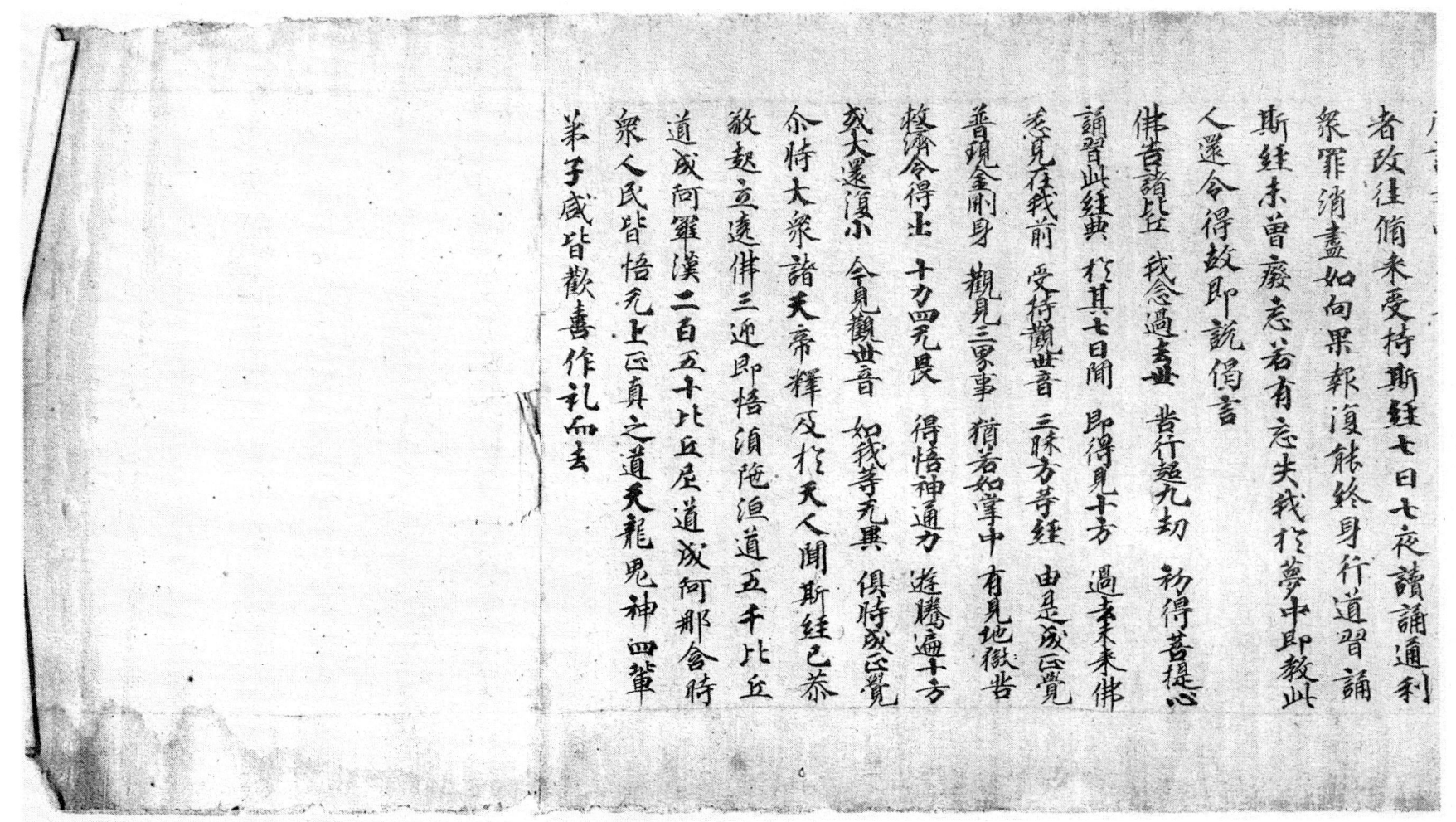

者孜往脩來受持斯經七日七夜讀誦通利
衆罪消盡如向果報復能終身行道習誦
斯經未曾癈忘若有忘失我於夢中即教此
人還令得故即說偈言
佛告諸比丘　我念過去世　昔行超九劫　初得菩提心
誦習此經典　於其七日間　即得見十方　過去未來佛
悉見在我前　受持觀世音　三昧方等經　由是成正覺
普現金剛身　觀見三界事　猶若如掌中　有見地獄苦
救濟令得出　十力四无畏　得悟神通力　遊騰遍十方
成大還復小　今見觀世音　如我等无異　俱時成正覺
尒時大衆諸天帝釋及於天人聞斯經已恭
敬起立遶佛三匝即悟須陁洹道五千比丘
道成阿羅漢二百五十比丘足道成阿那含時
衆人民皆悟无上正真之道天龍鬼神四輩
弟子咸皆歡喜作礼而去

BD02380 號　觀世音三昧經　（10–9）

成大還復小　今見觀世音　如我等无異　俱時成正覺
尒時大衆諸天帝釋及於天人聞斯經已恭
敬起立遶佛三匝即悟須陁洹道五千比丘
道成阿羅漢二百五十比丘足道成阿那含時
衆人民皆悟无上正真之道天龍鬼神四輩
弟子咸皆歡喜作礼而去

BD02380 號　觀世音三昧經　（10–10）

[無量]壽宗要經

[如是我聞一]時薄伽梵在舍衛國祇樹給孤獨園與大苾芻僧千二百五十人大菩薩摩訶

[illegible]童子上方有世界名无量功德聚彼土有佛號无量智決定王如來阿羅

[illegible]

[illegible]

[illegible]

[illegible]

[illegible]

南謨薄伽勃底 阿波唎蜜多 阿喻紇硯娜 須毗你志指陀 囉佐耶 怛他羯他耶 怛姪他 唵 薩婆桑悉迦囉

波唎輸底 達磨底 伽伽娜 莎訶莫揭底 薩婆娑毗秫底 摩訶娜耶 波唎婆唎 莎訶

世尊復告曼殊室利如是如來一百八名號若有自書或使人書為經卷受持讀誦如是人命盡復滿百年壽[illegible]此

[illegible]无量福報世界无量壽宗陀羅尼曰

南謨薄伽勃底 阿波唎蜜多 阿喻紇硯娜 須毗你志指陀 囉佐耶 怛他羯他耶 怛姪他 唵 薩婆桑悉迦囉

波唎輸底 達磨底 伽伽娜 莎訶莫揭底 薩婆娑毗秫底 摩訶娜耶 波唎婆唎 莎訶

尒時復有九十九殑伽佛一時同聲說是无量壽宗要經陀羅尼曰

南謨薄伽勃底 阿波唎蜜多 阿喻紇硯娜 須毗你志指陀 囉佐耶 怛他羯他耶 怛姪他 唵 薩婆桑悉迦囉

波唎輸底 達磨底 伽伽娜 莎訶莫揭底 薩婆娑毗秫底 摩訶娜耶 波唎婆唎 莎訶

尒時復有一百四殑伽佛一時同聲說是无量壽宗要經陀羅尼曰

[南謨薄伽勃]底 阿波唎蜜多 阿喻紇硯娜 須毗你志指陀 囉佐耶 怛他羯他耶 怛姪他 唵 薩婆桑悉迦囉

波唎輸底 達磨底 伽伽娜 莎訶莫揭底 薩婆娑毗秫底 摩訶娜耶 波唎婆唎 莎訶

尒時復有七殑伽佛一時同聲說是无量壽宗要經陀羅尼曰

[南謨薄伽勃底] 阿波唎蜜多 阿喻紇硯娜 須毗你志指陀 囉佐耶 怛他羯他耶 怛姪他 唵 薩婆桑悉迦囉

BD02381號　無量壽宗要經

（5–1）

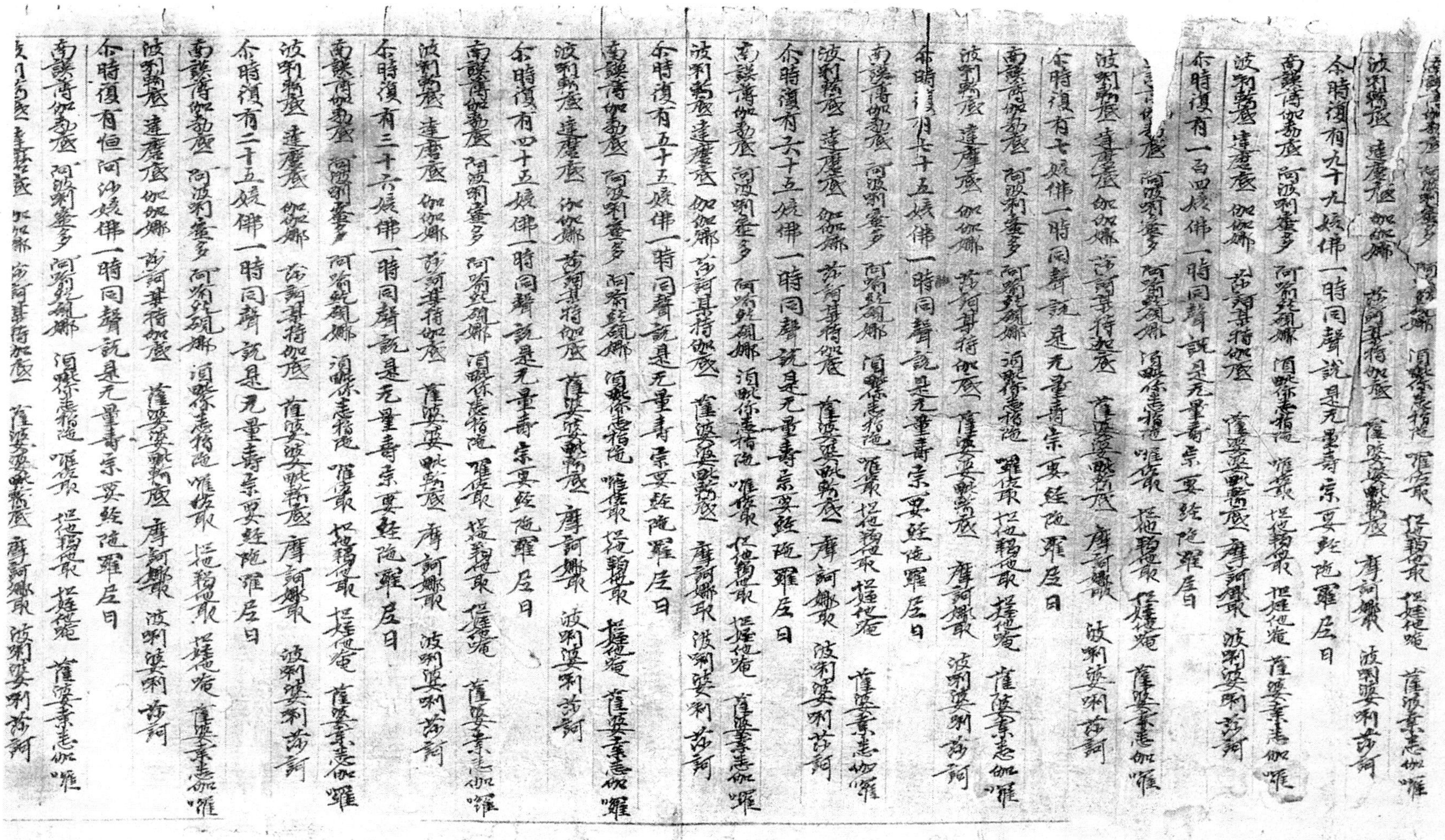

[illegible]

波唎輸底 達磨底 伽伽娜 莎訶莫揭底 薩婆娑毗秫底 摩訶娜耶 波唎婆唎 莎訶

尒時復有九十九殑伽佛一時同聲說是无量壽宗要經陀羅尼曰

南謨薄伽勃底 阿波唎蜜多 阿喻紇硯娜 須毗你志指陀 囉佐耶 怛他羯他耶 怛姪他 唵 薩婆桑悉迦囉

波唎輸底 達磨底 伽伽娜 莎訶莫揭底 薩婆娑毗秫底 摩訶娜耶 波唎婆唎 莎訶

尒時復有一百四殑伽佛一時同聲說是无量壽宗要經陀羅尼曰

[南謨薄伽]勃底 阿波唎蜜多 阿喻紇硯娜 須毗你志指陀 囉佐耶 怛他羯他耶 怛姪他 唵 薩婆桑悉迦囉

波唎輸底 達磨底 伽伽娜 莎訶莫揭底 薩婆娑毗秫底 摩訶娜耶 波唎婆唎 莎訶

尒時復有七殑伽佛一時同聲說是无量壽宗要經陀羅尼曰

南謨薄伽勃底 阿波唎蜜多 阿喻紇硯娜 須毗你志指陀 囉佐耶 怛他羯他耶 怛姪他 唵 薩婆桑悉迦囉

波唎輸底 達磨底 伽伽娜 莎訶莫揭底 薩婆娑毗秫底 摩訶娜耶 波唎婆唎 莎訶

尒時復有七十五殑伽佛一時同聲說是无量壽宗要經陀羅尼曰

南謨薄伽勃底 阿波唎蜜多 阿喻紇硯娜 須毗你志指陀 囉佐耶 怛他羯他耶 怛姪他 唵 薩婆桑悉迦囉

波唎輸底 達磨底 伽伽娜 莎訶莫揭底 薩婆娑毗秫底 摩訶娜耶 波唎婆唎 莎訶

尒時復有六十五殑伽佛一時同聲說是无量壽宗要經陀羅尼曰

南謨薄伽勃底 阿波唎蜜多 阿喻紇硯娜 須毗你志指陀 囉佐耶 怛他羯他耶 怛姪他 唵 薩婆桑悉迦囉

波唎輸底 達磨底 伽伽娜 莎訶莫揭底 薩婆娑毗秫底 摩訶娜耶 波唎婆唎 莎訶

尒時復有五十五殑伽佛一時同聲說是无量壽宗要經陀羅尼曰

南謨薄伽勃底 阿波唎蜜多 阿喻紇硯娜 須毗你志指陀 囉佐耶 怛他羯他耶 怛姪他 唵 薩婆桑悉迦囉

波唎輸底 達磨底 伽伽娜 莎訶莫揭底 薩婆娑毗秫底 摩訶娜耶 波唎婆唎 莎訶

尒時復有四十五殑伽佛一時同聲說是无量壽宗要經陀羅尼曰

南謨薄伽勃底 阿波唎蜜多 阿喻紇硯娜 須毗你志指陀 囉佐耶 怛他羯他耶 怛姪他 唵 薩婆桑悉迦囉

波唎輸底 達磨底 伽伽娜 莎訶莫揭底 薩婆娑毗秫底 摩訶娜耶 波唎婆唎 莎訶

尒時復有三十六殑伽佛一時同聲說是无量壽宗要經陀羅尼曰

南謨薄伽勃底 阿波唎蜜多 阿喻紇硯娜 須毗你志指陀 囉佐耶 怛他羯他耶 怛姪他 唵 薩婆桑悉迦囉

波唎輸底 達磨底 伽伽娜 莎訶莫揭底 薩婆娑毗秫底 摩訶娜耶 波唎婆唎 莎訶

尒時復有二十五殑伽佛一時同聲說是无量壽宗要經陀羅尼曰

南謨薄伽勃底 阿波唎蜜多 阿喻紇硯娜 須毗你志指陀 囉佐耶 怛他羯他耶 怛姪他 唵 薩婆桑悉迦囉

波唎輸底 達磨底 伽伽娜 莎訶莫揭底 薩婆娑毗秫底 摩訶娜耶 波唎婆唎 莎訶

尒時復有恒河沙殑伽佛一時同聲說是无量壽宗要經陀羅尼曰

南謨薄伽勃底 阿波唎蜜多 阿喻紇硯娜 須毗你志指陀 囉佐耶 怛他羯他耶 怛姪他 唵 薩婆桑悉迦囉

波唎輸底 達磨底 伽伽娜 莎訶莫揭底 薩婆娑毗秫底 摩訶娜耶 波唎婆唎 莎訶

BD02381號　無量壽宗要經

（5–2）

爾時復有二十五俱胝佛一時同聲說是无量壽宗要經陁羅尼曰
南謨薄伽勃底 阿波唎蜜多 阿喻紇硯那 須毗你悉指陀 囉佐耶 怛他羯他耶 怛姪他唵 薩婆桑悉迦囉
波唎輸底 達磨底 伽伽那 莎訶娑謨伽底 薩婆婆毗輸底 摩訶娜耶 波唎婆唎 莎訶
爾時復有恒河沙殑佛一時同聲說是无量壽宗要經陁羅尼曰
南謨薄伽勃底 阿波唎蜜多 阿喻紇硯那 須毗你悉指陀 囉佐耶 怛他羯他耶 怛姪他唵 薩婆桑悉迦囉
波唎輸底 達磨底 伽伽那 莎訶娑謨伽底 薩婆婆毗輸底 摩訶娜耶 波唎婆唎 莎訶
善男子若有自書寫教人書寫是无量壽宗要經如其命盡復滿百年陁羅尼曰
南謨薄伽勃底 阿波唎蜜多 阿喻紇硯那 須毗你悉指陀 囉佐耶 怛他羯他耶 怛姪他唵 薩婆桑悉迦囉
波唎輸底 達磨底 伽伽那 莎訶娑謨伽底 薩婆婆毗輸底 摩訶娜耶 波唎婆唎 莎訶
若有自書寫教人書寫是无量壽宗要經讀誦受持畢竟不墮地獄畜生閻羅王界餓鬼之中陁羅尼曰
南謨薄伽勃底 阿波唎蜜多 阿喻紇硯那 須毗你悉指陀 囉佐耶 怛他羯他耶 怛姪他唵 薩婆桑悉迦囉
波唎輸底 達磨底 伽伽那 莎訶娑謨伽底 薩婆婆毗輸底 摩訶娜耶 波唎婆唎 莎訶
若有自書寫教人書寫是无量壽宗要經讀誦如同八万四千一切經典陁羅尼曰
南謨薄伽勃底 阿波唎蜜多 阿喻紇硯那 須毗你悉指陀 囉佐耶 怛他羯他耶 怛姪他唵 薩婆桑悉迦囉
波唎輸底 達磨底 伽伽那 莎訶娑謨伽底 薩婆婆毗輸底 摩訶娜耶 波唎婆唎 莎訶
若有自書寫教人書寫是无量壽宗要經如書寫八万四千部建立塔廟陁羅尼曰
南謨薄伽勃底 阿波唎蜜多 阿喻紇硯那 須毗你悉指陀 囉佐耶 怛他羯他耶 怛姪他唵 薩婆桑悉迦囉
波唎輸底 達磨底 伽伽那 莎訶娑謨伽底 薩婆婆毗輸底 摩訶娜耶 波唎婆唎 莎訶
若有自書寫教人書寫是无量壽宗要經能消五无間等一切重罪陁羅尼曰
南謨薄伽勃底 阿波唎蜜多 阿喻紇硯那 須毗你悉指陀 囉佐耶 怛他羯他耶 怛姪他唵 薩婆桑悉迦囉
波唎輸底 達磨底 伽伽那 莎訶娑謨伽底 薩婆婆毗輸底 摩訶娜耶 波唎婆唎 莎訶
若有自書寫教人書寫是无量壽宗要經受持讀誦者有重罪積如須弥盡能(消)除滅陁羅尼曰
南謨薄伽勃底 阿波唎蜜多 阿喻紇硯那 須毗你悉指陀 囉佐耶 怛他羯他耶 怛姪他唵 薩婆桑悉迦囉
波唎輸底 達磨底 伽伽那 莎訶娑謨伽底 薩婆婆毗輸底 摩訶娜耶 波唎婆唎 莎訶
若有自書寫教人書寫是无量壽宗要經受持讀誦若魔〻之眷屬夜叉羅刹不得其便終无枉死陁羅尼曰
南謨薄伽勃底 阿波唎蜜多 阿喻紇硯那 須毗你悉指陀 囉佐耶 怛他羯他耶 怛姪他唵 薩婆桑悉迦囉
波唎輸底 達磨底 伽伽那 莎訶娑謨伽底 薩婆婆毗輸底 摩訶娜耶 波唎婆唎 莎訶
若有自書寫教人書寫是无量壽宗要經受持讀誦當命終時有九十九億佛現其人前來一佛授手能遊
一切佛刹莫於此經生於疑惑陁羅尼曰
南謨薄伽勃底 阿波唎蜜多 阿喻紇硯那 須毗你悉指陀 囉佐耶 怛他羯他耶 怛姪他唵 薩婆桑悉迦囉
波唎輸底 達磨底 伽伽那 莎訶娑謨伽底 薩婆婆毗輸底 摩訶娜耶 波唎婆唎 莎訶
若有自書寫教人書寫是无量壽宗要經受持讀誦常得四天大王隨其衛護陁羅尼曰

BD02381號　無量壽宗要經　（5-3）

[illegible]
若有自書寫教人書寫是无量壽宗要經受持讀誦當命終時有九十九億佛現其人前來一佛授手能遊
一切佛刹莫於此經生於疑惑陁羅尼曰
南謨薄伽勃底 阿波唎蜜多 阿喻紇硯那 須毗你悉指陀 囉佐耶 怛他羯他耶 怛姪他唵 薩婆桑悉迦囉
波唎輸底 達磨底 伽伽那 莎訶娑謨伽底 薩婆婆毗輸底 摩訶娜耶 波唎婆唎 莎訶
若有自書寫教人書寫是无量壽宗要經受持讀誦常得四天大王隨其衛護陁羅尼曰
南謨薄伽勃底 阿波唎蜜多 阿喻紇硯那 須毗你悉指陀 囉佐耶 怛他羯他耶 怛姪他唵 薩婆桑悉迦囉
波唎輸底 達磨底 伽伽那 莎訶娑謨伽底 薩婆婆毗輸底 摩訶娜耶 波唎婆唎 莎訶
若有自書寫教人書寫是无量壽宗要經受持讀誦當得往生西方極樂世界阿弥陁淨土陁羅尼曰
南謨薄伽勃底 阿波唎蜜多 阿喻紇硯那 須毗你悉指陀 囉佐耶 怛他羯他耶 怛姪他唵 薩婆桑悉迦囉
波唎輸底 達磨底 伽伽那 莎訶娑謨伽底 薩婆婆毗輸底 摩訶娜耶 波唎婆唎 莎訶
若有自書寫教人書寫是无量壽宗要經典之處即為是塔皆應恭敬作礼若是畜生禽獸為鳥獸聞
是經如是等類皆當不久得成一切陁羅尼曰
南謨薄伽勃底 阿波唎蜜多 阿喻紇硯那 須毗你悉指陀 囉佐耶 怛他羯他耶 怛姪他唵 薩婆桑悉迦囉
波唎輸底 達磨底 伽伽那 莎訶娑謨伽底 薩婆婆毗輸底 摩訶娜耶 波唎婆唎 莎訶
若有能於是无量壽經自書寫若使人書畢竟不受女人之身陁羅尼曰
南謨薄伽勃底 阿波唎蜜多 阿喻紇硯那 須毗你悉指陀 囉佐耶 怛他羯他耶 怛姪他唵 薩婆桑悉迦囉
波唎輸底 達磨底 伽伽那 莎訶娑謨伽底 薩婆婆毗輸底 摩訶娜耶 波唎婆唎 莎訶
若有能於是經少分能惠施者等於三千大千世界中七寶布施陁羅尼曰
南謨薄伽勃底 阿波唎蜜多 阿喻紇硯那 須毗你悉指陀 囉佐耶 怛他羯他耶 怛姪他唵 薩婆桑悉迦囉
波唎輸底 達磨底 伽伽那 莎訶娑謨伽底 薩婆婆毗輸底 摩訶娜耶 波唎婆唎 莎訶
若有能於供養是經則是供養一切諸經等无有異陁羅尼曰
南謨薄伽勃底 阿波唎蜜多 阿喻紇硯那 須毗你悉指陀 囉佐耶 怛他羯他耶 怛姪他唵 薩婆桑悉迦囉
波唎輸底 達磨底 伽伽那 莎訶娑謨伽底 薩婆婆毗輸底 摩訶娜耶 波唎婆唎 莎訶
若有人以七寶供養如是七佛其福不可限量書寫是无量壽經典所有功德不可限量陁羅尼曰
如是毗婆尸佛 尸棄佛 俱舍浮佛 俱留孫佛 俱那含牟尼佛 迦葉佛 釋迦牟尼佛
南謨薄伽勃底 阿波唎蜜多 阿喻紇硯那 須毗你悉指陀 囉佐耶 怛他羯他耶 怛姪他唵 薩婆桑悉迦囉
波唎輸底 達磨底 伽伽那 莎訶娑謨伽底 薩婆婆毗輸底 摩訶娜耶 波唎婆唎 莎訶
若有七寶於須弥山用布施其福上能知其限量是无量壽經典其福不可知其數陁羅尼曰
南謨薄伽勃底 阿波唎蜜多 阿喻紇硯那 須毗你悉指陀 囉佐耶 怛他羯他耶 怛姪他唵 薩婆桑悉迦囉
波唎輸底 達磨底 伽伽那 莎訶娑謨伽底 薩婆婆毗輸底 摩訶娜耶 波唎婆唎 莎訶
如是四大海水可知滴數是无量壽經典所生果報不可數量陁羅尼曰

BD02381號　無量壽宗要經　（5-4）

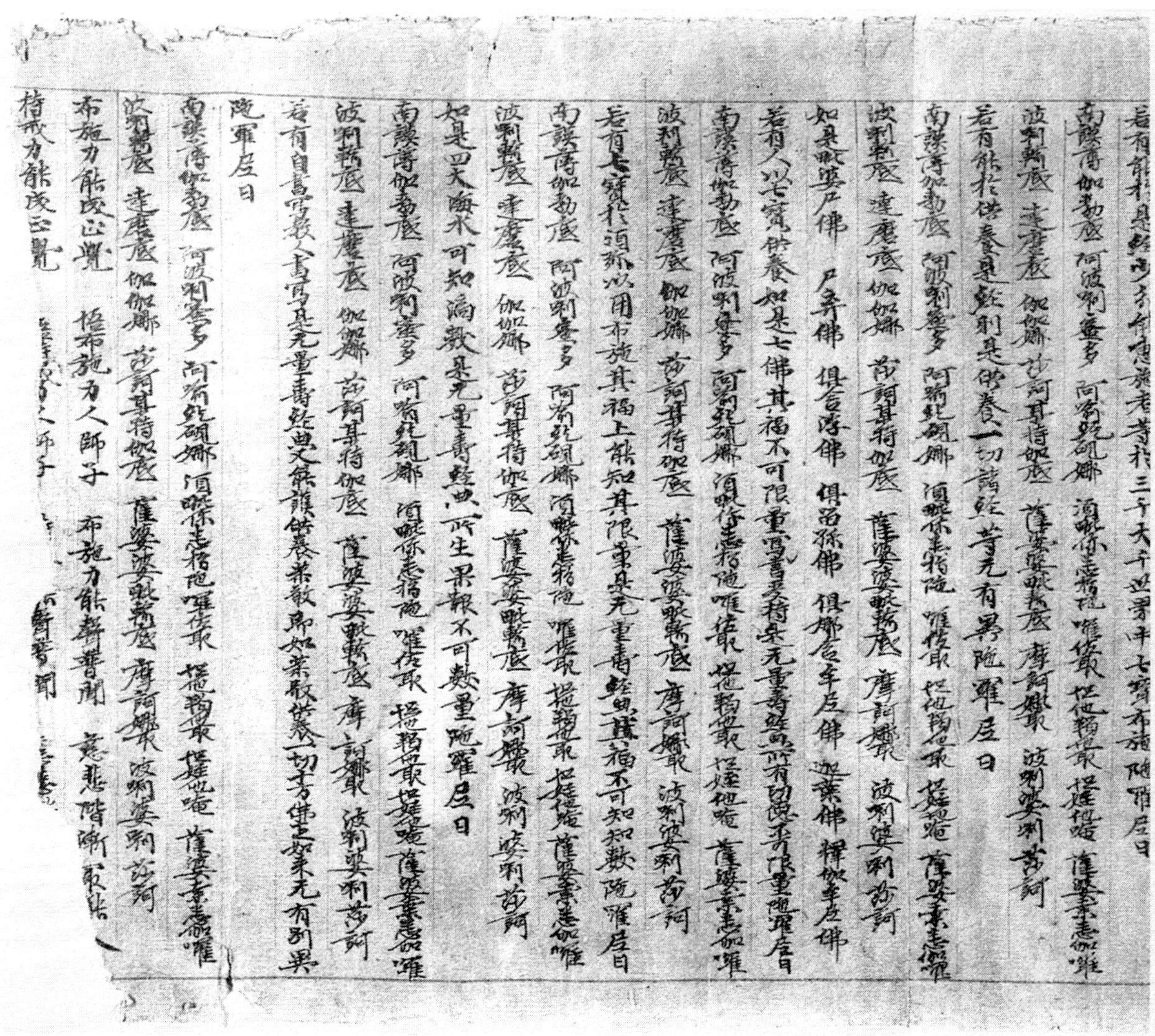

若有能於是經少分布施者等於三千大千世界中七寶布施陁羅尼曰
南謨薄伽勃底 阿波唎蜜多 阿喻紇硯娜 須毗你悉指陁 囉佐耶 怛他羯他耶 怛姪他 唵 薩婆桑悉迦囉
波唎輸底 達磨底 伽伽娜 莎訶娑謨伽底 薩婆婆毗輸底 摩訶娜耶 波唎婆唎 莎訶
若有能於供養是經則是供養一切諸經 等无有異 陁羅尼曰
南謨薄伽勃底 阿波唎蜜多 阿喻紇硯娜 須毗你悉指陁 囉佐耶 怛他羯他耶 怛姪他 唵 薩婆桑悉迦囉
波唎輸底 達磨底 伽伽娜 莎訶娑謨伽底 薩婆婆毗輸底 摩訶娜耶 波唎婆唎 莎訶
如是毗婆尸佛 尸棄佛 毗舍浮佛 俱留孫佛 俱那含牟尼佛 迦葉佛 釋迦牟尼佛
若有人以七寶供養如是七佛其福不可限量書寫是无量壽經所有功德不可限量陁羅尼曰
南謨薄伽勃底 阿波唎蜜多 阿喻紇硯娜 須毗你悉指陁 囉佐耶 怛他羯他耶 怛姪他 唵 薩婆桑悉迦囉
波唎輸底 達磨底 伽伽娜 莎訶娑謨伽底 薩婆婆毗輸底 摩訶娜耶 波唎婆唎 莎訶
若有七寶於須彌以用布施其福上能知其限量是无量壽經典其福不可知知數陁羅尼曰
南謨薄伽勃底 阿波唎蜜多 阿喻紇硯娜 須毗你悉指陁 囉佐耶 怛他羯他耶 怛姪他 唵 薩婆桑悉迦囉
波唎輸底 達磨底 伽伽娜 莎訶娑謨伽底 薩婆婆毗輸底 摩訶娜耶 波唎婆唎 莎訶
如是四大海水可知滴數是无量壽經典所生果報不可數量陁羅尼曰
南謨薄伽勃底 阿波唎蜜多 阿喻紇硯娜 須毗你悉指陁 囉佐耶 怛他羯他耶 怛姪他 唵 薩婆桑悉迦囉
波唎輸底 達磨底 伽伽娜 莎訶娑謨伽底 薩婆婆毗輸底 摩訶娜耶 波唎婆唎 莎訶
若有自書寫教人書寫是无量壽經典又能護供養恭敬即如來敬供養一切十方佛土如來无有別異
陁羅尼曰
南謨薄伽勃底 阿波唎蜜多 阿喻紇硯娜 須毗你悉指陁 囉佐耶 怛他羯他耶 怛姪他 唵 薩婆桑悉迦囉
波唎輸底 達磨底 伽伽娜 莎訶娑謨伽底 薩婆婆毗輸底 摩訶娜耶 波唎婆唎 莎訶
布施力能成正覺 悟布施力人師子 布施力能聲普聞 慈悲階漸取[illegible]
持戒力能成正覺 [illegible]人師子 [illegible]聲普聞 [illegible]

BD02381號　無量壽宗要經　（5–5）

[illegible]春[illegible]
[illegible]金金若如
沈江阿郎阿之阿孃江來[illegible] 今令師緋 金金金[illegible]
辛巳年五月八日立契洪池鄉百姓何通子為緣家中
常無物用經求無地獲說[illegible]遂將腹生男善
宗只典与相身

BD02381號背　辛巳年何通子典兒契稿（擬）　（1–1）

微塵如来說世界非世界是名世界須菩提
於意云何可以卅二相見如来不不也世尊
何以故如来說卅二相即是非相是名卅二
相
須菩提若有善男子善女人以恒河沙等身
命布施若復有人於此經中乃至受持四句
偈等為他人說其福甚多
尒時須菩提聞說是經深解義趣涕淚悲泣
而白佛言希有世尊佛說如是甚深經典我
從昔来所得慧眼未曾得聞如是之經世尊
若復有人得聞是經信心清淨則生實相當
知是人成就第一希有功德世尊是實相者
則是非相是故如来說名實相世尊我今得
聞如是經典信解受持不足為難若當来世
後五百歲其有衆生得聞是經信解受持是
人則為第一希有何以故此人无我相人相
衆生相壽者相所以者何我相即是非相人
相衆生相壽者相即是非相何以故離一切
諸相則名諸佛佛告須菩提如是如是若復
有人得聞是經不驚不怖不畏當知是人甚

BD02382號　金剛般若波羅蜜經　（3–1）

後五百歲其有衆生得聞是經信解受持是
人則為第一希有何以故此人无我相人相
衆生相壽者相所以者何我相即是非相人
相衆生相壽者相即是非相何以故離一切
諸相則名諸佛佛告須菩提如是如是若復
有人得聞是經不驚不怖不畏當知是人甚
為希有何以故須菩提如来說第一波羅蜜
非第一波羅蜜是名第一波羅蜜
須菩提忍辱波羅蜜如来說非忍辱波羅蜜
何以故須菩提如我昔為歌利王割截身體
我於尒時无我相无人相无衆生相无壽者
相何以故我於往昔節節支解時若有我相
人相衆生相壽者相應生瞋恨須菩提又念
過去於五百世作忍辱仙人於尒所世无我
相无人相无衆生相无壽者相是故須菩提
菩薩應離一切相發阿耨多羅三藐三菩提
心不應住色生心不應住聲香味觸法生心
應生无所住心若心有住則為非住是故佛
說菩薩心不應住色布施
須菩提菩薩為利益一切衆生應如是布施
如来說一切諸相即是非相又說一切衆生
則非衆生須菩提如来是真語者實語者如
語者不誑語者不異語者須菩提如来所得
法此法无實无虛
須菩提若菩薩心住於法而行布施如人入
闇則无所見若菩薩心不住法而行布施如
人有目日光明照見種種色

BD02382號　金剛般若波羅蜜經　（3–2）

[illegible]
則非衆生須菩提如來是真語者實語者如
語者不誑語者不異語者須菩提如來所得
法此法无實无虛
須菩提若菩薩心住於法而行布施如人入
闇則无所見若菩薩心不住法而行布施如
人有目日光明照見種種色
須菩提當來之世若有善男子善女人能於
此經受持讀誦則為如來以佛智慧悉知是
人悉見是人皆得成就无量无邊功德須菩
提若有善男子善女人初日分以恒河沙等
身布施中日分復以恒河沙等身布施後日
分亦以恒河沙等身布施如是无量百千万
億劫以身布施若復有人聞此經典信心不
逆其福勝彼何況書寫受持讀誦為人解說
須菩提以要言之是經有不可思議不可稱
量无邊功德如來為發大乘者說為發最上
乘者說若有人能受持讀誦廣為人說如來
悉知是人悉見是人皆成就不可量不可稱
无有邊不可思議功德如是人等則為荷擔
如來阿耨多羅三藐三菩提何以故須菩提
若樂小法者著我見人見衆生見壽者見
[illegible]讀誦為人解

BD02382 號　金剛般若波羅蜜經　（3–3）

[illegible]若
[illegible]波具壽摩
[illegible]螺
[illegible]子大目乾連
[illegible]
阿難陀住於學地如是等諸大聲聞各於
晡時從定而起往詣佛所頂禮佛足右繞三
匝退坐一面
復有菩薩摩訶薩百千万億俱有大威德
如大龍王名稱普聞衆所知識施戒清淨常
樂奉持忍行精勤經无量劫超諸靜慮繫念
現前開闡慧門善脩方便自在遊戲微妙神
通逮得揔持辯才無盡斷諸煩惱累染皆已
不久當成一切種智降魔軍衆而擊法鼓制
諸外道令起淨心轉妙法輪度人天衆十方
佛土悉已莊嚴六趣有情無不蒙益成就大
智具足大忍住大慈悲心有大堅固力歷事
諸佛不般涅槃發弘誓心盡未來際廣於佛
[illegible]

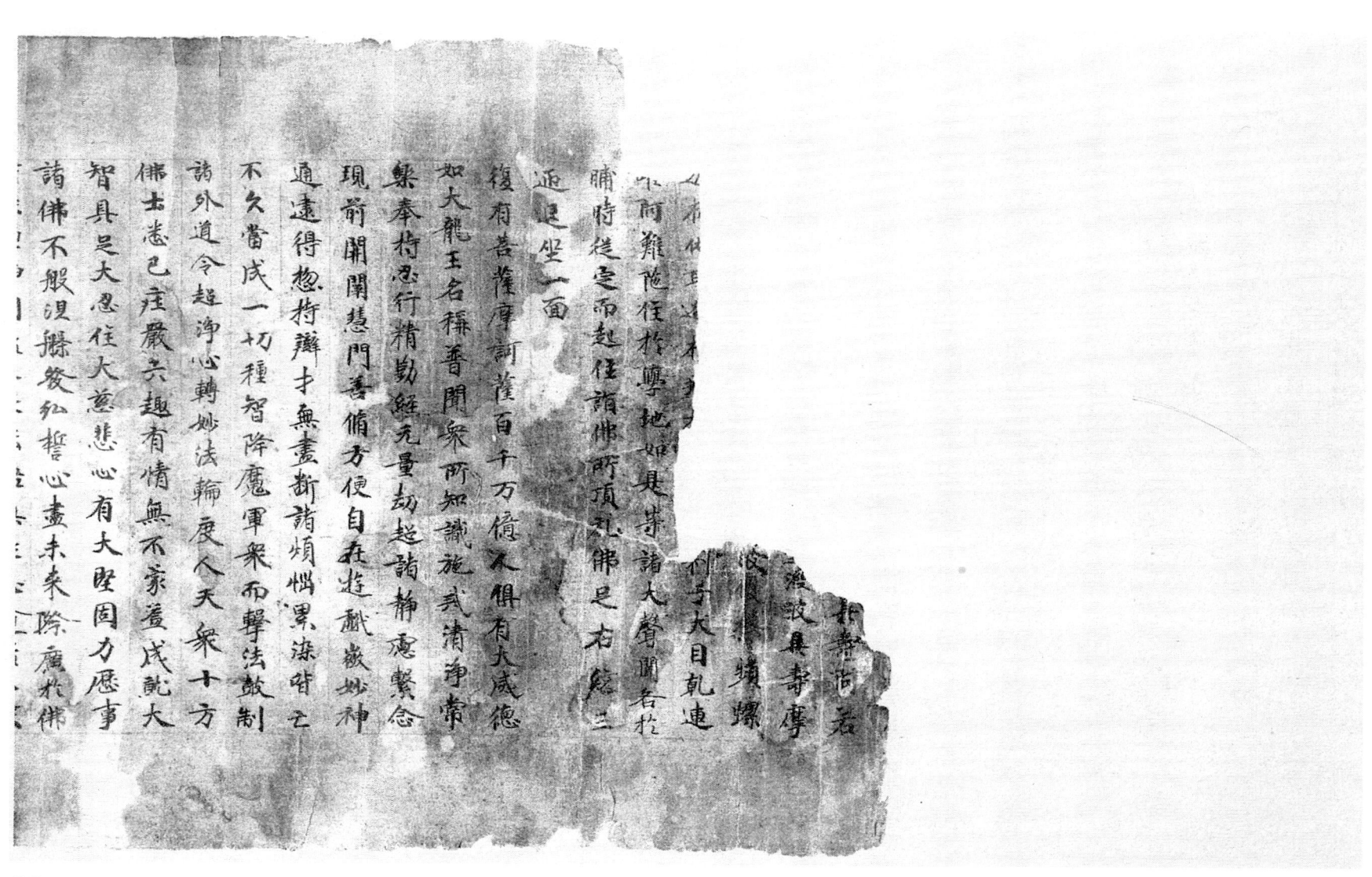

BD02383 號　金光明最勝王經卷一　（4–1）

諸外道令趣淨心轉妙法輪度人天衆十方
佛土悉已莊嚴六趣有情無不蒙益成就大
智具足大忍住大慈悲心有大堅固力歷事
諸佛不般涅槃發弘誓心盡未來際廣於佛
所深種淨因於三世法悟無生忍逾於二乘
所行境界以大善巧化諸世間於大師教能敷
演秘密之法甚深空性皆已了知無復疑惑
其名曰無障礙轉法輪菩薩常發心轉法輪
菩薩常精進菩薩不休息菩薩慈氏菩薩妙
吉祥菩薩觀自在菩薩總持自在王菩薩大
辯莊嚴王菩薩妙高山王菩薩大海深王菩薩
寶幢菩薩大寶幢菩薩地藏菩薩虛空藏
菩薩寶手自在菩薩金剛手菩薩歡喜力菩
大法力菩薩大莊嚴光菩薩大金光莊嚴菩
薩淨戒菩薩常定菩薩極清淨慧菩薩堅固
精進菩薩心如虛空菩薩不斷大願菩薩施
藥菩薩療諸煩惱病菩薩醫王菩薩歡喜
高王菩薩得上授記菩薩大雲淨光菩薩大雲
持法菩薩大雲名稱喜樂菩薩大雲現無邊
稱菩薩大雲師子吼菩薩大雲牛王吼菩薩
大雲吉祥菩薩大雲寶德菩薩大雲日藏菩
薩大雲月藏菩薩大雲星光菩薩大雲火光
菩薩大雲電光菩薩大雲雷音菩薩大雲慧
雨充遍菩薩大雲清淨雨王菩薩大雲花樹
王菩薩大雲青蓮花香菩薩大雲寶栴檀香
清涼身菩薩大雲除闇菩薩大雲破翳菩薩
如是等無量大菩薩衆各於晡時從定而起
往詣佛所頂礼佛足右繞三匝退坐一面

雨充遍菩薩大雲清淨雨王菩薩大雲花樹
王菩薩大雲青蓮花香菩薩大雲寶栴檀香
清涼身菩薩大雲除闇菩薩大雲破翳菩薩
如是等無量大菩薩衆各於晡時從定而起
往詣佛所頂礼佛足右繞三匝退坐一面
復有梨車毗童子五億八千人其名曰師子光童
子師子慧童子法授童子因陀羅授童子大
光童子大猛童子佛護童子法護童子僧護
童子金剛護童子虛空護童子虛空吼童子
寶藏童子吉祥妙藏童子如是等人而為上
首悉皆安住無上菩提於大乘中深信歡喜
各於晡時往詣佛所頂礼佛足右繞三匝退
坐一面
復有四万二千天子其名曰喜見天子喜悅
天子日光天子月髻天子明慧天子虛空淨
慧天子除煩惱天子吉祥天子如是等天而
為上首皆發弘願護持大乘紹隆正法能使
不絕各於晡時往詣佛所頂礼佛足右繞三
匝退坐一面
復有二万八千龍王蓮花龍王瑿羅葉龍王
大力龍王大吼龍王小波龍王持駃水龍王
金面龍王如意龍王是等龍王而為上首於
大乘法常樂受持發深信心稱揚擁護各於
晡時往詣佛所頂礼佛足右繞三匝退坐一面
復有三万六千諸藥叉衆毗沙門天王而為
上首其名曰菴婆藥叉持菴婆藥叉蓮花
光藏藥叉蓮花面藥叉頻眉藥叉現大怖藥叉

金面龍王如意龍王是等龍王而為上首於
大乘法常樂受持發深信心稱揚擁護各於
晡時往詣佛所頂礼佛足右繞三匝退坐一面
復有三万六千諸藥叉衆毗沙門天王而為
上首其名曰菴婆藥叉持菴婆藥叉蓮花
光藏藥叉蓮花面藥叉頻眉藥叉現大怖藥叉
動地藥叉吞食藥叉是等藥叉悉皆愛樂如
來正法深心護持不生疲懈各於晡時往詣
佛所頂礼佛足右繞三匝退坐一面
復有四万九千揭路荼王香象勢力王而為
上首及餘健闥婆阿蘇羅緊那羅莫呼洛伽
等山林河海一切神仙并諸大國所有王衆
中宮后妃淨信男女人天大衆悉皆雲集咸
願擁護無上大乘讀誦受持書寫流布各於
晡時往詣佛所頂礼佛足右繞三匝退坐一
面如是等聲聞菩薩人天大衆龍神八部既
雲集已各各至心合掌恭敬瞻仰尊容目未
曾捨願樂欲聞殊勝妙法尒時薄伽梵於日
晡時從定而起觀察大衆而說頌曰

BD02383號　金光明最勝王經卷一　（4–4）

復有
億劫說　能盡
若有所說皆不虛也於　法以智
演說之其所說法皆悉到於一切
觀知一切諸法之所歸趣亦知一切
心所行通達无礙又於諸法究盡明了
衆生一切智慧迦葉譬如三千大千世界山
川谿谷土地所生卉木叢林及諸藥草種類
若干名色各異密雲彌布遍覆三千大千世
界一時等澍其澤普洽卉木叢林及諸藥
草小根小莖小枝小葉中根中莖中枝中葉
大根大莖大枝大葉諸樹大小隨上中下各
有所受一雲所雨稱其種性而得生長華菓
敷實雖一地所生一雨所潤而諸草木各有
差別迦葉當知如來亦復如是出現於世如
大雲起以大音聲普遍世界天人阿脩羅如
彼大雲遍覆三千大千國土於大衆中而唱是
言我是如來應供正遍知明行足善逝世間
解无上士調御丈夫天人師佛世尊未度者

BD02384號　妙法蓮華經卷三　（8–1）

差別迦葉當知如來亦復如是出現於世如
大雲起以大音聲普遍世界天人阿脩羅如
彼大雲遍覆三千大千國土於大眾中而唱是
言我是如來應供正遍知明行足善逝世間
解无上士調御丈夫天人師佛世尊未度者
令度未解者令解未安者令安未涅槃者令
得涅槃今世後世如實知之我是一切知者
一切見者知道者開道者說道者汝等天人
阿脩羅眾皆應到此為聽法故尒時无數千
万億種眾生來至佛所而聽法如來于時觀
是眾生諸根利鈍精進懈怠隨其所堪而為
說法種種无量皆令歡喜快得善利是諸眾
生聞是法已現世安隱後生善處以道受樂
亦得聞法既聞法已離諸障礙於諸法中任
力所能漸得入道如彼大雲雨於一切卉木
叢林及諸藥草如其種性具足蒙潤各得
生長如來說法一相一味所謂解脫相離相
滅相究竟至於一切種智其有眾生聞如來
法若持讀誦如說脩行所得功德不自覺知所
以者何唯有如來知此眾生種相體性念何
事思何事脩何事云何念云何思云何脩以
何法念以何法思以何法脩以何法得何法
眾生住於種種之地唯有如來如實見之明
了无礙如彼卉木叢林諸藥草等而不自知
上中下性如來知是一相一味之法所謂解

BD02384號　妙法蓮華經卷三　（8–2）

何法念以何法思以何法脩以何法得何法
眾生住於種種之地唯有如來如實見之明
了无礙如彼卉木叢林諸藥草等而不自知
上中下性如來知是一相一味之法所謂解
脫相離相滅相究竟涅槃常寂滅相終歸於
空佛知是已觀眾生心欲而將護之是故不
即為說一切種智汝等迦葉甚為希有能知
如來隨宜說法能信能受所以者何諸佛世
尊隨宜說法難解難知尒時世尊欲重宣
此義而說偈言
破有法王　出現世間　隨眾生欲　種種說法
如來尊重　智慧深遠　久嘿斯要　不務速說
有智若聞　則能信解　无智疑悔　則為永失
是故迦葉　隨力為說　以種種緣　令得正見
迦葉當知　譬如大雲　起於世間　遍覆一切
惠雲含潤　電光晃曜　雷聲遠震　令眾悅豫
日光掩蔽　地上清涼　靉靆垂布　如可承攬
其雨普等　四方俱下　流澍无量　率土充洽
山川險谷　幽邃所生　卉木藥草　大小諸樹
百穀苗稼　甘蔗蒲桃　雨之所潤　无不豐足
乾地普洽　藥木並茂　其雲所出　一味之水
草木叢林　隨分受潤　一切諸樹　上中下等
稱其大小　各得生長　根莖枝葉　華菓光色
一雨所及　皆得鮮澤　如其體相　性分大小
所潤是一　而各滋茂　佛亦如是　出現於世

BD02384號　妙法蓮華經卷三　（8–3）

乾地普洽 藥木並茂 其雲所出 一味之水
草木叢林 隨分受潤 一切諸樹 上中下等
稱其大小 各得生長 根莖枝葉 華菓光色
一雨所及 皆得鮮澤 如其體相 性分大小
所潤是一 而各滋茂 佛亦如是 出現於世
譬如大雲 普覆一切 既出于世 為諸衆生
分別演說 諸法之實 大聖世尊 於諸天人
一切衆中 而宣是言 我為如來 兩足之尊
出于世間 猶如大雲 充潤一切 枯槁衆生
皆令離苦 得安隱樂 世間之樂 及涅槃樂
諸天人衆 一切善聽 皆應到此 覲无上尊
我為世尊 无能及者 安隱衆生 故現於世
為大衆說 甘露淨法 其法一味 解脫涅槃
以一妙音 演暢斯義 常為大乘 而作因緣
我觀一切 普皆平等 无有彼此 愛憎之心
我无貪著 亦无限礙 恒為一切 平等說法
如為一人 衆多亦然 常演說法 曾无他事
去來坐立 終不疲厭 充足世間 如雨普潤
貴賤上下 持戒毀戒 威儀具足 及不具足
正見耶見 利根鈍根 等雨法雨 而无懈惓
一切衆生 聞我法者 隨力所受 住於諸地
或處人天 轉輪聖王 釋梵諸王 是小藥草
知无漏法 能得涅槃 起六神通 及得三明
獨處山林 常行禪定 得緣覺證 是中藥草
求世尊處 我當作佛 行精進定 是上藥草

BD02384號　妙法蓮華經卷三　（8–4）

或處人天 轉輪聖王 釋梵諸王 是小藥草
知无漏法 能得涅槃 起六神通 及得三明
獨處山林 常行禪定 得緣覺證 是中藥草
求世尊處 我當作佛 行精進定 是上藥草
又諸佛子 專心佛道 常行慈悲 自知作佛
決定无疑 是名小樹 安住神通 轉不退輪
度无量億 百千衆生 如是菩薩 名為大樹
佛平等說 如一味雨 隨衆生性 所受不同
如彼草木 所稟各異 佛以此喻 方便開示
種種言辞 演說一法 於佛智慧 如海一渧
我雨法雨 充滿世間 一味之法 隨力脩行
如彼叢林 藥草諸樹 隨其大小 漸增茂好
諸佛之法 常以一味 令諸世間 普得具足
漸次脩行 皆得道果 聲聞緣覺 處於山林
住最後身 聞法得果 是名藥草 各得增長
若諸菩薩 智慧堅固 了達三界 求最上乘
是名小樹 而得增長 復有住禪 得神通力
聞諸法空 心大歡喜 放无數光 度諸衆生
是名大樹 而得增長 如是迦葉 佛所說法
譬如大雲 以一味雨 潤於人華 各得成實
迦葉當知 以諸因緣 種種譬喻 開示佛道
是我方便 諸佛亦然 今為汝等 說最實事
諸聲聞衆 皆非滅度 汝等所行 是菩薩道
漸漸脩學 悉當成佛

妙法蓮華經授記品第六

BD02384號　妙法蓮華經卷三　（8–5）

迦葉當知　以諸因緣　種種譬喻　開示佛道
是我方便　諸佛亦然　今為汝等　說㝡實事
諸聲聞衆　皆非滅度　汝等所行　是菩薩道
漸漸脩學　悉當成佛
妙法蓮華經授記品第六
尒時世尊說是偈已告諸大衆唱如是言我
此弟子摩訶迦葉於未來世當得奉覲三百
万億諸佛世尊供養恭敬尊重讚歎廣宣
諸佛无量大法於㝡後身得成為佛名曰光
明如來應供正遍知明行足善逝世間解无
上士調御丈夫天人師佛世尊國名光德劫名
大莊嚴佛壽十二小劫正法住世二十小劫
像法亦住二十小劫國界嚴飾无諸穢惡
瓦礫荊棘便利不淨其土平正无有高下坑
坎堆阜琉璃為地寶樹行列黃金為繩以界
道側散諸寶華周遍清淨其國菩薩无量
千億諸聲聞衆亦復无數无有魔事雖有
魔及魔民皆護佛法尒時世尊欲重宣此
義而說偈言
告諸比丘　我以佛眼　見是迦葉　於未來世
過无數劫　當得作佛　而於來世　供養奉覲
三百万億　諸佛世尊　為佛智慧　淨脩梵行
供養㝡上　二足尊已　脩習一切　无上之慧
於㝡後身　得成為佛　其土清淨　琉璃為地
多諸寶樹　行列道側　金繩界道　見者歡喜
常出好香　散衆名華　種種奇妙　以為莊嚴

BD02384號　妙法蓮華經卷三　（8–6）

告諸比丘　我以佛眼　見是迦葉　於未來世
過无數劫　當得作佛　而於來世　供養奉覲
三百万億　諸佛世尊　為佛智慧　淨脩梵行
供養㝡上　二足尊已　脩習一切　无上之慧
於㝡後身　得成為佛　其土清淨　琉璃為地
多諸寶樹　行列道側　金繩界道　見者歡喜
常出好香　散衆名華　種種奇妙　以為莊嚴
其地平正　无有丘坑　諸菩薩衆　不可稱計
其心調柔　逮大神通　奉持諸佛　大乘經典
諸聲聞衆　无漏後身　法王之子　亦不可計
乃以天眼　不能數知　其佛當壽　十二小劫
正法住世　二十小劫　像法亦住　二十小劫
光明世尊　其事如是
尒時大目揵連須菩提摩訶迦旃延等皆悉
悚慄一心合掌瞻仰世尊目不暫捨即共同
聲而說偈言
大雄猛世尊　諸釋之法王　哀愍我等故　而賜佛音聲
若知我深心　見為授記者　如以甘露灑　除熱得清涼
如從飢國來　忽遇大王饍　心猶懷疑懼　未敢即便食
若復得王教　然後乃敢食　我等亦如是　每惟小乘過
不知當云何　得佛无上慧　雖聞佛音聲　言我等作佛
心尚懷憂懼　如未敢便食　若蒙佛授記　尒乃快安樂
大雄猛世尊　常欲安世間　願賜我等記　如飢須教食
尒時世尊知諸大弟子心之所念告諸比丘
是須菩提於當來世奉覲三百万億那由
他佛供養恭敬尊重讚歎常脩梵行具菩

BD02384號　妙法蓮華經卷三　（8–7）

心尚懷憂懼　如未敢便食　若蒙佛授記　爾乃快安樂
大雄猛世尊　常欲安世間　願賜我等記　如飢須教食
尒時世尊知諸大弟子心之所念　告諸比丘
是須菩提於當來世奉覲三百万億那由
他佛　供養恭敬尊重讚歎　常脩梵行　具菩
薩道　於冣後身得成為佛　号曰名相如來應
供正遍知明行足善逝世間解无上士調御丈
夫天人師佛世尊　劫名有寶　國名寶生　其土平
正頗梨為地　寶樹莊嚴　无諸丘坑沙礫荊蕀
便利之穢　寶華覆地　周遍清淨　其土人民皆
處寶臺珎妙樓閣　聲聞弟子无量无邊　筭數
譬喻所不能知　諸菩薩衆无數千万億那由
他　佛壽十二小劫　正法住世二十小劫　像法亦
住二十小劫　其佛常處虚空為衆說法　度
脫无量菩薩及聲聞衆　尒時世尊欲重宣
此義而說偈言
諸比丘衆　今告汝等　皆當一心　聽我所說
我大弟子　須菩提者　當得作佛　号曰名相
當供无數　万億諸佛　隨佛所行　漸具大道
冣後身得　三十二相　端正姝妙　猶如寶山
其佛國土　嚴淨第一　衆生見者　无不愛樂
佛於其中　度无量衆　其佛法中　多有菩薩
皆悉利根　轉不退輪　彼國[illegible]

BD02384 號　妙法蓮華經卷三　（8–8）

[illegible]疾瘧等病誦此咒
毒藏痔丁瘡癩病痒風狂痴
口面頂腦胷脇心腹背脊腳手頭足[illegible]
但是身中有病皆悉治之　若夜叉羅刹毗那
魔鬼神悉不能害　不畏刀兵水火惡風雨雹怨
惡王惡官終不能害　亦不橫死　及諸惡夢蛇蚖蝮蝎守
宮百足蜘蛛諸惡毒師子虎狼悉不能害　兵闘戰陣皆
得勝利　若有官事諍訟　皆得和解　若誦此陀羅尼
一遍　如上等事悉得隨意　日日誦此陀羅尼一百八遍　見
觀世音菩薩告言　善男子善女人　汝等勿怖　欲求何
願　一切施汝　阿弥陀佛自現其身　見極樂世界莊嚴　如
經中說　亦見極樂世界諸菩薩衆　亦見十方一切諸佛　亦
見觀世音菩薩所居住處補怛羅山　即得自在清淨　常
為諸王公卿宰相恭敬供養　衆人愛敬　所生之處不處母
胎　生蓮華上　微妙莊嚴　在所生處常得宿命　始從今身
至成佛　終不墮惡道　常生佛前
觀世音菩薩秘密藏一切愛樂法品第二
尒時觀世音菩薩憐愍衆生　復說秘密如意心輪陀羅
尼法　但有所須　皆悉自來　有二種財　一者世間財　二者
出世間財　世間財者金銀等寶　出世間財者福德智慧　是
其二莊嚴　身心悅豫　衆人愛敬　能救一切衆生苦惱

BD02385 號 1　觀世音菩薩秘密藏如意輪陀羅尼神咒經　（8–1）

尒時觀世音菩薩復告衆生復說秘密如意輪陀羅
尼法但有所須皆悉自來有二種財一者世間財二者
出世間財世間財者金銀等寶出世間財者福德智慧定
其二莊嚴身心悅豫衆人愛敬能救一切衆生苦惑
心增長能與智者樂資生增益能加勢力唯此密
藏境界不得向餘人說若欲得此如意輪陀羅尼成
就驗者應當至心一切時一切處淨與不淨常應誦
持一无過失所誦呪无須應稱觀世音菩薩名又如
意輪陀羅尼并稱彼人名字或時思念若王王子妃
后公主婆羅門剎利毗舍首陀若男若女童男童女
種種外道但欲親覲者應稱彼名每至五更使得覲
若求驗者或親近國王於七日中每至五更誦一
千八遍即得相見若欲親覲妃后應誦九百遍若欲親
覲王子誦八百遍若欲親覲公主誦七百遍若欲親覲宮
人綵女誦六百遍若親覲婆羅門誦五百遍若親覲剎
利誦四百遍若親近毗舍誦三百遍若親近首陀誦二
百遍若親近比丘比丘尼誦一百遍若親近優婆塞優婆
夷誦九十遍若親近童男童女誦六十遍此名親近課
法而能成辦一切求事財物奴婢一切樂具有所愛者
或在遠處意所求之如風疾至凡欲爲事但使課无其
事即成若欲見觀世音菩薩應誦一千八遍即見真
身一切願事皆得成滿若欲見金剛應誦一万遍即現其
前憐念其人如父母愛子心所願事悉能與之欲見諸
佛又諸大衆當誦一万三千遍即得見之若七日七夜
相續誦者凡所持呪神皆現前各各自將已呪功能
施與其人常擁護於第七日三千大千世界主又天
帝釋與諸眷屬俱至其所皆與其願能依如前所
說誦課法者所求之願皆得滿足

BD02385 號 1　觀世音菩薩秘密藏如意輪陀羅尼神咒經　（8–2）

佛又諸大衆當誦一万三千遍即得見之若七日七夜
相續誦者凡所持呪神皆現前各各自將已呪功能
施與其人常擁護於第七日三千大千世界主又天
帝釋與諸眷屬俱至其所皆與其願能依如前所
說誦課法者所求之願皆得滿足
和阿伽陀藥法能令一切愛樂品第三　尒時觀世音菩薩復
爲憐愍衆生故說愛樂藥法令人見者生歡喜心和
合既了身上帶行取勝成就一切所求皆得隨喜
牛黃　鬱金　龍腦香　麝香　豆蔻子　丁香　迦俱羅　蓮華
青蓮華　蓽茇　一云金薄　右件十一味各等分白石蜜
與藥亦等分擣　誦前呪一千八遍或用薰衣或塗
眼睫上或點額上塗身之時若王及夫人太子百官
人男女人民咸生愛樂欽羨道法發菩提心身
內財物悉皆不惜並能施之爲其給使說不可
盡猶如日月一切悉敬樂見諸事皆能成辦若人帶
持此藥一切罪鄣悉得消滅一切厄難皆得解脫若王
務力逼奪水溺火燒種種刀杖及枷鎖繫縛一切諸毒
一切煩惱皆得解脫唯須至心然此藥不得輒向外人妄授
如意旃檀輪合藥法品第四　尒時觀世音菩薩憐愍衆
生須說口含藥法令一切愛樂　龍腦香　麝香　鬱金香
三味細擣作末和牛黃用以上三呪各誦一千八遍以淨水
和之作丸如梧桐子大復誦三呪各一百八遍陰乾莫令風日到
是一一藥丸復誦前三呪各七遍即著一丸口中若王輪
相及大衆等聽共一人語時即生恭敬財寶不惜但
所須者一切諸人皆悉與之凡所說者一切信受有所求
處並悉稱從著藥口中時常須誦呪觀世音菩薩
像前香水作方檀縱廣四肘用種種花香置壇中

BD02385 號 1　觀世音菩薩秘密藏如意輪陀羅尼神咒經　（8–3）

相及大衆等聽共一人語時即生恭敬財寶不惜但
所須者一切諸人皆悉與之凡所說者一切信受有所求
處並悉魁從着藥口中時常須誦呪觀世音菩
像前香水作方壇縱廣四肘用種種花香置壇中
心草木花等但求可得者燒白檀香取前藥丸著
壇中心竪四幢張白帳蓋壇上懸四白幡供養觀
世音菩薩然後誦心呪心中心呪各一百八遍誦身呪
一百八遍然白旃檀香散花尒時求願一切皆獲取壇
中藥帶所向之處欲求皆得有所言說亦悉信受於一切事皆得
成就

觀世音菩薩旃檀摩尼心輪眼藥法品第五

尒時觀世音菩薩憐愍衆生故說眼藥法令一切
人皆生愛樂身心歡喜
愽室 朱沙是一名雄黃 迦俱婆 蓮花 青蓮花 海水沫 牛黃 鬱金
香 漢鬱金 畢撥 胡椒 乾薑 別本云烏賊魚骨亦云海沙亦云雄黃迦俱婆那亦大雅香
右十一味各等分擣篩說前藥有一兩即著麝香龍腦
香共半兩別擣研於觀世音菩薩像前和合以前心呪
誦一千八遍心中心呪誦一千八遍身呪誦一千八遍於一切衆
生邊起慈悲心著此藥置觀世音菩薩足下經其足
着然後用銅挺內著眼角中一切病瞖翳白暈流
淚赤爛青盲頭痛每日一度著此藥置眼中一切眼
病皆得除差二日著治身中一切病三日著治八十四種
癩病四日著內外一切障不能鄣五日著一切惡賊兵
甲鬪戰皆得勝利六日著一切惡業煩惱四重五逆惡
夢蠱道悉能破壞終不墮惡道七日著國王宰相一
切大衆皆隨順恭敬信受愛樂二七日著得大自在
三七日著財典國王宰相得親近四七日著所有夜
叉并諸眷屬為其給使五七日著阿脩羅龍夜叉

BD02385 號 1　觀世音菩薩秘密藏如意輪陀羅尼神咒經　（8–4）

夢蠱道悉能破壞終不墮惡道七日著國王宰相一
切大衆皆隨順恭敬信受愛樂二七日著得大自在
三七日著財典國王宰相得親近四七日著所有夜
叉并諸眷屬為其給使五七日著阿脩羅龍夜叉
羅剎皆為給使六七日著有大力飛空羅刹鬼魅
蠱道乃至成佛常隨衛護七七日著摩訶迦羅神
乃至八部鬼神皆來隨從為其給使八七日著衆
人不見九七日著得見一切伏藏十七日著阿脩羅
宮門自然開闢宮中所有皆悉見之出入无㝵十一七
日著所有一切諸藥猶如央掇對治悉皆現前自說功
能若求長命及大力者即得如意一十二七日著衆
山開闢寶物出現隨意取用十三七日著龍宮
自然開闢所見皆无鄣㝵十四七日著欲界諸天
宮殿无不開者悉皆得見十五七日著夜黑闇中
猶如白日十六七日著地下金剛地水輪風輪虛空輪悉得
見之十七七日著四天下所有地獄中衆生悉皆得見彼
力故諸受苦衆生皆得解脫十八七日著其人得力如智
十九七日著見金剛真身諸願皆滿二十七日著見大慈
大悲觀世音菩薩一切願皆得滿足二十一七日著飛騰
虛空見色界諸天宮殿皆悉開闢復見十方諸佛菩
薩及淨土若一年著得五種淨眼誰能脩此行者應
當深信此教憐愍衆生不得生疑一切成就如前所說

火啖吉祥陀羅尼品第六

觀世音菩薩憐愍衆生故說火啖吉祥法能成一切事

BD02385 號 1　觀世音菩薩秘密藏如意輪陀羅尼神咒經　（8–5）

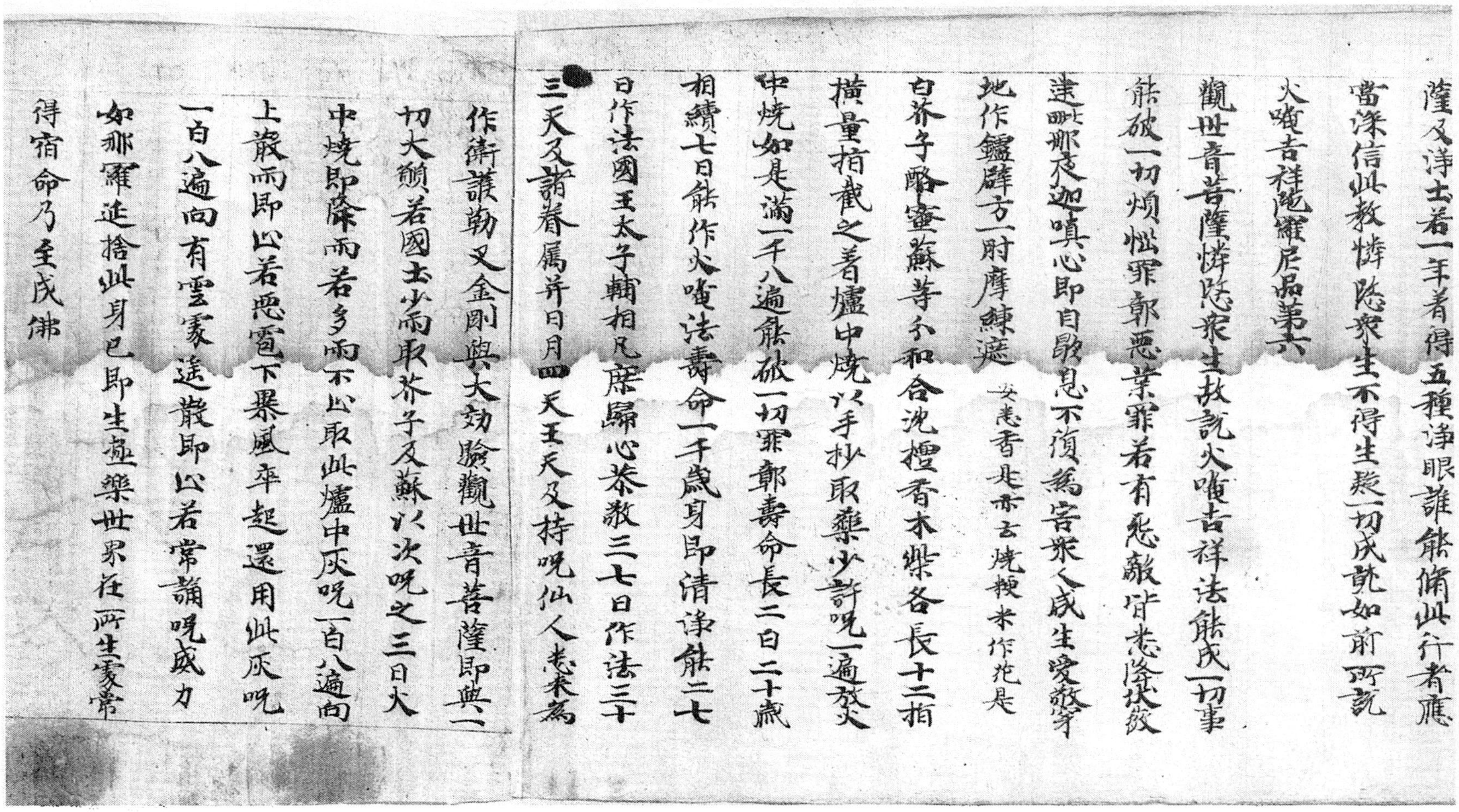

薩及淨土若一年著得五種淨眼誰能脩此行者應
當深信此教憐愍衆生不得生疑一切成就如前所說
火㖿吉祥陁羅尼品第六
觀世音菩薩憐愍衆生故說火㖿吉祥法能成一切事
能破一切煩惱罪鄣惡業罪若有怨敵皆悉降伏
達哩耶夜迦嗔心即自歇息不復為害衆人咸生愛敬等
地作鑪辟方一肘摩練遮 (安悉香是赤玄燒粳米作花是)
白芥子酪蜜蘇等分和合洗檀香木柴各長十二指
横量指截之著鑪中燒以手抄取藥少許呪一遍投火
中燒如是滿一千八遍能破一切罪鄣壽命長二百二十歲
相續七日能作火㖿法壽命一千歲身即清淨能二七
日作法國王太子輔相凡庶歸心恭敬三七日作法三十
三天及諸眷屬并日月四天王天及持呪仙人悉來為
作衛護勅又金剛與大効驗觀世音菩薩即與一
切大願若國土少雨取芥子及蘇以次呪之三日大
中燒即降雨若多雨不止取此鑪中灰呪一百八遍向
上散雨即止若惡雹下暴風卒起還用此灰呪
一百八遍向有雲處遙散即止若常誦呪威力
如那羅延捨此身已即生極樂世界在所生處常
得宿命乃至成佛

BD02385號1　觀世音菩薩秘密藏如意輪陀羅尼神咒經　（8–6）

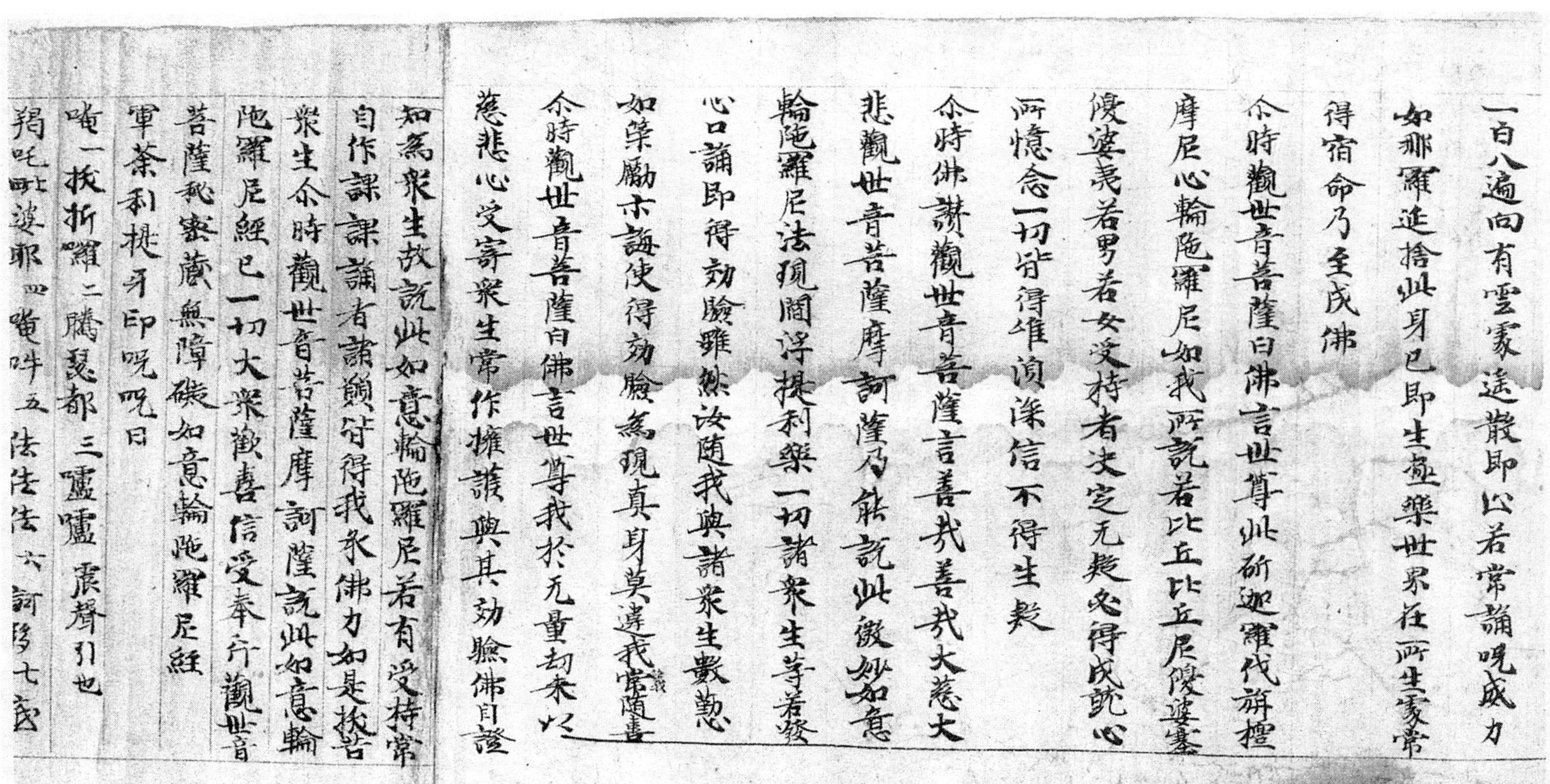

一百八遍向有雲處遙散即止若常誦呪威力
如那羅延捨此身已即生極樂世界在所生處常
得宿命乃至成佛
尒時觀世音菩薩白佛言世尊此斫迦羅伐旃檀
摩尼心輪陁羅尼如我所說若比丘比丘尼優婆塞
優婆夷若男若女受持者決定无疑必得成就心
所憶念一切皆得唯須深信不得生疑
尒時佛讚觀世音菩薩言善哉善哉大慈大
悲觀世音菩薩摩訶薩乃能說此微妙如意
輪陁羅尼法現閻浮提利樂一切諸衆生等若發
心口誦即得効驗雖然汝隨我與諸衆生數懃
加策勵亦誨使得効驗為現真身莫違我常隨盡
尒時觀世音菩薩白佛言世尊我於无量劫來以
慈悲心受寄衆生常作擁護與其効驗佛自證
知為衆生故說此如意輪陁羅尼若有受持常
自作課課誦者諸願皆得我承佛力如是救苦
衆生尒時觀世音菩薩摩訶薩說此如意輪
陁羅尼經已一切大衆歡喜信受奉行觀世音
菩薩秘密藏無障礙如意輪陁羅尼經
軍荼利提牙印呪呪曰
唵一 枝折囉二 曮㲉都三 嚧嚧 震聲引也
羯吒吒婆耶四 唵吽五 泮泮泮六 訶陀七 莎

BD02385號1　觀世音菩薩秘密藏如意輪陀羅尼神咒經　（8–7）

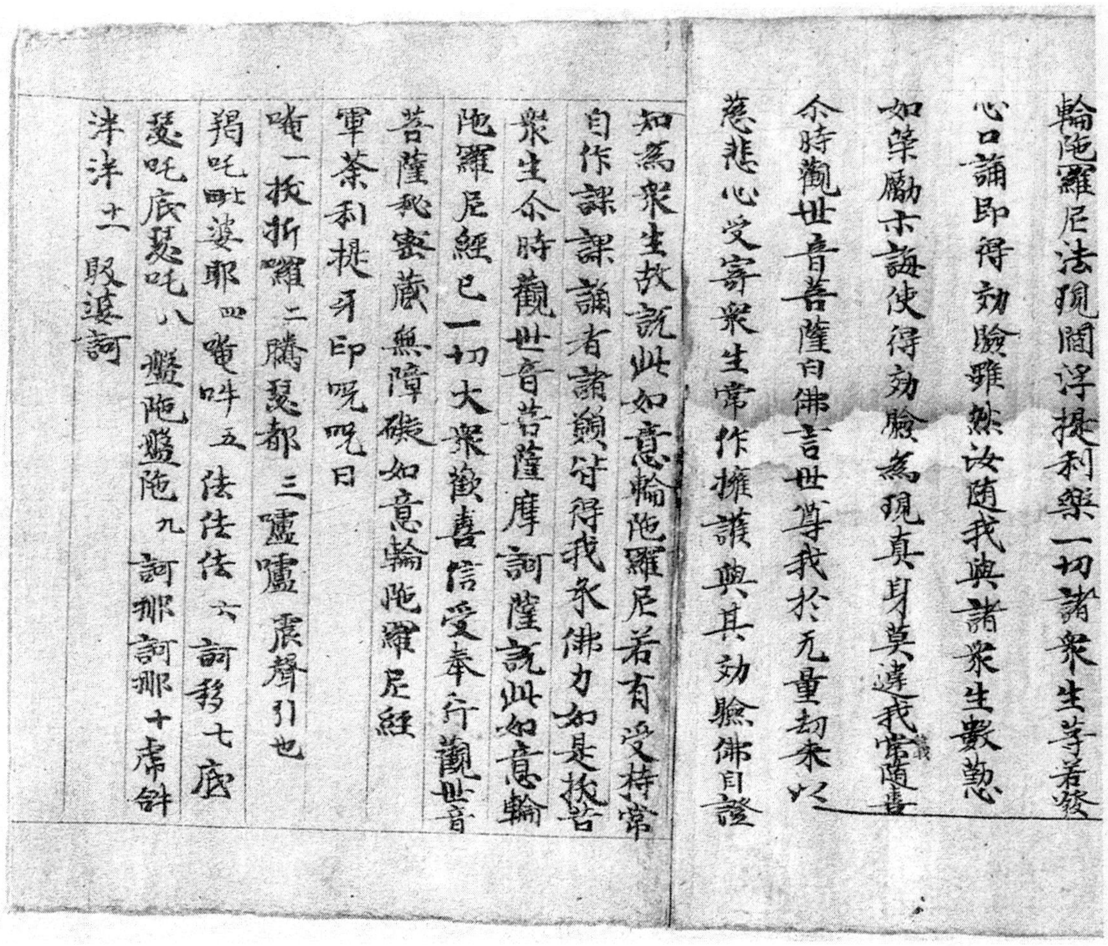

輪陀羅尼法現閻浮提利樂一切諸衆生等若發
心口誦即得効驗雖然汝隨我與諸衆生歎懃
如策勵亦誨使得効驗為現真身莫違我常隨喜
尒時觀世音菩薩白佛言世尊我於无量劫來以
慈悲心受寄衆生常作擁護與其効驗佛自證
如爲衆生故說此如意輪陀羅尼若有受持常
自作課誦者誦領守得我外佛力如是於苦
衆生尒時觀世音菩薩摩訶薩說此如意輪
陀羅尼經已一切大衆歡喜信受奉行觀世音
菩薩秘密藏無障礙如意輪陀羅尼經
軍荼利提牙印咒曰
唵一扺折羅二膸瑟都三爐爐震聲引也
羯吒畔婆耶四唵吽五泏泏泏六訶移七底
瑟吒底瑟吒八蹵陁蹵陁九訶那訶那十虎𤙖
泮泮十一 娑婆訶

BD02385 號 1　觀世音菩薩秘密藏如意輪陀羅尼神咒經　　（8–8）
BD02385 號 2　軍荼利提牙印咒

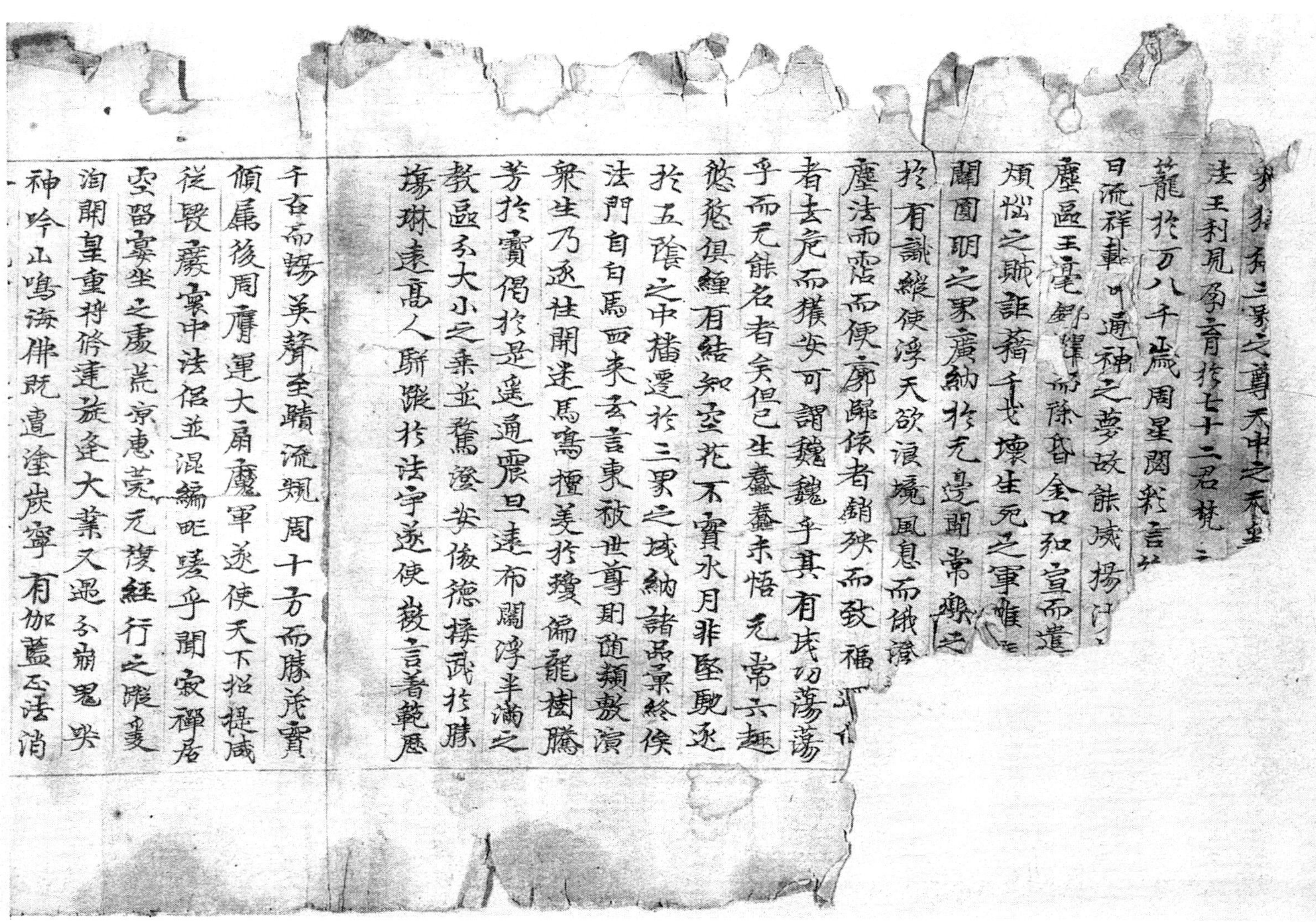

猶彰三界之尊天中之天
法王剎見孕育於七十二君梵
龍於万八千歲周星閟彩言
日流祥軌叶通神之夢故能摛揚
塵區王毫鄣暉而隊昏金口知宣而遣
煩惱之賊詎藉千戈壞生死之軍誰
闢圓明之界廣納於无邊開常樂之
於有識縱使淨天欲浪境風息而識滌
塵法而霑而便扃歸依者銷殃而致福
者去危而獲安可謂魏魏乎其有成功蕩蕩
乎而无能名者矣但已生蠢蠢未悟无常六趣
慇慇俱纏有結知空花不實水月非堅馳逐
於五陰之中播遷於三界之域納諸品彙終俟
法門自白馬西來玄言東被世尊理隨類敷演
衆生乃逐性開迷馬鳴擅美於殯龍樹騰
芳於寶偈於是遐通震旦遠布閻浮半滿之
教區分大小之乘並鶩澄安儀德標武於勝
場琳遠高人騁蹤於法宇遂使鷲言著範歷
千古而暢美聲垂曠流規周十方而勝茂實
傾屬後周虐運大扇魔軍遂使天下招提咸
從毀廢寰中法侶並混編甿暨乎聞叡禪居
空留寡坐之處荒京惠菀无復經行之蹤爰
洎開皇重將修建旋逢大業又遇分崩鬼哭
神吟山鳴海沸既遭塗炭寧有伽藍丕法消

BD02386 號 1　三藏聖教序（唐中宗）　　（8–1）

千古而暢美聲垂蹟流規周十方而勝茂實
傾扉後周膺運大扇魔軍遂使天下招提咸
從毀廢象中法侶並混編甿暨乎開宏禪居
空留宴坐之處荒凉惠莞无復經行之蹤爰
洎開皇重將脩建旋逢大業又遇不崩鬼哭
神吟山鳴海沸既遭塗炭寧有伽藍正法消
淪邪見增長於是人迷覺路遷迴於苦集之
區俗蔽真宗羈絆於蓋纏之內我大唐之有
天下也上陵巢燧府覩羲軒
三聖重光萬邦一統威加有截澤被无垠掩
坤絡以還淳亘乾維而獻款再懸　佛日重補
梵天龍宣將八柱齊安鷲嶺共五峯爭峻大
和　釋教諒屬
皇朝者焉大福先寺翻經三藏法師義淨者
范陽人也俗姓張氏五代相韓之後三台仕晉之
前朱紫亦輝貂蟬合彩高祖爲東齊郡守仁
風遂扇甘雨隨車化闡六條政行十部爰祖及
父俱厭俗榮放曠一丘逍遙三徑含和體素養
性恬神樞芝秀於東山挹清流於南澗可謂
幽尋丹嶠棲復白雲臯鶴於是天聲場駒以
之縶影法師幼挺明悟夙彰聰敏緫髫辭李
之歲心樂出家甫過遊洛之年志尋西國業
該經史學洞古今揔三藏之玄樞明一乘之奧
義既而閑居習靜息慮安禪託彼山林遠籌
塵累三十有七方遂雅懷以咸亨二年行至
廣府發蹤結契數乃十人鼓棹昇艕唯存一
己巡南濱以退迹指西域以長驅歷巗岫之千
重凌波濤之万里漸届天竺次至王城

塵累三十有七方遂雅懷以咸亨二年行至
廣府發蹤結契數乃十人鼓棹昇艕唯存一
己巡南濱以退迹指西域以長驅歷巗岫之千
重凌波濤之万里漸届天竺次至王城
佛說法花靈峯尚在
如來成道聖躅仍留吠舍城中獻蓋之蹤不
泯給孤園內布金之地猶存三道寶階居然
目覩八大靈塔躬矣親覲所經三十餘國凡歷
二十餘載菩提樹下屢攀折以淹留阿耨池
邊幾濯纓而澡鑒法師慈悲作室忍辱爲
衣長齋則一食自資長坐則六時无倦又右
來翻譯之者莫不先出梵文後資漢譯臨詞
方悉於學者銓義別稟於僧徒今茲法師
不如是矣既閑五天竺語又詳二諦幽宗譯義
辭文咸由於己出指詞定理匪假於傍求超漢
代之摩騰跨秦年之羅什所將梵本經近
四百部合五十万頌
金剛座真容一鋪舍利三百粒以證聖元年夏
五月方届都焉
朕天大聖皇帝出震膺期乘乾握紀紹隆爲
務知濟爲心爰命百寮兼愨四衆出幡幢日
鳳吹遏雲香散六銖花飄五色鏘鏘濟濟燁燁
煌煌迎于上東之門置于授記之寺共于闐
三藏及大福先寺主沙門復禮西崇福寺主
法藏等翻花嚴經後至大福先寺與天竺
三藏寶思惟及授記寺主惠表沙門勝莊
慈訓等譯根本部律其大德等莫不四禪凝
慮六度資懷懸法鏡於心臺朗戒珠於性海

三藏及大福光寺主沙門復禮西崇福寺主
法藏等翻花嚴經後至大福光寺興天竺
三藏寶思未多及授記寺主惠表沙門勝莊
慈訓等譯根本部律其大德等莫不四禪凝
慮六度貫懷懸法鏡於心臺朗戒珠於性海
詞林挺秀持覺樹而連芳惠炬揚輝澄桂
輪而含影渾金璞玉諒屬其人誠梵宇之棟
梁寔法門之龍象已翻諸雜經律二百餘卷
繕寫云畢尋並進內其餘戒律諸論方俟後
詮五篇之教具明八法之因備曉鵝珠尚護蟲命
无傷浮囊必萃於不虧油鉢終期於靡覆
崇聖教之綱紀啟含生之耳目伏願上資
先聖長隆
七廟之基下逮嵩郭恒位九天之命還懷生
於壽域致薄俗於淳源歲稔時和遠安迩肅
願以萬機務揔四海事殷憂憑乙夜之餘哉
冀旅天之德謀慮知蔚耶題序云

金光明最勝王經序品第一　三藏法師義淨奉　制譯

如是我聞一時薄伽梵在王舍城鷲峯山頂
於最清淨甚深法界諸佛之境如來所居與
大苾芻衆九万八千人皆是阿羅漢能善調
伏如大象王諸漏已除復煩惱心善解脫慧
善解脫所作已畢捨諸重擔逮得己利盡諸
有結得大自在住清淨戒善巧方便智慧莊
嚴證八解脫已到彼岸其名曰具壽阿若
憍陳如具壽阿說侍多具壽婆澁波具壽
摩訶那摩具壽婆帝利迦大迦攝波優樓
頻螺迦攝伽耶迦攝那提迦攝舍利子大目

BD02386號1　三藏聖教序(唐中宗)　(8–4)
BD02386號2　金光明最勝王經卷一

嚴證八解脫已到彼岸其名曰具壽阿若
憍陳如具壽阿說侍多具壽婆澁波具壽
摩訶那摩具壽婆帝利迦大迦攝波優樓
頻螺迦攝伽耶迦攝那提迦攝舍利子大目
揵連唯除阿難陀住於學地如是等諸大聲聞
各於晡時從定而起往詣佛所頂禮佛足右
繞三匝退坐一面
復有菩薩摩訶薩百千万億人俱有大威
德如大龍王名稱普聞衆所知識施戒清淨
常樂奉持忍行精勤經无量劫超諸靜慮繫
念現前開闡慧門善修方便自在遊戲獲妙
神通逮得揔持辯才无盡斷諸煩惱累除
皆已不久當成一切種智降魔軍衆而擊法鼓
制諸外道令起淨心轉妙法輪度人天衆十方
佛土悉已莊嚴六趣有情无不蒙益成就大
智具足大忍住大慈悲心有大堅固力歷事
諸佛不般涅槃發弘誓心盡未來際廣於佛
所深種淨因於三世法悟无生忍愈於二乘
所行境界以大善巧化世間於大師教能敷
演秘密之法甚深空性皆已了知无復疑惑
其名曰无障礙轉法輪菩薩常發心轉法輪
菩薩常精進菩薩不休息菩薩慈氏菩薩
妙吉祥菩薩觀自在菩薩揔持自在王菩薩
大辯莊嚴王菩薩妙高山王菩薩大海深王
菩薩寶幢菩薩大寶幢菩薩地藏菩薩虛
空藏菩薩寶手自在菩薩金剛手菩薩歡喜
力菩薩大法力菩薩大莊嚴光菩薩大金光
莊嚴菩薩淨戒菩薩常定菩薩極清淨慧

BD02386號2　金光明最勝王經卷一　(8–5)

菩薩寶幢菩薩大寶幢菩薩地藏菩薩虛
空藏菩薩寶手自在菩薩金剛手菩薩歡喜
力菩薩大法力菩薩大莊嚴光菩薩大金光
莊嚴菩薩淨戒菩薩常定菩薩極清淨慧
菩薩堅固精進菩薩心如虛空菩薩不斷大願
菩薩施藥菩薩療諸煩惱病菩薩醫王菩
薩歡喜高王菩薩得上授記菩薩大雲淨光
菩薩大雲持法菩薩大雲名稱喜樂菩薩
大雲現无邊稱菩薩大雲吉祥菩薩大雲
牛王吼菩薩大雲師子吼菩薩大雲
大雲日藏菩薩大雲月藏菩薩大雲星光菩
薩大雲火光菩薩大雲電光菩薩大雲雷
音菩薩大雲慧雨充遍菩薩大雲清淨雨王菩
薩大雲華樹王菩薩大雲青蓮華香菩薩
大雲寶栴檀香清涼身菩薩大雲除闇菩
薩大雲破翳菩薩如是等无量大菩薩衆
各於晡時從定而起往詣佛所頂禮佛足右
繞三匝退坐一面
復有梨車毗童子五億八千其名曰師子光
童子師子慧童子法授童子因陁羅授童
子大光童子大猛童子佛護童子法護童
子僧護童子金剛護童子虛空護童子虛
空吼童子寶藏童子吉祥妙藏童子如是等人
而為上首悉皆安住无上菩提於大乘中深信
歡喜各於晡時往詣佛所頂禮佛足右繞
三匝退坐一面
復有四万二千天子其名曰喜見天子喜悅天
子日光天子月髻天子明慧天子虛空淨慧天
子除煩惱天子吉祥天子如是等天而為

BD02386號2　金光明最勝王經卷一　（8–6）

三匝退坐一面
復有四万二千天子其名曰喜見天子喜悅天
子日光天子月髻天子明慧天子虛空淨慧天
子除煩惱天子吉祥天子如是等天而為
上首皆發弘願護持大乘紹隆正法能使不
絕各於晡時往詣佛所頂禮佛足右繞二匝
退坐一面
復有二万八千龍王蓮華龍王瞖羅葉龍王
大力龍王大吼龍王小波龍王持駃水龍王
金面龍王如意龍王是等龍王而為上首
於大乘法常樂受持發深信心稱揚擁護
各於晡時往詣佛所頂禮佛足右繞三匝退
坐一面
復有三万六千諸藥叉衆毗沙門天王而為上
首其名曰菴婆藥叉持菴婆藥叉蓮華光
藏藥叉蓮華面藥叉嚬眉藥叉現大怖藥叉
動地藥叉吞食藥叉是等藥叉悉皆愛樂
如來正法深心護持不生疲懈各於晡時往
詣佛所頂禮佛足右繞三匝退坐一面
復有四万九千揭路荼王香象勢力王而為
上首及餘揵闥婆阿蘇羅緊那羅莫呼洛
伽等山林河海一切神仙并諸大國所有王衆
中宮后妃淨信男女人天大衆悉皆雲集咸
願擁護无上大乘讀誦受持書寫流布各
於晡時往詣佛所頂禮佛足右繞三匝退坐
一面
如是等聲聞菩薩人天大衆龍神八部既
雲集已各各至心合掌恭敬瞻仰尊容目未
曾捨願樂欲聞殊勝妙法尒時薄伽梵於日

BD02386號2　金光明最勝王經卷一　（8–7）

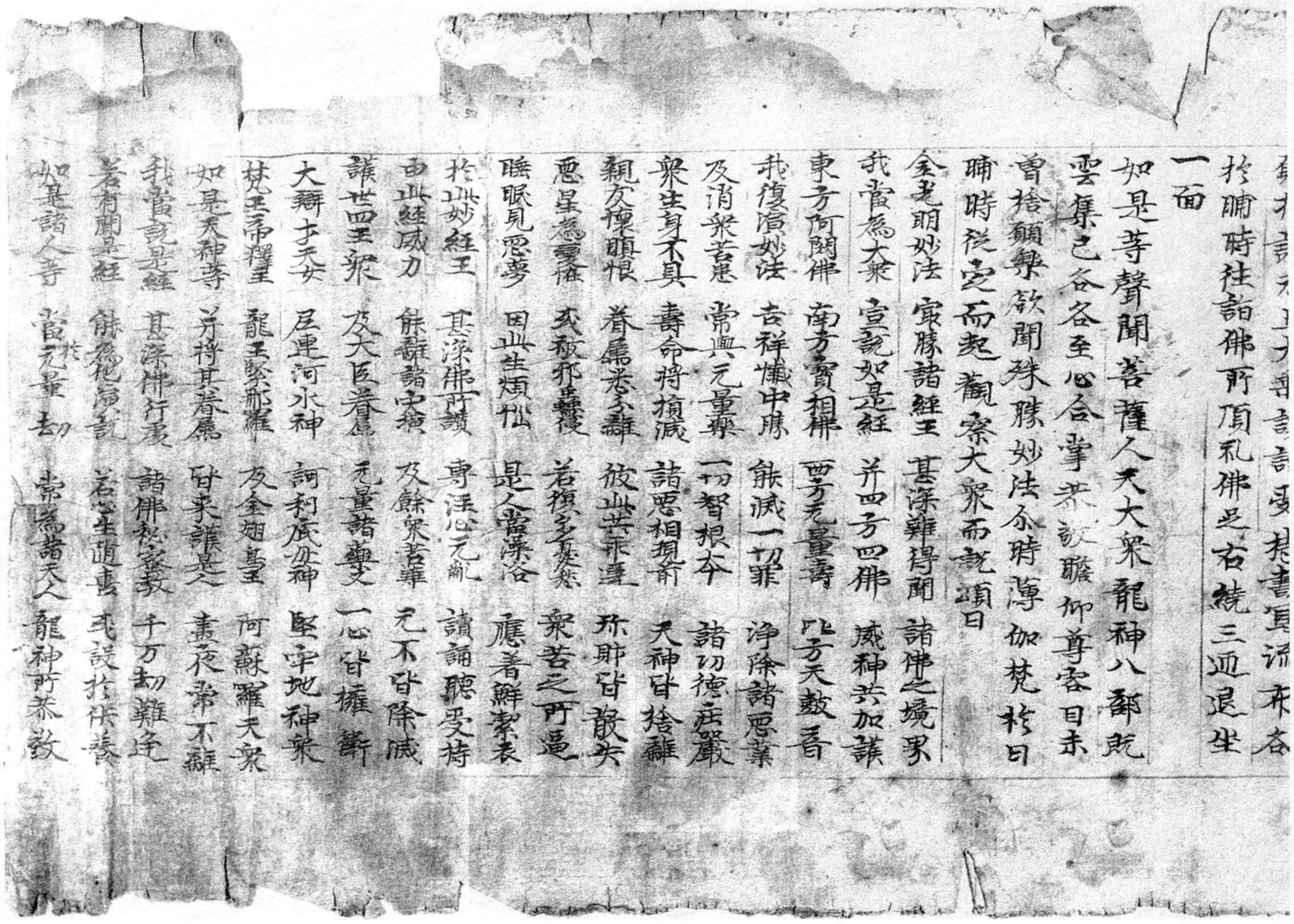

頻於讀誦……
於晡時往詣佛所頂禮佛足右繞三匝退坐
一面
如是等聲聞菩薩人天大眾龍神八部既
雲集已各各至心合掌恭敬瞻仰尊容目未
曾捨願樂欲聞殊勝妙法爾時薄伽梵於日
晡時從定而起觀察大眾而說頌曰
金光明妙法　最勝諸經王　甚深難得聞　諸佛之境界
我當為大眾　宣說如是經　并四方四佛　威神共加護
東方阿閦佛　南方寶相佛　西方无量壽　北方天鼓音
我復演妙法　吉祥懺中勝　能滅一切罪　淨除諸惡業
及消眾苦患　常與无量樂　一切智根本　諸功德莊嚴
眾生身不具　壽命將損減　諸惡相現前　天神皆捨離
親友懷瞋恨　眷屬悉分離　彼此共乖違　珍財皆散失
惡星為變怪　或被邪蠱侵　若復多憂愁　眾苦之所逼
睡眠見惡夢　因此生煩惱　是人當澡浴　應著鮮潔衣
於此妙經王　甚深佛所讚　專注心无亂　讀誦聽受持
由此經威力　能離諸災橫　及餘眾苦難　无不皆除滅
護世四王眾　及大臣眷屬　无量諸藥叉　一心皆擁衛
大辯才天女　尼連河水神　訶利底母神　堅牢地神眾
梵王帝釋主　龍王緊那羅　及金翅鳥王　阿蘇羅天眾
如是天神等　并將其眷屬　皆來護是人　晝夜常不離
我當說是經　甚深佛行處　諸佛秘密教　千万劫難逢
若有聞是經　能為他演說　若心生隨喜　或設於供養
如是諸人等　當於无量劫　常為諸天人　龍神所恭敬

BD02386號2　金光明最勝王經卷一　（8–8）

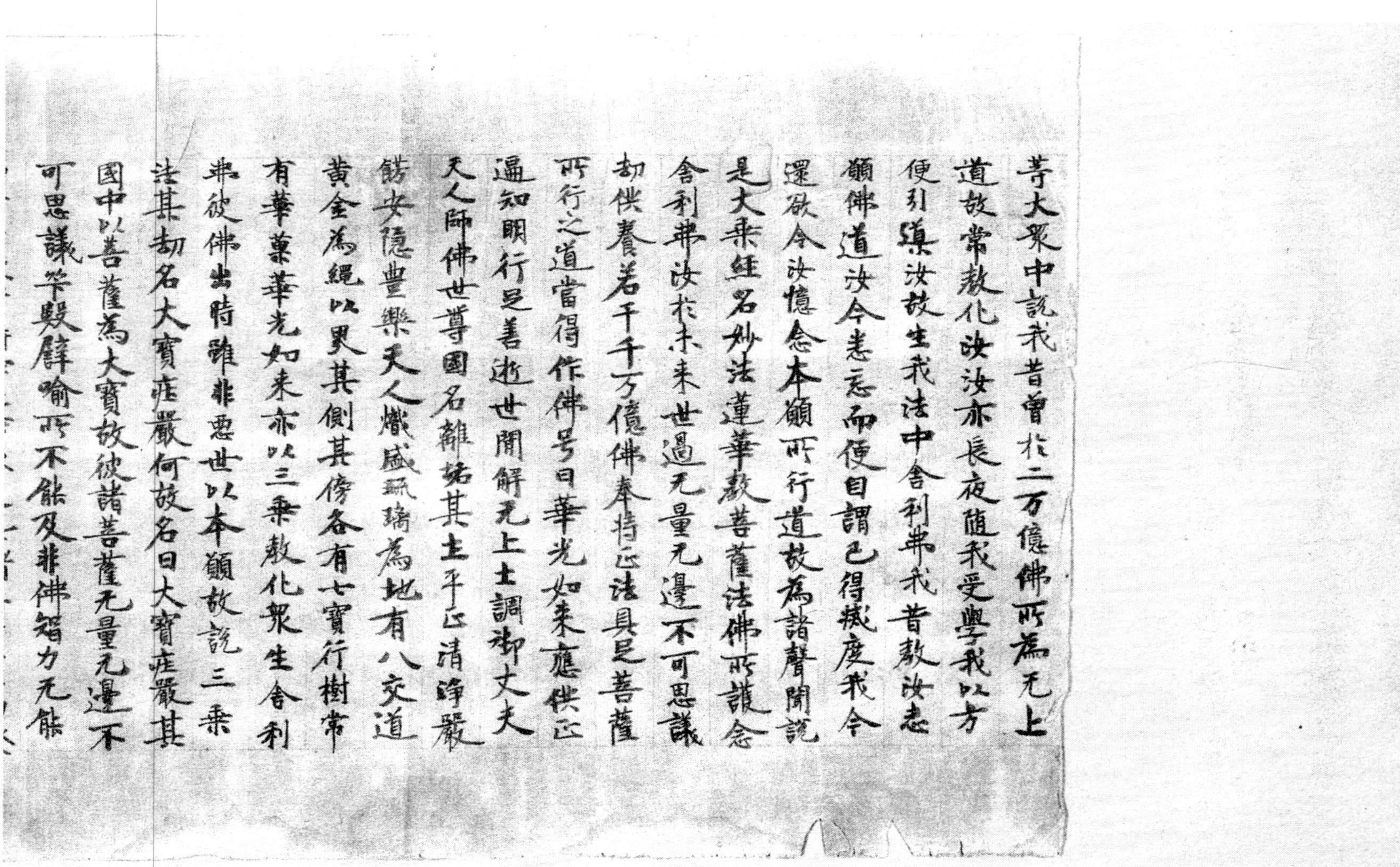

等大眾中說我昔曾於二万億佛所為无上
道故常教化汝汝亦長夜隨我受學我以方
便引導汝故生我法中舍利弗我昔教汝志
願佛道汝今悉忘而便自謂已得滅度我今
還欲令汝憶念本願所行道故為諸聲聞說
是大乘經名妙法蓮華教菩薩法佛所護念
舍利弗汝於未來世過无量无邊不可思議
劫供養若干千万億佛奉持正法具足菩薩
所行之道當得作佛号曰華光如來應供正
遍知明行足善逝世間解无上士調御丈夫
天人師佛世尊國名離垢其土平正清淨嚴
飾安隱豐樂天人熾盛琉璃為地有八交道
黃金為繩以界其側其傍各有七寶行樹常
有華菓華光如來亦以三乘教化眾生舍利
弗彼佛出時雖非惡世以本願故說三乘
法其劫名大寶莊嚴何故名曰大寶莊嚴其
國中以菩薩為大寶故彼諸菩薩无量无邊不
可思議筭數譬喻所不能及非佛智力无能

BD02387號　妙法蓮華經卷二　（6–1）

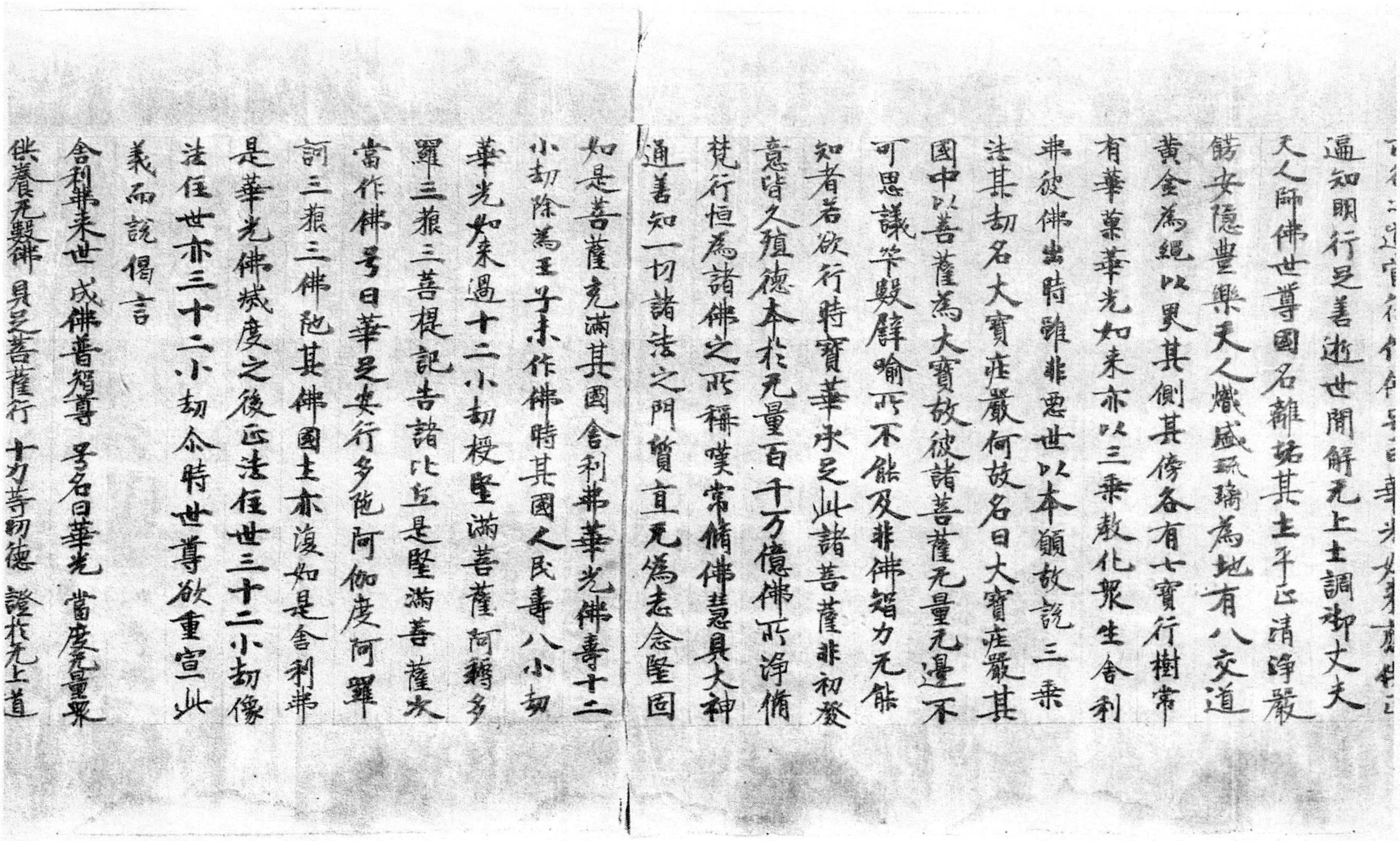
所行之道當得作佛号曰華光如来應供正
遍知明行足善逝世間解无上士調御丈夫
天人師佛世尊國名離垢其土平正清淨嚴
飾安隱豐樂天人熾盛琉璃為地有八交道
黄金為繩以界其側其傍各有七寶行樹常
有華菓華光如来亦以三乘教化衆生舍利
弗彼佛出時雖非惡世以本願故說三乘
法其劫名大寶莊嚴何故名曰大寶莊嚴其
國中以菩薩為大寶故彼諸菩薩无量无邊不
可思議筭數譬喻所不能及非佛智力无能
知者若欲行時寶華承足此諸菩薩非初發
意皆久殖德本於无量百千万億佛所淨脩
梵行恒為諸佛之所稱歎常脩佛慧具大神
通善知一切諸法之門質直无偽志念堅固
如是菩薩充滿其國舍利弗華光佛壽十二
小劫除為王子未作佛時其國人民壽八小劫
華光如来過十二小劫授堅滿菩薩阿耨多
羅三藐三菩提記告諸比丘是堅滿菩薩次
當作佛号曰華足安行多陁阿伽度阿羅
訶三藐三佛陁其佛國土亦復如是舍利弗
是華光佛滅度之後正法住世三十二小劫像
法住世亦三十二小劫尒時世尊欲重宣此
義而說偈言
舍利弗来世　成佛普智尊　号名曰華光　當度无量衆
供養无數佛　具足菩薩行　十力等功德　證於无上道

BD02387號　妙法蓮華經卷二　（6–2）

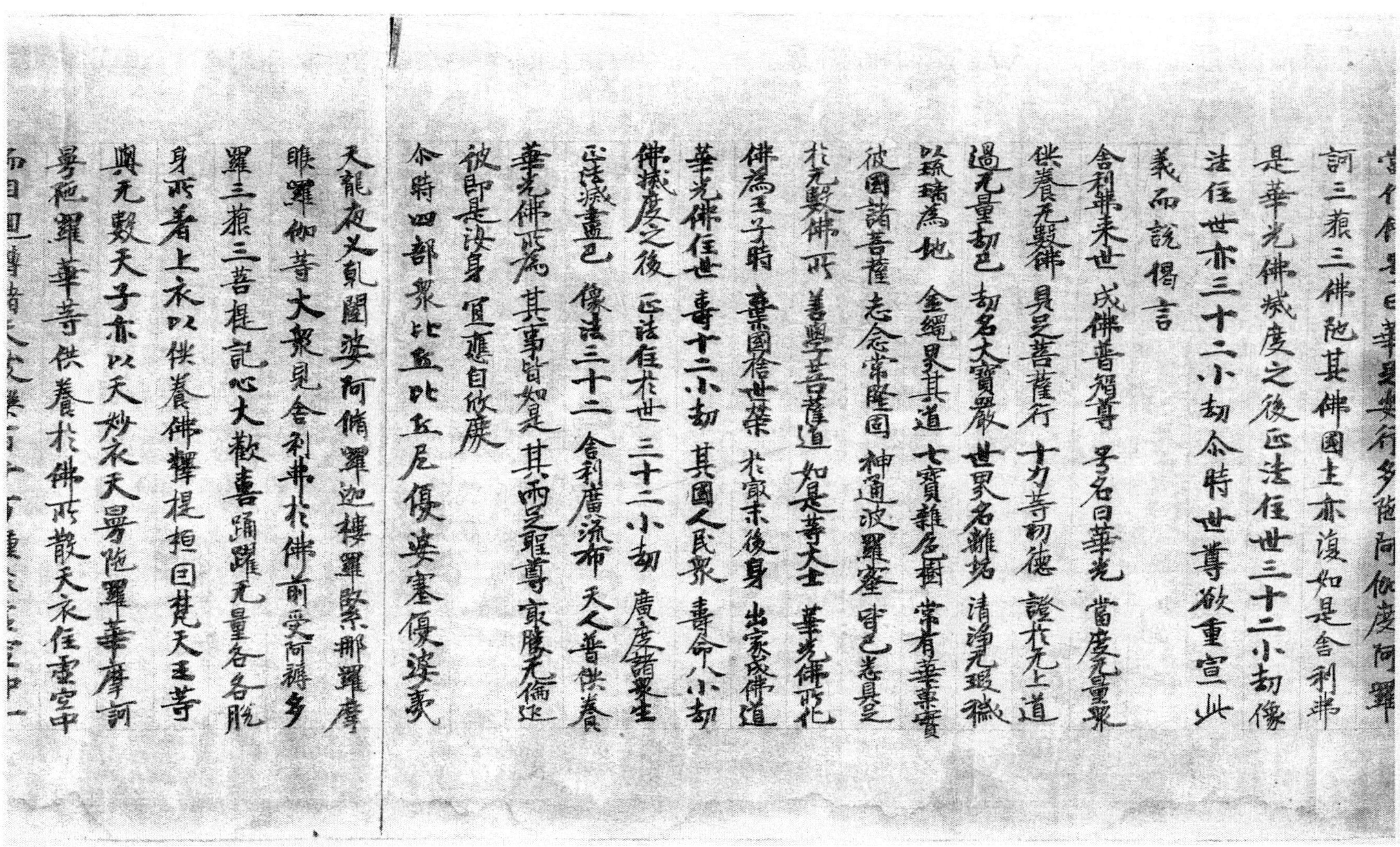
當作佛号曰華足安行多陁阿伽度阿羅
訶三藐三佛陁其佛國土亦復如是舍利弗
是華光佛滅度之後正法住世三十二小劫像
法住世亦三十二小劫尒時世尊欲重宣此
義而說偈言
舍利弗来世　成佛普智尊　号名曰華光　當度无量衆
供養无數佛　具足菩薩行　十力等功德　證於无上道
過无量劫已　劫名大寶嚴　世界名離垢　清淨无瑕穢
琉璃為地　金繩界其道　七寶雜色樹　常有華菓實
彼國諸菩薩　志念常堅固　神通波羅蜜　皆已悉具足
於无數佛所　善學菩薩道　如是等大士　華光佛所化
佛為王子時　棄國捨世榮　於冣末後身　出家成佛道
華光佛住世　壽十二小劫　其國人民衆　壽命八小劫
佛滅度之後　正法住於世　三十二小劫　廣度諸衆生
正法滅盡已　像法三十二　舍利廣流布　天人普供養
華光佛所為　其事皆如是　其兩足聖尊　冣勝无倫匹
彼即是汝身　宜應自欣慶
尒時四部衆比丘比丘尼優婆塞優婆夷
天龍夜叉乾闥婆阿脩羅迦樓羅緊那羅摩
睺羅伽等大衆見舍利弗於佛前受阿耨多
羅三藐三菩提記心大歡喜踊躍无量各各脫
身所著上衣以供養佛釋提桓因梵天王等
與无數天子亦以天妙衣天曼陁羅華摩訶
曼陁羅華等供養於佛所散天衣住虛空中
而自迴轉諸天伎樂百千万種於虛空中一

BD02387號　妙法蓮華經卷二　（6–3）

羅三藐三菩提記心大歡喜踊躍无量各各脫
身所著上衣以供養佛釋提桓因梵天王等
與无數天子亦以天妙衣天曼陁羅華摩訶
曼陁羅華等供養於佛所散天衣住虛空中
而自迴轉諸天伎樂百千万種於虛空中一
時俱作雨眾天華而作是言佛昔於波羅奈
初轉法輪今乃復轉无上最大法輪尒時諸天
子欲重宣此義而說偈言
昔於波羅奈　轉四諦法輪　分別說諸法　五眾之生滅
今復轉最妙　无上大法輪　是法甚深奧　少有能信者
我等從昔來　數聞世尊說　未曾聞如是　深妙之上法
世尊說是法　我等皆隨喜　大智舍利弗　今得受尊記
我等亦如是　必當得作佛　於一切世間　最尊无有上
佛道叵思議　方便隨宜說　我所有福業　今世若過世
及見佛功德　盡迴向佛道
尒時舍利弗白佛言世尊我今无復疑悔親於
佛前得受阿耨多羅三藐三菩提記是諸千
二百心自在者昔住學地佛常教化言我法
能離生老病死究竟涅槃是學无學人亦
各自以離我見及有无見等謂得涅槃而今
於世尊前聞所未聞皆墮疑惑善哉世尊願
為四眾說其因緣令離疑悔尒時佛告舍利
弗我先不言諸佛世尊以種種因緣譬喻言
辭方便說法皆為阿耨多羅三藐三菩提耶
是諸所說皆為化菩薩故然舍利弗今當復

BD02387號　妙法蓮華經卷二　（6–4）

為四眾說其因緣令離疑悔尒時佛告舍利
弗我先不言諸佛世尊以種種因緣譬喻言
辭方便說法皆為阿耨多羅三藐三菩提耶
是諸所說皆為化菩薩故然舍利弗今當復
以譬喻更明此義諸有智者以譬喻得解舍
利弗若國邑聚落有大長者其年衰邁財富
无量多有田宅及諸僮僕其家廣大唯有一
門多諸人眾一百二百乃至五百人止住其中
堂閣朽故墻壁隤落柱根腐敗梁棟傾危周
匝俱時欻然火起焚燒舍宅長者諸子若
十二十或至三十在此宅中長者見是大火
從四面起即大驚怖而作是念我雖能於此
所燒之門安隱得出而諸子等於火宅內樂
著嬉戲不覺不知不驚不怖火來逼身苦痛
切己心不猒患无求出意舍利弗是長者作是
思惟我身手有力當以衣裓若以几案從舍
出之復更思惟是舍唯有一門而復狹小諸
子幼稚未有所識戀著戲處或當墮落為火
所燒我當為說怖畏之事此舍已燒宜時
疾出无令為火之所燒害作是念已如所思
惟具告諸子汝等速出父雖憐愍善言誘喻
而諸子等樂著嬉戲不肯信受不驚不畏了
无出心亦復不知何者是火何者為舍云何
為失但東西走戲視父而已尒時長者即作

BD02387號　妙法蓮華經卷二　（6–5）

无出心亦復不知何者是火何者爲舍云何
爲失但東西走戲視父而已尒時長者即作
是念此舍已爲大火所燒我及諸子若不時
出必爲所焚我今當設方便令諸子等得免
斯害父知諸子先心各有所好種種珎玩奇
異之物情必樂著而告之言汝等所可玩好
希有難得汝若不取後必憂悔如此種種羊
車鹿車牛車今在門外可以遊戲汝等於此
火宅宜速出来隨汝所欲皆當與汝尒時諸
子聞父所說珎玩之物適其願故心各勇鋭
互相推排競共馳走爭出火宅是時長者見
諸子等安隱得出皆於四衢道中露地而坐
无復鄣礙其心泰然歡喜踊躍時諸子等各
白父言父先所許玩好之具羊車鹿車牛車願
時賜與舍利弗尒時長者各賜諸子等一大
車其車高廣衆寶莊校周迊欄楯四面懸鈴
又於其上張設幰蓋亦以珎奇雜寶而嚴餝
之寶繩交絡垂諸華瓔重敷綩綖安置丹枕
駕以白牛膚色充潔形體姝好有大筋力行
步平正其疾如風又多僕從而侍衛之所以
者何是大長者財富无量種種諸藏悉皆充

BD02387號　妙法蓮華經卷二　（6–6）

從佛世尊聞法信受勤脩精進求一切智佛
智自然智无師智如來知見力无所畏愍念
安樂无量衆生利益天人度脫一切是名大乘
菩薩求此乘故名爲摩訶薩如彼諸子爲求
牛車出於火宅舍利弗如彼長者見諸子等
安隱得出火宅到无畏處自惟財富无量
等以大車而賜諸子如來亦復如是爲一切衆
生之父若見无量億千衆生以佛教門出三
界苦怖畏險道得涅槃樂如來尒時便作是
念我有无量无邊智慧力无畏等諸佛法藏
是諸衆生皆是我子等與大乘不令有人獨
得滅度皆以如來滅度而滅度之是諸衆生脫
三界者悉與諸佛禪定解脫等娛樂之具皆
是一相一種聖所稱歎能生淨妙第一之樂
舍利弗如彼長者初以三車誘引諸子然後
但與大車寶物莊嚴安隱第一然彼長者无
虛妄之咎如來亦復如是无有虛妄初說
三乘引導衆生然後但以大乘而度脫之何
以故如來有无量智慧力无所畏諸法之藏
能與一切衆生大乘之法但不盡能受舍利

BD02388號　妙法蓮華經卷二　（2–1）

是諸衆生皆是我子等與大車不令有人獨
得滅度皆以如來滅度而滅度之是諸衆生脫
三界者悉與諸佛禪定解脫等娛樂之具皆
是一相一種聖所稱歎能生淨妙第一之樂
舍利弗如彼長者初以三車誘引諸子然後
但與大車寶物莊嚴安隱第一然彼長者无
虛妄之咎如來亦復如是无有虛妄初說
三乘引導衆生然後但以大乘而度脫之何
以故如來有无量智慧力无所畏諸法之藏
能與一切衆生大乘之法但不盡能受舍利
弗以是因緣當知諸佛方便力故於一佛乘
分別說三佛欲重宣此義而說偈言
譬如長者 有一大宅 其宅久故 而復頓弊
堂舍高危 柱根摧朽 梁棟傾斜 基陛隤毀
牆壁圮坼 泥塗褫落 覆苫亂墜 椽梠差脫
周障屈曲 雜穢充遍 有五百人 止住其中
鵄梟鵰鷲 烏鵲鳩鴿 蚖蛇蝮蠍 蜈蚣蚰蜒
守宮百足 狖狸鼷鼠 諸惡蟲輩
[illegible] 不淨流

BD02388 號　妙法蓮華經卷二　（2–2）

[illegible]善女人
持法華經者若讀誦通利若書寫經卷得幾
所福佛告藥王若有善男子善女人供養八
百万億那由他恒河沙等諸佛於汝意云何
其所得福寧爲多不甚多世尊佛言若善男
子善女人能於是經乃至受持一四句偈讀
誦解義如說修行功德甚多尒時藥王菩薩
白佛言世尊我今當與說法者陁羅尼呪以
守護之即說呪曰
安尒一 曼尒二 摩禰三 摩摩禰四 旨隸五 遮
梨第六 賒咩羊鳴音七 賒履罔雉反多瑋八 羶輸千反
帝九 目帝十 目多履十一 娑履十二 阿瑋娑履十三
桑履十四 娑履十五 叉裔十六 阿叉裔十七 阿耆膩十八
羶帝十九 賒履二十 陀羅尼二十一 阿盧伽婆娑蘇柰反
簸蔗毗叉膩二十三 禰毗剃二十四 阿便哆都餓反邏禰
履剃二十五 阿亶哆波隸輸地途賣反二十六 漚究隸二
十七 牟究隸二十八 阿羅隸二十九 波羅隸三十 首迦差初几反
三十一 阿三磨三履三十二 佛馱毗吉利袠
帝三十三 達磨波利差猜離反三十四 僧伽涅
瞿沙禰三十五 婆舍婆舍輸地三十六 曼哆邏三十七
曼哆邏叉夜多三十八 郵樓哆三十九 郵樓哆憍

BD02389 號　妙法蓮華經卷七　（14–1）

帝三十二 達磨波利差猜離反 帝三十三 僧伽涅
瞿沙祢三十四 婆舍婆舍輸地三十五 曼哆邏三十六
曼哆邏叉夜多三十七 郵樓哆三十八 郵樓哆憍
舍略三十九 惡叉邏四十 惡叉冶多冶四十一 阿婆
盧四十二 阿摩若荏蔗反 那多夜四十三
世尊是陁羅尼神呪六十二億恒河沙等諸
佛所說若有侵毀此法師者則為侵毀是諸
佛已時釋迦牟尼佛讚藥王菩薩言善哉善
哉藥王汝愍念擁護此法師故說是陁羅尼
於諸衆生多所饒益尒時勇施菩薩白佛言
世尊我亦為擁護讀誦受持法華經者說陁
羅尼若此法師得是陁羅尼若夜叉若羅剎
若富單那若吉蔗若鳩槃茶若餓鬼等伺求
其短无能得便即於佛前而說呪曰
痤挫螺反 隸一 摩訶痤隸二 郁枳三 目枳四 阿
隸五 阿羅婆第六 涅隸第七 涅隸多婆第八
伊緻猪履反 柅九 韋緻柅十 旨緻柅十一 涅隸墀
柅十二 涅犁墀婆底十三
世尊是陁羅尼神呪恒河沙等諸佛所說亦
皆隨喜若有侵毀此法師者則為侵毀是諸
佛已尒時毗沙門天王護世者白佛言世尊
我亦為愍念衆生擁護此法師故說是陁羅
尼即說呪曰
阿梨一 那梨二 㝹那梨三 阿那盧四 那履五
拘那履六
世尊以是神呪擁護法師我亦自當擁護持

尼即說呪曰
阿梨一 那梨二 㝹那梨三 阿那盧四 那履五
拘那履六
世尊以是神呪擁護法師我亦自當擁護持
是經者令百由旬內无諸衰患尒時持國天
王在此會中與千万億那由他乾闥婆衆恭
敬圍繞前詣佛所合掌白佛言世尊我亦以
陁羅尼神呪擁護持法華經者即說呪曰
阿伽祢一 伽祢二 瞿利三 乾陁利四 旃陁利
五 摩蹬耆六 常求利七 浮樓莎柅八 頞
底九
世尊是陁羅尼神呪四十二億諸佛所說若
有侵毀此法師者則為侵毀是諸佛已尒時
有羅剎女等一名藍婆二名毗藍婆三名曲
齒四名華齒五名黑齒六名多髮七名无猒
足八名持瓔珞九名睪帝十名奪一切衆生
精氣是十羅剎女與鬼子母并其子及眷屬
俱詣佛所同聲白佛言世尊我等亦欲擁護
讀誦受持法華經者除其衰患若有伺求法
師短者令不得便即於佛前而說呪曰
伊提履一 伊提泯二 伊提履三 阿提履四 伊
提履五 泥履六 泥履七 泥履八 泥履九 泥履
十 樓醯十一 樓醯十二 樓醯十三 樓醯十四 多醯十五 多
醯十六 多醯十七 兜醯十八 㝹醯十九
寧上我頭上莫惱於法師若夜叉若羅剎若
我[illegible]

十樓醯一十樓醯二十樓醯三十樓醯四十多醯五十多
醯六十多醯七十兜醯八十㝹醯九十
寧上我頭上莫惱於法師若夜叉若羅刹若
餓鬼若富單那若吉蔗若毗陁羅若揵䭾若
烏摩勒伽若阿跋摩羅若夜叉吉蔗若人吉
蔗若熱病若一日若二日若三日若四日若
至七日若常熱病若男形若女形若童男形
若童女形乃至夢中亦復莫惱即於佛前而
說偈言
若不順我呪　惱亂說法者　頭破作七分　如阿梨樹枝
如煞父母罪　亦如壓油殃　斗秤欺誑人　調達破僧罪
犯此法師者　當獲如是殃
諸羅刹女說此偈已白佛言世尊我等亦當
身自擁護受持讀誦脩行是經者令得安隱
離諸衰患消衆毒藥佛告諸羅刹女善哉善
哉汝等但能擁護受持法華名者福不可量
何況擁護具足受持供養經卷華香瓔珞末
香塗香燒香幡蓋伎樂然種種燈蘇燈油燈
諸香油燈蘇摩那華油燈瞻蔔華油燈婆師
迦華油燈優鉢羅華油燈如是等百千種供
養者睪帝汝等及眷屬應當擁護如是法師
說是陁羅尼品時六万八千人得无生法忍
妙法蓮華經妙莊嚴王本事品第二十七
尒時佛告諸大衆乃往古世過无量无邊不
可思議阿僧祇劫有佛名雲雷音宿王華智

養者睪帝汝等及眷屬應當擁護如是法師
說是陁羅尼品時六万八千人得无生法忍
妙法蓮華經妙莊嚴王本事品第二十七
尒時佛告諸大衆乃往古世過无量无邊不
可思議阿僧祇劫有佛名雲雷音宿王華智
多陁阿伽度阿羅呵三藐三佛陁國名光明
莊嚴劫名憙見彼佛法中有王名妙莊嚴其
王夫人名曰淨德有二子一名淨藏二名淨
眼是二子有大神通力福德智慧久脩菩薩所
行之道所謂檀波羅蜜尸羅波羅蜜羼提波
羅蜜毗梨耶波羅蜜禪波羅蜜般若波羅蜜
方便波羅蜜慈悲喜捨乃至三十七品助道法
皆悉明了通達又得菩薩淨三昧日星宿三
昧淨光三昧淨色三昧淨照明三昧長莊嚴
三昧大威德藏三昧於此三昧亦悉通達尒
時彼佛欲引導妙莊嚴王及愍念衆生故說
是法華經時淨藏淨眼二子到其母所合十
指爪掌白言願母往詣雲雷音宿王華智佛
所我等亦當侍從親近供養禮拜所以者何
此佛於一切天人衆中說法華經宜應聽受
母告子言汝父信受外道深著婆羅門法汝
等應往白父與共俱去淨藏淨眼合十爪指
掌白母我等是法王子而生此邪見家母告
子言汝等當憂念汝父為現神變若得見者
心必清淨或聽我等往至佛所於是二子念

等應往白父與共俱去淨藏淨眼合十爪指
掌白母我等是法王子而生此邪見家母告
子言汝等當憂念汝父為現神變若得見者
心必清淨或聽我等往至佛所於是二子念
其父故踊在虛空高七多羅樹現種種神變
於虛空中行住坐臥身上出水身下出火身
下出水身上出火或現大身滿虛空中而復
現小小復現大於空中滅忽然在地入地如
水履水如地現如是等種種神變令其父王
心淨信解時父見子神力如是心大歡喜得
未曾有合掌向子言汝等師為是誰誰之弟
子二子白言大王彼雲雷音宿王華智佛今
在七寶菩提樹下法座上坐於一切世間天
人眾中廣說法華經是我等師我是弟子父
語子言我今亦欲見汝等師可共俱往於是
二子從空中下到其母所合掌白母父王今
已信解堪任發阿耨多羅三藐三菩提心我
等為父已作佛事願母見聽於彼佛所出家
修道尒時二子欲重宣其意以偈白母
願母放我等　出家作沙門　諸佛甚難值　我等隨佛學
如優曇波羅　值佛復難是　脫諸難亦難　願聽我出家
母即告言聽汝出家所以者何佛難值故於
是二子白父母言善哉父母願時往詣雲雷
音宿王華智佛所親近供養所以者何佛難
得值如優曇波羅華又如一眼之龜值浮木
孔而我等宿福深厚生值佛法是故父母當

BD02389 號　妙法蓮華經卷七　（14–6）

母即告言聽汝出家所以者何佛難值故於
是二子白父母言善哉父母願時往詣雲雷
音宿王華智佛所親近供養所以者何佛難
得值如優曇波羅華又如一眼之龜值浮木
孔而我等宿福深厚生值佛法是故父母當
聽我等令得出家所以者何諸佛難值時亦
難遇彼時妙莊嚴王後宮八万四千人皆悉
堪任受持是法華經淨眼菩薩於法華三昧
久已通達淨藏菩薩已於無量百千万億劫
通達離諸惡趣三昧欲令一切眾生離諸惡
趣故其王夫人得諸佛習三昧能知諸佛祕
密之藏二子如是以方便力善化其父令心
信解好樂佛法於是妙莊嚴王與群臣眷屬
俱淨德夫人與後宮采女眷屬俱其王二子
與四万二千人俱一時共詣佛所到已頭面
礼足遶佛三帀卻住一面尒時彼佛為王說
法示教利喜王大歡悅尒時妙莊嚴王及其
夫人解頸真珠瓔珞價直百千以散佛上於
虛空中化成四柱寶臺臺中有大寶床敷百
千万天衣其上有佛結加趺坐放大光明尒
時妙莊嚴王作是念佛身希有端嚴殊特成
就第一微妙之色時雲雷音宿王華智佛告
四眾言汝等見是妙莊嚴王於我前合掌立
不此王於我法中作比丘精勤修習助佛道
法當得作佛號娑羅樹王國名大光劫名大

BD02389 號　妙法蓮華經卷七　（14–7）

就第一微妙之色時雲雷音宿王華智佛告
四衆言汝等見是妙莊嚴王於我前合掌立
不此王於我法中作比丘精勤脩習助佛道
法當得作佛号娑羅樹王國名大光劫名大
高王其娑羅樹王佛有无量菩薩衆及无量
聲聞其國平正功德如是其王即時以國付
弟與夫人二子并諸眷屬於佛法中出家脩
道王出家已於八万四千歲常勤精進脩行
妙法華經過是已後得一切淨功德莊嚴三
昧即昇虛空高七多羅樹而白佛言世尊此
我二子已作佛事以神通變化轉我邪心令
得安住於佛法中得見世尊此二子者是我
善知識為欲發起宿世善根饒益我故來生
我家尒時雲雷音王華智佛告妙莊嚴王
言如是如是如汝所言若善男子善女人種
善根故世世得善知識其善知識能作佛事
示教利喜令入阿耨多羅三藐三菩提大王
當知善知識者是大因緣所謂化導令得見
佛發阿耨多羅三藐三菩提心大王汝見此
二子不此二子已曾供養六十五百千万億
那由他恒河沙諸佛親近恭敬於諸佛所受
持法華經愍念邪見衆生令住正見妙莊
嚴王即從虛空中下而白佛言世尊如來甚
希有以功德智慧故頂上肉髻光明顯照其
眼長廣而紺青色眉間豪相白如珂月齒白
齊密常有光明脣色赤好如頻婆果尒時妙莊
嚴王讚歎佛如是等无量百千万億功德已

BD02389號　妙法蓮華經卷七　（14–8）

希有以功德智慧故頂上肉髻光明顯照其
眼長廣而紺青色眉間豪相白如珂月齒白
齊密常有光明脣色赤好如頻婆果尒時妙莊
嚴王讚歎佛如是等无量百千万億功德已
於如來前一心合掌復白佛言世尊未曾有
也如來之法具足成就不可思議微妙功德
教戒所行安隱快善我從今日不復自隨心
行不生邪見憍慢瞋恚諸惡之心說是語已
礼佛而出佛告大衆於意云何妙莊嚴王豈
異人乎今華德菩薩是其淨德夫人今佛前
光照莊嚴相菩薩是哀愍妙莊嚴王及諸眷
屬故於彼中生其二子者今藥王菩薩藥上
菩薩是是藥王藥上菩薩成就如此諸大功
德已於无量百千万億諸佛所植衆德本成
就不可思議諸善功德若有人識是二菩薩
名字者一切世間諸天人民亦應礼拜佛說
是妙莊嚴王本事品時八万四千人遠塵離
垢於諸法中得法眼淨
妙法蓮華經普賢菩薩勸發品第二十八
尒時普賢菩薩以自在神通力威德名聞與大
菩薩无量无邊不可稱數從東方來所經諸
國普皆震動雨寶蓮華作无量百千万億種
種伎樂又與无數諸天龍夜叉乾闥婆阿脩
羅迦樓羅緊那羅摩睺羅伽人非人等大衆
圍繞各現威德神通之力到娑婆世界耆闍
崛山中頭面禮釋迦牟尼佛右遶七帀

BD02389號　妙法蓮華經卷七　（14–9）

種伎樂又與无數諸天龍夜叉乾闥婆阿脩
羅迦樓羅緊那羅摩睺羅伽人非人等大衆
圍繞各現威德神通之力到娑婆世界耆闍
崛山中頭面礼釋迦牟尼佛右繞七帀白佛
言世尊我於寶威德上王佛國遥聞此娑婆
世界說法華經與无量无邊百千万億諸菩
薩衆共來聽受唯願世尊當爲說之若善男
子善女人於如來滅後云何能得是法華經
佛告普賢菩薩若善男子善女人成就四法
於如來滅後當得是法華經一者爲諸佛護
念二者植衆德本三者入正定聚四者發救
一切衆生之心善男子善女人如是成就四
法於如來滅後必得是經尒時普賢菩薩白
佛言世尊於後五百歲濁惡世中其有受持
是經典者我當守護除其衰患令得安隱使
无伺求得其便者若魔若魔子若魔女若
魔民若爲魔所著者若夜叉若羅剎若鳩槃
荼若毗舍闍若吉蔗若富單那若韋陁羅等
諸惱人者皆不得便是人若行若立讀誦此經
我尒時乘六牙白象王與大菩薩衆俱詣其
所而自現身供養守護安慰其心亦爲供養
法華經故是人若坐思惟此經尒時我復乘
白象王現其人前其人若於法華經有所忘
失一句一偈我當教之與共讀誦還令通利
尒時受持讀誦法華經者得見我身甚大歡
喜轉復精進以見我故即得三昧及陁羅尼

白象王現其人前其人若於法華經有所忘
失一句一偈我當教之與共讀誦還令通利
尒時受持讀誦法華經者得見我身甚大歡
喜轉復精進以見我故即得三昧及陁羅尼
名爲旋陁羅尼百千万億旋陁羅尼法音方
便陁羅尼得如是等陁羅尼世尊若後世後
五百歲濁惡世中比丘比丘尼優婆塞優婆
夷求索者受持者讀誦者書寫者欲脩習是
法華經於三七日中應一心精進滿三七日
已我當乘六牙白象與无量菩薩而自圍繞
以一切衆生所喜見身現其人前而爲說法
示教利喜亦復與其陁羅尼呪得是陁羅尼
故无有非人能破壞者亦不爲女人之所惑
亂我身亦自常護是人唯願世尊聽我說此
陁羅尼呪即於佛前而說呪曰
阿檀地 途賣反一 檀陁婆地二 檀陁婆帝三 檀陁
鳩舍隸四 檀陁脩陁隸五 脩陁隸六 脩陁羅
婆底七 佛䭾波羶禰八 薩婆陁羅尼阿婆多
尼九 薩婆婆沙阿婆多尼十 脩阿婆多尼十一
僧伽婆履叉尼十二 僧伽涅伽陁尼十三 阿僧祇十四
僧伽波伽地十五 帝隸阿惰僧伽兜略盧遮反 阿
羅帝波羅帝十六 薩婆僧伽三摩地伽蘭地
十七 薩婆達磨脩波利帝十八 薩婆薩埵樓䭾憍
舍略阿㝹伽地十九 辛阿毗吉利地帝二十
世尊若有菩薩得聞是陁羅尼者當知普賢
神通之力若法華經行閻浮提有受持者應

十七薩婆達磨脩波利帝十八薩婆薩埵樓馱憍
舍略阿㝹伽地十九辛阿毗吉利地帝二十
世尊若有菩薩得聞是陀羅尼者當知普賢
神通之力若法華經行閻浮提有受持者應
作此念皆是普賢威神之力若有受持讀誦
正憶念解其義趣如說脩行當知是人行普
賢行於无量无邊諸佛所深種善根為諸如
來手摩其頭若但書寫是人命終當生忉利
天上是時八万四千天女作衆伎樂而來迎
之其人即著七寶冠於婇女中娛樂快樂何
況受持讀誦正憶念解其義趣如說脩行若
有人受持讀誦解其義趣是人命終為千佛
授手令不恐怖不墮惡趣即往兜率天上彌
勒菩薩所彌勒菩薩有三十二相大菩薩衆
所共圍繞有百千万億天女眷屬而於中生
有如是等功德利益是故智者應當一心自
書若使人書受持讀誦正憶念如說脩行世
尊我今以神通力故守護是經於如來滅後閻
浮提內廣令流布使不斷絕尒時釋迦牟尼
佛讚言善哉善哉普賢汝能護助是經令多
所衆生安樂利益汝已成就不可思議功德
深大慈悲從久遠來發阿耨多羅三藐三菩
提意而能作是神通之願守護是經我當以
神通力守護能受持普賢菩薩名者普賢若
有受持讀誦正憶念脩習書寫是法華經者
當知是人則見釋迦牟尼佛如從佛口聞此
經典當知是人供養釋迦牟尼佛當知是人

BD02389 號　妙法蓮華經卷七　（14–12）

神通力守護能受持普賢菩薩名者普賢若
有受持讀誦正憶念脩習書寫是法華經者
當知是人則見釋迦牟尼佛如從佛口聞此
經典當知是人供養釋迦牟尼佛當知是人
佛讚善哉當知是人為釋迦牟尼佛手摩其
頭當知是人為釋迦牟尼佛衣之所覆如是
之人不復貪著世樂不好外道經書手筆亦
復不憙親近其人及諸惡者若屠兒若畜猪
羊雞狗若獵師若衒賣女色是人心意質直
有正憶念有福德力是人不為三毒所惱亦
不為嫉妬我慢邪慢增上慢所惱是人少欲
知足能脩普賢之行普賢若如來滅後後五
百歲若有人見受持讀誦法華經者應作是
念此人不久當詣道場破諸魔衆得阿耨多
羅三藐三菩提轉法輪擊法鼓吹法螺雨法
雨當坐天人大衆中師子法座上普賢若於
後世受持讀誦是經典者是人不復貪著衣
服卧具飲食資生之物所願不虛亦於現世得
其福報若有人輕毀之言汝狂人耳空作是
行終无所獲如是罪報當世世无眼若有
供養讚歎之者當於今世得現果報若復見
受持是經者出其過惡若實若不實此人現
世得白癩病若輕笑之者當世世牙齒疎缺
醜脣平鼻手脚繚戾眼目角睞身體臭穢惡
瘡膿血水腹短氣諸惡重病是故普賢若見
受持是經典者當起遠迎當如敬佛

BD02389 號　妙法蓮華經卷七　（14–13）

爾當坐天人大衆中師子法座上普賢若於
後世受持讀誦是經典者是人不復貪著衣
服卧具飲食資生之物所願不虛亦於現世得
其福報若有人輕毀之言汝狂人耳空作是
行終无所獲如是罪報當世世无眼若有
供養讚歎之者當於今世得現果報若復見
受持是經者出其過惡若實若不實此人現
世得白癩病若輕咲之者當世世牙齒踈缺
醜脣平鼻手脚繚戾眼目角睞身體臭穢惡
瘡膿血水腹短氣諸惡重病是故普賢若見
受持是經典者當起遠迎當如敬佛說是普
賢勸發品時恒河沙等无量无邊菩薩得百
千万億旋陁羅尼三千大千世界微塵等諸
菩薩具普賢道佛說是經時普賢等諸菩薩
舍利弗等諸聲聞及諸天龍人非人等一切大
會皆大歡喜受持佛語作礼而去

妙法蓮華經卷第七

BD02389 號　妙法蓮華經卷七　（14–14）

言言[illegible]
說如來[illegible]後五百歲有持戒脩福者於此
章句能生信心以此為實當知是人不於一佛
二佛三四五佛而種善根已於无量千万佛所種
諸善根聞是章句乃至一念生淨信者須
菩提如來悉知悉見是諸衆生得如是无量
福德何以故是諸衆生无復我相人相衆
生相壽者相无法相亦无非法相何以故是
諸衆生若心取相則為著我人衆生壽者若
取法相即著我人衆生壽者何以故若取非法
相即著我人衆生壽者是故不應取法不應取
非法以是義故如來常說汝等比丘知我說法
如筏喻者法尚應捨何況非法
須菩提於意云何如來得阿耨多羅三藐三菩
提耶如來有所說法耶須菩提言如我解佛
所說義无有定法名阿耨多羅三藐三菩提
亦无有定法如來可說何以故如來所說法
皆不可取不可說非法非非法所以者何一切
賢聖皆以无為法而有差別

BD02390 號　金剛般若波羅蜜經　（7–1）

須菩提於意云何如來得阿耨多羅三藐三菩
提耶如來有所說法耶須菩提言如我解佛
所說義无有定法名阿耨多羅三藐三菩提
亦无有定法如來可說何以故如來所說法
皆不可取不可說非法非非法所以者何一切
賢聖皆以无為法而有差別
須菩提於意云何若人滿三千大千世界七寶
以用布施是人所得福德寧為多不須菩提
言甚多世尊何以故是福德即非福德性是
故如來說福德多若復有人於此經中受持
乃至四句偈等為他人說其福勝彼何以故須
菩提一切諸佛及諸佛阿耨多羅三藐三菩
提法皆從此經出須菩提所謂佛法者即
非佛法
須菩提於意云何須陁洹能作是念我得須
陁洹果不須菩提言不也世尊何以故須陁洹
名為入流而无所入不入色聲香味觸法是名
須陁洹須菩提於意云何斯陁含能作是
念我得斯陁含果不須菩提言不也世尊何
以故斯陁含名一往來而實无往來是名斯陁
含須菩提於意云何阿那含能作是念我得
阿那含果不須菩提言不也世尊何以故阿那
含名為不來而實无來是故名阿那含須菩
提於意云何阿羅漢能作是念我得阿羅
漢道不須菩提言不也世尊何以故實无有
法名阿羅漢世尊若阿羅漢作是念我得

BD02390號　金剛般若波羅蜜經　（7–2）

含名為不來而實无來是故名阿那含須菩
提於意云何阿羅漢能作是念我得阿羅
漢道不須菩提言不也世尊何以故實无有
法名阿羅漢世尊若阿羅漢作是念我得
阿羅漢道即為著我人衆生壽者世尊佛
說我得无諍三昧人中最為第一是第一離
欲阿羅漢我不作是念我是離欲阿羅漢
世尊我若作是念我得阿羅漢道世尊則
不說須菩提是樂阿蘭那行者以須菩提
實无所行而名須菩提是樂阿蘭那行
佛告須菩提於意云何如來昔在然燈佛所於
法有所得不世尊如來在然燈佛所於法實
无所得須菩提於意云何菩薩莊嚴佛土不
不也世尊何以故莊嚴佛土者則非莊嚴是名
莊嚴是故須菩提諸菩薩摩訶薩應如是
生清淨心不應住色生心不應住聲香味觸
法生心應无所住而生其心
須菩提譬如有人身如須弥山王於意云何是
身為大不須菩提言甚大世尊何以故佛說
非身是名大身
須菩提如恒河中所有沙數如是沙等恒河於
意云何是諸恒河沙寧為多不須菩提言甚
多世尊但諸恒河尚多无數何況其沙須菩
提我今實言告汝若有善男子善女人以七
寶滿爾所恒河沙數三千大千世界以用布施
得福多不須菩提言甚多世尊佛告須菩

BD02390號　金剛般若波羅蜜經　（7–3）

須菩提如恒河中所有沙數如是沙等恒河於
意云何是諸恒河沙寧為多不須菩提言甚
多世尊但諸恒河尚多无數何況其沙須菩
提我今實言告汝若有善男子善女人以七
寶滿尒所恒河沙數三千大千世界以用布施
得福多不須菩提言甚多世尊佛告須菩
提若善男子善女人於此經中乃至受持
四句偈等為他人說而此福德勝前福德復
次須菩提隨說是經乃至四句偈等當知此
處一切世間天人阿脩羅皆應供養如佛塔廟
何況有人盡能受持讀誦須菩提當知是人
成就最上第一希有之法若是經典所在之處
則為有佛若尊重弟子
尒時須菩提白佛言世尊當何名此經我等云
何奉持佛告須菩提是經名為金剛般若波
羅蜜以是名字汝當奉持所以者何須菩提
佛說般若波羅蜜則非般若波羅蜜須菩
提於意云何如來有所說法不須菩提白
佛言世尊如來无所說須菩提於意云何三
千大千世界所有微塵是為多不須菩提言甚
多世尊須菩提諸微塵如來說非微塵是
名微塵如來說世界非世界是名世界
須菩提於意云何可以三十二相見如來不不
也世尊不可以三十二相得見如來何以故如來
說三十二相即是非相是名三十二相須菩提若
有善男子善女人以恒河沙等身命布施若

BD02390號　金剛般若波羅蜜經　（7-4）

多世尊須菩提諸微塵如來說非微塵是
名微塵如來說世界非世界是名世界
須菩提於意云何可以三十二相見如來不不
也世尊不可以三十二相得見如來何以故如來
說三十二相即是非相是名三十二相須菩提若
有善男子善女人以恒河沙等身命布施若
復有人於此經中乃至受持四句偈等為他
人說其福甚多
尒時須菩提聞說是經深解義趣涕淚悲
泣而白佛言希有世尊佛說如是甚深經典
我從昔來所得慧眼未曾得聞如是之經世
尊若復有人得聞是經信心清淨則生實
相當知是人成就第一希有功德世尊是實
相者則是非相是故如來說名實相世尊我
今得聞如是經典信解受持不足為難若當
來世後五百歲其有眾生得聞是經信解
受持是人則為第一希有何以故此人无我相
人相眾生相壽者相所以者何我相即是非
相人相眾生相壽者相即是非相何以故
離一切諸相則名諸佛
佛告須菩提如是如是若復有人得聞是經
不驚不怖不畏當知是人甚為希有何以故須
菩提如來說第一波羅蜜非第一波羅蜜是
名第一波羅蜜須菩提忍辱波羅蜜如來說
非忍辱波羅蜜何以故須菩提如我昔為歌

BD02390號　金剛般若波羅蜜經　（7-5）

佛告須菩提如是如是若復有人得聞是經
不驚不怖不畏當知是人甚為希有何以故須
菩提如来說弟一波羅蜜非弟一波羅蜜是
名弟一波羅蜜須菩提忍辱波羅蜜如来說
非忍辱波羅蜜何以故須菩提如我昔為歌
利王割截身體我於尒時无我相无人相无衆
生相无壽者相何以故我於往昔節節支解
時若有我相人相衆生相壽者相應生瞋恨
須菩提又念過去於五百世作忍辱仙人於尒
所世无我相无人相无衆生相无壽者相是故
須菩提菩薩應離一切相發阿耨多羅三藐
三菩提心不應住色生心不應住聲香味觸
法生心應生无所住心若心有住則為非住是
故佛說菩薩心不應住色布施須菩提菩
薩為利益一切衆生應如是布施如来說一
切諸相即是非相又說一切衆生則非衆生
須菩提如来是真語者實語者如語者不
誑語者不異語者須菩提如来所得法此法
无實无虛
須菩提若菩薩心住於法而行布施如人入
闇則无所見若菩薩心不住法而行布施如人
有目日光明照見種種色須菩提當来之世
若有善男子善女人能於此經受持讀誦則
為如来以佛智慧悉知是人悉見是人皆得

BD02390號　金剛般若波羅蜜經　（7–6）

誑語者不異語者須菩提如来所得法此法
无實无虛
須菩提若菩薩心住於法而行布施如人入
闇則无所見若菩薩心不住法而行布施如人
有目日光明照見種種色須菩提當来之世
若有善男子善女人能於此經受持讀誦則
為如来以佛智慧悉知是人悉見是人皆得
成就无量无邊功德
須菩提若有善男子善女人初日分以恒河
沙等身布施中日分復以恒河沙等身布施
後日分亦以恒河沙等身布施如是无量百千
万億劫以身布施若復有人聞此經典信心不
逆其福勝彼何況書寫受持讀誦為人解說
須菩提以要言之是經有不可思議不可稱量
无邊功德如来為發大乘者說為發最上乘
者說若有人能受持讀誦廣為人說如来
悉知是人悉見是人皆得成就不可量不可
稱无有邊不可思議功德如是人等則為
荷擔如来阿耨多羅三藐三菩提何以故須
菩提若樂小法者著我見人見衆生見壽者

BD02390號　金剛般若波羅蜜經　（7–7）

其福復勝无量
逸多若人爲是
臾聽受緣是功
身所生得好上妙象馬車乘珎寶輦轝
乘天宮殿若復有人於講法處坐更有人
來勸令坐聽若分座令坐是人功德轉身得帝
釋坐處若梵王坐處若轉輪聖王所坐之處
阿逸多若復有人語餘人言有經名法華可
共往聽即受其教乃至須臾間聞是人功德
轉身得與陁羅尼菩薩共生一處利根智慧
百千万世終不瘖瘂口氣不臰舌常无病
口亦无病齒不垢黑不黄不疎亦不缺落不
差不曲脣不下垂亦不褰縮不麁澁不瘡緊
亦不缺壞亦不喎斜不厚不大亦不梨黑无
諸可惡鼻不匾㔸亦不曲戾面色不黑亦不
狹長亦不窪曲无有一切不可喜相脣舌牙
齒悉皆嚴好鼻脩高直面貌圓滿眉高而長
額廣平正人相具足世世所生見佛聞法信
受教誨阿逸多汝且觀是勸於一人令往聽

BD02391 號　妙法蓮華經卷六　（8–1）

齒悉皆嚴好鼻脩高直面貌圓滿眉高而長
額廣平正人相具足世世所生見佛聞法信
受教誨阿逸多汝且觀是勸於一人令往聽
法功德如此何況一心聽說讀誦而於大衆
爲人分別如說脩行尒時世尊欲重宣此義
而說偈言
若人於法會 得聞是經典 乃至於一偈 隨喜爲他說
如是展轉教 至于第五十 冣後人獲福 今當分別之
如是大施主 供給无量衆 具滿八十歲 隨意之所欲
見彼衰老相 髮白而面皺 齒踈形枯竭 念其死不久
我今應當教 令得於道果 即爲方便說 涅槃真實法
世皆不牢固 如水沫泡焰 汝等咸應當 疾生猒離心
諸人聞是法 皆得阿羅漢 具足六神通 三明八解脫
冣後第五十 聞一偈隨喜 是人福勝彼 不可爲譬喻
如是展轉聞 其福尚无量 何况於法會 初聞隨喜者
若有勸一人 將引聽法華 言此經深妙 千万劫難遇
即受教往聽 乃至須臾聞 斯人之福報 今當分別說
世世无口患 齒不踈黄黑 脣不厚褰缺 无有可惡相
舌不乾黑短 鼻高脩且直 額廣而平正 面目悉端嚴
爲人所喜見 口氣无臰穢 優鉢華之香 常從其口出
若故詣僧坊 欲聽法華經 須臾聞歡喜 今當說其福
後生天人中 得好象馬車 珎寶之輦轝 及乘天宮殿
若於講法處 勸人坐聽法 是福因緣得 釋梵轉輪坐
何况一心聽 解說其義趣 如說而脩行 其福不可量

BD02391 號　妙法蓮華經卷六　（8–2）

後生天人中　得好象馬車　珍寶之輦輿　及乘天宮殿
若於講法處　勸人坐聽法　是福因緣得　釋梵轉輪坐
何況一心聽　解說其義趣　如說而脩行　其福不可量
妙法蓮華經法師功德品第十九
尒時佛告常精進菩薩摩訶薩若善男子善
女人受持是法華經若讀若誦若解說若書
寫是人當得八百眼功德千二百耳功德八
百鼻功德千二百舌功德八百身功德千二
百意功德以是功德莊嚴六根皆令清淨是
善男子善女人父母所生清淨肉眼見於三
千大千世界內外所有山林河海下至阿鼻
地獄上至有頂亦見其中一切衆生及業因
緣果報生處悉見悉知尒時世尊欲重宣此
義而說偈言
若於大衆中　以无所畏心　說是法華經　汝聽其功德
是人得八百　功德殊勝眼　以是莊嚴故　其目甚清淨
父母所生眼　悉見三千界　內外弥樓山　須弥及鐵圍
并諸餘山林　大海江河水　下至阿鼻獄　上至有頂處
其中諸衆生　一切皆悉見　雖未得天眼　肉眼力如是
復次常精進若善男子善女人受持此經若
讀若誦若解說若書寫得千二百耳功德以
是清淨耳聞三千大千世界下至阿鼻地獄
上至有頂其中內外種種語言音聲象聲馬
聲牛聲車聲啼哭聲愁歎聲螺聲鼓聲鍾聲
鈴聲咲聲語聲男聲女聲童子聲童女聲法

BD02391號　妙法蓮華經卷六　（8–3）

上至有頂其中內外種種語言音聲象聲馬
聲牛聲車聲啼哭聲愁歎聲螺聲鼓聲鍾聲
鈴聲咲聲語聲男聲女聲童子聲童女聲法
聲非法聲苦聲樂聲凡夫聲聖人聲喜聲不
喜聲天聲龍聲夜叉聲乾闥婆聲阿脩羅聲
迦樓羅聲緊那羅聲摩睺羅伽聲火聲水聲
風聲地獄聲畜生聲餓鬼聲比丘聲比丘尼
聲聲聞聲辟支佛聲菩薩聲佛聲以要言之
三千大千世界中一切內外所有諸聲雖未
得天耳以父母所生清淨常耳皆悉聞知如
是分別種種音聲而不壞耳根尒時世尊欲
重宣此義而說偈言
父母所生耳　清淨无濁穢　以此常耳聞　三千世界聲
象馬車牛聲　鍾鈴螺鼓聲　琴瑟箜篌聲　簫笛之音聲
清淨好歌聲　聽之而不著　无數種人聲　聞悉能解了
又聞諸天聲　微妙之歌音　及聞男女聲　童男童女聲
山川嶮谷中　迦陵頻伽聲　命命等諸鳥　悉聞其音聲
地獄衆苦痛　種種楚毒聲　餓鬼飢渴逼　求索飲食聲
諸阿脩羅等　居在大海邊　自共言語時　出于大音聲
如是說法者　安住於此間　遙聞是衆聲　而不壞耳根
十方世界中　禽獸鳴相呼　其說法之人　於此悉聞之
其諸梵天上　光音及遍淨　乃至有頂天　言語之音聲
法師住於此　悉皆得聞之　一切比丘衆　及諸比丘尼
若讀誦經典　若為他人說　法師住於此　悉皆得聞之
復有諸菩薩　讀誦於經法　若為他人說　撰集解其義

BD02391號　妙法蓮華經卷六　（8–4）

其諸梵天上　光音及遍淨　乃至有頂天　言語之音聲
法師住於此　悉皆得聞之　一切比丘衆　及諸比丘尼
若讀誦經典　若為他人說　法師住於此　悉皆得聞之
復有諸菩薩　讀誦於經法　若為他人說　撰集解其義
如是諸音聲　皆悉得聞之　諸佛大聖尊　教化衆生者
於諸大會中　演說微妙法　持此法華者　悉皆得聞之
三千大千界　內外諸音聲　下至阿鼻獄　上至有頂天
皆聞其音聲　而不壞耳根　其耳聰利故　悉能分別知
持是法華者　雖未得天耳　但用所生耳　功德已如是
復次常精進若善男子善女人受持是經若
讀若誦若解說若書寫成就八百鼻功德以
是清淨鼻根聞於三千大千世界上下內外
種種諸香須曼那華香闍提華香末利華香
瞻蔔華香波羅羅華香赤蓮華香青蓮華香
白蓮華香華樹香菓樹香栴檀香沉水香多
摩羅跋香多伽羅香及千万種和香若末若
丸若塗香持是經者於此間住悉能分別又
復別知衆生之香為香馬香牛羊等香男香
女香童子香童女香及草木叢林香若近若
遠所有諸香悉皆得聞分別不錯持是經者
雖住於此亦聞天上諸天之香波利質多羅
拘鞞陀羅樹香及曼陀羅華香摩訶曼陀羅
華香曼殊沙華香摩訶曼殊沙華香栴檀沉
水種種末香諸雜華香如是等天香和合所
出之香无不聞知又聞諸天身香釋提桓因

BD02391號　妙法蓮華經卷六　（8-5）

拘鞞陀羅樹香及曼陀羅華香摩訶曼陀羅
華香曼殊沙華香摩訶曼殊沙華香栴檀沉
水種種末香諸雜華香如是等天香和合所
出之香无不聞知又聞諸天身香釋提桓因
在勝殿上五欲娛樂嬉戲時香若在妙法堂
上為忉利諸天說法時香若於諸園遊戲時
香及餘天等男女身香皆悉遙聞如是展轉
乃至梵世上至有頂諸天身香亦皆聞之并
聞諸天所燒之香及聲聞香辟支佛香菩薩
香諸佛身香亦皆遙聞知其所在雖聞此香
然於鼻根不壞不錯若欲分別為他人說憶
念不謬爾時世尊欲重宣此義而說偈言
是人鼻清淨　於此世界中　若香若臭物　種種悉聞知
須曼那闍提　多摩羅栴檀　沉水及桂香　種種華菓香
及知衆生香　男子女人香　說法者遠住　聞香知所在
大勢轉輪王　小轉輪及子　群臣諸宮人　聞香知所在
身所著珍寶　及地中寶藏　轉輪王寶女　聞香知所在
諸人嚴身具　衣服及瓔珞　種種所塗香　聞則知其身
諸天若行坐　遊戲及神變　持是法華者　聞香悉能知
諸樹華菓實　及酥油香氣　持經者住此　悉知其所在
諸山深嶮處　栴檀樹華敷　衆生在中者　聞香皆能知
鐵圍山大海　地中諸衆生　持經者聞香　悉知其所在
阿修羅男女　及其諸眷屬　鬪諍遊戲時　聞香皆能知
曠野險隘處　師子為虎狼　野牛水牛等　聞香知所在
若有懷妊者　未辯其男女　无根及非人　聞香悉能知

BD02391號　妙法蓮華經卷六　（8-6）

鐵圍山大海　地中諸衆生　持經者聞香　悉知其所在
阿修羅男女　及其諸眷屬　鬪諍遊戲時　聞香皆能知
曠野險隘處　師子象虎狼　野牛水牛等　聞香知所在
若有懷妊者　未辯其男女　无根及非人　聞香悉能知
以聞香力故　知其初懷妊　成就不成就　安樂産福子
以聞香力故　知男女所念　染欲癡恚心　亦知修善者
地中衆伏藏　金銀諸珎寶　銅器之所盛　聞香悉能知
種種諸瓔珞　无能識其價　聞香知貴賤　出處及所在
天上諸華等　曼陁曼殊沙　波利質多樹　聞香悉能知
天上諸宮殿　上中下差別　衆寶華莊嚴　聞香悉能知
天園林勝殿　諸觀妙法堂　在中而娛樂　聞香悉能知
諸天若聽法　或受五欲時　來往行坐臥　聞香悉能知
天女所著衣　好華香莊嚴　周旋遊戲時　聞香悉能知
如是展轉上　乃至於梵天　入禪出禪者　聞香悉能知
光音遍淨天　乃至于有頂　初生及退沒　聞香悉能知
諸比丘衆等　於法常精進　若坐若經行　及讀誦經法
或在林樹下　專精而坐禪　持經者聞香　悉知其所在
菩薩志堅固　坐禪若讀經　或為人說法　聞香悉能知
在在方世尊　一切所恭敬　愍衆而說法　聞香悉能知
衆生在佛前　聞經皆歡喜　如法而修行　聞香悉能知
雖未得菩薩　无漏法生鼻　而是持經者　先得此鼻相
復次常精進　若善男子善女人受持是經　若
讀若誦若解說若書寫　得千二百舌功德　若
好若醜　若美若不美　及諸苦澁物　在其舌根
皆變成上味　如天甘露　无不美者　若以舌根

[illegible]
在在方世尊　一切所恭敬　愍衆而說法　聞香悉能知
衆生在佛前　聞經皆歡喜　如法而修行　聞香悉能知
雖未得菩薩　无漏法生鼻　而是持經者　先得此鼻相
復次常精進　若善男子善女人受持是經　若
讀若誦若解說若書寫　得千二百舌功德　若
好若醜　若美若不美　及諸苦澁物　在其舌根
皆變成上味　如天甘露　无不美者　若以舌根
於大衆中有所演說　出深妙聲　能入其心　皆
令歡喜快樂　又諸天子天女　釋梵諸天　聞是
深妙音聲　有所演說言論次第　皆悉來聽　及
諸龍龍女　夜叉夜叉女　乾闥婆乾闥婆女　阿
修羅阿修羅女　迦樓羅迦樓羅女　緊那羅緊
那羅女　摩睺羅伽摩睺羅伽女　為聽法故　皆
來親近恭敬供養　及比丘比丘尼優婆塞優
婆夷　國王王子群臣眷屬　小轉輪王大轉輪
王七寶千子內外眷屬　乘其宮殿俱來聽法
以是菩薩善說法故　婆羅門居士國內人民
盡其形壽隨侍供養　又諸聲聞辟支佛菩薩
諸佛常樂見之　是人所在方面　諸佛皆向其

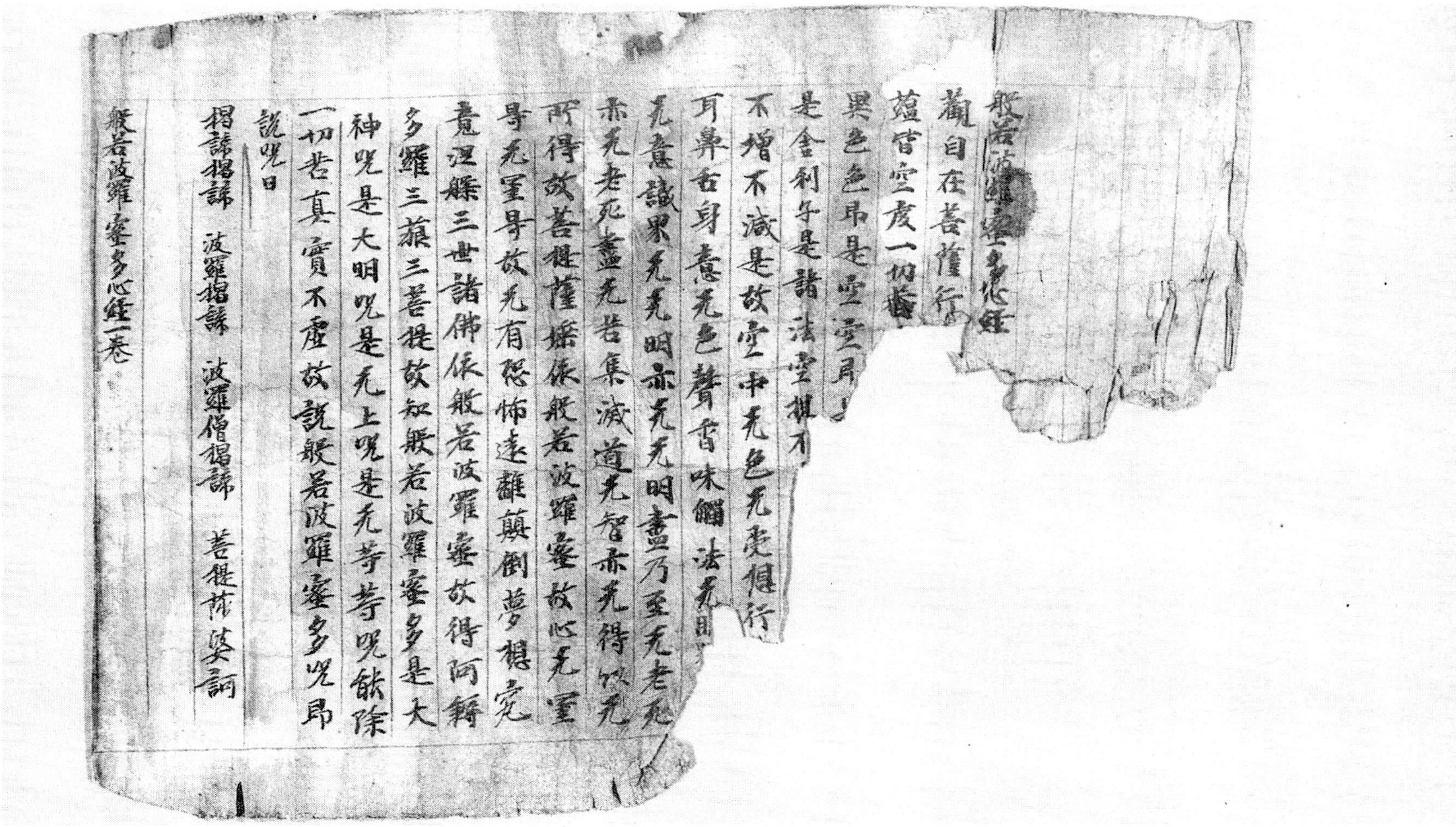

般若波羅蜜多心經
觀自在菩薩行
蘊皆空度一切苦
異色色即是空空即
是舍利子是諸法空相不
不增不減是故空中无色无受想行
耳鼻舌身意无色聲香味觸法无眼
无意識界无无明亦无无明盡乃至无老死
亦无老死盡无苦集滅道无智亦无得以无
所得故菩提薩埵依般若波羅蜜故心无罣
㝵无罣㝵故无有恐怖遠離顛倒夢想究
竟涅槃三世諸佛依般若波羅蜜故得阿耨
多羅三藐三菩提故知般若波羅蜜多是大
神呪是大明呪是无上呪是无等等呪能除
一切苦真實不虛故說般若波羅蜜多呪即
說呪曰
揭諦揭諦　波羅揭諦　波羅僧揭諦　菩提莎婆訶
般若波羅蜜多心經一卷

BD02392 號 A　般若波羅蜜多心經　（1–1）

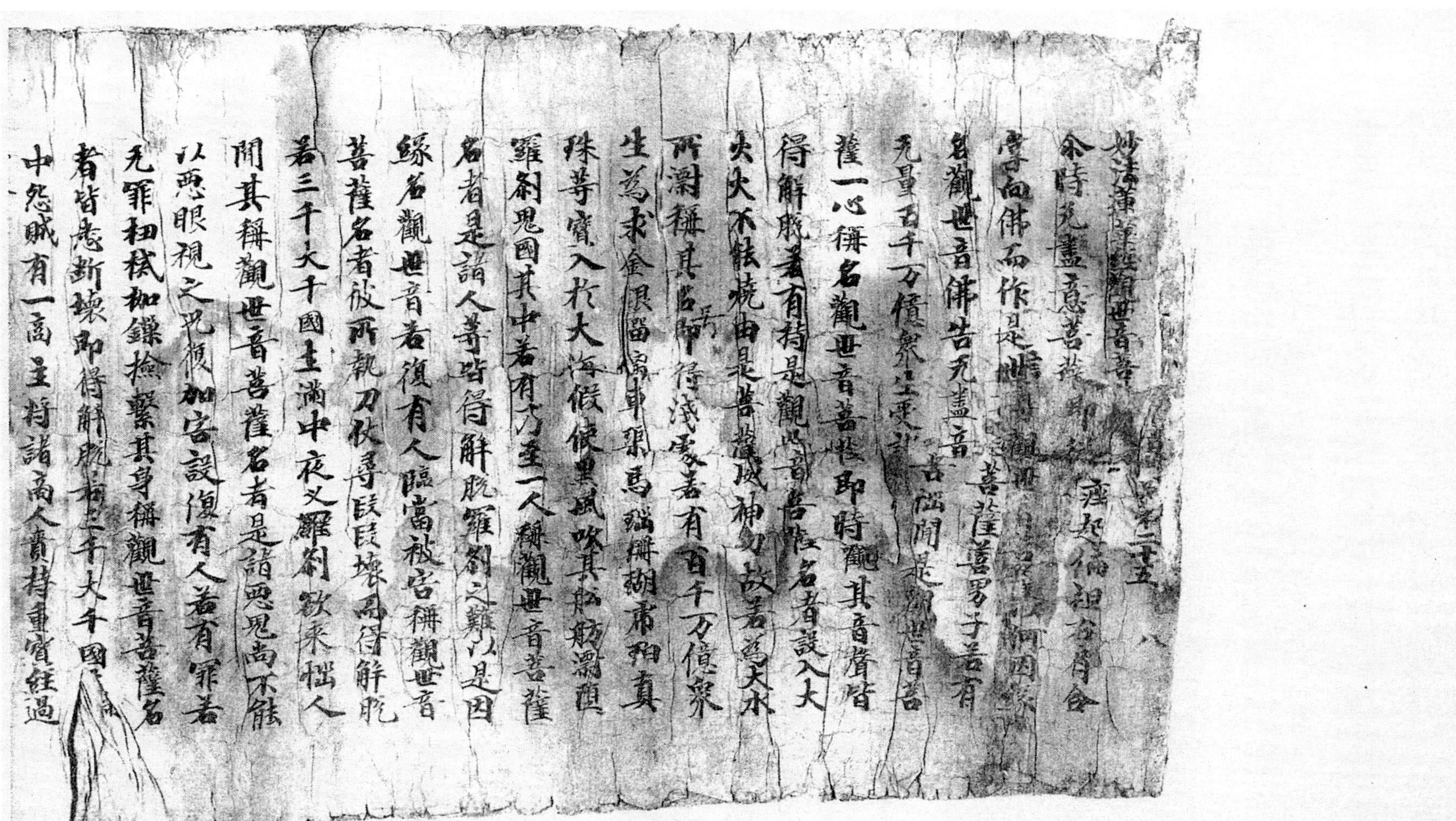

妙法蓮華經觀世音菩薩普門品第二十五
爾時无盡意菩薩即從座起偏袒右肩合
掌向佛而作是言世尊觀世音菩薩以何因緣
名觀世音佛告无盡意菩薩善男子若有
无量百千万億衆生受諸苦惱聞是觀世音
菩薩一心稱名觀世音菩薩即時觀其音聲皆
得解脫若有持是觀世音菩薩名者設入大
火火不能燒由是菩薩威神力故若為大水
所漂稱其名號即得淺處若有百千万億衆
生為求金銀瑠璃車𤦲馬瑙珊瑚虎珀真
珠等寶入於大海假使黑風吹其舩舫漂墮
羅刹鬼國其中若有乃至一人稱觀世音菩薩
名者是諸人等皆得解脫羅刹之難以是因
緣名觀世音若復有人臨當被害稱觀世音
菩薩名者彼所執刀杖尋段段壞而得解脫
若三千大千國土滿中夜叉羅刹欲來惱人
聞其稱觀世音菩薩名者是諸惡鬼尚不能
以惡眼視之况復加害設復有人若有罪若
无罪杻械枷鎖檢繫其身稱觀世音菩薩名
者皆悉斷壞即得解脫若三千大千國土
中怨賊有一商主將諸商人齎持重寶經過

BD02392 號 B　妙法蓮華經（八卷本）卷八　（6–1）

聞其稱觀世音菩薩名者是諸惡鬼尚不能
以惡眼視之况復加害設復有人若有罪若
无罪杻械枷鎖檢繫其身稱觀世音菩薩名
者皆悉斷壞即得解脫若三千大千國土
中怨賊有一商主將諸商人齎持重寶經過
險路其中一人作是唱言諸善男子勿得恐
怖汝等應當一心稱觀世音菩薩名号是菩
薩能以无畏施於眾生汝等若稱名者於此
怨賊當得解脫眾商人聞俱發聲言南无觀
世音菩薩稱其名故即得解脫无盡意觀世
音菩薩摩訶薩威神之力巍巍如是若有
眾生多於婬欲常念恭敬觀世音菩薩便得
離欲若多瞋恚常念恭敬觀世音菩薩便得
離瞋若多愚癡常念恭敬觀世音菩薩便得
離癡无盡意觀世音菩薩有如是等大威
神力多所饒益是故眾生常應心念若有女人
設欲求男礼拜供養觀世音菩薩便生福德
智慧之男設欲求女便生端正有相之女宿
殖德本眾人愛敬无盡意觀世音菩薩有如
是力若有眾生恭敬礼拜觀世音菩薩福不
唐捐是故眾生皆應受持觀世音菩薩名号
无盡意若有人受持六十二億恒河沙菩薩
名字復盡形供養飲食衣服臥具醫藥於汝
意云何是善男子善女人功德多不无盡意言
甚多世尊佛言若復有人受持觀世音菩薩
名号乃至一時礼拜供養是二人福正等无異

BD02392 號 B　妙法蓮華經（八卷本）卷八　（6–2）

无盡意若有人受持六十二億恒河沙菩薩
名字復盡形供養飲食衣服臥具醫藥於汝
意云何是善男子善女人功德多不无盡意言
甚多世尊佛言若復有人受持觀世音菩薩
名号乃至一時礼拜供養是二人福正等无異
於百千万億劫不可窮盡无盡意受持觀世
音菩薩名号得如是无量无邊福德之利无
盡意菩薩白佛言世尊觀世音菩薩云何
遊此娑婆世界云何而為眾生說法方便之
力其事云何佛告无盡意菩薩善男子若有
國土眾生應以佛身得度者觀世音菩薩即
現佛身而為說法應以辟支佛身得度者即
現辟支佛身而為說法應以聲聞身得度者
即現聲聞身而為說法應以梵王身得度者
即現梵王身而為說法應以帝釋身得度者
即現帝釋身而為說法應以自在天身得度者
即現自在天身而為說法應以大自在天身
得度者即現大自在天身而為說法應以
天大將軍身得度者即現天大將軍身而為
說法應以毗沙門身得度者即現毗沙門身
而為說法應以小王身得度者即現小王身
而為說法應以長者身得度者即現長者身
而為說法應以居士身得度者即現居士身
而為說法應以宰官身得度者即現宰官身
而為說法應以婆羅門身得度者即現婆羅
門身而為說法應以比丘比丘尼優婆塞優

BD02392 號 B　妙法蓮華經（八卷本）卷八　（6–3）

而爲説法應以居士身得度者即現居士身
而爲説法應以宰官身得度者即現宰官身
而爲説法應以婆羅門身得度者即現婆羅
門身而爲説法應以比丘比丘尼優婆塞優
婆夷身得度者即現比丘比丘尼優婆塞優
婆夷身而爲説法應以長者居士宰官婆羅
門婦女身得度者即現婦女身而爲説法應
以童男童女身得度者即現童男童女身而
爲説法應以天龍夜叉乾闥婆阿修羅迦樓
羅緊那羅摩睺羅伽人非人等身得度者即
皆現之而爲説法應以執金剛神得度者即
現金剛神而爲説法无盡意是觀世音菩薩
成就如是功德以種種形遊諸國土度脱衆
生是故汝等應當一心供養觀世音菩薩是
觀世音菩薩摩訶薩於怖畏急難之中能
施无畏是故此娑婆世界皆号之爲施无畏者
无盡意菩薩白佛言世尊我今當供養觀
世音菩薩即解頸衆寶珠瓔珞價直百千兩
金而以與之作是言仁者受此法施珎寶瓔珞
時觀世音菩薩不肯受之无盡意復白觀世
音菩薩言仁者愍我等故受此瓔珞尒時佛
告觀世音菩薩當愍此无盡意菩薩及四衆
天龍夜叉乾闥婆阿修羅迦樓羅緊那羅摩
睺羅伽人非人等故受是瓔珞即時觀世音
菩薩愍諸四衆及於天龍人非人等受其瓔

告觀世音菩薩當愍此无盡意菩薩及四衆
天龍夜叉乾闥婆阿修羅迦樓羅緊那羅摩
睺羅伽人非人等故受是瓔珞即時觀世音
菩薩愍諸四衆及於天龍人非人等受其瓔
珞分作二分一分奉釋迦牟尼佛一分奉多
寶佛塔无盡意觀世音菩薩有如是自在神
力遊於娑婆世界尒時无盡意菩薩以偈問曰
世尊妙相具　我今重問彼　佛子何因緣　名爲觀世音
具足妙相尊　偈答无盡意　汝聽觀音行　善應諸方所
弘誓深如海　歷劫不思議　侍多千億佛　發大清淨願
我爲汝略説　聞名及見身　心念不空過　能滅諸有苦
假使興害意　推落大火坑　念彼觀音力　火坑變成池
或漂流巨海　龍魚諸鬼難　念彼觀音力　波浪不能沒
或在須彌峯　爲人所推墮　念彼觀音力　如日虛空住
或被惡人逐　墮落金剛山　念彼觀音力　不能損一毛
或值怨賊遶　各執刀加害　念彼觀音力　咸即起慈心
或遭王難苦　臨刑欲壽終　念彼觀音力　刀尋段段壞
或囚禁枷鎖　手足被杻械　念彼觀音力　釋然得解脫
呪詛諸毒藥　所欲害身者　念彼觀音力　彼即轉迴去
或遇惡羅刹　毒龍諸鬼等　念彼觀音力　時悉不敢害
若惡獸圍遶　利牙爪可怖　念彼觀音力　疾走无邊方
蚖蛇及蝮蝎　氣毒煙火然　念彼觀音力　尋聲自迴去
雲雷鼓掣電　降雹澍大雨　念彼觀音力　應時得消散
衆生被困厄　无量苦逼身　觀音妙智力　能救世間苦
具足神通力　廣修智方便　十方諸國土　无刹不現身
種種諸惡趣　地獄鬼畜生　生老病死苦　以漸悉令滅

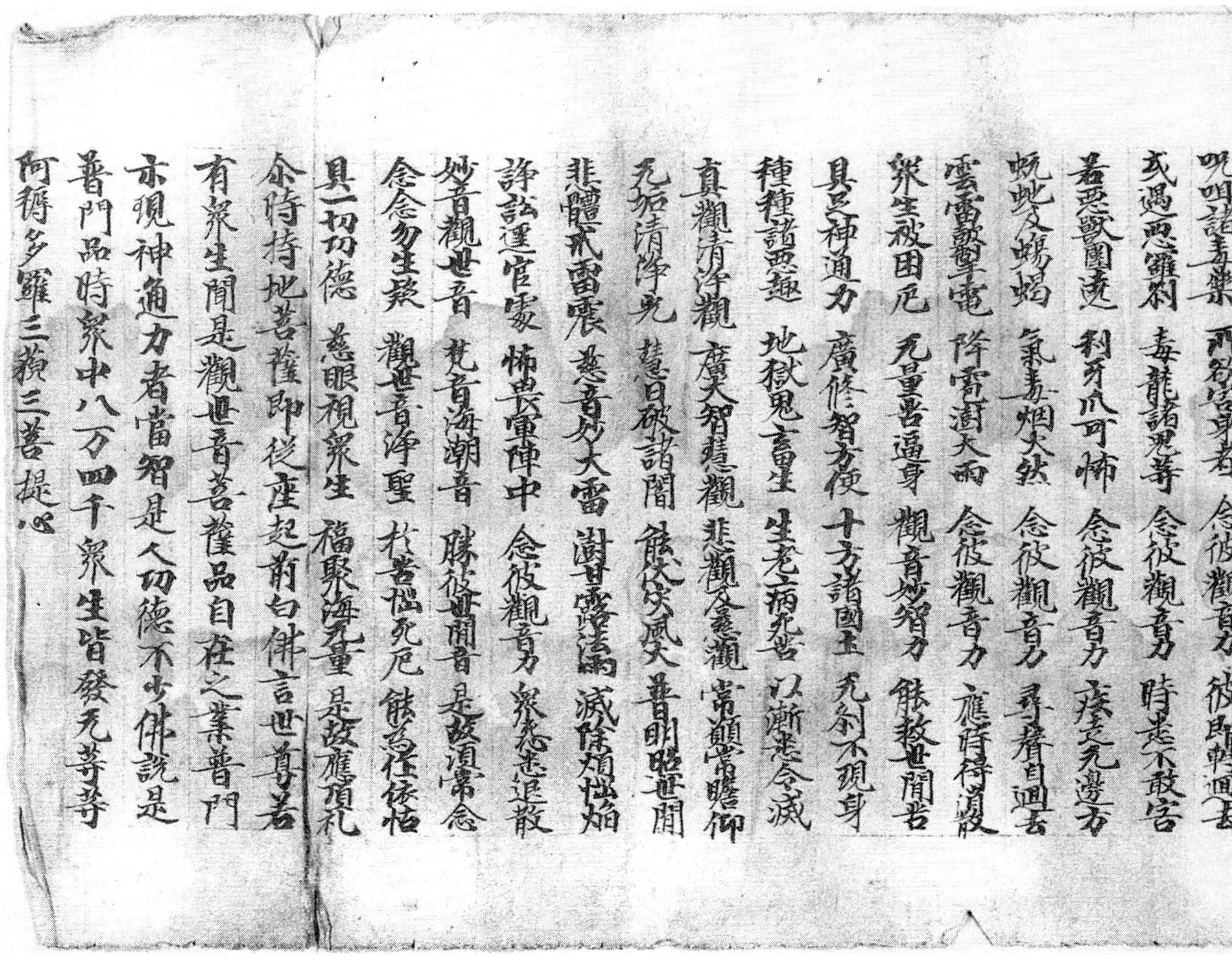

呪咀諸毒藥　所欲害身者　念彼觀音力　彼即轉迴去
或遇惡羅刹　毒龍諸鬼等　念彼觀音力　時悉不敢害
若惡獸圍遶　利牙爪可怖　念彼觀音力　疾走无邊方
蚖蛇及蝮蝎　氣毒煙火然　念彼觀音力　尋聲自迴去
雲雷鼓掣電　降雹澍大雨　念彼觀音力　應時得消散
衆生被困厄　无量苦逼身　觀音妙智力　能救世間苦
具足神通力　廣修智方便　十方諸國土　无刹不現身
種種諸惡趣　地獄鬼畜生　生老病死苦　以漸悉令滅
真觀清淨觀　廣大智慧觀　悲觀及慈觀　常願常瞻仰
无垢清淨光　慧日破諸闇　能伏災風火　普明照世間
悲體戒雷震　慈意妙大雲　澍甘露法雨　滅除煩惱焰
諍訟經官處　怖畏軍陣中　念彼觀音力　衆怨悉退散
妙音觀世音　梵音海潮音　勝彼世間音　是故須常念
念念勿生疑　觀世音淨聖　於苦惱死厄　能為作依怙
具一切功德　慈眼視衆生　福聚海无量　是故應頂禮
尒時持地菩薩即從座起前白佛言世尊若
有衆生聞是觀世音菩薩品自在之業普門
示現神通力者當知是人功德不少佛說是
普門品時衆中八万四千衆生皆發无等等
阿耨多羅三藐三菩提心

BD02392 號 B　妙法蓮華經（八卷本）卷八　　（6-6）

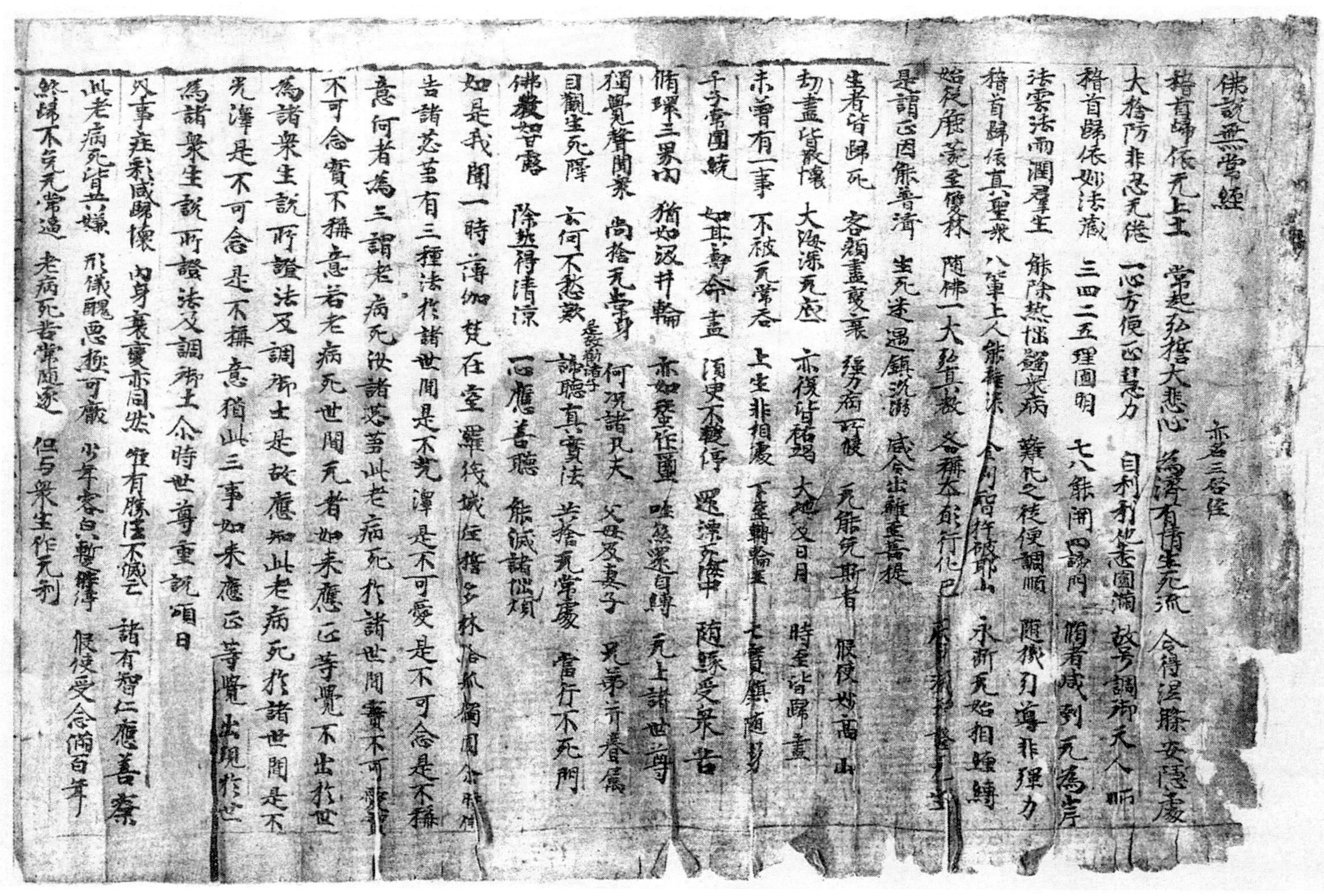

佛說無常經　亦名三啟經
稽首歸依无上士　常起弘誓大悲心　為濟有情生死流　令得涅槃安隱處
大捨防非忍无倦　一心方便正慧力　自利利他悉圓滿　故號調御天人師
稽首歸依妙法藏　三四二五理圓明　七八能開四諦門　修者咸到无為岸
法雲法雨潤群生　能除熱惱蠲衆病　難化之徒使調順　隨機引導非强力
稽首歸依真聖衆　八輩上人能離染　金剛智杵破邪山　永斷无始相纏縛
始從鹿苑至雙林　隨佛一代弘真教　各稱本緣行化已　[illegible]
是謂正因能普濟　生死迷愚鎮沉溺　咸令出離至菩提
生者皆歸死　容顏盡變衰　强力病所侵　无能免斯者　假使妙高山
劫盡皆壞散　大海深无底　亦復皆枯竭　大地及日月　時至皆歸盡
未曾有一事　不被无常吞　上至非想處　下至轉輪王　七寶鎮隨身
千子常圍遶　如其壽命盡　須臾不暫停　還漂死海中　隨緣受衆苦
循環三界內　猶如汲井輪　亦如蠶作繭　吐絲還自縛　无上諸世尊
獨覺聲聞衆　尚捨无常身　何況諸凡夫　父母及妻子　兄弟并眷屬
目觀生死隔　云何不愁歎　是故勸諸人　諦聽真實法　共捨无常處　當行不死門
佛法如甘露　除熱得清涼　一心應善聽　能滅諸煩惱
如是我聞一時薄伽梵在室羅伐城逝多林給孤獨園尒時佛
告諸苾芻有三種法於諸世間是不光澤是不可愛是不可念是不稱
意何者為三謂老病死汝諸苾芻此老病死於諸世間實不可愛實
不可念實不稱意若老病死世間无者如來應正等覺不出於世
為諸衆生說所證法及調御士是故應知此老病死於諸世間是不
光澤是不可念是不稱意由此三事如來應正等覺出現於世
為諸衆生說所證法及調御士尒時世尊重說頌曰
外事莊彩咸歸壞　內身衰變亦同然　唯有勝法不滅亡　諸有智人應善察
此老病死皆共嫌　形儀醜惡極可厭　少年容貌暫時停　假使受命滿百年
終歸不免无常逼　老病死苦常隨逐　但与衆生作无利

BD02392 號 C　無常經　　（2-1）

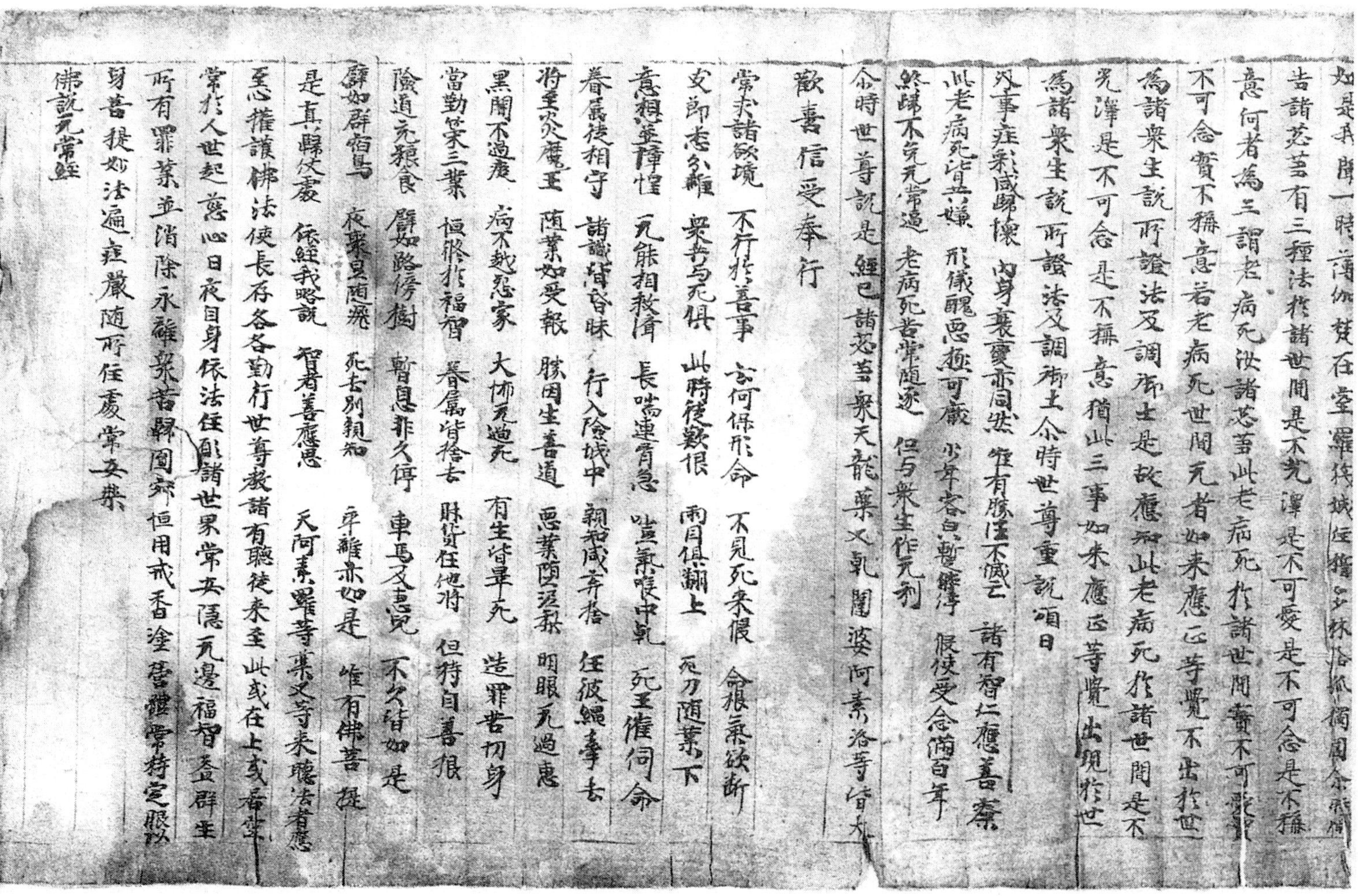

如是我聞一時薄伽梵在室羅伐城逝多林給孤獨園尒時佛
告諸苾芻有三種法於諸世間是不光澤是不可愛是不可念是不稱
意何者為三謂老病死汝諸苾芻此老病死於諸世間實不可愛實
不可念實不稱意若老病死世間无者如來應正等覺不出於世
為諸衆生說所證法及調伏事是故應知此老病死於諸世間是不
光澤是不可念是不稱意由此三事如來應正等覺出現於世
為諸衆生說所證法及調伏事尒時世尊重說頌曰
外事莊彩咸歸壞　內身衰變亦同然　唯有勝法不滅亡　諸有智人應善察
此老病死皆共嫌　形儀醜惡極可厭　少年容色暫時住　假使受命滿百年
終歸不免无常逼　老病死苦常隨逐　恒与衆生作无利
尒時世尊說是經已諸苾芻衆天龍藥叉乾闥婆阿素洛等皆大
歡喜信受奉行
常求諸欲境　不行於善事　云何保形命　不見死來侵　命根氣欲斷
支節悉分離　衆苦與死俱　此時徒歎恨　兩目俱翻上　死刀隨業下
意想並慞惶　无能相救濟　長喘連胸急　短氣喉中乾　死王催伺命
眷屬徒相守　諸識皆昏昧　行入險城中　親知咸棄捨　任彼繩牽去
將至琰魔王　隨業而受報　勝因生善道　惡業墮泥犁　明眼无過慧
黑闇不過癡　病不越怨家　大怖无過死　有生皆必死　造罪苦切身
當勤策三業　恒修於福智　眷屬皆捨去　財貨任他將　但持自善根
險道充糧食　譬如路傍樹　暫息非久停　車馬及妻兒　不久皆如是
譬如群宿鳥　夜聚旦隨飛　死去別親知　乖離亦如是　唯有佛菩提
是真歸仗處　依經我略說　智者善應思　天阿素羅藥叉等　來聽法者應
至心　擁護佛法使長存　各各勤行世尊教　諸有聽徒來至此　或在地上或居空
常於人世起慈心　日夜自身依法住　願諸世界常安隱　无邊福智益群生
所有罪業並消除　遠離衆苦歸圓寂　恒用戒香塗瑩體　常持定服
以資身　菩提妙花遍莊嚴　隨所住處常安樂
佛說无常經

BD02392 號 C　無常經　　（2–2）

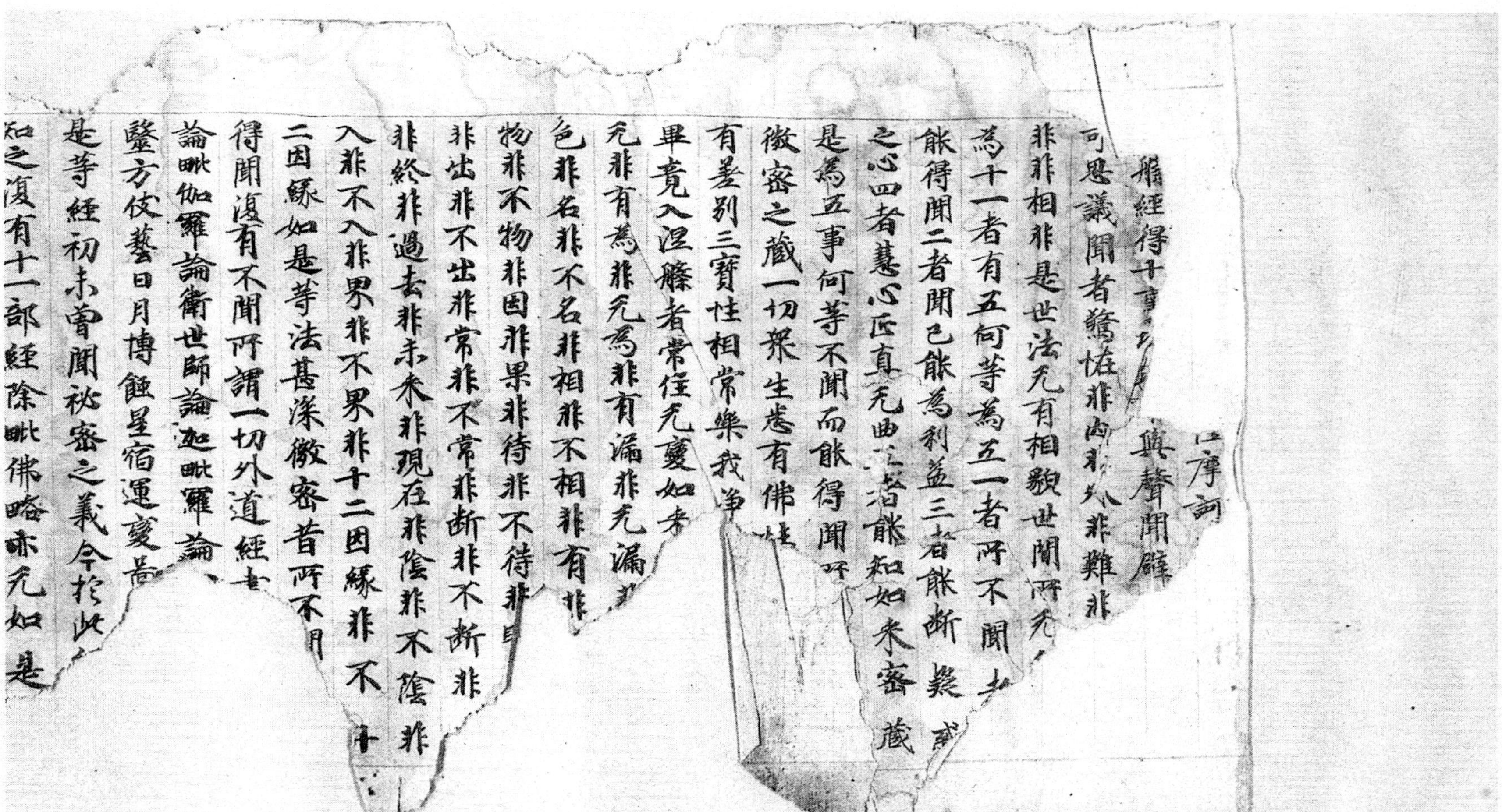

…摩訶
槃經得十事功…真聲聞辟
可思議聞者驚怪非內非外非難非
非非相非非是世法无有相貌世間所无…
為十一者有五何等為五一者所不聞者…
能得聞二者聞已能為利益三者能斷疑惑
之心四者慧心正直无曲五者能知如來密藏
是為五事何等不聞而能得聞所…
微密之藏一切衆生悉有佛性…
有差別三寶性相常樂我淨…
畢竟入涅槃者常住无變如來…
无非有為非无為非有漏非无漏非…
色非不色非名非不名非相非不相非有非
物非不物非因非果非待非不待非…
非出非不出非常非不常非斷非不斷非
非終非過去非未來非現在非陰非不陰非
入非不入非界非不界非十二因緣非不十…
二因緣如是等法甚深微密昔所不聞…
得聞復有不聞所謂一切外道經書…
論毗伽羅論衛世師論迦毗羅論…
醫方伎藝日月薄蝕星宿運變圖書…
是等經初未曾聞祕密之義今於此…
知之復有十一部經除毗佛略亦无如是

BD02393 號　大般涅槃經（北本　宮本）卷二一　　（21–1）

得聞復有不聞所謂一切外道經書
論毗伽羅論衛世師論迦毗羅論
鑒方伎藝日月博蝕星宿運變圖
是等經初未曾聞祕密之義今於此經
知之復有十一部經除毗佛略亦无如是
密之義今因此經而得知之善男子是名不
聞而能得聞聞已利益者若能聽受是大涅
槃經悉能具知一切方等大乘經典甚深義
味譬如男女於明淨鏡見其色像了了
大涅槃鏡亦復如是菩薩執之悉得明
乘經典甚深之義亦如有人在闇室中
炬火悉見諸物大涅槃炬亦復如是菩
之得見大乘深奧之義亦如日出有千光
悉能照了諸山窈闇令一切人遠見諸物是
大涅槃清淨慧日亦復如是照了大乘深邃
之處令二乘人遠見佛道所以者何以能聽
受是大涅槃微妙經故善男子若有菩薩
摩訶薩聽受如是大涅槃經得知一切諸法
名字若能書寫讀誦通利為他廣說思惟其
義則知一切諸法義理善男子其聽受者唯知
名字不知其義若能書寫受持讀誦為他廣
說思惟其義則能知義復次善男子聽是經
者聞有佛性未能得見書寫讀誦為他廣說
思惟其義則得見之聽是經者聞有檀名未
能得見檀波羅蜜書寫讀誦為他廣說思惟
其義則能得見檀波羅蜜乃至般若波羅蜜
亦復如是善男子菩薩摩訶薩若能聽是大

BD02393號　大般涅槃經（北本　宮本）卷二一　（21–2）

思惟其義則得見之聽是經者聞有[illegible]
能得見檀波羅蜜書寫讀誦為他廣說思惟
其義則能得見檀波羅蜜乃至般若波羅蜜
亦復如是善男子菩薩摩訶薩若能聽是大
涅槃經則知法知義具二无导於諸沙門婆
羅門等若天魔梵一切世間得无所畏開示
分別十二部經演說其義无有差違不從他
聞而能自知近於阿耨多羅三藐三菩提善
男子是名聞已能為利益斷疑心者疑有二
種一者疑名二者疑義聽是經者斷疑名心
思惟義者斷疑義心復次善男子疑有五種
一者疑佛定涅槃不二者疑佛是常住不三
者疑佛是真樂不四者疑佛是真淨不五者
疑佛是真我不聽是經者疑佛涅槃則得永
斷書寫讀誦為他廣說思惟其義五疑永斷
復次善男子疑有三種一疑聲聞為有為无
二疑緣覺為有為无三疑佛乘為有為无聽
是經者如是三疑永滅无餘書寫讀誦為他
廣說思惟其義則能了知一切眾生悉有佛
性復次善男子若有眾生不聞如是大涅槃
經其心多疑所謂若常无常若樂不樂若淨
不淨若我无我若命非命若眾生非眾生若
畢竟不畢竟若他世若過世若有若无若苦
若非苦若集若非集若道若非道若滅若非
滅若法若非法若善若非善若空若非空聽
是經者如是諸疑悉得永斷復次善男子若
有不聞如是經者復有種種眾多疑心所謂
色是我耶受想行識是我耶眼能見耶我能

BD02393號　大般涅槃經（北本　宮本）卷二一　（21–3）

畢竟不畢竟若他世若過世若有若无若苦
若非苦若集若非集若道若非道若滅若非
滅若法若非法若善若非善若空若非空聽
是經者如是諸疑悉得永斷復次善男子若
有不聞如是經者復有種種衆多疑心所謂
色是我耶受想行識是我耶眼能見耶我能
見耶乃至識能知耶我能知耶色受報耶我
受報耶乃至識受報耶我受報耶色至他世
耶我至他世耶乃至識亦復如是生死之法
有始有終耶无始无終耶聽是經者如是等
疑亦得永斷復有人疑一闡提犯四重禁作
五逆罪謗方等經如是等輩有佛性耶无佛
性耶聽是經者如是等疑悉得永斷復有人
疑世間有邊耶世間无邊耶有十方世界耶
无十方世界耶聽是經者如是等疑亦得永
斷是名能斷疑惑之心慧心正直无耶曲者
心若有疑則所見不正一切凡夫若不得聞
是大涅槃微妙經典所見耶曲乃至聲聞辟
支佛人所見亦曲云何名為一切凡夫所見耶
曲於有漏中見常樂我淨於如來所見无
常苦不淨无我見有衆生壽命知見計非有
想非无想處以為涅槃見自在天有八聖道
有見斷見如是等見名為耶曲菩薩摩訶薩
若得聞是大涅槃經脩行聖行則得斷除如
是耶曲云何名為聲聞緣覺耶曲見也見於
菩薩從兜率天下化似白象降神母胎父名
淨飯母曰摩耶迦毗羅城處胎滿足十月而
生生未至地帝釋奉接難陀龍王及婆難陀

BD02393號　大般涅槃經（北本　宮本）卷二一　（21–4）

有見斷見如是等見名為耶曲菩薩摩訶薩
若得聞是大涅槃經脩行聖行則得斷除如
是耶曲云何名為聲聞緣覺耶曲見也見於
菩薩從兜率天下化似白象降神母胎父名
淨飯母曰摩耶迦毗羅城處胎滿足十月而
生生未至地帝釋奉接難陀龍王及婆難陀
吐水而浴摩尼跋陀大鬼神王執持寶蓋隨
後侍立地神化華以承其足四方各行滿足
七步到於天廟令諸天像悉起承迎阿私陀
仙抱持占相既占相已生大悲苦自傷當終
不覩佛興詣師學書筭計射御圖讖伎藝
處在深宮六万婇女娛樂受樂出城遊觀至
迦毗羅國道見老人乃至沙門法服而行還至
宮中見諸婇女形體狀貌猶如枯骨所有宮
殿塚墓无異厭惡出家夜半踰城至欝陀伽
阿羅羅等大仙人所聞說識處及非有想非
无想處既聞是已諦觀是處是非常苦不淨
无我捨至樹下具脩苦行滿足六年知是苦
行不能得成阿耨多羅三藐三菩提尒時復
到阿利跋提河中洗浴受牧牛女所奉乳糜
受已轉至菩提樹下破魔波旬得成阿耨多
羅三藐三菩提於波羅㮈為五比丘初轉法
輪乃至於此拘尸那城入般涅槃如是等見
是名聲聞緣覺曲見善男子菩薩摩訶薩聽
受如是大涅槃經悉得斷除如是等見若能
書寫讀誦通利為他演說思惟其義則得正直
无耶曲見善男子菩薩摩訶薩脩行如是大
涅槃經諦知菩薩无量劫來不從兜率降神

BD02393號　大般涅槃經（北本　宮本）卷二一　（21–5）

是名聲聞緣覺曲見善男子菩薩摩訶薩
受如是大涅槃經悉得斷除如是等見若能
書寫讀誦通利為他演說思惟其義則得正直
无邪曲見善男子菩薩摩訶薩脩行如是大
涅槃經諦知菩薩无量劫來不從兜率降神
母胎乃至拘尸那城入般涅槃是名菩薩摩訶
薩正直之見能知如來深密義者所謂即
是大般涅槃一切衆生悉有佛性懺四重禁
除謗法心盡五逆罪滅一闡提然後得成阿
耨多羅三藐三菩提是名甚深祕密之義復
次善男子云何復名甚深之義雖知衆生實
无有我而於未來不失業果雖知五陰於此
滅盡善惡之業終不敗亡雖有諸業不得作
者雖有至處无有去者雖有繫縛无受縛者
雖有涅槃亦无滅者是名甚深祕密之藏尒
時光明遍照高貴德王菩薩摩訶薩白佛言
世尊如我解佛所說聞不聞義是義不然何
以故法若有者便應定有法若无者便應定
无无不應生有不應滅如其聞者是則為聞
若不聞者則為不聞云何而言聞所不聞 世
尊若不可聞是為不聞若已聞者則更不聞
何以故已得聞故云何而言聞所不聞譬如去
者到則不去去則不到亦如生已不生 不
生不生得已不得不得不得聞已不聞不聞
不聞亦復如是世尊若不聞聞者一切衆生
未有菩提即應有之未得涅槃亦應得之未
見佛性應見佛性云何復言十住菩薩雖見
佛性未得明了世尊若不聞聞者如來往昔

BD02393號　大般涅槃經（北本　宮本）卷二一　（21–6）

生不生得已不得不得不得聞已不聞不聞
不聞亦復如是世尊若不聞聞者一切衆生
未有菩提即應有之未得涅槃亦應得之未
見佛性應見佛性云何復言十住菩薩雖見
佛性未得明了世尊若不聞聞者如來往昔
從誰得聞若言得聞何故如來於阿含中復
言无師若不聞不聞如來得成阿耨多羅三
藐三菩提者一切衆生不聞不聞亦應得成
阿耨多羅三藐三菩提如來若當不聞如是
大涅槃經見佛性者一切衆生不聞是經 亦
應得見世尊凡是色者或可見或不可見聲
亦如是或是可聞或不可聞是大涅槃非色
非聲云何而言可得見聞世尊過去已滅則
不可聞未來未至亦不可聞現在聽時則不
名聞聞已聲滅更不可聞是大涅槃亦非過
去未來現在若非三世則不可說若不可說
則不可聞云何而言菩薩脩是大涅槃經聞
所不聞
尒時世尊讚光明遍照高貴德王菩薩摩訶
薩言善哉善哉善男子汝今善知一切諸法
如幻如炎如乾闥婆城畫水之跡亦如泡沫
芭蕉之樹空无有實非命非我无有苦樂如
十住菩薩之所知見時大衆中忽然之頃有
大光明非青見青非黃見黃非赤見赤非白
見白非色見色非明見明非見而見尒時大
衆遇斯光已身心快樂譬如比丘入師子王
定尒時文殊師利菩薩摩訶薩白佛言世尊

BD02393號　大般涅槃經（北本　宮本）卷二一　（21–7）

大光明非青見青非黄見黄非赤見赤非白
見白非色見色非明見明非見而見尒時大
衆遇斯光已身心快樂譬如比丘入師子王
定尒時文殊師利菩薩摩訶薩白佛言世尊
令此光明誰之所放尒時如來默然不説迦
葉菩薩復問文殊師利何因緣故有此光明
照於大衆文殊師利默然不荅尒時无邊身
菩薩復問迦葉菩薩今此光明誰之所有迦
葉菩薩默然不説淨住王子菩薩復問无邊
身菩薩何因緣故是大衆中有此光明无邊
身菩薩默然不説如是五百菩薩皆亦如是
雖相諮問然无荅者尒時世尊問文殊師利
言文殊師利何因緣故是大衆中有此光明
文殊師利言世尊如是光明名為智慧智慧
者即是常住常住之法无有因緣云何佛問何
因緣故有是光明是光明者名大涅槃大
涅槃者則名常住常住之法不從因緣云何
佛問何因緣故有是光明是光明者即是如
來如來者即是常住常住之法不從因緣云
何如來問於因緣光明者名大慈大悲大慈
大悲者名為常住常住之法不從因緣云何
如來問於因緣光明者即是念佛念佛者是
名常住常住之法不從因緣云何如來問於
因緣光明者即是一切聲聞緣覺不共之道
聲聞緣覺不共之道即名常住常住之法不
從因緣云何如來問於因緣世尊亦有因緣因
滅无明則得爔然阿耨多羅三藐三菩提燈

BD02393號　大般涅槃經（北本　宮本）卷二一　（21-8）

聲聞緣覺不共之道即名常住常住之法不
從因緣云何如來問於因緣世尊亦有因緣因
滅无明則得爔然阿耨多羅三藐三菩提燈
佛言文殊師利汝今莫入諸法甚深第一義諦
應以世諦而解説之文殊師利言世尊於此
東方過二十恒河沙等世界有佛世界名曰不
動其佛住處縱廣正等足滿一万二千由旬
其地七寶无有土石平正柔濡无諸墉坑其
諸樹木四寶所成金銀琉璃及以頗梨華菓
茂盛无時不有若有衆生聞其華香身心安
樂譬如比丘入第三禪周匝復有三千大河
其水微妙八味具足若有衆生在中浴者所
得喜樂譬如比丘入第二禪其河多有種種
諸華優鉢羅華鉢頭摩華拘物頭華分陁利
華香華大香華微妙香華常華一切衆生无
遮護華其河兩岸亦有衆華所謂阿提目多
伽華占婆華波吒羅華婆師羅華摩利迦華
大摩利迦華新摩利迦華須摩那華由提迦
華檀㝹迦利華常華一切衆生不遮護華底
布金沙有四梯陛金銀琉璃雜色頗梨多有
衆鳥遊集其上復有无量虎狼師子諸惡鳥
獸其心相視猶如赤子彼世界中一切无有
犯重禁者誹謗正法及一闡提五逆等罪其
土調適无有寒熱飢渴苦惱无貪欲恚放逸
嫉妬无有日月晝夜時節猶如第二忉利天
上其土人民等有光明各各无有憍慢之心一
切悉是菩薩大士皆得神通具大功德其心

BD02393號　大般涅槃經（北本　宮本）卷二一　（21-9）

土調適无有寒熱飢渴苦惱无貪欲恚放逸
嫉妬无有日月晝夜時節猶如第二忉利天
上其土人民等有光明各各无有憍慢之心一
切悉是菩薩大士皆得神通具大功德其心
悉皆尊重正法乘於大乘愛念大乘貪樂大
乘護惜大乘大慧成就得大總持心常憐愍
一切衆生其佛号曰滿月光明如來應正遍
知明行足善逝世間解无上士調御丈夫天
人師佛世尊隨所住處有所講宣其土衆生
无不得聞為琉璃光菩薩摩訶薩講宣如是
大涅槃經佛言善男子菩薩摩訶薩若能脩
行大涅槃經所不聞者悉皆得聞彼琉璃光菩
薩摩訶薩問滿月光明佛亦如此聞光明遍
照高貴德王菩薩摩訶薩所問等无有異彼
滿月光明佛即告琉璃光菩薩言善男子西
方去此二十恒河沙佛土彼有世界名曰娑婆
其土多有山陵埠阜土沙礫石荊蕀惡刺周
遍充滿常有飢渴寒暑苦惱其土人民不能
恭敬沙門婆羅門父母師長貪著非法欲於
非法脩行耶法不信正法壽命促短有行姦
詐王者徵之王雖有國不知滿足於他所有
生貪利心興師相伐枉死者衆王者脩行如
是非法四天善神心无歡喜故降灾旱穀米
不登人民多病苦惱无量彼中有佛号釋迦
牟尼如來應正遍知明行足善逝世間解无
上士調御丈夫天人師佛世尊大悲純厚愍
衆生故於拘尸那城娑羅雙樹閒為諸大衆

是非法四天善神心无歡喜故降灾旱穀米
不登人民多病苦惱无量彼中有佛号釋迦
牟尼如來應正遍知明行足善逝世間解无
上士調御丈夫天人師佛世尊大悲純厚愍
衆生故於拘尸那城娑羅雙樹閒為諸大衆
敷演如是大涅槃經彼有菩薩名光明遍照
高貴德王已問斯事如汝无異佛今荅之汝
可速往自當得聞世尊彼琉璃光菩薩聞是
事已與八万四千菩薩摩訶薩欲來至此故
先現瑞以此因緣有此光明是名因緣亦非
因緣尒時琉璃光菩薩與八万四千諸菩薩
俱持諸幡蓋香華瓔珞種種伎樂倍勝於前
俱來至此拘尸那城娑羅雙樹閒以已所持
供養之具供養於佛頭面礼足合掌恭敬右
遶三迊脩敬已畢却坐一面尒時世尊問彼
菩薩善男子汝為到來為不到來琉璃光菩
薩言世尊到亦不來不到亦不來我觀是義
都无有來世尊諸行若常亦復不來若是无
常亦无有來若人見有衆生性者有來不來
我今不見衆生定性云何當言有來不來有
憍慢者見有去來无憍慢者則无去來有取
行者見有去來无取行者則无去來若見如來
畢竟涅槃則有去來不見如來畢竟涅槃則
无去來不聞佛性則有去來聞佛性者則无
去來若見聲聞辟支佛人有涅槃者則有去
來不見聲聞辟支佛人有涅槃者則无去來
若見聲聞辟支佛人常樂我淨則有去來若
不見皆則无去來若見如來无常樂我淨則

去来若見聲聞辟支佛人有涅槃者則有去
来不見聲聞辟支佛人有涅槃者則无去来
若見聲聞辟支佛人常樂我淨則有去来若
不見者則无去来若見如来常樂我淨則
有去来若見如来无常樂我淨則无去来世尊
且置斯事欲有所問唯垂哀愍少見聽許佛
言善男子隨意所問今正是時我當為汝分
別解說所以者何諸佛難值如優曇華法亦
如是難可得聞十二部中方等復難是故應
當專心聽受時琉璃光菩薩摩訶薩既蒙聽
許兼被勅即白佛言世尊云何菩薩摩訶
薩有能脩行大涅槃經聞所不聞尒時如来
讚言善哉善哉善男子汝今欲盡如是大乘
大涅槃海正復值我能善解說汝今所有疑
网毒箭我為大鑿善能拔出汝於佛性猶未
明了我有慧炬能為照明汝今欲度生死大
河我能為汝作大舩師汝於我所生父母想
我亦於汝生赤子心汝心今者貪正法寶值我
多有能相惠施諦聽諦聽善思念之吾當為
汝分別宣釋善男子欲聽法者今正是時若
聞法已當生敬信至心聽受恭敬尊重於正
法所莫求其過莫念貪欲瞋恚愚癡莫觀法
師種姓好惡既聞法已莫生憍慢莫為恭
敬名譽利養當為度世甘露法利亦莫生念
我聽法已先自度身然後度人先自解身然
後解人先自安身然後安人先自涅槃然後
令人而得涅槃於佛法僧應生等想於生死

令人而得涅槃於佛法僧應生等想於生死
中生大苦想於大涅槃應生常樂我淨之想
先為他人然後為身當為大乘莫為二乘於
一切法當无所住亦无專執一切法相於諸
法中莫生貪相常生知法見法之相善男子
汝能如是至心聽法是則名為聞所不聞善
男子有不聞聞有不聞不聞有聞不聞有聞
聞善男子如不生生不生不生生不生生生如
不到到不到不到到不到到世尊云何不
生生善男子安住世諦初出胎時是名不
生生云何不生不生善男子是大涅槃无有
生相是名不生不生云何名生不生善男子
世諦死時是名生不生云何生生善男子一
切凡夫是名生生何以故生生不斷故一切有
漏念念生故是名生生四住菩薩名生不生
何以故生自在故是名生不生善男子是名
內法云何外法未生生未生未生生未生生
生善男子譬如種子未生牙時得四大和合
人功作業然後乃生是名未生生云何未生
未生譬如敗種及未遇緣如是等輩名未生
未生云何生未生如牙生已更不增長是名生
未生云何生生如牙增長若生不生則无增長
如是一切有漏是名外法生生琉璃光菩薩
摩訶薩白佛言世尊有漏之法若有生者為
是常耶是无常乎生若是常有漏之法則无
有生生若无常則有漏是常世尊若生能自
生生无自性若能生他以何因緣不生无漏世

是常耶是无常乎生若是常有漏之法則无
有生生若无常則有漏是常世尊若生能自
生生无自性若能生他以何因緣不生无漏世
尊若未生時有生者云何於今乃名為生
若未生時无生者何故不說虛空為生佛言
善哉善哉善男子不生生不可說生生亦不
可說生不生亦不可說不生不生亦不可說生
亦可說不生亦不可說有因緣故亦可得說
云何不生生不可說不生名為生云何可說
何以故以其生故云何生生不可說生生故
生生故不生亦不可說云何生不生不可說
生即名為生生不自生故不可說云何不生
不生不可說不生者名為涅槃涅槃不生
故不可說何以故以脩道德故生亦不可說
以生无故云何不生不可說以有得故云何
有因緣故亦可得說十因緣法為生作因以
是義故亦可得說善男子汝今莫入甚深空
定何以故大衆鈍故善男子有為之法生亦
是常以住无常生亦无常住亦是常以生生
故住亦无常異亦是常以法无常異亦无常
壞亦是常以本无今有故壞亦无常善男子
以性故生住異壞皆是常念念滅故不可
說常是大涅槃能斷滅故故名无常善男子
有漏之法未生之時已有生性故生能生无
漏之法本无生性是故生不能生如有本
性遇緣則發眼有見性因色因明因心故見
衆生生法亦復如是由本有性遇業因緣父

BD02393號　大般涅槃經（北本　宮本）卷二一　（21-14）

有漏之法未生之時已有生性故生能生无
漏之法本无生性是故生不能生如有本
性遇緣則發眼有見性因色因明因心故見
衆生生法亦復如是由本有性遇業因緣父
母和合則便有生尒時琉璃光菩薩摩訶薩
及八万四千菩薩摩訶薩聞是法已踊在虛
空高七多羅樹恭敬合掌而白佛言世尊我
蒙如來慇懃教誨因大涅槃始得悟解聞所
不聞亦令八万四千菩薩深解諸法不生生
等世尊我今已解斷諸疑网然此會中有一
菩薩名曰无畏復欲諮稟唯垂聽許尒時世
尊告无畏菩薩善男子隨意問難吾當為汝
分別解說尒時无畏菩薩與六万四千諸菩
薩等俱從座起更整衣服長跪合掌而白佛
言世尊此土衆生當造何業而得生彼不動
世界其土菩薩云何而得智慧成就人中為
王有大威德具脩諸行利智捷疾聞則能解
尒時世尊即說偈言
不害衆生命　堅持諸禁戒　受佛微妙教　則生不動國
不奪他人財　常施惠一切　造招提僧坊　則生不動國
不犯他婦女　自妻不非時　施持戒卧具　則生不動國
不為自他故　求利及恐怖　慎口不妄語　則生不動國
莫壞善知識　遠離惡眷屬　口常和合語　則生不動國
如諸菩薩等　常離於惡口　所說人樂聞　則生不動國
乃至於戲笑　不說非時語　謹慎常時說　則生不動國
見他得利養　常生歡喜心　不起嫉妬結　則生不動國
不惱於衆生　常生於慈心　不生方便惡　則生不動國

BD02393號　大般涅槃經（北本　宮本）卷二一　（21-15）

莫壞善知識　遠離惡眷屬　口常和合語　則生不動國
如諸菩薩等　常離扵惡口　所說人樂聞　則生不動國
乃至扵戲笑　不說非時語　謹慎常時說　則生不動國
見他得利養　常生歡喜心　不起嫉妬結　則生不動國
不惱扵衆生　常生扵慈心　不生方便惡　則生不動國
邪見言无施　父母及去來　不起如是見　則生不動國
曠路作好井　種殖菓樹林　常施乞食者　則生不動國
若扵佛法僧　供養一香燈　乃至獻一華　則生不動國
若為恐怖故　利養及福德　書是經一偈　則生不動國
若為怖利福　能扵一日中　讀誦是經典　則生不動國
若為无上道　一日一夜中　受持八戒齋　則生不動國
不與犯重禁　同共一處住　訶謗方等者　則生不動國
若能施病者　乃至扵一藥　歡喜而瞻視　則生不動國
不犯僧鬘物　善守扵佛物　塗掃佛僧地　則生不動國
造像若佛塔　猶如大拇指　常生歡喜心　則生不動國
若為是經典　自身及財寶　施扵說法者　則生不動國
若能聽書寫　受持及讀誦　諸佛秘密藏　則生不動國
尒時无畏菩薩摩訶薩白佛言世尊我今已
知所造業緣得生彼國是光明遍照高貴德
王菩薩摩訶薩善為憐愍一切衆生先所諮
問如來若說則能利益安樂人天阿脩羅乾
闥婆迦樓羅緊那羅摩睺羅伽等尒時世尊
即告光明遍照高貴德王菩薩善哉善哉善
男子汝今扵此當至心聽吾當為汝分別解
說有因緣故未到不到有因緣故不到到有
因緣故到不到有因緣故到到何因緣故未
到不到善男子夫不到者是大涅槃凡夫未到

BD02393號　大般涅槃經（北本　宮本）卷二一　（21-16）

男子汝今扵此當至心聽吾當為汝分別解
說有因緣故未到不到有因緣故不到到有
因緣故到不到有因緣故到到何因緣故未
到不到善男子夫不到者是大涅槃凡夫未到
以有貪欲瞋恚愚癡故身業口業不清淨
故及受一切不淨物故犯四重故謗方等故
一闡提故五逆罪故以是義故未到不到善
男子何因緣故不到到不到者名大涅槃何
義故到永斷貪欲瞋恚愚癡身口惡故不受
一切不淨物故不犯四重故不謗方等經故
不作一闡提故不作五逆罪故以是義故名
不到到須陁洹者八万劫到斯陁含者六万
劫到阿那含者四万劫到阿羅漢者二万劫
到辟支佛者十千劫到以是義故名不到到
善男子何因緣故名到不到到者名為二十五
有一切衆生常為无量煩惱諸結之所覆蔽
往來不離猶如輪轉是名為到聲聞緣覺及
諸菩薩已得永離故名不到為欲化度諸衆
生故示現在中亦名為到善男子何因緣故
名為到到到者即是二十五有一切凡夫須陁
洹乃至阿那含煩惱因緣故名到到善男子聞
所不聞亦復如是有不聞聞有不聞不聞有
聞不聞有聞聞云何不聞聞善男子不聞者
名大涅槃何故不聞非有為故非音聲故不
可說故云何亦聞得聞名故所謂常樂我淨以
是義故名不聞聞尒時光明遍照高貴德王菩
薩摩訶薩白佛言世尊如佛所說大涅槃者

BD02393號　大般涅槃經（北本　宮本）卷二一　（21-17）

可說故云何亦聞得聞名故所謂常樂我淨以
是義故名不聞聞尒時光明遍照高貴德王菩
薩摩訶薩白佛言世尊如佛所說大涅槃者
不可得聞云何復言常樂我淨而可得聞何
以故世尊斷煩惱者名得涅槃若未斷者名
為不得以是義故涅槃之性本无今有若世
間法本无今有則名无常譬如瓶等本无今
有已有還无故名无常涅槃若尒云何說言
常樂我淨復次世尊凡因莊嚴而得成者悉
名无常涅槃若尒應是无常何等因緣所謂
三十七品六波羅蜜四无量心觀於骨相阿那
波那六念處破折六大如是等法皆得成就
涅槃因緣故名无常復次世尊有名无常若
涅槃是有亦應无常如佛昔於阿含中說聲
聞緣覺諸佛世尊皆有涅槃以是義故名
為无常復次世尊可見之法名為无常如佛先
說見涅槃者則得斷除一切煩惱復次世尊
譬如虛空於諸眾生等无鄣㝵故名為常若
使涅槃是常等者何故眾生有得不得涅槃
若尒時諸眾生不平等者則不名常世尊譬
如百人共有一怨若害此怨則多人受樂若
使涅槃是平等法一人得時應多人得一人
斷結應多人亦斷若不如是云何名常譬如
有人恭敬供養尊重讚嘆國王王子父母師
長則得利養是名為常涅槃亦尒不名為常
何以故如佛昔於阿含經中告阿難言若有
人能恭敬涅槃則得斷結受无量樂以是義

斷結應多人亦斷若不如是云何名常譬如
有人恭敬供養尊重讚嘆國王王子父母師
長則得利養是名為常涅槃亦尒不名為常
何以故如佛昔於阿含經中告阿難言若有
人能恭敬涅槃則得斷結受无量樂以是義
故不名為常世尊若涅槃中有常樂我淨名
者不名為常如其无者云何可說尒時世尊
告光明遍照高貴德王菩薩摩訶薩涅槃之
體非本无今有若涅槃體本无今有者則非
无漏常住之法有佛无佛性相常住以諸眾
生煩惱覆故不見涅槃便謂為无菩薩摩訶
薩以戒定慧熏脩其心斷煩惱已便得見之
當知涅槃是常住法非本无今有是故為常
善男子如闇室中井種種七寶人亦知有闇
故不見有智之人善知方便然大明燈持往
照了悉得見之是人於此終不生念水及七
寶本无今有涅槃亦尒本自有之非適今也
煩惱闇故眾生不見大智如來以善方便燃
智慧燈令諸菩薩得見涅槃常樂我淨是故
智者於此涅槃不應說言本无今有善男子
汝言因莊嚴故得成涅槃應无常者是亦不
然何以故善男子涅槃之體非生非出非實
非虛非作業生非是有漏有為之法非聞非
見非墮非死非別異相亦非同相非往非還
非去來今非一非多非長非短非圓非方非
尖非耶非相非想非名非色非因非果非我
我所以是義故涅槃是常恒不變易是以无
量阿僧祇劫脩習善法以自莊嚴然後乃見

是非陰非陽非[illegible]非異相亦非同相非往非還
非去來今非一非多非長非短非圓非方非
尖非耶非相非想非名非色非因非果非我
我所以是義故涅槃是常恒不變易是以无
量阿僧祇劫脩習善法以自莊嚴然後乃見
善男子譬如地下有八味水一切衆生而不
能得有智之人施功穿掘則便得之涅槃亦
尒譬如盲人不見日月良醫療之則便得見
而是日月非是本无今有涅槃亦尒先自有
之非適今也善男子如人有罪繫之囹圄久乃
得出還家得見父母兄弟妻子眷屬涅槃亦
尒善男子汝言因緣故涅槃之法應无常者
是亦不然何以故善男子因有五種何等為
五一者生因二者和合因三者住因四者增長
因五者遠因云何生因生因者即是業煩惱
等及外道草木子是名生因云何和合因如
善與善心和合不善與不善心和合无記與
无記心和合是名和合因云何住因如下有
柱屋則不墮山河樹木因大地故而得住立
內有四大无量煩惱衆生得住是名住因云
何增長因因緣衣服飲食等故令衆生增長
如牙種子火所不燒鳥所不食則得增長如
諸沙門婆羅門等依因和上善知識等而得
增長如因父母子得增長是名增長因云何
遠因譬如因呪鬼不能害毒不能中依憑國
王无有盜賊如牙依因地水火風等如水攢
人為蘊遠因如明色等為識遠因父母精血
為衆生遠因如時節等悉名遠因善男子涅

BD02393號　大般涅槃經（北本　宮本）卷二一　（21-20）

何增長因因緣衣服飲食等故令衆生增長
如牙種子火所不燒鳥所不食則得增長如
諸沙門婆羅門等依因和上善知識等而得
增長如因父母子得增長是名增長因云何
遠因譬如因呪鬼不能害毒不能中依憑國
王无有盜賊如牙依因地水火風等如水攢
人為蘊遠因如明色等為識遠因父母精血
為衆生遠因如時節等悉名遠因善男子涅
槃之體非是如是五因所成云何當言是无
常耶復次善男子復有二因一者作因二者
了因如陶師輪繩是名作因如燈燭等照闇
中物是名了因善男子大涅槃者不從作因
而有唯從了因了因者所謂三十七助道法六
波羅蜜是名了因善男子布施者是涅槃因
非大涅槃因檀波羅蜜乃得名為大涅槃因
三十七品是涅槃因非大涅槃因无量阿僧祇
助菩提法乃得名為大涅槃因

大般涅槃經卷第廿一

BD02393號　大般涅槃經（北本　宮本）卷二一　（21-21）

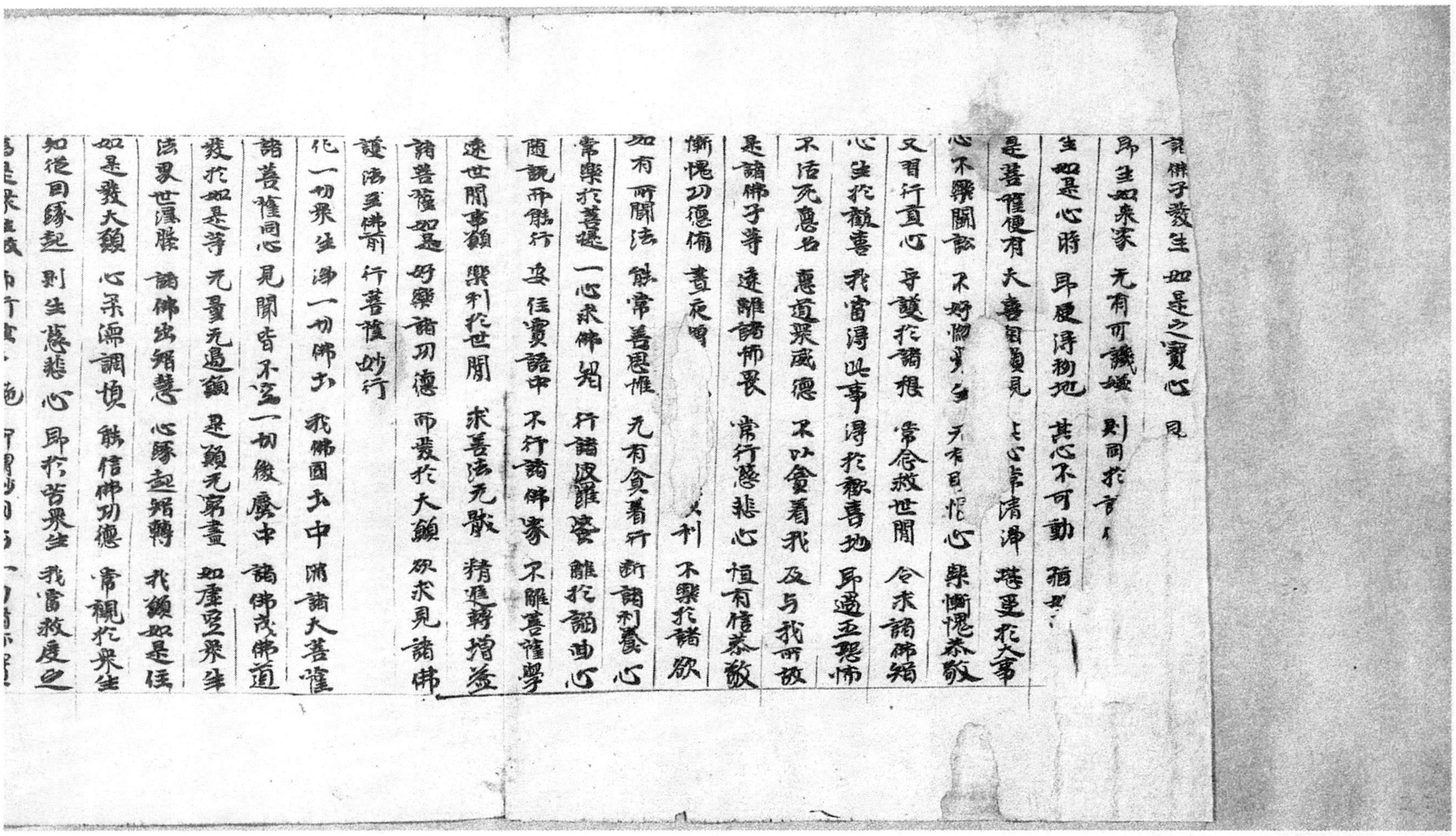
諸佛子發生　如是之寶心　見
即生如來家　无有可譏嫌　則同於言
生如是心時　即便得初地　其心不可動　猶若
是菩薩便有　大喜因勇見　上心常清淨　堪受於大事
心不樂鬪訟　不好惱害他　无有瞋恨心　樂慚愧恭敬
又有行直心　守護於諸根　常念救世間　令求諸佛智
心生於歡喜　我當得此事　得於歡喜地　即遠五怖
不活死惡名　惡道衆威德　不以貪著我　及与我所故
是諸佛子等　遠離諸怖畏　常行慈悲心　恒有信恭敬
慚愧功德備　晝夜增　利　不樂於諸欲
如有所聞法　能常善思惟　无有貪著行　斷諸利養心
常樂於菩提　一心求佛智　行諸波羅蜜　離於諂曲心
隨說而能行　安住實語中　不行諸佛家　不離菩薩學
遠世間事願　樂利於世間　求善法无厭　精進轉增益
諸菩薩如是　好樂諸功德　而發於大願　欲求見諸佛
護法至佛前　行菩薩妙行
化一切衆生　淨一切佛土　我佛國土中　滿諸大菩薩
諸菩薩同心　見聞皆不空　一切微塵中　諸佛成佛道
發於如是等　无量无邊願　是願无窮盡　如虛空衆生
法界世涅槃　諸佛出智慧　心緣起智轉　我願如是住
如是發大願　心柔濡調順　能信佛功德　常觀於衆生
知從因緣起　則生慈悲心　即於苦衆生　我當救度之
為是衆生故　而行種種施　所謂妙國土　一切諸珍寶

BD02394號　大方廣佛華嚴經（晉譯五十卷本）卷一九　（8–1）

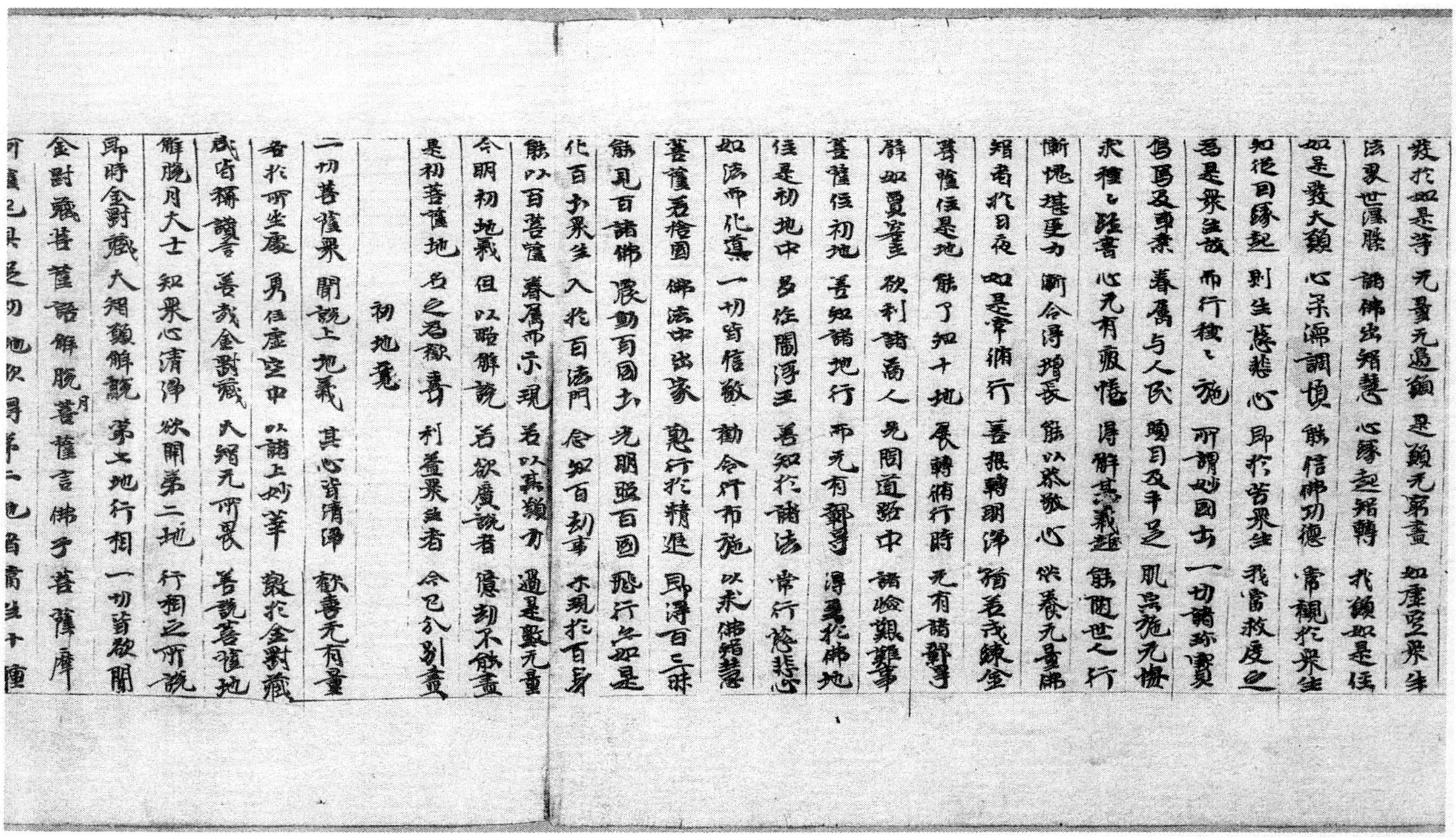
發於如是等　无量无邊願　是願无窮盡　如虛空衆生
法界世涅槃　諸佛出智慧　心緣起智轉　我願如是住
如是發大願　心柔濡調順　能信佛功德　常觀於衆生
知從因緣起　則生慈悲心　即於苦衆生　我當救度之
為是衆生故　而行種種施　所謂妙國土　一切諸珍寶
象馬及車乘　眷屬与人民　頭目及手足　肌宍施无惜
求種種經書　心无有疲惓　得解其義趣　能隨世人行
慚愧堪更力　斷令得增長　能以恭敬心　供養无量佛
智者於日夜　如是常修行　善根轉明淨　猶若鍊金
菩薩住是地　能了知十地　展轉修行時　无有諸鄣导
辟如勇健　欲利諸商人　先問道路中　諸險難之事
菩薩住初地　善知諸地行　而无有鄣导　淨昇於佛地
住是初地中　多住閻浮王　善知於諸法　常行於慈悲
如法而化導　一切皆信敬　勸令行布施　以求佛智慧
菩薩若捨國　佛法中出家　懃行於精進　即得百三昧
能見百諸佛　震動百國土　光明照百國　飛行亦如是
化百土衆生　入於百法門　念知百劫事　示現於百身
能以百菩薩　眷屬而示現　若以其願力　過是數无量
今明初地義　但以略解說　若欲廣說者　億劫不能盡
是初菩薩地　名之為歡喜　利益衆生者　今已分別竟
初地竟
一切菩薩衆　聞說上地義　其心皆清淨　歡喜无有量
各於所坐處　勇住虛空中　以諸上妙華　散於金剛藏
咸皆稱讚言　善哉金剛藏　大智无所畏　善說菩薩地
解脫月大士　知衆心清淨　欲聞第二地　行相之所說
即時金剛藏　大智願解說　第二地行相　一切皆欲聞
金剛藏菩薩語解脫月菩薩言　佛子　菩薩摩
訶薩已具足初地　欲得第二地　當生十種

BD02394號　大方廣佛華嚴經（晉譯五十卷本）卷一九　（8–2）

解脫月大士　知衆心清淨　欲聞第二地　行相之所說
即時金剛藏　大智願解說　第二地行相　一切皆欲聞
金剛藏菩薩語解脫月菩薩言佛子菩薩摩
訶薩已具足初地欲得第二地者當生十種
直心何等為十一柔和心二調和心三堪受
心四不放逸心五寂滅心六直心七不雜心八
無貪悋心九勝心十大心菩薩以是十心得
入第二地菩薩住離垢地自然遠離一切殺
生捨棄刀杖無瞋恨心有慚有愧於一切衆
生起慈悲心常求利事尚不惡心惱於衆生
何況加害離諸劫盜資生之具常知止足若物
屬他他所用受於是物中不與不取離於邪
婬自足妻色於他女人不生一念離於妄語
常真實語諦語隨語乃至夢中常不妄語何
況故作離於兩舌無破壞心於鬪諍離散
人中常好和合離於惡口所有語言麤獷苦
惡自懷其身然惱於他如是等語皆悉捨離
離無義語常自守護所可言說應作不作常
知時語利益語慎法語籌量語乃至戲咲尚
無所犯何況故作不貪他物若物屬他他所攝
用不作是念我當取之離瞋害心常於衆生
求愛潤心慈悲心離於古相冒行正見決定
信深罪福因緣離於諂曲誠信三寶生決定
心菩薩如是常護善道作是思惟一切衆生
墮惡道者皆由十不善道我當自住善法然
當為人說諸善法亦正行處何以故若人自
不行善為他說法令住善者無有善處又深

墮惡道者皆由十不善道我當自住善法然
當為人說諸善法亦正行處何以故若人自
不行善為他說法令住善者無有善處又深
思惟行十不善道則墮地獄畜生餓鬼行十
善道則生人處乃至有頂又是十善道與智
慧和合修行其心劣者樂小功德厭畏三界
大悲心薄從他聞法至聲聞乘若行十善
道不從他聞自然得知不能具足大悲方便
而能深入衆因緣法至辟支佛乘若行十善
道清淨具足其心廣大無量無邊於衆生中
起大慈悲有方便力志願堅固不捨一切衆生
求佛大智慧淨菩薩諸地淨諸波羅蜜入
深廣大行則能得佛十力四無所畏四無导
智大慈大悲乃至具足一切種智集諸佛法
是故我應行十善道求一切智是菩薩復
作是思惟此十不善道上者地獄因緣中者
畜生因緣下者餓鬼因緣於中殺生之罪能
令衆生墮於地獄畜生餓鬼若生人中得二
種果報一者短命二者多病劫盜之罪亦令
衆生墮三惡道若生人中得二種果報一者
貧窮二者共財不得自在邪婬之罪亦令衆
生墮三惡道若生人中得二種果報一者婦
不貞潔二者得不隨意眷屬妄語之罪亦令
衆生墮三惡道若生人中得二種果報一者
常被誹謗二者為人所誑兩舌之罪亦令衆
生墮三惡道若生人中得二種果報一者得
弊惡眷屬二者得不和合眷屬惡口之罪亦
令衆生墮三惡道若生人中得二種果報

[illegible]
生墮三惡道若生人中得二種果報一者得
弊惡眷屬二者得不合和眷屬惡口之罪亦
令眾生墮三惡道若生人中得二種果報
一者常聞惡音二者所可言說恒有諍訟无
義語罪亦令眾生墮三惡道若生人中得二
種果報一者所有語言人不信受二者有所
言說不能明了貪欲之罪亦令眾生墮三惡
道若生人中得二種果報一者多欲二者无有
猒足瞋惱之罪亦令眾生墮三惡道若生人
中得二種果報一者常為一切求其長短二
者常為眾人之所惱害邪見之罪亦令眾生
墮三惡道若生人中得二種果報一者生邪
見家二者其心諂曲諸佛子如是十不善道
皆是眾苦大聚因緣菩薩復作是念我何故
不離是十不善道行十善道亦令他人行此
善道如是念已即離十不善道安住十善道
亦令他人住於善道是菩薩尒時於一切眾
生生安隱心樂心慈心悲心哀愍心利益心
守護心師心大師心自己心作是念是諸眾
生墮於邪見隨逐邪心行邪險道甚可哀愍
我應令彼住正見道如實法中是諸眾生常
共鬪諍分別彼我我應令彼住於大慈是諸
眾生常貪財物无有猒足恒以邪命而自生
活我應令彼住於清淨身口意業是諸眾生
隨逐貪欲瞋恚愚癡常為種種煩惱大火之
所燒然不能志求出要方便我應令彼滅煩
惱大火置清涼處是諸眾生常為无明所覆入

活我應令彼住於清淨身口意業是諸眾生
隨逐貪欲瞋恚愚癡常為種種煩惱大火之
所燒然不能志求出要方便我應令彼滅煩
惱大火置清涼處是諸眾生常為无明所覆入
大黑闇離慧光明入於生死大險道中隨逐
種種无量邪見我應令彼得无鄣导清淨慧
眼以是眼故知一切法如實相得不隨他一切
如實无鄣导智是諸眾生墮生死道將墜地
獄畜生餓鬼入邪見網為種種愚癡稠林所
覆隨逐虛妄邪道住路常為愚癡之所盲冥
遠離導師非出要道實為出要因順魔心遠
離佛意我應令彼度於生死險導艱難安處
令住一切智人无畏大城无諸衰惱是諸眾
生為諸煩惱暴水所沒欲有見无明四流所
漂隨生死流入大愛河為諸煩惱勢力所食
不能得求出要之道常為欲覺恚覺惱覺
惡虫所害又為水中身見羅剎所執又於五
欲深流迴復毒愛於涅之所沒溺我慢陸地
之所燋枯无所歸趣於十二入惡賊聚落不
能得出不遇導師能正度者我應於彼生大
慈悲以善根力而救濟之得安隱處離於恐
怖住於一切智慧寶洲是諸眾生深心貪著
多有憂悲苦惱恚難增愛所縛欲穢所繫於
三界无明稠林我應令彼遠離一切三界所著
令住離相无畏涅槃是諸眾生深著我我所
於五陰樔窟不能自出常隨四倒依六入空
聚為四大毒蛇之所侵害為諸煩惱眾賊所
殺受此一切无量苦惱我應令彼離諸貪著

令住離相无寻淨勝是諸衆生深著我我所
於五陰樸處不能自出常隨四倒依六入空
聚爲四大毒蛇之所侵害爲諸煩惱衆賊所
煞受此一切无量苦惱我應令彼離諸貪著
住於寂靜所謂斷一切鄣得安隱湼槃是諸
衆生其心狹劣樂於小法遠離无上一切智
慧貪著小乘不能志求大乘出法我應令彼
住廣大心无量无邊諸佛道法所謂无上大
乘諸佛子是菩薩如是隨順持戒力善能廣
生大慈悲心是菩薩住離垢地得見數百千
百億那由他諸佛世尊以衣服飲食臥具醫
藥資生之物而供養之於諸佛所生恭敬心
心復更十善道乃至得阿耨多羅三藐三菩
提終不中失是菩薩於千百千万億劫遠離
慳貪破戒垢故淨修布施持戒功德譬如真金
錬之以火一切垢盡轉復明淨菩薩亦復
如是住離垢地於千百千乃至无量百千万
劫遠離慳貪破戒垢故脩布施持戒功德菩
薩爾時於四攝法愛語偏多十波羅蜜戒
波羅蜜偏多餘波羅蜜亦皆循集隨地增
長佛子是名菩薩摩訶薩第二離垢地菩薩
住是地中多作轉輪聖王爲大法主廣得法
力七寶成就有力自在能滅除一切衆生慳貪
破戒之垢以善方便令衆生住十善道爲大布
施而不窮盡所作善業布施愛語利益同事是
諸功德皆不離念佛不離念法乃至不離念
具足一切種智常生是心我當於一切衆生
中爲首爲勝乃至於一切衆生中爲依止者佛

BD02394號　大方廣佛華嚴經（晉譯五十卷本）卷一九　（8–7）

長佛子是名菩薩摩訶薩第二離垢地菩薩
住是地中多作轉輪聖王爲大法主廣得法
力七寶成就有力自在能滅除一切衆生慳貪
破戒之垢以善方便令衆生住十善道爲大布
施而不窮盡所作善業布施愛語利益同事是
諸功德皆不離念佛不離念法乃至不離念
具足一切種智常生是心我當於一切衆生
中爲首爲勝乃至於一切衆生中爲依止者佛
子是菩薩若欲捨家懃行精進於佛法中
便能捨家妻子五欲得出家已懃行精進須
臾之間得千三昧得見千佛知千佛神力能
動千佛世界能過千佛世界能照千佛世
界能教化千佛世界衆生能住壽千劫能知
過去未來世各千劫事能善入千法門能變
身爲千於一一身能示千菩薩以爲眷屬若
以願力自在示現過於此數百千万億那由
他劫不可計知時金剛藏菩薩欲重明此義
以偈頌曰
菩薩入二地　柔軟調和心　堪受不放逸　實成真不雜
[illegible]貪恚　勝大意具足　得是十心已　入於第二地

BD02394號　大方廣佛華嚴經（晉譯五十卷本）卷一九　（8–8）

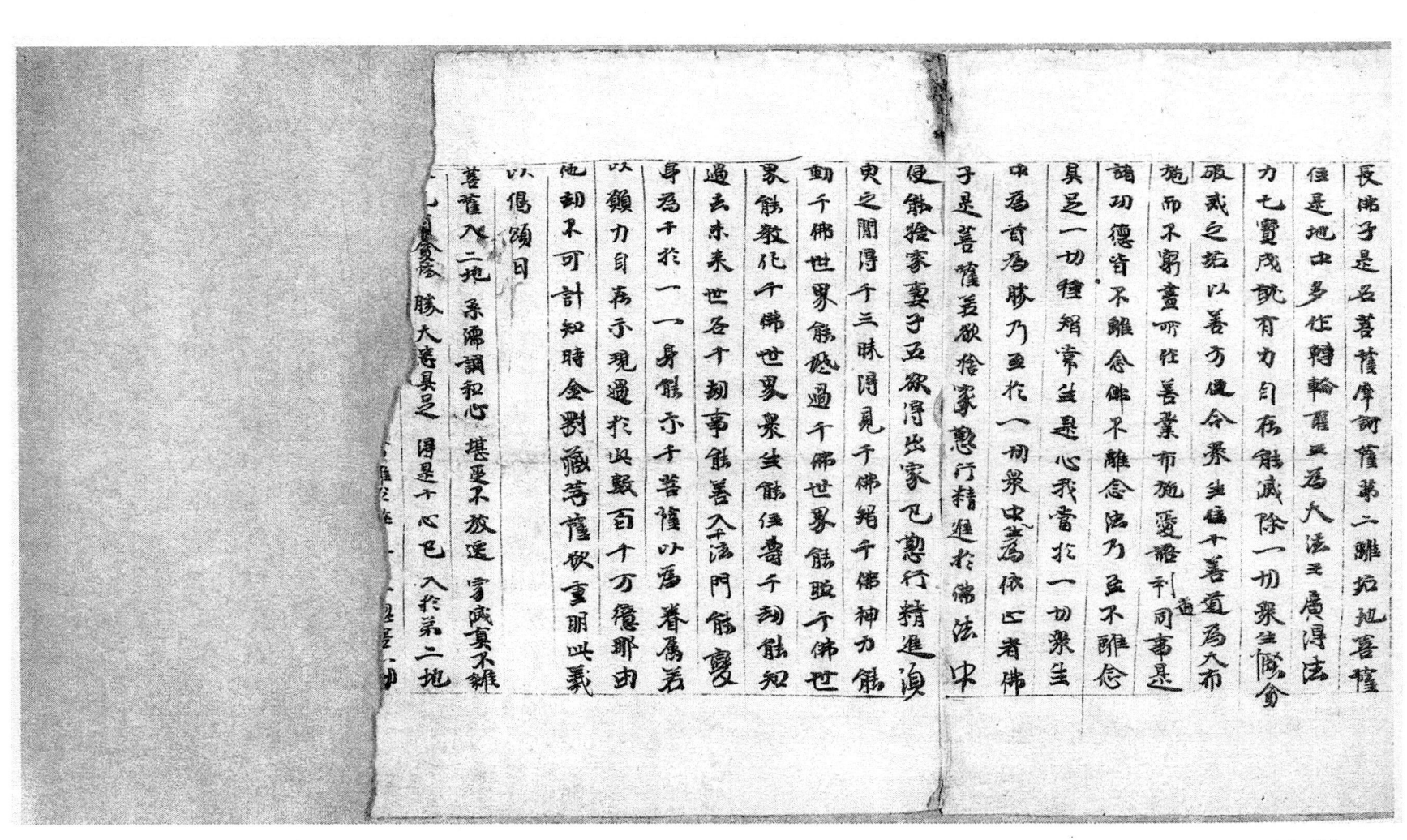

出无令為火之所燒害作是念已如所思惟
具告諸子汝等速出父雖憐愍善言誘喻
而諸子等樂著嬉戲不肯信受不驚不畏了
无出心亦復不知何者是火何者為舍云何
為失但東西走戲視父而已尔時長者即作
是念此舍已為大火所燒我及諸子若不時出
必為所焚我今當設方便令諸子等得免斯
害父知諸子先心各有所好種種珎玩奇異之
物情必樂著而告之言汝等所可玩好希有
難得汝若不取後必憂悔如此種種羊車
鹿車牛車今在門外可以遊戲汝等於此火
宅宜速出來隨汝所欲皆當與汝尔時諸子
聞父所說珎玩之物適其願故心各勇鋭互
相推排競共馳走爭出火宅是時長者見諸
子等安隱得出皆於四衢道中露地而坐无復
障礙其心泰然歡喜踊躍時諸子等各白父
言父先所許玩好之具羊車鹿車牛車願
時賜與舍利弗尔時長者各賜諸子等一大
車其車高廣衆寶莊校周帀欄楯四面懸
鈴又於其上張設幰蓋亦以珎奇雜寶而嚴

BD02395號　妙法蓮華經卷二　（2–1）

害父知諸子先心各有所好種種珎玩奇異之
物情必樂著而告之言汝等所可玩好希有
難得汝若不取後必憂悔如此種種羊車
鹿車牛車今在門外可以遊戲汝等於此火
宅宜速出來隨汝所欲皆當與汝尔時諸子
聞父所說珎玩之物適其願故心各勇鋭互
相推排競共馳走爭出火宅是時長者見諸
子等安隱得出皆於四衢道中露地而坐无復
障礙其心泰然歡喜踊躍時諸子等各白父
言父先所許玩好之具羊車鹿車牛車願
時賜與舍利弗尔時長者各賜諸子等一大
車其車高廣衆寶莊校周帀欄楯四面懸
鈴又於其上張設幰蓋亦以珎奇雜寶而嚴
飾之寶繩交絡垂諸華瓔重敷綩綖安置丹
枕駕以白牛膚色充潔形體姝好有大筋力
行步平正其疾如風又多僕從而侍衛之所
以者何是大長者財富无量種種諸藏悉皆
充溢而作是念我財物无極不應以下劣小
車與諸子等今此幼童皆是吾子愛无偏黨

BD02395號　妙法蓮華經卷二　（2–2）

交横馳走
屎尿臭處 不淨流溢 蜣蜋諸虫 而集其上
狐狼野干 咀嚼踐蹋 嚌齧死屍 骨肉狼藉
由是羣狗 競來搏撮 飢羸慞惶 處處求食
闘爭摣掣 啀喍嘷吠 其舍恐怖 變狀如是
處處皆有 魑魅魍魎 夜叉惡鬼 食噉人肉
毒虫之屬 諸惡禽獸 孚乳產生 各自藏護
夜叉競來 爭取食之 食之既飽 惡心轉熾
闘爭之聲 甚可怖畏 鳩槃荼鬼 蹲踞土埵
或時離地 一尺二尺 往反遊行 縱逸嬉戲
捉狗兩足 撲令失聲 以腳加頸 怖狗自樂
復有諸鬼 其身長大 裸形黑瘦 常住其中
發大惡聲 叫呼求食 復有諸鬼 其咽如針
復有諸鬼 首如牛頭 或食人肉 或復噉狗
頭髮蓬亂 殘害兇險 飢渴所逼 叫喚馳走
夜叉餓鬼 諸惡鳥獸 飢急四向 窺看牕牖
如是諸難 恐畏无量 是朽故宅 屬于一人
其人近出 未久之間 於後宅舍 欻然火起
四面一時 其焰俱熾 棟梁椽柱 爆聲震烈

BD02396號　妙法蓮華經卷二　（2–1）

捉狗兩足 撲令失聲 以腳加頸 怖狗自樂
復有諸鬼 其身長大 裸形黑瘦 常住其中
發大惡聲 叫呼求食 復有諸鬼 其咽如針
復有諸鬼 首如牛頭 或食人肉 或復噉狗
頭髮蓬亂 殘害兇險 飢渴所逼 叫喚馳走
夜叉餓鬼 諸惡鳥獸 飢急四向 窺看牕牖
如是諸難 恐畏无量 是朽故宅 屬于一人
其人近出 未久之間 於後宅舍 欻然火起
四面一時 其焰俱熾 棟梁椽柱 爆聲震烈
摧折墮落 牆壁崩倒 諸鬼神等 揚聲大叫
鵰鷲諸鳥 鳩槃荼等 周慞惶怖 不能自出
惡獸毒虫 藏竄孔穴 毗舍闍鬼 亦住其中
薄福德故 為火所逼 共相殘害 飲血噉肉
野干之屬 並已前死 諸大惡獸 競來食噉
臭烟熢㶿 四面充塞 蜈蚣蚰蜒 毒虵之類

BD02396號　妙法蓮華經卷二　（2–2）

大乘无量壽

張興國

如是我聞一時薄伽梵在舍衛國祇樹給孤獨園與大苾蒭僧千二百五十人大菩薩摩訶薩
衆俱會尒時世尊告曼殊室利童子曼殊上方有世界名无量功德聚彼土有
佛名无量智決定王如來阿羅訶三藐三菩提現為衆生開示說法曼殊師利聽南閻
浮提人壽命短促大限百年於中夭枉横死者衆曼殊如來功德名稱法要若有衆生得聞名号
若自書寫或使人書能為經卷受持讀誦若於舍宅所住之處以種種花鬘瓔珞塗香
末香而為供養如其命盡復得延年滿足百歲如是曼殊若有衆生得聞是无量壽決
定王如來一百八名号者益其長壽若有衆生大命將盡憶念如來名号便得增壽如是曼
殊若有善男子善女人欲求長壽於是无量壽如來一百八名号有得聞者或自書若使
人書受持讀誦得如是等果報福德具足陀羅尼曰 南謨薄伽勃底一 阿波唎蜜多二
阿喻紇硯娜三 須毗你悉指陀四 羅佐耶五 怛他羯他耶六 怛姪他唵七 薩婆桒悉迦羅八 波唎
輸底九 達磨底十 伽迦娜十一 莎訶莫持迦底十二 薩婆婆毗輸底十三 摩訶娜耶十四 波唎婆唎
莎訶十五 世尊復告曼殊室利如是如來一百八名号若有自書或使人書為經卷受持讀誦如
壽命盡復滿百年壽終此身得往生无量壽福智世界无量壽淨陀羅尼曰
南謨薄伽勃底一 阿波唎蜜多二 阿喻紇硯娜三 須毗你悉指陀四 羅佐耶五 怛他羯他耶六
怛姪他唵七 薩婆桒悉迦羅八 波唎輸底九 達磨底十 伽迦娜十一 莎訶莫持迦底十二 薩婆婆
毗輸底十三 摩訶娜耶十四 波唎婆唎莎訶十五
尒時□十九姟佛等一時同聲說是无量壽宗要經陀羅尼曰

BD02397號　無量壽宗要經　（6–1）

莎訶十五 世尊復告曼殊室利如是如來一百八名号若有自書或使人書為經卷受持讀誦如
壽命盡復滿百年壽終此身得往生无量壽福智世界无量壽淨陀羅尼曰
南謨薄伽勃底一 阿波唎蜜多二 阿喻紇硯娜三 須毗你悉指陀四 羅佐耶五 怛他羯他耶六
怛姪他唵七 薩婆桒悉迦羅八 波唎輸底九 達磨底十 伽迦娜十一 莎訶莫持迦底十二 薩婆婆
毗輸底十三 摩訶娜耶十四 波唎婆唎莎訶十五
尒時□十九姟佛等一時同聲說是无量壽宗要經陀羅尼曰
南謨薄伽勃底一 阿波唎蜜多二 阿喻紇硯娜三 須毗你悉指陀四 羅佐耶五 怛他羯他耶六
怛姪他唵七 薩婆桒悉迦羅八 波唎輸底九 達磨底十 伽迦娜十一 莎訶莫持迦底十二 薩婆婆
毗輸底十三 摩訶娜耶十四 波唎婆唎莎訶十五 尒時復有一百四姟佛一時同聲說是无量壽宗
要經陀羅尼曰 南謨薄伽勃底一 阿波唎蜜多二 阿喻紇硯娜三 須毗你悉指陀四 羅佐耶五 怛他羯
他耶六 怛姪他唵七 薩婆桒悉迦羅八 波唎輸底九 達磨底十 伽迦娜十一 莎訶莫持迦底十二 薩婆
婆毗輸底十三 摩訶娜耶十四 波唎婆唎莎訶十五
尒時復有七姟佛一時同聲說是无量壽宗要經陀羅尼曰
南謨薄伽勃底一 阿波唎蜜多二 阿喻紇硯娜三 須毗你悉指陀四 羅佐耶五 怛他羯他耶六 怛姪他
唵七 薩婆桒悉迦羅八 波唎輸底九 達磨底十 伽迦娜十一 莎訶莫持迦底十二 薩婆婆
毗輸底十三 摩訶娜耶十四 波唎婆唎莎訶十五
尒時復有六十五姟佛一時同聲說是无量壽宗要經陀羅尼曰 南謨薄伽勃底一
阿波唎蜜多二 阿喻紇硯娜三 須毗你悉指陀四 羅佐耶五 怛他羯他耶六 怛姪他唵七 薩婆桒悉
迦羅八 波唎輸底九 達磨底十 伽迦娜十一 莎訶莫持迦底十二 薩婆婆毗輸底十三 摩訶娜
耶十四 波唎婆唎莎訶十五
尒時復有五十五姟佛一時同聲說是无量壽宗要經陀羅尼曰
南謨薄伽勃底一 阿波唎蜜多二 阿喻紇硯娜三 須毗你悉指陀四 羅佐耶五 怛他羯他耶六 怛
姪他唵七 薩婆桒悉迦羅八 波唎輸底九 達磨底十 伽迦娜十一 莎訶莫持迦底十二 薩婆
婆毗輸底十三 摩訶娜耶十四 波唎婆唎莎訶十五 尒時復有四十五姟佛一時同聲說是无量壽宗
要經陀羅尼曰 南謨薄伽勃底一 阿波唎蜜多二 阿喻紇硯娜三 須毗你悉指陀四 羅佐耶五 怛
他羯他耶六 怛姪他唵七 薩婆桒悉迦羅八 波唎輸底九 達磨底十 伽迦娜十一 莎訶莫持迦底十二
薩婆婆毗輸底十三 摩訶娜耶十四 波唎婆唎莎訶十五
尒時復有三十六姟佛一時同聲說是无量壽宗要經陀羅尼曰 南謨薄伽勃底一
阿波唎蜜多二 阿喻紇硯娜三 須毗你悉指陀四 羅佐耶五 怛他羯他耶六 怛嚩他唵七 薩婆
桒悉迦羅八 波唎輸底九 達磨底十 伽迦娜十一 莎訶莫持迦底十二 薩婆婆毗輸底十三

BD02397號　無量壽宗要經　（6–2）

他羯他耶六 怛姪他唵七 薩婆桑悉迦囉八 波唎輸底九 達磨底十 伽迦那十一 莎訶娑持迦底
薩婆婆毗輸底十三 摩訶那耶十四 波唎婆唎莎訶十五
尒時復有三十六姟佛時一同聲說是无量壽宗要經陀羅尼曰 南謨薄伽勃底一
阿波唎蜜多二 阿喻紇硯那三 須毗你悉指陀四 囉佐耶五 怛他羯他耶六 怛姪他唵七 薩婆
桑悉迦囉八 波唎輸底九 達磨底十 伽迦那十一 莎訶娑持迦底十二 薩婆婆毗輸底十三
摩訶那耶十四 波唎婆唎莎訶十五 尒時復有二十五姟佛一時同聲說是无量
壽宗要經陀羅尼曰 南謨薄伽勃底一 阿波唎蜜多二 阿喻紇硯那三 須毗你悉指陀
囉佐耶五 怛他羯他耶六 怛姪他唵七 薩婆桑悉迦囉八 波唎輸底九 達磨底十 伽迦那
莎訶娑持迦底十二 薩婆婆毗輸底十三 摩訶那耶十四 波唎婆唎莎訶十五
尒時復有恒河沙姟佛一時同聲說是无量壽宗要經陀羅尼曰
南謨薄伽勃底一 阿波唎蜜多二 阿喻紇硯那三 須毗你悉指陀四 囉佐耶五 怛他羯他耶六
怛姪他唵七 薩婆桑悉迦囉八 波唎輸底九 達磨底十 伽迦那十一 莎訶娑持迦底十二 薩
婆婆毗輸底十三 摩訶那耶十四 波唎婆唎莎訶十五
善男子善女人自書寫教人書寫是无量壽宗要經如其命盡復德長受而滿年陀羅尼曰
南謨薄伽勃底一 阿波唎蜜多二 阿喻紇硯那三 須毗你悉指陀四 囉佐耶五 怛他羯他耶六
怛姪他唵七 薩婆桑悉迦囉八 波唎輸底九 達磨底十 伽迦那十一 莎訶娑持迦底十二 薩
婆婆毗輸底十三 摩訶那耶十四 波唎婆唎莎訶十五 若有自書寫教人書寫是无量壽宗
要經讀誦受持畢竟不墮地獄在在所生得宿命智陀羅尼曰 南謨薄伽勃底一 阿波唎蜜多二 阿
喻紇硯那三 須毗你悉指陀四 囉佐耶五 怛他羯他耶六 怛姪他唵七 薩婆桑悉迦囉八 波唎輸底九
達磨底十 伽迦那十一 莎訶娑持迦底十二 薩婆婆毗輸底十三 摩訶那耶十四 波唎婆唎莎訶十五
若有自書寫教人書寫是无量壽宗要經受持讀誦如同書寫八万四千一切經典陀羅尼曰
南謨薄伽勃底一 阿波唎蜜多二 阿喻紇硯那三 須毗你悉指陀四 囉佐耶五 怛他羯他耶六 怛姪他唵
薩婆桑悉迦囉八 波唎輸底九 達磨底十 伽迦那十一 莎訶娑持迦底十二 薩婆婆毗輸底十三
摩訶那耶十四 波唎婆唎莎訶十五
若有自書寫教人書寫是无量壽宗要經即是書寫八万四千部建立塔廟陀羅尼曰
南謨薄伽勃底一 阿波唎蜜多二 阿喻紇硯那三 須毗你悉指陀四 囉佐耶五 怛他羯他耶六 怛姪他
唵七 薩婆桑悉迦囉八 波唎輸底九 達磨底十 伽迦那十一 莎訶娑持迦底十二 薩婆婆毗輸底
摩訶那耶十四 波唎婆唎莎訶十五 若有自書寫教人書寫是无量壽宗要經能消五无間
等業陀羅尼曰 南謨薄伽勃底一 阿波唎蜜多二 阿喻紇硯那三 須毗你悉指陀四 囉佐耶五 怛他
羯他耶六 怛姪他唵七 薩婆桑悉迦囉八 波唎輸底九 達磨底十 伽迦那十一 莎訶娑持迦底十二
薩婆婆毗輸底十三 摩訶那耶十四 波唎婆唎莎訶十五

BD02397號　無量壽宗要經　（6–3）

摩訶那耶十四 波唎婆唎莎訶十五 若有自書寫教人書寫是无量壽宗要經能消五无間
等業陀羅尼曰 南謨薄伽勃底一 阿波唎蜜多二 阿喻紇硯那三 須毗你悉指陀四 囉佐耶五 怛他
羯他耶六 怛姪他唵七 薩婆桑悉迦囉八 波唎輸底九 達磨底十 伽迦那十一 莎訶娑持迦底十二
薩婆婆毗輸底十三 摩訶那耶十四 波唎婆唎莎訶十五
若有自書寫教人書寫是无量壽宗經受持讀誦設有重罪猶如須彌盡能除滅陀羅尼曰
南謨薄伽勃底一 阿波唎蜜多二 阿喻紇硯那三 須毗你悉指陀四 囉佐耶五 怛他羯他耶六 怛姪他唵
薩婆桑悉迦囉八 波唎輸底九 達磨底十 伽迦那十一 莎訶娑持迦底十二 薩婆婆毗輸底十三
摩訶那耶十四 波唎婆唎莎訶十五 若有自書寫教人書寫是无量壽宗要經受持讀誦
若魔魔之眷屬夜叉羅剎不得其便終无枉死陀羅尼曰
南謨薄伽勃底一 阿波唎蜜多二 阿喻紇硯那三 須毗你悉指陀四 囉佐耶五 怛他羯他耶六 怛姪他
唵七 薩婆桑悉迦囉八 波唎輸底九 達磨底十 伽迦那十一 莎訶娑持迦底十二 薩婆婆毗輸
底十三 摩訶那耶十四 波唎婆唎莎訶十五 若有自書寫教人書寫是无量壽宗要經受持
讀誦當命終時有九十九姟佛現其人前千佛授手能遊一切佛剎莫於此經生於疑惑
陀羅尼曰 南謨薄伽勃底一 阿波唎蜜多二 阿喻紇硯那三 須毗你悉指陀四 囉佐耶五 怛他羯
他耶六 怛姪他唵七 薩婆桑悉迦囉八 波唎輸底九 達磨底十 伽迦那十一 莎訶娑持迦底十二
薩婆婆毗輸底十三 摩訶那耶十四 波唎婆唎莎訶十五
若有自書寫教人書寫是无量壽宗要經受持讀誦常得四天王大隨其衛護陀羅尼曰
南謨薄伽勃底一 阿波唎蜜多二 阿喻紇硯那三 須毗你悉指陀四 囉佐耶五 怛他羯他耶六
怛姪他唵七 薩婆桑悉迦囉八 波唎輸底九 達磨底十 伽迦那十一 莎訶娑持迦底十二
薩婆婆毗輸底十三 摩訶那耶十四 波唎婆唎莎訶十五
若有自書寫教人書寫是无量壽宗要經受持讀誦當得往生西方極樂世界阿彌陀
淨土陀羅尼曰 南謨薄伽勃底一 阿波唎蜜多二 阿喻紇硯那三 須毗你悉指陀四 囉佐耶五 怛
他羯他耶六 怛姪他唵七 薩婆桑悉迦囉八 波唎輸底九 達磨底十 伽迦那十一 莎訶娑持迦底
薩婆婆毗輸底十三 摩訶那耶十四 波唎婆唎莎訶十五
若有方所自書寫使人書寫是无量壽經典之處則為是塔皆應恭敬作禮若是畜生
或為鳥獸得聞是經如是等類皆不久得成一切種智陀羅尼曰
南謨薄伽勃底一 阿波唎蜜多二 阿喻紇硯那三 須毗你悉指陀四 囉佐耶五 怛他羯他耶六 怛
姪他唵七 薩婆桑悉迦囉八 波唎輸底九 達磨底十 伽迦那十一 莎訶娑持迦底十二 薩婆婆毗輸
底十三 摩訶那耶十四 波唎婆唎莎訶十五
若有於是无量壽經自書寫若使人書寫畢竟不受女人之身陀羅尼曰 南謨薄伽勃底

BD02397號　無量壽宗要經　（6–4）

南謨薄伽勃底一阿波唎蜜多二阿喻紇硯娜三須毗你悉指陁四囉佐耶五怛他羯他耶六怛
姪他唵七薩婆桑悉迦羅八波唎輸底九達磨底十伽迦娜十一莎訶桑持迦底十二薩婆婆毗輸
底十三摩訶娜耶十四波唎婆唎莎訶十五
若有於是无量壽經自書寫若使人書寫畢竟不受女人之身陁羅尼曰南謨薄伽勃底
阿波唎蜜多二阿喻紇硯娜三須毗你悉指陁四羅佐耶五怛他羯他耶六怛姪他唵七薩婆桑悉
迦羅八波唎輸底九達磨底十伽迦娜十一莎訶桑持迦底十二薩婆婆毗輸底十三摩訶娜耶十四
波唎波唎莎訶十五若有能於是經少分能惠施者等於三千大千世界滿中七寶布施陁羅尼曰
南謨薄伽勃底一阿波唎蜜多二阿喻紇硯娜三須毗你悉指陁四羅佐耶五怛他羯他耶六怛姪
他唵七薩婆桑悉迦底八波唎輸底九達磨底十伽迦娜十一莎訶桑持迦底十二薩婆婆毗
輸底十三摩訶娜耶十四波唎婆唎莎訶十五
若有供養是經者則是供養一切諸經等无有別異陁羅尼曰
南謨薄伽勃底一阿波唎蜜多二阿喻紇硯娜三須毗你悉指陁四羅佐耶五怛他羯他耶六怛
姪他唵七薩婆桑悉迦底八波唎輸底九達磨底十伽迦娜十一莎訶桑持迦底十二薩婆婆毗
輸底十三摩訶娜耶十四波唎婆唎莎訶十五
如是毗婆尸佛 尸棄佛 毗舍浮佛 俱留孫佛 俱那含牟尼佛 迦葉佛 釋迦牟尼佛
若有人以七寶供養如是七佛其福有限書寫受持是无量壽經所有功德不可限量陁羅尼曰
南謨薄伽勃底一阿波唎蜜多二阿喻紇硯娜三須毗你悉指陁四羅佐耶五怛他羯他耶六怛姪他唵
薩婆桑悉迦羅八波唎輸底九達磨底十伽迦娜十一莎訶桑持迦底十二薩婆婆毗輸底十三摩訶
娜耶十四波唎婆唎莎訶十五
若有七寶等於須彌以用布施其福上能知其限量是无量壽經典其福不可知數陁羅尼曰
南謨薄伽勃底一阿波唎蜜多二阿喻紇硯娜三須毗你悉指陁四羅佐耶五怛他羯他耶六怛姪他唵七
薩婆桑悉迦羅八波唎輸底九達磨底十伽迦娜十一莎訶桑持迦底十二薩婆婆毗輸底十三摩訶娜耶
十四波唎婆唎莎訶十五
如是四大海水可知滴數是无量壽經可生果報不可數量陁羅尼曰
南謨薄伽勃底一阿波唎蜜多二阿喻紇硯娜三須毗你悉指陁四羅佐耶五怛他羯他耶六怛姪
他唵七薩婆桑悉毗羅八波唎輸底九達磨底十伽迦娜十一莎訶桑持迦底十二薩婆婆毗輸
底十三摩訶娜耶十四波唎婆唎莎訶十五
若有人自書寫使人書寫是无量壽經典又能讀持供養即如恭敬供養一切十方佛土如來无
有別異陁羅尼曰
南謨薄伽勃底一阿波唎蜜多二阿喻紇硯娜三須毗你悉指陁四羅佐耶五怛他羯他耶六怛姪他唵七

BD02397號　無量壽宗要經　（6–5）

底十三摩訶娜耶十四波唎婆唎莎訶十五
若有人自書寫使人書寫是无量壽經典又能讀持供養即如恭敬供養一切十方佛土如來无
有別異陁羅尼曰
南謨薄伽勃底一阿波唎蜜多二阿喻紇硯娜三須毗你悉指陁四羅佐耶五怛他羯他耶六怛姪他唵七
薩婆桑悉迦羅八波唎輸底九達磨底十伽迦娜十一莎訶桑持迦底十二薩婆婆毗輸底十三
摩訶娜耶十四波唎婆唎莎訶十五
布施力能成正覺　悟布施力人師子　布施力能聲普聞　慈悲階漸家能入
持戒力能成正覺　悟持戒力人師子　持戒力能聲普聞　慈悲階漸家能入
忍辱力能成正覺　悟忍辱力人師子　忍辱力能聲普聞　慈悲階漸家能入
精進力能成正覺　悟精進力人師子　精進力能聲普聞　慈悲階漸家能入
禪定力能成正覺　悟禪定力人師子　禪定力能聲普聞　慈悲階漸家能入
智慧力能成正覺　悟智慧力人師子　智慧力能聲普聞　慈悲階漸家能入
尒時如來說是經已一切世間天人阿脩羅揵闥婆聞佛所說皆大歡喜信
受奉行
佛說无量壽宗要經

張涓

BD02397號　無量壽宗要經　（6–6）

委付是□
子委付財物坦然快樂无復
窮子傭賃展轉遇到父舍住立門側遥見其
父踞師子牀寶几承足諸婆羅門刹利居士
皆恭敬圍繞以真珠瓔珞價直千万庄嚴其
身吏民僮僕手執白拂侍立左右覆以寶帳
垂諸華幡香水灑地散衆名華羅列寶物出
内取與有如是等種種嚴飾威德特尊窮
子見父有大力勢即懷恐怖悔來至此竊作
是念此或是王或是王等非我傭力得物之
處不如往至貧里肆力有地衣食易得若久
住此或見逼迫强使我作作是念已疾走而
去時富長者於師子座見子便識心大歡喜
即作是念我財物庫藏今有所付我常思念
此子无由見之而忽自來甚適我願我雖年
朽猶故貪惜即遣傍人急追將還尒時使者
疾走往捉窮子驚愕稱怨大喚我不相犯何
為見捉使者執之逾急强牽將還于時窮子

BD02398號　妙法蓮華經卷二　（1–1）

□人功德轉□
若轉輪聖王所坐之□
餘人言有經名法華
可共往聽即受其教乃至須臾間聞是人功
德轉身得與陁羅尼菩薩共生一處利根
智慧百千万世終不瘖瘂口氣不臭舌常无病
口亦无病齒不垢黑不黄不踈亦不缺落不
差不曲脣不下垂亦不褰縮不麁澁不瘡胗
亦不缺壞亦不喎斜不厚不大亦不黧黑无諸
可惡鼻不匾㔸亦不曲戾面色不黑亦不狹長
亦不窊曲无有一切不可喜相脣舌
悉皆嚴好鼻脩高直面皃圓滿眉直
額廣平正人相具足世世所生見佛聞法信
受教誨阿逸多汝且觀是勸於一人令往聽
法功德如此何況一心聽說讀誦而於大衆
為人分別如說脩行尒時世尊欲重宣此義
而說偈言

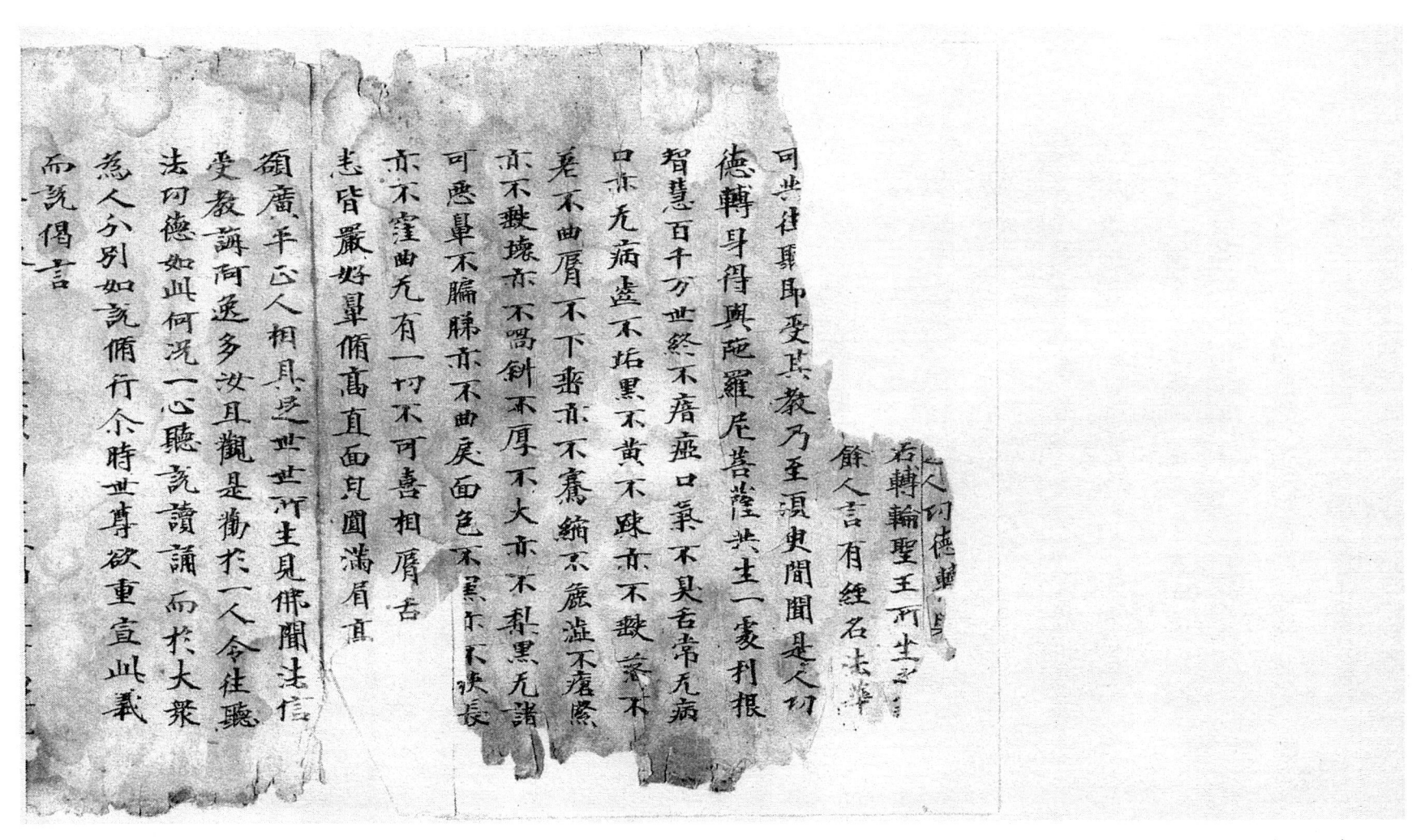

BD02399號　妙法蓮華經卷六　（27–1）

頞廣平正人相具足世世所生見佛聞法信
受教誨阿逸多汝且觀是勸於一人令往聽
法功德如此何況一心聽說讀誦而於大衆
為人分別如說修行尒時世尊欲重宣此義
而說偈言
若人於法會 得聞是經典 乃至於一偈 隨喜為他說
如是展轉教 至於第五十 㝡後人獲福 今當分別之
如有大施主 供給無量衆 具滿八十歲 隨意之所欲
見彼衰老相 髮白而面皺 齒踈形枯竭 念其死不久
我今應當教 令得於道果 即為方便說 涅槃真實法
世皆不牢固 如水沫泡焰 汝等咸應當 疾生猒離心
諸人聞是法 皆得阿羅漢 具足六神通 三明八解脫
㝡後第五十 聞一偈隨喜 是人福勝彼 不可為譬喻
如是展轉聞 其福尚無量 何況於法會 初聞隨喜者
若有勸一人 將引聽法華 言此經深妙 千万劫難遇
即受教往聽 乃至須臾聞 斯人之福報 今當分別說
世世無口患 齒不踈黃黑 脣不厚褰缺 無有可惡相
舌不乾黑短 鼻高脩且直 額廣而平正 面目悉端嚴
為人所喜見 口氣無臭穢 優鉢華之香 常從其口出
若故詣僧坊 欲聽法華經 須臾聞歡喜 今當說其福
後生天人中 得妙象馬車 珎寶之輦轝 及乘天宮殿
若於講法處 勸人坐聽經 是福因緣得 釋梵轉輪王
何況一心聽 解說其義趣 如說而修行 其福不可限
妙法蓮華經法師功德品第十九
尒時佛告常精進菩薩摩訶薩若善男子善

BD02399號 妙法蓮華經卷六 (27–2)

若於講法處 勸人坐聽經 是福因緣得 釋梵轉輪王
何況一心聽 解說其義趣 如說而修行 其福不可限
妙法蓮華經法師功德品第十九
尒時佛告常精進菩薩摩訶薩若善男子善
女人受持是法華經若讀若誦若解說若書
寫是人當得八百眼功德千二百耳功德八百
鼻功德千二百舌功德八百身功德千二百
意功德以是功德莊嚴六根皆令清淨是
善男子善女人父母所生清淨肉眼見於
三千大千世界內外所有山林河海下至阿
鼻地獄上至有頂亦見其中一切衆生及業
因緣果報生處悉見悉知尒時世尊欲重
宣此義而說偈言
若於大衆中 以無所畏心 說是法華經 汝聽其功德
是人得八百 功德殊勝眼 以是莊嚴故 其目甚清淨
父母所生眼 悉見三千界 內外彌樓山 須彌及鐵圍
并諸餘山林 大海江河水 下至阿鼻獄 上至有頂處
其中諸衆生 一切皆悉見 雖未得天眼 肉眼力如是
復次常精進若善男子善女人受持此經若
讀若誦若解說若書寫得千二百耳功德以
是清淨耳聞三千大千世界下至阿鼻地獄
上至有頂其中內外種種語言音聲象聲
馬聲牛聲車聲啼哭聲愁歎聲螺聲鼓聲鍾
聲鈴聲笑聲語聲男聲女聲童子聲童女聲
法聲非法聲苦聲樂聲凡夫聲聖人聲喜聲

BD02399號 妙法蓮華經卷六 (27–3)

上至有頂其中内外種種語言音聲象聲
馬聲牛聲車聲啼哭聲愁歎聲螺聲鼓聲鍾
聲鈴聲笑聲語聲男聲女聲童子聲童女聲
法聲非法聲苦聲樂聲凡夫聲聖人聲喜聲
不喜聲天聲龍聲夜叉聲乾闥婆聲阿脩羅聲
迦樓羅聲緊那羅聲摩睺羅伽聲火聲水聲
風聲地獄聲畜生聲餓鬼聲比丘聲比丘尼聲
聲聞聲辟支佛聲菩薩聲佛聲以要言之三
千大千世界中一切内外所有諸聲雖未得
天耳以父母所生清淨常耳皆悉聞知如是分
別種種音聲而不壞耳根尒時世尊欲重宣
此義而說偈言

父母所生耳　清淨无濁穢　以此常耳聞　三千世界聲
象馬車牛聲　鍾鈴螺鼓聲　琴瑟箜篌聲　簫笛之音聲
清淨好歌聲　聽之而不著　无數種人聲　聞悉能解了
又聞諸天聲　微妙之歌音　及聞男女聲　童子童女聲
山川嶮谷中　迦陵頻伽聲　命命等諸鳥　悉聞其音聲
地獄衆苦痛　種種楚毒聲　餓鬼飢渴逼　求索飲食聲
諸阿脩羅等　居在大海邊　自共語言時　出于大音聲
如是說法者　安住於此間　遙聞是衆聲　而不壞耳根
十方世界中　禽獸鳴相呼　其說法之人　於此悉聞之
其諸梵天上　光音及遍淨　乃至有頂天　言語之音聲
法師住於此　悉皆得聞之　一切比丘衆　及諸比丘尼
若讀誦經典　若為他人說　法師住於此　悉皆得聞之
復有諸菩薩　讀誦於經法　若為他人說　撰集解其義

BD02399 號　妙法蓮華經卷六　（27–4）

法師住於此　悉皆得聞之　一切比丘衆　及諸比丘尼
若讀誦經典　若為他人說　法師住於此　悉皆得聞之
復有諸菩薩　讀誦於經法　若為他人說　撰集解其義
如是諸音聲　悉皆得聞之　諸佛大聖尊　教化衆生者
於諸大衆中　演說微妙法　持此法華者　悉皆得聞之
三千大千界　内外諸音聲　下至阿鼻獄　上至有頂天
皆聞其音聲　而不壞耳根　其耳聰利故　悉能分別知
持是法華者　雖未得天耳　但用所生耳　功德已如是
復次常精進若善男子善女人受持是經若讀
若誦若解說若書寫成就八百鼻功德以是
清淨鼻根聞於三千大千世界上下内外種
種諸香須曼那華香闍提華香末利華香
瞻蔔華香波羅羅華香赤蓮華香青蓮華香
白蓮華香華樹香菓樹香栴檀香沉水香多
摩羅跋香多伽羅香及千万種和香若末若
丸若塗香持是經者於此間住悉能分別又復
別知衆生之香象香牛香牛羊等香男香女
香童子香童女香及草木叢林香若近若
遠所有諸香悉皆得聞分別不錯持是經者
雖住於此亦聞天上諸天之香波利質多羅
拘鞞陀羅樹香及曼陀羅華香摩訶曼陀羅
華香曼殊沙華香摩訶曼殊沙華香栴檀沉
水種種末香諸雜華香如是等天香和合所
出之香无不聞知又聞諸天身香釋提桓因在
勝殿上五欲娛樂嬉戲時香若在妙法堂上

BD02399 號　妙法蓮華經卷六　（27–5）

拘鞞陁羅樹香及曼陁羅華香摩訶曼陁羅
華香曼殊沙華香摩訶曼殊沙華香栴檀沉
水種種末香諸雜華香如是等天香和合所
出之香无不聞知又聞諸天身香釋提桓因在
勝殿上五欲娛樂嬉戲時香若在妙法堂上
為忉利諸天說法時香若於諸園遊戲時香
及餘天等男女身香皆悉遥聞如是展轉乃
至梵世上至有頂諸天身香亦皆聞之并聞
諸天所燒之香及聲聞香辟支佛香菩薩
香諸佛身香亦皆遥聞知其所在雖聞此香
然於鼻根不壞不錯若欲分別為他人說憶
念不謬尒時世尊欲重宣此義而說偈言
是人鼻清淨　於此世界中　若香若臭物　種種悉聞知
須曼那闍提　多摩羅栴檀　沉水及桂香　種種華菓香
及知衆生香　男子女人香　說法者遠住　聞香知所在
大勢轉輪王　小轉輪及子　群臣諸宮人　聞香知所在
身所著珎寶　及地中寶藏　轉輪王寶女　聞香知所在
諸人嚴身具　衣服及瓔珞　種種所塗香　聞則知其身
諸天若行坐　遊戲及神變　持是法華者　聞香悉能知
諸樹華菓實　及蘇油香氣　持經者住此　悉知其所在
諸山深嶮處　栴檀樹華敷　衆生在中者　聞香皆能知
鐵圍山大海　地中諸衆生　持經者聞香　悉知其所在
阿修羅男女　及其諸眷屬　鬪諍遊戲時　聞香皆能知
曠野險隘處　師子象虎狼　野牛水牛等　聞香知所在
若有懷妊者　未辯其男女　无根及非人　聞香悉能知

BD02399號　妙法蓮華經卷六　（27–6）

阿修羅男女　及其諸眷屬　鬪諍遊戲時　聞香皆能知
曠野險隘處　師子象虎狼　野牛水牛等　聞香知所在
若有懷妊者　未辯其男女　无根及非人　聞香悉能知
以聞香力故　知其初懷妊　成就不成就　安樂產福子
以聞香力故　知男女所念　染欲癡恚心　亦知脩善者
地中衆伏藏　金銀諸珎寶　銅器之所盛　聞香悉能知
種種諸瓔珞　无能識其價　聞香知貴賤　出處及所在
天上諸華等　曼陁曼殊沙　波利質多樹　聞香悉能知
天上諸宮殿　上中下差別　衆寶華莊嚴　聞香悉能知
天園林勝殿　諸觀妙法堂　在中而娛樂　聞香悉能知
諸天若聽法　或受五欲時　來往行坐臥　聞香悉能知
天女所著衣　好華香莊嚴　周旋遊戲時　聞香悉能知
如是展轉上　乃至於梵世　入禪出禪者　聞香悉能知
光音遍淨天　乃至于有頂　初生及退沒　聞香悉能知
諸比丘衆等　於法常精進　若坐若經行　及讀誦經法
或在林樹下　專精而坐禪　持經者聞香　悉知其所在
菩薩志堅固　坐禪若讀誦　或為人說法　聞香悉能知
在在方世尊　一切所恭敬　愍衆而說法　聞香悉能知
衆生在佛前　聞經皆歡喜　如法而脩行　聞香悉能知
雖未得菩薩　无漏法生鼻　而是持經者　先得此鼻相
復次常精進若善男子善女人受持是經若
讀若誦若解說若書寫得千二百舌功德若
好若醜若美若不美及諸苦澁物在其舌根
皆變成上味如天甘露无不美者若以舌根於
大衆中有所演說出深妙聲能入其心皆令

BD02399號　妙法蓮華經卷六　（27–7）

讀若誦若解說若書寫得千二百舌功德若
好若醜若美若不美及諸苦澁物在其舌根
變成上味如天甘露无不美者若以舌根於
大衆中有所演說出深妙聲能入其心皆令
歡喜快樂又諸天子天女釋梵諸天聞是深
妙音聲有所演說言論次第皆悉来聽及諸
龍龍女夜叉夜叉女乾闥婆乾闥婆女阿脩羅
阿脩羅女迦樓羅迦樓羅女緊那羅緊那
羅女摩睺羅伽摩睺羅伽女為聽法故皆来
親近恭敬供養及比丘比丘尼優婆塞優婆
夷國王王子群臣眷屬小轉輪王大轉輪王
七寶千子内外眷屬乘其宮殿俱来聽法以
是菩薩善說法故婆羅門居士國内人民盡
其形壽隨侍供養又諸聲聞辟支佛菩薩諸
佛常樂見之是人所在方面諸佛皆向其處
說法悉能受持一切佛法又能出於深妙法
音尒時世尊欲重宣此義而說偈言
是人舌根淨　終不受惡味　其有所食噉　悉皆成甘露
以深淨妙音　於大衆說法　以諸因緣喻　引導衆生心
聞者皆歡喜　設諸上供養
諸天龍夜叉　及阿脩羅等　皆以恭敬心　而共来聽法
是說法之人　若欲以妙音　遍滿三千界　隨意即能至
大小轉輪王　及千子眷屬　合掌恭敬心　常来聽受法
諸天龍夜叉　羅刹毗舍闍　亦以歡喜心　常樂来供養
梵天王魔王　自在大自在　如是諸天衆　常来至其所

BD02399號　妙法蓮華經卷六　（27–8）

諸天龍夜叉　及阿脩羅等　皆以恭敬心　而共来聽法
是說法之人　若欲以妙音　遍滿三千界　隨意即能至
大小轉輪王　及千子眷屬　合掌恭敬心　常来聽受法
諸天龍夜叉　羅刹毗舍闍　亦以歡喜心　常樂来供養
梵天王魔王　自在大自在　如是諸天衆　常来至其所
諸佛及弟子　聞其說法音　常念而守護　或時為現身
復次常精進若善男子善女人受持是經若
讀若誦若解說若書寫得八百身功德得清
淨身如淨瑠璃衆生憙見其身淨故三千大
千世界衆生生時死時上下好醜生善處惡處
悉於中現及鐵圍山大鐵圍山弥樓山摩訶弥
樓山等諸山及其中衆生悉於中現下至阿
鼻地獄上至有頂所有及衆生悉於中現若
聲聞辟支佛菩薩諸佛說法皆於中現其色
像尒時世尊欲重宣此義而說偈言
若持法華者　其身甚清淨　如彼淨瑠璃　衆生皆憙見
又如淨明鏡　悉見諸色像　菩薩於淨身　皆見世所有
唯獨自明了　餘人所不見　三千世界中　一切諸群萌
天人阿脩羅　地獄鬼畜生　如是諸色像　皆於身中現
諸天等宮殿　乃至於有頂　鐵圍及弥樓　摩訶弥樓山
諸大海水等　皆於身中現　諸佛及聲聞　佛子菩薩等
若獨若在衆　說法悉皆現　雖未得无漏　法性之妙身
以清淨常體　一切於中現
復次常精進若善男子善女人如来滅後受
持是經若讀若誦若解說若書寫得千二百

BD02399號　妙法蓮華經卷六　（27–9）

以清淨常軆　一切於中現
復次常精進若善男子善女人如来滅後受
持是經若讀若誦若解說若書寫得千二百
意功德以是清淨意根乃至聞一偈一句通
達无量无邊之義解是義已能演說一句一
偈至於一月四月乃至一歲諸所說法隨其
義趣皆與實相不相違背若說俗間經書治世
語言資生業等皆順正法三千大千世界六
趣衆生心之所行心所動作心所戲論皆悉
知之雖未得无漏智慧而其意根清淨如
此是人有所思惟籌量言說皆是佛法无不
真實亦是先佛經中所說尒時世尊欲重宣
此義而說偈言
是人意清淨　明利无穢濁　以此妙意根　知上中下法
乃至聞一偈　通達无量義　次第如說法　月四月至歲
是世界內外　一切諸衆生　若天龍及人　夜叉鬼神等
其在六趣中　所念若干種　持法華之報　一時皆悉知
十方无數佛　百福莊嚴相　為衆生說法　悉聞能受持
思惟无量義　說法亦无量　終始不忘錯　以持法華故
悉知諸法相　隨義識次第　達名字語言　如所知演說
此人有所說　皆是先佛法　以演此法故　於衆无所畏
持法華經者　意根淨若斯　雖未得无漏　先有如是相
是人持此經　安住希有地　為一切衆生　歡喜而愛敬
能以千万種　善巧之語言　分別而說法　持法華經故

BD02399號　妙法蓮華經卷六　（27–10）

是人持此經　安住希有地　為一切衆生　歡喜而愛敬
能以千万種　善巧之語言　分別而說法　持法華經故
妙法蓮華經常不輕菩薩品第廿
尒時佛告得大勢菩薩摩訶薩汝今當知
若比丘比丘尼優婆塞優婆夷持法華經者若
有惡口罵詈誹謗獲大罪報如前所說其所
得功德如向所說眼耳鼻舌身意清淨得大勢
乃往古昔過无量无邊不可思議阿僧祇劫
有佛名威音王如来應供正遍知明行足
善逝世間解无上士調御丈夫天人師佛世
尊劫名離衰國名大成其威音王佛於彼世
中為天人阿脩羅說法為求聲聞者說應四
諦法度生老病死究竟涅槃為求辟支佛者
說應十二因緣法為諸菩薩因阿耨多羅三
藐三菩提說應六波羅蜜法究竟佛慧得大
勢是威音王佛壽卌万億那由他恒河沙劫正
法住世劫數如一閻浮提微塵像法住世劫數
如四天下微塵其佛饒益衆生已然後滅
度正法像法滅盡之後於此國土復有佛
出亦号威音王如来應供正遍知明行足善
逝世間解无上士調御丈夫天人師佛世尊
如是次第有二万億佛皆同一号最初威音
王如来既已滅度正法滅後於像法中增上
慢比丘有大勢力尒時有一菩薩比丘名常
不輕得大勢以何因緣名常不輕是比丘凡

BD02399號　妙法蓮華經卷六　（27–11）

王如来既已滅度正法滅後於像法中增上
慢比丘有大勢力尒時有一菩薩比丘名常
不輕得大勢以何因緣名常不輕是比丘凡
有所見若比丘比丘尼優婆塞優婆夷皆悉
礼拜讚歎而作是言我深敬汝等不敢輕慢
所以者何汝等皆行菩薩道當得作佛而是
比丘不專讀誦經典但行礼拜乃至遠見四衆
亦復故往礼拜讚歎而作是言我不敢輕於
汝等汝等皆當作佛故四衆之中有生瞋恚
心不淨者惡口罵詈言是无智比丘從何所来
自言我不輕汝而與我等受記當得作佛
我等不用如是虛妄受記如此經歷多年常
被罵詈不生瞋恚常作是言汝當作佛說是
語時衆人或以杖木瓦石而打擲之避走遠
住猶高聲唱言我不敢輕汝汝等皆當作佛
以其常作是語故增上慢比丘比丘尼優婆
塞優婆夷号之為常不輕是比丘臨欲終時
於虛空中具聞威音王佛先所說法華經廿
千万億偈悉能受持即得如上眼根清淨耳
鼻舌身意根清淨得是六根清淨已更增
壽命二百万億那由他歲廣為人說是法華
經於時增上慢四衆比丘比丘尼優婆塞優
婆夷輕賤是人為作不輕名者見其得大神
通力樂說辯力大善寂力聞其所說皆信伏
隨從是菩薩復化千万億衆令住阿耨多羅

BD02399號　妙法蓮華經卷六　（27-12）

婆夷輕賤是人為作不輕名者見其得大神
通力樂說辯力大善寂力聞其所說皆信伏
隨從是菩薩復化千万億衆令住阿耨多羅
三藐三菩提命終之後得值二千億佛皆号
日月燈明於其法中說是法華經以是因緣
復值二千億佛同号雲自在燈王於此諸佛
法中受持讀誦為諸四衆說此經典故得是
常眼清淨耳鼻舌身意諸根清淨於四衆中
說法心无所畏得大勢是常不輕菩薩摩訶
薩供養如是若干諸佛恭敬尊重讚歎種諸
善根於後復值千万億佛亦於諸佛法中說
是經典功德成就當得作佛得大勢於意云
何尒時常不輕菩薩豈異人乎則我身是若
我於宿世不受持讀誦此經為他人說者不
能疾得阿耨多羅三藐三菩提我於先佛所
受持讀誦此經為人說故疾得阿耨多羅三
藐三菩提得大勢彼時四衆比丘比丘尼優
婆塞優婆夷以瞋恚意輕賤我故二百億劫
常不值佛不聞法不見僧千劫於阿鼻地獄
受大苦惱畢是罪已復遇常不輕菩薩教化
阿耨多羅三藐三菩提得大勢於汝意云何
尒時四衆常輕是菩薩者豈異人乎今此會
中跋陀婆羅等五百菩薩師子月等五百比
丘尼思佛等五百優婆塞皆於阿耨多羅三藐
三菩提不退轉者是得大勢當知是法華

BD02399號　妙法蓮華經卷六　（27-13）

中颰陀婆羅等五百菩薩師子月等五百比
丘尼思佛等五百優婆塞皆於阿耨多羅三藐
三菩提不退轉者是得大勢當知是法華
經大饒益諸菩薩摩訶薩能令至於阿耨多
羅三藐三菩提是故諸菩薩摩訶薩於如來
滅後常應受持讀誦解說書寫是經尒時
世尊欲重宣此義而說偈言
過去有佛　号威音王　神智无量　將導一切
天人龍神　所共供養
是佛滅後　法欲盡時　有一菩薩　名常不輕
時諸四衆　計著於法　不輕菩薩　往到其所
而語之言　我不輕汝　汝等行道　皆當作佛
諸人聞已　輕毀罵詈　不輕菩薩　能忍受之
其罪畢已　臨命終時　得聞此經　六根清淨
神通力故　增益壽命　復為諸人　廣說是經
諸著法衆　皆蒙菩薩　教化成就　令住佛道
不輕命終　值无數佛　說是經故　得无量福
漸具功德　疾成佛道　彼時不輕　則我身是
時四部衆　著法之者　聞不輕言　汝當作佛
以是因緣　值无數佛　此會菩薩　五百之衆
并及四部　清信士女　今於我前　聽法者是
我於前世　勸是諸人　聽受斯經　第一之法
開示教人　令住涅槃　世世受持　如是經典
億億万劫　至不可議　時乃得聞　是法華經
億億万劫　至不可議　諸佛世尊　時說是經

BD02399號　妙法蓮華經卷六　（27–14）

[illegible]
開示教人　令住涅槃　世世受持　如是經典
億億万劫　至不可議　時乃得聞　是法華經
億億万劫　至不可議　諸佛世尊　時說是經
是故行者　於佛滅後　聞如是經　勿生疑惑
應當一心　廣說此經　世世值佛　疾成佛道
妙法蓮華經如來神力品第二十一
尒時千世界微塵等菩薩摩訶薩從地踊出
者皆於佛前一心合掌瞻仰尊顏而白佛言
世尊我等於佛滅後世尊分身所在國土滅
度之處當廣說此經所以者何我等亦自欲
得是真淨大法受持讀誦解說書寫而供養
之尒時世尊於文殊師利等无量百千万億
舊住娑婆世界菩薩摩訶薩及諸比丘比丘
尼優婆塞優婆夷天龍夜叉乾闥婆阿脩羅
迦樓羅緊那羅摩睺羅伽人非人等一切衆
前現大神力出廣長舌上至梵世一切毛孔
放於无量无數色光皆悉遍照十方世界衆
寶樹下師子坐上諸佛亦復如是出廣長舌
放无量光
釋迦牟尼佛及寶樹下諸佛現神力時滿百
千歲然後還攝舌相一時謦欬俱共彈指
是二音聲遍至十方諸佛世界地皆六種震
動其中衆生天龍夜叉乾闥婆阿脩羅迦樓羅
緊那羅摩睺羅伽人非人等以佛神力故皆
見此娑婆世界无量无邊百千万億衆寶

BD02399號　妙法蓮華經卷六　（27–15）

是二音聲徧至十方諸佛世界地皆六種震
動其中衆生天龍夜叉乾闥婆阿脩羅迦樓羅
緊那羅摩睺羅伽人非人等以佛神力故皆
見此娑婆世界无量无邊百千万億衆寶
樹下師子座上諸佛及見釋迦牟尼佛共多寶
如來在寶塔中坐師子座又見无量无邊百千
万億菩薩摩訶薩及諸四衆恭敬圍遶釋迦
牟尼佛既見是已皆大歡喜得未曾有即
時諸天於虛空中高聲唱言過此无量无邊
百千万億阿僧祇世界有國名娑婆是中有
佛名釋迦牟尼今為諸菩薩摩訶薩說大乘
經名妙法蓮華教菩薩法佛所護念汝等當
深心隨喜亦當礼拜供養釋迦牟尼佛彼諸
衆生聞虛空中聲已合掌向娑婆世界作如
是言南无釋迦牟尼佛南无釋迦牟尼佛以
種種華香瓔珞幡蓋及諸嚴身之具珍寶妙
物皆共遙散娑婆世界所散諸物從十方來
譬如雲集變成寶帳遍覆此間諸佛之上于
時十方世界通達无㝵如一佛土
尒時佛告上行等菩薩大衆諸佛神力如是
无量无邊不可思議若我以是神力於无量
无邊百千万億阿僧祇劫為囑累故說此經
功德猶不能盡以要言之如來一切所有之
法如來一切自在神力如來一切祕要之藏如
來一切甚深之事皆於此經宣示顯說是

BD02399 號　妙法蓮華經卷六　（27–16）

法如來一切自在神力如來一切祕要之藏如
來一切甚深之事皆於此經宣示顯說是
故汝等於如來滅後應一心受持讀誦解說
書寫如說修行所在國土若有受持讀誦解
說書寫如說脩行若經卷所住之處若於園
中若於林中若於樹下若於僧坊若白衣舍
若在殿堂若山谷曠野是中皆應起塔供養
所以者何當知是處即是道場諸佛於此得
阿耨多羅三藐三菩提諸佛於此轉于法輪諸
佛於此而般涅槃尒時世尊欲重宣此義而
說偈言
諸佛救世者　住於大神通　為悅衆生故　現无量神力
舌相至梵天　身放无數光　為求佛道者　現此希有事
諸佛謦欬聲　及彈指之聲　周聞十方國　地皆六種動
以佛滅度後　能持是經故　諸佛皆歡喜　現无量神力
囑累是經故　讚美受持者　於无量劫中　猶故不能盡
是人之功德　无邊无有窮　如十方虛空　不可得邊際
能持是經者　則為已見我　亦見多寶佛　及諸分身者
又見我今日　教化諸菩薩　能持是經者　令我及分身
滅度多寶佛　一切皆歡喜　十方現在佛　并過去未來
亦見亦供養　亦令得歡喜　諸佛坐道場　所得祕要法
能持是經者　不久亦當得　能持是經者　於諸法之義
名字及言辭　樂說无窮盡　如風於空中　一切无障㝵
於如來滅後　知佛所說經　因緣及次第　隨義如實說
如日月光明　能除諸幽冥　斯人行世間　能滅衆生闇
教无量菩薩　畢竟住一乘　是故有智者　聞此功德利

BD02399 號　妙法蓮華經卷六　（27–17）

名字及言辭　樂說无窮盡　如風於空中　一切无障导
於如來滅後　知佛所說經　因緣及次第　隨義如實說
如日月光明　能除諸幽冥　斯人行世間　能滅衆生闇
教无量菩薩　畢竟住一乘　是故有智者　聞此功德利
於我滅度後　應受持斯經　是人於佛道　決定无有疑

妙法蓮華經嘱累品第二十二

尒時釋迦牟尼佛從法坐起現大神力以右手摩无量菩薩摩訶薩頂而作是言我於无量百千万億阿僧祇劫脩習是難得阿耨多羅三藐三菩提法今以付嘱汝等汝等應當一心流布此法廣令增益如是三摩諸菩薩摩訶薩頂而作是言我於无量百千万億阿僧祇劫脩習是難得阿耨多羅三藐三菩提法今以付嘱汝等汝等當受持讀誦廣宣此法令一切衆生普得聞知所以者何如來有大慈悲无諸慳恡亦无所畏能與衆生佛之智慧如來智慧自然智慧如來是一切衆生之大施主汝等亦應隨學如來之法勿生慳恡於未來世若有善男子善女人信如來智慧者當為演說此法華經使得聞知為令其人得佛慧故若有衆生不信受者當於如來餘深妙法中示教利喜汝等若能如是則為已報諸佛之恩時諸菩薩摩訶薩聞佛作是說已皆大歡喜遍滿其身益加恭敬曲躬低頭合掌向佛俱發聲言如世尊勑當具奉行唯

BD02399號　妙法蓮華經卷六　（27–18）

諸佛之恩時諸菩薩摩訶薩聞佛作是說已皆大歡喜遍滿其身益加恭敬曲躬低頭合掌向佛俱發聲言如世尊勑當具奉行唯然世尊願不有慮諸菩薩摩訶薩衆如是三反俱發聲言如世尊勑當具奉行唯然世尊願不有慮尒時釋迦牟尼佛令十方來諸分身佛各還本土而作是言諸佛各隨所安多寶佛塔還可如故說是語時十方无量分身諸佛坐寶樹下師子座上者及多寶佛并上行等无邊阿僧祇菩薩大衆舍利弗等聲聞四衆及一切世間天人阿脩羅等聞佛所說皆大歡喜

妙法蓮華經藥王菩薩本事品第二十三

尒時宿王華菩薩白佛言世尊藥王菩薩云何遊於娑婆世界世尊是藥王菩薩有若干百千万億那由他難行苦行善哉世尊願少解說諸天龍神夜叉乾闥婆阿脩羅迦樓羅緊那羅摩睺羅伽人非人等又他方國土諸來菩薩及此聲聞衆聞皆歡喜尒時佛告宿王華菩薩乃往過去无量恒河沙劫有佛号曰日月淨明德如來應供正遍知明行足善逝世間解无上士調御丈夫天人師佛世尊其佛有八十億大菩薩摩訶薩七十二恒河沙大聲聞衆佛壽四万二千劫菩薩壽命亦等彼國无有女人地獄餓鬼畜生阿脩羅等及以

BD02399號　妙法蓮華經卷六　（27–19）

聞解无上士調御丈夫天人師佛世尊其佛
有八十億大菩薩摩訶薩七十二恒河沙大
聲聞衆佛壽四万二千劫菩薩壽命亦等彼
國无有女人地獄餓鬼畜生阿脩羅等及以
諸難地平如掌瑠璃所成寶樹莊嚴寶帳覆
上垂寶華幡寶缾香爐周遍國界七寶為臺
一樹一臺其樹去臺盡一箭道此諸寶樹皆
有菩薩聲聞而坐其下諸寶臺上各有百億
諸天作天伎樂歌嘆於佛以為供養尒時彼
佛為一切衆生喜見菩薩及衆菩薩諸聲聞
衆說法華經是一切衆生喜見菩薩樂習苦
行於日月淨明德佛法中精進經行一心求
佛滿万二千歲已得現一切色身三昧得此
三昧已心大歡喜即作念言我得現一切色
身三昧皆是得聞法華經力我今當供養日
月淨明德佛及法華經即時入是三昧於虛
空中雨曼陁羅華摩訶曼陁羅華細末堅黑
栴檀滿虛空中如雲而下又雨海此岸栴檀之
香此香六銖價直娑婆世界以供養佛作是
供養已從三昧起而自念言我雖以神力供
養於佛不如以身供養即服諸香栴檀薰陸
兜樓婆畢力迦沉水膠香又飲瞻蔔諸華香
油滿千二百歲已香油塗身於日月淨明德
佛前以天寶衣而自纏身灌諸香油以神通
力願而自然身光明遍照八十億恒河沙世界

BD02399號　妙法蓮華經卷六　（27–20）

兜樓婆畢力迦沉水膠香又飲瞻蔔諸華香
油滿千二百歲已香油塗身於日月淨明德
佛前以天寶衣而自纏身灌諸香油以神通
力願而自然身光明遍照八十億恒河沙世界
其中諸佛同時讚言善哉善哉善男子是真
精進是名真法供養如來若以華香瓔珞
燒香末香塗香天繒幡蓋及海此岸栴檀之
香如是等種種諸物供養所不能及假使國城
妻子布施亦所不及善男子是名第一之施
於諸施中最尊最上以法供養諸如來故作是
語已而各嘿然其身火然千二百歲過是已
後其身乃盡一切衆生喜見菩薩作如是法
供養已命終之後復生日月淨明德佛國
中於淨德王家結加趺坐忽然化生即為其
父而說偈言
大王今當知　我經行彼處　即時得一切　現諸身三昧
懃行大精進　捨所愛之身
說是偈已而白父言日月淨明德佛今故見在
我先供養佛已得解一切衆生語言陁羅尼復
聞是法華經八百千万億那由他甄迦羅頻
婆羅阿閦婆等偈大王我今當還供養此
佛白已即坐七寶之臺上昇虛空高七多羅
樹往到佛所頭面礼足合十指爪以偈讚佛
容顏甚奇妙　光明照十方　我適曾供養　今復還親近
尒時一切衆生喜見菩薩說是偈已而白佛

BD02399號　妙法蓮華經卷六　（27–21）

樹往到佛所頭面礼足合十指爪以偈讚佛
容顏甚奇妙 光明照十方 我適曾供養 今復還親近
尒時一切衆生喜見菩薩說是偈已而白佛
言世尊世尊猶故在世尒時日月淨明德佛
告一切衆生喜見菩薩善男子我涅槃時到
滅盡時至汝可安施牀座我於今夜當般涅
槃又勅一切衆生喜見菩薩善男子我以佛
法囑累於汝及諸菩薩大弟子并阿耨多
羅三藐三菩提法亦以三千大千七寶世界諸
寶樹寶臺及給侍諸天悉付於汝我滅度後
所有舍利亦付囑汝當令流布廣設供養應
起若干千塔如是日月淨明德佛勅一切衆生
喜見菩薩已於夜後分入於涅槃尒時一切衆
生喜見菩薩見佛滅度悲感懊惱戀慕於佛
即以海此岸栴檀為積供養佛身而以燒之
火滅已後收取舍利作八万四千寶瓶以起
八万四千塔高三世界表刹莊嚴垂諸幡蓋
懸衆寶鈴尒時一切衆生喜見菩薩復自
念言我雖作是供養心猶未足我今當更
供養舍利便語諸菩薩大弟子及天龍夜叉
等一切大衆汝等當一心念我今供養日月淨
明德佛舍利作是語已即於八万四千塔前
然百福莊嚴臂七万二千歲而以供養令无
數求聲聞衆无量阿僧祇人發阿耨多羅三
藐三菩提心皆使得住現一切色身三昧尒時

BD02399號 妙法蓮華經卷六 （27–22）

明德佛舍利作是語已即於八万四千塔前
然百福莊嚴臂七万二千歲而以供養令无
數求聲聞衆无量阿僧祇人發阿耨多羅三
藐三菩提心皆使得住現一切色身三昧尒時
諸菩薩天人阿脩羅等見其无臂憂惱悲
哀而作是言此一切衆生喜見菩薩是我等
師教化我者而今燒臂身不具足于時一切
衆生喜見菩薩於大衆中立此誓言我捨
兩臂必當得佛金色之身若實不虛令我
兩臂還復如故作是誓已自然還復由斯菩薩
福德智慧淳厚所致當尒之時三千大千世
界六種震動天雨寶華一切人天得未曾有
佛告宿王華菩薩於汝意云何一切衆生喜
見菩薩豈異人乎今藥王菩薩是也其所捨
身布施如是无量百千万億那由他數宿王
華若有發心欲得阿耨多羅三藐三菩提
者能然手指乃至足一指供養佛塔勝以國城
妻子及三千大千國土山林河池諸珎寶物
而供養者若復有人以七寶滿三千大千世
界供養於佛及大菩薩辟支佛阿羅漢是
人所得功德不如受持此法華經乃至一四句
偈其福最多宿王華譬如一切川流江河諸
水之中海為第一此法華經亦復如是於諸
如來所說經中最為深大又如土山黑山小
鐵圍山大鐵圍山及十寶山衆山之中須弥

BD02399號 妙法蓮華經卷六 （27–23）

得其福㝡多宿王華譬如一切川流江河諸
水之中海為第一此法華經亦復如是於諸
如来所說經中㝡為深大又如土山黑山小
鐵圍山大鐵圍山及十寶山衆山之中須弥
山為第一此法華經亦復如是於諸經中㝡
為其上又如衆星之中月天子㝡為第一此
法華經亦復如是於千万億種諸經法中㝡
為照明又如日天子能除諸闇此經亦復如
是能破一切不善之闇又如諸小王中轉輪
聖王㝡為第一此經亦復如是於衆經中㝡
為其尊又如帝釋於三十三天中王此經亦
復如是諸經中王又如大梵天王一切衆生之
父此經亦復如是一切賢聖學无學及發菩
薩心者之父又如一切凡夫人中須陁洹斯陁
含阿那含阿羅漢辟支佛為第一此經
亦復如是一切如来所說若菩薩所說若
聲聞所說諸經法中㝡為第一有能受持是
經典者亦復如是於一切衆生中亦為第一一
切聲聞辟支佛中菩薩為第一此經亦復如
是於一切諸經法中㝡為第一如佛為諸法
王此經亦復如是諸經中王宿王華此經能
救一切衆生者此經能令一切衆生離諸苦
惱此經能大饒益一切衆生充滿其願如清
凉池能滿一切諸渴之者如寒者得火如裸者
得衣如商人得主如子得母如渡得船如

惱此經能大饒益一切衆生充滿其願如清
凉池能滿一切諸渴之者如寒者得火如裸者
得衣如商人得主如子得母如渡得船如
病得醫如暗得燈如貧得寶如民得王如
賈客得海如炬除暗此法華經亦復如是能
令離一切苦一切病痛能解一切生死之縛若
人得聞此法華經若自書若使人書所得
功德以佛智慧籌量多少不得其邊若書
是經卷華香瓔珞燒香末香塗香幡蓋衣服
種種之燈蘇燈油燈諸香油燈瞻蔔油燈須
曼那油燈波羅羅油燈婆利師迦油燈那婆
摩利油燈供養所得功德亦復无量宿王華
若有人聞是藥王菩薩本事品者亦得无
量无邊功德若有女人聞是藥王菩薩本事
品能受持者盡是女身後不復受若如来滅
後後五百歲中若有女人聞是經典如說脩行
於此命終即往安樂世界阿弥陁佛大菩薩衆
圍遶住處生蓮華中寶座之上不復為貪
欲所惱亦復不為瞋恚愚癡所惱亦復不為
憍慢嫉妬諸垢所惱得菩薩神通无生法忍
得是忍已眼根清淨以是清淨眼根見七百
万二千億那由他恒河沙等諸佛如来是時
諸佛遥共讚言善哉善哉善男子汝能於釋
迦牟尼佛法中受持讀誦思惟是經為他人
說所得福德无量无邊火不能焚水不能漂

諸佛遙共讚言善哉善哉善男子汝能於釋
迦牟尼佛法中受持讀誦思惟是經為他人
說所得福德无量无邊火不能燒水不能漂
汝之功德千佛共說不能令盡汝今已能破
諸魔賊壞生死軍諸餘怨敵皆悉摧滅善
男子百千諸佛以神通力共守護汝於一切
世間天人之中无如汝者唯除如來其諸聲
聞辟支佛乃至菩薩智慧禪定无有與汝等
者宿王華此菩薩成就如是功德智慧之力
若有人聞是藥王菩薩本事品能隨喜讚
善者是人現世口中常出青蓮華香身毛孔中
常出牛頭栴檀之香所得功德如上所說是
故宿王華以此藥王菩薩本事品囑累於汝
我滅度後後五百歲中廣宣流布於閻浮提
无令斷絕惡魔魔民諸天龍夜叉鳩槃荼
等得其便也宿王華汝當以神通之力守
護是經所以者何此經則為閻浮提人病之
良藥若人有病得聞是經病即消滅不老不
死宿王華汝若見有受持是經者應以青
蓮華盛滿末香供養其上散已作是念言此
人不久必當取草坐於道場破諸魔軍當吹
法蠡擊大法鼓度脫一切眾生老病死海
是故求佛道者見有受持是經典人應當
如是生恭敬心說是藥王菩薩本事品時
八万四千菩薩得解一切眾生語言陀羅尼
多寶如來於寶塔中讚宿王華菩薩言

BD02399 號　妙法蓮華經卷六　（27–26）

等得其便也宿王華汝當以神通之力守
護是經所以者何此經則為閻浮提人病之
良藥若人有病得聞是經病即消滅不老不
死宿王華汝若見有受持是經者應以青
蓮華盛滿末香供養其上散已作是念言此
人不久必當取草坐於道場破諸魔軍當吹
法蠡擊大法鼓度脫一切眾生老病死海
是故求佛道者見有受持是經典人應當
如是生恭敬心說是藥王菩薩本事品時
八万四千菩薩得解一切眾生語言陀羅尼
多寶如來於寶塔中讚宿王華菩薩言
善哉善哉宿王華汝成就不可思議功德
乃能問釋迦牟尼佛如此之事利益无量
一切眾生

妙法蓮華經卷第六

BD02399 號　妙法蓮華經卷六　（27–27）

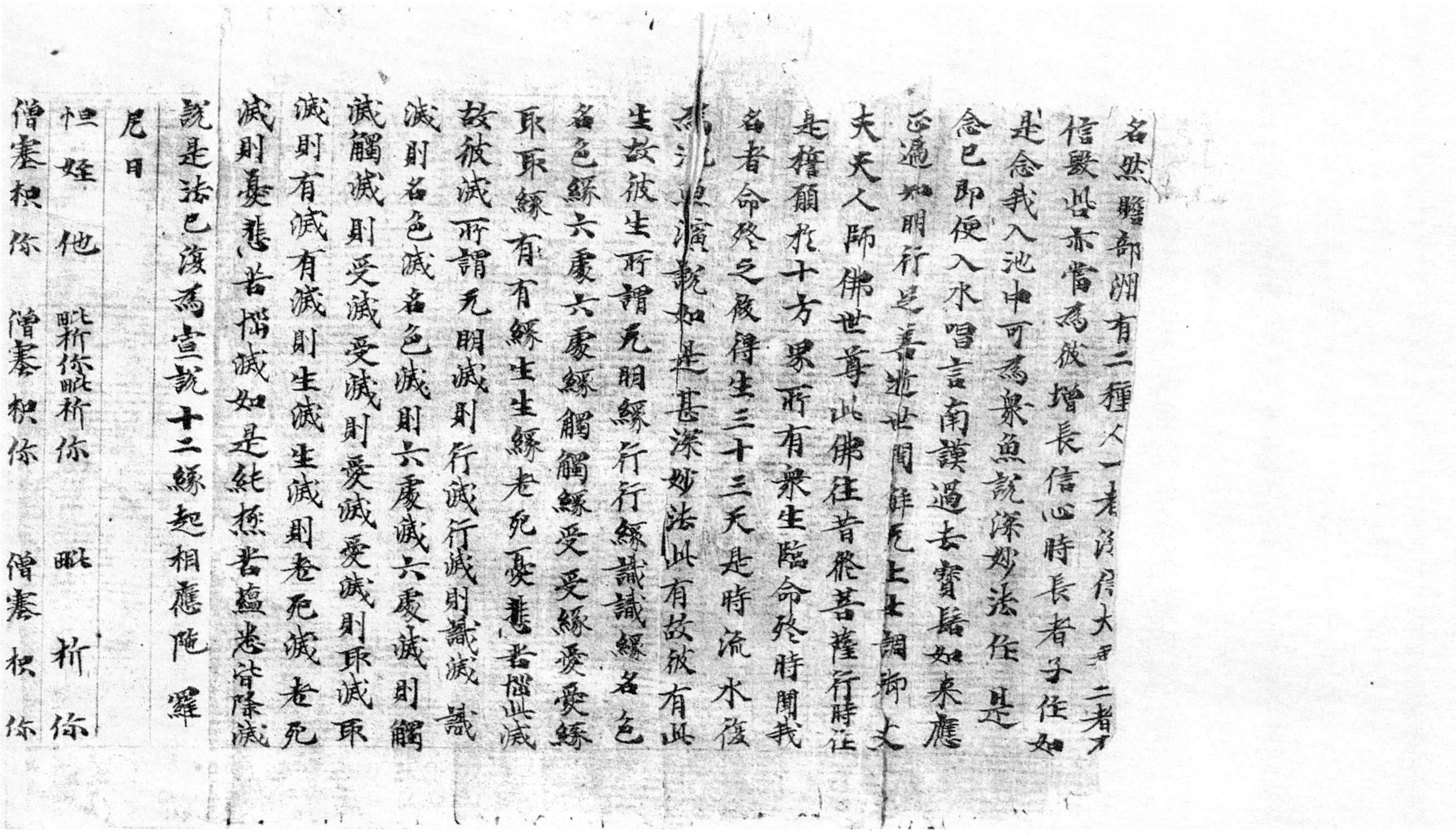

名然贍部洲有二種人一者深信大乘二者不
信毀呰亦當為彼增長信心時長者子住如
是念我入池中可為衆魚說深妙法住是
念已即便入水唱言南謨過去寶髻如來應
正遍知明行足善逝世間解无上士調御丈
夫天人師佛世尊此佛往昔修菩薩行時作
是誓願於十方界所有衆生臨命終時聞我
名者命終之後得生三十三天是時流水復
為池魚演說如是甚深妙法此有故彼有此
生故彼生所謂无明緣行行緣識識緣名色
名色緣六處六處緣觸觸緣受受緣愛愛緣
取取緣有有緣生生緣老死憂悲苦惱此滅
故彼滅所謂无明滅則行滅行滅則識滅識
滅則名色滅名色滅則六處滅六處滅則觸
滅觸滅則受滅受滅則愛滅愛滅則取滅取
滅則有滅有滅則生滅生滅則老死滅老死
滅則憂悲苦惱滅如是純極苦蘊悉皆除滅
說是法已復為宣說十二緣起相應陀羅
尼曰
怛姪他　毗折你毗折你　毗　折　你
僧塞枳你　僧塞枳你　僧塞枳你

BD02400 號　金光明最勝王經卷九　（4–1）

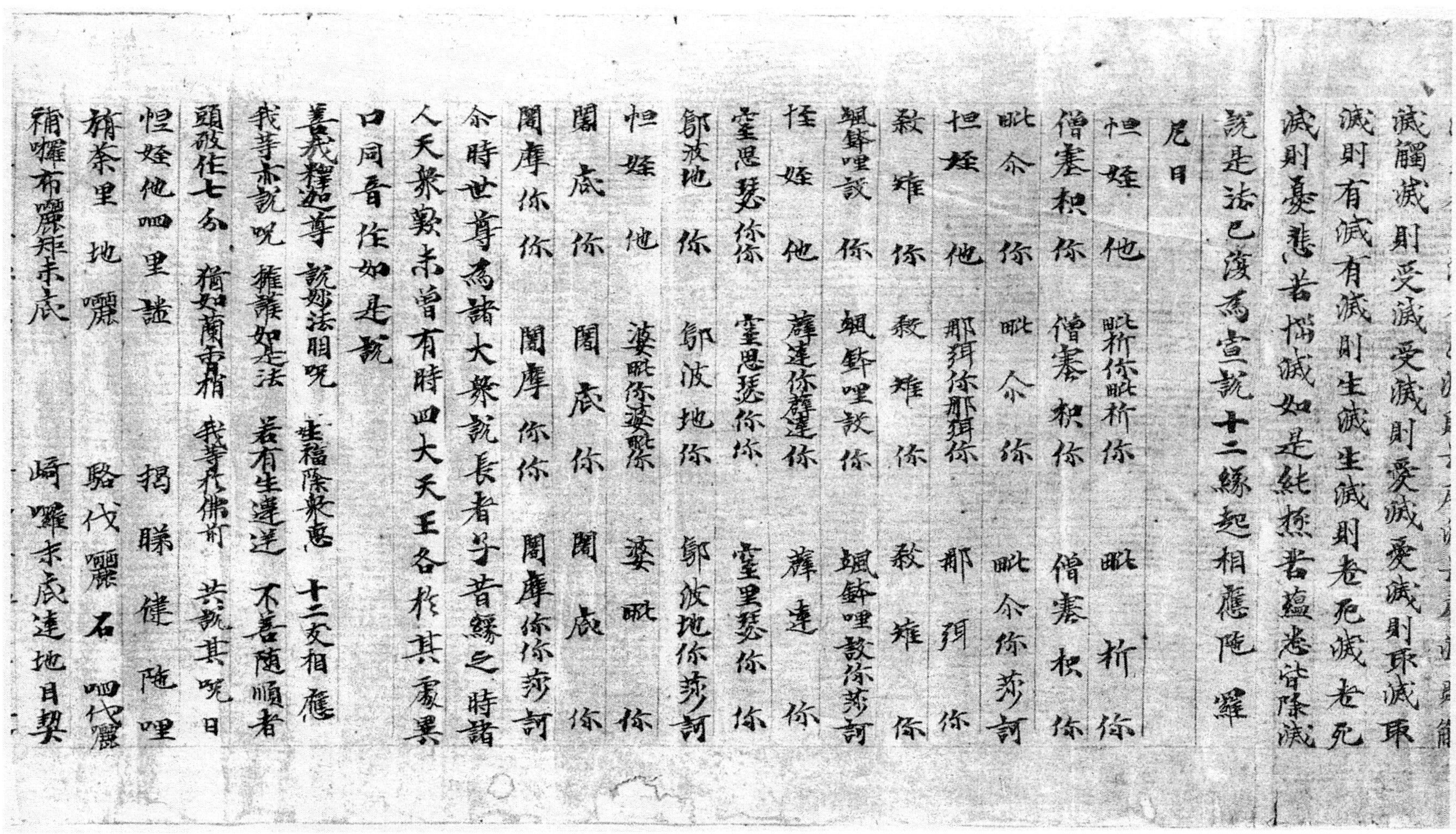

滅觸滅則受滅受滅則愛滅愛滅則取滅取
滅則有滅有滅則生滅生滅則老死滅老死
滅則憂悲苦惱滅如是純極苦蘊悉皆除滅
說是法已復為宣說十二緣起相應陀羅
尼曰
怛姪他　毗折你毗折你　毗　折　你
僧塞枳你　僧塞枳你　僧塞枳你
毗尒你　毗尒你　毗尒你莎訶
怛姪他　那猁你那猁你　那　猁　你
殺難你　殺難你　殺難你
颯鉢哩設你　颯鉢哩設你　颯鉢哩設你莎訶
怛姪他　薛達你薛達你　薛　達　你
窒思瑟你你　窒思瑟你你　窒里瑟你　你
鄔波地你　鄔波地你　鄔波地你莎訶
怛姪他　婆毗你婆毗你　婆　毗　你
闍底你　闍底你　闍底你
闍摩你你　闍摩你你　闍摩你你莎訶
尒時世尊為諸大衆說長者子昔緣之時諸
人天衆歎未曾有時四大天王各於其處異
口同音作如是說
善哉釋迦尊　說妙法明呪　生福除衆惡　十二支相應
我等亦說呪　擁護如是法　若有生違逆　不善隨順者
頭破作七分　猶如蘭香梢　我等於佛前　共說其呪曰
怛姪他四里謎　揭睇健陀哩
旃荼里地㘑　駱伐㘑石四伐㘑
補囉布㘑羅末底　崎囉末底達地目契

BD02400 號　金光明最勝王經卷九　（4–2）

善哉釋迦尊　說妙法明呪　生福除衆惡　十二支相應
我等亦說呪　擁護如是法　若有生違逆　不善隨順者
頭破作七分　猶如蘭香梢　我等於佛前　共說其呪曰
怛姪他　呬里　謎　揭　睇　健　陁　哩
旃荼里　地　㘑　駱　代　㘑　石　呬代㘑
補囉布㘑拜末底　崎　囉　末底　達地　目　契
窶　噜　窶　母　噜　婆　具　荼　母　噜　健　提
杜　噜　杜　噜　毗　㘑　醫　泥　悉　泥　沓徒洽下同　娓
達沓娓　鄔悉　怛　哩　烏　章　叱　囉　代　底
頻　剌　婆　代　底　鉢　杜　摩　代　底
俱　蘇　摩　代底　莎　訶
佛告善女天尒時長者子流水及其二子為
彼池魚施水施食并說法已俱共還家是長
者子流水復於後時因有聚會設衆伎樂
醉酒而卧時十千魚同時命過生三十三天起
如是念我等以何善業因緣生此天中便相
謂曰我等先於贍部洲內墮傍生中共受魚
身長者子流水施我等水及以餅食復為我
等說甚深法十二緣起及陁羅尼復稱寶
髻如來名号以是因緣能令我等得生此天是
故我今咸應詣彼長者子所報恩供養尒時
十千天子即於天沒至贍部洲大醫王所時
長者子在高樓上安隱而睡時十千天子共
以十千真珠瓔珞置其頭邊復以十千置其
足處復以十千置於右脅復以十千置左脅
邊雨曼陁羅花摩訶曼陁羅花積至于膝光

如是念我等以何善業因緣生此天中便相
謂曰我等先於贍部洲內墮傍生中共受魚
身長者子流水施我等水及以餅食復為我
等說甚深法十二緣起及陁羅尼復稱寶
髻如來名号以是因緣能令我等得生此天是
故我今咸應詣彼長者子所報恩供養尒時
十千天子即於天沒至贍部洲大醫王所時
長者子在高樓上安隱而睡時十千天子共
以十千真珠瓔珞置其頭邊復以十千置其
足處復以十千置於右脅復以十千置左脅
邊雨曼陁羅花摩訶曼陁羅花積至于膝光

濟魚與食令飽為說甚深十二緣起并此相
應陁羅尼呪又為稱彼寶髻佛名因此善
根得生天上今來我所歡喜聽法我皆當為
授於阿耨多羅三藐三菩提記[illegible]

著 録 凡 例

本目錄採用條目式著錄法。諸條目意義如下：

1.1　著錄編號。用漢語拼音首字“BD”表示，意為“北京圖書館藏敦煌遺書”，簡稱“北敦號”。文獻寫在背面者，標註為“背”。一件遺書上抄有多個文獻者，用數字 1、2、3 等標示小號。一號中包括幾件遺書，且遺書形態各自獨立者，用字母 A、B、C 等區別。

1.2　著錄分類號。本條記目錄暫不分類，該項空缺。

1.3　著錄文獻的名稱、卷本、卷次。

1.4　著錄千字文編號。

1.5　著錄縮微膠卷號。

2.1　著錄遺書的總體數據。包括長度、寬度、紙數、正面抄寫總行數與每行字數、背面抄寫總行數與每行字數。如該遺書首尾有殘破，則對殘破部分單獨度量，用加號加在總長度上。凡屬這種情況，長度用括弧標註。

2.2　著錄每紙數據。包括每紙長度及抄寫行數或界欄數。

2.3　著錄遺書的外觀。包括：（1）裝幀形式。（2）首尾存況。（3）護首、軸、軸頭、天竿、縹帶，經名是書寫還是貼簽，有無經名號，扉頁、扉畫。（4）卷面殘破情況及其位置。（5）尾部情況。（6）有無附加物（蟲繭、油污、線繩及其他）。（7）有無裱補及其年代。（8）界欄。（9）修整。（10）其他需要交待的問題。

2.4　著錄一件遺書抄寫多個文獻的情況。

3.1　著錄文獻首部文字與對照本核對的結果。

3.2　著錄文獻尾部文字與對照本核對的結果。

3.3　著錄錄文。

3.4　著錄對文獻的說明。

4.1　著錄文獻首題。

4.2　著錄文獻尾題。

5　　著錄本文獻與對照本的不同之處。

6.1　著錄本遺書首部可與另一遺書綴接的編號。

6.2　著錄本遺書尾部可與另一遺書綴接的編號。

7.1　著錄題記、題名、勘記等。

7.2　著錄印章。

7.3　著錄雜寫。

7.4　著錄護首及扉頁的內容。

8　　著錄年代。

9.1　著錄字體。如有武周新字、合體字、避諱字等，予以說明。

9.2　著錄卷面二次加工的情況。包括句讀、點標、科分、間隔號、行間加行、行間加字、硃筆、墨塗、倒乙、刪除、兌廢等。

10　著錄敦煌遺書發現後，近現代人所加內容，裝裱、題記、印章等。

11　備註。著錄揭裱互見、圖版本出處及其他需要說明的問題。

上述諸條，有則著錄，無則空缺。

為避文繁，上述著錄中出現的各種參考、對照文獻，暫且不列版本說明。全目結束時，將統一編制本條記目錄出現的各種參考書目。

本條記目錄為農曆年份標註其公曆紀年時，未進行歲頭年末之換算，請讀者使用時注意自行換算。

條　記　目　錄

BD02311—BD02400

1.1　BD02311 號
1.3　小抄
1.4　餘 011
1.5　178: 7094
2.1　（10 + 221）×30 厘米；6 紙；共 112 行，行 29 字。
2.2　01：10.0，05；　02：45.0，26；　03：45.0，23；
04：45.0，22；　05：42.0，20；　06：44.0，16。
2.3　卷軸裝。首殘尾缺。卷中脱落一殘片，可綴接；卷尾有蟲繭。折疊欄。
3.1　首 5 行上下殘→《敦煌出土律典 < 略抄 > の研究》（二），第 89 頁第 3 行。
3.2　尾殘→《敦煌出土律典 < 略抄 > の研究》（二），第 100 頁第 8 行。
3.4　説明：

本文獻形態複雜，本號是《略抄》的一個節略本，未將全文抄完，且行文的有些部分重新組織過。

8　9 ~ 10 世紀。歸義軍時期寫本。
9.1　楷書。
11　圖版：《敦煌寶藏》，104/139A ~ 141B。

1.1　BD02312 號
1.3　金剛般若波羅蜜經
1.4　餘 012
1.5　094: 3501
2.1　547.5 ×26.5 厘米；12 紙；正面 320 行，行 17 字。背面 14 行，行字不等。
2.2　01：42.7，28；　02：45.0，27；　03：45.8，27；
04：46.4，27；　05：46.3，27；　06：45.5，27；
07：46.1，27；　08：46.1，27；　09：46.0，27；
10：46.1，27；　11：45.8，27；　12：45.7，23。
2.3　卷軸裝。首尾均全。通卷破損嚴重。背有古代裱補。有烏絲欄。已修整。
2.4　本遺書包括 2 個文獻：（一）《金剛般若波羅蜜經》，320 行，抄寫在正面，今編為 BD02312 號。（二）《齋文》（擬），14 行，抄寫在背面 6 塊古代裱補紙上，今編為 BD02312 號背。
3.1　首全→大正 235，8/748C17。
3.2　尾全→8/752C3。
4.1　金剛般若波羅蜜經（首）。
4.2　金剛般若波羅蜜經（尾）。
7.3　首紙首行下部雜寫“正信希有分第六”。
8　8 ~ 9 世紀。吐蕃統治時期寫本。
9.1　楷書。
11　圖版：《敦煌寶藏》，78/312A ~ 319A。

1.1　BD02312 號背
1.3　齋文（擬）
1.4　餘 012
1.5　094: 3501
2.4　本遺書由 2 個文獻組成，本號為第 2 個，14 行，抄寫在背面 6 塊古代裱補紙上。餘參見 BD02312 號之第 2 項、第 11 項。
3.4　説明：

第 2 紙、第 3 紙背面共有 6 塊古代裱補紙，上有文字，情況如下：

①□…□斯座（?）□…□/
②□…□則我□…□事合□…□/
□…□霊望宗漂門襲風俊英次□…□/
□…□碩望之内而攀耷覺之特□…□/
□…□兌三塗諸役常□…□/
③□…□林曉馳覺路□…□/
□…□於三春□律肇崴嘉辰見諍論□…□/
□…□/
④□…□竟/
⑤□…□竊以惠景揚□相□者智﨟﨟場疏□躅八難者法□…□/
⑥□…□輪於事□…□/
□…□夜□…□/

□…□成漢測□…□/

□…□/

此外，原件卷邊有一、二字，模糊不清。

從上述文字看，該文獻原屬齋文，後被剪碎，用作裱補殘破《金剛經》。

7.3 有藏文三處：①人名：rdo－rje－gsod－pa（多傑索巴）。②雜寫：xn－nga－sa－pa－x（字義不明，字不清楚）。③雜寫：dgevo bzhg－ngo.（善哉！善哉！）。

8 8～9 世紀。吐蕃統治時期寫本。

9.1 楷書。

1.1 BD02313 號

1.3 大般若波羅蜜多經卷二二九

1.4 餘 013

1.5 084∶2591

2.1 95×26.2 厘米；2 紙；共 56 行，行 17 字。

2.2 01：47.5，28； 02：47.5，28。

2.3 卷軸裝。首尾均脱。接縫處脱開。背有古代裱補。有烏絲欄。

3.1 首殘→大正 220，6/151A13。

3.2 尾殘→6/151C13。

8 8～9 世紀。吐蕃統治時期寫本。

9.1 楷書。

11 圖版：《敦煌寶藏》，74/159A～160A。

1.1 BD02314 號

1.3 金光明最勝王經卷四

1.4 餘 014

1.5 083∶1697

2.1 （12.3＋267.5）×25.8 厘米；7 紙；共 159 行，行 17 字。

2.2 01：12.3＋8.6，13； 02：47.0，28； 03：47.0，28；
04：46.7，28； 05：46.8，28； 06：46.7，28；
07：24.7，06。

2.3 卷軸裝。首殘尾全。第 3～5 紙殘缺嚴重。有烏絲欄。

3.1 首 8 行上中殘→大正 665，16/420B10～17。

3.2 尾全→16/422B21。

4.2 金光明最勝王經卷第四（尾）。

7.3 卷尾有雜寫“齋”字。

8 8～9 世紀。吐蕃統治時期寫本。

9.1 楷書。

11 圖版：《敦煌寶藏》，69/315A～318B。

1.1 BD02315 號

1.3 諸星母陀羅尼經

1.4 餘 015

1.5 253∶7561

2.1 167.9×25.3 厘米；5 紙；共 97 行，行 17 字。

2.2 01：04.3，護首； 02：43.2，28； 03：43.2，29；
04：43.2，28； 05：34.0，12。

2.3 卷軸裝。首尾均全。有烏絲欄。

3.1 首全→大正 1302，21/420A3。

3.2 尾全→21/421A14。

4.1 諸星母陀羅尼經，沙門法成於甘州修多寺譯（首）。

4.2 諸星母陀羅尼經一卷（尾）。

5 尾有音義。

7.1 尾題後有題記：“壬戌年（842）四月十六日於甘州修多寺翻譯此經。”卷尾後有題名“王顓”。

8 9 世紀。歸義軍時期寫本。

9.1 楷書。

11 圖版：《敦煌寶藏》，107/2A～4A。

1.1 BD02316 號

1.3 涅槃經疏（擬）

1.4 餘 016

1.5 414∶8575

2.1 422.6×29.1 厘米；10 紙；共 260 行，行 23～29 字。

2.2 01：42.5，26； 02：42.3，26； 03：42.3，26；
04：42.5，26； 05：42.5，26； 06：42.0，26；
07：42.0，26； 08：42.2，26； 09：42.2，26；
10：42.1，26。

2.3 卷軸裝。首尾均脱。接縫處有開裂，第 3、10 紙下邊殘破。有烏絲欄。

3.4 説明：

本文獻首尾均殘。疏釋南本《大般涅槃經》。未為歷代大藏經所收。參見《敦煌學大辭典》有關條目。

8 5～6 世紀。南北朝寫本。

9.1 行楷。

11 圖版：《敦煌寶藏》，110/613A～618A。

1.1 BD02317 號

1.3 禮懺文（擬）

1.4 餘 017

1.5 316∶8354

2.1 219×30.2 厘米；6 紙；共 112 行，行 20 字。

2.2 01：17.6，09； 02：42.5，23； 03：42.5，23；
04：42.7，24； 05：31.5，18； 06：42.2，15。

2.3 卷軸裝。首斷尾全。

3.4 説明：

本文獻首殘尾全。為當時舉行禮懺儀式時所用實用儀軌。

8 9～10 世紀。歸義軍時期寫本。

9.1 楷書。

9.2 有行間校加字。有重文號。

11 圖版：《敦煌寶藏》，110/62A～64B。

1.1　BD02318 號
1.3　大般若波羅蜜多經卷七四
1.4　餘 018
1.5　084:2211
2.1　(5.5+800)×25.7 厘米；18 紙；共 468 行，行 17 字。
2.2　01：5.5+8.3，7；　02：48.1，27；　03：47.1，28；
04：47.4，28；　05：47.4，28；　06：47.3，28；
07：47.4，28；　08：47.4，28；　09：47.6，28；
10：47.5，28；　11：47.4，28；　12：47.4，28；
13：47.4，28；　14：47.4，28；　15：47.3，28；
16：47.2，28；　17：47.4，28；　18：33.0，14。
2.3　卷軸裝。首殘尾全。尾有原軸，兩端塗棕色漆。卷首有殘洞，有等距離污穢，背有鳥糞。有烏絲欄。
3.1　首 3 行上下殘→大正 220，5/416A7～9。
3.2　尾全→5/421B20。
4.2　大般若波羅蜜多經卷第七十四（尾）。
7.1　尾題後有題記“界比丘道真受持”。首紙背有勘記多處，已殘，可識別的有“袟，七”。
8　8 世紀。唐寫本。
9.1　楷書。
9.2　有硃筆抄重標註。
11　圖版：《敦煌寶藏》，72/278A～288B。

1.1　BD02319 號 1
1.3　金剛頂經一切如來深妙秘密金剛界大三昧耶修習瑜迦迎請儀
1.4　餘 019
1.5　259:7666
2.1　454.1×27 厘米；11 紙；正面 256 行，行字不等。背面 258 行，行字不等。
2.2　01：34.5，14；　02：47.8，28；　03：48.0，28；
04：47.5，27；　05：48.1，28；　06：47.7，31；
07：36.5，19；　08：41.5，24；　09：41.5，24；
10：42.0，25；　11：19.0，08。
2.3　卷軸裝。首全尾斷。接縫處有開裂，卷面有破裂。第 8 紙以後各紙紙質字迹不同。
2.4　本遺書包括 4 個文獻：（一）《金剛頂經一切如來深妙秘密金剛界大三昧耶修習瑜迦迎請儀》，183 行，抄寫在正面，今編為 BD02319 號 1。（二）《金剛頂經一切如來真實攝大乘現證大教王經深妙秘密金剛界大三昧耶修習瑜伽儀》（金剛頂蓮華部心念誦儀軌），73 行，抄寫在正面，今編為 BD02319 號 2。（三）《不空羂索咒經》，抄寫在背面，83 行，今編為 BD02319 號背 1。（四）《大寶積經（兌廢稿）卷五八》，175 行，抄寫在背面，今編為 BD02319 號背 2。
3.1　首殘→伯 3920 號第 1 行。
3.2　尾殘→伯 3920 號第 160 行。
3.4　説明：
本文獻在《大正藏》中有異本。與異本相比，本文獻缺少若干偈頌，增加了若干印契及觀想。
4.1　金剛頂經一切如來深妙秘密金剛界大三昧耶修習瑜迦迎請儀，/大興善寺三藏沙門大廣智不空奉詔譯/（首）。
8　7～8 世紀。唐寫本。
9.1　楷書。
9.2　有科分。
11　圖版：《敦煌寶藏》，107/244B～256A。

1.1　BD02319 號 2
1.3　金剛頂經一切如來真實攝大乘現證大教王經深妙秘密金剛界大三昧耶修習瑜伽儀（金剛頂蓮華部心念誦儀軌）
1.4　餘 019
1.5　259:7666
2.4　本遺書由 4 個文獻組成，本號為第 2 個，抄寫在正面，73 行。餘參見 BD02319 號 1 之第 2 項、第 11 項。
3.1　首全→大正 873，18/299B4。
3.2　尾殘→18/301A16。
4.1　金剛頂經一切如來真實攝大乘現證大教王經深妙秘密/金剛界大三昧耶修習瑜伽儀，/特進試鴻臚卿大興善寺三藏沙門大廣/智不空奉詔譯/（首）。
8　7～8 世紀。唐寫本。
9.1　楷書。

1.1　BD02319 號背 1
1.3　不空羂索咒經
1.4　餘 019
1.5　259:7666
2.4　本遺書由 4 個文獻組成，本號為第 3 個，抄寫在背面，83 行。餘參見 BD02319 號 1 之第 2 項、第 11 項。
3.1　首殘→大正 1093，20/399A19。
3.2　尾殘→20/400A14。
7.3　經末有雜寫“咒一切刀仗樊擇（?）迦”1 行；下邊有 3 個“剛”字。
8　7～8 世紀。唐寫本。
9.1　楷書。
9.2　有武周新字“正”，不周遍。有倒乙。

1.1　BD02319 號背 2
1.3　大寶積經（兌廢稿）卷五八
1.4　餘 019
1.5　259:7666
2.4　本遺書由 4 個文獻組成，本號為第 4 個，抄寫在背面，175 行，與 BD02319 號背 1 方向相反。除首 15 行尾 2 行外，在行間有重複抄寫。餘參見 BD02319 號 1 之第 2 項、第 11 項。
3.1　首殘→大正 310，11/338B21。
3.2　尾缺→11/340B23。

7.3　下邊有雜寫“敬禮聲聞緣覺一切賢聖”。
8　9～10 世紀。歸義軍時期寫本。
9.1　楷書。

1.1　BD02320 號
1.3　大般若波羅蜜多經卷二三〇
1.4　餘 020
1.5　084:2594
2.1　92.2×25.4 厘米；2 紙；共 56 行，行 17 字。
2.2　01：46.2，28；　02：46.0，28。
2.3　卷軸裝。首尾均脱。卷面有殘破。有烏絲欄。
3.1　首殘→大正 220，6/156C2。
3.2　尾殘→6/157B1。
7.1　首紙背有勘記“二百卅”。
8　8～9 世紀。吐蕃統治時期寫本。
9.1　楷書。
11　圖版：《敦煌寶藏》，74/163A～164A。

1.1　BD02321 號
1.3　無量壽宗要經
1.4　餘 021
1.5　275:7990
2.1　（1.5＋90）×31 厘米；2 紙；共 60 行，行 30 餘字。
2.2　01：1.5＋43.5，33；　02：46.5，27。
2.3　卷軸裝。首脱尾全。上下邊有殘破。有烏絲欄。
3.1　首行上殘→大正 936，19/83B12。
3.2　尾全→19/84C29。
4.2　佛説無量壽宗要經（尾）。
7.1　第 2 紙尾有藏文。
8　8～9 世紀。吐蕃統治時期寫本。
9.1　行楷。
11　圖版：《敦煌寶藏》，108/458B～459B。

1.1　BD02322 號
1.3　大般涅槃經（北本）卷二
1.4　餘 022
1.5　115:6293
2.1　（2＋977.3）×26.6 厘米；21 紙；共 557 行，行 17 字。
2.2　01：2＋32.5，20；　02：49.5，29；　03：49.3，29；
04：49.3，28；　05：49.5，29；　06：49.0，28；
07：49.4，28；　08：49.3，28；　09：49.2，27；
10：49.5，27；　11：49.5，29；　12：49.5，29；
13：49.5，30；　14：49.5，29；　15：49.5，29；
16：49.5，27；　17：49.5，28；　18：49.5，28；
19：49.5，27；　20：49.5，27；　21：05.8，01。
2.3　卷軸裝。首殘尾全。首紙有殘洞，卷面偶有破裂，多水漬。背有古代裱補。有烏絲欄。
3.1　首行下殘→大正 374，12/371C23～24。
3.2　尾全→12/379A6。
4.2　大般涅槃經卷第二（尾）。
8　6 世紀。南北朝寫本。
9.1　隸楷。
9.2　有行間校加字。
11　圖版：《敦煌寶藏》，97/607B～621A。

1.1　BD02323 號
1.3　無量壽宗要經
1.4　餘 023
1.5　275:7746
2.1　218×30.5 厘米；5 紙；共 140 行，行 30 餘字。
2.2　01：44.0，28；　02：43.5，29；　03：43.5，29；
04：43.5，29；　05：43.5，25。
2.3　卷軸裝。首尾均全。卷面有等距離殘洞。有烏絲欄。
3.1　首全→大正 936，19/82A3。
3.2　尾全→19/84C29。
4.1　大乘無量壽經（首）。
4.2　佛説無量壽宗要經（尾）。
7.1　卷尾有題名“田廣談”。首紙背有寺院題名“永安（敦煌永安寺）”。
8　8～9 世紀。吐蕃統治時期寫本。
9.1　楷書。
11　圖版：《敦煌寶藏》，107/490B～493A。

1.1　BD02324 號
1.3　大般若波羅蜜多經（兑廢稿）卷四一六
1.4　餘 024
1.5　084:3088
2.1　48.7×27.3 厘米；1 紙；共 28 行，行 17 字。
2.3　卷軸裝。首尾均脱。有烏絲欄。
3.1　首殘→大正 220，7/89B29。
3.2　尾殘→7/89C28。
8　8～9 世紀。吐蕃統治時期寫本。
9.1　楷書。
9.2　此卷上邊有 1“兑”字。
11　圖版：《敦煌寶藏》，76/365B～366A。

1.1　BD02325 號
1.3　無量壽宗要經
1.4　餘 025
1.5　275:7747
2.1　（8＋170.5）×30.5 厘米；4 紙；共 128 行，行 30 餘字。
2.2　01：8＋38，33；　02：46.0，34；　03：43.5，32；
04：43.0，29。
2.3　卷軸裝。首尾均全。卷首右上下邊殘缺，第 2 紙上邊有殘

缺，卷背有烏糞。有烏絲欄。
3.1　首5行中下殘→大正936，19/82A3～10。
3.2　尾全→19/84C28。
4.1　大乘無量壽經（首）。
8　8～9世紀。吐蕃統治時期寫本。
9.1　楷書。
11　圖版：《敦煌寶藏》，107/493B～495B。

1.1　BD02326號
1.3　金剛般若波羅蜜經
1.4　餘026
1.5　094:4151
2.1　（5.5+275）×27厘米；6紙；共156行，行17字。
2.2　01：5.5+41，30；　02：47.0，30；　03：47.5，30；
04：47.5，30；　05：47.5，30；　06：44.5，06。
2.3　卷軸裝。首殘尾全。打紙。尾有原軸，兩端塗黑漆。首紙殘損，下部有殘片脱落，可綴接；前4紙均有破裂。有烏絲欄。
3.1　首3行上下殘→大正235，8/750C4～C7。
3.2　尾全→8/752C3。
4.2　金剛般若波羅蜜經（尾）。
8　7～8世紀。唐寫本。
9.1　楷書。
11　圖版：《敦煌寶藏》，82/246B～249B。

1.1　BD02327號
1.3　大般若波羅蜜多經卷五四○
1.4　餘027
1.5　084:3313
2.1　96.3×25.6厘米；2紙；共56行，行17字。
2.2　01：49.1，28；　02：47.2，28。
2.3　卷軸裝。首尾均脱。首紙殘缺，第2紙尾部有殘洞及殘損。有烏絲欄。
3.1　首殘→大正220，7/775B26。
3.2　尾殘→7/776A23。
7.1　首紙背有本文獻卷次勘記“五百卌”。
8　8～9世紀。吐蕃統治時期寫本。
9.1　楷書。
11　圖版：《敦煌寶藏》，77/212A～213A。

1.1　BD02328號
1.3　大佛頂如來密因修證了義諸菩薩萬行首楞嚴經卷一
1.4　餘028
1.5　237:7388
2.1　198.4×25厘米；4紙；共114行，行17字。
2.2　01：50.0，29；　02：49.5，28；　03：49.6，28；
04：49.3，29。
2.3　卷軸裝。首尾均脱。接縫處中間有開裂，卷尾有蟲繭。有烏絲欄。
3.1　首殘→大正945，19/107C14。
3.2　尾殘→19/109A15。
6.2　尾→BD08147號。
8　9～10世紀。歸義軍時期寫本。
9.1　楷書。
11　圖版：《敦煌寶藏》，106/21B～24A。

1.1　BD02329號
1.3　妙法蓮華經卷七
1.4　餘029
1.5　105:5939
2.1　642×25厘米；16紙；共408行，行17字。
2.2　01：08.0，護首；　02：40.0，27；　03：42.7，28；
04：42.7，28；　05：42.7，28；　06：42.8，28；
07：42.8，28；　08：42.9，28；　09：43.0，29；
10：43.0，29；　11：42.9，28；　12：43.0，28；
13：42.7，28；　14：42.7，28；　15：37.5，25；
16：42.6，18。
2.3　卷軸裝。首尾均全。有護首，繫有麻繩。首紙前有1殘洞。有烏絲欄。
3.1　首全→大正262，9/56C2。
3.2　尾全→9/62B1。
4.1　妙法蓮華經觀世音菩□□□品第廿五（首）。
4.2　妙法蓮華經卷第七（尾）。
7.3　首紙背有雜寫3行：“是諸◇◇◇◇◇◇◇”，“十恩德司◇◇”、“應◇◇/河西◇◇◇陰法律記”20餘字。墨淡，難以辨認。
8　9～10世紀。歸義軍時期寫本。
9.1　楷書。
9.2　有倒乙。有行間校加字。有校改。有粘貼校改。
11　圖版：《敦煌寶藏》，96/70A～78B。

1.1　BD02330號
1.3　金剛般若波羅蜜經
1.4　餘030
1.5　094:4340
2.1　143.5×28.5厘米；3紙；共72行，行17字。
2.2　01：48.5，27；　02：48.0，27；　03：47.0，18。
2.3　卷軸裝。首脱尾全。卷端有横向破裂。有燕尾。有烏絲欄。
3.1　首殘→大正235，8/751C9。
3.2　尾全→8/752C3。
4.2　金剛般若波羅蜜經（尾）。
5　與《大正藏》本對照，本卷經文無冥司偈，文見大正8/751C16～19。
8　8世紀。唐寫本。
9.1　楷書。

11　圖版:《敦煌寶藏》, 83/16B～18A。

1.1　BD02331 號
1.3　大般若波羅蜜多經卷二九三
1.4　餘 031
1.5　084:2800
2.1　188.5×25.4 厘米; 4 紙; 共 112 行, 行 17 字。
2.2　01: 47.2, 28;　02: 47.3, 28;　03: 47.0, 28;
04: 47.0, 28。
2.3　卷軸裝。首斷尾脱。卷面油污。有烏絲欄。
3.1　首殘→大正 220, 6/490C14。
3.2　尾殘→6/492A7。
6.1　首→BD02340 號。
8　8～9 世紀。吐蕃統治時期寫本。
9.1　楷書。
11　圖版:《敦煌寶藏》, 75/143A～145A。

1.1　BD02332 號
1.3　四分比丘尼戒本
1.4　餘 032
1.5　157:6970
2.1　(14+859)×28.2 厘米; 22 紙; 共 547 行, 行 21 字。
2.2　01: 14+25.5, 23;　02: 41.0, 26;　03: 41.0, 26;
04: 41.0, 26;　05: 41.0, 26;　06: 41.0, 26;
07: 41.0, 26;　08: 41.0, 26;　09: 41.0, 26;
10: 41.0, 26;　11: 41.0, 26;　12: 41.0, 26;
13: 41.0, 26;　14: 41.0, 26;　15: 41.0, 26;
16: 41.0, 26;　17: 41.0, 26;　18: 41.0, 26;
19: 41.0, 26;　20: 41.0, 26;　21: 41.0, 26;
22: 13.5, 04。
2.3　卷軸裝。首殘尾全。卷首右下殘缺, 卷面上下有殘破, 上邊有等距離油污, 卷尾有蟲繭。背有古代裱補。有烏絲欄。
3.1　首 9 行中下殘→大正 1431, 22/1032B4～16。
3.2　尾全→1432, 22/1041A18。
4.2　四分尼戒本一卷 (尾)。
7.1　卷尾有題名“靜勝”, 寫在尾題中。
8　9～10 世紀。歸義軍時期寫本。
9.1　楷書。
9.2　有行間加行。有刮改。
11　圖版:《敦煌寶藏》, 103/173B～184B。

1.1　BD02333 號
1.3　大般若波羅蜜多經卷二九
1.4　餘 033
1.5　084:2079
2.1　(59.7+3)×26.5 厘米; 2 紙; 共 37 行, 行 17 字。
2.2　01: 44.5, 26;　02: 15.2+3, 11。
2.3　卷軸裝。首全尾殘。卷面有破裂。有烏絲欄。已修整。
3.1　首全→大正 220, 5/159B2。
3.2　尾 2 行上殘→5/159C11～13。
4.1　大般若波羅蜜多經卷第廿九, /初分教誡教授品第七之十九, 三藏法師玄奘奉詔譯/ (首)。
7.1　首紙背有倒寫“第七”兩字。
8　8～9 世紀。吐蕃統治時期寫本。
9.1　楷書。
11　圖版:《敦煌寶藏》, 71/585。

1.1　BD02334 號
1.3　天地八陽神咒經
1.4　餘 034
1.5　256:7661
2.1　(3.7+90)×26.2 厘米; 2 紙; 共 52 行, 行 16～18 字。
2.2　01: 3.7+39.3, 24;　02: 50.7, 28。
2.3　卷軸裝。首殘尾脱。卷面殘破嚴重, 脱落 1 塊殘片, 可以綴接。有烏絲欄。
3.1　首 2 行上下殘→大正 2897, 85/1422C25。
3.2　尾殘→85/1423B23。
6.2　尾→BD02342 號。
8　7～8 世紀。唐寫本。
9.1　楷書。
11　圖版:《敦煌寶藏》, 107/235A～236A。

1.1　BD02335 號
1.3　佛頂尊勝陀羅尼經 (佛陀波利本)
1.4　餘 035
1.5　229:7361
2.1　148.2×26 厘米; 3 紙; 共 84 行, 行 17 字。
2.2　01: 49.5, 28;　02: 49.2, 28;　03: 49.5, 28。
2.3　卷軸裝。首尾均脱。經黄打紙。卷面有黴爛。有烏絲欄。
3.1　首殘→大正 967, 19/351A22。
3.2　尾殘→19/352A21。
6.1　首→BD02582 號。
8　7～8 世紀。唐寫本。
9.1　楷書。
11　圖版:《敦煌寶藏》, 105/600A～601B。

1.1　BD02336 號
1.3　大般涅槃經 (南本) 卷三
1.4　餘 036
1.5　116:6537
2.1　(525.5+21)×25 厘米; 12 紙; 共 345 行, 行 17 字。
2.2　01: 25.5, 16;　02: 48.5, 31;　03: 48.5, 31;
04: 48.5, 31;　05: 48.5, 31;　06: 48.5, 31;
07: 48.5, 31;　08: 48.5, 31;　09: 48.5, 31;

10：48.5，31；　11：48.5，31；　12：15+21，19。
2.3　卷軸裝。首尾均殘。上下邊多有破裂，紙張變色發脆，有燒灼殘洞並撕斷，尾紙殘缺嚴重。
3.1　首殘→大正375，12/621A10。
3.2　尾10行中殘→12/625A20～29。
4.2　大般□...□（尾）。
8　5～6世紀。南北朝寫本。
9.1　隸楷。
11　圖版：《敦煌寶藏》，100/207B～215A。

1.1　BD02337號
1.3　大方等陀羅尼經卷一
1.4　餘037
1.5　240:7451
2.1　（236.6+1.9）×25.7厘米；5紙；共140行，行17字。
2.2　01：47.8，28；　02：47.8，28；　03：47.8，28；
04：47.7，28；　05：45.5+1.9，28。
2.3　卷軸裝。首尾均脫。經黄紙。有烏絲欄。
3.1　首殘→大正1339，21/643A2。
3.2　尾行下殘→21/644B24。
8　7～8世紀。唐寫本。
9.1　楷書。
11　圖版：《敦煌寶藏》，106/301A～304A。

1.1　BD02338號
1.3　大般若波羅蜜多經卷二二六
1.4　餘038
1.5　084:2578
2.1　87.3×24.7厘米；2紙；共54行，行17字。
2.2　01：42.5，26；　02：44.8，28。
2.3　卷軸裝。首全尾脫。上下邊有殘破。首紙背有古代裱補。有烏絲欄。
3.1　首全→大正220，6/134A3。
3.2　尾殘→6/134C3。
4.1　大般若波羅蜜多經卷第二百廿六，/初分難信解品第卌四之卌五，三藏法師玄奘奉詔譯/（首）。
8　8～9世紀。吐蕃統治時期寫本。
9.1　楷書。
11　圖版：《敦煌寶藏》，74/127A～128A。

1.1　BD02339號
1.3　大般若波羅蜜多經卷一四九
1.4　餘039
1.5　084:2392
2.1　（1.8+45）×25.3厘米；1紙；共28行，行17字。
2.3　卷軸裝。首殘尾脫。卷面殘損。有烏絲欄。
3.1　首行中殘→大正220，5/805B27。
3.2　尾殘→5/805C27。
7.1　卷首背有勘記“一百卌九”。
8　8～9世紀。吐蕃統治時期寫本。
9.1　楷書。
11　圖版：《敦煌寶藏》，73/150A。

1.1　BD02340號
1.3　大般若波羅蜜多經卷二九三
1.4　餘040
1.5　84:2798
2.1　（13+112.4）×25.6厘米；3紙；共75行，行17字。
2.2　01：13+18.7，19；　02：46.5，28；　03：47.2，28。
2.3　卷軸裝。首殘尾缺。通卷上下邊殘破，有縱向破裂。卷上邊油污變色。首紙脫落4塊殘片，可綴接。背有古代裱補。有烏絲欄。已修整。
3.1　首7行上下殘→大正220，6/489C29～490A6。
3.2　尾殘→6/490C14。
6.1　首→BD02331號。
8　8～9世紀。吐蕃統治時期寫本。
9.1　楷書。
11　圖版：《敦煌寶藏》，75/137B～139A。

1.1　BD02341號
1.3　大般若波羅蜜多經卷一五〇
1.4　餘041
1.5　084:2394
2.1　47.7×25.5厘米；1紙；共28行，行17字。
2.3　卷軸裝。首尾均脫。有烏絲欄。
3.1　首殘→大正220，5/809C12。
3.2　尾殘→5/810A10。
7.1　背有勘記“一百五十”。
8　8～9世紀。吐蕃統治時期寫本。
9.1　楷書。
11　圖版：《敦煌寶藏》，73/151B～152A。

1.1　BD02342號
1.3　天地八陽神咒經
1.4　餘042
1.5　256:7662
2.1　107×26.2厘米；2紙；共56行，行17～18字。
2.2　01：50.5，28；　02：50.2，28。
2.3　卷軸裝。首尾均脫。經黄紙。卷面多破裂、黴爛。有烏絲欄。
3.1　首殘→大正2897，85/1423B23。
3.2　尾殘→85/1424B3。
6.1　首→BD02334號。
8　7～8世紀。唐寫本。

9.1　楷書。
11　圖版:《敦煌寶藏》,107/236B～237B。

1.1　BD02343 號
1.3　無量壽宗要經
1.4　餘 043
1.5　275:7748
2.1　(7.5+175.5)×31.5 厘米;4 紙;共 130 行,行 30 餘字。
2.2　01:7.5+43,33;　02:44.5,33;　03:44.5,33;
　　04:43.5,31。
2.3　卷軸裝。首殘尾全。首紙有破裂。有烏絲欄。
3.1　首行上殘→大正 936,19/82A3。
3.2　尾全→19/84C29。
4.1　大乘無量壽經(首)。
4.2　佛說無量壽宗要經(尾)。
7.1　卷尾有題記"李加興寫"。首紙背有勘記"大乘經"。
8　8～9 世紀。吐蕃統治時期寫本。
9.1　楷書。
11　圖版:《敦煌寶藏》,107/496A～498B。

1.1　BD02344 號
1.3　金光明最勝王經卷四
1.4　餘 044
1.5　083:1696
2.1　604.2×25.7 厘米;14 紙;共 340 行,行 17 字。
2.2　01:21.8,護首;　02:39.4,23;　03:46.5,28;
　　04:46.7,28;　05:46.7,28;　06:46.7,28;
　　07:46.9,28;　08:46.8,28;　09:47.0,28;
　　10:47.0,28;　11:47.0,28;　12:46.9,28;
　　13:46.8,28;　14:28.0,09。
2.3　卷軸裝。首殘尾全。有護首,有竹製天竿,有經名及經名號。前 8 紙下殘。有燕尾。有烏絲欄。已修整。
3.1　首 171 行下殘→大正 665,16/417C19～420A29。
3.2　尾全→16/422B21。
4.1　金光明最勝王經最淨地陀羅尼品□…□(首)。
4.2　金光明經卷第四(尾)。
7.4　護首有經名"金光明最勝王經第卷第□…□",上有經名號。
8　8～9 世紀。吐蕃統治時期寫本。
9.1　楷書。
9.2　有刮改。
11　圖版:《敦煌寶藏》,69/306B～314B。

1.1　BD02345 號
1.3　辯中邊論卷上
1.4　餘 045
1.5　203:7219
2.1　(11.1+254.4)×26 厘米;6 紙;共 158 行,行 23～28 字。
2.2　01:11.1,7;　02:40.8,22;　03:47.5,27;
　　04:48.6,34;　05:58.8,34;　06:58.7,34。
2.3　卷軸裝。首殘尾脫。首 2 紙殘破較嚴重,接縫處有開裂。有烏絲欄。文字頂天立地抄寫。
3.1　首 7 行上下殘→大正 1600,31/464B29～C10。
3.2　尾殘→31/468A7。
8　9～10 世紀。歸義軍時期寫本。
9.1　楷書。有合體字"菩提"。
9.2　有行間校加字。有校改。有行間加行。
11　圖版:《敦煌寶藏》,104/604A～607B。

1.1　BD02346 號
1.3　涅槃經疏(擬)
1.4　餘 046
1.5　120:6618
2.1　(12.5+271+7)×28 厘米;8 紙;共 188 行,行 30 餘字。
2.2　01:12.5+6.5,12;　02:41.5,27;　03:41.5,27;
　　04:41.5,27;　05:41.5,27;　06:41.5,27;
　　07:41.5,27;　08:15.5+7,14。
2.3　卷軸裝。首尾均殘。首紙殘破。有烏絲欄。
3.4　說明:
　　本文獻首 8 行上下殘,尾 4 行中上殘。未為歷代大藏經所收。
8　5～6 世紀。南北朝寫本。
9.1　行楷。
9.2　有倒乙。有刮改。有行間校加字。
11　圖版:《敦煌寶藏》,100/618B～622B。

1.1　BD02347 號
1.3　大佛頂如來密因修證了義諸菩薩萬行首楞嚴經卷三
1.4　餘 047
1.5　237:7401
2.1　(8.9+395.2)×25.6 厘米;8 紙;共 221 行,行 17 字。
2.2　01:8.9+37.9,25;　02:51.2,28;　03:50.9,28;
　　04:51.1,28;　05:51.0,28;　06:51.0,28;
　　07:51.0,28;　08:51.1,28。
2.3　卷軸裝。首殘尾脫。經黄紙。前 5 紙接縫處上下有開裂、破損。有烏絲欄。
3.1　首 4 行上下殘→大正 945,19/114C17～22。
3.2　尾殘→19/117B11。
4.1　□...□,一名中□...□/塲經於灌頂□...□/(首)。
8　7～8 世紀。唐寫本。
9.1　楷書。
11　圖版:《敦煌寶藏》,106/75A～80B。

1.1　BD02348 號
1.3　大般若波羅蜜多經卷二七九
1.4　餘 048
1.5　084: 2757
2.1　(24 + 377.6) × 26 厘米；9 紙；共 226 行，行 17 字。
2.2　01：24 + 7.2，18；　02：48.5，28；　03：47.5，28；
04：47.7，28；　05：47.7，28；　06：47.8，28；
07：47.8，28；　08：47.8，28；　09：35.6，12。
2.3　卷軸裝。首殘尾缺。卷首殘破嚴重。有燕尾。有烏絲欄。
3.1　首 14 行下殘→大正 220，6/416B1 ~ 15。
3.2　尾全→6/418C25。
4.2　大般若波羅蜜多經卷第二百七十九（尾）。
8　8 ~ 9 世紀。吐蕃統治時期寫本。
9.1　楷書。
11　圖版：《敦煌寶藏》，74/663B ~ 668B。

1.1　BD02349 號
1.3　維摩詰所說經卷上
1.4　餘 049
1.5　070: 0928
2.1　(4 + 122) × 24.5 厘米；3 紙；共 72 行，行 17 字。
2.2　01：4 + 26，16；　02：48.5，28；　03：47.5，28。
2.3　卷軸裝。首殘尾脱。卷首殘破嚴重；上下邊殘缺，多水漬。有烏絲欄。
3.1　首 2 行下殘→大正 475，14/538A14 ~ 16。
3.2　尾殘→14/539A2。
6.1　首→BD02593 號。
8　9 ~ 10 世紀。歸義軍時期寫本。
9.1　楷書。
11　圖版：《敦煌寶藏》，64/42B ~ 43A。

1.1　BD02350 號
1.3　大般涅槃經（北本）卷二
1.4　餘 050
1.5　115: 6292
2.1　(7.5 + 1019) × 25.5 厘米；22 紙；共 568 行，行 17 字。
2.2　01：7.5 + 3.5，護首；　02：47.5，26；　03：49.0，28；
04：49.0，28；　05：49.2，28；　06：49.5，28；
07：49.5，28；　08：49.5，28；　09：49.5，28；
10：49.5，28；　11：49.5，28；　12：49.5，28；
13：49.0，28；　14：49.3，28；　15：49.0，28；
16：49.2，28；　17：49.0，28；　18：49.0，28；
19：48.8，28；　20：48.5，28；　21：48.5，28；
22：34.0，10。
2.3　卷軸裝。首尾均全。有護首，護首殘破。有烏絲欄。
3.1　首全→大正 374，12/371C10。
3.2　尾全→12/379A6。
4.1　大般涅槃經壽命品，卷二（首）。
4.2　大般涅槃經卷第二（尾）。
8　9 ~ 10 世紀。歸義軍時期寫本。
9.1　楷書。
9.2　有刮改。有行間校加字。
11　圖版：《敦煌寶藏》，97/593A ~ 607A。

1.1　BD02351 號
1.3　大般涅槃經（北本）卷一六
1.4　餘 051
1.5　412: 8569
2.1　(3.2 + 29.8 + 2.8) × 25.2 厘米；1 紙；共 24 行，行 17 字。
2.3　卷軸裝。首尾均殘。通卷殘破。有烏絲欄。
3.1　首 3 行上下殘→大正 374，12/460B27 ~ 29。
3.2　尾 2 行上殘→12/460C21 ~ 22。
8　7 ~ 8 世紀。唐寫本。
9.1　楷書。
11　圖版：《敦煌寶藏》，110/606A。

1.1　BD02352 號
1.3　妙法蓮華經卷七
1.4　餘 052
1.5　105: 6097
2.1　(5 + 473 + 3.5) × 26 厘米；10 紙；共 262 行，行 17 字。
2.2　01：5 + 13.5，10；　02：51.5，28；　03：51.5，28；
04：51.5，28；　05：51.5，28；　06：51.5，28；
07：51.5，28；　08：51.5，28；　09：51.5，28；
10：47.5 + 3.5，28。
2.3　卷軸裝。首殘尾脱。首紙上下邊有破裂殘缺，中間有殘洞；卷尾下邊殘缺，有破裂。有烏絲欄。
3.1　首 3 行上殘→大正 262，9/58B8 ~ 9。
3.2　尾 2 行下殘→9/62A1 ~ 2。
4.1　□...□尼品第廿六（首）。
7.3　首題下有雜寫“五、六、七”。
8　8 ~ 9 世紀。吐蕃統治時期寫本。
9.1　楷書。
11　圖版：《敦煌寶藏》，97/1A ~ 7B。

1.1　BD02353 號 1
1.3　賢劫千佛名經（二卷本　異本）卷上
1.4　餘 053
1.5　068: 0848
2.1　(4.5 + 767.3) × 31.7 厘米；17 紙；每紙折疊成 5 葉，偶有 4 葉，共 79 葉 158 個半葉，每半葉 5 行，每葉寬 10 厘米；正面 387 行，行約 21 字。背面 387 行，行約 21 字。
2.2　01：04.5，護葉，02；

02：50.3，5 葉 10 個半葉，半葉 5 行；
03：51.0，5 葉 10 個半葉，半葉 5 行；
04：50.0，5 葉 10 個半葉，半葉 5 行；
05：51.0，5 葉 10 個半葉，半葉 5 行；
06：50.0，5 葉 10 個半葉，半葉 5 行；
07：50.5，5 葉 10 個半葉，半葉 5 行；
08：50.0，5 葉 10 個半葉，半葉 5 行；
09：50.0，5 葉 10 個半葉，半葉 5 行；
10：50.0，5 葉 10 個半葉，半葉 5 行；
11：50.0，5 葉 10 個半葉，半葉 5 行；
12：39.5，4 葉 08 個半葉，半葉 5 行；
13：49.0，5 葉 10 個半葉，半葉 5 行；
14：49.5，5 葉 10 個半葉，半葉 5 行；
15：48.5，5 葉 10 個半葉，半葉 5 行；
16：49.0，5 葉 10 個半葉，半葉 5 行；
17：29.0，3 葉 06 個半葉，半葉 5 行。

2.3　經折裝。首殘尾全。卷面尚好。兩面抄寫經文。每折疊葉內，均分爲上中下三欄。此前做卷軸裝，今恢復原狀，但 2.2 項數據暫按卷軸裝著錄。有烏絲欄。

2.4　本遺書包括 4 個文獻：（一）《賢劫千佛名經（二卷本　異本）卷上》，194 行，抄寫在正面，今編為 BD02353 號 1。（二）《賢劫千佛名經（二卷本　異本）卷下》，正面抄寫 193 行，背面抄寫 76 行，共計 269 行。兩面接續處文字尚有缺失，不能直接綴接。今編為 BD02353 號 2。（三）《佛藏經（異卷）卷一》，239 行半，抄寫在背面，今編為 BD02353 號背 1。（四）《佛藏經（異卷）卷二》，71 行半，抄寫在背面，今編為 BD02353 號背 2。

3.4　說明：

本文獻首 2 行上中殘，尾全。與《大正藏》所收《現在賢劫千佛名經》為同名異經。未為歷代大藏經所收。

4.2　賢劫千佛名卷上（尾）。
6.1　首→BD03774 號。
8　8 世紀。唐寫本。
9.1　楷書。
11　圖版：《敦煌寶藏》，63/54A ~71B。

1.1　BD02353 號 2
1.3　賢劫千佛名經（二卷本　異本）卷下
1.4　餘 053
1.5　068:0848

2.4　本遺書由 4 個文獻組成，本號為第 2 個，269 行，分別抄寫在正背兩面。兩面接續處文字尚有缺失，不能直接綴接。餘參見 BD02353 號 1 之第 2 項、第 11 項。

3.4　說明：

本文獻首尾均全。與《大正藏》所收《現在賢劫千佛名經》為同名異經。未為歷代大藏經所收。

4.1　佛說賢劫千佛名經卷下（首）。
4.2　佛說賢劫千佛名經卷下（尾）。
8　8 世紀。唐寫本。
9.1　楷書。

1.1　BD02353 號背 1
1.3　佛藏經（異卷）卷一
1.4　餘 053
1.5　068:0848

2.4　本遺書由 4 個文獻組成，本號為第 3 個，239 行半，抄寫在背面。餘參見 BD02353 號 1 之第 2 項、第 11 項。

3.1　首全→大正 653，15/782C15。
3.2　尾全→15/788A24。
4.1　佛說佛藏經，一名選擇諸法，諸法實相品第一（首）。
5　與《大正藏》本對照，分卷不同。
8　8 世紀。唐寫本。
9.1　楷書。

1.1　BD02353 號背 2
1.3　佛藏經（異卷）卷二
1.4　餘 053
1.5　068:0848

2.4　本遺書由 4 個文獻組成，本號為第 4 個，71 行半，抄寫在背面。餘參見 BD02353 號 1 之第 2 項、第 11 項。

3.1　首全→大正 653，15/788A25。
3.2　尾殘→15/789C28 ~790A3。
4.1　淨戒品第五，佛藏經二（首）。
5　與《大正藏》本對照，分卷不同。
6.2　尾→BD03774 號。
8　8 世紀。唐寫本。
9.1　楷書。

1.1　BD02354 號
1.3　妙法蓮華經卷五
1.4　餘 054
1.5　105:5507
2.1　(3 +327.7) ×26.2 厘米；7 紙；共 195 行，行 17 字。
2.2　01：3 +44，27；　02：47.2，28；　03：47.2，28；
04：47.2，28；　05：47.5，28；　06：47.3，28；
07：47.3，28。

2.3　卷軸裝。首全尾脫。首紙有殘洞，卷前下部有等距離殘損，接縫處有開裂。有烏絲欄。

3.1　首行中殘→大正 262，9/37A5。
3.2　尾殘→9/39C17。
4.1　妙法蓮華經安樂行品第十四（首）。
8　8 世紀。唐寫本。
9.1　楷書。
11　圖版：《敦煌寶藏》，92/595A ~599B。

1.1　BD02355 號
1.3　妙法蓮華經卷三
1.4　餘 055
1.5　105:5170
2.1　(3.9+351.8)×26.6 厘米；9 紙；共 207 行，行 17 字。
2.2　01：3.9+38.7，25；　02：42.3，26；　03：42.3，25；
　　04：42.4，25；　05：42.5，25；　06：42.4，25；
　　07：42.2，25；　08：42.5，25；　09：16.5，06。
2.3　卷軸裝。首殘尾全。第 3 紙下有破裂。有燕尾。首紙背有古代裱補。有烏絲欄。
3.1　首 2 行上下殘→大正 262，9/24A17~19。
3.2　尾全→9/27B9。
4.2　妙法蓮華經卷第三（尾）。
8　8 世紀。唐寫本。
9.1　楷書。
11　圖版：《敦煌寶藏》，89/305B~310A。

1.1　BD02356 號
1.3　妙法蓮華經卷二
1.4　餘 056
1.5　105:4847
2.1　(1.7+47.7)×26.2 厘米；2 紙；共 27 行，行 17 字。
2.2　01：01.7，01；　02：47.7，26。
2.3　卷軸裝。首殘尾脫。有烏絲欄。
3.1　首行上下殘→大正 262，9/11B18。
3.2　尾殘→9/11C18。
8　7~8 世紀。唐寫本。
9.1　楷書。
11　圖版：《敦煌寶藏》，87/83A~B。

1.1　BD02357 號 1
1.3　無量壽宗要經
1.4　餘 057
1.5　275:7749
2.1　507×31.5 厘米；12 紙；共 330 行，行 30 餘字。
2.2　01：43.0，29；　02：42.0，29；　03：42.0，30；
　　04：42.0，23；　05：42.0，29；　06：42.0，30；
　　07：42.0，30；　08：42.0，19；　09：36.0，24；
　　10：44.0，29；　11：44.0，30；　12：46.0，28。
2.3　卷軸裝。首尾均全。首紙上下邊有殘損破裂，卷中有破裂。背有古代裱補。有烏絲欄。
2.4　本遺書包括 3 個文獻：(一)《無量壽宗要經》，111 行，今編為 BD02357 號 1。(二)《無量壽宗要經》，108 行，今編為 BD02357 號 2。(三)《無量壽宗要經》，111 行，今編為 BD02357 號 3。
3.1　首全→大正 936，19/82A3。
3.2　尾全→19/84C29。
4.1　大乘無量壽經（首）。
4.2　佛說無量壽宗要經（尾）。
8　8~9 世紀。吐蕃統治時期寫本。
9.1　楷書。
11　圖版：《敦煌寶藏》，107/499A~504B。

1.1　BD02357 號 2
1.3　無量壽宗要經
1.4　餘 057
1.5　375:7749
2.4　本遺書由 3 個文獻組成，本號為第 2 個，108 行。餘參見 BD02357 號 1 之第 2 項、第 11 項。
3.1　首全→大正 936，19/82A3。
3.2　尾全→19/84C29。
4.1　大乘無量壽經（首）。
4.2　佛說無量壽宗要經（尾）。
8　8~9 世紀。吐蕃統治時期寫本。
9.1　楷書。
9.2　有行間校加字。

1.1　BD02357 號 3
1.3　無量壽宗要經
1.4　餘 057
1.5　275:7749
2.4　本遺書由 3 個文獻組成，本號為第 3 個，111 行。餘參見 BD02357 號 1 之第 2 項、第 11 項。
3.1　首全→大正 936，19/82A3。
3.2　尾全→19/84C29。
4.1　大乘無量壽經（首）。
4.2　佛說無量壽宗要經（尾）。
7.1　卷尾有題名“令狐晏兒”。
8　8~9 世紀。吐蕃統治時期寫本。
9.1　楷書。
9.2　有刮改。有校改。

1.1　BD02358 號
1.3　小抄
1.4　餘 058
1.5　178:7102
2.1　(10+198)×29 厘米；6 紙；共 132 行，行 23 字。
2.2　01：10+10.5，15；　02：42.5，27；　03：44.0，29；
　　04：44.0，27；　05：44.0，27；　06：13.0，07。
2.3　卷軸裝。首尾均殘。第 3、5 紙上部橫豎破裂，第 5、6 紙接縫下部開裂並有殘洞，卷面有油污。有烏絲欄。
3.1　首 7 行上中殘→《敦煌出土律典<略抄>の研究》(二)，第 90 頁第 13 行~第 92 頁第 4 行。
3.2　尾殘→《敦煌出土律典<略抄>の研究》(二)，第 104 頁

第1行。
3.4 說明：
本文獻形態複雜，本號是《略抄》的一個節略本，未將全文抄完，且行文的有些部分重新組織過。
8 8～9世紀。吐蕃統治時期寫本。
9.1 楷書。
9.2 有刮改。
11 圖版：《敦煌寶藏》，104/165A～167B。

1.1 BD02359號
1.3 無量壽宗要經
1.4 餘059
1.5 275:7918
2.1 167.5×31.5厘米；4紙；共114行，行30餘字。
2.2 01：42.0，27； 02：42.0，29； 03：41.5，29；
04：42.0，29。
2.3 卷軸裝。首全尾脱。有烏絲欄。
3.1 首全→大正936，19/82A3。
3.2 尾殘→19/84C26。
4.1 大乘無量壽經（首）。
7.3 卷末有硃筆雜寫"李"字。
8 8～9世紀。吐蕃統治時期寫本。
9.1 楷書。
11 圖版：《敦煌寶藏》，108/301B～303B。

1.1 BD02360號1
1.3 阿彌陀經
1.4 餘060
1.5 014:0117
2.1 238.1×25.6厘米；5紙；共128行，行17字。
2.2 01：50.0，27； 02：51.0，28； 03：50.8，28；
04：50.8，28； 05：35.5，17。
2.3 卷軸裝。首尾均全。經黄紙。首紙碎裂嚴重，尾紙下有碎裂。首紙背有數處古代裱補。有烏絲欄。已修整。
2.4 本遺書包括2個文獻：(一)《阿彌陀經》，117行，今編為BD02360號1。(二)《般若波羅蜜多心經》，11行，行約19字。今編為BD02360號2。
3.1 首全→大正366，12/346B25。
3.2 尾全→12/348A29。
4.1 佛說阿彌陀經（首）
4.2 佛說阿彌陀經（尾）。
8 7～8世紀。唐寫本。
9.1 楷書。
11 圖版：《敦煌寶藏》，56/565A～568B。

1.1 BD02360號2
1.3 般若波羅蜜多心經
1.4 餘060
1.5 014:0117
2.4 本遺書由2個文獻組成，本號為第2個，11行。餘參見BD02360號1之第2項、第11項。
3.1 首全→大正251，8/848C4。
3.2 尾殘→8/848C19。
4.1 般若波羅蜜多心經（首）。
8 7～8世紀。唐寫本。
9.1 楷書。

1.1 BD02361號
1.3 大般若波羅蜜多經（兑廢稿）卷五三六
1.4 餘061
1.5 461:8677
2.1 50.4×26.4厘米；1紙；共28行，行17字。
2.3 卷軸裝。首尾均脱。有烏絲欄。
3.1 首殘→大正220，7/753A24。
3.2 尾殘→7/753B24。
7.1 卷首背有勘記"五張"。
8 8～9世紀。吐蕃統治時期寫本。
9.1 楷書。
9.2 有行間校加字。卷尾上邊處有1"兑"字。
11 圖版：《敦煌寶藏》，111/158B～159B。

1.1 BD02362號
1.3 金剛般若波羅蜜經
1.4 餘062
1.5 094:4282
2.1 (8.3+183.6)×26.2厘米；5紙；共111行，行17字。
2.2 01：8.3+28.8，28； 02：44.3，26； 03：44.5，26；
04：44.2，26； 05：21.8，05。
2.3 卷軸裝。首殘尾全。卷首殘破嚴重，接縫處有開裂，卷面多水漬。
3.1 首4行下方殘→大正235，8/751B3～B6。
3.2 尾全→8/752C3。
4.2 金剛般若波羅蜜經（尾）。
8 9～10世紀。歸義軍時期寫本。
9.1 楷書。
11 圖版：《敦煌寶藏》，82/577B～579B。

1.1 BD02363號
1.3 阿彌陀經
1.4 餘063
1.5 014:0147
2.1 (7+191.9)×26.7厘米；5紙；共108行，行17字。
2.2 01：7+5.8，08； 02：46.6，28； 03：46.5，28；
04：46.5，28； 05：46.5，16。

2.3 卷轴装。首殘尾全。首紙前部上邊殘，第3紙前下有開裂。有烏絲欄。已修整。
3.1 首5行下殘→大正366，12/346C6～12。
3.2 尾全→12/348A29。
4.2 佛說阿彌陀經一卷（尾）。
8 8～9世紀。吐蕃統治時期寫本。
9.1 楷書。
11 圖版：《敦煌寶藏》，56/647A～649B。

1.1 BD02364號
1.3 佛名經（十六卷本）卷一四
1.4 餘064
1.5 063:0781
2.1 （11+1686.1）×31.3厘米；35紙；共670行，行15～20字。
2.2 01：11+8.3，08； 02：49.6，20； 03：49.4，20；
04：50.0，21； 05：49.5，20； 06：49.6，20；
07：49.6，20； 08：49.7，20； 09：49.8，20；
10：50.0，21； 11：49.5，20； 12：49.7，20；
13：49.6，20； 14：49.6，20； 15：49.5，20；
16：49.6，20； 17：49.5，20； 18：49.7，20；
19：50.0，20； 20：49.5，20； 21：49.3，20；
22：49.9，21； 23：49.7，20； 24：49.6，20；
25：49.8，20； 26：49.7；20； 27：49.8，20；
28：49.5，20； 29：49.7，20； 30：48.7，19；
31：46.0，18； 32：49.1，20； 33：51.5，20；
34：42.5，17； 35：49.6，05。
2.3 卷轴装。首殘尾全。多數紙有黴爛，卷面變色。有烏絲欄。已修整；
3.1 首4行中下殘→《七寺古逸經典研究叢書》，3/第690頁第52行～第55行。
3.2 尾全→《七寺古逸經典研究叢書》，3/第743頁第747行。
4.2 佛名經卷第十四（尾）。
5 與七寺本相比，卷中、卷尾多兩段《罪業報應教化地獄經》，一段18行，一段19行。
8 9～10世紀。歸義軍時期寫本。
9.1 楷書。
9.2 有行間校加字。有刪除號。有倒乙。
11 圖版：《敦煌寶藏》，62/261A～280B。

1.1 BD02365號
1.3 金剛般若波羅蜜經
1.4 餘065
1.5 94:4138
2.1 （23+100+5）×26厘米；3紙；共84行，行17字。
2.2 01：23+11，22； 02：47.0，31； 03：42+5，31。
2.3 卷軸裝。首尾均殘。經黄打紙，研光上蠟。卷面殘裂嚴重，各紙間接縫處均有開裂。有烏絲欄。已修整。
3.1 首15行下殘→大正235，8/750B13～29。
3.2 尾3行下殘→8/751B9～11。
8 7～8世紀。唐寫本。
9.1 楷書。
11 圖版：《敦煌寶藏》，82/208B～210A。

1.1 BD02366號
1.3 妙法蓮華經卷四
1.4 餘066
1.5 105:5275
2.1 （1.2+43+4.5）×27厘米；2紙；共26行，行33～35字。
2.2 01：1.2+31，14； 02：12+4.5，12。
2.3 卷轴装。首尾均殘。首紙有殘洞。
3.1 首1行殘→大正262，9/28B29～C1。
3.2 尾3行下殘→9/29C1～5。
8 8～9世紀。吐蕃統治時期寫本。
9.1 楷書。
11 圖版：《敦煌寶藏》，90/459A～B。

1.1 BD02367號
1.3 維摩詰所說經卷下
1.4 餘067
1.5 70:1299
2.1 （2+52.5+2）×26厘米；2紙；共33行，行17字。
2.2 01：2+6.5，5； 02：46+2，28。
2.3 卷軸裝。首尾均殘。經黄紙。首紙殘破。脱落1塊殘片，已綴接。有烏絲欄。已修整。
3.1 首行上下殘→大正475，14/556B3～4。
3.2 尾行中殘→14/556C8～9。
8 8世紀。唐寫本。
9.1 楷書。
9.2 有硃筆斷句。
11 圖版：《敦煌寶藏》，66/444。

1.1 BD02368號
1.3 四分律比丘含注戒本
1.4 餘068
1.5 165:7000
2.1 （8+244.5）×28厘米；7紙；共175行，行27字。
2.2 01：8+16，17； 02：41.0，28； 03：41.0，28；
04：41.5，29； 05：41.0，29； 06：41.0，29；
07：23.0，15。
2.3 卷轴装。首尾均殘。首紙上下殘缺，尾紙上方殘損。有烏絲欄。
3.1 首殘，第7行→大正1806，40/430B9。

3.2　尾缺→40/432B9。
3.4　説明：
本文獻首6行上下殘，尾殘。本文獻雖為大正1806號《四分律比丘含注戒本》，但敦煌寫本多省略，撮略文意，並非逐字抄寫。關於本文獻，可參見《敦煌寫本〈比丘含注戒本〉釋文》。
8　8～9世紀。吐蕃統治時期寫本。
9.1　楷書。
9.2　有校改。有墨筆塗抹。
11　圖版：《敦煌寶藏》，103/328A～331A。

1.1　BD02369號
1.3　天地八陽神咒經
1.4　餘069
1.5　256:7649
2.1　(39.9+132.3)×28.1厘米；5紙；共100行，行23～24字。
2.2　01：26.3，16；　02：13.6+27.5，24；　03：41.0，24；　04：41.3，23；　05：22.5，13。
2.3　卷軸裝。首殘尾全。尾有原軸，兩端塗黑漆。卷首殘破嚴重，卷面有殘爛。有竪欄，無上下邊欄。
3.1　首24行上殘→大正2897，85/1423B11～C21。
3.2　尾全→85/1425B3。
4.2　佛說八陽神咒經（尾）。
5　與《大正藏》本對照，尾題前缺文一段，參見大正2897，85/1425B1～B2。
8　7～8世紀。唐寫本。
9.1　楷書。
11　圖版：《敦煌寶藏》，107/216B～218B。

1.1　BD02370號
1.3　大般涅槃經（北本）卷三
1.4　餘070
1.5　115:6302
2.1　(14.5+67.5)×26厘米；2紙；共55行，行17字。
2.2　01：14.5+38.5，35；　02：29+1，20。
2.3　卷軸裝。首尾均殘。有多處碎裂破損。背有古代裱補。有烏絲欄。
3.1　首9行下殘→大正374，12/381C19～29。
3.2　尾行殘→12/382B17。
6.1　首→BD07654號。
8　5～6世紀。南北朝寫本。
9.1　楷書。
11　圖版：《敦煌寶藏》，98/16A～17A。

1.1　BD02371號
1.3　大般涅槃經（北本）卷三七
1.4　餘071
1.5　115:6515
2.1　34×26.2厘米；1紙；共23行，行17字。
2.3　卷軸裝。首尾均殘。卷下端殘破。有烏絲欄。
3.1　首4行殘→大正374，12/585C11～15。
3.2　尾2行上殘→12/586A4～6。
8　5～6世紀。南北朝寫本。
9.1　隸楷。
11　圖版：《敦煌寶藏》，100/53A。

1.1　BD02372號
1.3　阿彌陀經
1.4　餘072
1.5　014:0125
2.1　62.4×26.4厘米；3紙；共26行，行17字。
2.2　01：10.5，護首；　02：29.9，14；　03：22.0，12。
2.3　卷軸裝。首全尾脫。有護首，有墨寫經名及經名號。尾紙上邊有一處開裂。已修整。
3.1　首殘→大正366，12/346B25。
3.2　尾殘→12/347A11。
4.1　佛說阿彌陀經（首）。
7.4　護首有經名“佛說阿彌陀經”。另有“五”字。
8　9～10世紀。歸義軍時期寫本。
9.1　楷書。
11　圖版：《敦煌寶藏》，56/592B～593B。

1.1　BD02373號
1.3　妙法蓮華經卷三
1.4　餘073
1.5　105:5195
2.1　(6+183.2)×27.1厘米；5紙；共112行，行17字。
2.2　01：6+27.9，21；　02：42.8，26；　03：42.4，26；　04：42.3，26；　05：27.8，13。
2.3　卷軸裝。首殘尾全。首紙上下有破裂殘損，上方有1殘洞；前2紙接縫處脫開；尾紙尾端有殘損，有蟲繭。有烏絲欄。
3.1　首4行下殘→大正262，9/25B19～23。
3.2　尾全→9/27B9。
4.2　妙法蓮華經卷第三（尾）。
8　8世紀。唐寫本。
9.1　楷書。
11　圖版：《敦煌寶藏》，89/390A～392B。

1.1　BD02374號
1.3　妙法蓮華經卷二
1.4　餘074
1.5　105:4932
2.1　47.9×26.2厘米；1紙；共26行，行16字（偈）。

2.3　卷軸裝。首尾均脫。有烏絲欄。
3.1　首殘→大正 262，9/14C6。
3.2　尾殘→9/15A12。
8　7 ~ 8 世紀。唐寫本。
9.1　楷書。
11　圖版：《敦煌寶藏》，87/255A ~ B。

1.1　BD02375 號
1.3　妙法蓮華經卷三
1.4　餘 075
1.5　105:4986
2.1　(13.8 + 606) × 26.4 厘米；13 紙；共 348 行，行 17 字。
2.2　01：13.8 + 30.8，25；　02：48.2，27；　03：48.0，27；
04：48.1，27；　05：48.1，27；　06：47.9，27；
07：48.2，27；　08：48.2，27；　09：48.0，27；
10：48.1，27；　11：48.2，27；　12：46.5，26；
13：47.7，27。
2.3　卷軸裝。首殘尾脫。接縫處多有開裂，卷面多油污。有烏絲欄。
3.1　首 8 行下殘→大正 262，9/19A14 ~ 26。
3.2　尾殘→9/24A15。
4.1　妙法蓮華經藥草喻品第□…□（首）。
8　8 世紀。唐寫本。
9.1　楷書。
11　圖版：《敦煌寶藏》，87/480B ~ 488B。

1.1　BD02376 號
1.3　妙法蓮華經卷二
1.4　餘 076
1.5　105:4834
2.1　(36.4 + 2.5) × 26.1 厘米；1 紙；共 21 行，行 17 字。
2.3　卷軸裝。首殘尾脫。有烏絲欄。
3.1　首殘→大正 262，9/11A15。
3.2　尾行中殘→9/11B17 ~ 18。
8　8 世紀。唐寫本。
9.1　楷書。
11　圖版：《敦煌寶藏》，87/46A。

1.1　BD02377 號
1.3　無量壽宗要經
1.4　餘 077
1.5　275:7750
2.1　180.5 × 31 厘米；4 紙；共 128 行，行 30 餘字。
2.2　01：45.0，32；　02：45.0，33；　03：45.5，33；
04：45.0，30。
2.3　卷軸裝。首尾均全。首紙下邊有殘缺，中間有破裂；接縫處有開裂，第 3、4 紙下邊有殘缺。背有古代裱補。有烏絲欄。
3.1　首全→大正 936，19/82A3。
3.2　尾全→19/84C29。
4.1　大乘無量壽經（首）
4.2　佛說無量壽宗要經（尾）。
8　8 ~ 9 世紀。吐蕃統治時期寫本。
9.1　楷書。
9.2　有校改。
11　圖版：《敦煌寶藏》，107/505A ~ 507B。

1.1　BD02378 號
1.3　金光明最勝王經卷四
1.4　餘 078
1.5　083:1677
2.1　(7.8 + 369.3) × 25.5 厘米；10 紙；共 247 行，行 17 字。
2.2　01：07.8，05；　02：40.2，27；　03：40.6，27；
04：41.2，27；　05：41.6，27；　06：41.6，27；
07：41.6，27；　08：41.9，27；　09：39.8，26；
10：40.8，27。
2.3　卷軸裝。首殘尾脫。第 2 紙前上有破損，卷面變色。有烏絲欄。
3.1　首 5 行下殘→大正 665，16/418B15 ~ 20。
3.2　尾殘→16/421B18。
7.1　卷首背有勘記"金光明經卷第四"。
8　9 ~ 10 世紀。歸義軍時期寫本。
9.1　楷書。
11　圖版：《敦煌寶藏》，69/238B ~ 243B。

1.1　BD02379 號
1.3　妙法蓮華經卷四
1.4　餘 079
1.5　105:5408
2.1　(14 + 278.2) × 26 厘米；8 紙；正面 165 行，行 17 字。背面 47 行，行 17 字。
2.2　01：14 + 13.5，16；　02：40.6，24；　03：40.8，24；
04：41.0，24；　05：41.2，24；　06：41.0，24；
07：41.3，24；　08：18.8，05。
2.3　卷軸裝。首殘尾全。卷首殘破嚴重。有燕尾。背有古代裱補。
2.4　本遺書包括 4 個文獻：（一）《妙法蓮華經卷四》，165 行，抄寫在正面，今編為 BD02379 號。（二）《思益梵天所問經變》，13 行，抄寫在背面，今編為 BD02379 號背 1。（三）《天請問經變》，13 行，抄寫在背面，今編為 BD02379 號背 2。（四）《梵網經盧舍那佛說菩薩心地戒品第十鈔》，21 行，抄寫在背面，今編為 BD02379 號背 3。
3.1　首 8 行上下殘→大正 262，9/34C3 ~ 11。
3.2　尾全→9/37A2。
4.2　妙法蓮華經卷第四（尾）。

8　8 世紀。唐寫本。
9.1　楷書。
11　圖版：《敦煌寶藏》，91/406B～412A。

1.1　BD02379 號背 1
1.3　思益梵天所問經變
1.4　餘 079
1.5　105:5408
2.4　本遺書由 4 個文獻組成，本號為第 2 個，13 行，抄寫在背面。餘參見 BD02379 號之第 2 項、第 11 項。
3.4　說明：
本文獻抄寫《思益梵天所問經》中的若干條經文，或為畫經變畫之參考。所抄經文如下：
第 1 至 3 行→大正 586，15/33A27～29；
第 4 至 5 行→15/36A28～29；
第 6 至 7 行→15/36B29～C1；
第 8 行→15/36B23～24；
第 9 行→15/36C2～3；
第 10 行→15/36B24～25；
第 11 行→諸比丘尼等俱來會座。
第 12 行至 13 行→15/36B1～2。
4.1　思益梵天經變（首）。
7.3　背有雜寫“緣坐”。
8　8～9 世紀。吐蕃統治時期寫本。
9.1　行書。
9.2　有間隔號。有行間校加字。有墨筆點刪。

1.1　BD02379 號背 2
1.3　天請問經變
1.4　餘 079
1.5　105:5408
2.4　本遺書由 4 個文獻組成，本號為第 3 個，13 行，抄寫在背面。餘參見 BD02379 號之第 2 項、第 11 項。
3.1　首全→大正 592，15/124B12。
3.2　尾殘→15/124C3。
3.4　說明：
本文獻抄寫《天請問經》經文，或為畫經變畫之參考。故名“天請問經變”。
4.1　天請問經變（首）。
8　8～9 世紀。吐蕃統治時期寫本。
9.1　行書。

1.1　BD02379 號背 3
1.3　梵網經盧舍那佛說菩薩心地戒品第十鈔
1.4　餘 079
1.5　105:5408
2.4　本遺書由 4 個文獻組成，本號為第 4 個，21 行，抄寫在背面。餘參見 BD02379 號之第 2 項、第 11 項。
3.4　說明：
本文獻抄寫《梵網經盧舍那佛說菩薩心地戒品第十》若干內容，從形式看，應屬雜抄。所抄經文情況如下：
第 1 行至第 3 行→大正 1484，24/1005B6～9；
第 4 行至第 6 行→24/1005B17～20；
第 7 行至第 9 行→24/1005B29～C4；
第 10 行至第 11 行→24/1005C5～7；
第 12 行至第 14 行→24/1005C20～23；
第 15 行至第 16 行→24/1005C24～1006A1；
第 17 行至第 18 行→24/1006B6～8；
第 19 行至第 21 行→24/1007B11～13。
5　與《大正藏》本對照，文字有缺漏。
8　8～9 世紀。吐蕃統治時期寫本。
9.1　行書。
9.2　有墨筆塗抹。

1.1　BD02380 號
1.3　觀世音三昧經
1.4　餘 080
1.5　295:8281
2.1　(12.5＋317.9)×26.5 厘米；8 紙；共 163 行，行 17 字。
2.2　01：12.5，7；　02：50.0，26；　03：49.8，26；
04：49.9，26；　05：49.9，26；　06：50.0，26；
07：49.8，26；　08：18.5，拖尾。
2.3　卷軸裝。首殘尾全。卷首殘破嚴重。有烏絲欄。
3.4　說明：
本文獻首 7 行下殘，尾全。未為歷代大藏經所收。
8　8 世紀。唐寫本。
9.1　楷書。
11　圖版：《敦煌寶藏》，109/514A～518A。

1.1　BD02381 號
1.3　無量壽宗要經
1.4　餘 081
1.5　275:8151
2.1　(9＋151.5＋2.5)×31 厘米；4 紙；正面 104 行，行 30 餘字。背面 5 行，行字不等。
2.2　01：9＋32.5，29；　02：41.5，29；　03：41.5，29；
04：36＋2.5，17。
2.3　卷軸裝。首全尾殘。卷首上下殘缺，卷面殘破。卷首脫落殘片 2 塊，可綴接。背有古代裱補。有烏絲欄。
2.4　本遺書包括 2 個文獻：（一）《無量壽宗要經》，104 行，抄寫在正面，今編為 BD02381 號。（二）《辛巳年何通子典兒契稿》（擬），5 行，抄寫在背面，今編為 BD02381 號背。
3.1　首 6 行上殘→大正 936，19/82A3～15。
3.2　尾 2 行中下殘→19/84C17～18。

4.1 □...□壽宗要經（首）。
8 8~9世紀。吐蕃統治時期寫本。
9.1 行楷。
11 圖版：《敦煌寶藏》，109/145B~147B。

1.1 BD02381號背
1.3 辛巳年何通子典兒契稿（擬）
1.4 餘081
1.5 275:8151
2.4 本遺書由2個文獻組成，本號為第2個，5行，抄寫在背面。餘參見BD02381號之第2項、第11項。
3.3 錄文：
辛巳年五月八日立契，洪池鄉百姓何通子伏緣家中/
常虧物用，經求無地。權設機謀，遂將腹生男善/
宗只（兒）典與押牙。/
（錄文完）
7.3 前有書儀雜寫2行："季春猶寒，伏以阿耶阿◇阿娘◇來大哏（?）含淨綸舍◇◇/德舍弟（?）好。"
8 9~10世紀。歸義軍時期寫本。
9.1 行書。

1.1 BD02382號
1.3 金剛般若波羅蜜經
1.4 餘082
1.5 094:4014
2.1 95.2×25.5厘米；2紙；共56行，行17字。
2.2 01：47.7，28； 02：47.5，28。
2.3 卷軸裝。首脫尾殘。經黃打紙。有烏絲欄。
3.1 首殘→大正235，8/750A19。
3.2 尾殘→8/750C19。
8 7~8世紀。唐寫本。
9.1 楷書。
11 圖版：《敦煌寶藏》，81/508A~509A。

1.1 BD02383號
1.3 金光明最勝王經卷一
1.4 餘083
1.5 083:1467
2.1 （9+118.1）×28.5厘米；3紙；共76行，行17字。
2.2 01：9+24.6，20； 02：46.7，28； 03：46.8，28。
2.3 卷軸裝。首殘尾脫，卷首碎裂嚴重，卷面油污、黴變。有烏絲欄。已修整。
3.1 首5行上殘→大正665，16/403A14~17。
3.2 尾殘→16/404A7。
8 8世紀。唐寫本。
9.1 楷書。
11 圖版：《敦煌寶藏》，68/21B~23A。

1.1 BD02384號
1.3 妙法蓮華經卷三
1.4 餘084
1.5 105:5038
2.1 （12+269.4+4.5）×25.6厘米；6紙；共160行，行17字。
2.2 01：12+31.6，24； 02：50.1，28； 03：50.2，28；
04：50.2，28； 05：50.0，28；
06：37.3+4.5，24。
2.3 卷軸裝。首尾均殘。經黃打紙。卷首殘破嚴重，尾有污漬。有烏絲欄。
3.1 首6行下殘→大正262，9/19A21~27。
3.2 尾3行下殘→9/21B7~10。
8 7~8世紀。唐寫本。
9.1 楷書。
11 圖版：《敦煌寶藏》，88/354A~358A。

1.1 BD02385號1
1.3 觀世音菩薩秘密藏如意輪陀羅尼神咒經
1.4 餘085
1.5 246:7467
2.1 （9.3+259.5）×25.3厘米；7紙；共147行，行17字。
2.2 01：9.3+18.3，16； 02：46.5，28； 03：46.5，28；
04：46.5，28； 05：42.9，19； 06：41.3，18；
07：17.5，10。
2.3 卷軸裝。首殘尾全。經黃紙。前3紙接縫處上開裂。卷首背面有古代裱補。有烏絲欄。
2.4 本遺書包括2個文獻：（一）《觀世音菩薩秘密藏如意輪陀羅尼神咒經》，142行，今編為BD02385號1。（二）《軍荼利提牙印咒》，5行，今編為BD02385號2。
3.1 首5行上下殘→大正1082，20/198A15~21。
3.2 尾全→20/200A12。
4.2 觀世音/菩薩秘密藏無障礙如意輪陀羅尼經/（尾）。
8 7~8世紀。唐寫本。
9.1 楷書。
11 圖版：《敦煌寶藏》，106/344B~348A。

1.1 BD02385號2
1.3 軍荼利提牙印咒
1.4 餘085
1.5 246:7467
2.4 本遺書由2個文獻組成，本號為第2個，5行。餘參見BD02385號1之第2項、第11項。
3.3 錄文：
軍荼利提牙印咒
咒曰：/
唵一，拔折囉二，騰瑟都三，嚧嚧震聲引也/羯吒毗婆耶四，

唵吽五，佉佉佉六，訶移七，底/瑟吒底瑟吒八，盤陀盤陀九，訶那訶那十，虎并/泮泮十一，馺婆訶。/
（録文完）

3.4 説明：
本文獻未為我國歷代大藏經所收。可參見《大正藏》第79卷，第240號《行林抄》，行文略有不同。

4.1 軍荼利提牙印咒（首）。
8 7~8世紀。唐寫本。
9.1 楷書。

1.1 BD02386號1
1.3 三藏聖教序（唐中宗）
1.4 餘086
1.5 083:1462
2.1 (13.5+322.6)×31厘米；8紙；共213行，行17字。
2.2 01：13.5+15.5，17；　02：44.0，28；　03：44.0，28；
04：43.7，28；　05：43.7，28；　06：44.0，28；
07：44.0，28；　08：43.7，28；
2.3 卷軸裝。首殘尾脫。卷首尾殘破較嚴重。有烏絲欄。
2.4 本遺書包括2個文獻：（一）《三藏聖教序（唐中宗）》，81行，今編為BD02386號1。（二）《金光明最勝王經卷一》，132行，今編為BD02386號2。
3.1 首9行下殘→昭和總目錄77，3/1421B15~24。
3.2 尾全→3/1422B6。
8 8~9世紀。吐蕃統治時期寫本。
9.1 楷書。
11 圖版：《敦煌寶藏》，68/3B~6B。

1.1 BD02386號2
1.3 金光明最勝王經卷一
1.4 餘086
1.5 083:1462
2.4 本遺書由2個文獻組成，本號為第2個，132行。餘參見BD02386號1之第2項、第11項。
3.1 首全→大正665，16/403A3。
3.2 尾殘→16/404B14。
4.1 金光明最勝王經序品第一，三藏法師義淨奉制譯（首）。
8 8~9世紀。吐蕃統治時期寫本。
9.1 楷書。
11 圖版：《敦煌寶藏》，68/3B~6B。

1.1 BD02387號
1.3 妙法蓮華經卷二
1.4 餘087
1.5 105:4842
2.1 205×27.1厘米；5紙；共110行，行17字。
2.2 01：40.9，22；　02：41.2，22；　03：41.0，22；
04：40.9，22；　05：41.0，22。
2.3 卷軸裝。首尾均脫。首紙脫落，上下邊略殘。有烏絲欄。
3.1 首殘→大正262，9/11B10。
3.2 尾殘→9/12C25。
8 8世紀。唐寫本。
9.1 楷書。
11 圖版：《敦煌寶藏》，87/67A~69B。

1.1 BD02388號
1.3 妙法蓮華經卷二
1.4 餘088
1.5 105:4915
2.1 (50.4+3.2)×26.2厘米；2紙；共29行，行17字。
2.2 01：48.3，26；　02：2.1+3.2，03。
2.3 卷軸裝。首脫尾殘。有烏絲欄。
3.1 首殘→大正262，9/13B24。
3.2 尾2行上下殘→9/13C26~27。
6.2 尾→BD02396號。
8 8世紀。唐寫本。
9.1 楷書。
11 圖版：《敦煌寶藏》，87/223B~224A。

1.1 BD02389號
1.3 妙法蓮華經卷七
1.4 餘089
1.5 105:6064
2.1 (1.5+510.5)×26厘米；12紙；共289行，行17字。
2.2 01：1.5+7.5，05；　02：49.5，28；　03：49.5，28；
04：49.5，28；　05：49.5，28；　06：49.5，28；
07：49.5，28；　08：49.5，29；　09：49.5，28；
10：49.5，29；　11：49.0，28；　12：08.5，02。
2.3 卷軸裝。首殘尾全。首紙有殘洞，有油污；上下邊略殘。背有古代裱補。有烏絲欄。
3.1 首行上下殘→大正262，9/58B10~11。
3.2 尾全→9/62B1。
4.2 妙法蓮華經卷第七（尾）。
8 9~10世紀。歸義軍時期寫本。
9.1 楷書。
11 圖版：《敦煌寶藏》，96/460A~466B。

1.1 BD02390號
1.3 金剛般若波羅蜜經
1.4 餘090
1.5 094:3724
2.1 (2.7+231.8)×26厘米；5紙；共131行，行17字。
2.2 01：2.7+31，19；　02：48.5，28；　03：48.5，28；
04：52.0，28；　05：51.8，28。

2.3　卷軸裝。首殘尾脫。經黄紙。卷首殘破，脱落 1 塊殘片，可以綴接；上下邊略有殘破，尾有蟲繭。背有古代裱補，字向内粘，難以辨認。有烏絲欄。
3.1　首 1 行上殘→大正 235，8/749A28。
3.2　尾殘→8/750C19。
8　7～8 世紀。唐寫本。
9.1　楷書。
11　圖版：《敦煌寶藏》，80/39A～42A。

1.1　BD02391 號
1.3　妙法蓮華經卷六
1.4　餘 091
1.5　105:5703
2.1　(9.5＋269.7＋8)×26 厘米；6 紙；共 159 行，行 17 字。
2.2　01：9.5＋25.5，19；　02：50.5，28；　03：50.5，28；
04：50.5，28；　05：50.2，28；
06：42.5＋8，28。
2.3　卷軸裝。首殘尾脫。經黄紙。接縫處有開裂，卷面有破裂，紙張油污變色，卷尾殘損。有烏絲欄。
3.1　首 5 行上殘→大正 262，9/47A1～5。
3.2　尾殘→9/49C2。
8　7～8 世紀。唐寫本。
9.1　楷書。
11　圖版：《敦煌寶藏》，94/347B～351B。

1.1　BD02392 號 A
1.3　般若波羅蜜多心經
1.4　餘 092
1.5　102:4472
2.1　(18＋18)×25 厘米；1 紙；共 18 行，行 17 字。
2.3　卷軸裝。首尾均全。卷首右下殘缺，紙變色。有烏絲欄。
3.1　首 7 行下殘→大正 251，8/848C4～12。
3.2　尾全→8/848C24。
4.1　般若波羅蜜多心經（首）。
4.2　般若波羅蜜多心經一卷（尾）。
8　9～10 世紀。歸義軍時期寫本。
9.1　楷書。
11　圖版：《敦煌寶藏》，83/306A。

1.1　BD02392 號 B
1.3　妙法蓮華經（八卷本）卷八
1.4　餘 092
1.5　105:5984
2.1　205×25 厘米；6 紙；共 118 行，行 17 字。
2.2　01：38.5，23；　02：42.0，24；　03：42.0，24；
04：32.0，18；　05：42.0，24；　06：08.5，05。
2.3　卷軸裝。首全尾斷。卷面有破裂及殘洞，有水漬，紙變色。背有古代裱補。有烏絲欄。
3.1　首全→大正 262，9/56C2。
3.2　尾殘→9/58B7。
4.1　妙法蓮華經觀世音菩□普門品第二十五，八（首）。
8　8 世紀。唐寫本。
9.1　楷書。
11　圖版：《敦煌寶藏》，96/260A～262B。

1.1　BD02392 號 C
1.3　無常經
1.4　餘 092
1.5　139:6665
2.1　64.4×26.5 厘米；2 紙；共 43 行，行 20 餘字。
2.2　01：37.8，26；　02：26.6，17。
2.3　卷軸裝。首尾均全。卷面油污，紙變色，下部有破裂。首紙背有古代裱補。有烏絲欄。
3.1　首全→大正 801，17/745B7。
3.2　尾全→17/746B8。
4.1　佛說無常經，亦名三啓經（首）
4.2　佛說無常經（尾）。
8　9～10 世紀。歸義軍時期寫本。
9.1　楷書。
9.2　有校改。有行間校加字。有倒乙。有刮改。
11　圖版：《敦煌寶藏》，101/108B～109A。

1.1　BD02393 號
1.3　大般涅槃經（北本　宮本）卷二一
1.4　餘 093
1.5　115:6416
2.1　(8＋767)×26 厘米；17 紙；共 470 行，行 17 字。
2.2　01：8＋31，23；　02：46.0，28；　03：46.0，28；
04：46.0，28；　05：46.0，28；　06：46.0，28；
07：46.0，28；　08：46.0，28；　09：46.0，28；
10：46.0，28；　11：46.0，28；　12：46.0，28；
13：46.0，28；　14：46.0，28；　15：46.0，28；
16：46.0，28；　17：46.0，27。
2.3　卷軸裝。首殘尾全。首紙殘缺，上下邊破損，卷前部上下殘破嚴重。背有古代裱補。有烏絲欄。
3.1　首 5 行上下殘→大正 374，12/487A8～12。
3.2　尾全→12/492C10。
4.2　大般涅槃經卷第廿一（尾）。
5　與《大正藏》本對照，分卷不同。與日本宮内寮本及《思溪藏》、《普寧藏》、《嘉興藏》分卷相同。
8　8 世紀。唐寫本。
9.1　楷書。
11　圖版：《敦煌寶藏》，99/83B～94A。

1.1 BD02394 號
1.3 大方廣佛華嚴經（晉譯五十卷本）卷一九
1.4 餘 094
1.5 001:0018
2.1 （4.5 +282.6 +2）×25.5 厘米；9 紙；共 179 行，行 17 字。
2.2 01：4.5 +17，13； 02：35.7，22； 03：35.7，22；
04：35.7，22； 05：35.5，22； 06：35.5，22；
07：35.5，22； 08：35.5，22； 09：16.5 +2，12。
2.3 卷軸裝。首尾均殘。卷首有等距離殘洞。有烏絲欄。
3.1 首 3 行下殘→大正 278，9/547C12 ~17。
3.2 尾 2 行上殘→9/550B13 ~16。
5 與《大正藏》本相比，分卷不同，相當於《大正藏》本卷二三的後部分及卷二四的前部分。本號《十地品》不分細目，且有“初地竟”這樣的子目。在此按照日本宫内寮五十卷本分卷。
8 5 ~6 世紀。南北朝寫本。
9.1 隸楷。
9.2 有行間校加字。
11 圖版：《敦煌寶藏》，56/82A ~86A。

1.1 BD02395 號
1.3 妙法蓮華經卷二
1.4 餘 095
1.5 105:4882
2.1 47.5 ×26.2 厘米；1 紙；共 26 行，行 17 字。
2.3 卷軸裝。首脱尾殘。有烏絲欄。
3.1 首行中殘→大正 262，9/12B28 ~29。
3.2 尾行下殘→9/12C26 ~27。
8 7 ~8 世紀。唐寫本。
9.1 楷書。
11 圖版：《敦煌寶藏》，87/157A ~B。

1.1 BD02396 號
1.3 妙法蓮華經卷二
1.4 餘 096
1.5 105:4922
2.1 （4.5 +39.4 +2.2）×26.3 厘米；1 紙；共 25 行，行 16 字（偈）。
2.3 卷軸裝。首尾均殘。有烏絲欄。
3.1 首 2 行上殘→大正 262，9/13C26 ~27。
3.2 尾行下殘→9/14A29。
6.1 首→BD02388 號。
6.2 尾→BD02786 號。
8 7 ~8 世紀。唐寫本。
9.1 楷書。
11 圖版：《敦煌寶藏》，87/240A ~B。

1.1 BD02397 號
1.3 無量壽宗要經
1.4 餘 097
1.5 275:7751
2.1 217.5 ×30 厘米；6 紙；共 133 行，行 30 餘字。
2.2 01：10.0，01； 02：41.5，28； 03：41.5，28；
04：41.5，28； 05：41.5，28； 06：41.5，20。
2.3 卷軸裝。首尾均全。上邊有等距離殘洞。有烏絲欄。
3.1 首全→大正 936，19/82A3。
3.2 尾全→19/84C29。
4.1 大乘無量壽（首）。
4.2 佛說無量壽宗要經（尾）。
7.1 首題前有前一文獻殘留題名“張興國”。卷尾有題名“張興國”。
8 8 ~9 世紀。吐蕃統治時期寫本。
9.1 楷書。
11 圖版：《敦煌寶藏》，107/507B ~510B。

1.1 BD02398 號
1.3 妙法蓮華經卷二
1.4 餘 098
1.5 105:4949
2.1 （4.2 +29.2）×26.2 厘米；1 紙；共 18 行，行 17 字。
2.3 卷軸裝。首殘尾脱。有烏絲欄。
3.1 首 2 行下殘→大正 262，9/16C9 ~11。
3.2 尾殘→9/16C28。
8 7 ~8 世紀。唐寫本。
9.1 楷書。
11 圖版：《敦煌寶藏》，87/295B。

1.1 BD02399 號
1.3 妙法蓮華經卷六
1.4 餘 099
1.5 105:5678
2.1 （6 +1011.2）×26 厘米；22 紙；共 559 行，行 17 字。
2.2 01：6 +15，12； 02：49.0，27； 03：49.0，27；
04：49.1，27； 05：49.5，27； 06：49.1，27；
07：49.2，27； 08：49.0，27； 09：49.0，27；
10：48.8，27； 11：49.0，27； 12：49.0，27；
13：48.5，27； 14：48.5，27； 15：49.0，27；
16：49.0，27； 17：48.8，27； 18：49.0，27；
19：49.0，27； 20：45.0，25； 21：48.7，27；
22：21.0，09。
2.3 卷軸裝。首殘尾全。卷首上下邊殘破，通卷有水漬、黴變。背有古代裱補。有烏絲欄。
3.1 首 3 行上殘→大正 262，9/47A7 ~9。
3.2 尾全→9/55A9。

4.2　妙法蓮華經卷第六（尾）。
8　9～10世紀。歸義軍時期寫本。
9.1　楷書。
11　圖版：《敦煌寶藏》，94/179B～194B。

1.1　BD02400號
1.3　金光明最勝王經卷九
1.4　餘100
1.5　083:1952
2.1　（1.3+120.8+1.4）×25.7厘米；5紙；共64行，行17字。
2.2　01：1.3+26.5，17；　02：46.8，28；　03：25.0，15；
　　04：17.5，素紙；　05：5+1.4，04。
2.3　卷軸裝。首殘尾斷。紙變色、變脆。背有古代裱補。有烏絲欄。
3.1　首殘→大正665，16/449C2。
3.2　尾殘→16/450C8。
5　第4～5紙間經紙被截去25～26行，另接一張素紙。所截去經文相當於大正665，16/450B6“明”字～450C4“水”字。查《敦煌石室經卷總目》，該號長度為3.5尺，與現存遺書長度基本相符。起止字亦相符。查《敦煌劫餘錄》，著錄本遺書為64行，與今存遺書亦相符。
6.1　首→BD04792號。
8　8～9世紀。吐蕃統治時期寫本。
9.1　楷書。
11　圖版：《敦煌寶藏》，71/84A～85A。

新舊編號對照表

一、千字文號與北敦號、縮微膠卷號對照表

千字文號	北敦號	縮微膠卷號
餘 011	BD02311 號	178：7094
餘 012	BD02312 號	094：3501
餘 012	BD02312 號背	094：3501
餘 013	BD02313 號	084：2591
餘 014	BD02314 號	083：1697
餘 015	BD02315 號	253：7561
餘 016	BD02316 號	414：8575
餘 017	BD02317 號	316：8354
餘 018	BD02318 號	084：2211
餘 019	BD02319 號 1	259：7666
餘 019	BD02319 號 2	259：7666
餘 019	BD02319 號背 1	259：7666
餘 019	BD02319 號背 2	259：7666
餘 020	BD02320 號	084：2594
餘 021	BD02321 號	275：7990
餘 022	BD02322 號	115：6293
餘 023	BD02323 號	275：7746
餘 024	BD02324 號	084：3088
餘 025	BD02325 號	275：7747
餘 026	BD02326 號	094：4151
餘 027	BD02327 號	084：3313
餘 028	BD02328 號	237：7388
餘 029	BD02329 號	105：5939
餘 030	BD02330 號	094：4340
餘 031	BD02331 號	084：2800
餘 032	BD02332 號	157：6970
餘 033	BD02333 號	084：2079
餘 034	BD02334 號	256：7661
餘 035	BD02335 號	229：7361
餘 036	BD02336 號	116：6537
餘 037	BD02337 號	240：7451
餘 038	BD02338 號	084：2578
餘 039	BD02339 號	084：2392
餘 040	BD02340 號	84：2798
餘 041	BD02341 號	084：2394
餘 042	BD02342 號	256：7662
餘 043	BD02343 號	275：7748
餘 044	BD02344 號	083：1696
餘 045	BD02345 號	203：7219
餘 046	BD02346 號	120：6618
餘 047	BD02347 號	237：7401
餘 048	BD02348 號	084：2757
餘 049	BD02349 號	070：0928
餘 050	BD02350 號	115：6292
餘 051	BD02351 號	412：8569
餘 052	BD02352 號	105：6097
餘 053	BD02353 號 1	068：0848
餘 053	BD02353 號 2	068：0848
餘 053	BD02353 號背 1	068：0848
餘 053	BD02353 號背 2	068：0848
餘 054	BD02354 號	105：5507
餘 055	BD02355 號	105：5170
餘 056	BD02356 號	105：4847
餘 057	BD02357 號 1	275：7749
餘 057	BD02357 號 2	375：7749
餘 057	BD02357 號 3	275：7749
餘 058	BD02358 號	178：7102
餘 059	BD02359 號	275：7918
餘 060	BD02360 號 1	014：0117
餘 060	BD02360 號 2	014：0117
餘 061	BD02361 號	461：8677
餘 062	BD02362 號	094：4282
餘 063	BD02363 號	014：0147
餘 064	BD02364 號	063：0781
餘 065	BD02365 號	94：4138
餘 066	BD02366 號	105：5275
餘 067	BD02367 號	70：1299
餘 068	BD02368 號	165：7000

餘 069	BD02369 號	256：7649	餘 085	BD02385 號 1	246：7467
餘 070	BD02370 號	115：6302	餘 085	BD02385 號 2	246：7467
餘 071	BD02371 號	115：6515	餘 086	BD02386 號 1	083：1462
餘 072	BD02372 號	014：0125	餘 086	BD02386 號 2	083：1462
餘 073	BD02373 號	105：5195	餘 087	BD02387 號	105：4842
餘 074	BD02374 號	105：4932	餘 088	BD02388 號	105：4915
餘 075	BD02375 號	105：4986	餘 089	BD02389 號	105：6064
餘 076	BD02376 號	105：4834	餘 090	BD02390 號	094：3724
餘 077	BD02377 號	275：7750	餘 091	BD02391 號	105：5703
餘 078	BD02378 號	083：1677	餘 092	BD02392 號 A	102：4472
餘 079	BD02379 號	105：5408	餘 092	BD02392 號 B	105：5984
餘 079	BD02379 號背 1	105：5408	餘 092	BD02392 號 C	139：6665
餘 079	BD02379 號背 2	105：5408	餘 093	BD02393 號	115：6416
餘 079	BD02379 號背 3	105：5408	餘 094	BD02394 號	001：0018
餘 080	BD02380 號	295：8281	餘 095	BD02395 號	105：4882
餘 081	BD02381 號	275：8151	餘 096	BD02396 號	105：4922
餘 081	BD02381 號背	275：8151	餘 097	BD02397 號	275：7751
餘 082	BD02382 號	094：4014	餘 098	BD02398 號	105：4949
餘 083	BD02383 號	083：1467	餘 099	BD02399 號	105：5678
餘 084	BD02384 號	105：5038	餘 100	BD02400 號	083：1952

二、縮微膠卷號與北敦號、千字文號對照表

縮微膠卷號	北敦號	千字文號	縮微膠卷號	北敦號	千字文號
001：0018	BD02394 號	餘 094	084：2394	BD02341 號	餘 041
014：0117	BD02360 號 1	餘 060	084：2578	BD02338 號	餘 038
014：0117	BD02360 號 2	餘 060	084：2591	BD02313 號	餘 013
014：0125	BD02372 號	餘 072	084：2594	BD02320 號	餘 020
014：0147	BD02363 號	餘 063	084：2757	BD02348 號	餘 048
063：0781	BD02364 號	餘 064	084：2800	BD02331 號	餘 031
068：0848	BD02353 號 1	餘 053	084：3088	BD02324 號	餘 024
068：0848	BD02353 號 2	餘 053	084：3313	BD02327 號	餘 027
068：0848	BD02353 號背 1	餘 053	094：3501	BD02312 號	餘 012
068：0848	BD02353 號背 2	餘 053	094：3501	BD02312 號背	餘 012
070：0928	BD02349 號	餘 049	094：3724	BD02390 號	餘 090
083：1462	BD02386 號 1	餘 086	094：4014	BD02382 號	餘 082
083：1462	BD02386 號 2	餘 086	094：4151	BD02326 號	餘 026
083：1467	BD02383 號	餘 083	094：4282	BD02362 號	餘 062
083：1677	BD02378 號	餘 078	094：4340	BD02330 號	餘 030
083：1696	BD02344 號	餘 044	102：4472	BD02392 號 A	餘 092
083：1697	BD02314 號	餘 014	105：4834	BD02376 號	餘 076
083：1952	BD02400 號	餘 100	105：4842	BD02387 號	餘 087
084：2079	BD02333 號	餘 033	105：4847	BD02356 號	餘 056
084：2211	BD02318 號	餘 018	105：4882	BD02395 號	餘 095
084：2392	BD02339 號	餘 039	105：4915	BD02388 號	餘 088

105：4922	BD02396 號	餘 096	237：7388	BD02328 號	餘 028
105：4932	BD02374 號	餘 074	237：7401	BD02347 號	餘 047
105：4949	BD02398 號	餘 098	240：7451	BD02337 號	餘 037
105：4986	BD02375 號	餘 075	246：7467	BD02385 號 1	餘 085
105：5038	BD02384 號	餘 084	246：7467	BD02385 號 2	餘 085
105：5170	BD02355 號	餘 055	253：7561	BD02315 號	餘 015
105：5195	BD02373 號	餘 073	256：7649	BD02369 號	餘 069
105：5275	BD02366 號	餘 066	256：7661	BD02334 號	餘 034
105：5408	BD02379 號	餘 079	256：7662	BD02342 號	餘 042
105：5408	BD02379 號背 1	餘 079	259：7666	BD02319 號 1	餘 019
105：5408	BD02379 號背 2	餘 079	259：7666	BD02319 號 2	餘 019
105：5408	BD02379 號背 3	餘 079	259：7666	BD02319 號背 1	餘 019
105：5507	BD02354 號	餘 054	259：7666	BD02319 號背 2	餘 019
105：5678	BD02399 號	餘 099	275：7746	BD02323 號	餘 023
105：5703	BD02391 號	餘 091	275：7747	BD02325 號	餘 025
105：5939	BD02329 號	餘 029	275：7748	BD02343 號	餘 043
105：5984	BD02392 號 B	餘 092	275：7749	BD02357 號 1	餘 057
105：6064	BD02389 號	餘 089	275：7749	BD02357 號 3	餘 057
105：6097	BD02352 號	餘 052	275：7750	BD02377 號	餘 077
115：6292	BD02350 號	餘 050	275：7751	BD02397 號	餘 097
115：6293	BD02322 號	餘 022	275：7918	BD02359 號	餘 059
115：6302	BD02370 號	餘 070	275：7990	BD02321 號	餘 021
115：6416	BD02393 號	餘 093	275：8151	BD02381 號	餘 081
115：6515	BD02371 號	餘 071	275：8151	BD02381 號背	餘 081
116：6537	BD02336 號	餘 036	295：8281	BD02380 號	餘 080
120：6618	BD02346 號	餘 046	316：8354	BD02317 號	餘 017
139：6665	BD02392 號 C	餘 092	375：7749	BD02357 號 2	餘 057
157：6970	BD02332 號	餘 032	412：8569	BD02351 號	餘 051
165：7000	BD02368 號	餘 068	414：8575	BD02316 號	餘 016
178：7094	BD02311 號	餘 011	461：8677	BD02361 號	餘 061
178：7102	BD02358 號	餘 058	70：1299	BD02367 號	餘 067
203：7219	BD02345 號	餘 045	84：2798	BD02340 號	餘 040
229：7361	BD02335 號	餘 035	94：4138	BD02365 號	餘 065